2022 9차개정판

핵심사항정리
적중률 높은 실전문제

전국 최다 합격생 배출 적중률 높은 수험서!!

소방시설관리사

2021년 10월 개정법령 수록한 개정판

1차

소방시설관리사 2차와 연계한 최고의 수험서

소방기술사 / 관리사
김 흥 준 저

- 강경원 소방학원 소방시설관리사 교재
- 이해와 원리 위주의 자동암기방식
- 본문 중 예제를 통한 실전문제 예상
- 실전문제를 통한 시험 대비 능력 향상
- 학습혼란방지 위한 개정법 반영 · 수정한 기출문제 수록

上 권

학원 : www.kkw119.com
출판 : www.bestbook.co.kr

한솔아카데미 H/A/N/S/O/L/A/C/A/D/E/M/Y

Preface

머 리 말

머리말 첫 글자를 쓰는데 너무나 많은 생각들이 제 머리를 스치고 지나가 한참만에 펜을 듭니다.

십여 년 전 우연찮게 학원에서 소방시설관리사 1차 필기 강의를 맡게 되어 수험생들을 가르치게 되었습니다. 가장 기본적인 단위에서부터 많은 이론과 원리들, 이해하기 어려운 역학, 공학들…… 현장의 많은 경험과 소방기술사, 관리사, 타분야 자격증을 가지고 있었지만 솔직하게 말씀드리면 부족한 저에게는 분명히 어려운 부분이었습니다.

가르치는 입장에서 어려웠으면 배우는 수험생 분들은 더 어려웠겠지요.

그래서 수험생 분들이 더 쉽게 이해하고 많은 시간을 소비하지 않도록 가르쳐야겠다고 생각이 들어 이를 학원 교재로 만들게 되었으며 좀 더 보기 좋게 하기 위해 책을 내게 되었습니다.

저 뿐만 아니라 모든 사람이 그렇듯이 원리 위주로 배우면 더욱 암기가 쉽다는 것을 알기 때문에 이 책을 원리와 스토리 위주로 내용을 구성하려고 노력했습니다.

또한 모든 것을 처음 배우는 유아들은 눈에 들어오는 전체 화면을 이미지화 시켜서 자기 것을 만들듯 어려운 부분, 암기가 어려운 부분은 이미지화 시켜 혼란이 오지 않도록 하였습니다.

이렇게 원리와 이미지화 되도록 책을 구성하다 보니 여러 사진, 그림 등이 삽입 되었고 어느 부분을 이해하고 설명하기 위해 제가 접하지 못한 많은 자료, 그림, 사진들 중 일부를 본의 아니게 사용한 점에 대해 여러 교수님과 선배 기술사님, 관련자분들께 양해를 구하고자 하며 다시 한번 진심으로 이해와 감사를 드립니다.

앞으로도 잘못된 부분이 있다면 계속 보완해 나갈 것이며, 이 책으로 공부하시는 수험생들에게 많은 도움이 되었으면 하는 바램과 합격의 영광이 같이 하기를 바랍니다. 마지막으로 이 책을 출간하기까지 물심양면으로 도와주신 학원, 출판사 분들 및 출판을 위해 많은 시간배려해 준 아내 병임과 딸 연아, 아들 연우에게 감사의 마음을 전합니다.

저자 김흥준 배상

소방시설관리사 시험안내

❶ 소방시설관리사 개요

- 국가경제 및 산업의 발달로 소방안전을 위협하는 요인이 증가 추세에 있어 소방안전관리의 전문적인 기법, 법령, 제도의 개선을 통하여 소방대상물의 효율적이고 전문적인 관리가 요구되어 자격제도를 도입함.
- 소방시설관리사는 소방시설의 점검 및 정비, 건축물 소방시설의 유지관리, 건축물 관계인이 위탁하는 소방안전관리 등을 주요 직무로 한다.
- 소관 부처는 소방청 소방제도과이며 실시기관은 한국산업인력공단 전문자격국

❷ 시험의 시행 및 공고

- 1년마다 1회 시행함을 원칙으로 하되, 소방방재청장이 필요하다고 인정하는 때에는 그 횟수를 증감할 수 있다.
- 소방청장은 관리사시험의 시행일 90일 전까지 1개 이상의 일간신문에 공고

❸ 응시자격

자 격	실무경력
소방설비기사, 특급 소방안전관리자	2년 이상
소방안전공학 전공 한 후, 이공계 분야의 석사학위	
소방설비산업기사, 위험물산업기사, 위험물기능사, 산업안전기사	3년 이상
1급 소방안전관리자, 이공계 분야의 학사학위, 소방안전 관련학과의 학사학위	
2급 소방안전관리자, 소방공무원	5년 이상
3급 소방안전관리자	7년 이상
소방실무경력	10년 이상
소방기술사, 건축기계설비기술사 · 건축전기설비기술사, 공조냉동기계기술사, 위험물기능장, 건축사, 소방안전공학 전공 한 후 석사학위 이상, 이공계 분야의 박사학위를 취득한 사람	

❹ 소방시설관리사의 결격사유

- 피성년후견인
- 금고 이상의 실형(소방기본법, 소방시설공사업법, 위험물 안전관리법)을 선고받고 그 집행이 끝나거나(집행이 끝난 것으로 보는 경우를 포함) 집행이 면제된 날부터 2년이 지나지 아니한 사람
- 금고 이상의 형의 집행유예를 선고받고 그 유예기간 중에 있는 사람
- 자격이 취소된 날부터 2년이 지나지 아니한 사람

❺ 시험과목

구 분	과목	세부기준	문항	시간
제1차시험 선택형 (필기시험)	소방안전관리론 및 화재역학	– 연소 및 소화·화재예방관리·건축물소방안전기준·인원수용 및 피난계획에 관한 부분 – 화재성상·화재하중·열전달·화염확산·연소속도·구획화재·연소생성물·연기의 생성 및 이동	25	125분
	소방수리학· 약제화학 및 소방전기	소방전기는 소방관련 전기공사재료 및 전기제어에 관한 부분	25	
	소방관련 법령	소방기본법, 소방시설공사업법, 소방시설법, 위험물안전관리법, 다중이용업소의 안전관리에 관한 특별법	25	
	위험물의 성상 및 시설기준	–	25	
	소방시설의 구조원리	고장진단 및 정비를 포함	25	
제2차시험 논문형 기입형 (실기시험)	소방시설의 점검실무행정	점검절차 및 점검기구 사용법 포함	–	90분
	소방시설의 설계 및 시공	–	–	90분

❻ 시험과목의 면제

구 분	면제 과목	
제1차시험 과목 가운데 일부를 면제	소방수리학, 약제화학, 소방전기	소방관계법령
	소방기술사 (15년 이상 소방실무경력)	소방공무원(15년 이상 근무한 경력이 있는 사람으로서 5년 이상 소방청장이 정하여 고시하는 소방 관련 업무 경력이 있는 사람)
제2차시험 과목 가운데 일부를 면제	소방설계 및 시공	점검 및 실무
	1. 기술사 – 소방, 공조냉동기계 건축전기(기계)설비 2. 위험물기능장·건축사	소방공무원(5년 이상 근무한 경력)

❼ 제1차 시험 합격자 제출서류

- 응시자격 서류심사 신청서(한국산업인력공단 소정양식 – 1부)
- 자격증 또는 자격수첩 사본 1부
- 학력인정증명서(졸업증명서) 1부
- 소방실무경력관련 증빙서류

이 책의 특징

01 출제 분석 및 학습전략을 제시

소방시설관리사 1차 시험은 60점 이상시 합격을 하지만 2차 시험이란 거대한 산이 기다리고 있습니다. 그 산을 넘기 위해 1차부터 철저히 공부하여야 합니다. 즉 1차 시험과 2차 시험을 별개로 공부하는 것이 아니라 2차 시험에 대비하여 1차 공부를 하여야 합니다. 하지만, 60점 이상 합격하는 시험을 100점을 목표로 공부하시면 큰 일입니다. 2차와 연계하기 위해 1차 다섯 과목 중 제1과목 소방안전관리론 건축법규와 관련된 부분, 제2과목 중 소방수리학의 펌프와 관련된 부분, 제3과목 소방관계법령의 별표, 제5과목 전체를 집중 공략하여 평균 60점(과락 : 40점) 이상을 받도록 하여야 합니다.

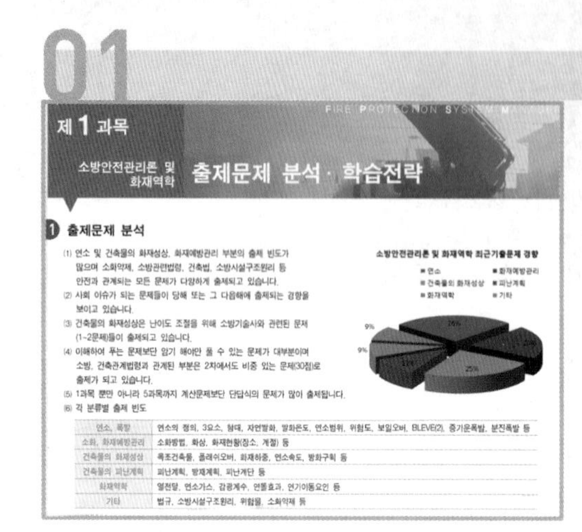
제 1 과목

소방안전관리론 및 화재역학 출제문제 분석 · 학습전략

1 출제문제 분석

(1) 연소 및 건축물의 화재성상, 화재예방관리 부분의 출제 빈도가 많으며 소화약제, 소방관련법령, 건축법, 소방시설구조원리 등 안전과 관계되는 모든 문제가 다양하게 출제되고 있습니다.
(2) 사회 이슈가 되는 문제들이 당해 또는 그 다음해에 출제되는 경향을 보이고 있습니다.
(3) 건축물의 화재성상은 난이도 조절을 위해 소방기술사와 관련된 문제(1~2문제)들이 출제되고 있습니다.
(4) 이해하여 푸는 문제보단 암기 해야만 풀 수 있는 문제가 대부분이며 소방, 건축관계법령과 관계된 부분은 2차에서도 비중 있는 문제(30점)로 출제가 되고 있습니다.
(5) 1과목 뿐만 아니라 5과목까지 계산문제보단 단답식의 문제가 많이 출제됩니다.
(6) 각 분류별 출제 빈도

연소, 폭발	연소의 정의, 3요소, 형태, 자연발화, 발화온도, 연소범위, 위험도, 보일오버, BLEVE(2), 증기운폭발, 분진폭발 등
소화, 화재예방관리	소화방법, 화상, 화재현황(장소, 계절) 등
건축물의 화재성상	목조건축물, 플래쉬오버, 화재하중, 연소속도, 방화구획 등
건축물의 피난계획	피난계획, 방재계획, 피난계단 등
화재역학	열전달, 연소가스, 감광계수, 연돌효과, 연기이동요인 등
기타	법규, 소방시설구조원리, 위험물, 소화약제 등

02 이해를 돕기 위해 완전 칼라판으로 출간

모든 그림, 사진 등을 칼라로 삽입하여 혼자 공부하시는 분들도 쉽게 접근하도록 책을 편집하였으며 분류를 하여야 하는 부분은 색상을 달리하여 표현하였습니다. 소방관계법령의 경우 법을 정하는 기준 등을 칼라로 분류함으로서 시각적 효과를 높였습니다.

(4) 누설검사관
① 액체위험물의 누설을 검사하기 위한 관 설치개수 – 4개소 이상
② 누설검사관의 기준
㉠ 이중관으로 할 것. 다만, 소공이 없는 상부는 단관으로 할 수 있다.
㉡ 재료는 금속관 또는 경질합성수지관으로 할 것
㉢ 관은 탱크 전용실의 바닥 또는 탱크의 기초 위에 닿게 할 것
㉣ 관의 밑부분으로부터 탱크의 중심 높이까지의 부분에는 소공이 뚫려 있을 것. 다만, 지하수위가 높은 장소에 있어서는 지하수위 높이까지의 부분에 소공이 뚫려 있어야 한다.
㉤ 상부는 물이 침투하지 아니하는 구조로 하고, 뚜껑은 검사시에 쉽게 열 수 있도록 할 것

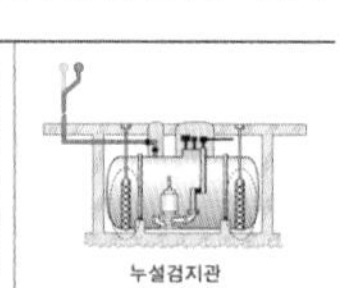
누설검지관

03 본문의 예제 및 포인트를 통한 중요도, 예상문제 예측

본문의 내용을 학습 중에 그냥 지나치기 쉬운 부분에 대해 예제를 통해 간과하지 않도록 했으며 본문의 내용에 대해 바로 출제되는 유사 문제를 풀어봄으로서 "아~ 이 부분이 이렇게 출제되는구나, 이런 의미를 가지는 구나"라고 각인을 시키도록 하였습니다.

(2) 유도기전력의 방향
① 플레밍의 오른손 법칙
㉠ 도체 운동에 의한 유도 기전력의 방향을 결정하는 법칙(예 : 발전기)
㉡ 엄지 – 도체의 운동방향, 검지 – 자기장의 방향, 중지 – 유도기전력의 방향

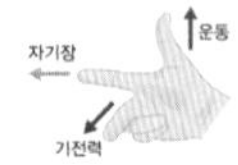

플레밍의 오른손법칙

도체운동에 의한 기전력의 방향(좌측그림)
도체가 좌측으로 운동하므로 기전력은 들어가는 방향이다.(우측그림)

예제 07 도체 운동에 의한 유도 기전력의 방향을 결정하는 법칙은?

① 렌츠의 법칙
② 패러데이의 전자유도 법칙
③ 플레밍의 오른손 법칙
④ 암페어의 오른나사 법칙

정답 ③

04 이미지화를 통한 학습효과 극대화

4 주요 물리량 단위의 이미지화(암기방법)

$N \cdot s^2$		$N \cdot S$ 운동량(α) $kg \cdot m/s$	N(dyne) 힘(F) $kg \cdot m/s^2$	$N \cdot m$ 일, 열량, 에너지(J) $kg \cdot m^2/s^2$
			N/m(dyne/cm) 표면장력(σ) kg/s^2	$N \cdot m/s$ 동력(W) $kg \cdot m^2/s^3$
		$N \cdot s/m^2$ 점성계수(μ) $kg/m \cdot s$ $g/cm \cdot s$ = Poise	N/m^2 압력(P) $kg/m \cdot s^2$	
	$\frac{\mu}{\rho}(cm^2/s)$ 동점성계수(ν)		N/m^3 비중량(γ) $kg/m^2 \cdot s^2$	
$N \cdot s^2/m^4$ 밀도(ρ) kg/m^3			N/m^4	

소방전기를 전공하신 분들이 어려워하는 부분 중 하나가 소방수리학의 단위입니다. 물론 어느 정도 공부량이 있다면 잠시 생각 후 단위를 알아낼 수 있지만 MKS 단위가 아닌 CGS 단위계, SI 단위를 절대단위와 중력단위로 물어본다면 헷갈릴 수도 있겠죠. 즉 이런 물리량에 대한 단위를 암기하는 방식이 아닌 이미지화시키는 방법으로 학습효과를 극대화시켰습니다.

05 원리 위주의 이해를 통한 적응력 향상

Point

위험물의 가장 기본적인 반응식 만드는 법

1) 금속 또는 금속을 함유한 물질과 물과의 반응식(소화의 적용성 판단)

(1) 과산화나트륨의 반응식

① 금속 또는 금속을 함유한 물질과 물과의 반응 시 생성물질은 금속 + OH(수산화기) 이다.

$Na_2O_2 + H_2O \rightarrow NaOH$

여기서 중요한 것은 Na는(최외각 전자가 1개인 1족 +1가) 원자가 +1 이며

OH는 원자가가 +1인 H 2개와 원자가가 −2인 O(최외각 전자가 6개인 6족으로 전자 2개가 모자라 −2가) 1개로서 원자가의 합은 −1이다.

즉, Na의 +1 과 OH의 −1의 합은 0 이 되는데 0의 의미는 안정화이며 "반응해서 안정한 물질이 되려고 한다"라고 생각하면 된다.

$MgO_2 + H_2O \rightarrow Mg(OH)_2$

하지만 Mg의 경우 수산화기가 $(OH)_2$로서 2개이다.

이유는 Mg(최외각 전자가 2개인 2족으로 전자 2개가 남아 +2가)는 +2가이고

OH는 −1가로서 그 합이 0이 아니므로 안정화 될 수 없으므로 안정화 하기 위해

OH 2개가 필요한 것이다.

수험생들이 가장 어려워하는 위험물의 성상에서 금속이 물과 반응시 생성 물질, 산과 반응시 생성물질 등을 화학원리를 이용하여 암기가 아닌 방식으로 이해하도록 하였습니다. 즉, 모든 공식을 단순히 암기하는 방식이 아닌 그림 등을 통해 이해하도록 공식의 유도과정을 설명하였습니다. 소방전기의 경우 주울의 법칙 $H = 0.24 I^2 Rt[cal]$가 전압의 공식 $V[V] = \frac{W[J]}{Q[C]}$과 동일한 식임을 또 정전에너지의 공식이 왜 $W = \frac{1}{2} CV^2 [J]$ 인지를 상세히 설명하여 변형된 출제 문제에 적응성을 높였습니다.

06 법 개정을 반영한 실전문제와 기출문제

••• 02 고층건축물 화재안전기준에 의한 몇 층 이상의 건축물에 설치된 스프링클러 헤드는 2개 이상의 가지배관 양방향에서 소화용수가 공급되어야 하는가?

① 11층 ② 30층 ③ 45층 ④ 50층

스프링클러 헤드	50층 이상인 건축물에는 2개 이상의 가지배관 양방향에서 소화용수가 공급되도록 하고, 수리계산에 의한 설계를 하여야 한다.

••• 10 고층건축물 화재안전기준에 따른 특별피난계단의 계단실 및 부속실 제연설비의 비상전원 용량은?(단 층수는 44층이다.)

① 20분 ② 40분 ③ 60분 ④ 120분

고층건축물의 특별피난계단의 계단실 및 부속실의 비상전원은 제연설비를 유효하게 40분이상 작동시킬 수 있어야 하며 50층 이상인 경우 60분 이상 작동시킬 수 있어야 한다.

이 책은 2021년 법 개정으로 최근 법 개정 부분을 반영하되 현행법에 맞도록 변경하여 학습자의 혼란이 없도록 최대한 배려하였습니다.

Contents

소방시설관리사 상 권 목차

1과목

소방안전관리론 및 화재역학

PART 01. 연 소

01. 연소의 정의 ········ 1-3
02. 연소의 조건 ········ 1-7
03. 연소의 형태 ········ 1-23
04. 폭 발 ········ 1-29
05. 방 폭 ········ 1-32
■ 실전 예상문제 ········ 1-36

PART 02. 화재 예방관리 및 소화

01. 화재예방관리 ········ 1-51
02. 소 화 ········ 1-58
■ 실전 예상문제 ········ 1-64

PART 03. 건축물의 화재성상

01. 화재의 형태 ········ 1-72
02. 목조건축물 화재 ········ 1-72
03. 내화건축물 화재 ········ 1-73
04. 건축물의 내화성능 등 ········ 1-80
■ 실전 예상문제 ········ 1-90

PART 04. 건축물의 피난계획 등

01. 피난계획 ········ 1-104
02. 건축물 형태에 따른 특성 ········ 1-118
03. 건축물의 방화계획 ········ 1-119
■ 실전 예상문제 ········ 1-122

PART 05. 화재역학

01. 열전달 ··· 1-130
02. 화재플럼(Fire Plume) ··· 1-132
03. 연소생성물 ··· 1-133
04. 연 기 ··· 1-137
05. 연기의 농도표시 ··· 1-143
■ 실전 예상문제 ··· 1-144

2과목 소방수리학, 약제화학 및 소방전기

PART 01. 소방수리학

01. 물리량의 차원과 단위 ··· 2-3
■ 실전 예상문제 ··· 2-17
02. 유체의 성질과 법칙 ··· 2-29
■ 실전 예상문제 ··· 2-36
03. 유체의 운동 ··· 2-42
■ 실전 예상문제 ··· 2-49
04. 유체의 흐름 ··· 2-57
■ 실전 예상문제 ··· 2-64
05. 유체의 측정 ··· 2-74
■ 실전 예상문제 ··· 2-78
06. 유체의 배관 및 펌프 ··· 2-80
■ 실전 예상문제 ··· 2-96
07. 열역학법칙 등 ··· 2-107
■ 실전 예상문제 ··· 2-109

Contents

PART 02. 약제화학

01. 물 소화약제 2-112
02. 강화액(Loaded Stream) 2-115
■ 실전 예상문제 2-116
03. 포소화약제 2-119
■ 실전 예상문제 2-123
04. 이산화탄소 소화약제 2-131
■ 실전 예상문제 2-134
05. 할론 소화약제 2-139
06. 할로겐화합물 소화약제 및 불활성가스 소화약제 2-143
■ 실전 예상문제 2-148
07. 분말소화약제 2-154
■ 실전 예상문제 2-158

PART 03. 소방전기

01. 전기의 본질 2-165
02. 직류 회로 2-166
■ 실전 예상문제 2-181
03. 콘덴서의 정전(기)용량 2-190
04. 전계와 자계 2-194
05. 전자력 2-201
06. 유도기전력 2-204
07. 인덕턴스 2-208
08. 전자 에너지 2-212
■ 실전 예상문제 2-214
09. 교류 회로의 기초 2-222
10. 교류 전류에 대한 R L C의 동작 2-227
11. 교류 전력 2-237
12. 3상 교류 2-240

13. 3상 전력 2-243
14. 비정현파 2-244
■ 실전 예상문제 2-246
15. 전기계측 2-252
16. 지시 계기의 측정 범위 확대 2-256
17. 자동제어 시스템 2-259
18. 전기 공사 재료 등 2-269
■ 실전 예상문제 2-275

3과목 소방관련법령

PART 01. 소방기본법, 시행령, 시행규칙

01. 목 적 3-3
02. 소방업무, 소방력 등의 기준 3-3
03. 소방용수시설의 설치 및 관리 등 3-5
04. 소방박물관 등의 설립과 운영 3-8
05. 소방의 날 제정과 운영 등 3-8
06. 화재경계지구의 지정 3-8
07. 소방교육·훈련 3-9
08. 한국119청소년단 3-11
09. 소방안전교육사 3-12
10. 화재의 예방조치 등 3-12
11. 불을 사용하는 설비 등의 관리와 특수가연물의 저장·취급 3-14
12. 소방지원활동, 생활안전활동 3-18
13. 화재에 관한 위험경보 3-19
14. 소방신호 3-19
15. 화재 등의 통지 3-20

Contents

16. 119 종합상황실의 설치와 운영 ······ 3-20
17. 소방활동 ······ 3-22
18. 소방활동에 대한 면책 및 소송지원 ······ 3-22
19. 소방자동차의 우선 통행 등 ······ 3-23
20. 소방자동차 전용구역 등 ······ 3-23
21. 소방활동구역의 설정 ······ 3-25
22. 피난 명령 ······ 3-25
23. 소방활동 종사 명령 ······ 3-26
24. 위험시설 등에 대한 긴급조치 ······ 3-26
25. 강제처분 등 ······ 3-27
26. 소방업무의 응원 ······ 3-27
27. 소방력의 동원 ······ 3-28
28. 화재의 원인 및 피해 조사 ······ 3-29
29. 출입·조사 등 ······ 3-31
30. 국가경찰공무원, 관계 보험회사의 협력 등 ······ 3-31
31. 소방산업의 육성·진흥 및 지원 등 ······ 3-32
32. 한국소방안전원의 설립 등 ······ 3-33
33. 손실보상 ······ 3-35
34. 권한의 위임 등 ······ 3-39
35. 과태료 ······ 3-40
■ 실전 예상문제 ······ 3-41

PART 02. 소방시설공사업법, 시행령, 시행규칙

01. 목 적 ······ 3-60
02. 소방시설공사등 관련 주체의 책무 ······ 3-60
03. 소방시설업의 등록, 변경 등 ······ 3-61
04. 소방시설업의 업종별 등록기준 및 영업범위 ······ 3-67
05. 설 계 ······ 3-73
06. 시 공 ······ 3-74
07. 공사의 도급 ······ 3-79
08. 감 리 ······ 3-85

09. 설계·감리업자의 선정 ······ 3-91
10. 소방 기술용역의 대가 기준 ······ 3-92
11. 노임에 대한 압류의 금지 ······ 3-93
12. 시공능력 평가의 신청, 평가 및 공시 ······ 3-93
13. 소방기술 경력 등의 인정 등 ······ 3-96
14. 소방기술자의 의무 ······ 3-97
15. 소방기술자의 실무교육 등 ······ 3-97
16. 소방시설업자협회의 설립 ······ 3-99
17. 감 독 ······ 3-99
18. 소방시설업 종합정보시스템의 구축 등 ······ 3-101
19. 기 타 ······ 3-101
20. 과태료 ······ 3-102
21. 등록취소와 영업정지 등 ······ 3-103
22. 과징금처분 ······ 3-105
23. 소방시설업자의 처분통지 등 ······ 3-106
■ 실전 예상문제 ······ 3-107

PART 03. 화재예방, 소방시설설치·유지 및 안전관리에 관한 법률, 령, 규칙

01. 목 적 ······ 3-129
02. 국가 및 지방자치단체의 책무 ······ 3-129
03. 소방특별조사 ······ 3-130
04. 소방기술심의위원회 ······ 3-136
05. 소방대상물의 방염 등 ······ 3-138
06. 건축허가 등의 동의 ······ 3-140
07. 주택에 설치하는 소방시설 ······ 3-143
08. 특정소방대상물에 설치하는 소방시설 등의 유지·관리 등 ······ 3-143
09. 피난시설, 방화구획 및 방화시설의 유지·관리 ······ 3-153
10. 특정소방대상물의 공사 현장에 설치하는 임시소방시설의 유지·관리 등 ······ 3-154
11. 소방시설기준 적용의 특례 ······ 3-154

Contents

12. 특정소방대상물의 소방안전관리 ······ 3-159
13. 특정소방대상물의 근무자 및 거주자에 대한 소방훈련 등 ··· 3-169
14. 특정소방대상물의 관계인에 대한 소방안전교육 ······ 3-170
15. 공공기관 등의 소방안전관리 ······ 3-170
16. 소방안전 특별관리시설물의 안전관리 ······ 3-171
17. 우수 소방대상물 관계인에 대한 포상 등 ······ 3-172
18. 소방시설 등의 자체점검 등 ······ 3-173
19. 소방시설관리사 ······ 3-178
20. 소방시설관리업 ······ 3-181
21. 소방시설관리업 점검능력 평가 및 공시 등 ······ 3-186
22. 소방시설관리업 등록의 취소와 영업정지 등 ······ 3-187
23. 과징금처분 ······ 3-188
24. 소방용품의 형식승인 ······ 3-189
25. 소방용품의 성능인증 ······ 3-192
26. 제품검사 전문기관의 지정 등 ······ 3-193
27. 우수품질 제품에 대한 인증 및 지원 ······ 3-194
28. 소방용품의 수집검사 등 ······ 3-195
29. 소방안전관리대상물의 소방안전관리에 관한 시험 등 ······ 3-195
30. 소방안전관리자 등에 대한 교육 ······ 3-196
31. 권한의 위임·위탁 등 ······ 3-198
32. 감 독 ······ 3-199
33. 벌칙 적용 시의 공무원 의제 ······ 3-200
34. 청 문 ······ 3-200
35. 벌 칙 ······ 3-200
36. 신고포상금의 지급 ······ 3-202
37. 조치명령 등의 기간연장 ······ 3-203
38. 수수료 등 ······ 3-204
39. 고유식별정보의 처리 ······ 3-204
■ 실전 예상문제 ······ 3-205

PART 04. 다중이용업소의 안전관리에 관한 특별법, 령, 규칙

01. 목 적 ······ 3-239
02. 다중이용업의 범위 ······ 3-239
03. 국가 등의 책무 ······ 3-241
04. 다른 법률과의 관계 ······ 3-241
05. 안전관리기본계획의 수립·시행 등 ······ 3-242
06. 관련 행정기관의 통보사항 ······ 3-244
07. 소방안전교육 ······ 3-245
08. 다중이용업소의 안전관리기준 등 ······ 3-247
09. 다중이용업의 실내장식물 ······ 3-253
10. 피난안내도의 비치 또는 피난안내 영상물의 상영 ······ 3-254
11. 다중이용업주의 안전시설 등에 대한 정기점검 등 ······ 3-256
12. 화재배상책임보험 가입 의무 ······ 3-257
13. 화재배상책임보험 가입 촉진 및 관리 ······ 3-259
14. 다중이용업소에 대한 화재위험평가 ······ 3-261
15. 화재위험평가 대행자의 등록 등 ······ 3-263
16. 평가대행자의 등록취소 등 ······ 3-265
17. 안전관리에 관한 전산시스템의 구축·운영 ······ 3-266
18. 법령위반업소의 공개 ······ 3-268
19. 안전관리우수업소표지 등 ······ 3-269
20. 고유식별정보의 처리 ······ 3-271
21. 압류의 금지 ······ 3-272
22. 권한의 위탁 ······ 3-272
23. 벌 칙 ······ 3-272
■ 실전 예상문제 ······ 3-275

Contents

소방시설관리사 하 권 목차

4과목

위험물의 성상 및 시설기준

PART 01. 위험물의 성상

01. 위험물의 일반적인 개요 ······ 4-3
02. 위험물의 위험등급, 지정수량에 따른 분류 ······ 4-7
03. 위험물의 일반적인 공통성질 ······ 4-8
04. 위험물의 분류 ······ 4-15
1 제1류 위험물 ······ 4-15
- 실전 예상문제 ······ 4-20
2 제2류 위험물 ······ 4-32
- 실전 예상문제 ······ 4-35
3 제3류 위험물 ······ 4-41
- 실전 예상문제 ······ 4-46
4 제4류 위험물 ······ 4-55
- 실전 예상문제 ······ 4-64
5 제5류 위험물 ······ 4-81
- 실전 예상문제 ······ 4-85
6 제6류 위험물 ······ 4-93
- 실전 예상문제 ······ 4-95

PART 02. 위험물안전관리법

01. 위험물안전관리법 목적 등 ········ 4-101
02. 제조소 등 ········ 4-102
03. 제조소 등의 설치·변경 등 ········ 4-104
04. 제조소 등의 변경허가를 받아야 하는 경우 ········ 4-105
05. 제조소 등의 완공검사 신청 - 시도지사 ········ 4-106
06. 탱크안전성능검사의 대상이 되는 탱크 및 신청시기 ········ 4-106
07. 예방규정을 정하여야 할 제조소 등의 기준 ········ 4-107
08. 위험물안전관리자 선임 및 신고 등 ········ 4-109
09. 위험물 취급자격자의 자격 ········ 4-109
10. 제조소 등에 선임하여야 하는 안전관리자의 자격 ········ 4-110
11. 안전관리자를 중복하여 선임할 수 있는 경우 ········ 4-111
12. 자체소방대를 두어야 하는 제조소 등 ········ 4-112
13. 화학소방자동차의 소화능력 및 설비의 기준 ········ 4-113
14. 정기점검, 정기검사, 구조안전점검 ········ 4-114
15. 탱크의 용량 ········ 4-115
16. 위험물의 운반, 위험물의 운송 ········ 4-116
17. 위험물 누출 등의 사고 조사 ········ 4-117
18. 안전교육 ········ 4-118
19. 벌칙(과징금 및 벌금, 과태료) ········ 4-118
20. 조치명령 등 ········ 4-119
22. 청문 ········ 4-120
■ 실전 예상문제 ········ 4-121

PART 03. 시설기준(위험물제조소 등)

01. 위험물 제조소 ········ 4-133
■ 실전 예상문제 ········ 4-149
02. 옥내저장소 ········ 4-157
■ 실전 예상문제 ········ 4-163

Contents

03. 옥외탱크저장소 ···· 4-166
■ 실전 예상문제 ···· 4-174
04. 옥내탱크저장소 ···· 4-178
■ 실전 예상문제 ···· 4-182
05. 지하탱크저장소 ···· 4-184
06. 간이탱크저장소 ···· 4-188
07. 이동탱크저장소 ···· 4-190
08. 옥외저장소 ···· 4-194
09. 암반탱크저장소(참조) ···· 4-196
■ 실전 예상문제 ···· 4-197
10. 주유취급소 ···· 4-205
11. 판매취급소 ···· 4-213
12. 이송취급소 ···· 4-214
13. 일반취급소 ···· 4-224
■ 실전 예상문제 ···· 4-225

PART 04. 시설기준(소방설비 및 저장, 운반기준)

01. 제조소 등의 소방설비 ···· 4-234
02. 소화설비의 적응성 ···· 4-237
03. 소화설비의 소요단위, 능력단위 ···· 4-238
04. 소화설비 설치기준 ···· 4-239
05. 경보설비 설치기준 ···· 4-240
06. 피난설비 설치기준 ···· 4-242
■ 실전 예상문제 ···· 4-243
07. 위험물의 저장 및 취급에 관한 기준 ···· 4-249
08. 위험물의 운반에 관한 기준 ···· 4-254
■ 실전 예상문제 ···· 4-258

소방시설의 구조원리

PART 01. 소화설비

01. 소화기구(NFSC 101) ······ 5-3
■ 실전 예상문제 ······ 5-14
02. 옥내소화전소화설비(NFSC 102) ······ 5-18
■ 실전 예상문제 ······ 5-39
03. 스프링클러소화설비(NFSC 103) ······ 5-52
■ 실전 예상문제 ······ 5-74
04. 간이스프링클러소화설비(NFSC 103A) ······ 5-91
■ 실전 예상문제 ······ 5-97
05. 화재조기진압용스프링클러설비(NFSC 103B) ······ 5-102
■ 실전 예상문제 ······ 5-105
06. 물분무소화설비(NFSC 104) ······ 5-107
■ 실전 예상문제 ······ 5-110
07. 미분무소화설비(Watermist system) (NFSC 104A) ······ 5-114
■ 실전 예상문제 ······ 5-120
08. 포소화설비(NFSC 105) ······ 5-123
■ 실전 예상문제 ······ 5-134
09. 이산화탄소소화설비(NFSC 106) ······ 5-141
■ 실전 예상문제 ······ 5-153
10. 할론소화설비(NFSC 106) ······ 5-161
■ 실전 예상문제 ······ 5-165
11. 할로겐화합물 및 불활성기체소화설비(NFSC 107A) ······ 5-168
■ 실전 예상문제 ······ 5-173
12. 분말소화설비(NFSC 108) ······ 5-177
■ 실전 예상문제 ······ 5-183
13. 옥외소화전소화설비(NFSC 109) ······ 5-188
■ 실전 예상문제 ······ 5-189
14. 고체에어로졸소화설비의 화재안전기준(NFSC 110) ······ 5-191
■ 실전 예상문제 ······ 5-197

Contents

PART 02. 경보설비

01. 비상경보설비 및 단독경보형감지기의 화재안전기준 ············ 5-201
■ 실전 예상문제 ············ 5-210
02. 비상방송설비 ············ 5-215
■ 실전 예상문제 ············ 5-219
03. 자동화재탐지설비 및 시각경보장치의 화재안전기준 ············ 5-222
■ 실전 예상문제 ············ 5-253
04. 자동화재속보설비 ············ 5-271
■ 실전 예상문제 ············ 5-274
05. 누전경보기 ············ 5-276
■ 실전 예상문제 ············ 5-283
06. 가스누설경보기의 형식승인 및 제품검사의 기술기준 ············ 5-287
■ 실전 예상문제 ············ 5-295

PART 03. 피난구조설비

01. 피난기구(NFSC 301) ············ 5-297
02. 인명구조기구(NFSC 302) ············ 5-304
■ 실전 예상문제 ············ 5-306
03. 유도등 및 유도표지 ············ 5-309
■ 실전 예상문제 ············ 5-317
04. 비상조명등 ············ 5-323
■ 실전 예상문제 ············ 5-326

PART 04. 소화용수설비

01. 상수도소화용수설비(NFSC 401) ············ 5-329
02. 소화수조 및 저수조(NFSC 402) ············ 5-330
■ 실전 예상문제 ············ 5-332

PART 05. 소화활동설비

01. 제연설비(NFSC 501)-거실, 통로 ···················· 5-336
■ 실전 예상문제 ···················· 5-344
02. 특별피난계단의 계단실 및 부속실의 제연설비(NFSC 501A) ···· 5-350
■ 실전 예상문제 ···················· 5-366
03. 연결송수관설비(NFSC 502) ···················· 5-372
■ 실전 예상문제 ···················· 5-377
04. 연결살수설비(NFSC 503) ···················· 5-381
■ 실전 예상문제 ···················· 5-385
05. 비상콘센트설비 ···················· 5-388
■ 실전 예상문제 ···················· 5-392
06. 무선통신보조설비 ···················· 5-395
■ 실전 예상문제 ···················· 5-404

PART 06. 기타설비

01. 소방시설용비상전원수전설비(NFSC 602) ···················· 5-407
■ 실전 예상문제 ···················· 5-412
02. 도로터널(NFSC 603) ···················· 5-413
■ 실전 예상문제 ···················· 5-419
03. 고층건축물의 화재안전기준(NFSC 604) ···················· 5-424
■ 실전 예상문제 ···················· 5-427
04. 지하구의 화재안전기준(NFSC 605) ···················· 5-431
■ 실전 예상문제 ···················· 5-437
05. 임시소방시설의 화재안전기준(NFSC 606) ···················· 5-440
■ 실전 예상문제 ···················· 5-442

6과목

과년도 기출문제

01. 2011년 과년도 기출문제 ···················· 6-3
02. 2013년 과년도 기출문제 ···················· 6-32
03. 2014년 과년도 기출문제 ···················· 6-65
04. 2015년 과년도 기출문제 ···················· 6-96
05. 2016년 과년도 기출문제 ···················· 6-127
06. 2017년 과년도 기출문제 ···················· 6-163
07. 2018년 과년도 기출문제 ···················· 6-198
08. 2019년 과년도 기출문제 ···················· 6-235
09. 2020년 과년도 기출문제 ···················· 6-273
10. 2021년 과년도 기출문제 ···················· 6-316

소·방·시·설·관·리·사

제1과목 • • •

01

Fire Facilities Manager

소방안전관리론 및 화재역학

PART 01 연소

PART 02 화재 예방관리 및 소화

PART 03 건축물의 화재성상

PART 04 건축물의 피난계획 등

PART 05 화재역학

제 1 과목

소방안전관리론 및 화재역학 출제문제 분석 · 학습전략

1 출제문제 분석

(1) 연소 및 건축물의 화재성상, 화재예방관리 부분의 출제 빈도가 많으며 소화약제, 소방관련법령, 건축법, 소방시설구조원리 등 안전과 관계되는 모든 문제가 다양하게 출제되고 있습니다.

(2) 사회 이슈가 되는 문제들이 당해 또는 그 다음해에 출제되는 경향을 보이고 있습니다.

(3) 건축물의 화재성상은 난이도 조절을 위해 연소공학과 관련된 문제(1~2문제)들이 출제되고 있습니다.

(4) 이해 방식의 문제보단 암기 해야만 풀 수 있는 문제가 대부분이며 소방, 건축관계법령과 관계된 부분은 2차에서도 비중 있는 문제로 출제가 되고 있습니다.

소방안전관리론 및 화재역학 최근기출문제 경향

■ 연소 ■ 화재예방관리
■ 건축물의 화재성상 ■ 피난계획
■ 화재역학 ■ 기타

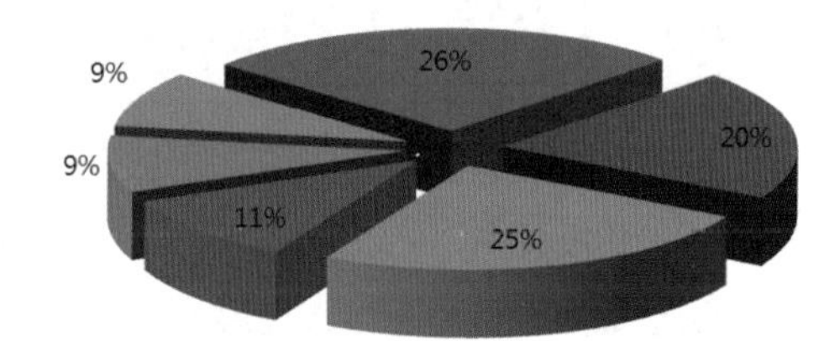

(5) 1과목 뿐만 아니라 5과목까지 계산문제보단 단답식의 문제가 많이 출제됩니다.

(6) 각 분류별 출제 빈도

연소, 폭발	연소의 정의, 3요소, 형태, 자연발화, 발화온도, 연소범위, 위험도, 보일오버, BLEVE, 증기운폭발, 분진폭발 등
소화, 화재예방관리	소화방법, 화상, 화재현황(장소, 계절) 등
건축물의 화재성상	목조건축물, 플래쉬오버, 화재하중, 연소속도, 방화구획 등
건축물의 피난계획	피난계획, 방재계획, 피난계단 등
화재역학	열전달, 연소가스, 감광계수, 연돌효과, 연기이동요인 등
기타	법령, 소방시설구조원리, 위험물, 소화약제 등

2 학습전략

(1) 소방시설관리사 1차(객관식) 특성상 짧은 시간에 반복하여 눈에 익히는게 중요합니다.

(2) 소방시설관리사 2차와 연관된 건축관계법령 등의 부분은 절대 암기 필요합니다.
- 방화구획, 방화셔터, 초고층건축물의 정의 및 피난안전구역 설치 면적 등은 2차 기출문제입니다.

(3) 소방안전관리론의 기초적인 부분은 위험물, 소화약제, 소방관련법령(방염 등), 소방시설구조원리(소화설비, 제연설비)등과 밀접한 관계가 있으므로 보다 정확한 학습이 필요합니다.

(4) 고득점을 받도록 학습을 하셔야 합니다.
평균 60점 이상 받기 위해 자기 자신에 맞는 전략이 필요한데 거의 모든 수험생들에게 공통점이 있습니다. "소방수리학, 소방전기, 위험물 성상 및 시설기준, 소방관계법령" 부분이 자신이 없다는 것입니다. 이 과목들에서 "60점 이상 받기가 어렵다"라고 하면 평균 60점을 위해 어디서 점수를 만회해야 할까요? 답은 정해져 있습니다. 소방시설관리사 2차와 연계된 1과목의 소방안전관리론과 5과목의 소방시설구조원리입니다.

(5) 소방시설관리사 2차와 연관된 과목별 부분

1과목	건축관계법령	2과목	소방수리학의 유체의 유동, 흐름, 펌프 등
3과목	소방법, 령, 규칙의 별표 및 본문	5과목	전 체

PART 1

연 소

1. 연소의 정의

연소란 열과 빛을 수반하는 급격한 산화반응

1 열

(1) 물질을 이루고 있는 분자 등의 결합력이 해제될 때 열에너지가 생성된다.
즉, **화학에너지가 열에너지로 전환되면서 발열**하게 된다.

(2) 분자운동 증가, 에너지 증가로 인한 **열의 축적은 온도상승으로 나타나 발광하여 빛으로 우리 눈에 보이게 된다.**

2 빛

(1) 온도상승으로 열복사선 방출(발광반응)

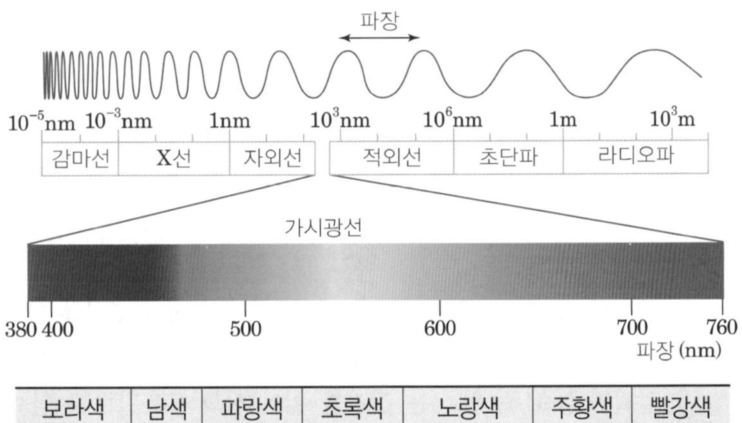

보라색	남색	파랑색	초록색	노랑색	주황색	빨강색
K(칼륨)	–	S(황)	Ba(바륨)	Na(나트륨)	Ca(칼슘)	Li(리튬)

Tip

파장과 온도와의 관계

① 파장이란 파형의 골과 골, 마루와 마루사이의 거리를 말한다.

② 온도가 낮을수록 파장은 커진다.
(열, 에너지, 주파수가 작아질수록 파장은 커진다.)

③ 속도 $V(\mathrm{m/s})$ = 파장 $\lambda(\mathrm{m}) \times$ 주파수 $f(\mathrm{Hz, s^{-1}})$

※ 빛의 속도는 $3 \times 10^{8}\ \mathrm{m/s}$

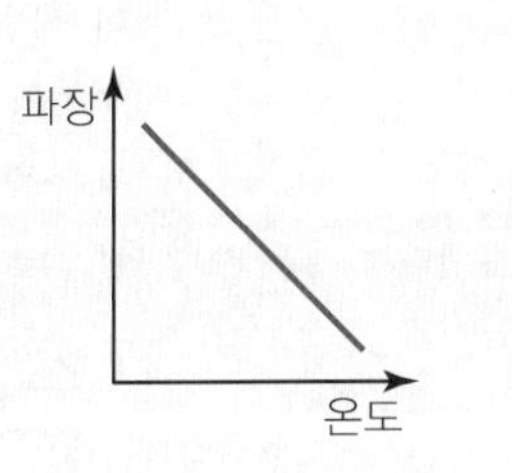

(2) 온도상승에 의한 불꽃의 색상

구분	휘백색	백적색	황적색	휘적색	적색	암적색	담암적색
	밝은백색 (은색)	흰색을 띠는 적색	노란적색	주황	–	검은적색 적포도주	더욱 검은적색
온도	1,550℃	1,300℃	1,100℃	950℃	850℃	700℃	550℃
암기법	+250	+200	+150	+100	기준	−150	−150

예제 01

일반화재에서 백적색의 불꽃온도는 섭씨 몇 ℃ 정도인가?

① 525　　② 750
③ 925　　④ 1,300

해답 ④

3 급격한 산화반응

(1) 가연물이 산소화되는 과정

$$CH_4 + 2\,O_2 \rightarrow 2H_2O + CO_2$$

위의 화학 반응식의 경우 탄소가 산소를 만나고 수소가 산소를 만나는 과정

(2) 화학적 의미의 산화반응

① **산소를 얻고 수소를 잃는 것, 산화수가 증가하고 전자를 잃는 것 ↔ 환원은 산화와 반대임**
② **「가연물은 산소를 얻어 산화하고 산소공급원은 산소를 잃어 환원한다」라고 한다.**
③ **알칼리금속(1족 원소)는 전자를 잃어 산화하고 할로겐 원소(7족 원소)는 전자를 얻어 환원한다.**

※ 산화수(참조)
하나의 물질(분자, 이온화합물, 홑원소 물질 등) 내에서 전자의 교환이 완전히 일어났다고 가정하였을 때 물질을 이루는 특정 원자가 갖게 되는 전하수를 말하며 산화환원반응에서 전자의 흐름을 확인하기 위하여 사용하는 하나의 방법이다.

예 $Na(0) + Cl(0) \rightarrow NaCl(+1, -1)$

∴ Na는 0에서 +1 되었기 때문에 산화되고 Cl은 0에서 −1로 되었기 때문에 환원된 것이다. 순수한 단일원자물질은 산화수가 0이다.

예제 02

산화반응이 아닌 것은?

① 산소를 얻는 것
② 수소를 잃는 것
③ 전자를 얻는 것
④ 산화수가 증가하는 것

해답 ③

Point

화학원소의 단주기율표

족	1족	2족	3족	4족	5족	6족	7족	0족
원자가	(+1)	(+2)	(+3)	(+,− 4)	(−3)	(−2)	(−1)	
1주기	H(기호) 수소(이름) 1(원자량)	• 물질 = 분자와 분자, 분자 = 원자와 원자, 원자 = 전자와 원자핵 • 원자핵 = 중성자와 양성자(중성자수와 양성자수의 합이 질량수) • 원자번호 = 전자수 = 양성자수(≒ 중성자수) • 족 : 최외각 전자의 수 (세로줄) • 주기 : 전자껍질의 수 (가로줄)						He 헬륨 4
2주기	Li 리튬 7	Be 베릴륨 9	B 붕소 10.8	C 탄소 12	N 질소 14	O 산소 16	F 불소 19	Ne 네온 20
3주기	Na 나트륨 23	Mg 마그네슘 24	Al 알루미늄 27	Si 규소 28	P 인 30	S 황 32	Cl 염소 35.5	Ar 아르곤 40
4주기	K 칼륨 39	Ca 칼슘 40					Br 브롬 80	Kr 크립톤 83.8
5주기	H Li Na K						I 요오드 127	Xe 크세논 131
6주기	수소 리튬 나트륨 칼륨 • 영문 파란색 글자의 원소 : 금속원소 (나머지는 비금속원소 임) • 상온에서 브롬은 액체이고 붕소, 탄소, 규소, 인, 황, 요오드는 고체이며 나머지는 기체이다.						At 아스타틴	Rn 라돈 222

(3) 탄화수소 물질의 완전연소반응식

탄화수소 중 하나인 메탄의 완전연소 반응식을 만드는 과정을 알아보자.

① **연소 시 생성물은 반드시 수증기(H_2O)와 이산화탄소(CO_2)이다.**

$$CH_4 + O_2 \rightarrow H_2O + CO_2$$

② 여기서 **왜 수증기와 이산화탄소가 생기는 이유**를 알아보자.

산화반응을 하기에 수소가 산소를 만나고 탄소가 산소를 만나면서 중성의 성질을 가지려고 하기 때문이다. 이 중성의 의미를 알려면 아래 표의 족에 해당하는 원자가를 알아두어야 한다.

족	1족	2족	3족	4족	5족	6족	7족	0족
원자가	(+1)	(+2)	(+3)	(+,−4)	(−3)	(−2)	(−1)	−

생성계의 분자는 중성(원자가의 합이 0)의 성질(안정화)을 가지려고 한다. 즉,

㉠ 수증기(H_2O)는 수소와 산소로 이루어져 있다.
- 수소는 1족으로 원자가가 +1이며 2개 있으므로 총 +2가 되고
- 산소는 6족으로 원자가가 −2이며 1개 있으므로 총 −2가 되어 수소 +2, 산소 −2의 총합이 0으로 안정화 된다.

㉡ 이산화탄소(CO_2)는 탄소와 산소로 이루어져 있다.
- 탄소는 4족으로 원자가가 +4이며 1개 있으므로 총 +4가 되고
- 산소는 6족으로 원자가가 −2이며 2개 있으므로 총 −4가 되어 탄소 +4, 산소 −4의 총합이 0으로 안정화 된다.

Tip

$NaCl(0) : Na(+1), Cl(-1)$ $NH_3(0) : N(-3), H(+1\times3)$ $HF(0) : H(+1), F(-1)$

$H_2S(0) : H(+1\times2), S(-2)$ $NaOH(0) : Na(+1), OH[-2+(+1)=-1]$

③ 마지막으로 질량보존의 법칙에 의해 원인계와 생성계의 각 원자의 수가 같아야 한다.

원인계 $CH_4 + O_2 \rightarrow H_2O + CO_2$ 생성계

- 먼저 탄소의 개수를 맞추어보면 원인계의 탄소는 1개이며 생성계에서의 탄소도 1개이다.
- 그 다음은 수소의 개수를 맞추어보면 원인계에는 수소가 4개 있지만 생성계는 수소가 2개 있다. 따라서 생성계의 H_2O에 2를 곱하여 주면 $2H_2O$가 되면서 수소 4개가 된다.

$CH_4 + O_2 \rightarrow 2H_2O + CO_2$

- 이젠 산소의 개수를 맞추어 보자.
  원인계는 산소가 2개가 있으나 생성계는 $2H_2O$에 산소가 2개 있고 CO_2에 산소가 2개 있으므로 총 4개가 있다. 즉 원인계와 생성계의 산소 개수를 맞추어 주려면 원인계 O_2에 2를 곱하여 주면 모든 원자의 개수가 원인계와 생성계가 일치하며 메탄의 완전연소반응식이 완성된다.

$$CH_4 + 2O_2 \rightarrow 2H_2O + CO_2$$

④ 완전연소 반응식의 의미
산소와 수증기에 2라는 숫자는 mol을 의미하며 메탄과 이산화탄소는 각각 1이라는
숫자가 생략된 것이다. 이 몰의 의미는 질량/분자량 (기체의 경우 : 부피/22.4)로서 메탄이 완전연소하려면 메탄 16 g, 산소 64 g이 있어야 하며, 부피로 표현하면 메탄 22.4 ℓ와 산소 44.8 ℓ가 필요하다는 것이다. (1-20페이지 참조)

CH_4	$+ 2O_2$	$\rightarrow$	$2H_2O$	$+ CO_2$	
1몰	2몰		2몰	1몰	
16 g	+ 64 g	=	36 g	+ 44 g	(질량보존의법칙)
22.4 ℓ	44.8 ℓ		44.8 ℓ	22.4 ℓ	

2. 연소의 조건

1 연소의 3요소(가연물, 산소공급원, 점화원)

연소의 3요소

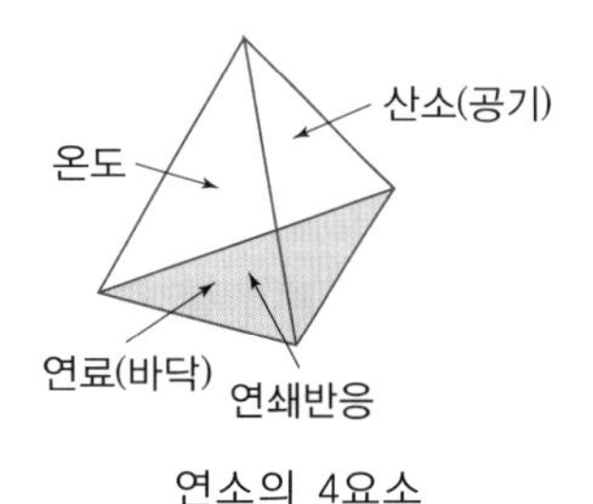

연소의 4요소

(1) 가연물

산소와 반응하여 발열 반응하는 물질

가연물의 구비조건	가연물이 될 수 없는 물질
• 활성화에너지가 작을 것 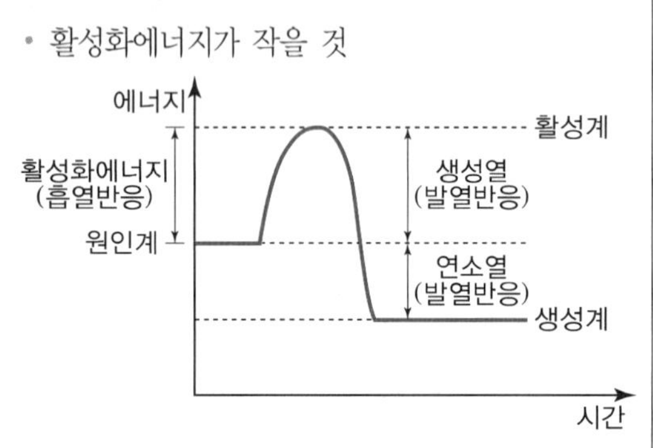 • 열전도율이 적을 것 • 발열량이 클 것 • 표면적이 넓을 것 • 산소와 친화력이 클 것	• 산소와 더 이상 반응하지 않는 물질 – H_2O, CO_2, 산화칼슘(생석회=CaO), 산화알루미늄(Al_2O_3) 등 • 산소와 반응은 하지만 흡열반응 하는 물질 – 질소 또는 질소 산화물(NO, NO_2 등) $2N_2 + 5O_2 \rightarrow 2N_2O_5 - Q\,\text{kcal}$ • 불활성가스 – 0족 원소 헬륨, 네온, 아르곤, 크립톤, 크세논, 라돈(※황록색인 네온만 제외하고 모두 무색이다.) – 프레온가스(CFC-11 : $CFCl_3$) 메탄, 에탄 등의 탄화수소의 일부가 F(불소), Cl(염소)로 치환한 물질의 총칭으로 냉장고, 에어컨 등의 냉매로 사용되는 가스

• 물질이 원인계에서 활성계로의 되기 위한 필요한 열을 반응열이라 하고 이때는 물질이 흡열을 하고 활성화되므로 「활성화에너지」라고 함
• 활성계에서 생성계로 진행 시 발생하는 열을 생성열과 연소열로 구분하며 발열반응을 함
• 연소열은 열전달(전도, 대류, 복사)에 의해 미반응 부분을 활성화시켜 연소를 지속시킴

(2) 산소공급원

① **산소, 공기 등**

② **산소를 함유한 위험물**

㉠ **제1류 위험물(산화성고체) : 무기과산화물, 삼산화크롬 등**

㉡ **제6류 위험물(산화성액체) : 과산화수소, 질산, 과염소산**

㉢ **제5류 위험물(자기반응성물질) : 유기과산화물, 질산에스테르류(셀룰로이드 등), TNT, TNP 등**

예제 03

가연물이 될 수 없는 물질 중 불활성 가스인 0족 원소가 아닌 것은?

① 헬륨 ② 크립톤
③ 크세논 ④ 크실렌

해답 ④

크실렌은 제4류 위험물의 제2석유류이다.

(3) 점화원

① 점화원의 종류

암기 정·복·자·나·고·단·충·전

종 류	발 생 원 인
정전기	대전(유동, 비말, 적하, 마찰, 박리, 유도, 충돌, 분출, 진동, 교반)에 의해 발생
복사(열)	태양, 화염, 고온의 노 등
자연발화	산화열, 분해열, 흡착열, 중합열, 발효열(미생물열)
나화	보일러, 담뱃불, 난로
고온표면	전열기, 가열로, 연도
단열압축	디젤엔진, 박막폭굉 단열압축 : 물체가 열의 출입을 수반하지 않고 부피를 압축하는 변화 이때에 대부분의 기체는 압축에 의해 온도가 상승한다.
충격마찰	충격, 마찰에 의한 불꽃
전기불꽃	과전류, 단락, 누전, 지락, 접속부 과열, 스파크, 절연열화, 정전기, 낙뢰

② 전기불꽃의 원인

종 류	발 생 원 인 및 예 방 대 책
과전류	• 과부하(문어발식 콘센트 등) 또는 단락 등에 의해 발생 • 열이 줄열의 법칙에 따라 전력을 사용하는 양인 전력량에 0.24배만큼 발생 $H = I^2Rt$ [J], $I^2R = P$ (전력), $I^2Rt = W$ (전력량) • 과전류차단기(퓨즈, 배선용차단기, 누전차단기 등) 사용하여 과전류 시 회로 보호
단락	• 전선과 전선의 절연파괴로 인해(전선보호용 피복이 훼손) 합선(단락, 쇼트)에 의해 발생되며 용융, Spark 발생 • 단락전류 $I = \frac{V}{R}$, $R \fallingdotseq O$, $I \fallingdotseq \infty$ • 과전류차단기(퓨즈, 배선용차단기, 누전차단기 등) 사용하여 과전류 시 회로 보호
누전	• 전류가 전기회로 밖으로 누설되어 열의 발생에 따라 발화 - 유전열 • 누전경보기, 누전차단기 사용
지락	• 단선된 전선이 땅, 나무 등에 접촉하여 대지로 전류가 흐르는 현상 • 지락전류(Ig)에 의해 발화하므로 과전류차단기(퓨즈, 배선용차단기, 누전차단기 등) 사용하여 지락 시 회로 보호(지락은 일종의 누전현상이다)
접속부 과열	• **아산화동(Cu_2O) 증식 발열현상** **접촉불량**에 따른 도체 접촉저항이 증가해 접촉부가 과열하면 접촉부 표면에 산화물의 막이 형성된다. 이 산화막은 도체 표면을 따라 생성되는데 도체가 동합금의 경우 산화동(CuO)이 생기며 때로는 아산화동(Cu_2O)이 생긴다. 아산화동은 상온에서 수십 kΩ의 전기저항을 갖고 있으나 온도상승과 함께 급격하게 저하되는 특성(즉, 반도체 특성을 가진다)을 갖고 있다. • 접촉 불량 부분 Spark 발생 → 아산화동(Cu_2O) 발생 → 온도상승 (발열) → 저항 감소 → 전류증가 → 반복 → 용융

본딩

본딩

종류	발 생 원 인 및 예 방 대 책
스파크	• 충격, 마찰, 스위치 ON, OFF 시 발생 • 스파크는 가연성 혼합가스 형성 공간에서 점화원으로 작용 • 설비를 방폭구조로 설치
탄화에 의한 발화	• **트래킹 : 경년변화**(충전 전극 사이의 절연물, 수분을 함유한 먼지의 축적 : 소규모 방전) → 탄화도전로 형성 → Spark 발생 → 줄열에 의한 발열·발화 • **흑연화현상(가네하라) : Spark 등의 고열** → 탄화도전로 형성 → 줄열에 의한 발열·발화
정전기	• 마찰, 박리, 유동, 분출 등에 의해 대전된 후 공기 중 방전시 점화원으로 작용 • 방지대책 도체: 접지, 본딩, 유속제한(1 m/s 이하) 부도체: 상대습도 70% 이상, 대전방지제, 제전기 인체: 대전방지복, 대전방지화, 손목접지대
낙뢰	• 직격뇌, 유도뢰에 의한 대지전위 상승으로 기기 손상, 화재 • **피뢰설비(보호각법, 회전구체법, 메쉬법** 등)를 설치하여 기기 보호

정전기 방지대책:

도체	부도체	인체
접지, 본딩, 유속제한(1 m/s 이하)	상대습도 70% 이상, 대전방지제, 제전기	대전방지복, 대전방지화, 손목접지대

③ 점화를 일으킬수 있는 에너지원의 종류

암기 전화기, 화학열 – 분자생성용연소

구 분		발 생 원 인
전 기 에너지	유전열	절연파괴(불량)에 의한 누설전류에 의해 발생
	저항열	백열전구가 빛나는 원리처럼 도체에 전류가 흐를 때 저항에 의해 전기에너지가 열에너지로 변할 때 발생
	유도열	도체 주위의 자기장 변화 → 유도기전력이 발생(전위차가 발생) → 전류가 흐름 즉, 이 전류에 대한 저항열로 발생(열의 발생 원인이 전자기 유도에 의하기 때문에 유도열로 분류 함
	아크열	전기의 개로, 폐로 때 또는 접점이 느슨하여 전류가 단절될 때 발생
	정전기열	마찰대전 등에 의해 충전된 전기가 방전시 나타나는 외부적인 열로서 인화성 기체나 가연성 분진을 쉽게 점화시킬 수 있다.
	낙뢰열	낙뢰가 저항이 큰 물질과 접촉 시 발생하는 열
화 학 에너지	**분해열**	화합물이 분해할 때 발생하는 열
	자연발열	어떤 물질이 외부로부터 열의 공급을 받지 아니하고 온도가 상승 시 발생하는 열
	생성열	물질 1몰이 그 성분 원소의 단체로부터 생성될 때 발생 또는 흡수되는 열
	용해열	어떤 물질이 액체에 용해될 때 발생하는 열
	연소열	어떤 물질이 완전히 산화되는 과정에서 발생하는 열
기 계 에너지	마찰열	마찰에 의해 발생하는 열
	압축열	압축 시 기체 분자들의 충돌에 의해 발생하는 열
	마찰 스파크열	마찰스파크에 의해 발생하는 열

예제 04

전기의 절연불량에 따른 누설전류에 의해 발생하는 발열은 무엇 때문인가?

① 저항열 ② 아아크열 ③ 유전열 ④ 유도열

해답 ③

예제 05

도체 주위의 자장 변화에 의해 전위차가 발생된 전류의 흐름에 대한 저항열은 무엇인가?

① 저항열 ② 아아크열 ③ 유전열 ④ 유도열

해답 ④

예제 06

점화를 일으킬 수 있는 에너지원의 종류 중 화학열이 아닌 것은?

① 연소열 ② 분해열 ③ 증발열 ④ 용해열

해답 ③

Tip

유도현상(자세한 내용은 소방전기 참조)

정전유도	대전체 A에 대전되지 않은 도체 B를 가까이 하면 A에 가까운 쪽에는 다른 종류의 전하가, 먼 쪽에는 같은 종류의 전하가 나타나서 A와 B 사이에 쿨롱의 법칙에 따른 전기력이 작용하는 현상
자기유도	자석의 N극을 철편에 가까이 하면 철편의 자극 가까운 곳에는 S극, 먼 쪽에는 N극이 나타나서 자석의 N극과 철편의 S극 사이에 쿨롱의 법칙에 따른 자기력이 작용하는 현상
전자유도	자석 또는 외부의 영향으로 자속의 변화에 의해 도체에 유도기전력이 발생하는 현상
자체유도	코일에 전류가 흘러 자속이 변하면 전자유도에 의해 자속을 방해하려는 방향으로 유도기전력이 발생하는 현상
상호유도	한쪽 코일의 전류가 변화할 때 다른 쪽 코일에도 유도기전력이 발생하는 현상

④ **최소점화에너지(Minimum Ignition Energy)**

㉠ 정의 : **어떤 물질이 공기와 혼합 시 발화하기 위한 최소에너지**

㉡ 측정방법

정전용량 C인 Condenser에 서서히 충전하고, 그 양단의 전압이 불꽃방전 전극의 절연파괴전압 V_1에 달하면 방전이 일어나게 된다. 방전후의 전압은 V_2가 되는데 이 때의 방전 Energy E는 다음과 같다.

$$E = \frac{1}{2}C(V_1 - V_2)^2$$

E : 최소 점화에너지 [J]　　C : 콘덴서 용량 [F : 패럿]
V_1 : 기체의 절연파괴(방전) 전압 [V]　　V_2 : 방전 종료 후 전압 [V]

㉢ **최소점화 또는 최소발화에너지(MIE)의 크기**

아세틸렌(C_2H_2), 수소, 이황화탄소(CS_2)	벤젠	메탄	에탄, 프로판, 부탄	헥산
0.019 mJ	0.2 mJ	0.28 mJ	0.25 mJ	0.24 mJ

예제 07

수소의 최소 정전기 점화에너지는 일반적으로 몇 mJ 정도 되는가?

① 0.01　　② 0.02
③ 0.2　　④ 0.3

해답 ②

㉣ **최소점화에너지 영향요소**

구분	영향요소에 의한 MIE의 크기
농도	가연성가스의 농도가 화학양론적 조성비일 때 MIE는 최소가 된다. 산소의 농도가 클수록 MIE는 작아진다.
압력	압력이 클수록 분자간의 거리가 가까워져 MIE는 작아진다.
온도	온도가 클수록 분자간의 운동이 활발해져 MIE는 작아진다.
유속	층류보다 난류일때 MIE는 커지며 유속이 동일하더라도 난류의 강도가 커지면 MIE는 커진다.
소염거리	최소점화에너지는 소염거리 이하에서 영향을 받지 않는다.

⑤ **소염거리, 화염일주한계**(MESP : Maximum Experiment Safe Gaps, 안전간극)

㉠ **정의 : 인화가 일어나지 않는 최대거리**

㉡ **원리**

- 최소점화에너지는 간격이 좁아지면 작아지다가 어느 간격 이하에서는 아무리 큰 에너지를 주어도 인화가 일어나지 않는 원리 이용
- 발화는 발열 〉 방열일 경우 발생되는데 소염거리 이하에서는 **발열 〈 방열**이 되어 인화가 되지 않는다.

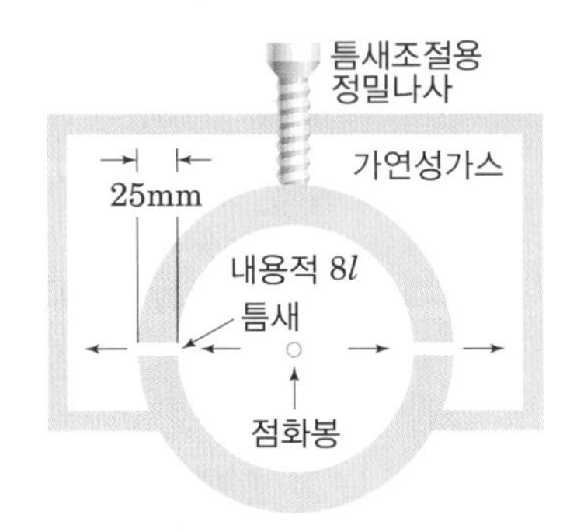

소염거리 측정 시험장치

㉢ **응용**

내압방폭구조, 화염방지기, 인화방지망(가는 망이 설치된 소염소자를 여러 개 겹쳐 놓음) 등

내압방폭구조	화염방지기		옥내저장소 인화방지망

최대안전틈새(mm)	0.5 이하	0.5 초과 ~ 0.9 미만	0.9 이상
해당 가스	수소, 아세틸렌	에틸렌, 부틸렌	메탄, 에탄, 프로판, 부탄

2 연소의 4요소(연쇄반응, 가연물, 산소공급원, 점화원)

(1) 연쇄반응

① **활성화된 라디칼의 전파, 분기반응에 의하여 연소가 지속되는 현상**을 연쇄반응이라 한다.

② 라디칼 : 최외각 전자가 안정적인 전자쌍을 만족시키지 못하는 원자, 분자, 이온 등을 말한다. 따라서 매우 불안정하고 반응성이 매우 크다. 쉽게 이야기 하면 공유결합하고 있는 원자 하나가 떨어져 나가고 남은 원자를 라디칼이라 한다. (예 : H_2O에서 OH, O_2에서 O, H_2에서 H)

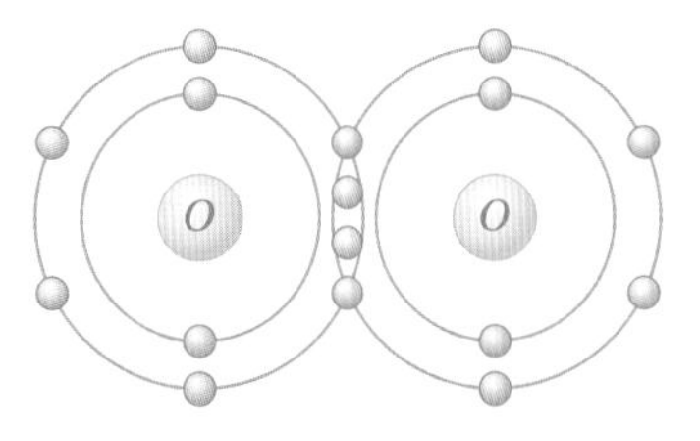

공유결합하고 있는 산소

연쇄반응	연쇄반응의 억제(부촉매효과)
예 수소의 연쇄반응 H_2 + 활성화에너지 → $2H^*$ $H^* + O_2$ → $OH^* + O^*$ 분기반응 $OH^* + H_2$ → $H_2O + H^*$ 전파반응 $H^* + H^*$ → H_2 종결반응	$OH^* + HBr$ → $H_2O + Br$ 억제반응 $Br + RH$ → $HBr + R$ 재생반응 (R = 알킬기)

예제 08

연소의 4요소 중 연쇄반응에 관한 설명으로 옳지 않은 것은?

① 활성화된 라디칼의 전파, 분기반응에 의하여 연소가 지속되는 현상이다.

② $H_2 + O^* \rightarrow OH^* + H^*$ 와 같이 하나의 라디칼이 두 개의 라디칼로 변화하는 반응을 전파반응이라 한다.

③ 불꽃화재는 연쇄반응을 억제하여도 소화가 가능하다.

④ 부촉매효과를 가지고 있는 소화약제는 할론소화약제와 분말소화약제이다.

해답 ②

하나의 라디칼이 두 개의 라디칼로 변화하는 반응을 분기반응이라 한다.
라디칼 (Radical : 과격한, 급진적인)

3 물적조건(농도, 압력)과 에너지조건(온도, 점화원)

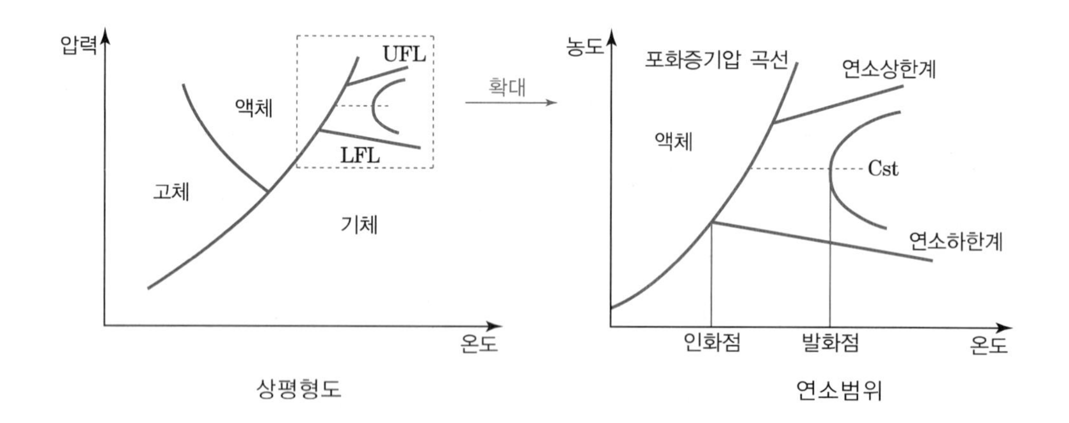

(1) 인화점(Flash point)

가연성 혼합기를 형성하는 최저온도(점화원 존재 시 인화한다)

(2) 연소점(Fire point)

점화원이 없어도 연소 지속 가능한 최저온도(인화점보다 10℃ 정도 높다)

(3) 발화점(Auto –ignition temperature)

점화원이 없이도 발화하는 최저온도(자연발화)

Point

발화온도의 영향요소

- 화학양론적 조성비를 기준으로 가연성가스의 농도에 따라 발화점이 달라진다.
- 산소의 농도가 클수록 발화점은 낮아진다.
- 압력이 높아지면 기체분자간의 거리가 가까워져 발화점이 낮아진다.
- 온도가 크면 기체분자의 운동이 활발해져 발화점이 낮아진다.
- 난류(유속), 불활성물질, 촉매, 발화지연시간 등에 의해 영향을 받는다.

(4) 연소범위(한계), 폭발범위(한계), 가연범위(한계)

① 정의 암기 + 아수 ~일(A)황에 암 (A 에이...에테르, 이황화탄소)

연소상한계와 하한계 사이의 연소 가능한 범위로서 화염을 자력으로 전파하는 공간

가스명	폭발범위(V%)			가스명	폭발범위(V%)		
	하한값	상한값	범위차		하한값	상한값	범위차
아세틸렌	2.5	81	78.5	에틸렌	2.7	36.0	33.3
수소	4.0	75.0	71	암모니아	15.0	28.0	13
일산화탄소	12.5	74.0	61.5	메탄	5.0	15.0	10
에테르	1.9	48	46.1	에탄	3.0	12.4	9.4
이황화탄소	1.2	44	42.8	프로판	2.1	9.5	7.4
황화수소	4.0	44.0	40	부탄	1.8	8.4	6.6

주요 가연성 가스의 공기 중 폭발 범위

예제 09

폭발한계가 넓은 순서대로 나열된 것 중 맞는 것은?
(1. 수소 2. 아세틸렌 3. 황화수소 4. 암모니아)

① 1-2-3-4 ② 2-1-3-4
③ 4-3-1-2 ④ 2-1-4-3

해답 ②

② **연소범위 영향요소**

㉠ **산소농도 : 산소농도가 클수록 연소범위는 증가한다.**

㉡ 압력

- **압력이 증가할수록 연소범위는 증가한다.**
- 일산화탄소는 압력 상승 시 연소범위가 감소하는 특성이 있다.

㉢ 온도

- **LFL은 100℃ 증가 시 8% 감소**

$$LFL_T = LFL_{25℃} - \frac{0.8(LFL_{25℃})}{1,000} \times (T - 25)$$

- **UFL은 100℃ 증가 시 8% 증가**

$$UFL_T = UFL_{25℃} + \frac{0.8(UFL_{25℃})}{1,000} \times (T - 25)$$

㉣ **불활성 가스 : 불활성가스 증가 시 연소범위는 감소한다.**

(5) 화학양론조성비

$$Cst = \frac{\text{연료몰수}}{\text{연료몰수} + \text{공기몰수}} \times 100\%$$

① **가연성가스와 공기 중의 산소가 과부족 없이 완전연소에 필요한 농도비**

② **연료와 공기의 최적합의 조성 비율(전파속도가 가장 빠르고 발열량이 가장 크다.)**

예제 10

프로판이 공기 중 산소와 과부족 없이 완전 연소하는 농도비는 얼마인가?

① 2.14 ② 2.86
③ 3.47 ④ 4.03

해답 ④

프로판의 완전연소 반응식 $C_3H_8 + 5O_2 \rightarrow 3CO_2 + 4H_2O$

$$\therefore \ Cst = \frac{1\,\text{mol}\,(\text{연료})}{1\,\text{mol}\,(\text{연료}) + 23.81\,\text{mol}\,(\text{공기})} \times 100 = 4.03\%$$

→ 프로판 1 mol이 완전연소 하기 위해서 5 mol의 산소가 필요하다.
(공기 중에는 산소가 21% vol이므로 공기는 5/0.21 = 23.81 mol 필요하다.)
5몰 : 21% = 공기 몰 : 100% 따라서 공기몰수는 23.8 mol

(6) 연소상한계(UFL : Upper Flammability Limit)

연소하한계(LFL : Lower Flammability Limit)

① 연소범위 추정(LFL, UFL 구하기)

- 연소가스가 단성분의 경우 – Jones의 식

$UFL = 3.5\,Cst$ $LFL = 0.55\,Cst$

Cst을 구하기 위한 메탄의 완전 연소식 : $CH_4 + 2O_2 \rightarrow 2H_2O + CO_2$

$$Cst = \frac{\text{연료의 몰수}}{\text{연료의 몰수} + \text{공기의 몰수}} \times 100\% = \frac{1}{1 + \frac{2}{0.21}} \times 100 = 9.5$$

$\therefore\ LFL = 0.55\,Cst = 0.55 \times 9.5 = 5.23$

$\therefore\ UFL = 3.5\,Cst = 3.5 \times 9.5 = 33.25$

메탄의 연소 범위는 5~15%로서 LFL은 거의 일치하나 UFL은 상당한 차이가 있다. 연소상한값은 차이가 커서 다른 식인 $UFL = 4.8\sqrt{Cst}$ 인 식을 사용한다.

- **연소가스가 다성분인 경우 – 르샤틀리에의 식**

$$\frac{V_1 + V_2}{L} = \frac{V_1}{L_1} + \frac{V_2}{L_2} \qquad \frac{V_1 + V_2}{U} = \frac{V_1}{U_1} + \frac{V_2}{U_2}$$

$L,\ U$: 가연성 혼합가스의 연소하한값, 연소상한값 $V_1,\ V_2$: 가연성가스의 농도

$L_1,\ L_2$: 각 가연성가스의 연소하한값 $U_1,\ U_2$: 각 가연성가스의 연소상한값

예제 11

부피의 비율로 아세틸렌 50%, 프로판 30%, 부탄 20%의 혼합가스가 존재할 경우 폭발범위는 얼마인가?

① 3.0 ~ 12.0 %   ② 2.2 ~ 9.5 %

③ 2.20 ~ 16.2 %   ④ 4.1 ~ 77.2 %

해답 ③

$$\frac{V_1 + V_2 + V_3}{L} = \frac{V_1}{L_1} + \frac{V_2}{L_2} + \frac{V_3}{L_3} \rightarrow \frac{100}{L} = \frac{50}{2.5} + \frac{30}{2.1} + \frac{20}{1.8} \quad \therefore\ L = 2.2$$

$$\frac{V_1 + V_2 + V_3}{U} = \frac{V_1}{U_1} + \frac{V_2}{U_2} + \frac{V_3}{U_3} \rightarrow \frac{100}{U} = \frac{50}{81} + \frac{30}{9.5} + \frac{20}{8.4} \quad \therefore\ U = 16.24$$

혼합기의 LFL, UFL은 각 물질의 LFL, UFL의 사이 값이 된다.

예제 12

부피의 비율로 메탄 30%, 프로판 40%, 질소 30%의 혼합가스가 존재할 경우 폭발범위는 얼마인가?

① 2.79 ~ 11.27%
② 2.2 ~ 9.5%
③ 2.20 ~ 16.2%
④ 4.1 ~ 77.2%

해답 ①

※ 불연성 가스와 가연성 가스가 혼합되어 있을 경우 가연성 가스만 계산한다.

$$\frac{V_1+V_2}{L}=\frac{V_1}{L_1}+\frac{V_2}{L_2} \rightarrow \frac{30+40}{L}=\frac{30}{5}+\frac{40}{2.1} \quad \therefore L=2.79$$

• 답은 각 하한값인 5와 2.1 사이가 된다.

$$\frac{V_1+V_2}{U}=\frac{V_1}{U_1}+\frac{V_2}{U_2} \rightarrow \frac{30+40}{U}=\frac{30}{15}+\frac{40}{9.5} \quad \therefore U=11.27$$

• 답은 각 상한값인 15와 9.5 사이가 된다.

② Burgess – Wheeler의 식

$LFL \times \Delta H \fallingdotseq 1{,}050$ 파라핀계 탄화수소의 연소하한계와 연소열의 곱은 일정

(7) 위험도(Hazard)

$$H=\frac{UFL-LFL}{LFL}$$

연소상한값이 클수록 위험하며 연소범위가 넓을수록 연소하한값이 낮을수록 위험하다.

가스명	위험도	가스명	위험도	가스명	위험도
이황화탄소	35.6	에틸렌	12.33	메탄	2
아세틸렌	31.4	황화수소	10	에탄	3.13
에테르	24.26	일산화탄소	4.92	프로판	3.52
수소	17.75	암모니아	0.86	부탄	3.67

예제 13

동일한 조건에서 메탄, 아세틸렌, 이황화탄소 중 어떤 것이 더 위험한가?

① 메탄
② 아세틸렌
③ 이황화탄소
④ 똑같다.

해답 ③

메탄 $H=\frac{15-5}{5}=2$,아세틸렌 $H=\frac{81-2.5}{2.5}=31.4$,이황화탄소 $H=\frac{44-1.2}{1.2}=35.6$

(8) MOC – 최소산소농도(Minimum Oxygen Concentration)

$$MOC = LFL \times O_2 \text{ 몰수}$$

① **화염을 전파하기 위한 최소한의 산소농도 요구량**
② 불활성화하여 연소되지 않도록 하기 위해 산업계에서 이용 된다.
③ 일반적으로 탄화수소계의 MOC는 약 10%, 분진은 약 8% 정도이다.

예제 14

메탄의 최소산소농도(MOC)는 얼마인가?

① 8% ② 10%
③ 12% ④ 14%

메탄의 완전연소 반응식 : $CH_4 + 2O_2 \rightarrow CO_2 + 2H_2O$, 메탄의 연소범위 : 5 ~ 15%

$\therefore LFL \times O_2$몰수 $= 5 \times 2 = 10\%$

Tip

LOI – **한계산소지수**(Limited Oxygen Index)

$$LOI = \frac{O_2}{N_2 + O_2} \times 100$$

① 가연물을 수직으로 하여 최상부에서 착화시켰을 때 착화원을 제거해도 연소를 지속할 수 있는 산소의 최저 체적분율이며 공기 중 산소의 농도이다.
② LOI는 난연성 측정의 기준이 되며 LOI가 28% 이상이면 난연성이 있다.
③ $CPVC$(소방용 합성수지 배관)의 LOI = 60%로서 착화원이 제거된 상태에서 공기 중에 산소가 60% 이상 존재해야 연소가 가능하다.

(9) Arrhenius의 (연소)반응속도론

$$\text{아레니우스의 반응속도 } V = C \cdot e^{-\frac{Ea}{RT}}$$

C : 충돌빈도계수 Ea : 활성화에너지 [J/kg] e : 자연대수(무리수)
T : 반응계온도 [K] R : 기체상수 [J/kg·K]

① **충돌계수가 크고 반응계온도가 높아야 반응속도가 빨라진다.**
② **활성화에너지가 작아야 반응속도가 빨라진다.**

■ 몰수(n : mol number)

① 질량으로 표현

$$몰(mol) = \frac{질량\,(g)}{분자량\,(g/mol)}$$

CH_4 + $2\,O_2$ → $2H_2O$ + CO_2
1몰　2몰　　2몰　1몰

16 g + 64 g = 36 g + 44 g (질량보존의 법칙)

② 기체의 경우 부피비로도 표현

$$몰(mol) = \frac{기체부피\,(\ell)}{22.4\,(\ell/mol)}$$

CH_4 : 1몰 $= \frac{22.4\,\ell}{22.4\,\ell/mol}$ 완전연소시 22.4 ℓ의 부피를 가진다.

O_2 : 2몰 $= \frac{44.8}{22.4\,\ell/mol}$ 44.8 ℓ의 부피를 가진다.

Tip

에탄의 경우

C_2H_6 + $3.5\,O_2$ → $3H_2O$ + $2CO_2$
1몰　3.5몰　　3몰　2몰

30 g + 112 g = 54 g + 88 g

22.4 ℓ + 78.4 ℓ ≠ 67.2 ℓ + 44.8 ℓ

완전연소 후 원인계와 생성계는 질량보존의 법칙에 의해 질량의 변화는 없으나 부피가 증가함을 알 수 있다.
연소 시 온도가 올라가면 부피가 팽창하는 것과 같다.
따라서, 몰수도 증가 한다.

③ 분자수로 표현

$$몰(mol) = \frac{분자수}{6.023 \times 10^{23}}$$

- 아보가드로의 법칙 : 모든 기체 1몰은 0℃ 1기압(표준상태)에서 22.4 ℓ의 부피와 6.023×10^{23} 개의 분자수를 갖는다.

④ 이상기체상태 방정식

$$PV = \frac{W}{M}RT \quad \text{여기서} \quad \frac{W(\text{질량})}{M(\text{분자량})} = \frac{PV}{RT} = n = \text{몰}$$

보일의 법칙	$V \propto \frac{1}{P}$	이상기체상태 방정식	$V \propto nT\frac{1}{P}$ 비례상수 R을 적용하여 $PV = nRT$
샤를의 법칙	$V \propto T$		
아보가드로 법칙	$V \propto n$		

※ 0 ℃, 1 atm, 1 mol에서 기체(비례)상수

$$R = \frac{PV}{nT} = \frac{1 \times 22.4}{1 \times (0+273)} = 0.082\ \text{atm} \cdot \text{m}^3/(\text{mol} \cdot \text{K})$$

$$= 8{,}314\ \text{J}/(\text{mol} \cdot \text{K}) = \frac{8{,}314}{M}\ \text{J}/(\text{kg} \cdot \text{K})$$

예제 15

0℃, 1atm에서 에탄 1몰을 완전 연소시키기 위한 산소의 부피는 몇 ℓ가 필요한가?

① 22.4 ℓ　② 44.8 ℓ
③ 67.2 ℓ　④ 78.4 ℓ

해답 ④

$C_2H_6 + 3.5\ O_2 \rightarrow 3H_2O + 2CO_2$
1몰　3.5몰　3몰　2몰

22.4 ℓ + 78.4 ℓ ≠ 67.2 ℓ + 44.8 ℓ

예제 16

표준상태에서 44.8 m³의 용적을 가진 이산화탄소가스를 모두 액화시키면 몇 kg인가?

① 22.8 kg　② 44 kg
③ 44.8 kg　④ 88 kg

해답 ④

44.8 m^3은 표준상태에서 2몰이고 이산화탄소가스의 1몰의 분자량은 44 kg이므로 2몰은 88 kg이다.

■ 파라판계 탄화수소(C_nH_{2n+2})의 특징

H와 C의 결합이 모두 단일 결합으로 이루어진 사슬 모양의 포화 탄화수소

구분	이름	분자식	분자량	발화온도(℃)	연소범위		휘발성 증기압	비점	발열량	점도	밀도(g/ml)(20℃)
					LFL	UFL					
기체	메탄	CH_4	16	537	5	15		-161.5℃			
	에탄	C_2H_6	30	520	3	12.4		-83.6℃			
	프로판	C_3H_8	44	450	2.1	9.5		-42.1℃			
	부탄	C_4H_{10}	58	287	1.8	8.4		-0.5℃			
액체	펜탄	C_5H_{12}	72	-	1.3	7.8		기화열 인화점			0.626
	헥산	C_6H_{14}	86	225	1.1	7.5					0.659
	헵탄	C_7H_{16}	100	204	1.0	7.0					0.684
	옥탄	C_8H_{18}	114	-	-	-		↓ 커진다 (분자가 복잡할수록 끊기 위해서 커진다)	↓ 커진다 (가연물의 양이 많다)	↓ 커진다	0.703
	노난	C_9H_{20}	128	-	-	-					0.718
	데칸	$C_{10}H_{22}$	142	-	-	-					↓ 커진다
	~	~	~	~	~	~					
	헥사데칸	$C_{16}H_{34}$	226								
고체	헵타데칸	$C_{17}H_{36}$	240	↓ 낮아진다	↓ 작아진다	↓ 작아진다	↓ 작아진다	녹는점			
	-	-	분자량 14g 씩 증가함					↓ (커진다)			

① 분자량이 커질수록 분자식이 복잡할수록 발화온도가 낮아져서 자연발화가 쉽다.
(분자간의 결합력이 강해 휘발, 분해가 잘 되지 않고 열을 축적함)

② 탄화수소의 분자량이 많아질 경우

㉠ 기체(C가 1~4개 : 메탄, 에탄, 프로판, 부탄), 액체(5~16개), 고체(17개 이상) 순서

㉡ 증기압(휘발성), 발화점(자연발화), 연소범위, 연소속도, 화학양론조성비 : 작아진다

㉢ 인화점, 비점(끓는점), 기화열, 발열량, 점도, 증기비중(분자량/29), 비중 : 커진다

㉣ 이성질체가 많아진다 : 화학식은 같지만 구조가 서로 다른 분자를 말한다.

Tip

희랍어 - 할론, 할로겐화합물소화약제 명명법등에 사용하며 숫자를 읽는데 사용

1	2	3	4	5	6	7	8	9	10
모노	디	트리	테트라	펜타	헥사	헵타	옥타	노나	데카
mono	di(bi)	tri	tetra	penta	hexa	hepta	octa	nona	deca

3. 연소의 형태

구 분	불꽃의 유무에 의한 분류	
	불꽃이 있는 연소	불꽃이 없는 연소
화재	표면화재	심부화재
물질	고체, 액체, 기체	고체
종류	분해연소, 증발연소, 자기연소, 확산연소, 예혼합연소, 자연발화	표면연소, 훈소, 작열연소
소화	연쇄반응이 있으므로 연소의 4요소 중 하나의 요소 제거하여 소화	연쇄반응이 없으므로 연소의 3요소 중 하나의 요소 제거하여 소화

1 표면연소(작열연소)

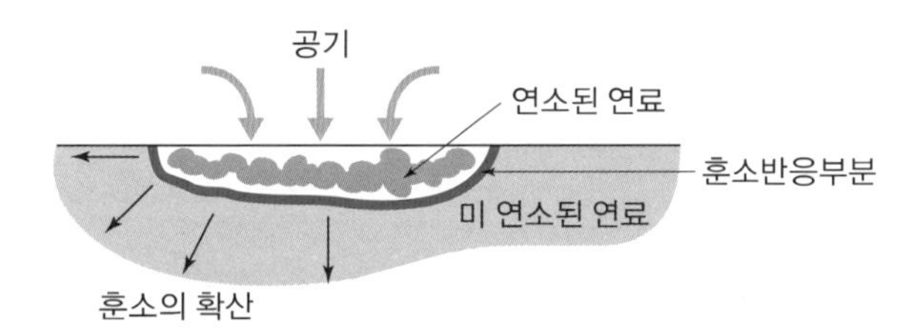

(1) 정의

① **휘발성분이 없거나 증기압이 낮아서 표면에서 연소하는 무염 저온(1,000℃ 이상)의 느린 연소**

② 훈소의 확산 속도는 1 ~ 5 mm/min (≒ 0.001 ~ 0.01 cm/s)

(2) 특성

① **불꽃이 없어 저온(저강도 화재)의 성격을 가진다.**

② **연기발생이 많다.**

발연계수 $K = A - B \times T$

A, B 는 상수, T는 온도(온도가 낮을수록 발연계수는 커진다)

③ **불꽃이 없기 때문에 분해생성물이 연소되지 않고 그대로 기상으로 배출되어 연기입자가 불꽃연소에 비해 상대적으로 크며 독성이 많다.** 또한, 불완전한 연소로 **높은 CO 생성률**을 보인다.

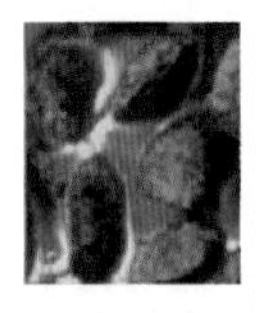

코크스

(3) 고체연소(목탄, 코크스, 금속분)

① **목탄(숯)** : 땔감으로 쓰기 위하여 나무를 가마 속에 넣어서 구워낸 검은 덩어리로서 가연성가스가 없다.

② **코크스** : 석탄의 고온건류에 의해서 생기는 다공질(多孔質) 고체연료로 가연성가스가 없다.

③ **금속분** : 쇠붙이를 갈아서 만든 가루

2 분해연소

(1) 정의

① **열분해에 의해 생성된 가연성가스(분해 → 응축 → 기화)가 공기와 혼합하여 착화되는 연소**

② **열분해란** 외부에서 열을 가하여 분자를 활성화시켰을 때 약한 결합이 끊어져서 **새로운 물질을 만드는 반응**을 말한다. (화합물인 AB가 각각의 성분인 A와 B로 분해되는 것)

③ 응축 : 기체가 액체로 변하는 현상(공기 중에서의 가연성가스가 액체로 변하는 현상)

(2) 고체, 액체연소

① **종이, 목재, 석탄, 플라스틱, 고무 등의 일반가연물**

② 증기압이 낮고 열분해가 일어나기 쉬운 액체에서 발생된 기체가 공기와 확산 연소하는 현상의 **액면연소**(pool burning) - 중유, 아스팔트 등

3 증발연소

(1) 정의

열분해 없이 직접 증발하여 증기가 연소 또는 융해된 액체가 기화하여 연소

(2) 고체, 액체연소

① **액체 - 대부분의 인화성 액체, 가연성 액체**

② **고체 - 파라핀, 황, 나프탈렌 등**

파라핀(알칸족 탄화수소)	황(제2류 위험물)	나프탈렌(방향족 탄화수소화합물)
양초의 재료	화약, 비료의 주성분, 성냥 등	화장실, 방부제, 방충제(장뇌)

4 자기연소

(1) 정의

물질 자체 내 산소를 함유하여 산소공급원 없이도 자체적으로 연소

(2) 고체, 액체연소

제5류 위험물 : NC(니트로셀룰로오스 : 질화면), NG(니트로글리세린), TNT(트리니트로톨루엔), TNP(트리니트로페놀 : 피크린산) 등

5 확산연소

(1) 정의

가연성가스와 산소가 반응에 의해 농도가 0이 되는 화염 쪽으로 이동하는 확산의 과정을 통한 연소(Fick's의 법칙 - 농도가 높은 곳에서 낮은 곳으로 확산)

(2) 고체, 액체, 기체 연소

① **대부분의 자연화재**로 층류, 난류확산연소로 구분
② **화염의 높이가 30 cm 이상 시 난류확산화염**이 된다.
③ 수소, 아세틸렌, 메탄 등 가연성 가스가 산소와 혼합되면서 연소

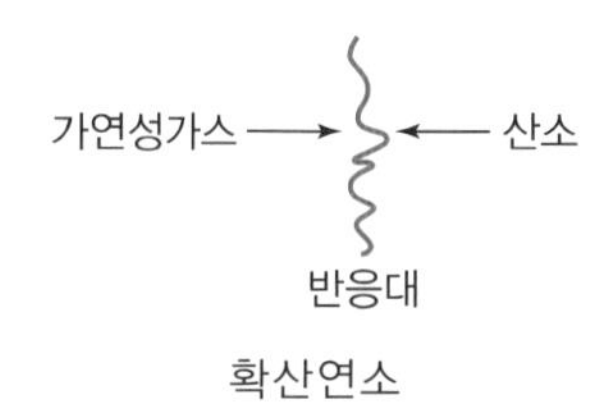

확산연소

6 예혼합연소

(1) 정의

가연성 혼합기가 형성되어 있는 상태(기체)에서의 연소 - 층류, 난류 예혼합연소

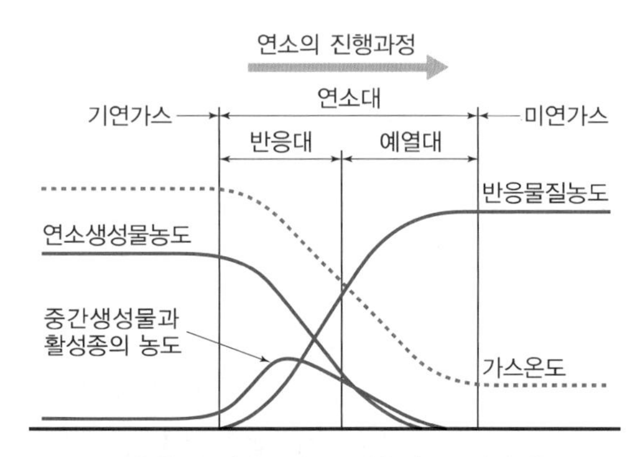

예혼합연소(연소대 = 반응대 + 예열대)

(2) 기체연소

산소와 아세틸렌 용접기, 가연성가스의 누설에 의한 폭발(UVCE, BLEVE 등)

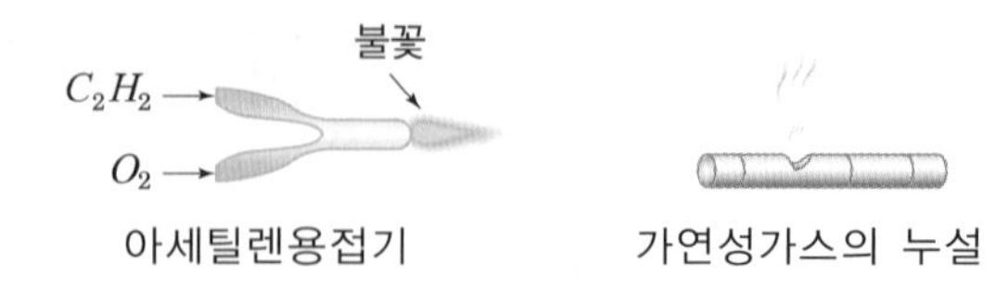

예혼합연소의 예

(3) 화염전파속도

구 분	층류예혼합연소(폭연)	난류예혼합연소(폭굉)
화염전파속도	0.1 ~ 10 m/s	1,000 ~ 3,500 m/s

① 보통 **음속(340 m/s) 이하의 폭발을 폭연이라 하고 그 이상을 폭굉**이라한다.

② **폭연에서 폭굉의 전이를 DDT 전이**라고 한다.

Tip

1. 폭연(deflagration)

열, 빛 및 음속보다 느린 압력파가 발생하는 산화과정이다.

비교적 낮은 압력파를 생성하며 빠른 속도로 진행하는 산화반응이며 주변 계를 교란 시킨다.

2. 폭굉(detonation)

강력하고 빠른 속도의 충격파에 의해 산화가 엄청나게 빠른 속도로 진행되 폭굉파에 의해 주변 계를 강력하게 파괴하는 현상으로 파면에서는 온도, 압력, 밀도가 불연속적으로 나타난다.

3. DDT(Deflagration-Detonation-Transition)전이

예혼합연소(발화 : 폭연) → 화염전파(층류 화염, 온도와 압력의 증가) → 압축파 생성 → 압축파의 중첩(난류화염, 연소속도의 증가) → 강한 압축파(충격파) → 폭굉파(단열압축 : 자연발화)

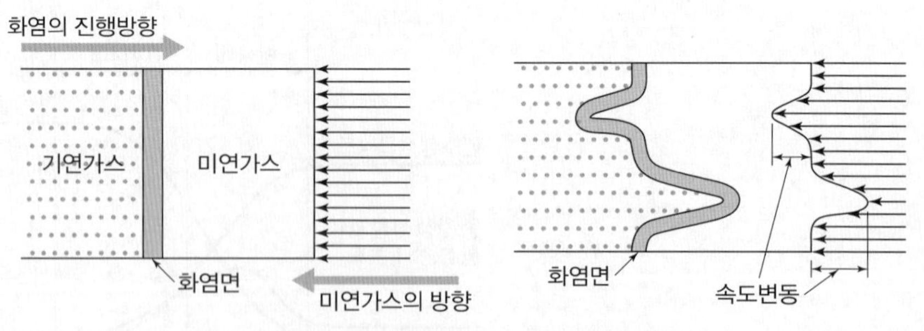

층류 예혼합연소(좌측)와 난류 예혼합연소(우측)

4. 폭굉유도거리(DID - Detonation Induction Distance)

최초의 완만한 연소가 폭굉으로 발전할 때까지의 거리

7 자연발화

(1) 형태 암기 산분흡중발

<table>
<tr><td>산화열</td><td>

석탄, 고무분말, 건성유, 황린 등

• 유지의 종류

구 분	불건성유	반건성유	건성유
요오드값	100 이하	100 초과~130 미만	**130 이상**
종 류	돼지기름, 올리브유, 땅콩기름, 야자유, 동백유, 피마자유	콩기름, 참기름, 옥수수기름, 면실유	**정어리기름, 동유, 해바라기유, 아마인유, 들기름(법유)**
요오드값	100 g의 유지가 흡수하는 요오드의 g 수 (= 아이오딘값)		

암기 건성유의 종류 – 정동해아들[동 : 동백유가 아닌 동유(기름오동나무)임]

"요오드값이 크다" 라는 것은 유지의 불포화도가 커서 요오드가 많이 흡수될 수 있고 이는 요오드값이 130 이상인 건성유를 말하며 건성유는 산소와의 친화력이 좋아 산화열에 의해 자연발화하기 쉽다.

</td></tr>
<tr><td>분해열</td><td>니트로셀룰로오스, 셀룰로이드, 니트로글리세린 등의 질산에스테르류</td></tr>
<tr><td>흡착열</td><td>탄소분말류 (유연탄, 목탄, 활성탄)
• 흡착열 : 접촉하고 있는 기체나 용액의 분자를 표면에 달라붙게 하는 고체 물질의 성질로서 흡착할 때 발생하는 열</td></tr>
<tr><td>중합열</td><td>시안화수소(HCN), 스티렌(=스틸렌 $C_6H_5C_2H_3$), 초산비닐($CH_3COOC_2H_3$), 염화비닐(C_2H_3Cl)
• 중합반응
고압 하에서 단위체[monomer : 고분자화합물의 기본이 되는 것(분자량이 적음)]가 중합체[polymer : 단위체가 중합되어 이루어진 고분자 물질]가 되는 반응</td></tr>
<tr><td>발효열</td><td>퇴비, 건초
• 미생물열이라고도 한다.</td></tr>
</table>

(2) 조건(발열이 크고 방열이 작아야 함)

• 주위온도가 클 것 • 발열량이 클 것 • 압력이 클 것	• 열전도율이 작을 것 • 통풍이 잘 안될 것	**• 습도가 클 것(촉매역할) • 표면적이 넓을 것 (공기와 접촉면적이 커짐)**

(3) 예방대책

자연발화의 조건의 반대가 예방대책이다.

8 기타연소

(1) 분무연소(액적연소, spray combustion)

액체입자를 분무기를 통해 미세한 안개상으로 만들어 연소하는 현상

(2) 등심연소(심화연소, wick combustion)

연료를 심지로 빨아올려 연소하는 현상

(3) 액면연소(pool burning)

증기압이 낮고 열분해가 일어나기 쉬운 액체에서 발생된 기체가 공기와 확산연소하는 현상

예제 17

응축상태의 연소를 무엇이라 하는가?

① 작열연소　② 불꽃연소
③ 증발연소　④ 분해연소

해답 ①

대부분 물질의 연소는 분해 → 응축 → 기화의 과정을 거치면서 화염을 가지며 연소를 하지만 작열연소는 기화하지 못하고 분해 → 응축 연소의 형태를 가진다.

예제 18

액체연료의 증발형태에 따라 연소 시 관련이 없는 것은?

① 액면연소　② 등심연소
③ 작열연소　④ 분무연소

해답 ③

작열연소는 고체의 연소이다.

예제 19

자연발화성의 물질이 아닌 것은?

① 휘발유　② 기름종이
③ 석탄　④ 셀룰로이드

해답 ①

기름종이, 석탄은 산화열에 의해 셀룰로이드는 분해열에 의해 자연발화한다.

4. 폭 발

1 폭발의 분류

구 분	물리적 폭발			화학적 폭발		
원인	**상변화에 의한 폭발(양적 변화)**			**화학 반응에 의한 폭발(질적 변화)**		
종류	수증기 폭발	액화가스 증기폭발	과열액체 증기폭발	분진폭발	분해 폭발	가스 폭발
	전선 폭발	고상간 전이에 의한 폭발	감압 폭발	분무폭발	박막 폭굉	

2 물리적 폭발

(1) 수증기 폭발, 액화가스 증기폭발

(2) **비등(과열)액체 팽창증기 폭발**

- BLEVE(Boiling Liquid Expanding Vapor Explosion)

보일러, LPG가스탱크 등과 같이 고압의 액체를 저장하고 있는 용기가 파손 등에 의해 동체의 일부분이 개방되면 용기내의 압력이 급격히 강하하여 일부 액체가 급격히 비등하고 증기압이 급격히 상기하여 용기 파손, 폭발(동적 평형 파괴)

구 분	Mechanism	방지 대책
액온상승	액체 또는 액화가스 저장탱크 주위에 화재 등의 발생으로 탱크가 화염 등에 의해 가열되면 액체의 온도가 상승하고 탱크 내부의 압력이 상승되며 액체가 비등하게 되면 기상부와 액상부가 압력이 같아지는 동적평형 상태가 된다.	• 탱크 지하 매설 (입열 방지) • 방액제 기초를 경사지게 하여 가연성기체등이 탱크 근처에 고이지 않게 한다. • 고정식 살수설비 설치 • 용기의 내압강도 유지 • 탱크 열전도 향상시켜 열축적 방지
연성파괴	기상부와 액상부의 접한 부분의 연성(늘어나는 성질)이 달라 연성에 의한 균열이 발생되고 탱크 내의 고압의 증기가 대기압으로 방출되며 압력이 급격하게 강하된다.	
액격현상	탱크 내 급격한 압력저하로 비등하던 액체 또는 액화가스가 급격히 팽창하여 탱크 내벽에 충격을 가하는 현상	
취성파괴	액격 현상에 의해 탱크가 취성(연성이 관여하지 않는 성질)파괴되고 파편이 비산됨과 동시에 가연성 가스일 경우 점화원에 의해 Fire Ball로 전이한다.	

Fire Ball

(3) 전선폭발

알루미늄 전선 등 고상에서 급격히 액상을 거쳐 기상으로 전이할 때 폭발

(4) 고상간 전이에 의한 폭발

고체인 무정형 안티몬이 동일한 고상의 안티몬으로 전이할 때 발열함으로써 주위의 공기가 팽창하여 폭발

(5) 감입폭발

고도의 감압상태에 있는 용기의 일부가 파손되면 외기가 급속히 유입되어 큰 폭음과 함께 파편이 주위로 비산하며 폭발

3 화학적 폭발

(1) 분진폭발

지름이 1,000 ㎛보다 작은 입자를 분체라 하고 그 중 **75 ㎛ 이하의 고체입자로서 공기 중에 떠 있는 분체를 분진이라 하는데 분진은 공기 중에 부유하고 있을 때 점화원에 의해 폭발**한다.

구 분	분진 폭발의 종류
폭연성분진	마그네슘, 알루미늄, 브론즈 등
가연성분진	곡물분진(소맥분, 전분 등), 합성수지류, 화학약품 등 비전도성인 것과 코크스, 철, 동 등 전도성을 갖는 분진 등

구 분	내 용
분진의 정의	**75 ㎛ 이하의 고체입자로서 공기 중에 떠 있는 분체**
발생 Mechanism	가연성 미분 상태의 분진이 공기 중에 부유해 있을 때 점화원에 의해 발생 에너지 / 열에너지 / 입자 / 표면온도 상승 / 입자 / 가연성 가스발생 / 입자 / 가연성 혼합 가스생성 / 점화원 / 입자 열의 흡수 → 가연성가스발생 → 점화원에 의한 1차 폭발 → 2차, 3차 폭발
특징	**가스폭발에 비해 점화에너지는 크나 2차, 3차 폭발이 있어 발생에너지 및 파괴력이 크고 불완전연소로 인해 탄화물에 의한 피해가 크다**
영향요소	**• 분진의 화학적 성질과 조성 • 입도와 입도 분포, 입자의 형상과 표면의 상태 • 수분, 가연성 정도, 산소 농도 • 분진의 부유성 • 점화원**
발생 장소	알루미늄 공장, 금속(Zn, Mg 등) 재생공장, 밀, 코코아 공장, 커피, 우유, 가구 공장 등
예방 대책	• 분진 퇴적, 분진운 생성 방지 • 점화원 관리(방폭 전기설비) • 불활성 물질 첨가

• 확산성을 가지지 않는 분진은 방치하면 침강하여 퇴적되어 공기를 다량으로 함유한 gel이 되는데 이를 aerosol이라 부르며 발화 위험성이 존재한다.

(2) 분해폭발

에틸렌(C_2H_4), 산화에틸렌(C_2H_4O), 아세틸렌(C_2H_2) 등 분해 시 분해에 의해 발생된 가스가 열팽창되고 이 때 생기는 압력 상승과 이 압력의 방출에 의해 폭발

(3) 분무폭발

공기 중에 분출된 액체의 미세한 액적이 무상으로 공기 중에 부유하고 있을 때 점화원에 의해 발생

(4) 박막폭굉

배관 내부 표면에 고착된 윤활유 등이 강한 에너지를 받아 무상으로 되어 폭발

(5) 가스폭발(=산화폭발) (VCE, UVCE)

가연성 가스와 산소의 혼합 상태에서 점화원에 의해 폭발(수소, 일산화탄소, 메탄, 에탄 등)

구 분	VCE(Vapor Cloud Explosion)	증기운 폭발 UVCE(Unconfined Vapor Cloud Explosion)
발생 Mechanism	• 경질유 저장탱크 내부 등 가연성 혼합기를 형성하는 공간에서 점화원에 의해 폭발 (밀폐계 증기운 폭발) • 착화파괴형	• **대기 중에 대량(1톤 이상)의 가연성가스 또는 가연성액체가 유출되어 발생되는 증기가 공기와 혼합하여 가연성 혼합기를 형성하고 점화원에 의해 폭발(개방계 증기운 폭발)** • **가스 누설 → 방류 → 체류 → 점화원 → 폭발(누설착화형)** • **가연성 혼합기 형성을 위해서는 액체 또는 액화가스는 순간증발(Flashing)이 필요하다**
방지대책	• 점화원 관리 (방폭 전기설비) • MOC 이하로 불활성화 (산소농도 제어)	누설, 방류, 체류 방지 (환기설비, 자동 차단 밸브)

예제 20

폭발의 종류가 다른 것은?

① 가스폭발　　② 분무폭발
③ 분진폭발　　④ 전선폭발

해답 ④

전선폭발은 물리적 폭발이다.

4 폭발의 형태에 따른 분류

구분	발생 원인	예방	발생 물질, 장소 등
착화파괴형	용기내의 가연성 혼합기가 점화원에 의해 폭발하고 압력 상승에 의해 용기 파손	발화원 관리, 불활성화, 혼합가스 조성 관리	**경질유 저장탱크 (VCE)**
누설착화형	용기내의 가연성 가스가 누출되고 점화원에 의해 폭발	점화원 관리, 누설, 방류, 체류 방지	**LPG 저장탱크 누출 (UVCE)**
자연발화형	완만한 반응열의 축적에 의한 자연발화 폭발	물질의 특성에 따른 관리, 열축적 방지	**3류 위험물의 칼륨, 나트륨 등**
반응폭주형	급격한 반응열의 축적에 의한 반응 폭주, 폭발	반응속도 관리, 냉각	**화학공장 반응용기 내의 반응 폭주**
열이동형	저비점의 액체가 고열물과 접하여 순간증발, 폭발	고열물과 접촉 방지	**수증기 폭발, 액화가스 증기폭발**
평형파탄형	액체가 들어있는 고압용기 등이 파손하여 고압액체의 비등으로 인한 폭발	입열 방지, 용기 강도유지	**보일러, LPG 탱크 폭발(BLEVE)**

5. 방폭

1 방폭의 원리

방폭의 기본원리	물적조건과 에너지조건 중 어느 하나를 0으로 조성
물적조건 제어	• **연소범위 제어 – 누설, 방류, 체류 방지(환기, 차단 등)** • **불활성화 – 산소농도를 MOC 이하로 유지** **불활성화 방법인 진공, 압력, 스위프, 사이폰 퍼지 방법 이용** 진공 퍼지: 용기를 진공으로 퍼지한 다음 불활성가스를 주입하여 대기압상태로 만들고 원하는 산소농도가 될 때까지 반복하여 퍼지 압력 퍼지: 용기 내부에 압력을 가해 불연성 가스를 주입한 후 배출 과정을 반복하여 산소농도를 낮추는 방법 스위프 퍼지: 용기가 약하여 진공, 압력퍼지를 할 수 없을 경우 한쪽에서 불연성가스를 주입하고 반대쪽에서 배출 사이폰 퍼지: 스위프퍼지는 많은 양의 불활성가스를 필요로 하므로 큰 저장 용기의 경우 경비가 많이 소요되므로 경비를 최소화할 때 사용, 용기에 물을 채운 후 물을 배수하면서 불활성가스 주입 • 퍼지(purge) : 미연소 가스가 노(爐)나 용기 등의 장소에 있으면 점화를 했을 경우 폭발할 염려가 있으므로 점화전에 이것을 배출하기 위하여 환기하는 것
에너지조건 제어	• 점화원 관리 • 방폭 전기설비

방폭형발신기

2 위험장소의 분류

구 분	위험위기	장 소	방폭구조 종류
0종 장소	**정상적인 상태에서 지속적 위험분위기를 형성하는 공간**	• 인화성 액체 용기 및 탱크 내의 액면 상부 • 가연성가스 용기 내부 등	**본질안전 방폭구조**
1종 장소	**정상상태에서 일시적으로 위험분위기를 형성하는 공간**	• 가연성가스 용기 Vent 부분 • 가스체류 Pit	**비점화 방폭구조 제외한 모든 방폭구조**
2종 장소	**이상상태를 초래하여 위험 분위기가 발생할 수 있는 장소**	• 가연성 가스용기 등의 파손으로 누출 우려가 있는 곳 • 환기장치 고장 • 외부 가스 침입 등으로 가스체류가능 공간	**모든 방폭구조**

3 방폭구조의 분류 및 종류

(1) 본질적 억제 : **본질안전 방폭구조**

(2) 안전도 향상 : **안전증 방폭구조**

(3) 방폭적 격리 : **내압, 압력, 충전, 유입, 몰드, 특수, 비점화 방폭구조**

구 분	방 폭 원 리	구 조
본질안전방폭구조(i) Intrinsic Safety	위험지역으로 흘러 들어가는 에너지의 크기를 최소 점화에너지 이하로 제어하는 구조(측정 및 제어장치)	
안전증방폭구조(e) Increased Safety	정상 운전 중에 폭발성가스 또는 증기에 점화원이 되는 전기불꽃 또는 아크의 발생을 방지하기 위해 기계적, 전기적 구조상 또는 온도 상승에 대하여 특히 안전도를 증가시킨 것	
내압방폭구조(d) Flame proof enclosure	내부에서 가스가 폭발했을 때 용기가 폭발에 견디도록 하고, 개구부 등을 통해 화염이 전파되지 못하도록 하여 외부의 폭발성 가스에 인화되지 않도록 한 구조	W: 틈새 L: 틈새의 길이

방폭형감지기
(적색램프
동작상태)

구 분	방 폭 원 리	구 조
압력방폭구조(p) Pressurized Apparatus	용기 내부에 불활성기체를 압입하여 내부 압력을 유지함으로써 폭발성 가스 또는 증기가 침입하는 것을 방지하는 구조	
유입방폭구조(o) Oil Immersion	전기불꽃 또는 아크 발생부분을 인화점이 높은 기름 속에 넣어 점화원을 격리하는 구조	

4 방폭 전기기기 선정시 기본 원칙(고려 사항)

방폭지역 등급	본질안전 방폭구조의 경우 최소 점화 전류
위험물의 발화온도	압력, 유입, 안전증 방폭구조의 경우 최고 표면 온도
내압 방폭구조의 경우 최대안전틈새	주변온도, 상대습도, 먼지, 부식성 가스 등 환경 조건

5 전기설비의 방폭구조표기

재질(Housing Naterial)	Cast Aluminum
방폭인증(Explosion Proof)	Ex d ⅡC T6

방폭기기에 부착된 표지

<table>
<tr><td>Ex</td><td>Explosion Proof</td><td colspan="4">폭발 인증(방지, 예방)</td></tr>
<tr><td>d</td><td>방폭구조</td><td colspan="4">d(내압방폭구조), I, e, p, o, 등</td></tr>
<tr><td rowspan="3">ⅡC</td><td rowspan="3">방폭전기기기의 폭발등급</td><td>폭발등급 (가스그룹)</td><td>ⅡC</td><td>ⅡB</td><td>ⅡA</td></tr>
<tr><td>최대안전틈새(mm)</td><td>0.5 이하</td><td>0.5 초과 ~0.9 미만</td><td>0.9 이상</td></tr>
<tr><td>해당 가스</td><td>수소, 아세틸렌</td><td>에틸렌, 부틸렌</td><td>메탄, 에탄, 프로판, 부탄</td></tr>
<tr><td>T6</td><td>최대허용온도</td><td colspan="4">T1 ~ T6</td></tr>
</table>

6 연소등의 이상 현상

<table>
<tr><th>구 분</th><th>현 상</th></tr>
<tr><td>불완전 연소
(Incomplete combustion)</td><td>• 연소 시 공기와 가스의 혼합이 적절하지 않은 상태의 연소로서 그을음이 발생한다.
– 산소 부족 시 – 연료의 공급 불안정 시
– 연소 온도가 낮을 때

• 당량비 $\phi = \frac{\text{실제(연료/공기)}}{\text{이론(연료/공기)}}$, 공기비 $\alpha = \frac{\text{이론(연료/공기)}}{\text{실제(연료/공기)}}$
당량비가 크다면(공기비가 적음 : 공기비는 당량비의 역수) 연료가 많아 공기의 양에 따라 연소의 형태가 결정되는 환기지배형 화재의 성격을 가지며 당량비가 작다면 (공기비가 큼) 공기가 풍부하여 연료가 많고 적음에 따라 연소형태가 결정되는 연료지배형 화재의 성격을 보인다.
불완전연소 시에는 당량비가 1보다 크고 완전연소 시에는 당량비가 1보다 작거나 1인 C_{st}(화학양론조성비)가 된다.
• 건축물 화재(모든 화재는 $\phi < 1$의 상태에서 $\phi > 1$의 상태에 이른다.)
<table>
<tr><th>화재 초기</th><th>화재 중기 이후</th></tr>
<tr><td>$\phi < 1$</td><td>$\phi > 1$</td></tr>
<tr><td>$\alpha > 1$</td><td>$\alpha < 1$</td></tr>
<tr><td>연료지배형 화재</td><td>환기지배형 화재</td></tr>
</table></td></tr>
<tr><td>역화
(Back fire)</td><td>• 불꽃이 연소기 내부로 역류하여 혼합관 속에서 연소
• 연료가스의 분출속도보다 연소속도가 빠른 경우 발생
• 원인
– 가연성가스의 양이 적을 때 – 노즐 구멍의 확대 또는 부식 되었을 때
– 버너가 과열 되었을 때 – 이물질이 가스에 함유 되었을 때</td></tr>
<tr><td>선화
(Lifting)</td><td>• 불꽃이 노즐에서 떨어져 연소
• 연료가스의 분출속도가 연소속도보다 빠른 경우 발생
• 원인 – 노즐의 축소 등</td></tr>
<tr><td>블루우 오프
(Blow –off : 바람이 불면 꺼짐)</td><td>• 선화조건에서 강한 바람이 불면 꺼지는 현상
• 선화상태에서 연료가스 분출속도 증가 → 불안정 → 소화</td></tr>
<tr><td>황염</td><td>불꽃의 색이 황색으로 되는 현상 : 공기량의 조절이 적정하지 못하여 완전연소가 이루어지지 않을 때 발생</td></tr>
</table>

예제 21

화재 중기 이후의 연소형태는 환기지배형 화재 성격을 보인다. 이때 당량비(ϕ)는 어떻게 되는가?

① $\phi < 1$　　② $\phi = 1$
③ $\phi > 1$　　④ $\phi < 1$ 또는 $\phi > 1$

해답 ③

실전 예상문제

●○○ 01 연소와 가장 관계 깊은 화학반응은?

① 중합반응 ② 치환반응 ③ 환원반응 ④ 산화반응

연소란 열과 빛을 수반하는 급격한 산화반응

●●● 02 가연물질이 되기 위한 구비조건 중 적합하지 않은 것은?

① 산소와 반응이 쉽게 이루어져야 한다.
② 활성화에너지가 작아야 한다.
③ 산소와의 접촉 면적이 작아야 한다.
④ 발열량이 커야 한다.

가연물은 산소와 접촉면적이 커야 활성화 되기 쉽다.

●●● 03 불꽃의 색깔에 의한 온도의 측정에서 낮은 온도에서부터 높은 온도의 순서대로 옳게 나열한 것은?

① 적색, 백적색, 황적색, 휘백색 ② 암적색, 휘적색, 적색, 황적색
③ 암적색, 황적색, 백적색, 휘백색 ④ 암적색, 휘적색, 황적색, 담암적색

불꽃의 온도는 적외선(적색)에서 자외선(보라색)으로 갈수록 높으며, 어두운 색에서 밝은 색으로 갈수록 높다.

●●● 04 다음 중 고체 가연물이 덩어리보다 가루일 때 더 위험한 이유로 가장 적합한 것은?

① 발열량이 작아지기 때문이다. ② 공기와 접촉면이 커지기 때문이다.
③ 열전도율이 커지기 때문이다. ④ 활성에너지가 커지기 때문이다.

가연물의 조건 : 공기와의 접촉면적이 커야 연소되기 쉽다.

정답 01 ④ 02 ③ 03 ③ 04 ②

●●● 05 **물질의 연소 시 산소공급원이 될 수 없는 것은?**

① 산화칼슘(CaO)
② 과산화수소(H_2O_2)
③ 질산나트륨($NaNO_3$)
④ 니트로셀룰로오스

과산화수소 – 제6류 위험물(산화성액체), 질산나트륨 – 제1류 위험물(산화성고체), 니트로셀룰로오스 – 제5류 위험물 (자기반응성 물질), 산화칼슘은 이미 산화되었기 때문에 산소공급원이 될 수 없다.

●●● 06 **가연물이 될 수 없는 불연성 가스에 해당하는 것은?**

① $CFC-11$
② NH_3
③ CO
④ C_2H_2

연소의 3요소 : 가연물, 점화원, 산소공급원
불활성가스는 가연물이 될 수 없다. – 0족 원소, 프레온가스 등

●●○ 07 **산소와 흡열반응을 하며 함유량이 많을수록 발열량을 감소시키는 것은?**

① 헥산
② 수소
③ 탄소
④ 질소

헥산, 수소, 탄소는 모두 가연물이며 연소시 발열반응을 한다. 질소는 공기 중 약 79%를 차지하고 있는 무색 무취로서 산화반응을 하지만 흡열반응을 하며 복사열을 흡수하지 않는 특성이 있다.

●●● 08 **다음 연소의 설명 중 가장 옳은 것은?**

① 활성화에너지의 값이 적을수록 연소가 잘 이루어진다.
② 산화제는 오존, 불소 등이 있다.
③ 크세논은 산화에 의해 자연발화를 일으킬 수 있다.
④ 인화점이 낮은 것은 연소 온도가 높다.

가연물의 조건 : 활성화에너지가 작을 것, 즉 활성화되기 위한 에너지가 작아야 한다.

정답 05 ① 06 ① 07 ④ 08 ①

●●○ 09

$2N_2 + 5O_2 \rightarrow 2N_2O_5$ (오산화이질소) $- Q\,\mathrm{kcal}$ 은 무엇을 설명하는가?

① 산화반응을 하고 발열반응 하는 물질
② 산화반응을 하고 흡열반응 하는 물질
③ 환원 반응을 하고 발열반응 하는 물질
④ 환원 반응을 하고 흡열반응 하는 물질

해설
산소와 만나는 반응을 하고 있기 때문에 산화반응이며 − Q kcal의 의미는 흡열반응을 말한다.
즉 질소는 산화반응을 하지만 흡열반응을 하기 때문에 가연물이 될 수 없다.

●●● 10

화재의 원인이 되는 발화원으로 볼 수 없는 것은?

① 단열압축　② 기화열　③ 용해열　④ 나화

해설
발화원은 점화원을 말하는 것으로서 디젤엔진, 박막폭굉과 같은 단열압축과 보일러, 담뱃불 등의 나화는 점화원에 해당되며 용해열은 점화를 일으킬 수 있는 에너지원 종류의 화학열에 해당된다. 용해열은 어떤 물질이 액체에 용해될 때 발생하는 열을 말한다.

●○○ 11

정전기에 의한 발화과정이 옳은 것은?

① 전하의 축적–방전–전하의 발생–발화
② 방전–전하의 축적–전하의 발생–발화
③ 전하의 발생–전하의 축적–방전–발화
④ 전하의 발생–방전–전하의 축적–발화

해설
정전기는 전기가 흐를 수 있는 회로(도전로)가 없어 일명 정지된 전기라 한다. 정전기는 전하(+, − 전기량을 갖는 전자)가 발생 후 축적된 상태에서 도전로가 생기면(옷에 축적된 전기가 문의 손잡이를 통하여 전기가 흐름) 방전이 되면서 회로가 끊겨 저항에 의해 스파크가 발생한다. 이때 주위에 가연성 혼합기체가 연소범위에 있으면 발화할 수 있다.

●○○ 12

점화원 중 정전기 대전현상이 아닌 것은?

① 마찰대전　② 박리대전　③ 유도대전　④ 유전대전

해설
대전의 원인 : 유동, 비말, 적하, 마찰, 박리, 유도, 충돌, 분출, 진동, 교반 − 암기 유비적 마박 유충분 진교

정답　09 ②　10 ②　11 ③　12 ④

●●● 13

정전기에 의한 발화를 방지하기 위한 예방대책으로 옳지 않은 것은?

① 접지시설(접지 및 본딩)을 한다.
② 상대습도를 70% 이상으로 유지한다.
③ 제전기를 이용하여 공기를 이온화한다.
④ 부도체 물질을 사용한다.

해설
옷, 풍선 등은 부도체(전기가 흐르지 않는 물질)로서 정전기가 축적되므로 예방대책이 될 수 없다.
• 제전기를 이용한 정전기 예방대책

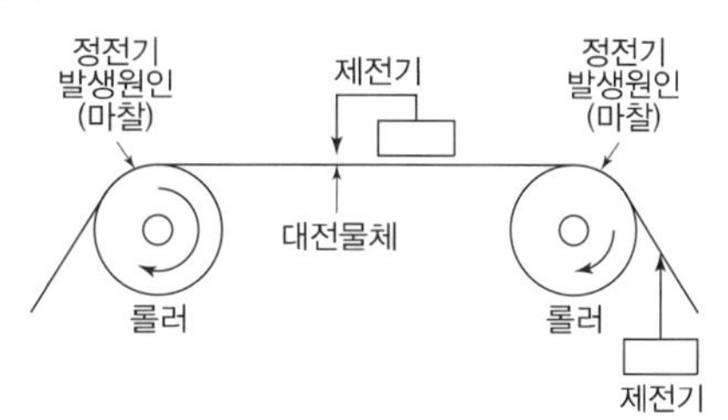

• 상대습도 : 대기 중에 존재하는 수증기량을 포화수증기량에 대해 비율로 나타낸 것
• 절대습도 : 공기 $1m^3$ 중에 포함된 수증기의 양을 g으로 나타낸 것

●●○ 14

부도체의 대전(정전기) 방지 대책이 아닌 것은?

① 상대습도를 70% 이상으로 한다.
② 대전방지제를 사용한다.
③ 제전기를 이용한다.
④ 접지 및 본딩을 한다.

해설
접지 및 본딩은 부도체가 아닌 도체의 정전기 방지대책이다.
정전기 예방대책

도체	부도체	인체
접지, 본딩, 유속제한(1m/s 이하)	상대습도 70% 이상, 대전방지제, 제전기	대전방지복, 대전방지화, 손목접지대

●○○ 15

경년변화에 따른 절연열화 → 탄화도전로 형성 → Spark 발생 → 줄열 발생의 과정을 무엇이라 하는가?

① 트래킹
② 가네하라
③ 줄열의 법칙
④ 아산화동 발열현상

해설
트래킹 : 경년변화 → 탄화도전로 형성 → Spark 발생 → 줄열 발생
흑연화현상(가네하라) : 스파크 등의 고열 → 탄화도전로 형성 → 줄열 발생
아산화동 발열현상의 원인은 접촉 불량이다.

정답 13 ④ 14 ④ 15 ①

●○○ 16

경년변화에 따른 탄화도전로를 형성하여 스파크에 의한 줄열에 의해 발열, 발화하는 것을 무엇이라 하는가?

① 스파크 ② 아산화동 ③ 트래킹 ④ 정전기

- 트래킹 : 경년변화(충전 전극 사이의 절연물, 수분을 함유한 먼지의 축적 : 소규모 방전) → 탄화도전로 형성 → Spark 발생 → 줄열에 의한 발열·발화
- 흑연화현상(가네하라) : Spark 등의 고열 → 탄화도전로 형성 → 줄열에 의한 발열·발화

●●○ 17

가연성혼합기체에 대한 최소점화에너지(MIE)가 가장 작은 물질은?

① 아세틸렌 ② 에탄 ③ 벤젠 ④ 헥산

아세틸렌(C_2H_2), 수소, 이황화탄소(CS_2)	벤젠	메탄	에탄, 프로판, 부탄	헥산
0.019 mJ	0.2 mJ	0.28 mJ	0.25 mJ	0.24 mJ

●●○ 18

인화가 일어나지 않는 최대거리란?

① 안전거리 ② 절대거리 ③ 화염일주한계 ④ 소화거리

최소점화에너지는 틈새의 간격이 좁아지면 작아지다가 어느 간격 이하에서는 아무리 큰 에너지를 주어도 인화가 일어나지 않는데 이 원리를 이용한 것으로 화염일주한계, 소염거리라 한다.

●●● 19

인화점에 대한 설명으로 틀린 것은?

① 가연성 액체의 인화와 깊은 관계가 있다.
② 반드시 점화원의 존재와 연관 있다.
③ 연소가 지속적으로 확산될 수 있는 최저온도이다.
④ 연료의 조성, 온도, 비점에 따라 달라진다.

인화점(온도) : 가연성액체가 공기 중 가연성혼합기를 형성하는 최저 온도로서 점화원에 의해 발화하므로 점화원 관리가 중요하다.

정답 16 ③ 17 ① 18 ③ 19 ③

••• 20 가연성액체가 개방된 상태에서 증기를 계속 발생시키면서 연소가 지속될 수 있는 최저온도를 무엇이라고 하는가?

① 인화점 ② 연소점 ③ 발화점 ④ 지속점

해설
점화원이 없어도 연소가 지속될 수 있는 최저온도를 연소점이라 하고 인화점 보다 약 10℃ 높다.

••• 21 발화점이 낮아지는 이유 중 맞지 않는 것은?

① 산소와 친화력이 좋을 때 ② 열전도율이 낮을 때
③ 분자구조가 간단할 때 ④ 압력이 클 때

해설
분자의 구조가 복잡할 때 분자의 연결고리를 끊기 위해 많은 열을 축적함으로서 발화점이 낮아진다.

•○○ 22 발화온도(발화점)가 가장 높은 물질은?

① 석탄 ② 프로판 ③ 메탄 ④ 셀룰로이드

해설
메탄(기체) : 537℃, 프로판(기체) : 450℃, 석탄(고체) : 440~500℃, 셀룰로이드(고체) : 180℃
발화점(착화점)은 일반적으로 기체 〉 액체 〉 고체 순이며 기체의 경우 분자량이 작을수록 발화점이 높고 위험한 물질일수록 낮다.

••• 23 연소범위가 가장 넓은 물질은?

① 일산화탄소 ② 황화수소 ③ 에틸렌 ④ 암모니아

해설
일산화탄소 : 12.5 ~ 74%, 황화수소 : 4 ~ 44%, 에틸렌 : 2.7 ~ 36%, 암모니아 : 15 ~ 28%

••• 24 다음 물질 중 공기 중에서의 연소범위가 가장 넓은 것은?

① 메탄 ② 에탄 ③ 프로탄 ④ 부탄

해설
파라핀계 탄화수소의 연소범위는 분자량이 많을수록 좁아진다. (메탄 – 에탄 – 프로판 – 부탄의 순이다)

정답 20 ② 21 ③ 22 ③ 23 ① 24 ①

●●○ 25

수소의 연소한계는 얼마인가?

① 4.0 ~ 75.0% ② 4.0 ~ 44.0% ③ 2.5 ~ 81.0% ④ 1.8 ~ 8.4%

폭발한계(연소범위) : 4.0 ~ 44.0%(황화수소) / 2.5 ~ 81.0%(아세틸렌) / 1.8 ~ 8.4%(부탄)

●●○ 26

250℃에서의 메탄의 연소범위는?(단, 25℃에서의 연소범위는 5% ~ 15%)

① 5.5% ~ 30% ② 5.0% ~ 15%
③ 4.1% ~ 17.7% ④ 2.5% ~ 18%

$$LFL_T = LFL_{25℃} - \frac{0.8(LFL_{25℃})}{1,000} \times (T - 25) = 5 - \frac{0.8 \times 5}{1,000} \times (250 - 25) = 4.1$$

$$UFL_T = UFL_{25℃} + \frac{0.8(UFL_{25℃})}{1,000} \times (T - 25) = 15 + \frac{0.8 \times 15}{1,000} \times (250 - 25) = 17.7$$

가연성가스는 온도가 올라가면 연소범위가 넓어짐을 알 수 있다.

●●● 27

혼합가스가 존재할 경우 이 가스의 폭발 하한값은 얼마인가?(단, 혼합가스는 에탄 20%, 프로판 60%, 부탄 20%로 혼합되었으며 각 가스의 폭발 하한값은 에탄 3.0, 프로판 2.1, 부탄 1.8으로 한다.)

① 1.5 ② 2.16 ③ 3.10 ④ 4.23

$$\frac{V_1 + V_2 + V_3}{L} = \frac{V_1}{L_1} + \frac{V_2}{L_2} + \frac{V_3}{L_3} \qquad \frac{100}{L} = \frac{20}{3} + \frac{60}{2.1} + \frac{20}{1.8} \qquad \therefore L ≒ 2.16$$

●●● 28

다음 혼합가스의 폭발 하한계는 얼마인가?
(단, 혼합가스는 프로판 70%, 부탄 10%, 질소 20%로 혼합되어 있다)

① 2.05 ② 2.1 ③ 2.2 ④ 2.3

$$\frac{V_1 + V_2 + V_3}{L} = \frac{V_1}{L_1} + \frac{V_2}{L_2} + \frac{V_3}{L_3} \rightarrow \frac{80}{L} = \frac{70}{2.1} + \frac{10}{1.8} \qquad \therefore L ≒ 2.05$$

여기서 중요한 것은 V_1, V_2, V_3는 가연성 가스이고 질소는 가연물이 될 수 없는 물질로서 연소하한계가 없으므로 계산 할 수 없다.

정답 25 ① 26 ③ 27 ② 28 ①

●○○ **29** 부탄(C_4H_{10})의 공기 중 Cst(완전연소 조성농도, 화학양론적조성비)는 얼마인가?

① 1.56 ② 3.13 ③ 5.42 ④ 6.26

$C_4H_{10} + 6.5\,O_2 \rightarrow 5H_2O + 4\,CO_2$

$CS_t = \dfrac{1}{1+6.5/0.21} \times 100\ \% \fallingdotseq 3.13\ \%$

●○○ **30** 파라핀계탄화수소의 경우 연소하한계의 농도(Vol%)와 그 연소열(kcal/mol)의 곱은 항상 일정(약, 1,050 kcal)한데 이를 무슨 법칙이라고 하는가?

① Le Chatelier의 법칙
② Burgess–Wheeler의 법칙
③ Boyle의 법칙
④ Charle's law의 법칙

Burgess–Wheeler의 법칙 : 연소하한계(LFL) × 연소열(kcal/mol) ≒ 1,050 kcal

●●● **31** 가연성 기체 또는 액체의 연소범위에 대한 설명 중 틀린 것은?

① 연소하한값이 낮을수록 연소 위험이 크다.
② 연소범위가 넓을수록 연소 위험이 크다.
③ 연소상한값이 높을수록 연소 위험이 적다.
④ 연소범위는 주위온도와 관계가 깊다.

위험도 $H = \dfrac{UFL - LFL}{LFL}$

연소 상한값이 높을수록 위험하며 연소범위가 넓을수록, 연소하한값이 낮을수록 위험하다.

●●● **32** 다음 중 위험도가 가장 큰 것은?

① CO ② H_2S ③ NH_3 ④ CS_2

위험도 $H = \dfrac{U-L}{L}$

CO : 12.5 ~ 74 $\therefore H = 4.92$ H_2S : 4 ~ 44 $\therefore H = 10$

NH_3 : 15 ~ 28 $\therefore H = 0.866$ CS_2 : 1.2 ~ 44 $\therefore H = 35.6$

29 ② 30 ② 31 ③ 32 ④

●●○ 33 연소에 관한 설명으로서 옳은 것은?

① 불꽃연소는 작열연소에 비해 대개 발열량이 크다.
② 작열연소에는 연쇄반응이 동반된다.
③ 작열연소는 불완전 연소시에 불꽃연소는 완전 연소시에 나타난다.
④ 분해연소는 작열연소의 한 형태이다.

해설
작열연소는 연쇄반응이 일어나지 않으며 불꽃연소는 불완전연소에도 발생하며 분해연소는 불꽃연소의 한 형태이다.

●●● 34 파라핀의 연소 형태는?

① 확산 연소 ② 증발 연소 ③ 분해 연소 ④ 자기 연소

해설
증발연소 : 황(유황), 나프탈렌, 파라핀(양초)

●●● 35 석탄, 종이, 목재 등의 연소형태로 옳은 것은?

① 증발연소 ② 분해연소 ③ 표면연소 ④ 자기연소

해설
석탄, 종이, 목재 등은 열분해에 의한 분해연소이다.

●●● 36 고체연료의 연소형태에 해당하지 않는 것은?

① 증발연소 ② 분해연소 ③ 표면연소 ④ 예혼합연소

해설
예혼합연소는 기체연료의 연소형태이다.

●●● 37 숯, 코크스가 연소하는 형태는 다음 중 어느 것인가?

① 표면 연소 ② 자기 연소 ③ 증발 연소 ④ 분해 연소

해설
숯, 코크스는 나무, 석탄의 가연성 성분이 모두 증발한 것으로서 기상에서 반응을 하지 못하기 때문에 훈소의 성격을 가지는 표면연소를 한다.

정답 33 ① 34 ② 35 ② 36 ④ 37 ①

38 가연물의 연소형태를 잘못 짝지은 것은?

① 표면연소 : 석탄 ② 분해연소 : 종이
③ 증발연소 : 나프탈렌 ④ 자기연소 : 질산메틸

석탄은 분해연소를 하며 질산메틸은 제5류 위험물의 질산에스테르류로서 자기(내부)연소한다.

39 분해연소를 하는 물질은?

① 가솔린 ② 플라스틱 ③ 부탄 ④ 프로판 가스

해설
가솔린은 액체로서 증발온도 < 분해온도이므로 증발연소를 하고 부탄, 프로판은 기체로서 확산 또는 예혼합연소를 한다.

40 가연물의 주된 연소형태를 틀리게 나타낸 것은?

갈탄

① 증발연소 : 경유 ② 분해연소 : 석탄
③ 표면연소 : 갈탄 ④ 자기연소 : 피크린산(TNP)

해설
갈탄은 석탄 중에서 가장 탄화도(炭化度)가 낮은 석탄으로, 흑갈색을 띠며, 수분·가연성가스의 휘발분이 많으며, 전체 석탄매장량 중 45% 정도를 차지한다.

41 연소의 형태 중 자기연소 하는 물질은?

① 아세트산 ② 포름산 ③ 질산 ④ 피크린산

피크린산은 자기연소성 물질인 트리니트로페놀(TNP)이다. 아세트산은 초산으로 제4류 위험물의 제2석유류, 포름산은 개미산, 의산이라고도 하고 제4류 위험물의 제2석유류, 질산은 제6류 위험물로서 불연성물질이다.

42 다음 중 자연 발화의 형태에 맞지 않는 것은?

① 분해열 ② 산화열 ③ 복사열 ④ 미생물열

자연발화의 형태 – 산화열, 분해열, 흡착열, 중합열, 발효열(미생물열) : 암기+ 산분흡중발

정답 38 ① 39 ② 40 ③ 41 ④ 42 ③

41 햇빛에 방치한 기름걸레가 자연발화를 일으켰다. 다음 중 이 때의 원인에 가장 가까운 것은?

① 흡착열 ② 산화열 ③ 복사열 ④ 중합열

해설
자연발화의 형태 – 산화열, 분해열, 흡착열, 중합열, 발효열(미생물열) : 암기 산분흡중발

42 자연발화가 원인이 되는 열의 발생 형태가 다른 것은?

① 기름종이 ② 고무분말 ③ 석탄 ④ 시안화수소

해설
산화열 – 기름종이, 고무분말, 석탄 등
중합열 – 시안화수소(HCN), 스티렌($C_6H_5C_2H_3$), 초산비닐($C_4H_6O_2$)

43 다음 중 자연발화가 일어나기 쉬운 조건이 아닌 것은?

① 열전도율이 클 것 ② 적당량의 수분이 존재할 것
③ 주위의 온도가 높을 것 ④ 표면적이 넓을 것

해설
열전도율이 크면 열의 축적이 어렵고 적당량의 수분은 연소의 촉매작용을 하며 표면적이 넓으면 냉각에 의해 열의 축적이 어려운 관점이 아니라 산소와 접촉면적이 커짐을 말한다.

44 저장 시 섬유에 스며들어 자연발화의 위험이 있는 것은 어느 것인가?

① 올리브유 ② 동백유 ③ 동유 ④ 피마자유

해설
자연발화의 위험이 있는 기름 – 정어리기름, 동유, 해바라기유, 아마인유, 들기름
암기 정동해아들 – 동백유는 자연발화 위험이 없다.

45 동식물유류에서 "요오드값이 크다"라는 의미를 옳게 설명한 것은?

① 불포화도가 크다. ② 반건성유이다.
③ 자연발화성이 낮다. ④ 산소와 친화력이 좋지 않다.

해설
"요오드값이 크다"라는 것은 불포화도가 커서 오요드가 많이 흡수될 수 있으며 이는 요오드값이 130 이상인 건성유를 말하며 건성유는 산소와의 친화력이 좋아 자연발화한다.

정답 41 ② 42 ④ 43 ① 44 ③ 45 ①

●●○ **46** **위험물질의 자연발화를 방지하는 방법이 아닌 것은?**

① 열의 축적을 방지할 것
② 저장실의 온도를 저온으로 유지할 것
③ 촉매 역할을 하는 물질과 접촉을 피할 것
④ 습도를 높일 것

해설
습도가 크면 화학반응에서 촉매역활을 하기 때문에 건조하게 하여야 한다.
위험물질은 건조한 냉암소에 저장하여야 한다.

●○○ **47** **폭연(deflagration)에 대한 설명으로 옳은 것은?**

① 발열반응으로 연소의 전파속도가 음속보다 느린 현상
② 폭굉파에 의해 주변 계를 강력하게 파괴하는 현상
③ 혼합비가 연소범위 상한보다 약간 높은 곳에서 발생한다.
④ 화염전파속도가 1,000 m/s 이상인 연소이다.

해설
일반적으로 폭연은 연소의 전파속도가 음속(340 m/s)보다 느리며 음속보다 빠른 것을 폭굉이라 한다. 또한 폭연, 폭굉은 연소의 한 형태로 연소범위에서만 일어나며 폭굉파에 의해 주변계를 강력하게 파괴하는 현상은 폭굉이다.

●●● **48** **다음 중 BLEVE 현상을 설명한 것은 어느 것인가?**

① 물 등이 뜨거운 기름표면 아래서 끓을 때 화재를 수반하지 않고 over flow 되는 현상
② 물이 유류탱크 화재의 뜨거운 표면에 들어가 비등하면서 발생되는 overflow 현상
③ 화재시 열류층에 의한 탱크 바닥의 물이 비등으로 인하여 급격하게 over flow 되는 현상
④ 과열에 의한 탱크 내부의 액화가스가 급격하게 분출하면서 폭발하는 현상

해설
① Froth Over ② Slop Over ③ Boil Over

●○○ **49** **액화 가연성 가스의 용기가 과열로 파손되어 가스가 분출된 후 불이 붙어 큰 화구를 형성하였다. 이러한 현상을 무엇이라고 하는가?**

① BLEVE ② BOIL-OVER ③ UVCE ④ VCE

해설
BLEVE는 화학적 폭발이 아닌 물리적 폭발로서 보일러와 같이 용기내 가스가 가연성이 아니어도 발생한다.

 정답 46 ④ 47 ① 48 ④ 49 ①

●●● 50 액화가스 저장탱크의 파손에 의한 누설로 Flashing 액체가 순간 기화하여 부유 또는 확산된 상태에서 점화원에 의해 폭발하는 현상은?

① VCE ② UVCE ③ BOIL-OVER ④ BLEVE

UVCE는 개방계에서의 탱크의 누설 → 확산(1톤 이상) → 혼합기 형성 → 점화원에 의한 폭발이다.

●●● 51 분진 폭발의 위험이 없는 것은?

① 니켈분 ② 황 ③ 생석회 ④ 적린

알루미늄분(금속분), 황, 적린은 모두 제2류 위험물로서 분진폭발의 우려가 있으며 생석회(CaO)는 산화칼슘으로 물과 반응시 고온(200℃)을 내지만 폭발할 우려가 없다.

●●○ 52 분진폭발의 영향요소와 거리가 먼 것은?

① 분진의 화학적 성질과 조성 ② 입도와 입도 분포(표면적)
③ 지연성가스 중에서 퇴적 상태 ④ 수분

해설

분진폭발의 영향요소
1. 분진의 화학적 성질과 조성
2. 입도와 입도 분포(표면적)
3. 수분
4. 산소 농도
5. 가연성 정도
6. 지연성가스(공기)중에서 교반과 유동(분진의 부유성)

●○○ 53 LPG 의 특성 중 옳지 않은 것은?

① 기체 비중이 공기보다 무겁다.
② 순수한 것은 강한 자극성 냄새를 가지고 있다.
③ 상온, 상압에서 기체이다.
④ 액체상태의 LPG가 기화하면 체적이 증가한다.

LPG의 주성분은 프로판과 부탄가스이며 냉각 또는 고압에 의해 액화한 것으로서 무색 무취의 가스이다.

정답 50 ② 51 ③ 52 ③ 53 ②

●●○ **54** **방폭구조의 종류에 해당되지 않는 것은?**

① 충전방폭구조 ② 압력방폭구조 ③ 내화방폭구조 ④ 안전증방폭구조

방폭구조의 종류 : 본질안전, 안전증, 내압, 압력, 유입, 충전 방폭구조 등

●●○ **55** **폭발성가스의 최소점화에너지 미만의 범위 내에서 사용하도록 설계된 전기기기에서 단락, 단선시 전기불꽃이 발생해도 폭발성가스가 점화되지 않게 하는 원리의 방폭구조는?**

① 본질안전방폭구조 ② 압력방폭구조
③ 내압방폭구조 ④ 유입방폭구조

해설
본질안전방폭구조는 어떤 문제가 생겨도 본질적으로 안전한 구조이며 제0종 장소에서 사용할 수 있는 유일한 방폭구조이다.

●○○ **56** **정상상태에서 지속적 위험 분위기를 형성하는 공간을 몇 종 장소로 구분하는가?**

① 특종장소 ② 0종장소 ③ 1종장소 ④ 2종장소

구분	장소의 특성	0종 장소의 예	사용 가능한 방폭구조
0종 장소	정상적인 상태에서 지속적 위험분위기를 형성하는 공간	가연성, 인화성 액체 용기 및 탱크 내의 액면 상부	본질안전 방폭구조

●○○ **57** **바람 등이 심하면 불꽃이 노즐에 정착하지 못하고 떨어지게 되어 꺼지는 현상을 무엇이라 하는가?**

① 역화 ② 블로우 오프 ③ 불완전 연소 ④ 선화

선화의 조건에서 공기의 유동, 바람이 심하면 블로우오프[blow off : (바람)이 불면 꺼짐]가 발생

●○○ **58** **가연성혼합기의 농도 표시법 중 연공비란?**

① 가연성혼합기의 연료 ÷ 공기의 질량비 ② 가연성혼합기의 연료 + 공기의 질량비
③ 가연성혼합기의 연료 × 공기의 질량비 ④ 가연성혼합기의 연료 − 공기의 질량비

연공비는 연료와 공기의 질량의 과부족을 알기 위해 사용한다.

정답 54 ③ 55 ① 56 ② 57 ② 58 ①

●○○ 59 **가연성혼합기의 농도 표시법 중 당량비란?**

① 실제 연공비 ÷ 이론 연공비 ② 이론 연공비 ÷ 실제 연공비
③ 실제 연공비 × 이론 연공비 ④ 이론 연공비 × 실제 연공비

당량비 및 공기비를 알면 화재 등의 형태가 환기지배형 인지 아니면 연료지배형인지를 알 수 있다.

●●● 60 **물과 반응하여 가연성기체를 발생하지 않는 것은?**

① 칼륨 ② 인화아연 ③ 산화칼슘 ④ 탄화알루미늄

칼륨 $2K + 2H_2O \rightarrow 2KOH + H_2 \uparrow$ (수소)
인화아연 $Zn_3P_2 + 6H_2O \rightarrow 3Zn(OH)_2 + 2PH_3 \uparrow$ (포스핀)
탄화알루미늄 $Al_4C_3 + 12H_2O \rightarrow 4Al(OH)_3 + 3CH_4 \uparrow$ (메탄)
산화칼슘(생석회) $CaO + H_2O \rightarrow Ca(OH)_2$ (소석회)

●○○ 61 **단열팽창시 온도는 어떻게 변하는가?**

① 하강한다. ② 상승한다. ③ 변화없다. ④ 상승하다 하강한다.

단열된 상태에서 부피의 팽창은 계 내의 분자간의 거리가 멀어지므로 충돌하는 횟수가 줄어든다.
즉 자신이 갖고 있던 열이 외부에 대해 일을 하는 것으로서 열에너지가 감소하여 온도는 하강한다.
단열수축은 외부의 하는 일이 열로서 계 내부로 들어오는 것으로서 온도가 상승한다.

●○○ 62 **가연성가스가 아닌 것은?**

① 연소범위의 연소하한값이 5%인 가스
② 연소범위의 연소상한과 하한값의 차이가 30%인 가스
③ 연소범위의 연소하한값이 12.5%인 가스
④ 연소범위의 연소상한과 하한값의 차이가 25%인 가스

해설

연소성의 유무에 의한 분류	가연성가스	1. 폭발한계(연소범위)의 하한이 10% 이하인 가스 2. 폭발한계의 상한과 하한의 차이가 20% 이상인 가스 3. 이상가스 : 천연가스 (LNG), 액화석유가스(LPG), 암모니아, 아세틸렌 등
	조연성가스	산소, 공기, 염소 등
	불연성가스	질소, 이산화탄소, 알곤, 헬륨 등

정답 59 ① 60 ③ 61 ① 62 ③

PART 2 화재 예방관리 및 소화

1. 화재예방관리

1 화재의 정의

(1) **자연 · 인위적인 원인으로 물체가 연소하여 인간에게 피해 또는 재산 손실을 입히는 것**
(2) **사람의 의도에 반하여 출화 및 방화에 의해 불이 발생, 확대되는 것**
(3) 부주의 · 불안정한 상태에서 사람의 실수로 불이 발생하는 것
(4) 사람의 의도에 반하거나 고의에 의해 발생하는 연소현상으로서 소화시설 등을 사용하여 소화할 필요가 있거나 또는 화학적인 폭발현상

2 화재의 발생 현황

원인별	부주의 → 전기 → 기계 → 방화 (암기 부전기방)
장소별	비주거 → 주거 → 차량 → 임야 (암기 비주차임)
계절별	겨울 → 봄 → 가을 → 여름
방화의 동기유형별	불만해소 → 가정불화 → 정신이상 → 보험금사취 → 비관자살 (암기 불가정보비)

3 화재의 종류

A급	B급	C급	D급	E급	F급	K급
일반화재	**유류화재**	**전기화재(통전중)**	금속화재	가스화재	**주방식용유화재**	
백색	**황색**	**청색**	무색	황색	–	–
• 미국방화협회(NFPA), 국내 • C급 – ISO(국제표준화기구)에서는 가스화재				고압가스법	• 미국방화협회 • ISO	국내

(1) 산불화재

지중화	**지표면 아래** 썩은 나무 등 유기물 연소(속불화재 – 재발화 유발)
지표화	**바닥의 낙엽** 등 연소(화재의 시작)
수간화	**나무의 기둥** 연소
수관화	**나무의 가지나 잎**의 연소
비화	불티가 바람에 의해 비산하여 연소

(2) 섬유류화재

① 섬유화재 시 발생 가스

일산화탄소, 이산화탄소, 일산화질소, 시안화수소, 암모니아 등

② **섬유류 화재의 특성**

종류		발화점(℃)	연소특성
식물성섬유	면	400	**주성분은 셀룰로오스로서 연소가 쉽고 연소속도 가 빠르다.**
합성섬유	나일론	425	지속적인 연소가 어렵고 용융하여 액적상태의 망울이 된다.
	아세테이트 (레이온)	475	불꽃을 일으키기 전에 연소하여 용융된다.
	폴리에스테르	485	쉽게 연소되고 264℃에서 연기와 불꽃을 내며 액적상태의 망울이 된다.
동물성섬유	모	600	**주성분은 단백질로서 연소되기 어렵고 연소속도 가 느리나 소화하기가 쉬우며 시안화수소가 발생**

(3) 플라스틱화재

① **플라스틱 화재 성상**

열가소(可塑)성	열경화(硬化)성
열을 가했을 때 녹고, 온도를 충분히 낮추면 고체 상태로 되돌아가는 고분자물질이다	열을 가하면 녹지 않고, 타서 가루가 되거나 기체를 발생시키는 고분자물질이다.
폴리염화비닐(PVC), 폴리에틸렌, 폴리스틸렌, 폴리프로필렌 등 암기 염크비티렌오미 (종류 중 이 글자가 있으면 열가소성의 성질을 갖는다)	페놀수지, 에폭시수지, 멜라민수지, 규소수지, 요소수지 등

② **한계산소지수(LOI)**

고분자(Polymer)	LOI	고분자(Polymer)	LOI
폴리염화비닐(PVC)	45	폴리프로필렌(PP)	19
폴리스틸렌(PS)	18	폴리에틸렌(PE)	17.5

③ 플라스틱화재 연소 발생가스

종 류	생 성 가 스
모든 플라스틱	CO, CO_2
폴리염화비닐(PVC)	HCl
폴리우레탄 및 질소함유 플라스틱	NO, NO_2, HCN, NH_3

(4) 유류화재

① **발생 과정**

유류화재를 발생시키는 가연성 액체는 대부분 상온이하의 인화점을 가지고 있으며 가연성증기를 발생시켜 공기 중 가연성혼합가스의 연소범위 내에서 점화원에 의해 발생한다.

② **중질유 탱크화재 등 여러 가지 현상**

구 분	Mechanism	방지 대책
Boil Over 보일오버	**다비점의 중질유** 저장탱크 화재 발생 → 저비점 물질은 유류 표면층에서 증발, 연소 → 고비점 물질은 화염의 온도에 의해 가열, 축적되어 200 ~ 300℃의 **열류층 형성** → 열류층이 하부의 **수층에 열전달** → 물이 비등하며 탱크 내 기름을 분출시킴	• 수층 방지 : 배출, 교반 • 물의 과열 방지 • 모래, 비등석 투입 • Boil Over 발생 전 소화
Slop Over 슬롭오버	다비점의 중질유 저장탱크 화재로 열류층 형성 → 고온층 표면에 주수소화 → 열류층 교란 → 불이 붙은 기름이 끓어 넘침	• 주수소화 금지, 간헐적 포 주입 • 열류층 형성 전 소화
Froth Over 프로스오버	화재가 아닌 경우로서 고점도 유류 아래서 물이 비등할 때 탱크 밖으로 물과 기름이 거품형태로 넘치는 현상 예 뜨거운 아스팔트가 물이 약간 채워진 탱크차에 옮겨질 때 탱크차 하부의 물이 가열, 장시간 경과 후 비등	• 수층 방지

• Slop – (액체를) 넘치게 하다, Froth – (특히 액체 위의) 거품

(5) 금속화재

종류	**① 제1류 위험물 알칼리금속의 무기과산화물** **② 제2류 위험물 마그네슘, 철분, 금속분** **③ 제3류 위험물 칼륨, 나트륨 등**
연소특징	**① 연소 온도(약 2,000 ~ 3,000℃)가 매우 높다.** **② 물을 사용 시 물의 수소결합이 파괴되어 수증기 폭발을 일으킬 수 있으며 공유결합이 파괴 시 수소가스가 발생 된다.** **③ 금속의 양이 30 ~ 80 mg/ℓ 정도 있어야 금속화재 일으킬 수 있다.**
금속화재 약제의 조건	**① 고온에 견디고 요철 등에 붙착성이 좋아야 하며 냉각효과가 높아야 함 (냉각효과 및 피복에 의한 질식효과로 소화)** **② 용융금속의 경우 액 면 위에 뜨는 부유성이 있을 것**

금속화재 소화약제의 종류(분말) Dry powder

구 분	MET-L-X Powder	Na-X Powder	G-1 Powder	TEC Powder
내 용	염화나트륨과 첨가물	탄산나트륨과 첨가제 (염소 미 포함)	유기인과 흑연이 입혀진 코크스	염화칼슘, 염화나트륨, 염화바륨의 혼합물 – 공기 차단 질식소화 – 염화바륨은 유독성

<table>
<tr><td rowspan="3">금속화재
소화약제의
종류(분말)
Dry powder</td><td>구 분</td><td>Boralon Powder</td></tr>
<tr><td>내 용</td><td>1. 트리메톡시보란(TMB)과 할론1211의 혼합물
2. Halon은 TMB의 물리적 특성을 증가시키고 물질이 쉽게 가수분해 되어 붕소산과 메틸알코올로 되게 한다.
3. 용융된 산화붕소에 의해 소화되고 이때 생성되는 메틸알코올은 할론에 의해 소화되는 약제
4. BORALON은 마그네슘(Mg)화재에 사용되기 위해서 개발되었는데, 가수 분해되기 쉽기 때문에 주기적인 유지관리와 소화약제의 교환이 필요하다.</td></tr>
<tr><td colspan="2">기타 : Lith-X Powder, Copper Powder</td></tr>
</table>

(6) 주방화재

<table>
<tr><td>소화효과</td><td>냉각효과와 질식효과</td></tr>
<tr><td>특징</td><td>식용유화재의 특징은 발화점이 낮고 인화점과 발화점의 차이가 적다.
따라서 발화점 이하로 냉각시켜야 재발화하지 않는다.
※ 튀김용 식용유(유채, 콩, 옥수수 등)
<table><tr><th>인화점</th><th>연소점</th><th>발화점</th></tr><tr><td>약 300 ~ 315℃</td><td>약 350 ~ 365℃</td><td>약 390 ~ 405℃</td></tr></table></td></tr>
<tr><td>소화약제</td><td>1. 제1종 분말소화약제(나트륨에 의한 비누화현상)
약제가 금속비누를 만들고 이 비누가 거품을 생성하며 질식효과를 갖는 현상
2. 포소화기, 강화액소화기</td></tr>
</table>

4 화재의 피해 및 위험성

(1) 화재시 소실 정도에 의한 분류

전소화재	**건물의 70% 이상이 소실** 또는 70% 미만이라도 재사용이 불가능한 것
반소화재	**건물의 30~70% 미만**이 소실
부분소화재	전소 또는 반소화재에 해당되지 아니하는 것
국소화재	**전체의 10% 미만이 소손**된 경우로서 3.3 m^2 **미만**이거나 내부의 수용물만 소손
즉소화재	**인명피해 없고 피해액이 경미(동산, 부동산 합해 50만원 미만)한 화재로 화재 건수에 포함**

(2) 인명피해의 종류

사상자	화재현장에서 사망 또는 부상을 당한 사람
사망자	**화재현장에서 부상을 당한 후 72시간 이내에 사망한 경우**
중상자	의사의 진단을 기초로 하여 **3주 이상의 입원치료**를 필요로 하는 부상
경상자	**3주 미만의 입원치료**와 **3주 이상의 통원치료**를 필요로 하는 부상

(3) 화상의 종류

① 화상 강도에 의한 분류

1도 화상	홍반성	가장 일반적이며, 화상의 심각도가 적다. **피부가 약간 붉게 보이고**, 통증이 있으며, 만지면 매우 민감한 느낌을 갖는다. 화상의 형태는 피부의 **최외부층인 표피에 한정**되며, 햇빛에 위한 화상이 일반적이다. (노출 피부에 대한 통증 : 1 kW/m^2)
2도 화상	수포성	(1) 1도 화상에 비하여 더 많은 통증이 있고, 일반적으로 물집과 부기가 수반된다. 오래동안 자외선에 노출되거나 부엌에서 뜨거운 기름이 튀거나, 난로와 전기오븐렌지 등에 순간적인 접촉 등에 의하여 발생하기도 한다. (2) 2도 화상은 **표피가 타들어가 피부의 두 번째층인 진피가 손상된 화상**을 말한다. (3) **화상 부위가 분홍색**으로 되고 분비액이 많이 분비되며 **수포 발생** (노출 피부에 대한 화상 : 4 kW/m^2) 각질층 / 표피층 / 진피층 / 피하 지방층 / 근육층 피부의 구조
3도 화상	괴사성	(1) **피부의 모든 층이 타버린 경우**에 일어나며, **화상이 피부의 기본조직에 도달**하게 된다. 피부는 외형상 뻿뻿한 가죽 혹은 흰색밀랍의 형태로 나타난다. 신경의 손상과 화상부위에 마비증상이 나타나기도 한다. (2) **화상부위가 벗겨지고 열이 깊숙이 침투하여 검게 되는 현상**
4도 화상	흑색화상	신경손상정도에 따라 **통증이 전혀 없을 수 있으며**, 화상부분이 **검게 보이거나 새까맣게 탄 숯처럼 보이기도 한다**. 화상에서 가장 심각한 형태로 **근육, 신경 그리고 뼈 안에 기본조직까지 도달**하게 된다.

Tip

1. 화학물질로 인한 화상

대부분의 화학적 화상은 산업계에서 많이 사용하는 산이나 알칼리에 의하여 발생한다. 이 화상은 피부 위에 **단백질이 화학적으로 분해되기 때문에 회색이나 갈색으로 나타나게 된다.** 화학적 화상은 상처가 시간이 지나갈수록 처음 상처보다 더 깊어지게 된다.

2. 열응력

- **내열한계 온도 : 41℃**
- **내열한계 열량(작업복 착용 시) : 2,400 kcaℓ/m^2·h**

② 화상 면적에 의한 분류

면적별 화상의 구분	1도 화상(표층화상)	2도 화상(부분층화상)	3도 화상(전층화상)
경증화상	50% 미만	15% 미만	–
중간화상	50 ~ 75% 미만	15 ~ 30% 미만	–
중증화상	75% 이상	30% 이상	10% 이상

예제 01

화상에 관한 설명으로 틀린 것은?

① 15% 미만의 부분층 화상, 50% 미만의 표층화상을 경증화상이라 한다.
② 표피뿐만 아니라 진피도 손상을 입은 화상을 3도 화상이라 한다.
③ 3도 화상 환자는 쇼크에 빠질 우려가 있어 생체징후를 자주 측정하고 산소를 공급하면서 이송해야 한다.
④ 10% 이상의 전층화상을 중증화상이라 한다.

해답 ②

표피가 타들어가 피부의 두 번째 층인 진피가 손상된 화상은 2도 화상이다.

5 발화부 추정

(1) 발화부 원인 추정의 원칙

원칙 1	도괴 방향법	발화건물의 기둥, 벽, 건축자재 등은 발화부 방향으로 도괴한다.
원칙 2	연소의 상승성 V Pattern	• 수직으로의 연소가 가장 빠르기 때문에 일반적으로 연소는 V패턴을 보이며 연소한다.(역삼각형 "▽"적 연소확대 상황) • 연소하면서 벽체 등에 V패턴의 흔적을 남기며, V패턴을 보면서 발화부를 추정할 수 있다.
원칙 3	탄화 심도 (炭化深度) 비교법	• 화재 시 열을 받고 있는 나무와 같은 물체들이 시간의 지속에 따라 깊은 속 부분까지 연소될 때 가스가 빠져 나온 구멍이나 갈라진 틈 사이의 깊이 또는 목재 표면이 귀갑상(거북이 등 모양)으로 탄화된 깊이를 탄화심도라 한다. • 탄화심도는 발화부에 가까울수록 깊어지는 경향이 있다. • 목재표면의 균열흔은 발화부에 가까울수록 잘고 가늘어지는 경향이 있다.
원칙 4	용융흔	유리와 같은 재료의 용융 및 파괴 상태를 확인하여 화재시 온도를 알아낼 수 있는데 유리는 250℃에서 균열, 650~750℃에서 물러지며 850℃에서 용융하기 때문이다.
원칙 5	주연(走煙), 주염(走焰)흔	• 주연흔은 구조체의 천장이나 내·외벽체에 연기색상으로 만들어지며 연소가 진행되어 가는 방향 쪽에 형성되는 것이 원칙이다. • 주염흔은 발연보다 왕성한 화열을 발산하는 가연물건이나 내·외벽에 형성되는 수열흔적으로 대개 흰색이나 연한 갈색을 띤다.

• 그 밖에 박리흔, 발소흔, 변색흔, 복사흔 등이 있다.

(2) 연소흔(균열흔)

① **완소흔**(700 ~ 800℃) : 목재표면은 거북등 모양으로 갈라져 **탄화흠은 얕고 사각 또는 삼각형을 형성**

② **강소흔**(900℃) : **흠이 깊고 만두모양으로 요철형(계란판)**의 모양

③ **열소흔**(1,100℃) : **흠이 가장 깊고 반월형의 모양(반달모양)**

※ 훈소흔 : 목재표면에 발열체가 밀착되었을 때 그 밀착부 위의 목재표면에 생기는 연소흔적으로 시간이 경과하면 직경과 깊이가 변하면서 탄화 진행

6 물질의 특성과 화재 위험의 관계

구 분	위험성	구 분	위험성
온도, 압력	높을수록 위험	연소범위	넓을수록 위험
인화점, 착화점, 융점, 비점	낮을수록 위험	연소속도, 증기압, 연소열	클수록 위험

7 화재(연소) 예방대책

연소는 연소의 조건(3요소, 4요소)을 만족 시 또는 물적 조건, 에너지조건 만족 시 발생하므로 예방대책은 이를 제어함으로써 가능하다.

(1) 물적조건 제어(농도)

① **불활성화** : 가연성혼합기의 공기와 가연성가스농도 조절해서 연소범위 밖으로 제어

② **불연화** : 가연물이 없거나 연소범위 없는 제어

③ **난연화** : 제3의 물질 첨가하여 활성화에너지를 크게 하여 열용량을 키우는 제어

(2) 에너지 조건 제어

① **점화원에 대한 대책**

㉠ 충격, 마찰 : 고무, 나무 등의 수공구류 사용

㉡ 정전기 : 접지, 본딩, 가습(70% 이상), 대전방지화, 대전방지제, 대전방지복 등

㉢ 방폭설비 : 본질안전방폭구조, 안전증방폭구조, 내압방폭구조(최대안전틈새), 압력방폭구조, 유입방폭구조, 충전방폭구조

㉣ 점화에너지 : 최소점화에너지 이하로 에너지 제어

㉤ 과전류, 단락, 지락, 누전 : 과전류차단기, 누전차단기, 누전경보기, 퓨즈 등

㉥ 나화, 고온표면(난로, 담뱃불, 보일러 등) 주위에 불연재료로 시공

② **온도 상승 방지대책** : 자연발화 방지대책과 동일

2. 소 화

1 소화의 원리

(1) **연소의 3요소 제어**(물리적 소화 : 가연물, 산소공급원, 점화원 제어)

(2) **연소의 4요소 제어**(화학적 소화 : 연쇄반응 제어)

(3) **물적조건(농도, 압력)과 에너지조건(온도, 점화원) 제어**

(4) **연소과정의 한 부분을 끊어주는 제어(난연화)**

분해연소의 경우 : 열(에너지) → 흡열 → 분해 → 혼합 → 연소의 과정 중 하나의 과정을 단절시켜 제어

2 소화의 종류

(1) 물리적 소화

① **냉각효과**

㉠ **인화점, 발화점 이하로 온도를 낮추어 소화**

㉡ **에너지 조건을 제어**하여 소화

㉢ **스프링클러설비 및 옥내·외 소화전설비 : 표면냉각(현열 이용)**

㉣ **물분무설비 : 기상냉각(잠열 이용)**

② **질식효과**

㉠ **산소의 농도를 21%에서 15% 이하로 감소시켜 소화**

Point

방사된 CO_2의 양 (m^3)

1) 질량보존의 법칙에 따라 방사 전과 방사 후의 산소의 양은 동일하다.

2) V의 공간에 산소가 차지하는 부피는 21%이며 산소의 질량은 산소의 밀도를 곱하여 $\rho\,(V \times 21\%)$ 가 되고 그 공간 안에 이산화탄소를 방사하면 전체의 부피는 $V + CO_2$ 가 되며 그 안의 산소가 차지하는 부피는 변화하였지만 질량은 변하지 않으므로 아래와 같이 된다.

$$\rho\,[V(m^3) \times 21\%] = \rho\left\{[V(m^3) + CO_2(m^3)] \times O_2\%\right\}$$

$$\frac{V(m^3) \times 21\%}{O_2\%} = V(m^3) + CO_2(m^3) \qquad \therefore\ CO_2(m^3) = \frac{21\% - O_2\%}{O_2\%} \times V(m^3)$$

Point

방사된 CO_2의 농도(%)

$$CO_2(\%) = \frac{방사된\ CO_2 양[CO_2(m^3)]}{방호구역체적[V(m^3)] + 방사된\ CO_2 양[CO_2(m^3)]} \times 100$$

$$= \frac{\frac{21\% - O_2\%}{O_2\%} V(m^3)}{V(m^3) + \frac{21\% - O_2\%}{O_2\%} V(m^3)} \times 100 = \frac{21\% - O_2\%}{21\%} \times 100$$

산소농도를 15% 이하로 낮추면 소화되므로 $CO_2(\%) = \frac{21 - 15}{21} \times 100 = 28.57\%$ 가 소화농도가 되며 안전율 20%를 고려하여 $28 \times 1.2 \fallingdotseq 34$ %가 설계농도가 된다. 이를 근거로 화재안전기준의 이산화탄소 소화설비 표면화재의 최소설계농도는 34%로 되어 있다.

ⓛ **물적조건을 제어**하여 소화

ⓒ **가스계 소화설비의 이산화탄소, 불활성가스계, 미분무소화설비**

③ **피복효과**

㉠ **가연물을 피복하여 가연성가스 발생 억제 및 공기차단으로 소화**

ⓛ **물적조건을 제어**하여 소화

ⓒ **금속화재, 유류화재등 사용**

ⓔ **금속화재 소화약제, 제3종 분말 소화약제의 분해물인 메타인산에 의한 방진작용, 이산화탄소처럼 공기보다 무거운(비중 1.25) 물질로 가연물 주위를 피복하여 소화하는 방법** 등

Point

제3종 분말소화약제

$NH_4H_2PO_4 \rightarrow HPO_3 + NH_3 + H_2O$ ············ ABC 화재 적용

(인산암모늄) (메타인산)

④ **유화효과**

㉠ **『기름과 물은 혼합되지 않으나 세차게 물을 기름에 뿌리는 경우 일시적으로 기름과 물이 혼합되는데 이를 에멀젼효과』**라고 하고 가연성가스 방출 방지 및 산소공급 차단 효과가 있다.

ⓛ **물적조건을 제어**하여 소화

ⓒ CRT(콘루프탱크) 등에서 사용

⑤ **희석효과**

㉠ **물질의 농도를 다른 물질을 가함으로써 농도를 낮게 하여 소화**

㉡ **물적조건을 제어**하여 소화

㉢ **수용성 물질인 제4류 위험물의 알코올류 및 인화성액체는 대량의 물을 방사 가연성 혼합기체는 불활성 가스를 사용하여 가연성 혼합기체 농도를 낮춤**

㉣ 이산화탄소의 질식효과는 산소의 농도를 감소시키는 소화방법이며 희석효과는 가연물의 농도를 감소시키는 소화방법이다.

⑥ **제거효과**

㉠ **가연물이 연소하기 전에 가연물을 제거하여 소화**

㉡ **물적조건을 제어**하여 소화

㉢ 산불화재 벌목, 가스화재의 가스차단, 촛불의 화염 제거

(2) 화학적 소화

① **연쇄반응 억제(부촉매 효과)**

㉠ **화학적 소화 방법**

㉡ **불꽃연소만 소화 가능**

㉢ **할론소화약제(7족 원소) 또는 분말소화약제(1족 원소), 강화액소화약제 사용**

3 각 소화설비별 주된 소화효과

구 분	주된 소화효과	부수적인 소화효과
스프링클러, 소화전	표면냉각(현열)	기상냉각(잠열), 질식
물분무	기상냉각(잠열)	질식, 희석, 운동량효과
미분무	질식	기상냉각(잠열)
포	질식	냉각
이산화탄소, 불활성기체	질식	냉각, 희석, 피복
할론	부촉매	질식, 냉각
분말	부촉매	질식, 냉각, 피복
할로겐화합물	냉각	부촉매 등

4 비열, 현열, 잠열

(1) 비열(Specific Heat) [kJ/(kg ℃)]

물질 1 kg을 14.5℃에서 15.5℃ 올리는데 필요한 열량(kJ)

1 kcal (= 4.184 kJ)	1 kg의 물을 14.5℃에서 15.5℃까지 1℃(섭씨) 올리는데 필요한 열량	= 3.968 BTU = 2.205 Chu
1 BTU	1 lb(파운드)의 물을 60.5°F에서 61.5°F까지 1°F(화씨) 올리는데 필요한 열량	= 252 cal ※ BTU(British Thermal Unit)
1 Chu	1 lb 물을 1℃ 올리는데 필요한 열량	= 1.8 BTU ※ Chu(Centigrade heat unit)

Tip

1) 정압 비열(C_P): 기체의 압력을 일정하게 유지하면서 가열시의 비열
2) 정적 비열(C_V): 기체의 체적을 일정하게 유지하면서 가열시의 비열
3) $C_P > C_V$이고 비열비(단열지수) $K = \dfrac{C_P}{C_V} > 1$ 이다.
4) 기체상수가 R인 이상기체의 정압비열 C_P와 정적비열 C_V의 관계식 $C_P - C_V = R$

예제 02

열량단위 cal는 물 1 g의 온도를 14.5℃에서 15.5℃까지 올리는데 필요한 열량으로 정의된다. 1 cal은 몇 J인가?

① 0.24 ② 1.00 ③ 2.38 ④ 4.18

해답 ④

1 J ≒ 0.239 cal ∴ $1\ \text{cal} = \dfrac{1}{0.239}\ \text{J} = 4.18\ \text{J}$

예제 03

1 BTU는 약 몇 kJ 인가?

① 1.02 ② 1.05 ③ 1.08 ④ 1.09

해답 ②

1 BTU = 252 cal × 4.18 J/cal = 1,053 J = 1.05 kJ

예제 04

1 kWh는 몇 kJ인가?

① 843 ② 860 ③ 3,600 ④ 4,184

해답 ③

1 kWh = 1 kJ/s × h = 1 kJ/s × 3,600 s = 3,600 kJ

(2) 현열(Sensible Heat)

상태 변화 없이 온도만 변할 때 흡수 또는 방출되는 열로서 측정할 수 있는 열

$$Q(\text{현열}) = m \cdot C \cdot \Delta t \ [\text{kJ}]$$

m = 질량[kg] C = 비열[kJ / (kg℃)] Δt = 온도차[℃]

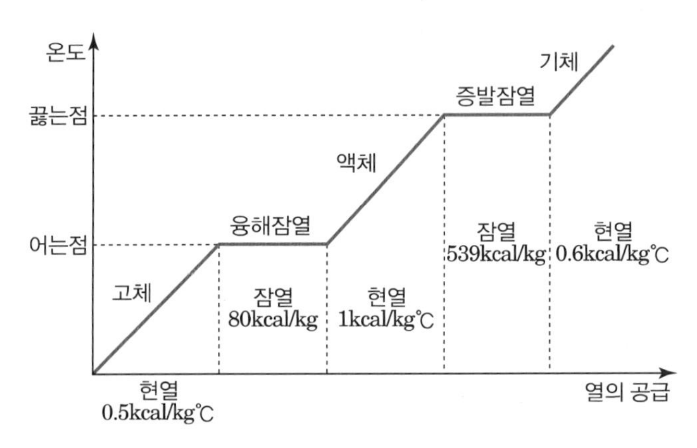

물의 상평형도

(3) 잠열(Latent Heat)

온도 변화 없이 상 변화 시에 흡수 또는 방출되는 열로서 측정할 수 없는 열

$$Q(\text{잠열}) = m \cdot r \ [\text{kJ}]$$

m = 질량[kg], r = 융해, 증발잠열[kJ / kg]

① 물의 기화, 액화 잠열 539 kcal/kg (≒ 2,253.02 kJ/kg)

② 응고, 융해잠열 80 kcal/kg (≒ 334.4 kJ/kg)

예제 05

1 kg의 20℃ 물이 100℃ 수증기로 변할 때 필요한 열량은 약 몇 kJ 인가?

① 1,284 ② 1,560 ③ 2,262 ④ 2,587

해답 ④

- 20℃ 물 → 100℃ 물 : 현열을 이용

  $Q = m \cdot c \cdot \Delta t = 1\,kg \times 4.18\,kJ/kg℃ \times 80℃ = 334.4\ kJ$
- 100℃ 물 → 100℃ 수증기 : 잠열을 이용

  $Q = m \cdot r = 1\,kg \times 2{,}253\ kJ/kg = 2{,}253\,kJ$

∴ 334.4 + 2,253 = 2,587.4 kJ이 필요하다.

(4) 물질의 상태 변화

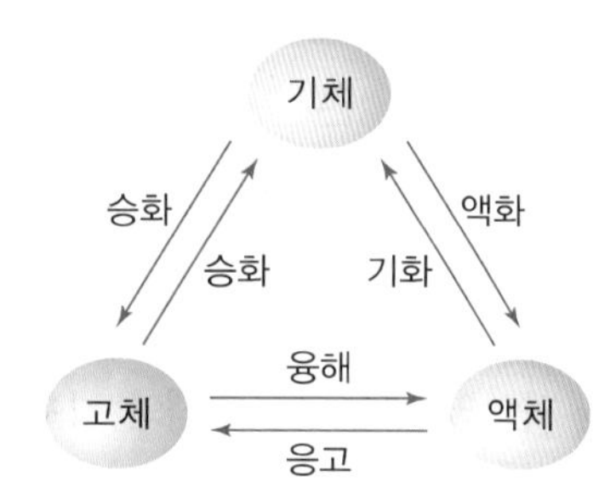

(5) 기체의 구분

구 분	성 상
증기	**NTP의 상태에서 액체**이며 온도 상승 시 기체로 변함 - 수증기, 유증기, 알코올증기 등
가스	**NTP의 상태에서 기체** - 산소, 질소, 메탄, 에탄, 프로판, 부탄, 수소 등

- NTP(Normal Temperature and Pressure) – 20℃, 1 atm
- STP(Standard Temperature and Pressure) – 0℃, 1 atm

실전 예상문제

●○○ 01

화재의 정의라고 할 수 없는 것은?

① 인간이 이를 제어하면서 인류의 문화, 문명의 발달을 가져오게 한 근본적인 존재를 말한다.
② 불이 그 사용목적을 넘어 다른 곳으로 연소하여 인명과 재산의 피해를 주는 현상
③ 자연적인 원인에 의하여 불이 물체를 연소시키고 인명과 재산의 손해를 주는 현상
④ 사람의 의도에 반하여 불이 발생하고 소화시설 등을 사용하여 소화할 필요가 있는 것

화재는 사람의 의도와 반하여 발생하여 피해, 손해를 주는 현상

●●○ 02

화재에 관한 설명으로 옳은 것은?

① PVC 저장창고에서 발생한 화재는 C급화재이다.
② 유류화재 시에는 대량의 물을 뿌려 주수 소화해야 한다.
③ 화염의 색상과 온도에 따라 암적색보다는 휘적색의 온도가 높다.
④ 화재시 발생한 화염의 색상이 휘적색인 경우 온도는 약 850℃ 정도이다.

PVC는 일반가연물로 A급화재이며 휘적색의 온도는 약 950℃ 정도이다.

●○○ 03

원인 미상을 제외한 우리나라 화재 원인별 순서로 옳은 것은?

① 부주의 – 전기 – 방화 – 기계
② 전기 – 담배 – 방화 – 불장난 – 부주의
③ 부주의 – 전기 – 기계 – 방화
④ 방화 – 부주의 – 전기 – 불장난 – 기계

화재원인별 화재순서 : 부주의 – 전기 – 기계 – 방화

정답 01 ① 02 ③ 03 ③

●○○ **04** **우리나라 장소별 화재 순서로 옳은 것은?**

① 비주거 – 주거 – 차량 – 임야
② 주거 – 비주거 – 차량 – 임야
③ 비주거 – 차량 – 임야 – 주거
④ 주거 – 비주거 – 임야 – 차량

화재 원인별 순서(2014년 기준)

구분	비주거	주거	차량	임야	철도, 선박, 항공기 등	위험물, 가스제조소 등	기타

●○○ **05** **다음 방화의 동기 유형으로 가장 큰 원인은 무엇인가?**

① 가정 불화
② 보험금 사취
③ 불만해소
④ 정신 이상

방화의 동기 유형 중 가장 큰 원인은 불만해소, 가정불화, 정신이상의 순이다.

●●● **06** **등유 및 식용유 화재는 각각 무슨 화재에 해당하는가?**

① A급, B급
② B급, B급
③ B급, K급
④ D급, A급

등유, 경유는 유류화재로 B급 화재이다. 식용유화재는 일반 유류화재와 달리 인화점과 발화점이 비슷해 불꽃을 제거하여도 발화점 이하로 낮추지 않으면 재발화하므로 B급이 아닌 K급화재로 분리함

●●● **07** **다음 중 전기화재(통전 중)에 해당되는 것은?**

① A급 화재
② B급 화재
③ C급 화재
④ D급 화재

일반화재 – A급 화재, 유류화재 – B급 화재, 금속화재 – D급 화재

04 ① 05 ③ 06 ③ 07 ③

08 화재의 종류와 표시색이 잘못 짝 지워진 것은?

① A급 – 백색　　② B급 – 황색
③ C급 – 녹색　　④ D급 – 무색

A급	B급	C급	D급
일반화재	유류화재	전기화재(통전 중)	금속화재
백색	황색	청색	무색

09 산불화재의 유형이 아닌 것은?

① 지표화　② 지면화　③ 수관화　④ 수간화

산불화재의 종류 : 지중화, 지표화, 수간화, 수관화

10 섬유 중 발화온도가 가장 높은 것은?

① 나일론　　② 순면
③ 양모　　④ 폴리에틸렌

식물성과 합성섬유는 일반적으로 발화온도가 낮아 위험하며 동물성은 발화온도가 높아 상대적으로 덜 위험하다.

11 열경화성 플라스틱에 해당하는 것은?

① 폴리에틸렌　　② 염화비닐수지
③ 페놀수지　　④ 폴리스티렌

열경화성 수지는 열을 가하면 녹지 않고, 타서 가루가 되거나 기체를 발생시키는 플라스틱이다.
페놀수지, 에폭시수지, 멜라민수지, 규소수지, 요소수지 등으로 재성형하여 사용 할 수 없다.

정답　08 ③　09 ②　10 ③　11 ③

●●● 12 **중질유가 탱크에서 조용히 연소하다 열류층에 의해 가열된 하부의 물이 폭발적으로 끓어 올라와 상부의 뜨거운 기름을 밀어 올려 넘치는 현상을 무엇이라 하는가?**

① Slop Over ② Boil Over ③ Froth Over ④ Roll Over

Roll Over : 성장기 화재 시 구획된 실내 천장에서 연기가 둥실둥실 춤을 추며 굴러가는 현상으로 플래시오버 이전에 볼 수 있다.

●○○ 13 **금속화재를 일으킬 수 있는 금속, 분진의 양은 얼마 정도인가?**

① 1 ~ 2 mg/ℓ ② 5 ~ 10 mg/ℓ ③ 10 ~ 30 mg/ℓ ④ 30 ~ 80 mg/ℓ

금속의 양이 30 ~ 80 mg/ℓ 정도 있어야 금속화재 일으킬 수 있다.

●●○ 14 **주방에서 조리를 하던 중 식용유 화재가 발생하면 신선한 야채를 연소유 속에 넣어 소화한다. 이와 같은 소화방법은?**

① 희석소화 ② 냉각소화 ③ 질식소화 ④ 연쇄반응 억제소화

식용유 화재는 불꽃을 제거한다고 해서 꺼지지 않는 특성(인화점과 발화점이 매우 가깝다)이 있어 유류화재와 구별된다. 따라서 발화점 이하로 낮추어야 재발화가 일어나지 않는다.

●○○ 15 **화재 발생 시 화재의 손실정도를 구분하는 방법의 내용으로 틀린 것은?**

① 즉소화재란 화재로 인한 인명피해가 없고 피해액이 경미한 화재로서 화재건수에는 포함하지 않는다.
② 부분화재란 건물의 10% 이상 30% 미만이 소손된 경우
③ 반소화재란 건물의 30% 이상에서 70% 미만이 소손된 경우
④ 전소화재란 건물의 70% 이상이 소손되었거나 70% 미만이라 할지라도 재수리 사용이 불가능하게 소손된 경우

해설

구분	내용
전소화재	건물의 70% 이상이 소실 또는 70% 미만이라도 재사용이 불가능한 것
반소화재	건물의 30 ~ 70% 미만이 소실
부분소화재	전소 또는 반소화재에 해당되지 아니하는 것
국소화재	전체의 10% 미만이 소손된 경우로서 3.3 m² 미만이거나 내부의 수용물만 소손
즉소화재	인명피해 없고 피해액이 경미(동산, 부동산 합해 50만원 미만)한 화재로 화재 건수에 포함

정답 12 ② 13 ④ 14 ② 15 ①

●○○ **16** **화재로 인한 피해에는 직접 피해와 간접피해로 나눌 수 있다. 간접피해에 속하는 것은?**

① 소화약제에 의한 피해　② 인명피해
③ 업무중지에 의한 손해　④ 내장재료의 피해

불에 의한 피해와 불을 끄기 위해 사용한 소화약제의 피해가 1차 피해인 직접피해이다.

●○○ **17** **인명피해의 분류 중 사망자 정의에 관한 설명 중 맞는 것은?**

① 화재 현장에서 사망 또는 부상을 당한 사람
② 화재 현장에서 부상을 당한 후 3일 이내에 사망한 경우
③ 화재 현장에서 부상을 입고 그 후유증으로 통원치료하다 1달 후 사망한 경우
④ 화재 현장에서 부상을 입고 1주일 이내에 사망한 경우

해설

사상자	화재현장에서 사망 또는 부상을 당한 사람
사망자	화재현장에서 부상을 당한 후 72시간 이내에 사망한 경우
중상자	의사의 진단을 기초로 하여 3주 이상의 입원치료를 필요로 하는 부상
경상자	3주 미만의 입원치료와 3주 이상의 통원치료를 필요로 하는 부상

●●○ **18** **화상의 부위가 분홍색으로 되고 분비액이 많이 분비되는 화상의 정도는?**

① 1도 화상　② 2도 화상　③ 3도 화상　④ 4도 화상

화상의 부위가 붉은색은 1도 화상, 분홍색은 2도 화상, 흑색은 3도와 4도 화상

●○○ **19** **인화점이 낮은 가연성 액체를 보관하는 실내 장소의 위험성에 대한 설명 중 옳은 것은?**

① 여름철과 같이 실내가 더워질수록 인화의 위험성이 커진다.
② 겨울철과 같이 실내가 추워질수록 인화의 위험성이 커진다.
③ 실내 온도가 인화점 보다 높아지거나 낮아질수록 인화의 위험성이 커진다.
④ 인화의 위험성은 계절의 온도와는 상관없이 상시 위험하다.

인화점은 가연성혼합기를 형성하는 최저온도로서 점화원이 있으면 발화하기 때문에 그 이상의 온도가 되면 위험하다.

16 ③　17 ②　18 ②　19 ①

20 화재의 위험에 관한 사항 중 맞지 않는 것은?

① 인화점, 착화점이 낮을수록 위험하다.
② 연소범위(폭발한계)는 넓을수록 위험하다.
③ 착화 에너지는 작을수록 위험하다.
④ 증기압이 클수록, 비점, 융점이 높을수록 위험하다.

해설
물질의 상태에 따른 위험성

구 분	위험성	구 분	위험성
온도, 압력	높을수록 위험	연소범위	넓을수록 위험
인화점, 착화점, 융점, 비점	낮을수록 위험	연소속도, 증기압, 연소열	클수록 위험

21 표면연소에 적합하지 못한 소화방법은?

① 냉각소화
② 산소희석에 의한 소화
③ 연료제거에 의한 소화
④ 연쇄반응의 억제에 의한 소화

해설
표면연소는 심부화재로서 활성화된 라디칼의 전파, 분기반응의 연쇄반응이 없기 때문에 연쇄반응의 억제에 의한 소화는 기대할 수 없다.

22 화재를 소화하는 방법 중 물리적 방법에 의한 소화라고 볼 수 없는 것은?

① 연쇄반응의 억제 작용에 의한 소화 방법
② 냉각효과를 이용하여 소화하는 방법
③ 혼합기체의 조성 변화에 의한 소화 방법
④ 가연물을 제거하여 소화하는 방법

해설
소화방법을 물리적인 방법과 화학적인 방법으로 구분 시 화학적인 방법에 의한 소화는 부촉매에 의한 연쇄반응의 억제 밖에 없다.

23 할로겐화합물 소화약제인 할로겐족 원소의 부촉매 효과의 크기는?

① $F > Cl > Br > I$
② $I > Br > Cl > F$
③ $Cl > F > Br > I$
④ $I > F > Br > Cl$

해설
주기가 클수록 원자 내 핵과 전자 거리가 멀어 인력이 약해져 다른 물질과 쉽게 화학반응을 할 수 있어 부촉매 효과가 크게 나타난다.

정답 20 ④ 21 ④ 22 ① 23 ②

●○○ 24 화학적 소화 방법에 대한 설명으로 올바른 것은?

① 할로겐 원소는 원자수가 클수록 효과가 좋다.
② 화학적 소화방법은 연쇄반응을 촉진시켜 소화한다.
③ 화학적 소화방법은 표면연소에 효과가 우수하다.
④ 할론 1301은 소화효과가 좋으나 독성이 강하다.

해설

화학적 소화약제는 연쇄반응을 억제시켜 소화하며 표면연소가 아닌 표면화재에 소화효과가 우수하다.
할론 1301은 할론 소화약제 중 소화효과가 가장 우수하며 독성이 가장 적은 대신 ODP, GWP가 가장 크고 비점이 가장 작다.(빨리 기화함)

●○○ 25 소화방법 중 제거소회에 해당되지 않는 것은?

① 산불이 발생하면 화재의 진행방향을 앞질러 벌채함
② 입으로 불어서 촛불을 끄는 방법
③ 가스 화재 시 밸브를 폐쇄하여 가스 흐름을 차단함
④ 방안에서 화재가 발생하면 이불이나 담요로 덮음

해설

제거소화 : 미가연물의 제거 또는 이동, 가스 배관의 잠금으로 미가연가스의 차단 등

●●○ 26 가연성 증기의 발생을 억제시켜 가연성증기의 농도를 연소범위 밖으로 벗어나게 하여 소화시키는 소화는?

① 냉각소화
② 질식소화
③ 억제소화
④ 희석소화

해설

가연성가스의 농도를 연소범위 밖으로 벗어나게 하는 것, 수용성 유류의 농도를 낮추는 것 - 희석소화
가스계 소화약제에서는 주된 소화효과는 아니지만 어느 정도 희석효과를 가지고 있다

●○○ 27 다음 소화약제 중 소화작용으로 틀린 것은?

① 물 - 냉각작용, 질식작용
② 할론 - 질식, 부촉매 작용
③ 화학포 - 질식, 부촉매 작용
④ 분말 - 냉각, 부촉매 작용

해설

부촉매작용을 하는 소화약제는 할론소화약제와 분말소화약제이다. 이들은 주기율표상 1족과 7족에 있어 전자 1개를 쉽게 내주거나 1개를 끌어들이는 힘이 커서 연소시 연쇄반응을 억제하는 부촉매효과가 있다.

정답 24 ① 25 ④ 26 ④ 27 ③

●○○ 28

화재의 소화원리에 따른 소화방법의 적용이 잘못된 것은?

① 냉각효과 : 스프링클러설비
② 질식효과 : 이산화탄소소화설비
③ 유화효과 : 포소화설비
④ 부촉매효과 : 할로겐화합물소화설비

해설
포소화설비는 방호대상물을 덮어 가연성가스 발생 억제 및 산소를 차단함으로서 질식소화 함

●○○ 29

수계 소화설비를 비수용성인 제4류 위험물에 소화 시 기대할 수 없는 소화 작용은?

① 질식 작용
② 냉각 작용
③ 희석 작용
④ 유화 작용

해설
제4류 위험물의 비수용성 물질들은 물과 섞이지 않기에 가연성 물질의 농도를 낮추는 희석작용을 기대하기 어렵다.

●●○ 30

화재로 인한 연소생성물 CO_2, N_2 등의 농도가 높아지면 연소속도에 미치는 영향은?

① 연소속도가 빨라진다.
② 연소속도가 늦어진다.
③ 연소속도에는 변화가 없다.
④ 처음에는 저하되나 나중에는 빨라진다.

해설
연소생성물 중에 가연물이 될 수 없는 물질이 많아지면 화재는 제어되므로 연소속도는 늦어진다.
– 난연화와 방염의 원리에 이용된다.

정답 28 ③ 29 ③ 30 ②

PART 3 건축물의 화재성상

1. 화재의 형태

구 분	목조건축물 화재	내화건축물 화재
내 용	개방계 화재 연료지배형 화재 연료의 양에 지배를 받는 화재	밀폐계(구획) 화재 환기지배형 화재 공기의 인입량에 지배를 받는 화재

2. 목조건축물 화재

1 목재의 발화 영향요소

열전도율	콘크리트나 철재보다 작다. → **열축적이 크다.** ※ 단위 : W/m · ℃
열팽창율	철재, 벽돌, 콘크리트보다 작다. (건축물 붕괴의 주인자)
수분	15% 이상시 고온의 화염과 접촉 하여도 착화가 어렵다.
형상	얇고 작은 것이 잘 탄다. 비표면적(m^2/kg)이 커야 공기와 접촉 면적이 커져서 연소가 쉬워진다.

2 목재건축물의 화재원인

(1) 접염 : 화염 또는 열의 접촉

(2) 복사열 : 복사파에 의한 열의 축적

(3) 비화 : 불꽃이 날아가 발화하는 현상

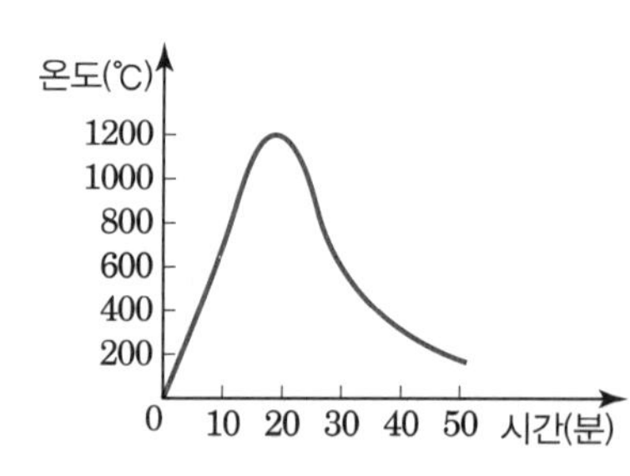

목재 건축물의 화재 시간온도곡선

3 연소특성

(1) 온도별 특성

구 분	100℃	170℃	260℃	480℃
내 용	수분 및 휘발성분의 증발(갈색)	목재의 열분해 (흑갈색)	목재의 인화점 목재방화의 기준점	목재의 발화점

(2) 화재진행과정

전기			후기			
화재의 원인	무염착화	발염착화	발화	최성기	연소낙화	진화

- 무염착화 : 가연물이 연소 시 불꽃 없이 착화하는 현상
- 발염착화 : 무염상태의 가연물에 불꽃이 발생되면서 착화하는 현상

(3) 풍속(0 ~ 3 m/s)에 따른 연소시간

구 분	발화 → 최성기	최성기 → 연소낙화	발화 → 연소낙화
시 간	5분 ~ 15분	6 ~ 19분	13 ~ 24분

4 목재건축물의 특성

연료지배형 화재	고온단기형(약 1,200℃, 10 ~ 20분)
발화 ~ 최성기 시간 : 5 ~ 15분	개방계의 경우 Flash Over가 발생되지 않는다.
화재원인 – 무염착화 – 발염착화 – 발화 – 최성기 – 연소낙하 – 진화	

3. 내화건축물 화재

1 내화건축물의 특성

(1) 화재특성

화재 초기에는 연료지배형 화재의 특성을 띠고 F.O 이후에는 환기지배형 화재 특성을 갖는다.

(2) 저온장기형(약 1,000℃, 30분 ~ 3시간)

(3) 화재 진행과정 : 초기 – 성장기(플래시오버 : F.O) – 최성기 – 감쇠기(백드래프트 : B.D)

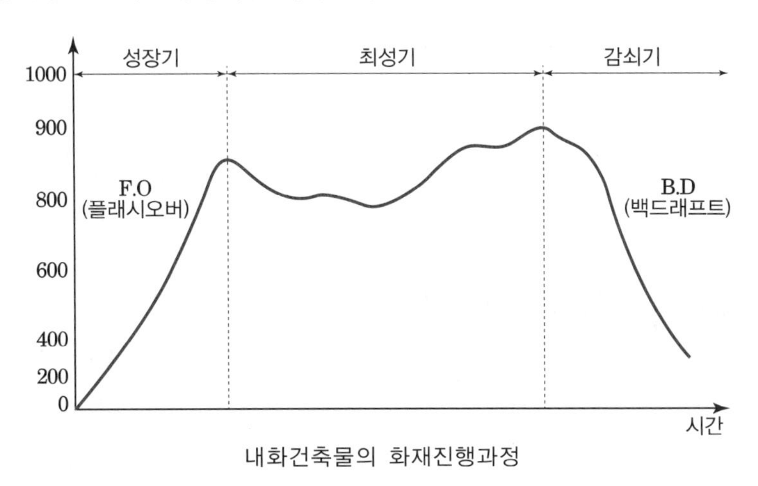

내화건축물의 화재진행과정

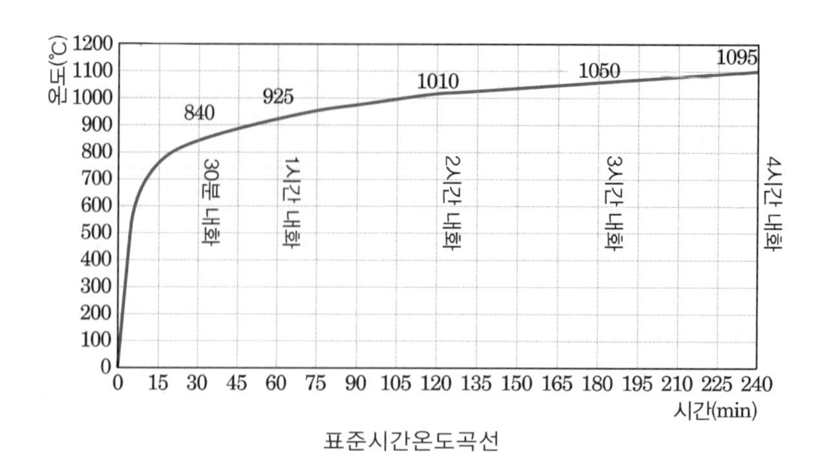

표준시간온도곡선

표준온도시간 곡선 : $\theta = 345\log(8t+1)+\theta_0$

θ : t시간(min) 후의 가열로의 온도 θ_0 : 가열하기 전의 가열로의 온도(20℃)

2 내화건축물의 화재진행과정

(1) 초기 (발화)

① **화재의 시작**으로 주위에서 에너지를 받아 **주위보다 상당히 높은 온도를 유지해 나가는 과정**

② **발화시간(내장재와의 연관성)**

얇은 물질(2 mm 미만)의 발화시간	두꺼운 물질(2 mm 이상)의 발화시간
$t_{ig} = \rho c l\left(\dfrac{T_{ig}-T_\infty}{\dot{q}''}\right)$ **열용량(ρc) [kcal / (m³·℃)]의 영향**	$t_{ig} = C(k\rho c)\left(\dfrac{T_{ig}-T_\infty}{\dot{q}''}\right)^2$ **열관성($k\rho c$)의 영향**

t_{ig} : 발화시간 [s] ρ : 밀도 [kg/m³] c : 비열 [kcal/kg℃]
l : 두께 [m] T_{ig} : 발화온도 [℃] T_∞ : 대기중온도 [℃]
$\dot{q}''$: 복사열유속 [kW/m²] C : 상수 k : 열전도도 [kcal/s·m·℃]

※ **열전도도(율)이 크고 밀도가 크고 비열이 크면 발화시간이 늦어진다.**

※ **열관성** : 어떤 물체가 일정온도를 가지고 있는 경우 현재의 온도를 유지하려고 하는 성질이며 열관성이 크면 자기온도를 유지하고자 하므로 열을 방출하여 발화시간이 늦어진다.

예제 01

내장재의 발화시간에 영향을 주는 요소가 아닌 것은?

① 열전도율 ② 발화점 ③ 환기요소 ④ 복사플럭스

해답 ③

③ **발화시간과 관련된 화염 확산속도**

$$V = \frac{\delta_f(\text{화염에 의해 가열되는 길이})}{t_{ig}(\text{발화시간})}\ [\mathrm{m/s}]$$

(2) 성장기

① **연료지배형 화재**

② **화재성장속도 :** $Q = \alpha t^2\,[\mathrm{kW}]$ **으로 상승**

α : **화재강도계수**

화재성장속도 분류는 열방출률이 1,055 kW에 도달하는데 걸리는 시간을 기준으로 Ultrafast(75 s), fast(150 s), Medium(300 s), Slow(600 s)로 나뉜다.

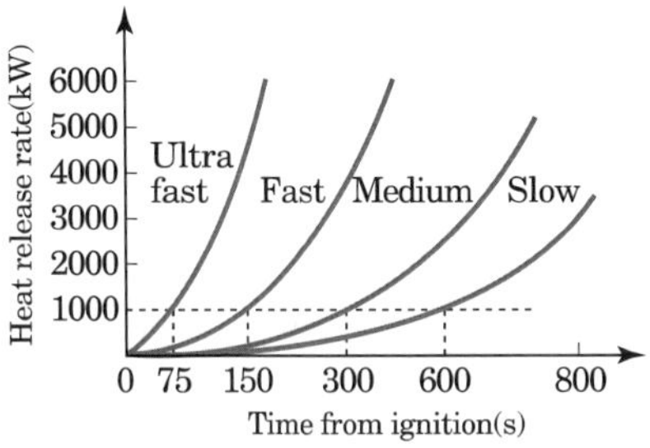

Heat release rate(kW)
6000
5000
4000
3000
2000
1000
Ultra fast
Fast
Medium
Slow
0 75 150 300 600 800
Time from ignition(s)

연소속도

Ultrafast의 경우 화재강도계수 α 는 $1{,}055 = \alpha \times 75^2$

$\therefore\ \alpha = 0.1875$가 된다. 이 강도는 가연성 액체의 화재강도계수에 해당된다.

③ **연소속도(단위면적 당)**

$$\dot{m}'' = \frac{\dot{Q}''}{L}\left(\frac{\text{순열류 J/s·m}^2}{\text{기화열 J/kg}}\right)[\mathrm{kg/s{\cdot}m^2}]$$

- 순열류 = 복사 플럭스(flux) = 복사열유속

④ **열방출률(속도)(연소속도 × 연소열) (HRR : Heat Release Rate)**

$$Q = \dot{m}'' A \Delta Hc\,[\mathrm{W}] = \frac{\dot{Q}''}{L} A \Delta Hc\ [\mathrm{W = J/s}]$$

A(면적) [m²], ΔHc(연소열) [J/kg]

⑤ **Flash Over의 발생**

국부화재에서 전실화재로의 전이, 연료지배형에서 환기지배형 화재로의 전이

⑥ **플래시오버가 발생하기 위해 필요한 열방출속도(율)**

㉠ McCaffrey, Quintiere, Harkleroad의 계산식

$$Q = 610\ (h_k A_T A \sqrt{H})^{\frac{1}{2}}\ [\mathrm{kW}]$$

h_k : 열전도계수[kW/m² · ℃]　　A_T : 구획 내부 표면적[m²]

A : 개구부 면적[m²]　　H : 개구부의 높이[m]

㉡ Thomas의 계산식

$Q = 7.8A_T + 378A\sqrt{H}$ [kW]

A_T : 개구부 제외한 구획내부 표면적[m^2]

㉢ Babrauskas의 계산식

$Q = 750A\sqrt{H}$ [kW]

⑦ **플래시오버 가스층의 온도(플래시오버 발생 시 가스층의 온도는 약 500~600℃)**

$$\Delta T = 6.85\left(\frac{Q^2}{h_k A_T A\sqrt{H}}\right)^{\frac{1}{3}}$$

Q : 열방출률 h_k : 열전도계수 A_T : 구획내부표면적

A : 개구부 면적 H : 개구부의 높이

(3) 최성기

① **환기지배형 화재**

② **연소속도** $R = 0.5A\sqrt{H}$ [kg/s]**로 일정**

③ **열방출률** $Q = 0.5A\sqrt{H}\Delta Hc$ [W] ΔHc **는 공기의 기준으로 3 MJ / kg**

④ 최성기는 플래시오버를 거쳐 구획실 내 공기가 거의 소멸된 이후로 개구부에서의 공기 공급량인 환기요소에 의해 지배되며 연소속도, 열방출률 역시 환기요소($A\sqrt{H}$)에 의해 결정됨을 알 수 있다.

⑤ **환기요소($A\sqrt{H}$)**

최성기 화재 시 구획내의 공기는 거의 소멸되어 개구부를 통해 외부에서 들어오는 공기의 양에 의해 지배를 받기 때문에 개구부 크기가 중요하며 이를 환기요소($A\sqrt{H}$)라 한다. A는 개구부의 면적, H는 개구부의 높이이며 이는 개구부의 높이에 영향을 더 받음을 알 수 있다.

(4) 감쇠기

① **최고온도의 약 80% 감소**

② Back Draft의 발생(역기류)

㉠ **밀폐공간에서 출입문 개방 등 산소의 유입으로 급격한 연소로 화염이 역류하는 현상**

㉡ 감쇠기 때 구획된 밀폐된 실내는 매우 고온으로 압력이 높고 산소가 전혀 없어 작열(훈소)연소의 형태를 띠고 있다. 이때 소방관이 화재진압을 위해 출입문 개방시 실내의 압력이 높아 가연성가스가 실 밖으로 나오는 게 아니라 공기가 실내로 빨려 들어가 급격히 연소한다. 따라서 이러한 기류현상을 역기류라 하며 소방관살인 현상이라 부른다.

3 Flash Over와 Back Draft 비교

구분	Flash Over	Back Draft
정의	국부화재에서 전실화재로의 전이 현상 연료지배형 화재에서 환기지배형 화재로의 전이 현상	밀폐공간에서 출입문 개방 등 산소의 유입으로 급격한 연소로 화염이 역류하는 현상
조건	연기층 온도 500 ~ 600℃ 바닥 복사수열량 20 ~ 40 kW/m² 연소속도 40 g/s · m² 산소농도 : 10% $CO_2/CO = 150$	실내 가연성가스 축적 실내는 고온의 온도 유지
연소형태	화재	폭발
시기	성장기	감쇠기
공급요인	복사열에 의한 자연발화	산소 유입에 의한 급격한 연소
피해	농연, 화염 인명피해, 재산피해	농연, 벽체도괴, Fire Ball 소방관 인명피해
방지	천장, 벽 불연화 가연물 제한 개구부 제한 자동식 소화설비 설치	폭발력 억제(상부개방) 환기(가스축적 방지)
영향요소	천장높이, 실의 모양, 내장재의 재질과 두께, 점화원의 크기, 점화원의 위치와 연료 높이, 개구부의 크기(종장 방향의 주벽 면적에 대한 개구율이 1/2 ~ 1/3일 경우 가장 짧고 1/16 이하시에는 플래시오버가 발생하지 않는다)	-

4 환기요소, 화재가혹도, 화재강도, 화재하중

(1) 환기요소($A\sqrt{H}$)

① **화재의 최성기인 환기지배형 화재에서는 공기공급에 의해 화재의 크기 및 화재강도가 달라진다.**

② 개구부의 면적을 A 개구부의 높이를 H라 하면 공기공급과 관련이 있는 환기요소를 $A\sqrt{H}$라하며 개구부의 높이에 영향을 더 받음을 알 수 있다.

(2) 화재가혹도

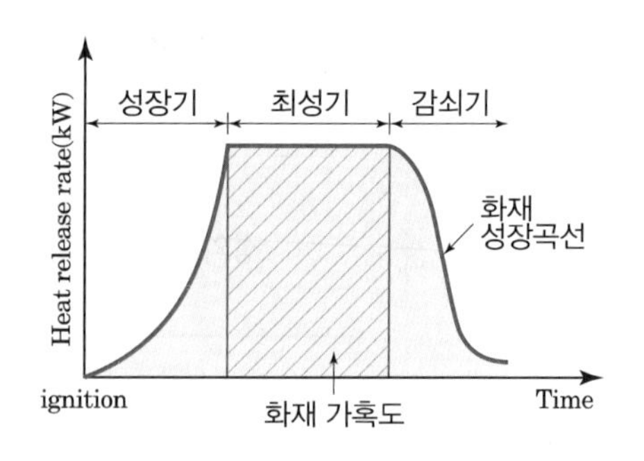

① **최고온도의 지속시간으로 화재가 건물에 피해를 입히는 능력의 정도**

② **최고온도(화재강도) : 온도인자에 의해 결정**

③ **지속시간(화재하중) : 계속시간인자에 의해 결정**

④ 화재가혹도를 줄이려면 불연화, 난연화로 화재강도 및 화재하중을 줄여야 한다.

⑤ **화재가혹도에 견디는 내력을 화재저항**이라 하고 **건축물의 성능인 내화, 방화구조 등을 의미**

(3) 화재강도

① **열방출율에 따른 열축적율을 화재강도라하고 온도가 크면 화재강도가 크다.**

② **영향요소 : 연소열, 비표면적(m^2/kg), 공기공급, 단열성**

③ **소화설비 주수율 결정**

④ **실의 온도는 온도인자에 의해 결정된다.**

$$\text{온도인자 } F_0 = \frac{A\sqrt{H}}{A_T} \qquad A_T = \text{ 실내의 전표면적 } [m^2]$$

실의 크기가 크면 그만큼 열의 축적이 느려 온도가 적게 상승함을 알 수 있다.

(4) 화재하중

① **단위 면적당 가연물의 양을 목재의 양으로 환산한 값**

$$\text{화재하중 } Q = \frac{\sum(G_i \cdot H_i)}{H \cdot A} = \frac{\sum Q_i}{4{,}500 \cdot A} \ [kg/m^2]$$

G_i : 가연물의 질량 (kg)

H_i : 가연물의 단위 발열량 (kJ/kg)

Q_i : 가연물의 전 발열량 (kJ)

H : 목재의 단위 질량당 발열량 (4,500 kcal/kg ≒ 18,855 kJ/kg)

A : 바닥면적 (m^2)

예제 02

가로, 세로, 높이 10 m × 20 m × 2.3 m의 공간에 발열량이 37,710 kJ / kg인 가연물 3,000 kg과 18,855 kJ / kg인 가연물 2,000 kg이 저장되어 있다. 화재하중은 얼마인가?

① 40 ② 80
③ 120 ④ 160

해답 ①

$$화재하중\ Q = \frac{\sum (G_i \cdot H_i)}{H \cdot A} = \frac{3,000 \times 37,710 + 2,000 \times 18,855}{18,855 \times 10 \times 20} = 40\text{kg/m}^2$$

② 화재지속시간과 관련이 있으며 이는 소화설비에 주수시간 결정
③ 화재지속시간 : 계속시간 인자에 의해 결정된다.

$$계속시간\ 인자\ F = \frac{A_F}{A\sqrt{H}} \qquad A_F = 바닥면적\,[\text{m}^2]$$

바닥면적이 클수록 화재지속시간이 길다.

④ 소방대상물별 화재하중의 크기

소방대상물	창고	도서실	시장	사무실	주택, 아파트	교실
화재하중 (kg/m²)	200 ~ 1,000	100 ~ 250	100 ~ 200	30 ~ 150	30 ~ 60	30 ~ 45

예제 03

화재하중의 크기가 가장 큰 소방대상물은 어떤 것인가?

① 도서실 ② 시장
③ 아파트 ④ 사무실

해답 ①

4. 건축물의 내화성능 등

1 방화구조

<table>
<tr><td>정의</td><td colspan="3">1. 일정시간동안 일정구획에서 화재를 한정 시킬 수 있는 구조
2. 화재에 대한 내력(구조적 안전성)은 없으며 화염의 확산을 막을 수 있는 성능을 가진 구조로서 화재 성장기의 화재저항
3. 철망모르터 바르기, 회반죽 바르기, 기타 이와 유사한 구조로서 방화성능을 가진 것</td></tr>
<tr><td>목적</td><td colspan="3">인접실로의 연소 확대 방지, 연기확산 방지, 피난 안전성 확보</td></tr>
<tr><td rowspan="4">요구조건</td><td colspan="3">※ 차염성 정도의 능력을 요구함</td></tr>
<tr><td rowspan="3">차염성</td><td colspan="2">방화문 이면에 면패드 착화되지 않을 것.</td></tr>
<tr><td colspan="2">6 mm 균열게이지 관통 후 150 mm 이동되지 않거나 25 mm 균열게이지 관통되지 않을 것</td></tr>
<tr><td colspan="2">방화문 이면에 10초 이상 지속되는 화염 발생이 없을 것</td></tr>
<tr><td>기준</td><td colspan="3">1. 철망모르타르로서 그 바름 두께가 2 cm 이상인 것
2. 석고판 위에 회반죽 또는 시멘트모르타르를 바른 것으로서 그 두께의 합계가 2.5 cm 이상인 것
3. 시멘트모르타르위에 타일을 붙인 것으로서 그 두께의 합계가 2.5 cm 이상인 것
4. 심벽에 흙으로 맞벽치기한 것
5. 한국산업표준이 정하는 바에 따라 시험한 결과 방화 2급 이상에 해당하는 것
암기 철2 석회시 ~ 시타 2.5(철이 석회 싫다고함 석회가 2.5로 더 두꺼워서)</td></tr>
</table>

2 내화구조

<table>
<tr><td>정의</td><td colspan="3">1. 화재 시 건축물의 강도 및 성능을 일정기간 유지할 수 있는 구조
2. 화재에 견딜 수 있는 성능을 가진 구조로서 화재 최성기의 화재저항
3. 철근콘크리트조, 연와조, 석조 등 이와 유사한 구조</td></tr>
<tr><td>목적</td><td colspan="3">1. 화재확대 방지 및 재산보호
2. 건축물의 붕괴 방지 및 인명의 안전보장, 소화활동의 보장</td></tr>
<tr><td rowspan="4">요구조건</td><td colspan="3">내화시험(차염성, 차열성), 하중 지지력(구조적 안전성)</td></tr>
<tr><td rowspan="2">차열성</td><td>평균온도</td><td>상승온도 140℃ 이내</td></tr>
<tr><td>최고온도</td><td>상승온도 180℃ 이내</td></tr>
<tr><td>하중지지력</td><td colspan="2">내력부재의 시험체가 변형량 및 변형률에 따른 성능기준에 적합</td></tr>
<tr><td>기준</td><td colspan="3">주요 구조부(주계단, 내력벽, 기둥, 바닥, 보, 지붕틀)의 두께를 미리 정해놓은 시방기준과 2005년 법의 개정으로 건물의 규모, 용도, 부위별로 제시한 성능기준의 2가지 방법</td></tr>
<tr><td>대상건축물</td><td colspan="3">1. 지하층, 지상3층 이상의 건축물
2. 문화 및 집회시설 중 전시장 또는 동·식물원, 판매시설, 운수시설 등의 용도로 쓰는 건축물로서 그 용도로 쓰는 바닥면적의 합계가 500 m² 이상인 건축물
3. 공장 2,000 m² 이상 등</td></tr>
</table>

내 화 구 조 기 준

철근콘크리트조

철골철근콘크리트조

철골조

콘크리트블록

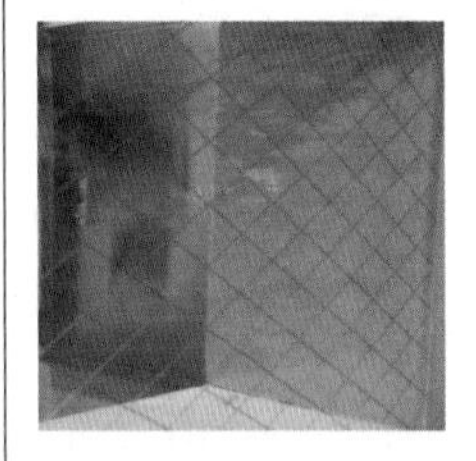
유리블록(지붕)

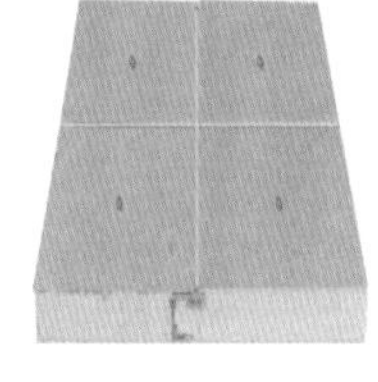
콘크리트패널

연와(벽돌)조

석조

시방기준 – 성능이 인정된 재료 사용

구 분		외벽중 비내력벽	벽	바닥	기둥	보 지붕틀	지붕	계단
철근콘크리트조 철골철근콘크리트조		7	10	10	◎	◎	◎	◎
무근콘크리트조, 콘크리트블록조, 석조		7	–	–	–	–	–	◎
벽돌조		7	19	–	–	–	–	–
고온·고압의 증기로 양생된 경량기포 콘크리트패널, 경량기포 콘크리트블록조		–	10	–	–	–	–	–
철골조	콘크리트블록·벽돌 또는 석재로 덮은 것	4	5	–	7	–		–
	철망모르타르 덮은 것	3	4	–	6	6		
	콘크리트				5	5	–	–
	–	–	–	–	–	–	–	◎
철재	콘크리트블록 벽돌, 석재로 덮은 것	4	5	5	–	–	–	–
	양면을 철망모르타르 또는 콘크리트로 덮은 것	–	–	5	–	–	–	–
철재로 보강된 콘크리트블록조·벽돌조 또는 석조		–	–		–	–	◎	◎
철재로 보강된 유리블록 또는 망입유리로 된 것		–	–	–	–	–	◎	–

※ 두께의 단위 : cm 이상, ◎ : 두께 기준 없음

- **기둥은 작은 지름이 25 cm 이상일 것.** 다만, **고강도 콘크리트(설계기준강도가 50 MPa 이상인 콘크리트)**를 사용하는 경우에는 국토교통부 장관이 정하여 고시하는 고강도 콘크리트 내화성능 관리기준에 적합하여야 한다.

내 화 구 조 기 준

성능기준 – 성능적 내화설계

1. 붕괴시간(내화성능) 〉 설계화재시간

붕괴시간(내화성능)	설계화재시간
구조체, 부재의 열응력 등을 고려	화재강도, 하중, 환기특성 고려하여 화재성상을 예측

2. 요구내화시간 (요구내화성능기준)

※ 건축법에서는 붕괴시간과 비슷한 개념의 요구내화 시간을 용도별(주거, 일반, 산업시설), 규모별, 부재별로 구분 함

① 주거시설(공동주택, 다가구주택, 숙박시설, 의료시설) (단위 : 시간)

부재별 \ 규모별				4층/ 20 m 이하	12층/ 50 m 이하	12층/ 50 m 초과
벽	외벽	내력벽		1	2	2
		비내력벽	연소할 우려가 있는 부분	1	1	1
			연소할 우려가 없는 부분	0.5	0.5	0.5
	내벽	내력벽		1	2	2
		비내력벽	간막이벽	1	1	2
			샤프트실구획벽	1	1	2
보, 기둥(일반시설, 산업시설 동일)				1	2	3
바닥(일반시설, 산업시설 동일)				1	2	2
지붕, 지붕틀(일반시설, 산업시설 동일)				0.5	0.5	1

② 일반시설

벽	외벽	내력벽		1	2	3
		비내력벽	연소할 우려가 있는 부분	1	1	1
			연소할 우려가 없는 부분	0.5	0.5	0.5
	내벽	내력벽		1	2	3
		비내력벽	간막이벽	1	1 1/2	2
			샤프트실구획벽	1	1 1/2	2

③ 산업시설(공장, 창고, 위험물저장, 쓰레기처리시설, 분뇨시설 등)

벽	외벽	내력벽		1	2	2
		비내력벽	연소할 우려가 있는 부분	1	1	1.5
			연소할 우려가 없는 부분	0.5	0.5	0.5
	내벽	내력벽		1	2	2
		비내력벽	간막이벽	1	1	1.5
			샤프트실구획벽	1	1	1.5

3. 건축구조재 내화시험방법 : 주요부재에 따라 하중지지력, 차염성, 차열성, 강재의 평균온도, 최고온도를 시험함

4. 건축 주요부재의 가열시험로(참고)

수직가열로

기둥가열로

수평가열로

소형가열로

3 방화구획

<table>
<tr><td>정의</td><td>화재 시 연소확대 방지를 위해 일정한 공간을 구획(소방대의 방호면적이 약 1,000 m² 정도)</td></tr>
<tr><td>대상</td><td>주요구조부가 내화구조, 불연재료의 건축물로서 연면적이 1,000 m² 넘는 건축물</td></tr>
<tr><td>요구조건</td><td>차염성, 차열성, 구조적안전성(내화구조와 동일조건 요구함)</td></tr>
<tr><td>방화
구획의
종류</td><td>
<table>
<tr><td>층별</td><td>매층마다 구획할 것
※ 지하 1층에서 지상으로 직접 연결하는 경사로 부위는 제외한다.</td></tr>
<tr><td>면적별</td><td>
<table>
<tr><th rowspan="2">구 분</th><th rowspan="2">10층 이하</th><th colspan="2">11층 이상</th></tr>
<tr><th>내장재가 불연재가
아닌 경우</th><th>내장재가
불연재인 경우</th></tr>
<tr><td>바닥면적</td><td>1,000 m²
이내</td><td>200 m² 이내</td><td>500 m² 이내</td></tr>
<tr><td>스프링클러 등 자동식
소화설비 설치 시 면적의
3배 이내마다 구획</td><td>3,000 m²
이내</td><td>600 m² 이내</td><td>1,500 m² 이내</td></tr>
</table>
</td></tr>
<tr><td>용도별</td><td>주요구조부를 내화구조로 하여야 하는 대상부분(아래 대상)과 기타부분 사이의 구획
예 문화 및 집회시설(전시장 및 동 · 식물원을 제외한다), 종교시설 등의 용도에 쓰이는 건축물로서 관람석 또는 집회실의 바닥면적의 합계가 200 m²(옥외관람석의 경우에는 1천 m²)이상인 건축물 등</td></tr>
<tr><td>수직
관통부</td><td>계단, 승강기 샤프트, 에스컬레이터 등 구획</td></tr>
<tr><td>기타</td><td>필로티나 그 밖에 이와 비슷한 구조(벽면적의 2분의 1 이상이 그 층의 바닥면에서 위층 바닥 아래면까지 공간으로 된 것만 해당한다)의 부분을 주차장으로 사용하는 경우 그 부분은 건축물의 다른 부분과 구획할 것</td></tr>
</table>
</td></tr>
<tr><td>구획의
방법</td><td>• 내화구조로 된 벽, 바닥, 60분+ 또는 60분 방화문, 자동방화셔터로 구획
• 관통부의 경우 내화채움성능을 인정한 구조 또는 내화충진제, 방화댐퍼 등</td></tr>
<tr><td>완화조건</td><td>• 시선 및 활동공간 확보를 위하여 불가피한 부분 – 문화 및 집회시설, 종교시설, 운동시설 또는 장례식장의 용도로 쓰는 거실
• 물품의 제조, 가공, 보관 및 운반 등에 필요한 고정식 대형기기 설비의 설치를 위하여 불가피한 부분
• 계단실, 복도, 승강기의 승강로 부분으로서 다른 부분과 방화구획 된 부분
• 건축물의 최상층, 피난층으로서 스카이라운지 · 로비 등으로 사용하기 위해 불가피한 부분
• 주요구조부가 내화구조 또는 불연재료로 된 주차장
• 복층형 공동주택의 세대별 층간 바닥 부분
• 단독주택, 동물 및 식물 관련시설 또는 교정 및 군사시설 중 군사시설에 쓰이는 건축물</td></tr>
<tr><td>방화구획
세분화시
장단점</td><td>• 장점
화재의 크기 제한(피난의 안전성), 연기이동제한(제연의 용이성)
• 단점
① 시야 확보 방해로 피난 장애 및 소화활동 지장
② Flash Over 발생 용이(발연량 및 발열량 증가)
③ 불완전 연소 – 훈소 및 Back Draft 발생 가능성 증가

훼손된 방화구획</td></tr>
<tr><td>소방법상의
방화구획
대상</td><td>• 감시제어반을 전용실내에 설치 시의 전용실
• 비상전원설치장소(엔진펌프 축전지설비 제외) – 발전기실, 축전지실 등
• 가압송수장치 중 가압수조, 가압원 설치 장소
• 비상전원수전설비 방화구획형</td></tr>
</table>

4 방화설비

방화문

1. **방화문의 종류 및 설치장소**

구 분	성능	설치장소
60분+ 방화문	연기 및 불꽃을 차단할 수 있는 시간이 60분 이상이고, 열을 차단할 수 있는 시간이 30분 이상인 방화문	아파트 발코니에 설치하는 대피공간의 갑종방화문
60분 방화문	연기 및 불꽃을 차단할 수 있는 시간이 60분 이상인 방화문	1. 특별피난계단 전실 출입구 2. 비상용 승강기 승강장 출입구 3. 방화구획 , 방화벽 4. 피난계단 출입구 5. 특별피난계단 계단실 출입구 6. 연소우려가 있는 외벽의 개구부
30분 방화문	연기 및 불꽃을 차단할 수 있는 시간이 30분 이상 60분 미만인 방화문	**1. 특별피난계단 계단실 출입구** **2. 연소우려가 있는 외벽의 개구부**

방화문 시험

※ 갑종방화문은 언제나 닫힌 상태를 유지하거나 화재로 인한 연기 또는 불꽃을 감지하여 자동적으로 닫히는 구조로 할 것. 다만, 연기 또는 불꽃을 감지하여 자동적으로 닫히는 구조로 할 수 없는 경우에는 온도를 감지하여 자동적으로 닫히는 구조로 할 수 있다.

※ **차연성 (KS F 3109 : 문세트 시험) 방화문을 설치한 시험장치 내 압력이 25 Pa일 때 방화문을 통한 누설량이 0.9 m^3 / min · m^2 초과하지 않을 것**

2. **승강기문을 방화문으로 설치 시 비차열 60분 이상 요구**
3. **방화문의 상부 또는 측면으로부터 50 cm 이내에 설치되는 방화문 인접창**은 KS F 2845(유리 구획부분의 내화시험 방법)에 따라 시험한 결과 해당 **비차열 성능을 요구**

방화셔터

1. 정의
   방화구획의 용도로 화재시 연기 및 열을 감지하여 자동 폐쇄되는 것으로서, 공항 · 체육관 등 넓은 공간에 부득이하게 내화구조로 된 벽을 설치하지 못하는 경우에 사용하는 방화셔터
2. 개폐장치
   자동·수동 및 임의의 위치에서 정지 및 자중에 의해 폐쇄 가능 할 것
3. **연동폐쇄장치**
   연기감지기에 의해 일부폐쇄 및 **중량셔터의 경우 공칭작동온도 60 ~ 70℃인 열감지기 (정온식, 보상식)에 의해 완전 폐쇄, 30분 개폐 가능한 예비전원 축전지 설비 설치**
4. **피난이 가능한 60+방화문 또는 60분방화문으로부터 3미터 이내에 별도로 설치**

일체형방화셔터 (2020.1.30 일부터 설치금지)

방화댐퍼

1. **덕트 등 설비 관통부에 설치하여 규정온도 이상시 자동으로 폐쇄**
2. 설치 기준

성능	비차열 1시간 이상
통기량	**20℃에서 20 pa압력에서 5 m^3 / min이하**
미끄럼부	열팽창, 녹, 먼지 등에 의해 작동이 저해 받지 않는 구조
구조	1. 배연기의 압력에 의해 방재상 유해한 진동, 간격이 생기지 않는 구조 2. 방화댐퍼의 주기적인 작동상태, 점검, 청소 및 수리 등 유리 · 관리를 위하여 검사구 · 점검구는 방화댐퍼에 인접하여 설치 3. 부착 방법은 구조체에 견고하게 부착시키는 공법으로 화재시 덕트가 탈락, 낙하해도 손상되지 않을 것

5 기타 연소확대방지

구분			내용
방화벽	연면적 1천 m² 이상인 건축물(주요구조부가 내화구조 또는 불연재료인 건축물은 제외)		1. **내화구조로서 홀로 설 수 있는 구조** 2. 방화벽의 양쪽 끝과 윗쪽 끝을 건축물의 외벽면 및 지붕면으로부터 **0.5 m 이상 튀어** 나오게 할 것 3. 방화벽에 설치하는 출입문의 **너비 및 높이는 각각 2.5 m 이하**로 하고, 해당 출입문에는 **60분+ 또는 60분 방화문을 설치**할 것 4. **연면적이 1천 m² 이상인 목조건축물**은 **그 외벽 및 처마 밑의 연소할 우려가 있는 부분을 방화구조**로 하되, 그 **지붕은 불연재료**로 하여야 한다. 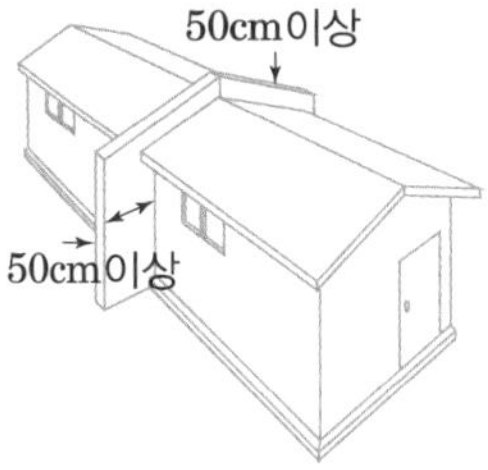 방화벽
방화벽	지하구		1. **내화구조로서 홀로 설 수 있는 구조**일 것. 2. 방화벽에 **출입문**을 설치하는 경우에는 갑종**방화문으로 할 것** 3. 방화벽을 관통하는 케이블 · 전선 등에는 내화충전구조로 마감 4. 방화벽은 분기구 및 국사 · 변전소 등의 건축물과 지하구가 연결되는 부위(건축물로부터 20m 이내)에 설치  지하구의 방화벽 5. 자동폐쇄장치를 사용하는 경우에는 「자동폐쇄장치의 성능인증 및 제품검사의 기술기준」에 적합한 것으로 설치할 것
경계벽 칸막이벽	설치장소	경계벽	1. 단독주택 중 다가구주택의 각 가구 간, 공동주택(기숙사를 제외)의 각 세대 간 (발코니 부분을 제외), 노유자시설 중 노인복지주택의 각 세대 간, 노인복지주택의 각 세대 간 2. 공동주택 중 기숙사의 침실, 의료시설의 병실, 학교의 교실, 숙박시설의 객실, **근린생활시설 중** 다중생활시설의 호실 간, 노인요양시설의 호실 간, **산후조리원 – 임산부실 간, 신생아실 간, 임산부실과 신생아실**
경계벽 칸막이벽	설치기준		1. **내화구조**로 하고 지붕 밑 또는 바로 윗층의 바닥판까지 닿게 설치 2. **구조** ① 철근콘크리트조 · 철골철근콘크리트조로서 두께가 10 cm 이상인 것 ② 무근콘크리트조 또는 석조로서 두께가 10 cm(시멘트모르타르 · 회반죽 또는 석고플라스터의 바름두께를 포함한다) 이상인 것 ③ 콘크리트블록조 또는 벽돌조로서 두께가 19 cm 이상인 것
상층 연소 확대방지	스팬드럴		**아래층 창문 상단에서 위층 창문 하단까지의 거리 90 cm 이상 이격**
상층 연소 확대방지	캔틸레버		차양판, 베란다와 같이 **건물의 외벽에서 돌출된 부분의 거리가 50 cm 이상** 
상층 연소 확대방지	발코니		**2층 이상의 층**에서 **스프링클러의 살수범위에 포함되지 않는 발코니를 구조 변경하는 경우** ① **높이 90 cm 이상 방화판 또는 방화유리창**(비차열 30분) ② **발코니에 자동화재탐지기를 설치** ③ **안전조치 – 난간의 높이 1.2 m 이상**(난간 살은 10 mm 이하일 것)

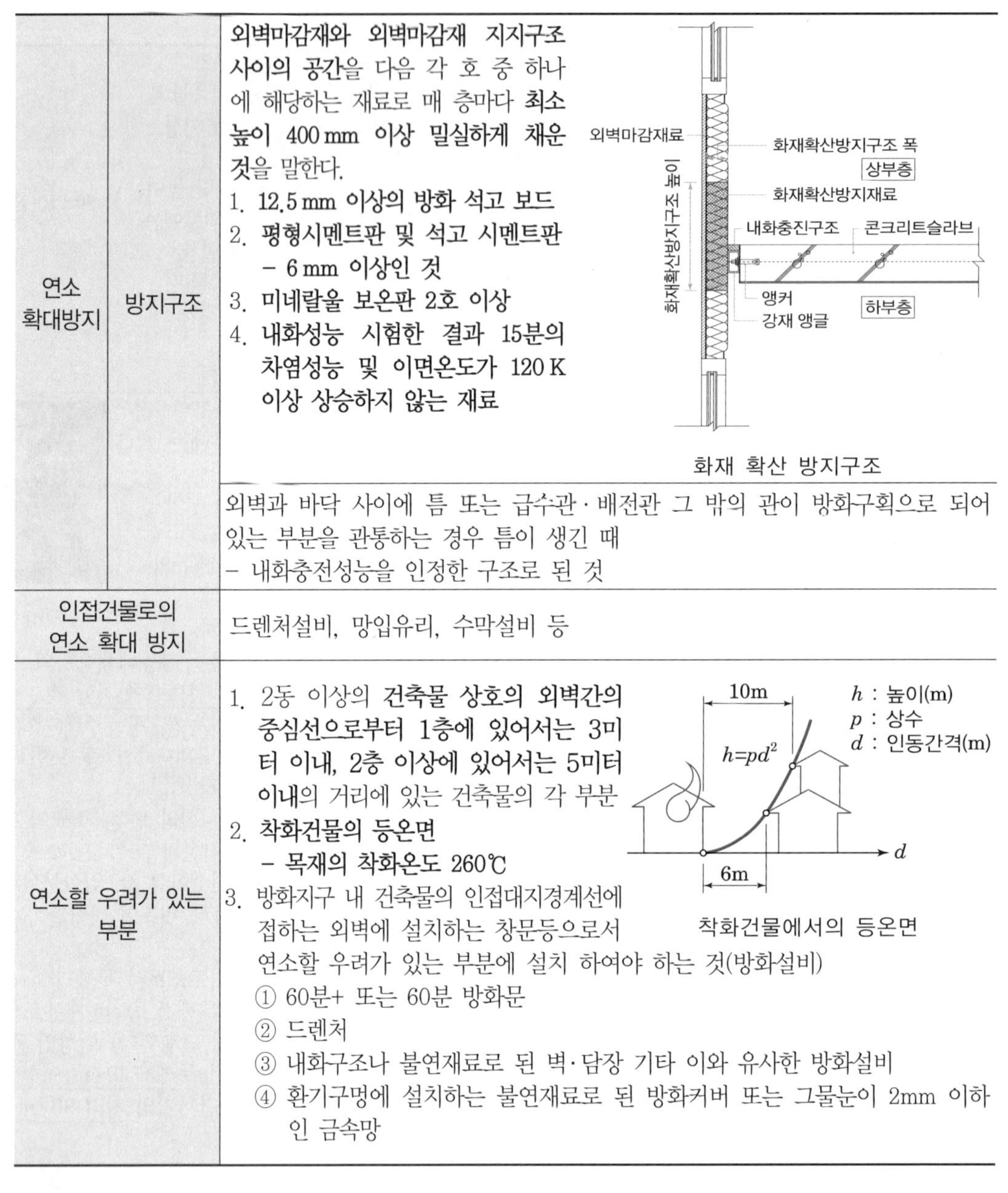

연소 확대방지	방지구조	**외벽마감재와 외벽마감재 지지구조 사이의 공간**을 다음 각 호 중 하나에 해당하는 재료로 매 층마다 **최소 높이 400 mm 이상 밀실하게 채운 것**을 말한다. 1. **12.5 mm 이상의 방화 석고 보드** 2. **평형시멘트판 및 석고 시멘트판 - 6 mm 이상인 것** 3. **미네랄울 보온판 2호 이상** 4. **내화성능 시험한 결과 15분의 차염성능 및 이면온도가 120 K 이상 상승하지 않는 재료** 화재 확산 방지구조
		외벽과 바닥 사이에 틈 또는 급수관·배전관 그 밖의 관이 방화구획으로 되어 있는 부분을 관통하는 경우 틈이 생긴 때 - 내화충전성능을 인정한 구조로 된 것
인접건물로의 연소 확대 방지		드렌처설비, 망입유리, 수막설비 등
연소할 우려가 있는 부분		1. 2동 이상의 **건축물 상호의 외벽간의 중심선으로부터 1층에 있어서는 3미터 이내, 2층 이상에 있어서는 5미터 이내**의 거리에 있는 건축물의 각 부분 2. **착화건물의 등온면** - **목재의 착화온도 260℃** 착화건물에서의 등온면 3. 방화지구 내 건축물의 인접대지경계선에 접하는 외벽에 설치하는 창문등으로서 연소할 우려가 있는 부분에 설치 하여야 하는 것(방화설비) ① 60분+ 또는 60분 방화문 ② 드렌처 ③ 내화구조나 불연재료로 된 벽·담장 기타 이와 유사한 방화설비 ④ 환기구멍에 설치하는 불연재료로 된 방화커버 또는 그물눈이 2mm 이하인 금속망

예제 04

건축관계법령에 따른 화재 확산 방지구조의 외벽마감재와 외벽마감재 지지구조 사이의 공간을 정해진 재료로 매 층마다 최소 높이 mm 이상 밀실하게 채워야 하는가?

① 100 ② 200
③ 300 ④ 400

해답 ④

6 발화방지

(1) 불연재료 등의 내장재 사용

구 분	성 질 및 종 류	시 험 방 법
불연재료	**불에 타지 않는 성질을 가진 재료** • 콘크리트, 석재, 벽돌, 기와, 석면판, 시멘트몰타르, 알루미늄, 회, 철강, 유리 등 • 시멘트몰타르, 회의 미장재료를 사용하는 경우에는 일정 두께 이상을 말함 방화석고보드 12.5mm	1. **KS F ISO 1182(건축 재료의 불연성 시험 방법)** (750±5℃ 20분 안정) 가열시험 개시 후 20분간 가열로 내의 최고온도가 최종평형온도를 20 K 초과 상승하지 않아야 하며 가열종료 후 질량 감소율 30% 이하 2. **KS F 2271(건축물의 내장 재료 및 구조의 난연성 시험방법) 중 가스 유해성 시험** 6분 가열 후 쥐의 평균행동정지 시간 9분 이상(8마리 기준)
준불연재료	**불연재료에 준하는 성질을 가진 재료** • 목모 시멘트판, 목편 시멘트판, 펄프 시멘트판, 석고보드 등이 있다. 방화석고보드 9.5mm	1. **KS F ISO 5660-1에 따른 연소성능 시험** – 열 방출률(콘칼로리미터법) 콘칼로리미터 • 50 kW/m^2 10분 가열 – 총 방출열량 8 MJ/m^2 이하 – 최대 열방출률이 10초 이상 200 kW/m^2 이하 – 방화상 균열, 구멍, 용융 등이 없을 것 2. **가스 유해성 시험**
난연재료	**불에 잘타지 않는 성질을 가진 재료** • 난연합판, 난연플라스틱판 기타 이와 유사한 난연성(難燃性)의 재료로서 국토교통부령으로 정하는 기준에 적합한 재료	1. **연소성능 시험 (5분), 가스 유해성 시험** 2. **12.5mm이상의 방화석고보드로 마감 또는 KS F 2257-1(건축 부재의 내화 시험 방법)**에 따라 내화성능 시험한 결과 15분의 차염성능 및 이면온도가 120K 이상 상승하지 않는 재료로 마감하는 경우

예제 05

다음 건축 재료 중에서 불연재료가 아닌 것은?

① 석면 슬레이트 ② 석고보드
③ 유리 ④ 시멘트모르타르

석면슬레이트(판)

석고보드

해답 ②

(2) 난연화

① 개요

- **불에 잘 타지 않는 화합물을 첨가하여 발화를 늦추고 연소확대를 제어하는 것**
- **연소의 메카니즘인 흡열 → 분해(증발) → 혼합 → 연소 → 배출의 과정을 끊는 과정을 난연화라 한다.**

② 방법

차단 부분	내 용	
열에너지 ⟶/ 흡열	열전달제어	**인을 함유하는 화합물**은 열분해에 의해 **메타인산**을 형성하여 **유리상의 피막으로 피복함으로서 열을 차단**(열전도 및 복사열 차단)
흡열 ⟶/ 분해	열분해 속도제어	열분해속도 감소 : **가연성 가스 발생 억제** 열분해속도 증가 : **연소에 필요한 온도 전에 분해**
분해 ⟶/ 혼합	열분해 생성물 제어	발생 가스중 **가연성가스 발생을 감소**시켜 연소범위 제어
혼합 ⟶/ 연소	기상반응 제어	할로겐등 불연성 물질을 첨가하여 **활성화 에너지를 크게 하여 반응 억제**(화학적 연소의 억제)

(3) 방염

구 분	내 용
정의	유기질을 무기질 등으로 피복하여 잘 타지 않도록 함
방염이론	**피복이론**: 무기질로 피복하여 **산소공급 차단 (붕사, 붕산)** **화학적이론**: **낮은 온도에서 분해**되어 발화점에 이르기 전 **가연성 가스 발생 및 잔사를 남김** **가스이론**: 열분해 생성물인 가연성가스를 **열분해에 의해 발생되는 불연성가스로 희석**(염화아연, 염화칼슘)하여 연소범위 제어 **열적이론**: 방염제 용융 또는 승화시 **흡열반응으로 열 에너지 흡수** 암기 피화가열
방염 대상물	① 근린생활시설 중 **의원, 조산원, 산후조리원, 체력단련장, 공연장** 및 **종교**집회장 ② **건축물의 옥내에 있는 시설** [문화 및 집회시설, **종교**시설, **운동**시설(수영장은 제외)] ③ **의료시설, 노유자**시설 및 숙박이 가능한 **수련시설, 숙**박시설, 방송통신시설 중 **방송국 및 촬영소** ④ **다**중이용업의 영업장 ⑤ 층수가 **11층** 이상인 것(아파트는 제외) ⑥ **교육연구시설 중 합숙소** 암기 연예인 안**문숙**이 **11층**의 **체력단련장**에서 **운동**하다 **다**쳤는데 **의료시설**인 **조산 의원**에 안가고 **공연장**으로 가 이상하게 여겨 **방송국**에서 **촬영**하러 오니 **합숙소**의 **노유자, 수련시설**의 **종교**인등이 구경 옴

<table>
<tr><th>구 분</th><th>내 용</th></tr>
<tr><td>방염
대상물품</td><td>
1. 제조 또는 가공 공정에서 방염처리를 한 물품(합판 · 목재류의 경우 설치 현장에서 방염처리를 한 것을 포함)
① 창문에 설치하는 커텐류 (블라인드 포함)
② 카펫, 두께 2 mm 미만인 벽지류로서 종이벽지 제외
③ 무대용, 전시용 합판 또는 섬유판
④ 암막, 무대막, 스크린(영화상영관, 골프장)
⑤ 섬유류 또는 합성수지류 등을 원료로 하여 제작된 소파·의자 – 다중이용업소의 단란주점영업, 유흥주점영업 및 노래연습장업의 영업장에 설치하는 것만 해당)
방염 안된 소파와 방염된 소파
2. 건축물 내부의 천장이나 벽에 부착하거나 설치하는 것
① 종이류(2 mm 이상), 합성수지류, 섬유류를 주원료로 한 물품
② 합판, 목재, 간이칸막이, 흡음재, 방음재 (흡음, 방음용 커튼 포함)
방염 표시
※ 실내장식물 제외 물품
• 가구류(옷장, 찬장, 식탁용의자, 사무용책장, 사무용의자 및 계산대 등)
• 너비 10 cm 이하의 반자돌림대 등
• 건축법에 의한 내부 마감 재료(방화에 지장이 없는 재료)
</td></tr>
<tr><td>방염
성능기준</td><td>
<table>
<tr><td>잔염시간</td><td>버너의 불꽃을 제거한 때부터 불꽃을 올리며 연소하는 상태가 그칠 때까지의 시간 20초 이내(불꽃연소)</td></tr>
<tr><td>잔신시간</td><td>버너의 불꽃을 제거한 때부터 불꽃을 올리지 아니하고 연소하는 상태가 그칠 때까지의 시간 30초 이내(작열연소)</td></tr>
<tr><td>탄화 면적</td><td>50 cm² 이내</td></tr>
<tr><td>탄화 길이</td><td>20 cm 이내</td></tr>
<tr><td>접염횟수</td><td>불꽃에 의해 완전히 녹을 때까지의 불꽃 접촉횟수 3회 이상</td></tr>
<tr><td>발연량</td><td>최대 연기밀도 400 이하</td></tr>
</table>
※ 방염대상 물품 중 구체적인 방염성능물품
<table>
<tr><th>구 분</th><th>잔염시간</th><th>잔신시간</th><th>탄화길이</th><th>탄화면적</th><th>접염횟수</th><th>연기밀도</th></tr>
<tr><td>카페트</td><td>20초 이내</td><td>–</td><td>10 cm 이내</td><td>–</td><td>–</td><td>400</td></tr>
<tr><td>얇은 포</td><td>3초 이내</td><td>5초 이내</td><td>20 cm 이내</td><td>30 cm² 이내</td><td>3회 이상</td><td>200</td></tr>
<tr><td>두꺼운 포</td><td>5초 이내</td><td>20초 이내</td><td>20 cm 이내</td><td>40 cm² 이내</td><td>3회 이상</td><td>200</td></tr>
<tr><td>합성수지판</td><td>5초 이내</td><td>20초 이내</td><td>20 cm 이내</td><td>40 cm² 이내</td><td>–</td><td>400</td></tr>
<tr><td>합판, 섬유판, 목재 및 기타물품</td><td>10초 이내</td><td>30초 이내</td><td>20 cm 이내</td><td>50 cm² 이내</td><td>–</td><td>400</td></tr>
</table>
• 얇은 포 : 포지형태의 방염물품으로서 1 m²의 중량이 450 g 이하인 것을 말한다.
</td></tr>
<tr><td>다중이용
업소의
방염</td><td>
• 불연재료 사용이 원칙
• 방염의 면적은 벽, 천장 면적의 합계에 30% 이하 (스프링클러 or 간이스프링클러 설치 시 50% 이하)
</td></tr>
</table>

실전 예상문제

●●○ 01 **내화건축물과 비교한 목조건축물 화재의 일반적인 특징을 옳게 나타낸 것은?**

① 고온, 단시간형　　② 저온, 단시간형
③ 고온, 장시간형　　④ 저온, 장시간형

해설
목조건축물 : 고온, 단시간(개방계로서 산소가 풍부하여 연소속도가 빨라 화재시간이 짧다.)

●●○ 02 **목재 건축물의 특징이 아닌 것은?**

① 콘크리트나 철재보다 열전도율이 작다.　　② 철재, 벽돌 보다 열팽창율이 작다.
③ 비표면적이 커야 연소가 어려워진다.　　④ 15% 이상의 수분이 있으면 착화하기 어렵다.

해설
비표면적(m^2/kg)이 커야 공기와 접촉 면적이 커져서 연소가 쉬워진다.

●○○ 03 **목재 건축물에서 화재가 발생하였을 때 화재 진행 상황 중 전기 상태의 순서로 옳은 것은?**

① 원인 – 무염착화 – 발염착화 – 발화
② 무염착화 – 발염착화 – 발화 – 원인
③ 발염착화 – 발화 – 원인 – 무염착화
④ 발화 – 무염착화 – 발염착화 – 원인

해설
목재건축물의 화재 진행과정은 어떤 원인에 의해 불꽃이 없는 착화과정을 거쳐 화염이 발생하며 발화한다.

●○○ 04 **목재를 가열할 때 가열 온도 170~360℃에서 많이 발생되는 기체는?**

① 일산화탄소　　② 수소가스　　③ 아세틸렌가스　　④ 유화수소가스

해설
목재가 가열될 때에는 불완전연소 상태이기 때문에 CO 발생이 많다.

정답　01 ①　02 ③　03 ①　04 ①

05 목조건물의 화재가 발생하여 최성기에 도달할 때, 연소온도는 약 몇 ℃ 정도 되는가?

① 300　② 800　③ 1,200　④ 1.800

목재건축물의 일반적인 연소온도는 1,200℃ 정도이며 내화건축물은 약 1,000℃ 정도이다.

06 구획실화재의 현상에 대한 설명 중 옳지 않은 것은?

① 중성대가 개구부에 형성될 때 중성대 아래쪽은 공기가 유입되고 위쪽은 연기가 유출된다.
② 연기와 공기흐름은 주로 온도상승에 의한 부력 때문이다.
③ 백드래프트는 연료지배형 화재에서 발생한다.
④ 벽면코너화염이 단일벽면화염보다 화염전파속도가 빠르다.

해설
- 백드래프트는 플래시오버를 지난 환기지배형 화재의 성격을 띠는 감쇠기 때 발생한다.
- 구획실 화재의 화염전파속도는 코너(2방향이 밀폐), 벽면(1방향이 밀폐), 실 중앙 부분(개방) 순이다.

07 내화구조 건물의 표준시간온도곡선에서 화재 발생 후 60분 경과 시 내부 온도는 약 몇 ℃인가?

① 840　② 950　③ 1010　④ 1090

$\theta = 345\log(8t+1) + \theta_0 = 345\log(8\times 60+1) + 20 ≒ 945℃$

θ : t 시간(min) 후의 가열로의 온도　θ_0 : 가열하기 전의 가열로의 온도(20℃)

08 얇은 물질(2mm 미만)의 발화시간과 관계가 없는 것은?

① 밀도　② 비열　③ 열전도율　④ 복사 열유속

$t_{ig} = \rho c l \left(\frac{T_{ig} - T_{\infty}}{\dot{q}''}\right)$

ρ = 밀도 [kg/m^3]
c = 비열 [kcal/kg ℃]　$\dot{q}''$ = 복사열유속 [kw/m^2]

정답　05 ③　06 ③　07 ②　08 ③

●○○ **09** **두꺼운(두께 2 mm 이상) 목재의 발화시간과 온도의 관계는?**

① 온도차 1승에 비례
② 온도차 2승에 비례
③ 온도차 3승에 비례
④ 온도차 4승에 비례

$t_{ig} = C(k\rho c)\left(\frac{T_{ig} - T_{\infty}}{\dot{q}''}\right)^2$ 발화시간은$(T_{ig} - T_{\infty})^2$에 비례한다.

t_{ig} = 발화시간 [s]
ρ = 밀도 [kg/m³]
c = 비열 [kcal/kg℃]
l = 두께 [m]
T_{ig} = 발화온도 [℃]
T_{∞} = 대기중온도 [℃]
$\dot{q}''$ = 복사열유속 [kW/m²]
C = 상수
k = 열전도도 [kcal/h·m·℃]

●●● **10** **발화시간의 경우 내장재와 밀접한 관계가 있는데 두꺼운 물질(2 mm 이상)은 복사열유속과 어떤 관계가 있는가?**

① 복사열유속의 1승에 비례한다.
② 복사열유속의 2승에 비례한다.
③ 복사열유속의 1승에 반비례한다.
④ 복사열유속의 2승에 반비례한다.

두꺼운 물질(2 mm 이상)의 발화시간 $t_{ig} = C(k\rho c)\left(\frac{T_{ig} - T_{\infty}}{\dot{q}''}\right)^2$

$\dot{q}''$ = 복사열유속 [kw/m²]

●●● **11** **고체의 화염확산속도의 식으로 맞는 것은?**

① 화염의 열전달에 의해 가열되는 길이 ÷ 발화시간
② 화염의 열전달에 의한 온도 ÷ 발화시간
③ 화염의 열전달의 시간 ÷ 발화시간
④ 화염의 길이 ÷ 발화시간

해설

$$V = \frac{\delta_f(\text{화염에 의해 가열되는 길이})}{t_{ig}(\text{발화시간})} \ [\text{m/s}]$$

정답 09 ② 10 ④ 11 ①

●●● 12 **고체표면의 화염확산으로 옳지 않은 것은?**

① 화염확산방향이 수평전파할 때 확산속도가 제일 빠르다.
② 화염확산에서 중력과 바람영향은 중요변수가 된다.
③ 화염확산속도는 화재위험성평가에서 중요한 역할을 한다.
④ 바람과 같은 방향으로의 화염확산은 순풍에서의 화염확산이라 한다.

화염확산방향이 상향일 때 가장 빠르며 수평, 하향전파 할 때의 순으로 확산속도가 느려진다.

●●○ 13 **화재성장기 때 HRR [에너지 방출속도(율)]로 옳지 않은 것은?**

① 기화면적에 비례
② 열유속에 비례
③ 유효연소열에 비례
④ 기화열에 비례

$Q = \dot{m}'' A \Delta Hc$ [kW] $= \dfrac{\dot{Q}''}{L} A \Delta Hc$ [kW] L (기화열)은 열방출율과 반비례한다.

$\dot{m}''$: 단위면적당 연소속도 [kg/s·m²] A : 면적 [m²] ΔHc : 연소열 [J/kg] $\dot{Q}''$: 순열류 [J/s·m²]

●●○ 14 **내화건축물의 화재에서 연소가 급속히 진행되어 개구부에 진한 연기와 화염이 분출하고 실내는 순간적으로 화염이 충만하는 시기는?**

① 초기
② 성장기
③ 최성기
④ 중기

최성기 : 플래시오버를 거친 이후로 실내에 화염이 충만하고 검은연기와 화염을 개구부로 분출한다.

●●○ 15 **화재 최성기의 상태가 아닌 것은?**

① 건물 전체에 검은 연기가 돌고 있다.
② 온도는 국부적으로 1,000℃ 정도가 된다.
③ 상층으로 완전히 연소되고 농연은 건물 전체에 충만하다.
④ 유리가 타서 녹아 떨어지는 상태가 목격된다.

유리의 균열(깨짐)은 250~300℃ 정도가 되고 유리가 타서 녹아 떨어지는 상태가 목격되는 온도는 400~500 또는 800℃ 이상으로 다양하다. 유리에 어떤 성분을 혼합해서 제조하느냐에 따라 녹는점이 낮을 수도 높을 수도 있으나 대개 최성기(1,000℃) 이전에서 발생한다.

정답 12 ① 13 ④ 14 ③ 15 ④

••• 16 플래시오버(Flash Over)란 무엇인가?

① 가연물이 착화하여 연소하기 시작하는 단계
② 연료지배형화재에서 환기지배형화재로 전이 되는 단계
③ 환기지배형에서 연료지배형화재로 전이 되는 단계
④ 산소의 유입으로 급격한 연소로 화염이 역류하는 현상

해설
플래시오버는 국소화재에서 실 전체의 화재로 전이를 말하며 실 전체의 화재로 인해 실 내부에는 산소가 거의 없어 이때 부터는 공기의 공급(환기요소 $A\sqrt{H}$)에 따라 화재의 크기등이 결정된다.

••• 17 건물 화재 시 Flash over는 어느 시기에서 발생하는가?

① 성장기에서 최성기로 넘어가는 분기점
② 제1성장기에서 제2성장기로 넘어가는 분기점
③ 최성기에서 감쇠기로 넘어가는 분기점
④ 최성기의 어느 시점이라도 조건만 형성되면 발생

해설
성장기에 플래시오버가 발생하여 최성기로 화재가 성장한다.

•○○ 18 플래시오버의 가스층의 온도의 설명으로 옳지 않은 것은?

① 열전도계수의 1/3에 반비례한다. ② 구획내부 표면적의 1/3에 반비례한다.
③ 환기요소의 1/3에 반비례한다. ④ 열방출률의 1/3에 반비례한다.

해설
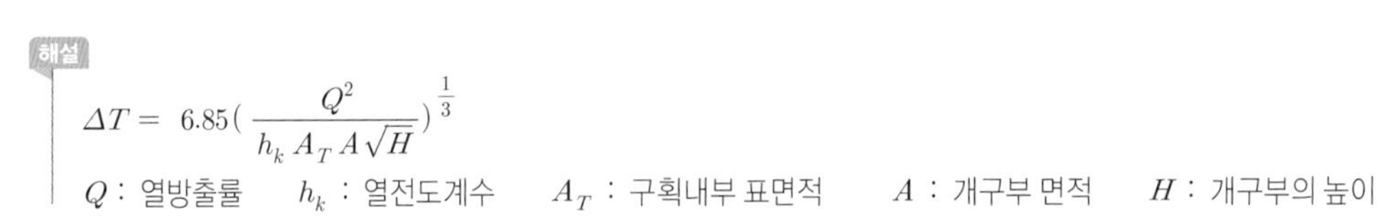
$$\Delta T = 6.85\left(\frac{Q^2}{h_k A_T A\sqrt{H}}\right)^{\frac{1}{3}}$$
Q : 열방출률 h_k : 열전도계수 A_T : 구획내부 표면적 A : 개구부 면적 H : 개구부의 높이

••• 19 구획화재 시 플래시오버의 발생시간과 관계없는 것은?

① 내장재료 ② 개구율 ③ 화원의 크기 ④ 실의 압력

해설
플래시오버의 영향요소 : 천장높이, 실의 모양, 내장재의 재질과 두께, 점화원의 크기, 점화원의 위치와 연료 높이, 개구부의 크기

정답 16 ② 17 ① 18 ④ 19 ④

●●○ 20 환기지배형화재의 연소속도는 무엇과 비례하는가?

① $A\sqrt{H}$　② $H\sqrt{A}$　③ $\frac{H}{\sqrt{A}}$　④ $\frac{A}{\sqrt{H}}$

최성기(환기지배형 화재)의 연소속도 $R = 0.5A\sqrt{H}$이며 열방출율 $Q=0.5A\sqrt{H}\Delta Hc$ [kW] 이다.
최성기 때에는 환기에 의해 화재의 크기가 결정되는데 이 크기를 결정하는 요소가 환기요소 $A\sqrt{H}$이다.
연소열 ΔHc는 공기의 기준으로 3,000 kJ/kg 정도이다.

●○○ 21 화재 성장의 한 부분인 감쇠기에 발생하는 백드래프트의 내용으로 관계가 가장 먼 것은?

① 연기는 문틈으로 내부에서 밖으로 나왔다가 다시 안으로 빨려 들어가기도 한다.
② 실내 상부에는 고온의 가연성가스가 축적되고 온도가 높아 기체가 팽창한다.
③ 산소가 부족한 건물 내에 산소가 새로 유입될 때 고열가스의 폭발 현상이다.
④ 불완전한 연소상태인 화재 중기에 일어나는 연소 확대 현상이다.

백드래프트는 화재 중기가 아닌 화재 감쇠기에 발생한다.

●●○ 22 백드래프트의 징후와 관계가 가장 먼 내용은?

① 작은 구멍에서 나오는 압축된 연기
② 짙은 황회색으로 변하는 연기
③ 과도한 열과 화염이 조금 보이거나 보이지 않음
④ 열기로 녹아버린 유리창

백드래프트는 구획(밀폐)된 실이 고온과 대량의 가연성가스가 축적이 된 상태에서 신선한 공기가 대량 유입되면서 발생한다. 따라서 유리창이 녹아버렸다면 환기가 통하는 상황이 되어버리므로 백드래프트 조건(징후)과 맞지 않다. 참고로 연기로 얼룩진 창문, 건물 내에서 일정한 간격을 두고 나오는 연기 등이 징후 이다.

●●○ 23 화재가 건물에 피해를 입히는 능력의 정도인 화재가혹도란?

① 화재 평균온도의 지속시간
② 화재 최고온도의 지속시간
③ 화재 최고온도
④ 화재 초기부터 감쇠기까지의 온도의 지속시간

화재가혹도는 최고온도의 지속시간으로 최고온도는 화재강도에 따른 주수율을 지속시간은 화재하중에 따른 주수시간을 결정한다.

정답 20 ① 21 ④ 22 ④ 23 ②

●●○ 24 **화재가혹도의 설명으로 틀린 것은?**

① 화재하중이 작으면 화재가혹도가 작다.
② 화재실내 단위시간당 축적되는 열이 크면 화재가혹도가 크다.
③ 화재규모 판단척도로 소화설비의 주수시간 결정인자이다.
④ 화재발생으로 건물내 수용재산 및 건물자체 손상입히는 정도이다.

주수시간을 결정하는 인자는 화재하중이며 주수율을 결정하는 인자는 화재강도이다.

●●● 25 **화재강도를 결정하는 온도인자는?**

① 환기요소 ÷ 실내의 전표면적
② 환기요소 × 바닥면적
③ 환기요소 ÷ 바닥면적
④ 바닥면적 ÷ 환기요소

온도인자 $F_0 = \dfrac{A\sqrt{H}}{A_T}$, $A_T =$ 실내의 전표면적 [m^2]
공기의 공급이 많으면 온도가 높고 실내의 전표면적이 작으면 실내 온도가 높아진다.

●●● 26 **화재지속시간을 결정하는 계속시간인자는?**

① 환기요소 ÷ 실내의 전표면적
② 환기요소 × 바닥면적
③ 환기요소 ÷ 바닥면적
④ 바닥면적 ÷ 환기요소

계속시간인자 $F = \dfrac{A_F}{A\sqrt{H}}$, $A_F =$ 바닥면적 [m^2]
공기의 공급이 많으면 화재시간은 짧아지고 바닥 면적이 작으면 화재시간은 짧아진다.

●●● 27 **화재 강도와 관계가 없는 것은?**

① 가연물의 비표면적
② 점화에너지의 온도
③ 벽, 천장, 바닥의 단열성
④ 공기의 공급

해설

화재강도의 영향요소 : 연소열, 비표면적 (m^2/kg), 공기공급, 단열성

정답 24 ③ 25 ① 26 ④ 27 ②

●●● 28 화재실 또는 화재공간의 단위 바닥면적에 대한 등가 가연물양의 값을 화재하중이라 하며 식으로 $Q = \frac{\sum(G_i \cdot H_i)}{H \cdot A} = \frac{\sum Q_i}{4{,}500 \cdot A}$[kg/m²] 와 같이 표현할 수 있다. 여기서 H는 무엇을 나타내는가?

① 목재의 단위발열량
② 가연물의 단위발열량
③ 화재실내 가연물의 전 발열량
④ 목재의 단위발열량과 가연물의 단위발열량의 합

$$Q = \frac{\sum(G_i \cdot H_i)}{H \cdot A} = \frac{\sum Q_i}{4{,}500 \cdot A} \text{ [kg/m}^2\text{]}$$

G_i =가연물의 질량 (kg) H_i =가연물의 단위 발열량 (kJ/kg) A =바닥면적 (m^2)
Q_i =가연물의 전 발열량 (kJ) H=목재의 단위 질량당 발열량(18,855kJ/kg)

●●○ 29 가연물 등의 연소 시 건축물의 붕괴 등을 고려하여 무엇을 설계하여야 하는가?

① 연소 하중
② 내화 하중
③ 화재 하중
④ 파괴 하중

화재하중이 크면 지속시간이 길며 발열량이 많아 건축물이 붕괴 등의 우려가 있어 반드시 고려하여야 한다.

●●● 30 건축물의 내화 구조 설정과 가장 관련이 먼 것은?

① 구조적 안전성
② 차열성
③ 차염성
④ 차연성

내화구조의 시험 : 내화시험(차열성, 차염성) 및 구조적안전성

●●● 31 주계단, 내력벽, 기둥, 바닥, 보, 지붕틀을 무엇이라 하는가?

① 내화구조부
② 건축구조부
③ 방화구조부
④ 주요구조부

주요구조부 − 주계단, 내력벽, 기둥, 바닥, 보, 지붕틀 

※ 계단이 아닌 주계단, 벽이 아닌 내력벽, 지붕이 아닌 지붕틀 임을 기억하자.

정답 28 ① 29 ③ 30 ④ 31 ④

●●● 32 내화구조에 대한 설명으로 옳지 않는 것은?

① 철근콘크리트조, 연와조, 기타 이와 유사한 구조
② 화재시 쉽게 연소가 되지 않는 구조를 말한다.
③ 화재에 대하여 상당한 시간동안 구조적 내력이 감소되지 않아야 한다.
④ 보통 방화구획 밖에서 진압되나 구조적 내력은 감소하지 않는다.

해설
내화구조는 한정된 방화구획 내에서 진압되며 방화구획 밖으로 화재의 전파를 방지하는 구조이다.

●○○ 33 다음 건축재료 중 내화구조로 인정되는 성능의 것은?

① 회반죽 ② 철망몰탈 ③ 연와조 ④ 석면판

해설
내화구조는 철근콘크리트조, 연와조, 석조 등 이와 유사한 구조를 말한다.

●●● 34 내화구조 기준으로 외벽 중 비내력벽의 경우에는 철근 콘크리트조의 두께가 몇 cm 이상인가?

① 5 ② 6 ③ 7 ④ 8

해설

구 조	비내력벽 두께(cm)
철근콘크리트조, 철골철근콘크리트조, 무근콘크리트조, 콘크리트블록조, 석조, 벽돌조	7

내화구조 기준에서 비내력벽은 구조체 단독일 때의 두께는 7 cm 이상, 철골조에 두께 3 cm 이상의 철망 몰타르, 그 밖의 경우는 4 cm 이상이다.

●●● 35 철근콘크리트조로서 내화구조 벽의 기준은 두께 몇 cm 이상이어야 하는가?

① 10 ② 15 ③ 20 ④ 25

해설

구 분		벽
철근콘크리트조 철골철근콘크리트조		10
벽돌조		19
고온 · 고압의 증기로 양생된 경량기포 콘크리트패널, 경량기포 콘크리트블록조		10
철골조	철망모르타르 덮은 것	4
	콘크리트블록 · 벽돌 또는 석재로 덮은 것	5
철재	콘크리트블록, 벽돌, 석재로 덮은 것	5

벽돌의 경우 긴변의 길이인 19 cm의 길이로 쌓으면 내화구조의 벽이 되며 단독 구조체의 경우 10 cm, 철골조에 철망몰타르는 4 cm, 나머지는 5 cm 이상이다.

정답 32 ④ 33 ③ 34 ③ 35 ①

●●● 36

다음은 내화구조의 기준 중 바닥에 대해서 맞지 않는 것은?

① 철근콘크리트조 또는 철골철근콘크리트조로서 두께가 10 cm 이상인 것
② 철재로 보강된 콘크리트 블록조, 벽돌조로서 철재에 덮은 두께가 5 cm 이상인 것
③ 철재 양면을 두께 5 cm 이상의 철망 모르타르 또는 콘크리트로 덮은 것
④ 무근 콘크리트, 콘크리트블록조, 벽돌조 또는 석조로서 두께가 7 cm 이상인 것

해설
내화구조의 바닥의 기준은 두께가 10 cm와 5 cm 두 가지만 있다. 단독 구조체의 경우 10 cm 이상이고 보강 등의 경우 5 cm 이상이다. ④번은 외벽중 비내력벽을 말한다.

●●● 37

내화구조의 철근콘크리트조 기둥은 그 작은 지름을 최소 몇 cm 이상으로 하는가?

① 10　　② 15　　③ 20　　④ 25

해설
내화구조의 철근콘크리트조 기둥 : 그 작은 지름이 25 cm 이상인 것
내화구조의 기둥의 두께는 철골조에 철망몰타르 덮은 것 6 cm 이상, 나머지는 7 cm 이상이다.

●●○ 38

방화구조를 바르게 나타낸 것은?

① 철망 모르터 바르기로서 두께가 2 cm 이상인 것
② 석고판 위에 시멘트모르터 두께가 2 cm 이상인 것
③ 두께 1 cm 이상의 석고판 위에 석면시멘트 판을 붙인 것
④ 두께 2 cm 이상의 암면 보온판을 붙인 것

해설
1. 철망모르타르로서 그 바름두께가 2 cm 이상인 것
2. 석고판 위에 회반죽 또는 시멘트모르타르를 바른 것으로서 그 두께의 합계가 2.5 cm 이상인 것
3. 시멘트모르타르위에 타일을 붙인 것으로서 그 두께의 합계가 2.5 cm 이상인 것
4. 심벽에 흙으로 맞벽치기한 것
5. 한국산업표준이 정하는 바에 따라 시험한 결과 방화 2급 이상에 해당하는 것

암기 철2 석회시 ~ 시타 2.5(교재참조) 심벽에 흙으로 맞벽치기한 것, 방화 2급 이상에 해당하는 것

●●● 39

일정규모 이상이면 건축물에는 방화구획을 하여야 한다. 다음 중에서 방화 구획 종류가 아닌 것은?

① 면적단위　　② 층단위　　③ 용도단위　　④ 수용인원단위

방화구획은 면적, 층, 용도, 수직관통부별로 구획한다.

정답 36 ④　37 ④　38 ①　39 ④

●●● 40 방화구획 면적을 작게 할 경우의 특징이 아닌 것은?

① 정보를 전달하기 쉽다.
② 화재성장의 억제가 유리하다.
③ 시각적 장애를 일으킨다.
④ 연기의 평면적 확대를 억제한다.

방화구획 면적을 작게 하면 화재시 연기 등에 의해 시각적 장애를 일으키므로 정보를 전달하기 어렵다.

●○○ 41 다음 중 소방법상의 방화구획 대상의 설명 중 틀린 것은?

① 감시제어반을 전용실내에 설치시 전용실은 방화구획 해야 한다.
② 비상전원설치장소(엔진펌프 축전지설비 포함)는 방화구획 하여야 한다.
③ 가압수조 설치 장소는 방화구획 하여야 한다.
④ 비상전원수전설비의 방화구획형은 그 실을 방화구획하여야 한다.

엔진펌프 축전지설비는 방화구획 대상이 아니다.

●●○ 42 다음 중 방화문의 구조로서 옳은 것은?

① 60분 방화문은 연기 및 불꽃을 차단할 수 있는 시간이 60분 이상인 방화문
② 60분 방화문은 연기 및 불꽃을 차단할 수 있는 시간이 60분 이상이고, 열을 차단할 수 있는 시간이 30분 이상인 방화문
③ 30분 방화문은 연기 및 불꽃을 차단할 수 있는 시간이 60분 미만인 방화문
④ 30분 방화문을 철재로서 철판의 두께가 0.8 mm 이상 1.5 mm 미만인 것

구분	성능
60분+ 방화문	연기 및 불꽃을 차단할 수 있는 시간이 60분 이상이고, 열을 차단할 수 있는 시간이 30분 이상인 방화문
60분 방화문	연기 및 불꽃을 차단할 수 있는 시간이 60분 이상인 방화문
30분 방화문	연기 및 불꽃을 차단할 수 있는 시간이 30분 이상 60분 미만인 방화문

정답 40 ① 41 ② 42 ①

●●● 43 방화문 성능시험시 문세트 시험에서 규정한 시험장치의 공기누설측정은 100 Pa에서 1 m^3/h를 초과하면 안 되고 누설량은 25 Pa일 때 몇 m^3/min·m^2을 초과하지 않아야 하는가?

① 0.7 ② 0.8 ③ 0.9 ④ 1.0

해설
방화문 KS 규격 – KS F 3109 : 누설량은 25 Pa일 때 0.9 m^3/min·m^2 이하이어야 한다.

●●● 44 방화문의 상부 또는 측면으로부터 몇 cm 이내에 설치되는 방화문 인접창은 KS F 2845(유리 구획부분의 내화시험 방법)에 따라 시험한 결과 해당 비차열 성능을 요구하는가?

① 10 ② 20 ③ 30 ④ 50

해설
방화문의 상부 또는 측면으로부터 50 cm 이내에 설치되는 방화문 인접창은 방화문 성능과 동일한 성능을 요구

●○○ 45 중량셔터의 경우 설치하는 열감지기의 종류는?(단, 공칭작동온도는 60 ~ 70℃이다.)

① 광전식, 정온식 ② 정온식, 차동식
③ 보상식, 차동식 ④ 정온식, 보상식

해설
중량셔터의 경우 연기감지기에 의해 1차 부분 폐쇄, 열감지기(정온식, 보상식)에 의해 2차 완전폐쇄 된다.
대구 지하철 사고시 셔터 앞에 많은 사상자가 발생하여 피난을 원활하게 하기 위해 1차 완전폐쇄에서 1차, 2차로 법이 개정되었으나 정온식 대신 보상식감지기로 설치 한다면 차동식감지기보다 작동시간이 빨라 별 의미가 없다.
(소방시설 구조원리 자동화재탐지설비 참조)

●●○ 46 자동방화셔터는 피난이 가능한 60+방화문 또는 60분방화문으로부터 몇 미터 이내에 별도로 설치하여야 하는가?

① 1 ② 2 ③ 3 ④ 5

해설
자동방화셔터는 피난이 가능한 60+방화문 또는 60분방화문으로부터 3미터 이내에 별도로 설치할 것

●●○ 47 30분방화문 설치장소로 맞는 것은?

① 특별피난계단 계단실 출입구 ② 특별피난계단 전실 출입구
③ 피난계단 출입구 ④ 비상용승강기 승강장 출입구

해설

30분방화문 설치장소	특별피난계단 계단실 출입구	연소우려가 있는 외벽의 개구부

정답 43 ③ 44 ④ 45 ④ 46 ③ 47 ①

●●● **48** 방화댐퍼는 설비 관통부에 설치하고 퓨즈는 규정 온도 이상시 녹아 자동으로 폐쇄된다. 그 규정 온도는 몇 ℃인가?

① 70 ② 80 ③ 90 ④ 100

미끄럼부	열팽창, 녹, 먼지 등에 의해 작동 저해 받지 않는 구조

●●○ **49** 다음 ( )안에 들어갈 숫치는 각각 얼마인가?

> 상층으로의 연소확대 방지하기 위해 스팬드럴은 아래층 창문 상단에서 위층 창문 하단까지의 거리를 ( )cm 이상 이격하고 캔틸레버는 차양판, 베란다와 같이 건물의 외벽에서 돌출된 부분의 거리가 ( )cm 이상 되어야 한다.

① 50, 50 ② 50, 90 ③ 90, 90 ④ 90, 50

스팬드럴은 아래층 창문 상단에서 위층 창문 하단까지의 거리 90 cm 이상(베란다 확장시 방화벽의 높이 역시 90 cm이다), 캔틸레버는 건물의 외벽에서 돌출된 부분의 거리가 50 cm 이상이어야 한다.

●○○ **50** 건축관계법령상 목조건축물에 설치하는 방화벽의 구조로서 적당하지 않은 것은?

① 방화벽의 양쪽은 1 m 이상, 위쪽 끝은 0.5 m 이상 돌출시켜야 한다.
② 내화구조이어야 한다.
③ 방화벽을 관통하는 틈은 불연재료로 채워야 한다.
④ 자립할 수 있는 구조이어야 한다.

해설

방화벽의 양쪽 끝과 위쪽 끝은 지붕면으로부터 0.5 m 이상 튀어나오게 한다.
※ 위험물 : 지정과산화물(제5류 위험물 중 유기과산화물)을 저장 또는 취급하는 옥내저장소는 150 m^2 이내마다 격벽으로 완전하게 구획하고 당해 저장 창고의 양측의 외벽으로부터 1 m 이상, 상부의 지붕으로부터 50 cm 이상 돌출하게 할 것

●○○ **51** 건축관계법령상 난연재료란?

① 철근콘크리트조, 연와조, 기타 이와 유사한 성능의 재료
② 불연재료에 준하는 방화성능을 가진 건축재료
③ 철망 모르터로서 바름두께가 2 cm 이상인 것
④ 불에 잘 타지 아니하는 성능을 가진 건축재료

①번은 내화구조, ②번은 준불연재료, ③번은 방화구조를 말함

정답 48 ① 49 ④ 50 ① 51 ④

●○○ 52

고분자 재료의 난연화 방법으로 옳지 않는 것은?

① 재료의 표면에 열전달을 제어하는 방법 ② 재료의 열분해 속도를 제어하는 방법
③ 재료의 열분해 생성물을 제어하는 방법 ④ 재료의 열분해 가스를 제거하는 방법

재료의 열분해 가스를 제거하는 방법은 난연화 방법이 아니며 ①번~③번 및 아래의 기상반응제어가 난연화 방법이다.

혼합 ⟶ 연소	기상반응 제어 (화학적 연소의 억제)	할로겐 등 불연성 물질을 첨가하여 활성화 에너지를 크게 하여 반응 억제

●●○ 53

방염이론이 아닌것은?

① 피복이론 ② 가스이론 ③ 열적이론 ④ 물리적이론

피복이론	무기질로 피복하여 산소공급 차단(붕사, 붕산)
화학적이론	낮은 온도에서 분해되어 발화점에 이르기 전 가연성 가스 발생 및 잔사를 남김
가스이론	열분해 생성물인 가연성가스를 열분해에 의해 발생되는 불연성가스로 희석(염화아연, 염화칼슘)
열적이론	방염제 용융 또는 승화시 심한 흡열반응으로 열 에너지 흡수

●●○ 54

지하구에 설치하는 방화벽은 분기구 및 국사·변전소 등의 건축물과 지하구가 연결되는 부위 [건축물로부터 ( )m 이내]에 설치하여야 한다. ( )안에 들어갈 알맞은 것은?

① 10 ② 20 ③ 25 ④ 30

지하구 방화벽	1. 내화구조로서 홀로 설 수 있는 구조일 것. 2. 방화벽에 출입문을 설치하는 경우에는 갑종방화문으로 할 것 3. 방화벽을 관통하는 케이블·전선 등에는 내화충전구조로 마감 4. 방화벽은 분기구 및 국사·변전소 등의 건축물과 지하구가 연결되는 부위 (건축물로부터 20m 이내)에 설치

정답 52 ④ 53 ④ 54 ②

PART 4 건축물의 피난계획 등

1. 피난계획

1 피난계획의 기본 원칙

<table>
<tr><td>피난경로</td><td>간단 명료
• 일상생활 동선과 일치
• Zoning
• Exit Access, Exit, Exit Discharge
Exit Discharge ← Exit ← Exit Access</td></tr>
<tr><td>피난수단</td><td>원시적 방법
– Fool Proof
– 자연채광, 노대, Panic Bar, 계단
– 승강기 이용 불가
패닉바</td></tr>
<tr><td>피난로</td><td>인간의 피난행동 특성(본능) 고려 – 좌회, 귀소, 지광, 퇴피, 추종본능
<table>
<tr><td>좌회 본능</td><td>오른손잡이는 왼쪽으로 회전하려고 함</td></tr>
<tr><td>귀소 본능</td><td>왔던 곳 또는 상시 사용하는 곳으로 돌아가려 함</td></tr>
<tr><td>지광 본능</td><td>밝은 곳으로 향함</td></tr>
<tr><td>퇴피 본능</td><td>위험을 확인하고 위험으로부터 멀어지려 함</td></tr>
<tr><td>추종 본능</td><td>위험 상황에서 한 리더를 추종하려 함</td></tr>
</table></td></tr>
<tr><td>피난구</td><td>상시 개방 상태 또는 화재 시 잠금 장치 해정</td></tr>
<tr><td>피난설비</td><td>고정식설비 위주로 계획 (계단, 미끄럼틀, 고정식사다리, 구조대 고정 등)</td></tr>
<tr><td>피난통로</td><td>2방향 피난통로 확보
• Fail Safe 원칙[막다른 골목(dead end), common path, 발코니]
• 참조 – NFPA(미국방화협회)
<table>
<tr><th>구 분</th><th>스프링클러 미설치 시</th><th>스프링클러 설치 시</th></tr>
<tr><td>dead end</td><td>6.1 m 이하로 제한</td><td>15 m</td></tr>
<tr><td>common path</td><td>23 m 이하로 제한</td><td>30 m</td></tr>
</table>
E/V E/V E/V E/V
막다른 골목(dead end : ⟷)와 common path(⇠⇢)</td></tr>
</table>

2 피난 시 보행속도

분류	속도 및 계수
자유 보행속도	0.5 ~ 2 m/s
군집 보행속도	1 m/s
암중 보행속도	0.7 m/s(인지), 0.3 m/s(미인지)
군집유동계수(출구 폭 1 m당 매초 통과 인원수)	계단 출구 : 1.33 인/m·s 일반적인 출구 : 1.5 인/m·s

3 피난계획 및 안전구획

(1) 피난계획

발화실 → 복도 → 전실 → 계단 → 피난층 → 외부 순으로 계획

(2) 안전구획

1차 안전구획	2차 안전구획	3차 안전구획
복도	전실(부속실)	계단

(3) 피난시간의 평가

구 분	거실 피난허용시간	복도 피난허용시간	층 피난허용시간
피난시간 평가	$T_1 = (2 \text{ or } 3) \times \sqrt{A}$	$T_2 = 4 \times \sqrt{A_1 + A_2}$	$T_3 = 8 \times \sqrt{A_1 + A_2}$

2 : 천장높이가 6 m 미만인 거실　3 : 천장높이가 6 m 이상인 거실
A : 화재실 면적[m²]　A_1 : 거실면적 합계[m²]　A_2 : 복도면적 합계[m²]

(4) 성능위주 피난계획

① RSET(Required Safe Egress Time) : **총 피난시간**

㉠ **피난에 필요한 시간(총 피난시간)**
= 감지(인지)시간 + 초기대응(반응)시간 + 피난행동(이동)시간

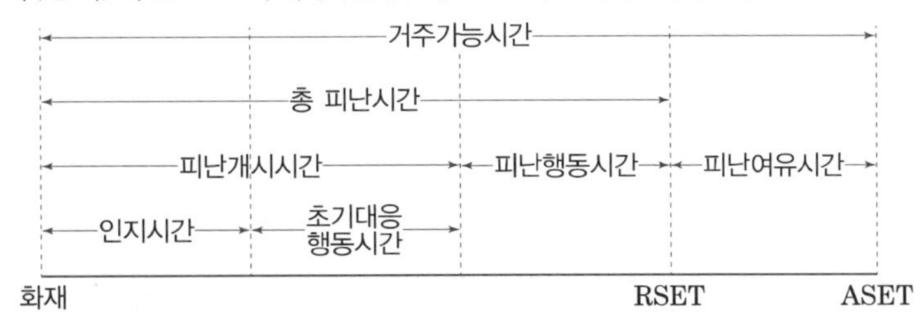

총피난시간 〈 거주가능시간

㉡ 피난동선 단축, 피난로(출입구, 복도 등) 확대, 조기감지용 감지기 설치, 거주밀도 하향, 방송, 교육훈련 등을 통해 단축 가능

㉢ RSET을 줄이는 대책이 필요하다.

㉣ 피난시뮬레이션을 통해 확인

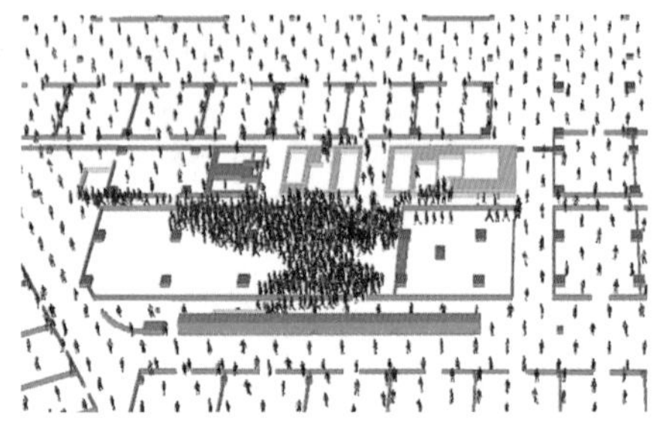

피난시뮬레이션(화재실 피난개시)

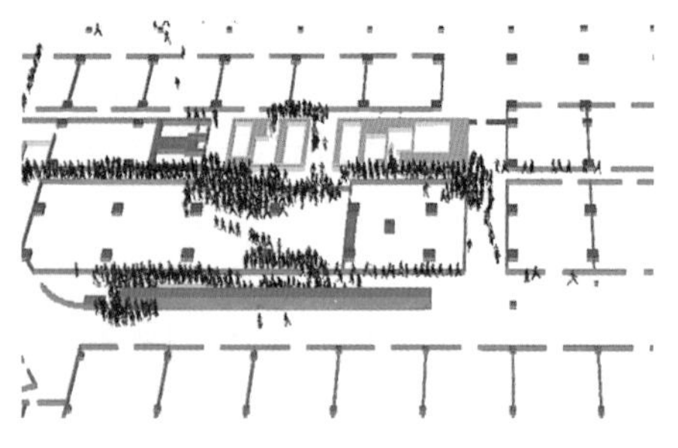

피난시뮬레이션(해당층 피난 중)

② ASET(Available Safe Egress Time) : 거주가능시간

㉠ 거주가능시간 = 총 피난시간 + 피난여유시간

㉡ ASET을 늘이는 대책이 필요하다.

㉢ 방화구획, 자동식 소화설비, 제연설비, 초기진화 훈련 등으로 연장 가능

㉣ 화재시뮬레이션을 통해 확인

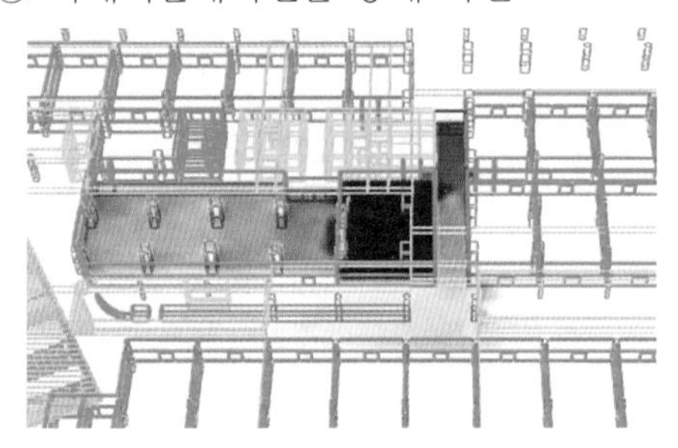

화재시뮬레이션(화재발생)

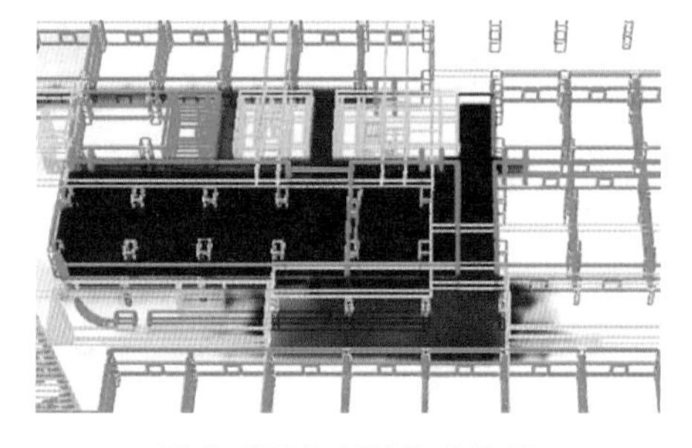

화재시뮬레이션(화재확대)

③ RSET 〈 ASET이 되도록 계획

5 피난관련 국내 건축법

(1) 보행거리

구 분		일반건축물	공동주택 (16층 이상인 층)	내화건축물
피난층 이외의 층	거실에서 직통계단까지 거리[m]	30 m 이하	40 m 이하	50 m 이하
피난층	직통계단에서 건축물의 바깥쪽으로 나가는 출구까지 거리[m]	30 m 이하	40 m 이하	50 m 이하
	거실에서 건축물의 바깥쪽으로 나가는 출구까지 거리[m]	60 m 이하	80 m 이하	100 m 이하

Tip

- 지하층에 설치하는 것으로서 바닥면적의 합계가 300 m² 이상인 공연장 · 집회장 · 관람장 및 전시장은 보행거리가 무조건 30 m이다.
- 자동화 생산시설에 스프링클러 등 자동식 소화설비를 설치한 공장으로서 국토교통부령으로 정하는 공장인 경우에는 그 보행거리가 75 m(무인화 공장인 경우에는 100 m) 이하가 되도록 설치 가능

(2) 지하층의 구조 및 설비

① 지하층의 구조 및 설비

㉠ 지하층의 정의

건축물의 바닥이 지표면 아래에 있는 층으로서 바닥에서 지표면까지 평균높이가 **해당 층 높이의 2분의 1 이상**인 것을 말한다.

㉡ 지하층의 구조 및 설비

지하층의 바닥면적	구조 및 설비
거실의 바닥면적 50 m² 이상인 층	직통계단 외에 피난층 또는 지상으로 통하는 **비상탈출구** 및 환기통 **설치(단, 직통계단 2개소 이상 설치 시 제외)**
바닥면적 1,000 m² 이상인 층	방화구획으로 구획되는 각 부분마다 1개소 이상 피난층 또는 지상으로 통하는 피난계단 또는 특별피난계단 설치
거실의 바닥면적 합계가 1,000 m² 이상인 층	환기설비 설치

② 지하층의 비상탈출구 설치기준(주택은 제외)

구 분	설 치 기 준
크기	**너비 0.75 m 이상, 높이 1.5 m 이상**
문	피난방향으로 개방, 실내에서 항상 열 수 있는 구조, 내부 및 외부에는 비상탈출구의 표지 설치
위치	**출입구로부터 3 m 이상 떨어진 곳에 설치**
사다리	**지하층의 바닥으로부터 비상탈출구의 아랫부분까지의 높이가 1.2 m 이상인 경우 → 발판의 너비가 20 cm 이상의 사다리 설치**
피난통로	**유효너비는 0.75 m 이상으로 하고, 내장재는 불연재료로 할 것**
장애물	진입부분 및 피난통로에는 통행에 지장이 있는 물건을 방치하거나 시설물을 설치하지 말 것
유도등	비상탈출구의 유도등과 피난통로의 비상조명등을 소방관계법령에 따라 설치

(3) 피난안전구역

정 의	피난안전구역	건축물의 피난 · 안전을 위하여 건축물 중간층에 설치하는 대피공간
	초고층 건축물	층수가 50층 이상이거나 높이가 200 m 이상인 건축물
	준초고층 건축물	고층건축물 중 초고층 건축물이 아닌 건축물
	고층건축물	층수가 30층 이상이거나 높이가 120 m 이상인 건축물

① 피난안전구역 설치장소

㉠ 건축관계법령

대상물	설치장소
초고층 건축물	지상층으로 부터 최대 30개 층마다 1개소 이상 설치
준초고층 건축물	해당 건축물 전체 층수의 2분의 1에 해당하는 층으로부터 상하 5개층 이내에 1개소 이상 설치

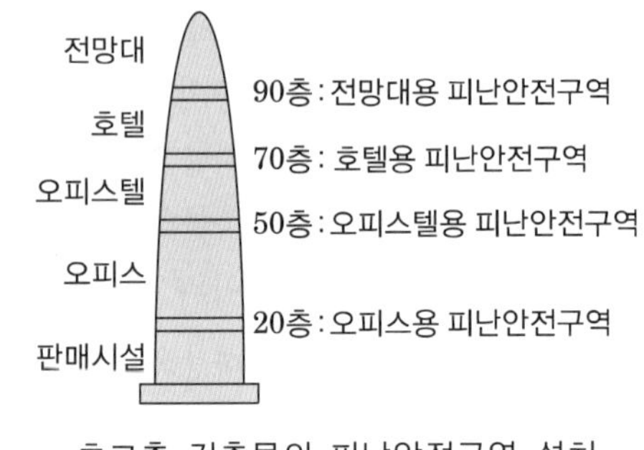

초고층 건축물의 피난안전구역 설치

㉡ 초고층 및 지하연계 복합건축물 재난관리에 관한 특별법

대상물	설치장소
초고층 건축물	건축법 시행령 제34조제3항(지상층으로 부터 **최대 30개 층마다 1개소 이상 설치**)에 따른 피난안전구역을 설치할 것
16층 이상 29층 이하인 지하연계 복합건축물	지상층별 거주밀도가 m^2 당 1.5명을 초과하는 층의 해당 층에 설치
초고층 건축물 등의 지하층이 지하연계 복합건축물의 아래 TIP의 ②에 해당할 경우	**해당 지하층에 피난안전구역을 설치**하거나, **선큰을 설치**할 것 • 선큰 : 지표 아래에 있고 외기(外氣)에 개방된 공간으로서 건축물 사용자 등의 보행·휴식 및 피난 등에 제공되는 공간을 말한다.

Tip

지하연계 복합건축물이란 다음 **각 목의 요건을 모두 갖춘 것**을 말한다.

① 층수가 11층 이상이거나 1일 수용인원이 5천명 이상인 건축물로서 지하부분이 지하역사 또는 지하도상가와 연결된 건축물

② 건축물 안에 문화 및 집회시설, 판매시설, 운수시설, 업무시설, 숙박시설, 위락시설 중 유원시설업의 시설 또는 종합병원과 요양병원 중 하나 이상 있는 건축물

② 피난안전구역의 설치기준(건축관계법령)

㉠ 피난안전구역은 **피난층 또는 지상으로 통하는 직통계단과 직접 연결**되어야 한다.

㉡ 피난안전구역은 **해당 건축물의 1개 층을 대피공간**으로 한다.

㉢ **대피에 장애가 되지 아니하는 범위에서 기계실, 전기실 등 건축설비를 설치하기 위한 공간과 같은 층에 설치**할 수 있으며 **건축설비가 설치되는 공간과 내화구조로 구획**

㉣ 피난안전구역에 연결되는 **특별피난계단은 피난안전구역을 거쳐서 상 · 하층으로 갈 수 있는 구조로 설치**하여야 한다.

㉤ 피난안전구역의 구조 및 설비 기준

<table>
<tr><th>구분</th><th>내용</th></tr>
<tr><td>단열처리</td><td>피난안전구역의 바로 아래층 및 위층은 단열재를 설치할 것</td></tr>
<tr><td>높이</td><td>2.1 m 이상</td></tr>
<tr><td>배연설비</td><td>건축물의 설비기준 등에 관한 규칙 제14조에 따른 배연설비</td></tr>
<tr><td>내부마감재료</td><td>불연재료</td></tr>
<tr><td>피난안전구역으로
통하는 계단</td><td>특별피난계단의 구조로 설치</td></tr>
<tr><td>비상용 승강기</td><td>피난안전구역에서 승하차할 수 있는 구조</td></tr>
<tr><td>조명설비</td><td>예비전원에 의한 조명설비를 설치</td></tr>
<tr><td>면적</td><td>
면적 = (피난안전구역 위층의 재실자 수 × 0.5) × 0.28 m²
1. 피난안전구역 윗층의 재실자 수
해당 피난안전구역과 다음 피난안전구역 사이의 용도별 바닥면적을 사용 형태별 재실자 밀도로 나눈 값의 합계
$$\sum \frac{\text{해당 피난안전구역과 다음 피난안전구역 사이의 용도별 바닥면적}(m^2)}{\text{사용 형태별 재실자 밀도}}$$
2. 재실자 밀도
① 건축물의 용도에 따른 사용 형태별 재실자 밀도
<table>
<tr><th>용 도</th><th>사용 형태별</th><th>재실자 밀도</th></tr>
<tr><td rowspan="4">문화·집회</td><td>고정좌석을 사용하지 않는 공간</td><td>0.45</td></tr>
<tr><td>고정좌석이 아닌 의자를 사용하는 공간</td><td>1.29</td></tr>
<tr><td>무대</td><td>1.40</td></tr>
<tr><td>게임제공업 등의 공간</td><td>1.02</td></tr>
<tr><td colspan="3">기타 용도는 건축물의 피난·방화구조 등의 기준에 관한 규칙 별표1의2 참조</td></tr>
</table>
② 문화·집회용도 중 벤치형 좌석을 사용하는 공간과 고정 좌석을 사용하는 공간의 재실자 밀도
• 벤치형 좌석을 사용하는 공간 : 좌석길이/45.5 cm
• 고정좌석을 사용하는 공간 : 휠체어 공간 수 + 고정 좌석 수
③ 계단실, 승강로, 복도 및 화장실은 사용 형태별 재실자 밀도의 산정에서 제외하고, 취사장·조리장의 사용 형태별 재실자 밀도는 9.30으로 본다.

■ 초고층 및 지하연계 복합건축물 재난관리에 관한 특별법
1. 16층 이상 29층 이하인 지하연계 복합건축물의 지상층
사용형태별 면적의 합의 10분의 1에 해당하는 면적
</td></tr>
</table>

면적

2. 지하층

① **하나의 용도로 사용되는 경우**

$$\text{피난안전구역 면적} = (\text{수용인원} \times 0.1) \times 0.28\,m^2$$

② **지하층이 둘 이상의 용도로 사용되는 경우**

$$\text{피난안전구역 면적} = (\text{사용형태별 수용인원의 합} \times 0.1) \times 0.28\,m^2$$

3. 수용인원

용도에 따른 사용형태별 면적과 거주밀도를 곱한 값을 말한다.

다만, 업무용도와 주거용도의 수용인원은 용도의 면적과 거주밀도를 곱한 값으로 한다.

■ 건축물의 사용형태별 거주밀도

건축용도	사용형태별	거주밀도 (명/m^2)	비고
1. 문화·집회 용도	① 좌석이 있는 극장·회의장·전시장 및 그 밖에 이와 비슷한 것 • 고정식 좌석 • 이동식 좌석 • 입석식 ② 회의실 ③ 무대	 n 1.30 2.60 1.5 0.7	• n은 좌석 수를 말한다.

기타 용도는 초고층 및 지하연계 복합건축물 재난관리에 관한 특별법시행령 별표1 참조

소방시설

■ 초고층 및 지하연계 복합건축물 재난관리에 관한 특별법

1. **소화설비 중 소화기구**(소화기 및 간이소화용구만 해당한다) **옥내소화전설비 및 스프링클러설비**
2. 경보설비 중 **자동화재탐지설비**
3. 피난구조설비 중 **방열복, 공기호흡기(보조마스크를 포함한다), 인공소생기, 피난유도선, 유도등·유도표지, 비상조명등 및 휴대용비상조명등**
4. 소화활동설비 중 **제연설비, 무선통신보조설비**

예제 01

초고층 및 지하연계 복합건축물 재난관리에 관한 특별법에 따른 피난안전구역에 설치하지 않아도 되는 소방시설은?

① 제연설비　　② 무선통신보조설비

③ 연결송수관설비　　④ 공기호흡기

해답 ③

(4) 옥상광장, 옥상공간 등의 설치(건축법 시행령 제40조)

① **피난 용도의 옥상광장 설치대상**

층	용도
5층 이상의 층	문화 및 집회시설(전시장 및 동·식물원은 제외한다), 종교시설, 판매시설, 위락시설 중 주점영업 또는 장례식장의 용도로 쓰는 경우

- 옥상광장 또는 2층 이상인 층에 있는 노대(露臺)등의 주위에는 높이 1.2 m 이상의 난간을 설치

② **옥상의 공간(인명구조공간, 헬리포트 또는 대피공간) 설치대상**

㉠ **설치대상 : 11층 이상인 층의 바닥면적의 합계가 1만 m^2 이상인 건축물의 옥상**

㉡ **설치기준**

<table>
<tr><th>지붕의 종류</th><th>공간 종류</th><th>설 치 기 준</th></tr>
<tr><td rowspan="2">평지붕</td><td>인명구조공간</td><td>헬리콥터를 통하여 인명 등을 구조할 수 있는 공간을 설치
(직경 10 m 이상의 구조공간을 확보)
인명구조공간(헬리패드)</td></tr>
<tr><td>헬리포트</td><td>
<table>
<tr><th>구분</th><th>설치기준</th></tr>
<tr><td>길이 , 너비</td><td>각각 22 m 이상(15 m 이내까지 감축 가능)</td></tr>
<tr><td>헬리포트의 중앙부분</td><td>1. 지름 8m의 “Ⓗ”표지를 백색
2. “H”표지의 선의 너비는 38 cm
3. “○”표지의 선의 너비는 60 cm로 할 것</td></tr>
<tr><td>주위한계선</td><td>백색 및 그 선의 너비는 38 cm로 할 것</td></tr>
<tr><td>장애물 설치금지</td><td>헬리포트의 중심으로부터 반경 12 m 이내</td></tr>
<tr><td>헬리포트로 통하는 출입문</td><td>비상문 자동개폐장치를 설치</td></tr>
</table>
</td></tr>
<tr><td>경사지붕</td><td>대피공간</td><td>
<table>
<tr><th>구 분</th><th>설치기준</th></tr>
<tr><td>면적</td><td>지붕 수평투영면적의 10분의 1 이상</td></tr>
<tr><td>출입구</td><td>유효너비 0.9 m 이상, 60분+ 또는 60분 방화문을 설치, 비상문 자동개폐장치 설치</td></tr>
<tr><td>내부마감재료</td><td>불연재료</td></tr>
<tr><td>조명설비</td><td>예비전원으로 작동하는 것을 설치</td></tr>
<tr><td>통신시설</td><td>관리사무소 등과 긴급 연락이 가능한 것</td></tr>
<tr><td>구조</td><td>특별피난계단 또는 피난계단과 연결</td></tr>
<tr><td>구획</td><td>해당 건축물의 다른 부분과 내화구조의 바닥 및 벽으로 구획(출입구·창문 제외)</td></tr>
</table>
</td></tr>
</table>

헬리포트

예제 02

헬리포트 설치기준으로 옳지 않은 것은?

① 길이와 너비는 각각 22 m 이상으로 하여야 한다.
② 헬리포트의 중앙부분은 지름 8 m의 "Ⓗ"표지를 백색으로 하여야 한다.
③ 주위한계선은 백색으로 하고 그 선의 너비는 38 cm로 하여야 한다.
④ 헬리포트의 중심으로부터 반경 15 m 이내에는 장애물을 설치하여서는 아니 된다.

해답 ④

(5) 아파트에 설치하는 대피공간

① **아파트의 4층 이상의 층에서 2개 이상 직통계단 사용 불가 시 발코니에 대피공간 설치**

② **대피공간 설치 제외**

㉠ **발코니와 인접 세대와의 경계벽이 파괴하기 쉬운 경량구조 등인 경우**

㉡ **발코니의 경계벽에 피난구를 설치한 경우**

㉢ **발코니의 바닥에 하향식 피난구를 설치한 경우**

하향식피난구의 구조 (소방시설 구조 원리의 피난기구 참조)

① 피난구의 덮개는 비차열 1시간 이상의 내화성능을 가져야 하며, 피난구의 유효 개구부 규격은 직경 60 cm 이상일 것
② 상층 · 하층간 피난구의 설치위치는 수직방향 간격을 15 cm 이상 띄어서 설치할 것
③ 아래층에서는 바로 윗층의 피난구를 열 수 없는 구조일 것
④ 사다리는 바로 아래층의 바닥면으로부터 50 cm 이하까지 내려오는 길이로 할 것
⑤ 덮개가 개방될 경우에는 건축물관리시스템 등을 통하여 경보음이 울리는 구조일 것
⑥ 피난구가 있는 곳에는 예비전원에 의한 조명설비를 설치할 것

③ **대피공간의 기준**(건축법 시행령 제46조)

㉠ **바깥의 공기와 접하고 실내의 다른 부분과 방화구획으로 구획된 것 (창호 설치 시 폭 0.7 m 이상, 높이 1.0 m 이상은 외기에 개방할 것)**

㉡ **면적은 2 m² 이상(겸용 시 3 m² 이상)**

㉢ **실내는 불연재료·준불연재료 사용, 개구부 60분 + 방화문**

㉣ **휴대용비상조명등 또는 비상조명등 설치**

예제 03

하향식피난구의 구조에 대한 설명으로 옳지 않은 것은?

① 피난구의 덮개는 비차열 1시간 이상의 내화성능
② 피난구의 유효 개구부 규격은 직경 60 cm 이상일 것
③ 상층 · 하층간 피난구의 설치위치는 수직방향 간격을 15 cm 이상 띄어서 설치할 것
④ 사다리는 바로 아래층의 바닥면으로부터 1 m 이하까지 내려오는 길이로 할 것

해답 ④

(6) 옥외 피난계단의 설치 대상

건축물의 3층 이상인 층(피난층은 제외한다)으로서 다음에 해당하는 용도

① 문화 및 집회시설 중 공연장, 위락시설 중 주점영업
  - 그 층 거실의 바닥면적의 합계가 300 m² 이상

② 문화 및 집회시설 중 집회장 - 그 층 거실의 바닥면적의 합계가 1천 m² 이상

(7) 직통계단

① **참과 계단으로 구성되어 피난층까지 직접 통하는 구조**

② 직통계단의 출입구는 피난에 지장이 없도록 일정한 간격을 두어 설치하고, 각 직통계단 상호간에는 각각 거실과 연결된 복도 등 통로를 설치하여야 한다.

③ 피난층 외의 층으로부터 피난층 또는 지상으로 통하는 직통계단을 2개소 이상 설치하여야 하는 대상

바닥면적의 합계	대 상
지하층으로서 50 m² 이상인 층	공연장·단란주점·당구장·노래연습장, 예식장·공연장, 여관·여인숙, 단란주점·주점영업 다중이용업의 용도 등
200 m² 이상	지하층

※ 지하층으로서 거실의 바닥면적 합계가 50 m² 이상 200 m² 이하의 층은 직통계단 외 비상탈출구를 설치한다.

배연설비가 있는 부속실

$1m^2$ 이상의 창문이 있는 부속실

(8) 피난계단, 특별피난계단(건축물의 피난·방화구조 등의 기준에 관한 규칙)

구 분	피난계단	특별피난계단
구 조	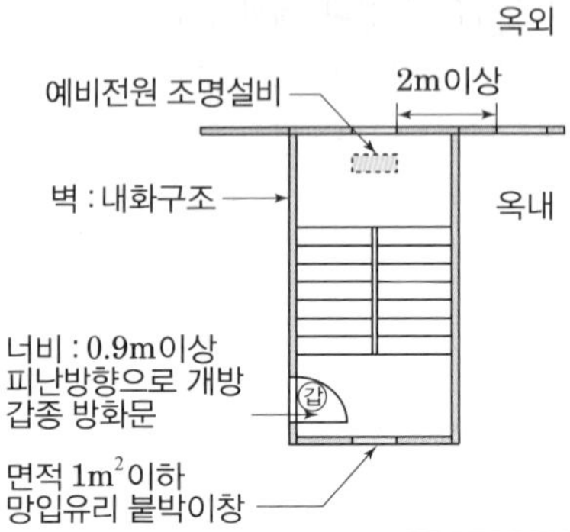 옥외 예비전원 조명설비 2m이상 벽 : 내화구조 옥내 너비 : 0.9m이상 피난방향으로 개방 갑종 방화문 면적 $1m^2$이하 망입유리 붙박이창	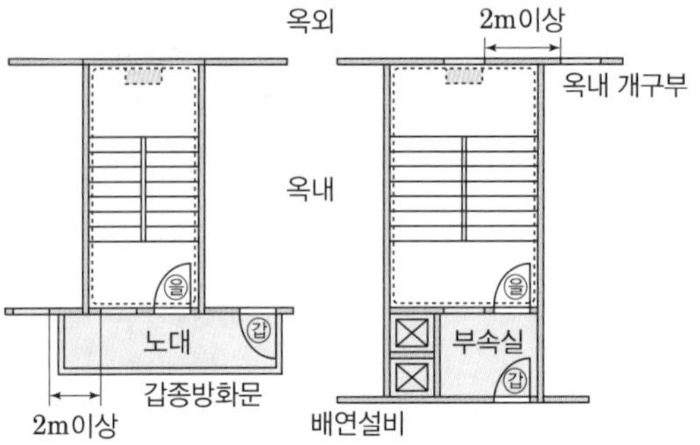 옥외 2m이상 옥내 개구부 옥내 노대 부속실 2m이상 갑종방화문 배연설비
옥내와 계단실	옥내와 계단실을 직통으로 연결	1. 노대 또는 $3\,m^2$ 이상의 부속실로 연결 2. 부속실은 배연설비가 있거나 $1\,m^2$ 이상의 창문(외부로 향하여 열수 있고 바닥에서 1 m 이상)이 있어야 함(1-114page 사진 참조)
설치 대상	1. 5층 이상 지하2층 이하 층 2. 전시장, 판매, 위락, 관광휴게시설, 생활수련시설 → $2{,}000\,m^2$ 마다 1개 3. 지하층 바닥면적 $1{,}000\,m^2$ 이상 시 → 방화구획된 부분마다 설치	1. 지하 3층 이하의 층 또는 11층 이상의 층 2. 공동주택(아파트) – 16층 이상 (갓복도식 제외)
설치 면제	1. 5층 이상인 층의 바닥면적의 합계가 $200\,m^2$ 이하인 경우 2. 5층 이상인 층의 바닥 면적이 $200\,m^2$ 이내 마다 방화구획이 되어 있는 경우	바닥면적이 $400\,m^2$ 미만인 층은 제외한다.
구 획	개구부(창문, 방화문) 외 내화구조의 벽	개구부(창문, 방화문) 외 내화구조의 벽
내장재	불연재	불연재
조 명	예비전원에 의한 조명	예비전원에 의한 조명
옥내 개구부	계단실과 옥내 면한 부분 : 철재 망입유리 붙박이창 $1\,m^2$ 이하	1. 계단실과 옥내 면한부분 : 설치 불가 2. 노대, 부속실과 옥내 면한 부분 : 설치 불가 3. 계단실과 노대 또는 부속실 면한 부분 : 망입유리 붙박이창 $1\,m^2$ 이하 설치 가능
계단실 창문	옥외 다른 외벽 개구부와 2 m 이상 이격	옥외 다른 외벽 개구부와 2 m 이상 이격
출입구	유효 폭 0.9 m 이상, 피난방향으로 개방, 상시 폐쇄 또는 자동개방, 60분+ 또는 60분방화문	유효 폭 0.9 m 이상, 피난방향으로 개방, 상시 폐쇄 또는 자동개방 • 옥내출입구 : 60분+ 또는 60분방화문 • 계단실 출입구 : 60분+ 또는 60분, 30분 방화문
계단 구조	내화구조로 피난층 또는 지상까지 직접 연결 – 돌음계단 불가 • 돌음계단 : 참이 없고 계단으로만 구성된 계단	내화구조로 피난층 또는 지상까지 직접 연결 옥상광장 설치 대상은 옥상광장까지 직접연결 – 돌음계단 불가

(9) 비상용승강기

구 분	내 용
설치대상	**31 m 이상 건축물(건축법), 10층 이상의 아파트(주택건설기준 등에 관한 규정)**
설치제외	① 31 m를 넘는 각층의 용도가 거실 이외의 용도 ② 31 m를 넘는 각층의 바닥면적 합계가 500 m² 이하 ③ 31 m를 넘는 층수가 4개층 이하로서 각층의 바닥면적을 200 m² 이하로 방화구획한 건축물(벽 및 반자가 불연재료인 경우 500 m² 이하)
설치수량	**① 31 m를 넘는 각층의 바닥면적 중 최대면적** • **1,500 m² 이하 : 1대 이상** • **1,500 m² 초과 : 1,500 m²를 넘는 매 3,000 m² 이내마다 1대씩 추가** $\text{비상용승강기설치대수} = 1 + \frac{\text{31 m를 넘는 각 층의 바닥면적 중 최대면적} - 1{,}500}{3{,}000}$ **② 2대 이상 설치 시 상호 이격** **③ 승용승강기를 비상용으로 설치 시 제외** • 승용승강기 설치 대상 – 층수가 6층인 건축물로서 각 층 거실의 바닥면적 300 m² 이내마다 1개소 이상의 직통계단을 설치한 건축물
구조	① **예비전원** : 상용전원 차단시 자동전환, 수동전환 가능, 60초 이내 자동전환, **1시간 이상 작동** ② **조명 : 정전시 2 m 떨어진 수직선상 조도 2 lx 이상** ③ 구조 : 승용 승강기 구조 ④ 통화장치 : 외부와 연락 가능한 통화장치 ⑤ 속도 : 60 m/min ⑥ 스위치 : 1차 스위치 – 비상시 소화활동 전환 2차 스위치 – 문 개방시에도 승강 가능
설치 기준	**① 구획 : 내화구조의 바닥, 벽으로 구획,** **② 출입문 : 각층 내부와 연결, 60분+ 또는 60분방화문 설치(피난층은 설치 제외 가능)** **③ 배연설비 설치 or 소방관계법령에 따른 부속실제연설비** **④ 면적 : 1대당 6 m² 이상** ⑤ 표지 : 비상용 승강기 표지 ⑥ 내장재 : 실내와 면하는 부분 불연재료 ⑦ 조명 : 예비전원으로 작동하는 조명설비 **⑧ 피난층이 있는 승강장의 출입구로부터 도로 또는 공지에 이르는 거리 : 30 m 이하** ※ **공동주택의 경우 부속실과 비상용승강기 승강장 겸용 가능** 비상용승강기 승강장의 구조

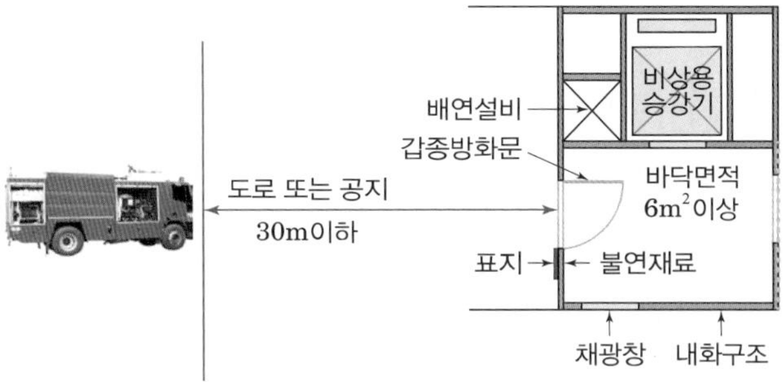

Tip

① **피난용승강기 설치기준(2012년 1월 6일 신설)**

- **고층건축물(승용 중 1 대 이상)에 설치**
- 승강장의 바닥면적은 승강기 **1대당 6제곱미터 이상**으로 할 것
- 각 층으로부터 피난층까지 이르는 승강로를 단일구조로 연결하여 설치할 것
- 예비전원으로 작동하는 조명설비를 설치할 것
- 승강장의 출입구 부근의 잘 보이는 곳에 해당 승강기가 피난용승강기임을 알리는 표지를 설치할 것

② 피난용승강기 승강장의 구조

- 승강장의 출입구를 제외한 부분은 해당 건축물의 다른 부분과 내화구조의 바닥 및 벽으로 구획할 것
- 승강장은 각 층의 내부와 연결될 수 있도록 하되, 그 출입구에는 60분+ 또는 60분방화문을 설치할 것. 이 경우 방화문은 언제나 닫힌 상태를 유지할 수 있는 구조이어야 한다.
- 실내에 접하는 부분(바닥 및 반자 등 실내에 면한 모든 부분)의 마감(마감을 위한 바탕을 포함)은 불연재료로 할 것
- 배연설비를 설치할 것. 소방관련법령에 따른 제연설비를 설치한 경우에는 제외

③ 피난용승강기 승강로의 구조

- 승강로는 해당 건축물의 다른 부분과 내화구조로 구획할 것
- 승강로 상부에 「건축물의 설비기준 등에 관한 규칙」 제14조에 따른 배연설비를 설치할 것

④ 피난용승강기 기계실의 구조

- 출입구를 제외한 부분은 해당 건축물의 다른 부분과 내화구조의 바닥 및 벽으로 구획할 것
- 출입구에는 60분+ 또는 60분방화문을 설치할 것

⑤ **피난용승강기 전용 예비전원**

- 정전 시 피난용승강기, 기계실, 승강장 및 폐쇄회로 텔레비전 등의 설비를 작동할 수 있는 별도의 예비전원 설비를 설치할 것
- **초고층 건축물의 경우에는 2시간 이상, 준초고층 건축물의 경우에는 1시간 이상 작동이 가능한 용량**일 것
- 상용전원과 예비전원의 공급을 자동 또는 수동으로 전환이 가능한 설비를 갖출 것
- 전선관 및 배선은 고온에 견딜 수 있는 내열성 자재를 사용하고, 방수조치를 할 것

예제 04

건축물의 피난 · 방화구조 등의 기준에 관한 규칙상 고층건축물에 설치하는 피난용 승강기의 설치기준에 관한 설명으로 옳은 것은?

① 승강장에는 배연설비를 설치할 것
② 승강장에는 상용전원에 의한 조명설비만을 설치할 것
③ 예비전원은 전용으로 하고 30분 동안 작동할 수 있는 용량의 것으로 할 것
④ 승강장의 바닥면적은 피난용승강기 1대에 대하여 4제곱미터로 할 것

해답 ①

6 소방관 진입창의 기준

11층 이하의 건축물에는 국토교통부령으로 정하는 기준에 따라 소방관이 진입할 수 있는 곳을 정하여 외부에서 주·야간 식별할 수 있는 표시를 하여야 한다.

"국토교통부령으로 정하는 기준"

1. 2층 이상 11층 이하인 층에 각각 1개소 이상 설치할 것. 이 경우 소방관이 진입할 수 있는 창의 가운데에서 벽면 끝까지의 수평거리가 40미터 이상인 경우에는 40미터 이내마다 소방관이 진입할 수 있는 창을 추가로 설치해야 한다.
2. 소방차 진입로 또는 소방차 진입이 가능한 공터에 면할 것
3. 창문의 가운데에 지름 20센티미터 이상의 역삼각형을 야간에도 알아볼 수 있도록 빛 반사 등으로 붉은색으로 표시할 것

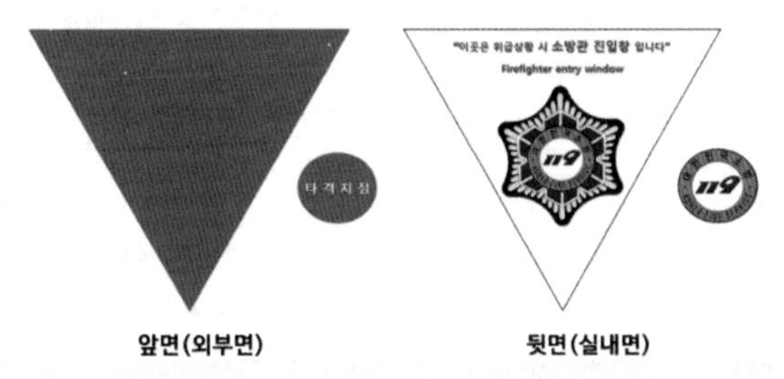

앞면(외부면) 뒷면(실내면)

4. 창문의 한쪽 모서리에 타격지점을 지름 3센티미터 이상의 원형으로 표시할 것
5. 창문의 크기는 폭 90센티미터 이상, 높이 1.2미터 이상으로 하고, 실내 바닥면으로부터 창의 아랫부분까지의 높이는 80센티미터 이내로 할 것
6. 다음 각 목의 어느 하나에 해당하는 유리를 사용할 것
   가. 플로트판유리로서 그 두께가 6밀리미터 이하인 것
   나. 강화유리 또는 배강도유리로서 그 두께가 5밀리미터 이하인 것
   다. 가목 또는 나목에 해당하는 유리로 구성된 이중 유리로서 그 두께가 24밀리미터 이하인 것

예제 05

다음 보기의 ( ) 안에 해당하는 것으로 옳은 것은?

> ( )의 건축물에는 국토교통부령으로 정하는 기준에 따라 소방관이 진입할 수 있는 곳을 정하여 외부에서 주·야간 식별할 수 있는 표시를 하여야 한다.

① 지하 2층 이하 11층 이상 ② 2층 이상 11층 이하
③ 30층 이상 ④ 50층 이상

해답 ②

2. 건축물 형태에 따른 특성

1 Core의 형태

코어(core)란 핵심, 중심의 뜻으로 그 건축물의 기능상 중심, 핵심적인 부분인 계단, 엘리베이터, 피트 등을 말하며 어떻게 배치하느냐에 따라 안전대책이 달라진다.

구분		피난형	형태	비고
복도의 유무	복도형	도피 지연형	**피난시 복도를 통한 비상구로의 피난이 가능한 코어**로서 복도를 경유하므로 안전성이 확보되지만 실 내부의 사람들은 화재 인지가 어려워 피난이 지연되는 형태이다.	학교, 병원, 복도형 APT
	홀형	군집 피난형	**피난시 복도가 없어 바로 계단으로 피난하는 코어** 방식으로 피난계단이 대공간, 개방공간의 로비 또는 승강기 홀 등으로 직접 연결된 것	극장, 백화점 등
외기 상태	밀폐형	군집 피난형	Core 공간이 무창층에 의한 쇼핑, 사무공간으로 둘러싸여 **외기에 접하지 않은 폐쇄된 형태** (폐쇄형)	조명, 환기 등의 인공적인 설비가 필요
	개방형	양방향 피난형	**외기와 면한** core로서 피난시 안전성이 확보됨	양방향 피난, 자연채광, 자연환기

2 복도의 형태에 따른 특성

구조		피난특성
T형	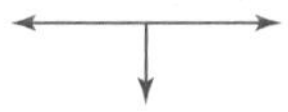	피난자에게 피난경로를 확실히 알려주는 형태
Y형		
X형	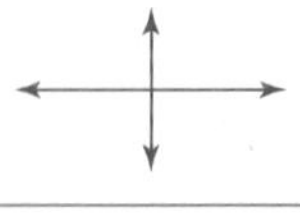	양방향으로 피난할 수 있는 확실한 형태
H형	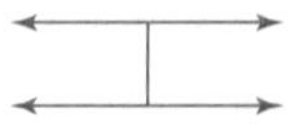	중앙corner방식으로 피난자의 집중으로 panic 현상이 일어날 우려가 있는 형태
CO형	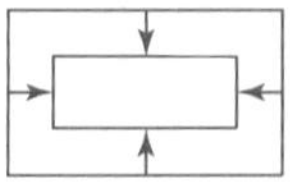	
Z형		중앙복도형 건축물에서의 피난경로로서 corner식 중 제일 안전한 형태

3 복도의 너비 및 설치기준(건축관계법령)

구분	양옆에 거실이 있는 복도	기타의 복도
유치원, 초등학교, 중학교, 고등학교	2.4 m 이상	1.8 m 이상
공동주택, 오피스텔	1.8 m 이상	1.2 m 이상
당해 층 거실의 바닥면적 합계가 200 m^2 이상	1.5 m 이상 (의료시설 : 1.8 m 이상)	1.2 m 이상

3. 건축물의 방화계획

1 건축물의 방화계획

(1) 건축물의 흐름

① 기획 → 계획 → 설계 → 시공 → 유지관리의 흐름을 갖는다.

② 소방은 기획과 계획의 단계가 아닌 설계 때 고려되는 경우가 많아 건물의 특성에 맞는 설계가 부족하다. 또한, 실내 이용 공간 확보에 치우쳐 소방설비의 공간이 부족하여 소방시설의 유지관리가 어려운 경우도 많다.

③ 따라서, 기획 → 계획 → 설계 → 시공 → 유지관리를 모두 고려하여야 하며 기획, 또는 계획 때부터 소방의 방화계획이 필요하며 설계 시 이를 반영하여야 한다.

(2) 방화계획은 부지선정계획부터 유지관리계획까지의 passive system인 공간적대응(대항성, 회피성, 도피성)과 소방관점에서의 Active system인 설비적 대응의 조화가 필요하다.

2 방화계획

(1) 부지선정 및 배치계획 : 피난 및 소화활동의 지원, **비상용엘리베이터 진입구, 소방차 진입로 확보**

(2) 평면계획 : **수평으로의 연소확대방지(부분화)** 및 **피난동선 고려(다중화)**, 용도가 다른 부분의 구획, 안전구획, 계단의 배치, **단순 명쾌한 피난로, 방배연 계획**

(3) 단면계획 : **건물 내 상층 연소확대방지**, 수직동선은 전용구획, 피난안전구역(층), 수직으로의 양방향 피난(피난층 및 옥상광장, 옥상공간 – 헬리포트, 대피공간)

(4) 입면계획 : **커튼월, 무창층 구조의 취약성 고려, 외벽을 통한 상층으로의 연소 확대방지**

(5) 내장계획 : 내장재 사용(불연재료, 준불연재료, 난연재료)

(6) 설비계획

① 공조설비 : 연기의 강제 이동 설비인 공조계통의 방화, 방연조치 → 열연감지기 연동댐퍼

② 전기설비 : 방재설비 배선의 내화. 내열, 비상조명등, 비상전원 용량의 적정성

③ 급배수설비 : 소화용수 확보, 상수도소화용수 설비 위치

(7) 연소확대방지계획 : 방화구획, 방화문, 방화셔터 설치의 제한, 방화댐퍼
(8) 내화계획 : 화재하중, 화재강도 고려한 성능위주의 내화설계에 의한 건물의 붕괴방지, 화재시뮬레이션
(9) 피난계획 : 총피난시간, 피난시뮬레이션, 평면계획시 고려
(10) 유지관리계획

3 방화계획의 구분

(1) 공간적 대응(Passive system) 암기 도대회

① **대항성**
화재의 성상(열, 연기 등)에 대응하는 성능과 내력
- 내화구조, 방화구조, 방화구획, 건축물의 방·배연성능 등의 성능을 말함

② **회피성**
화재의 발화, 확대 등 저감시키는 예방적 조치 또는 상황
- 불연화, 난연화, 내장재 제한, 방화훈련 등

③ **도피성**
화재로부터 피난할 수 있는 공감성과 시스템 형상
- 직통계단, 피난계단, 코어구성 등

(2) 설비적 대응(Active system)

① **대항성**
제연설비, 자동화재탐지설비, 스프링클러설비, 방화구획 성능에 대한 방화문·방화셔터 등

② **도피성**
안전한 피난을 위한 피난설비
- 유도등, 비상조명등 등

예제 06 **다음 중 건축물의 방화계획에서 공간적 대응에 해당하지 않는 것은?**

① 대항성 ② 회피성 ③ 도피성 ④ 피난성

해답 ④

(3) 방화계획의 조화

구 분	방 화 계 획	
Passive System	1. 자연력에 의함 2. 건축물 부분화(구획화)로 화재하중 감소 3. 실내 장식물의 방염, 내장재 불연화, 난연화 4. 방화구조, 내화구조	방화계획은 Active System과 Passive System의 조화 필요
Active System	1. 기계력에 의함 2. 감지기, S/P 등 자동식 소화설비, 소화활동설비(제연설비 등)	

4 방재계획서의 작성

(1) 설치대상 : 고층(31 m 이상)건축물, 1,000 m² 이상 지하가 등에 방재센터 설치 및 방재계획서 작성

(2) 작성시기 : 건물의 기획단계 ~ 계획단계에서 작성

(3) 작성내용 : 방재계획서에는 건물의 방화계획 등이 포괄적으로 작성 되어야 함

(4) 방재센터 : 소방설비 기능 감시, 유지 관리, 소화활동 거점, 정보 전달(CCTV)

(5) 방재센터 설치기준 : 화재안전기준 수신기 설치장소, 감시제어반 설치 기준에 준하여 설치

Point

초고층 및 지하연계 복합건축물의 종합방재실 설치기준

① 종합방재실의 개수 – 1개
(100층 이상인 경우 추가 설치 또는 관계지역 내 다른 종합방재실에 보조종합재난관리체제를 구축)

② 종합방재실의 위치
- 1층 또는 피난층
- 2층 또는 지하 1층, 공동주택의 경우에는 관리사무소 내에 설치할 수 있다.
(특별피난계단이 설치되어 있고, 특별피난계단 출입구로부터 5 m 이내에 종합방재실이 설치된 경우)

③ 종합방재실의 구조 및 면적, 인력
- 구조 : 다른 부분과 방화구획(防火區劃)으로 설치할 것
(감시창 설치 시 4 m² 미만의 붙박이창을 설치)
- 면적 : 20 m² 이상으로 할 것
- 재난 및 안전관리에 필요한 인력 : 3명 이상 상주(常住)

실전 예상문제

●●○ 01

피난계획의 기본원칙 중 fool proof 원칙이란 무엇인가?

① 한 방법이 실패해도 다른 수단을 이용하는 원칙
② 2방향의 피난동선을 항상 확보하는 원칙
③ 피난수단을 고정식 설비로 하는 원칙
④ 피난수단을 조작이 간편한 원시적 방법으로 하는 원칙

해설
Fool Proof 원칙 : 바보도 증명할 수 있다는 뜻으로 가장 원시적인 방법으로 피난계획을 수립하여야 한다.

●●● 02

건축물의 피난시설 계획시 고려해야 할 일반 원칙 중 옳지 않은 것은?

① 피난경로는 간단 명료해야 한다.
② 피난설비는 피난 시 쉽게 설치할 수 있는 기구나 장치에 의한다.
③ 피난경로에 따라서는 피난안전구역(Zone)을 설정하는 것이 합리적이다.
④ 피난로는 인간의 피난행동 특성(본능) 고려하여야 한다.

해설
피난설비 : 고정식설비 위주로 계획(계단, 미끄럼틀 등)

●●○ 03

피난대책의 조건으로 틀린 것은?

① 피난로는 간단명료할 것
② 피난설비는 이동식으로 하여 어디서든지 사용가능하게 할 것
③ 막다른 복도가 없도록 계획할 것
④ 피난설비의 Fool – Proof 와 Fail – Safe의 원칙을 중시할 것

해설
피난설비 : 고정식설비 위주로 계획(계단, 미끄럼틀 등)

정답 01 ④ 02 ② 03 ②

●●● 04 화재발생시 피난계획에 관한 설명 중 옳지 않은 것은?

① 난연성 불연성 건축내장재를 사용 한다.
② 재실자들에게 화재를 가상한 피난교육을 실시한다.
③ 총 피난시간을 증가시키는 구조로 건물을 설계 한다.
④ 피난이동시간을 줄이기 위해 피난통로 장애물 등을 제거 한다.

해설
총 피난시간 = 인지시간 + 초기대응 행동시간 + 피난행동시간
거주가능시간 = 총 피난시간 + 피난여유시간 ∴ 거주가능시간(ASET) 〉 총 피난시간(RSET)
피난계획 수립시 거주가능시간을 늘리고 총 피난시간을 줄이는 방법이 필요하다.

●○○ 05 건물의 피난동선에 대한 설명으로 옳지 않은 것은?

① 피난동선은 가급적 단순형태가 좋다.
② 피난동선은 가급적 상호 반대방향으로 다수의 출구와 연결되는 것이 좋다.
③ 피난동선은 수평동선과 수직동선으로 구분된다.
④ 피난동선이라 함은 복도, 계단, 엘리베이터와 같은 피난 전용의 통행구조를 말한다.

해설
엘리베이터는 피난동선으로 보지는 않는다.

●○○ 06 화재시 피난시간을 여러 가지 요소에 의해 영향을 받는다. 피난 시 체류를 일으키는 요인으로 볼 수 없는 것은?

① 출구폭의 협소 ② 복도폭의 협소
③ 가구 칸막이 등의 배치 ④ 전실의 협소

해설
전실의 출입문(출구 폭)은 피난시 체류를 일으킬 수 있지만 협소하다고 체류되지는 않는다.
전실은 그 공간 내 머무르는 개념이 아니라 순간 지나가는 공간일 뿐이다.

●●● 07 특별피난계단에 급기가압설비의 부속실을 설치하고자 한다. 이때 부속실의 크기는 몇 m^2 이상으로 하여야 하는가?

① 1 ② 2 ③ 3 ④ 제한 없다.

해설
부속실이 크기는 $3\,m^2$ 이상으로 하여야 하며 비상용승강기의 승강장은 $6\,m^2$ 이상 하여야 한다.

정답 04 ③ 05 ④ 06 ④ 07 ③

●●○ **08** 피난시설의 안전구획을 설정하는데 해당되지 않는 것은?

① 거실 ② 복도 ③ 계단 ④ 계단 부속실(전실)

1차 안전구획	2차 안전구획	3차 안전구획
복도	전실(부속실)	계단

●○○ **09** 건물내부에서 화재가 발생하였을 때 피난시의 군집 보행속도는 약 몇 m/s로 보는가?

① 0.5 ② 1.0 ③ 1.5 ④ 150

군집보행속도 1.0 m/s, 군집유동계수 : 1.33 인/m·s

●○○ **10** 건축관계법령상 내화건축물의 피난층 이외의 층에서 거실로부터 직통계단까지의 거리(m)는 얼마 이하인가?

① 30 ② 40 ③ 50 ④ 60

해설

구 분		일반건축물	공동주택	내화건축물
피난층 이외의 층	거실에서 직통계단까지 거리[m]	30 m 이하	40 m 이하	50 m 이하

●○○ **11** 다음은 지하층의 정의이다. ( )안에 수치는 얼마인가?

건축물의 바닥이 지표면 아래에 있는 층으로서 바닥에서 지표면까지 평균높이가 해당 층 높이의 ( ) 이상인 것

① $\frac{1}{5}$ ② $\frac{1}{4}$ ③ $\frac{1}{3}$ ④ $\frac{1}{2}$

바닥에서 지표면까지 평균높이가 해당 층 높이의 1/2 이상인 것

정답 08 ① 09 ② 10 ③ 11 ④

●○○ **12** 지하층의 비상탈출구 설치기준으로 옳지 않는 것은?

① 크기는 너비 0.75 m 이상, 높이 1.5 m 이상이어야 한다.
② 위치는 출입구로부터 3 m 이상 떨어진 곳에 설치
③ 피난 사다리는 지하층의 바닥으로부터 비상탈출구의 아랫부분까지의 높이가 1.5 m 이상인 경우 설치한다.
④ 피난통로는 유효너비 0.75 m 이상으로 하고, 내장재는 불연재료로 할 것

해설
피난사다리는 지하층의 바닥으로부터 비상탈출구의 아랫부분까지의 높이가 1.2 m 이상인 경우
→ 발판의 너비가 20 cm 이상의 사다리 설치

●○○ **13** 초고층 및 지하연계 복합건축물 재난관리에 관한 특별법상 초고층 건물의 정의로서 옳은 것은?

① 층수가 30층 이상이거나 높이가 120 m 이상인 건축물
② 층수가 40층 이상이거나 높이가 200 m 이상인 건축물
③ 층수가 50층 이상이거나 높이가 120 m 이상인 건축물
④ 층수가 50층 이상이거나 높이가 200 m 이상인 건축물

해설

초고층 건축물	층수가 50층 이상이거나 높이가 200 m 이상인 건축물
준초고층 건축물	고층건축물 중 초고층 건축물이 아닌 것
고층건축물	층수가 30층 이상이거나 높이가 120 m 이상인 건축물

●●● **14** 다음은 초고층 및 지하연계 복합건축물 재난관리에 관한 특별법에서 말하는 지하연계 복합건축물의 정의이다. ( ) 안에 알맞은 내용은 무엇인가?

> 지하연계 복합건축물은 층수가 ( ) 층 이상이거나 1일 수용인원이 ( )명 이상인 건축물로서 지하부분이 지하역사 또는 지하도상가와 연결된 건축물을 말한다.

① 11층, 5천　　② 16층, 1만
③ 30층, 5천　　④ 50층, 1만

정답 12 ③ 13 ④ 14 ①

●○○ 15 **피난안전구역의 구조 및 설치기준으로 옳지 않은 것은?**

① 피난안전구역의 바로 아래층 및 윗층은 단열재를 설치할 것
② 피난안전구역의 높이는 2.1 m 이상으로 할 것
③ 피난안전구역의 내부마감재료는 불연재료, 준불연재료로 할 것
④ 피난안전구역으로 통하는 계단은 특별피난계단의 구조로 설치

내부마감재료는 불연재료 할 것

●●● 16 **초고층 건축물의 피난안전구역의 면적 산정방법으로 옳은 것은?**

① 면적 = (피난안전구역 윗층의 재실자 수 × 0.1) × 0.28 m^2
② 면적 = (피난안전구역 윗층의 재실자 수 × 0.5) × 0.28 m^2
③ 면적 = (피난안전구역 윗층의 재실자 수 × 1.0) × 0.28 m^2
④ 면적 = (피난안전구역 윗층의 재실자 수 × 2.0) × 0.28 m^2

1. 초고층 건축물 면적 = (피난안전구역 윗층의 재실자 수 × 0.5) × 0.28 m^2
2. 지하층이 하나의 용도로 사용되는 경우 면적 = (수용인원 × 0.1) × 0.28 m^2
3. 지하층이 둘 이상의 용도로 사용되는 경우 면적 = (사용형태별 수용인원의 합 × 0.1) × 0.28 m^2

●●● 17 **건축관계법령에 따른 피난안전구역의 면적 산정 시 내용으로 옳지 않는 것은?**

① 거실과 복도는 재실자 밀도의 산정에 포함 하되 계단실, 승강로 및 화장실은 사용 형태별 재실자 밀도의 산정에서 제외한다.
② 취사장·조리장의 사용 형태별 재실자 밀도는 9.30으로 본다.
③ 피난안전구역 윗층의 재실자 수는 해당 피난안전구역과 다음 피난안전구역 사이의 용도별 바닥면적을 사용 형태별 재실자 밀도로 나눈 값의 합계이다.
④ 피난안전구역의 면적 = (피난안전구역 윗층의 재실자 수 × 0.5) × 0.28 m^2이다.

계단실, 승강로, 복도 및 화장실은 사용 형태별 재실자 밀도의 산정에서 제외 한다.

정답 15 ③ 16 ② 17 ①

●●● 18

초고층 및 지하연계 복합건축물의 종합방재실 설치기준으로 옳지 않은 것은?

① 다른 부분과 방화구획(防火區劃)하고 감시창 설치시 4 m² 미만의 붙박이창을 설치할 수 있다.
② 종합방재실의 개수는 1개 이상으로 하되 100층 이상인 경우 추가 설치 또는 관계지역 내 다른 종합방재실에 보조종합재난관리체제를 구축 할 수 있다.
③ 종합방재실의 면적은 30 m² 이상으로 할 것
④ 종합방재실에 재난 및 안전관리에 필요한 인력을 3명 이상이 상주(常住)할 것

해설
종합방재실의 면적은 20 m² 이상으로 할 것

●○○ 19

중앙코너방식으로 피난자의 집중으로 패닉현상이 일어날 우려가 있는 형태는 어떤 형인가?

① T형　② X형　③ Z형　④ H형

해설
H형, CO형은 중앙corner방식으로 피난자의 집중으로 panic 현상이 일어날 우려가 있는 형태이다.

●●● 20

화염이 다른 층으로 확대되지 못하도록 구획하는 건축물의 방화계획으로 옳은 것은?

① 단면계획　② 재료계획　③ 평면계획　④ 입면계획

해설
단면계획은 건물 내부에서의 상층으로 연소확대 방지, 피난안전층, 수직으로의 양방향 피난(피난층 및 옥상광장, 헬리포트) 대책을 고려하여야 한다.
입면계획은 건물 외벽의 마감재, 외벽을 통한 상층으로의 연소 확대방지 대책에 대한 고려가 필요하다.

●●● 21

건축방재계획 중 공간적 대응으로 옳지 않은 것은?

① 내화성능, 방연성능, 초기소화대응능력 등의 화재에 대응하여 저항하는 성능
② 화재가 발생한 경우 안전피난 시스템
③ 제연설비, 방화문, 방화셔터, 자동화재탐지설비, 스프링클러설비 등에 의한 대응이다.
④ 불연화, 난연화, 내장재의 제한, 용도별구획 등으로 출화, 화재확대 등을 감소시키고자하는 예방적 조치이다.

해설
제연설비, 방화문, 방화셔터, 자동화재탐지설비, 스프링클러설비 등에 의한 대응은 설비적 대응이다.

정답　18 ③　19 ④　20 ①　21 ③

●○○ **22** **천장 높이가 6 m 미만인 거실의 거실피난허용시간을 계산하는 식은? (단, A는 거실의 면적이다.)**

① $2\sqrt{A}$　② $4\sqrt{A}$　③ $6\sqrt{A}$　④ $8\sqrt{A}$

해설

구 분	거실 피난허용시간	복도 피난허용시간	층 피난허용시간
피난시간 평가	T_1 = (2 또는 3) × $\sqrt{A}$	$T_2 = 4 \times \sqrt{A_1 + A_2}$	$T_3 = 8 \times \sqrt{A_1 + A_2}$

A : 거실 면적[m²]　2 : 천장높이가 6 m 미만인 거실　3 : 천장높이가 6 m 이상인 거실
A_1 : 거실면적 합계[m²]　A_2 : 복도면적 합계[m²]

●○○ **23** **옥상공간에 설치하는 헬리포트의 내용으로 옳지 않은 것은?**

① 길이와 너비는 각각 18 m 이상이어야 한다.
② 헬리포트의 중앙부분 지름 8 m의 "Ⓗ" 표지를 백색으로 하여야 한다.
③ 헬리포트의 중앙부분 "H" 표지의 선의 너비는 38 cm 이상으로 하여야 한다.
④ 헬리포트의 중앙부분 "○" 표지의 선의 너비는 60 cm로 할 것

해설

길이와 너비는 각각 22 m 이상이어야 한다.

●●○ **24** **피난계단과 특별피난계단의 내용으로 옳지 않은 것은?**

① 피난계단의 계단실과 옥내에 면한 부분에는 철재 망입유리 붙박이창(1 m² 이하)을 설치 할 수 있다.
② 특별피난계단의 계단실과 옥내 면한부분에는 개구부 설치가 불가하다.
③ 특별피난계단의 노대, 부속실과 옥내 면한 부분에는 철재 망입유리 붙박이창(1 m² 이하)을 설치할 수 있다.
④ 특별피난계단의 계단실과 노대 또는 부속실에 면한 부분에는 망입유리 붙박이창(1 m² 이하)을 설치 할 수 있다.

해설

특별피난계단의 노대, 부속실과 옥내 면한 부분 : 설치 불가

정답 22 ① 23 ① 24 ③

••• 25 **다음 아래의 번호 중 비상용승강기 설치대상을 맞게 고른 것은?**

㉠ 31 m 이상 건축물
㉡ 10층 이상의 아파트
㉢ 5층 이상 지하2층 이하 층
㉣ 지하 3층 이하의 층 또는 11층 이상의 층

① ㉠ ㉡ ㉢ ㉣ ② ㉠ ㉡ ㉣
③ ㉠ ㉣ ④ ㉠ ㉡

31 m 이상 건축물(건축법), 10층 이상의 아파트(주택건설기준 등에 관한 규정)

••• 26 **건축물의 피난 · 방화구조 등의 기준에 관한 규칙에서 소방관 진입창의 기준으로 옳지 않은 것은?**

① 2층 이상 11층 이하인 층에 각각 1개소 이상 설치할 것
② 창문의 한쪽 모서리에 타격지점을 지름 3센티미터 이상의 원형으로 표시할 것
③ 강화유리 또는 배강도유리로서 그 두께가 6밀리미터 이상인 것
④ 창문의 가운데에 지름 20센티미터 이상의 역삼각형을 야간에도 알아볼 수 있도록 빛반사 등으로 붉은색으로 표시할 것

해설
다음에 해당하는 유리를 사용할 것
가. 플로트판유리로서 그 두께가 6mm 이하인 것
나. 강화유리 또는 배강도유리로서 그 두께가 5mm 이하인 것
다. 가목 또는 나목에 해당하는 유리로 구성된 이중 유리로서 그 두께가 24mm 이하인 것

••• 27 **건축물의 화재안전에 대한 공간적 대응방법 중 대항성에 해당하지 않는것은?**

① 건축물의 내장재의 불연화, 난연화 성능
② 건축물의 내화성능
③ 건축물의 방화구획 성능
④ 건축물의 방배연 성능

건출물의 내장재의 불연화, 난연화 성능은 공간적 대응방법의 대항성이 아니라 회피성이다.
건축물의 방 배연의 성능은 설비를 말하는 것이 아니고 순수하게 건축물 구조에 의한 연기제어로 대항성에 해당된다.

정답 25 ④ 26 ③ 27 ①

PART 5 화재역학

1. 열전달

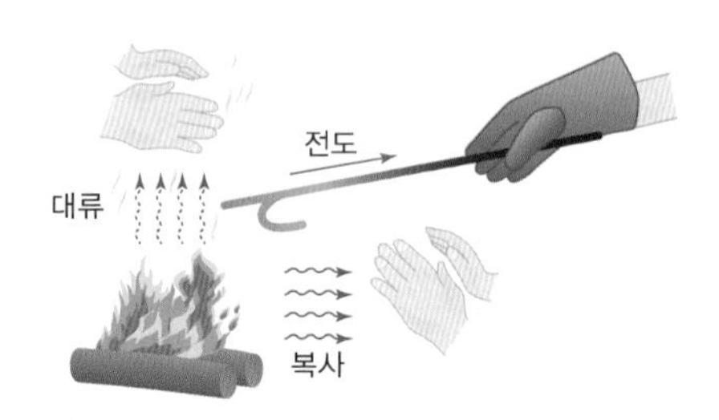

열전달의 종류

구 분	전도	대류	복사
법칙	Fourier의 열전달 법칙	Newton의 냉각 법칙	Stefan – Boltzmann 법칙
식	$q = K \cdot A \cdot \frac{\Delta t}{l}$ (W)	$q = hA\Delta t$ (W)	$q = \varepsilon\sigma\phi A T^4$ (W)

1 전도(Conduction)

(1) 고체 또는 정지 상태 유체의 열전달 : 발화, 성장기의 열전달

(2) Fourier의 전도 열전달 법칙

$$q = K \cdot A \cdot \frac{\Delta t}{l} [W]$$

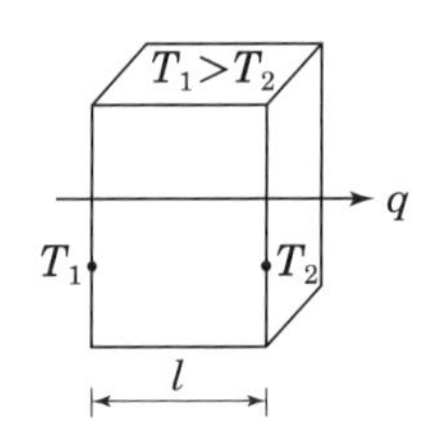

q : 열량 [W = J/s = cal/s]

K : 열전도도 [W/(m · ℃)], [J/(m · s · ℃)]

A : 표면적(m^2), Δt : 온도차 ($T_1 - T_2$) [℃], l : 물질두께 (m)

2 대류(Convention)

(1) 고체와 유동 유체 사이의 열전달 : 발화, 성장기의 열전달

(2) Newton의 냉각 법칙

$$q = hA\Delta t [W]$$

전도의 식에서 $\frac{K}{l} = h$: 열전도계수, 열전달계수 [W/(m^2 · ℃)]

3 복사(Radiation)

(1) 전자기파에 의한 열전달 (매질이 없다) : 성장기의 Flash Over, 최성기의 열전달

(2) Stefan – Boltzmann 법칙

$$q = \varepsilon \sigma \phi A T^4 \,[\mathrm{W}]$$

① $\mathcal{E}$(방사율)[엡실론]

$$\varepsilon = \frac{\text{실제 표면의 방사에너지}}{\text{흑체의 방사에너지}} = 1 - \exp^{-\mathrm{kl}}$$

k : 흡수계수, l : 화염의 두께

exp(expotenial의 약자) : 자연대수, 무리수 e를 말하며 e = 2.71828

Tip

흑체

100% 복사에너지 흡수하고 100%로 방사하는 물체 [흡수율(α)이 1인 물질로 이상적인 물질이다.]
일반적인 물질은 흡수(α) + 반사(ρ) + 투과(τ) = 1이다.

② σ(Stefan – Boltzmann 상수)[시그마] : $\sigma = 5.67 \times 10^{-8}$ [W/(m²·K⁴)]

③ ϕ(형태계수)[파이] : 방사체와 수열체 사이(거리) 및 형태로 결정되는 계수

④ T(절대온도) : 273 + t℃

기체는 압력이 일정할 때 온도 1℃ 상승 시 마다 부피는 1/273 만큼 부피가 증가하고 일정한 체적 하에서 1℃씩 감소함에 따라서 부피도 감소한다. 따라서, -273.15℃에 도달하면 부피는 0이 되며 기체의 압력이 0이 되어 기체의 분자운동이 정지되는데 이때의 온도를 절대온도(영도)라 한다.

Tip

$A\alpha$	알파	$N\nu$	뉴
$B\beta$	베타	$\Xi\xi$	크시
$\Gamma\gamma$	감마	Oo	오미크론
$\Delta\delta$	델타	$\Pi\pi$	파이
$E\epsilon$	엡실론	$P\rho$	로
$Z\zeta$	제타	$\Sigma\sigma$	시그마
$H\eta$	에타	$T\tau$	타우
$\Theta\theta$	세타	$\Upsilon\upsilon$	입실론
$I\iota$	요타	$\Phi\phi$	피
$K\kappa$	카파	$X\chi$	키
$\Lambda\lambda$	람다	$\Psi\psi$	프시
$M\mu$	뮤	$\Omega\omega$	오메가

2. 화재플럼(Fire Plume)

1 부력에 의한 화염기둥의 열기류 : 화재플럼

(1) **부력은 밀도차 때문에 생기는 유체내의 상승력**

(2) **밀도($\rho = \frac{W}{V} = \frac{PM}{RT}$)는 온도에 반비례하기 때문에 가스온도가 화재플럼의 주위 공기 온도보다 높은 경우 상승력이 생겨 상승기류를 형성**한다.

온도가 높은 플럼가스가 냉각되면 부력은 0이 되고 플럼의 상승은 정지하게 된다.

2 화재플럼

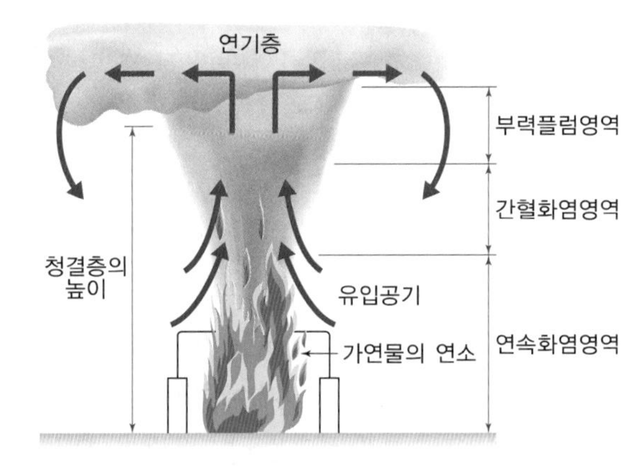

화재플럼

(1) 연속화염 영역

연료표면 바로 위의 영역으로 지속적으로 화염이 존재하고 연료가스의 흐름을 가속시키는 곳

(2) 간헐화염 영역

① 간헐적으로 화염의 존재와 소멸이 반복되는 영역으로 거의 일정한 유속이 유지되는 곳

② **화염의 주기(T = 화염이 보이는 시간)는 주파수** $\left(f = \frac{1.5}{\sqrt{D}}\ [\mathrm{Hz}]\right)$**와 반비례하므로 화염의 직경(D)이 클수록 빨라진다.**

(3) 부력플럼 : 높이에 따라 유속과 온도가 감소되는 영역

(4) 평균화염 높이

$$L_f = 0.23Q^{\frac{2}{5}} - 1.02D\ [\mathrm{m}]$$

Q : 에너지방출속도 [kW] D : 화염직경(연료층 직경) [m]

(5) 구획화재에서의 화염

벽, 구석에서 길어짐 → 화염 확산이 빠름

3 Ceiling Jet Flow(천장류)

(1) **고온의 연소생성물이 부력에 의한 힘을 받아 상승하여 천장면 아래로 얇은 층을 형성하는 비교적 빠른 속도의 가스 흐름을 Ceiling Jet Flow라 한다.**

(2) **Ceiling Jet Flow의 최고온도, 최고속도의 범위 : 층고의 1% 이내**

(3) **Ceiling Jet Flow의 두께**

① **Ceiling Jet Flow의 두께는 약 층고의 5 ~ 10% 정도 해당**된다. 이 뜨거운 연기층을 감지하여 스프링클러헤드가 작동되는데 화재안전기준에서 헤드 설치 높이를 천장, 반자로부터 30 cm 이내로 제한한 이유는 현재 건물의 층고가 3 m 정도이기 때문이다.

② 예전 건물은 층고가 4.5 m 정도로 높아 구법에서는 헤드 설치 높이를 천장, 반자로부터 45 cm 이내로 규정하고 있었다.

(4) **고온의 Ceiling Jet Flow의 흐름은 벽 쪽으로 갈수록 냉각에 의해 굴절되어 천장과 벽이 만나는 구석의 부분은 영향을 미치지 못한다.** 따라서, 연기감지기는 벽에서 이격하여야 감지가 가능하며 이를 근거로 화재안전기준에서는 연기감지기를 벽에서 60 cm 이격하라고 규정하고 있다.

예제 01

다음 중 화재 시 발생하는 화재플럼의 평균 화염 높이를 나타내는 것은? 여기서 L_f : 평균화염 높이 (m), Q : 에너지 방출속도 (kW), D : 화염직경 (m)이다.

① $L_f = 0.23\,Q^{\frac{2}{5}} - 1.02\,D$

② $L_f = 0.23\,Q^{\frac{5}{2}} - 1.02\,D$

③ $L_f = 0.23\,Q^{\frac{2}{5}} + 1.02\,D$

④ $L_f = 0.23\,Q^{\frac{5}{2}} + 1.02\,D$

해답 ①

3. 연소생성물

1 연소생성물의 분류

구 분	내 용	적용 감지기
열	연소 시 화학반응에 의한 발열반응	열감지기 (차동식, 보상식, 정온식)
연기	0.01 μm ~ 10 μm 의 크기를 가지며 연소 시 발생하는 고온의 수증기, 가스 및 입자, 유입되는 공기를 통틀어 연기라 한다.	연기감지기 (광전식, 이온화식)
화염(불꽃)	가연물의 종류, 성질, 양에 따라 다르며 화염의 색을 보고 온도를 예측할 수 있고 고유의 파장을 방출한다.	불꽃감지기 (파장을 검출)
연소가스	독성 등의 연소가스가호흡기를 통해 인체에 유입되어 치명적인 손상을 주며 피부에 자극을 주는 가스가 대부분이다.	CO 감지기

가스 감지기

2 연소가스의 종류 및 특성

<table>
<tr><th>연소가스 종류
및 허용농도</th><th>연소가스의 특성</th></tr>
<tr><td>이산화탄소
CO_2

TWA 기준

5,000 ppm
(0.5%)</td><td>1. 이산화탄소는 화재 시 대량으로 발생함으로써 공기 중의 산소부족에 따른 **질식 작용에 의한 독성**을 보여준다.
2. CO_2 농도가 높아지면 호흡속도를 매우 빠르게 하여 산소부족을 일으키고 호흡 시 함께 존재하는 독성가스 흡입률이 증가되어 위험을 가속시킨다.
<table>
<tr><th>공기 중의 CO_2 농도</th><th>인체에 미치는 영향</th></tr>
<tr><td>**0.1%**</td><td>**공중위생 한계**</td></tr>
<tr><td>2%</td><td>불쾌감이 있다.</td></tr>
<tr><td>**3%**</td><td>**호흡증가**</td></tr>
<tr><td>4%</td><td>눈의 자극, 두통, 귀울림, 현기증, 혈압상승</td></tr>
<tr><td>**8%**</td><td>**호흡 곤란**</td></tr>
<tr><td>9%</td><td>구토, 감정 둔화</td></tr>
<tr><td>**10%**</td><td>**시력장애, 1분 이내 의식 상실, 장기간 노출시 사망**</td></tr>
<tr><td>20%</td><td>중추신경 마비, 단기간 내 사망</td></tr>
</table>
</td></tr>
<tr><td>일산화탄소
CO
30 ppm
(0.003%)</td><td>1. **무색, 무미, 무취 가스로서 화재 시 가장 많이 발생되는 가스**이다.
2. CO에 의한 중독은 CO가 혈액중의 **산소 운반물질인 헤모글로빈(Hb)과 결합하는 능력이 산소보다 약 200배 이상 높기 때문에** 폐에 흡수된 CO가 바로 카복시헤모글로빈(HbCO)으로 되어 헤모글로빈에 의한 산소의 운반과 탄산가스의 배출작용이 방해받게 되어 **질식하게 되는 유독한 가스**이다
3. **CO는 낮은 농도에서도 매우 위험하며 0.4%(4,000 ppm)에서 1시간 이내 노출하면 치사한다.**
<table>
<tr><th>공기 중의 농도</th><th>인체에 미치는 영향</th></tr>
<tr><td>600 ppm(0.06%)</td><td>1시간 노출로 영향을 인지</td></tr>
<tr><td>2,000 ppm(0.2%)</td><td>1시간 노출로 생명이 위험</td></tr>
<tr><td>4,000 ppm(0.4%)</td><td>1시간 이내에 치사</td></tr>
</table>
</td></tr>
<tr><td>암모니아 NH_3
25 ppm(0.0025%)</td><td>1. 눈 및 호흡기로 흡입되면 감각을 마비시키는 자극성 독성가스
2. 질소화합물 연소 시 생성되며 사람의 시각능력을 저하시킨다.</td></tr>
<tr><td>시안화수소 HCN
10 ppm(0.001%)</td><td>1. 독성이 커서 공기 중 0.3% 이상 흡입하면 사망에 이른다.
2. 질소가 함유된 물질이 연소 시 발생되며 화재 시 많이 발생되지는 않는다.</td></tr>
<tr><td>황화수소 H_2S
10 ppm(0.001%)</td><td>1. **황을 함유한 유기화합물이 불완전 연소할 때 발생, 달걀 썩는 냄새**가 난다.
2. 나무, 고무, 가죽, 고기, 머리카락 등이 탈 때 주로 생성된다.
3. 낮은 농도에서는 쉽게 감지할 수 있으나 0.02% 이상 농도에서는 후각을 마비시키므로 H_2S는 처음 감지되면 바로 방호조치를 취하여야 한다.</td></tr>
</table>

연소가스 종류 및 허용농도	연소가스의 특성
이산화황 SO_2 2 ppm(0.0002%)	1. **아황산가스**라고도 하고 **황을 함유한 유기화합물이 완전 연소 할 때 발생** 2. SO_2는 눈 및 호흡기 계통에 자극성이 매우 크다. 3. 약 0.05%의 농도에 단시간 노출되어도 위험하다. 4. SO_2는 고무 등이 탈 때 생성
염화수소 HCl 1 ppm (0.0001%)	1. **PVC와 같이 염소 함유 물질 연소 시 생성** – 자극성, 기도 손상 2. 눈 및 호흡기로 흡입되면 감각을 마비시키는 자극성 독성가스 3. 금속을 부식시킬 뿐만 아니라 호흡기도 부식시킨다. 만약 눈에 들어가면 염산으로 작용하여 격렬한 통증을 유발한다.
불화수소 HF 0.5 ppm(0.00005%)	1. HF는 유리를 부식시킬 정도로 독성이 강하다. 2. 사람의 시력을 상실케 하며 **"불산"**이라고 한다.
포스핀 PH_3 0.3 ppm (0.00003%)	1. **인이 함유된 물질이 산 또는 물과 반응 시 생성** 2. 무색의 가스로서 독성물질, 가연성물질이며 썩은 **생선 냄새의 악취**가 남
포스겐 $COCl_2$ 0.1 ppm (0.00001%)	1. 독성이 크다. 공기 중 25 ppm 있어도 1시간 이내에 사망. 2. **염소가 들어 있는 화합물이 탈 때 생성** 3. 사염화탄소(CCl_4)를 화재 시 사용하면 생성

3 독성가스의 허용농도(화학물질 및 물리적 인자의 노출기준 – 고용노동부고시)

독성가스명칭	허용농도		독성가스명칭	허용농도	
	TLV-TWA	LC50		TLV-TWA	LC50
오존 O_3	0.08	–	이산화황 SO_2	2	2,520
브롬 Br_2	0.1	–	이황화탄소 CS_2	10	–
불소 F_2	0.1	185	황화수소 H_2S	10	750
포스겐 $COCl_2$	0.1	5	시안화수소 HCN	–	140
인화수소(포스핀) PH_3	0.3	20	암모니아 NH_3	25	7,338
염소 Cl_2	0.5	293	산화질소 NO	25	–
불화수소 HF	0.5	966	일산화탄소 CO	30	3,760
염화수소 HCl	1	3,124	아세트알데히드 CH_3CHO	50	–
벤젠 C_6H_6	1	–	이산화탄소 CO_2	5,000	–

- 독성가스 : 공기 중에 일정량 이상 존재하는 경우 인체에 유해한 독성을 가진 가스로서 허용농도가 100만분의 5,000 이하인 것을 말한다. (고압가스안전관리법 시행규칙 제2조)
- 허용농도 LC50 : 해당 가스를 성숙한 흰쥐 집단에게 대기 중에서 1시간 동안 계속하여 노출시킨 경우 14일 이내에 그 흰쥐의 2분의 1 이상이 죽게 되는 가스의 농도를 말한다.

예제 02 허용농도가 가장 낮은 독성가스는?

① 일산화탄소 ② 황화수소 ③ 염화수소 ④ 염소

해답 ④

염소 – 0.5 ppm, 염화수소 – 1 ppm, 황화수소 – 10 ppm, 일산화탄소 – 30 ppm

4 독성과 관련된 용어

구 분		내 용
TLV 허용농도	Threshold Limit Value	근로자가 유해요인에 노출되는 경우, **노출기준이하 수준에서는 거의 모든 근로자에게 건강상 나쁜 영향을 미치지 아니하는 기준**을 의미
TWA 시간가중평균 노출기준	Time Weighted Average	**1일 8시간 작업을 기준으로 하여 유해인자의 측정치에 발생시간을 곱하여 8시간으로 나눈 값** TWA환산값 = ($C_1 \cdot T_1 + C_2 \cdot T_2 + \cdots\cdots + Cn \cdot Tn$) / 8 C : 유해인자의 측정치(단위 : ppm 또는 mg/m^3 또는 개/cm^3) T : 유해인자의 발생시간(단위 : 시간)
STEL 단시간 노출기준	Short Term Exposure Limit	15분간의 시간가중평균노출값으로 노출농도가 TWA를 초과하고 STEL 이하인 경우에는 1회 노출지속시간이 15분 미만이어야 하고 이러한 상태가 1일 4회 이하로 발생하여야 하며 각 노출의 간격은 60분 이상이어야 한다.
C 최고 노출기준	Ceiling	**근로자가 1일 작업시간 동안 잠시라도 노출되어서는 안 되는 기준**
IDLH 생명에 즉시 위험한 농도	Immediately Dangerous to Life and Health	IDLH는 **30분 이내에 대피하면 건강상에 영구적인 영향이 없는 것**을 의미함
LC50 50% 치사농도	Lethal Concentration 50%	**한 무리의 실험동물의 50%를 죽이게 하는 독성물질의 농도**로 균일하다고 생각되는 모집단 동물의 반수를 사망하게 하는 공기 중의 가스농도 및 액체 중의 물질의 농도이다. 즉, 50%의 치사농도로 반수치사농도라고도 하며, LD50(50% 치사량)과 같은 개념으로 쓰이기도 한다 .
LD50 50% 치사량	Lethal Dose 50%	**독극물의 투여량에 대한 시험생물의 반응을 치사율로 나타낼 수 있을 때의 투여량**, 그 수치가 낮다는 것은 적은 양에도 **한 무리의 50%가 사망한다는 것**으로 위험한 물질을 의미한다.

예제 03

한 무리의 실험동물의 50%를 죽이게 하는 독성물질의 농도로 균일하다고 생각되는 모집단 동물의 반수를 사망하게 하는 공기 중의 가스농도 및 액체 중의 물질의 농도를 무엇이라 하는가?

① LD50　　② LC50
③ TWA50　　④ Ceiling50

해답 ②

5 체내산소농도(O_2%)

체내산소농도	특　　성
18%	산소결핍증 방지를 위한 최저농도로 안전한계농도
16%	호흡 및 맥박증가, 두통, 구역질
15% ~12%	근력저하, 구토
14% ~ 10%	판단력을 상실하고 피로가 빨리 온다.
10% ~ 6%	의식을 잃지만 신선한 공기 중에서 소생할 수 있다.

4. 연 기

1 연기의 생성 및 특성

(1) 연기의 정의

공기 중 부유하고 있는 0.01 μm ~ 10 μm 크기의 고체, 액체 미립자 및 인입공기

(2) 연기발생 Mechanism

연소 과정에서 열분해 → 핵 발생 → 성장 응집 → 연소 → 배출(연기)

(3) 연기의 특성 및 유해성

① **특성**

㉠ **빛(광선)을 흡수한다** : 가시거리(어떤 물체를 연기를 통해 보고 인식할 수 있는 최대거리) 약화

㉡ **유독가스를 함유한다** : 심신기능장애, 호흡장애

㉢ **산소결핍작용을 한다** : 연기 중 산소농도가 낮다.

㉣ **고온의 화염 수반하고 화재확대의 주역**

② 유해성

㉠ **시각적** : 가시도 약화, 보행속도 저하 → 피난계획 시 고려 필요

㉡ **심리적** : 호흡곤란, 시계제한 → 공포감, Panic 발생 유발

㉢ **생리적** : 산소결핍, CO중독, 독성, 자극성, 질식성 가스

(4) 발연량(K)

① $K = C_s \frac{V}{W}$ (C_s : 감광계수, $\frac{V}{W}$: 물질의 양)

㉠ **물질의 종류에 따라 다르며 양이 많을수록 많이 발생 한다**

㉡ 발연량을 줄이려면 발연량이 적은 물질을 사용하고 화재하중을 낮추면 된다.

② $K = A - BT$ (A, B : 상수, T : 온도)

온도가 낮을수록 연기량이 많다. 즉, 표면화재보다 심부화재 시 연기량이 더 많다.

③ $K = 0.188Py^{\frac{3}{2}}$ [kg/s] (P : 화염의 둘레, y : 청결층 높이)

화재의 크기가 클수록,

청결층이 높을수록 연기의 양은 많다.

제연경계 ← Smoke Layer(연기층)

Clear Layer(청결층)

제연경계

수직거리(=청결층 : 바닥에서 제연경계 하단까지의 거리)	배 출 량
2 m 이하	40,000 m^3/hr 이상
2 m 초과 2.5 m 이하	45,000 m^3/hr 이상

2 연기의 이동

(1) 연기의 이동요인

① **부 력(실내)**

$$\Delta P = 3460H\left(\frac{1}{T_o} - \frac{1}{T_i}\right)$$

H : 중성대로부터의 높이(연기를 배출하기 위한 배연창에 적용)

② **팽 창**

$$\frac{P_1 V_1}{T_1} = \frac{P_2 V_2}{T_2}$$

0℃ 1 atm에서 273℃로 온도가 상승하면 체적 V는 2배 증가된다.

③ 굴뚝효과(Stack Effect)

㉠ **건물 내외 온도차에 의한 밀도차, 압력차로 수직으로의 기류이동현상**

㉡ **굴뚝효과의 크기**

$$\triangle P = 3460H\left(\frac{1}{T_o} - \frac{1}{T_i}\right)$$

$\triangle P$ = 굴뚝효과에 의한 압력차(Pa) H = 중성대로부터의 높이(m)
T_o = 외부공기의 절대온도(K) T_i = 내부공기의 절대온도(K)

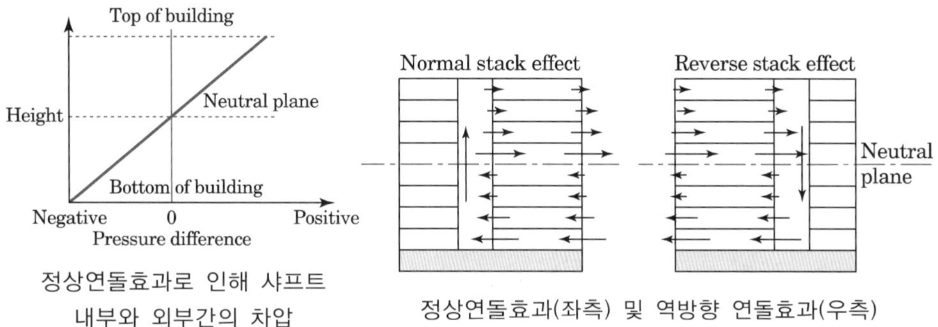

정상연돌효과로 인해 샤프트 내부와 외부간의 차압

정상연돌효과(좌측) 및 역방향 연돌효과(우측)

㉢ **굴뚝효과의 문제점**

- 코어, 엘리베이터, 샤프트 등 수직으로 기류가 이동하는 장소에서 에너지의 손실 발생
- 엘리베이터 문의 오동작, 침기·누기에 따른 소음 발생
- **화재 시 연기의 수직이동**

㉣ **굴뚝효과의 크기 영향요소**

건물 내 · 외부 온도차, 외벽의 기밀성, 건물의 층간 공기 누출, 건물높이

④ Wind effect

$P_w = \gamma h = \rho g h = \rho \times g \times \frac{V^2}{2g} = \frac{1}{2}\rho V^2$ 에서 상수를 고려하면 $P_w = \frac{1}{2} C_w \rho V^2$

속도의 제곱에 비례하여 연기의 이동에 영향을 준다.

⑤ **공조설비(건물 내 기류의 강제이동) 및 Piston효과, 빌딩풍**

예제 04

굴뚝효과의 크기 영향요소가 아닌 것은?

① 건물높이 ② 외벽의 기밀성
③ 중성대로 부터의 높이 ④ 건물 상하부의 온도차

해답 ④

굴뚝효과는 건물 내외 온도차에 의한 기류 이동이다.

(2) 중성대

① **중성대는 실내로 들어오는 공기와 나가는 공기 사이에 발생되는 압력이 0인 지점**을 말한다.

② 중성대 위쪽은 정압이 외부보다 높아 실내에서 실외로 유출되고 아래쪽에서는 실외에서 실내로 공기가 유입 된다. 창가에 서서 담배를 피우면 창가 아래쪽에서는 실내로 연기가 유입되고 창가 상부 쪽에서는 연기가 외부로 나간다. 하지만 창문 중앙 부근에서는 담배 연기가 나가지도 들어오지도 못하는 걸 볼 수 있는데 이는 외부와 내부의 압력차가 동일한 중성대이기 때문이다.

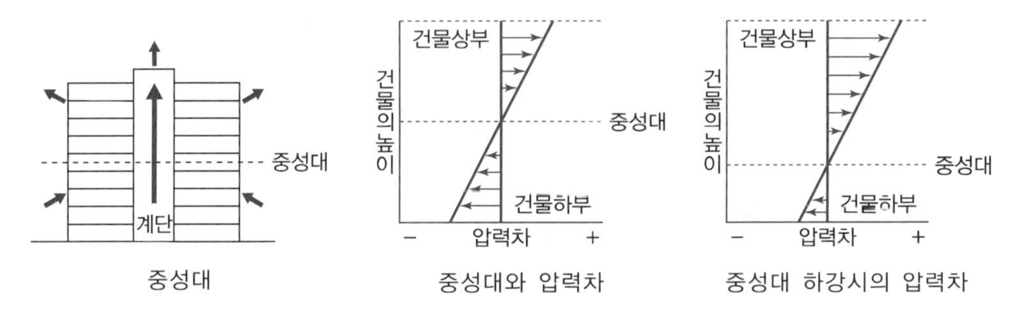

중성대 / 중성대와 압력차 / 중성대 하강시의 압력차

③ 또한 중성대의 위치는 개구면적의 비에 크게 의존하는데 상부와 하부의 개구부 면적이 같고 온도차가 같다면 중성대의 높이는 건물 높이의 중심이며 하부 개구부가 크면 하부의 압력차는 상부보다 적게 되어 중성대의 높이가 내려간다.

④ 중성대가 내려갈수록 건물 상부의 압력차는 하부보다 커진다. 이는 현장에서 피난층에 부속실을 설치하지 않을 경우에 해당되며(건축법상 방화구획 완화조건) 피난층 이상의 화재 시 상층으로의 빠른 연기 확산과 연소 확대 위험성 및 건물의 상부 층에서 계단으로의 출입문이 개방되지 않을 수 있음을 고려하여야 한다.

(3) 연기 제어 방법(방·배연) 암기 축구가 배강희

구분		내 용
방 연	축연	넓은 공간에서 천장 상부에 연기를 가두어 연기 확산 방지 : Atrium 등
	구획화	벽 등으로 구획(밀폐화)하여 연기 확산 방지
	가압	제연구역을 가압하여 외부로부터 연기 유입 방지 : 특별피난계단 부속실 및 비상용승강기 승강장(차압과 방연풍속으로 연기 유입 방지)
배 연	배기	화재지역의 연기를 배출 : 배연창, 환기창 등
	강하방지	상부에서 연기를 배출하고 하부에서 신선한 공기를 급기하여 청결층 유지 : 400 m^2 이상 거실제연
	희석	화재지역의 연기를 배출하고, 신선한 공기를 급기하여 연기농도를 낮춤 : 400 m^2 미만 거실제연

(4) 제연 방법

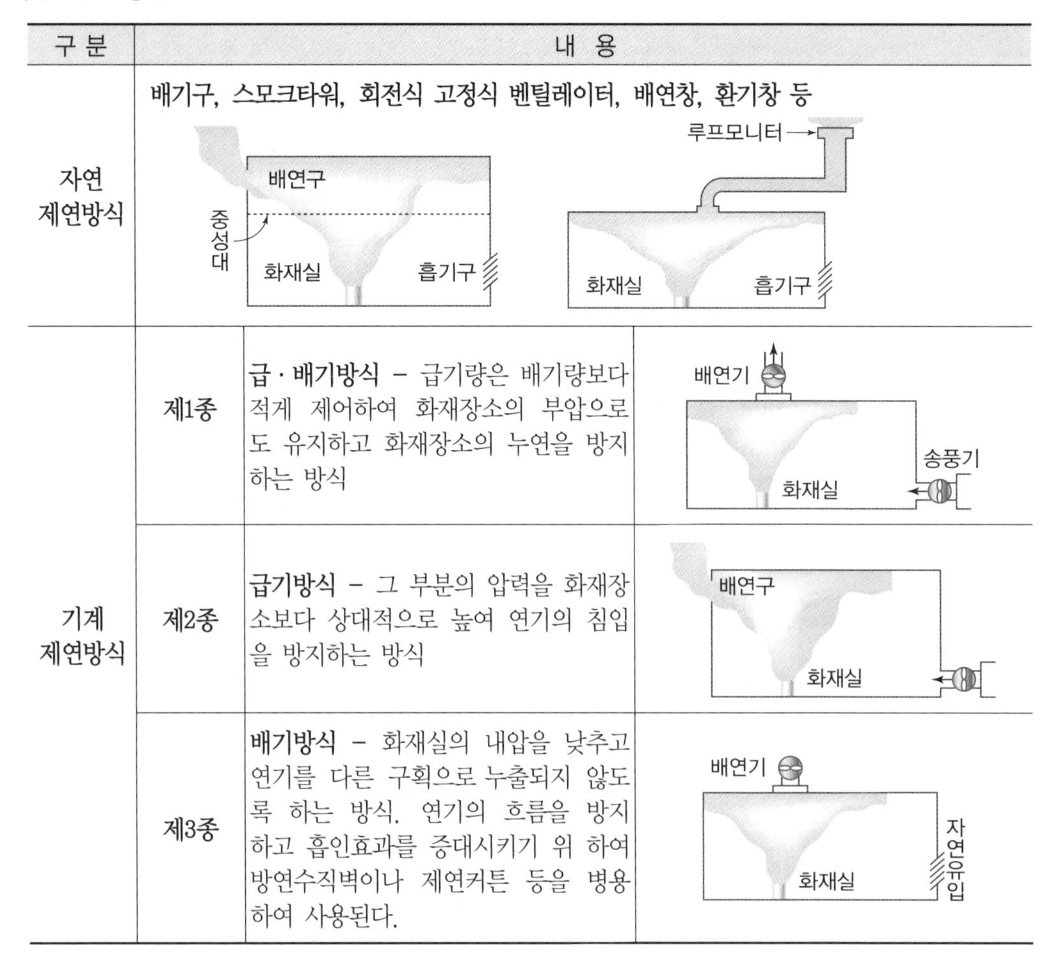

구 분	내 용		
자연 제연방식	**배기구, 스모크타워, 회전식 고정식 벤틸레이터, 배연창, 환기창 등**		
기계 제연방식	제1종	**급·배기방식** – 급기량은 배기량보다 적게 제어하여 화재장소의 부압으로도 유지하고 화재장소의 누연을 방지하는 방식	
	제2종	**급기방식** – 그 부분의 압력을 화재장소보다 상대적으로 높여 연기의 침입을 방지하는 방식	
	제3종	**배기방식** – 화재실의 내압을 낮추고 연기를 다른 구획으로 누출되지 않도록 하는 방식. 연기의 흐름을 방지하고 흡인효과를 증대시키기 위 하여 방연수직벽이나 제연커튼 등을 병용하여 사용된다.	

(5) 연기의 이동속도

수평	수직	실내계단(비상용승강기 승강로)
0.5 ~ 1.0 m/s	2.0 ~ 3.0 m/s	3.0 ~ 5.0 m/s

(6) 배연창 설비

① **설치대상**

6층 이상인 건축물로서 문화 및 집회시설, 종교시설, 판매시설, 운수시설, 의료시설, 교육연구시설 중 연구소, 노유자시설 중 아동 관련 시설·노인복지시설, 수련시설 중 유스호스텔, 운동시설, 업무시설, 숙박시설, 위락시설, 관광휴게시설, 제2종 근린생활시설 중 고시원 및 장례식장의 거실 다만, 피난층인 경우에는 그러하지 아니하다.

② 기준

구 분	내 용	
설치구역	방화구획 된 구역마다 1개 이상 배연창을 설치	
반자높이에 따른 설치 위치	3 m 미만	배연창 상변과 반자 수직거리 0.9 m 이내
	3 m 이상	배연창 하변과 바닥 2.1 m 이상
유효면적	• 바닥면적의 1/100 이상(최소 1 m² 이상) • 환기창을 거실면적의 1/20 이상 설치 시 그 면적은 제외한다.	
배연구	• 연기감지기 또는 열감지기에 의하여 자동으로 개방되는 구조, 수동 개방 가능한 구조	
예비전원	설치	
기타	기계식 배연설비를 하는 경우에는 소방관계법령의 규정에 적합하도록 할 것	

예제 05

반자높이가 3 m 미만인 경우 배연창 상변과 반자 수직거리는 얼마 이내로 하여야 하는가?

① 0.1 m ② 0.5 m ③ 0.9 m ④ 1 m

해답 ③

5. 연기의 농도표시

1 연기 측정법

구 분		내 용
직접농도측정	중량농도법(mg/m³)	체적당 연기의 중량을 측정하는 방법
	입자농도법(개/m³)	체적당 연기 입자의 개수를 측정하는 방법
간접농도측정	감광계수법(광학적 농도측정법)	연기 속을 투과하는 빛의 양을 측정하는 방법 : 투과율

2 감광계수, 가시거리

(1) 감광계수(램버트비어의 법칙)

$$C_s = \frac{1}{L}\ln\left(\frac{I_o}{I}\right)$$

C_s : 감광계수(입사된 광량에 대한 투과된 광량의 감쇄 배율) [m^{-1}]

L : 투과거리 [m]

I_o : 연기가 없을 때 빛의 세기 [lux] I : 연기가 있을 때 빛의 세기 [lux]

(2) 가시거리

$$\text{가시거리 } D\,(m) = \frac{K}{C_s} \quad ※\ C_S \cdot D = \text{일정}$$

K : 상수(축광형 : 2~4, 발광형 5~10)

(3) 감광계수 및 연기의 농도와 가시거리

감광계수 (m^{-1})	가시거리 [m]	상 황
0.1	20~30	연기감지기가 작동할 때 농도
0.3	5	건물 내부에 익숙한 사람이 피난에 지장을 느낄 정도의 농도
0.5	3	어두운 것을 느낄 정도의 농도
1	1~2	거의 앞이 보이지 않을 정도의 농도
10	0.2~0.5	화재 최성기 때의 농도
30	–	출화실에서 연기가 분출할 때의 농도

(4) 피난한계(확보해야할 시야 거리)

건물에 익숙한 사람은 5 m, 일반인 30 m이며 이는 건물을 잘 아는 사람은 연기가 3 ~ 5 m 앞까지 왔을 때 피난을 시작해도 되고 그 이하 거리에서는 피난이 어려우며 건물을 잘 알지 못하는 사람은 적어도 연기로부터 20 ~ 30 m 거리가 있을 때 피난을 시작해야 한다는 의미임

실전 예상문제

01 화염의 전자기파가 가장 크게 작용하는 열전달은?

① 대류 ② 복사 ③ 전도 ④ 비화

열의 전달은 전도, 대류, 복사 3가지이며 전자파에 의한 열의 전달은 복사로서 플래시오버가 발생하는 주원인이다.

02 멀리 떨어진 화염으로부터 직접 열기를 느끼게 되는 열전달 원리는?

① 복사 ② 대류 ③ 전도 ④ 비등

태양으로부터 따스함을 느끼는 것도 복사에 의한 열전달이다.

03 복사열이 통과할 때 복사열이 흡수되지 않고 아무런 손실 없이 통과되는 것은?

① 흑체 ② 수소 ③ 아황산가스 ④ 질소

가연물이 될 수 없는 물질 중 흡열반응 하는 질소는 복사열을 흡수하지 않고 100% 투과한다.
흑체는 복사열을 100% 흡수하고 100% 방사하는 물체이다.

04 열 전달의 원인 중 하나인 전도에서 열전도율을 표시하는 단위는? (퓨리에의 법칙을 이용한다.)

① [J/m²·h·℃] ② [J·m²/h·℃]
③ [W/m·deg] ④ [J/m²·deg]

$q = K \cdot A \cdot \frac{\Delta t}{\Delta l}$ [W] K : 열전도도[W/m·℃], [J /(m·s·℃)]

q : 열량[W = J/s = cal/s] A : 표면적[m²] Δt : 온도차[℃] l : 물질 두께[m]

정답 01 ② 02 ① 03 ④ 04 ③

●●○ 05

두께가 10 mm인 창유리의 내부 온도가 15℃, 외부 온도가 -5℃이다. 창의 크기는 2 m × 2 m이고 유리의 열전도율이 1.5 W/m·K이라면 창을 통한 열전달률은 몇 kW인가?

① 9 ② 10 ③ 11 ④ 12

$Q = K \cdot A \cdot \dfrac{\Delta t}{l} = 1.5 \cdot 4 \cdot \dfrac{15-(-5)}{0.01} = 12,000\ \text{W} = 12\ \text{kW}$

●●○ 06

온도차이 20℃, 열전도율 5 W/(m·K), 두께 20 cm인 벽을 통한 열유속과 온도차 40℃, 열전도율 10 W/(m·K), 두께 t cm인 같은 면적을 가진 벽을 통한 열유속이 같다면 두께 t는 얼마인가?

① 20 cm ② 40 cm ③ 60 cm ④ 80 cm

열 전도에 의한 열량(열유속) $q = kA\dfrac{\Delta t}{\ell}$ [W], k는 열전도도(율) W/(m·K)

A는 면적 m^2, ℓ은 두께 m, Δt는 온도차 ℃이다.

두께 20 cm인 벽의 열유속은 q_1, 두께 t cm인 벽의 열유속은 q_2라 하고 열유속은 같으므로

두께 20 cm인 벽의 열유속은 $q_1 = 5 \cdot \dfrac{20}{0.2} = 500\ W$(면적은 같다고 했으므로 계산하지 않는다.)

∴ 두께 t cm인 벽의 열유속은 $q_2 = 500 = 10 \cdot \dfrac{40}{t}$이고 두께는 $t = 0.8\ \text{m} = 80\ \text{cm}$

●●● 07

스테판 볼쯔만 법칙으로 온도 차이가 있는 두 물체(흑체)에서 저온 $[T_2]$의 물체가 고온$[T_1]$의 물체로부터 흡수하는 복사열 q에 대한 식으로 옳은 것은?

① $q = \sigma\phi A(T_1 - T_2)^4$ [W]

② $q = \sigma\phi A(T_2 - T_1)^4$ [W]

③ $q = \dfrac{\sigma\phi(T_1 - T_2)^4}{A}$ [W]

④ $q = \dfrac{\sigma\phi(T_2 - T_1)^4}{A}$ [W]

스테판 볼쯔만 법칙 $q = \varepsilon\sigma\phi A T^4$ (W)이며 방사율 ε은 흑체이기 때문에 1이다.

●○○ 08

열전도와 관계가 먼 것은?

① 열전도율 ② 밀도 ③ 비열 ④ 잠열

100℃ 물이 100℃ 수증기로 변할 때 필요한 열량은 잠열로서 온도가 동일하여 열의 전달이 없다.

정답 05 ④ 06 ④ 07 ① 08 ④

●○○ 09 물체의 열전도와 가장 밀접한 관계를 가지고 있는 요소가 아닌 것은?

① 온도 ② 열전도율 ③ 질량 ④ 비열

해설
질량(kg)은 열의 전도와 관계가 없다.

●○○ 10 도체인 금속이 부도체인 비금속에 비하여 열전도율이 큰 이유는?

① 분자의 고진동
② 비금속의 높은 융점
③ 금속의 비격자성
④ 자유전자의 흐름

해설
금속은 도체로서 전자가 쉽게 흐를 수 있는 물체이기 때문이다.

●○○ 11 열전도도(thermal conductivity)가 가장 낮은 것은?

① 은 ② 철 ③ 물 ④ 공기

해설
열전도도는 고체 〉 액체 〉 기체 순이다.

●●○ 12 고온의 연소생성물이 부력에 의한 힘을 받아 상승하여 천장면 아래로 얕은 층을 형성하는 비교적 빠른 속도의 가스 흐름을 무엇이라 하는가?

① Ceiling Jet Flow
② Roll Flow
③ Froth over
④ Fire plume

해설
Ceiling Jet Flow가 발생하여야 열, 연기감지기 및 스프링클러 헤드가 동작된다.
폭발의 경우에는 Ceiling Jet Flow가 생기지 않아 감지능력이 저하된다.

●●● 13 화재 시 발생하는 화재플럼의 평균화염 높이는 열방출률과 어떤 관계가 있는가?

① 평균화염의 높이는 열방출률의 3분에 2승에 비례한다.
② 평균화염의 높이는 열방출률의 4분에 1승에 비례한다.
③ 평균화염의 높이는 열방출률의 5분에 2승에 비례한다.
④ 평균화염의 높이는 열방출률의 6분에 1승에 비례한다.

해설

$$L_f = 0.23Q^{\frac{2}{5}} - 1.02D$$

Q : 에너지방출속도[kW] D: 화염직경(연료층직경)[m]

정답 09 ③ 10 ④ 11 ④ 12 ① 13 ③

14 화재시에 발생하는 연소생성물을 크게 4가지로 분류할 수 있다. 이에 해당되지 않는 것은?

① 연기 ② 화염 ③ 열 ④ 타고 남은 재

해설
연소생성물 : 연기, 화염(불꽃), 열, 가스

15 고압가스 안전관리법에 의한 독성가스의 정의는?

① 인체에 유해한 독성을 지닌 가스로서 허용농도가 200 ppm 이하인 가스
② 인체에 유해한 독성을 지닌 가스로서 허용농도가 1,000 ppm 이하인 가스
③ 인체에 유해한 독성을 지닌 가스로서 허용농도가 1,500 ppm 이하인 가스
④ 인체에 유해한 독성을 지닌 가스로서 허용농도가 5,000 ppm 이하인 가스

해설
공기 중에 일정량 이상 존재하는 경우 인체에 유해한 독성을 가진 가스로서 허용농도(해당 가스를 성숙한 흰쥐 집단에게 대기 중에서 1시간 동안 계속하여 노출시킨 경우 14일 이내에 그 흰쥐의 2분의 1 이상이 죽게 되는 가스의 농도를 말한다.)가 100만분의 5,000 이하(0.5% 이하)인 것을 말한다. → LC50(치사농도[致死濃度] 50 : Lethal concentration 50)으로 표시

16 다음 중 화학물질 및 물리적 인자의 노출기준에 따라 독성이 가장 강한 가스는?

① C_3H_8 ② F_2 ③ CO_2 ④ PH_3

해설
불소 F_2의 허용농도는 0.1 ppm, 포스핀 PH_3은 0.3 ppm이다.

17 가연성가스이면서도 독성가스인 것은?

① 질소 ② 수소 ③ 메탄 ④ 황화수소

해설
메탄은 파라핀계탄화수소로서 가연성가스이지만 독성가스가 아닌 자극성 가스이다.

18 연소생성물 중 화학물질 및 물리적 인자의 노출기준에 따라 가장 독성이 큰 것은?

① CO ② 포스겐 ③ CO_2 ④ 염화수소

해설
포스겐은 허용농도가 0.1 ppm로서 독성이 가장 높다.

정답 14 ④ 15 ④ 16 ② 17 ④ 18 ②

●●● 18

독성가스의 허용농도가 다른 것은?

① $COCl_2$ ② Cl_2 ③ F_2 ④ Br_2

해설

포스겐, 브롬, 불소, 아크롤레인의 허용농도(TWA)는 모두 0.1 ppm 이다. Cl_2은 0.5 ppm

●●○ 19

석유, 고무, 동물의 털, 가죽 등과 같이 황 성분을 함유하고 있는 물질이 불완전 연소될 때 발생하는 연소가스로 계란 썩는 듯한 냄새가 나는 기체는?

① 아황산가스 ② 시안화수소 ③ 황화수소 ④ 암모니아

해설

황이 완전연소시에는 아황산가스(이산화황)이 발생하며 불완전연소 또는 물과 접촉시 황화수소가 발생한다.

●●● 20

이산화탄소의 허용농도가 10%인 경우 생리적 반응은?

① 불쾌감 ② 호흡곤란 ③ 1분 이내 의식상실 ④ 단시간내 사망

해설

8%	호흡 곤란
9%	구토, 감정 둔화
10%	시력장애, 1분 이내 의식상실, 장기간 노출시 사망

●●● 21

1일 8시간 작업을 기준으로 하여 유해요인의 측정치에 발생시간을 곱하여 8시간으로 나눈 값으로 독성을 나타내는 용어는 무엇인가?

① TLV ② TWA ③ STEL ④ Ceiling

해설

- TLV(허용농도) : 근로자가 유해요인에 노출되는 경우, 노출기준이하 수준에서는 거의 모든 근로자에게 건강상 나쁜 영향을 미치지 아니하는 기준을 의미
- TWA : 시간가중 평균노출기준, STEL : 단시간 노출기준, Ceiling : 최고노출기준

정답 18 ② 19 ③ 20 ③ 21 ②

●●○ **22** **연기의 수평, 수직 방향에서의 이동 속도는?**

① 0.3 ~ 0.5 m/sec, 2 ~ 3 m/sec
② 0.5 ~ 1.0 m/sec, 2 ~ 3 m/sec
③ 0.3 ~ 0.5 m/sec, 3 ~ 5 m/sec
④ 0.5 ~ 1.0 m/sec, 3 ~ 5 m/sec

수평	수직	실내계단(비상용승강기 승강로)
0.5 ~ 1.0 m/s	2.0 ~ 3.0 m/s	3.0 ~ 5.0 m/s

●○○ **23** **연기의 유해성이 아닌 것은?**

① 시각적 유해성
② 심리적 유해성
③ 생리적 유해성
④ 화상적 유해성

연기의 유해성 : 시각적 유해성, 심리적 유해성·생리적 유해성 암기 시심생

●○○ **24** **연기에 대한 설명 중 맞지 않는 것은?**

① 가연물의 연소 시 가열에 의해서 방출되는 열분해된 생성물을 말한다.
② 완전 연소되지 않는 불완전 연소에 많이 발생한다.
③ 연소 시 발생가스로서 산소공급이 부족할 때 적은 양이 발생한다.
④ 화재시에 발생되는데 호흡기 장애 질식사를 유발한다.

산소공급이 부족하면 불완전연소를 하여 완전연소보다 온도가 낮아 많은 양의 연기가 발생한다.

●●● **25** **굴뚝효과의 크기를 결정하는 요인이 아닌 것은?**

① 연기의 밀도
② 외벽의 기밀성
③ 중성대의 높이
④ 건물 내·외부의 온도차

건물 내외 온도차에 의한 밀도차, 압력차로 인한 수직으로의 기류이동현상으로 외벽의 기밀성이 좋으면 Stack Effect가 작아지며 중성대의 높이를 기준으로 멀어질수록 그 크기는 커진다. 굴뚝효과는 화재가 발생하지 않는 평상시의 수직으로의 기류 이동 현상이고 화재발생 시 굴뚝효과에 의해 연기의 이동 및 확산의 원인이 된다.

정답 22 ② 23 ④ 24 ③ 25 ①

●●● 25 **건물 내부와 외부의 온도차에 의한 밀도차, 압력차로 발생하는 굴뚝효과의 크기를 바르게 나타낸 것은?**

① $\Delta P = 3{,}460H\left(\frac{1}{T_o} - \frac{1}{T_i}\right)$
② $\Delta P = 3{,}460H\left(\frac{1}{T_o} + \frac{1}{T_i}\right)$
③ $\Delta P = 3{,}460H(T_o - T_i)$
④ $\Delta P = 3{,}460H(T_o + T_i)$

동일 높이에서 외부의

$$P_o = \gamma h = \rho g h = \frac{PM}{RT_o} g h = \frac{1 \times 28.95}{0.082} \times \frac{1}{T_o} \times 9.8\,h \fallingdotseq 3{,}460\,h\frac{1}{T_o}$$

동일 높이에서 내부의

$$P_i = \gamma h = \rho g h = \frac{PM}{RT_i} g h = \frac{1 \times 28.95}{0.082} \times \frac{1}{T_i} \times 9.8\,h \fallingdotseq 3{,}460\,h\frac{1}{T_i}$$

내부와 외부의 온도차에 의한 것이기 때문에 $\Delta P = 3{,}460\,h\frac{1}{T_o} - 3{,}460\,h\frac{1}{T_i} = 3{,}460\,h\left(\frac{1}{T_o} - \frac{1}{T_i}\right)$

●●● 26 **굴뚝효과(Stack Effect)에서 나타나는 중성대에 관계되는 설명으로 틀린 것은?**

① 건물 내의 기류는 여름철의 경우 항상 중성대의 상부에서 하부로 이동한다.
② 중성대는 상하의 기압이 일치하는 위치에 있다.
③ 중성대의 위치는 건물 내·외부의 온도차에 따라 변할 수 있다.
④ 중성대의 위치는 건물 내의 공조상태에 따라 달라질 수 있다.

중성대는 건물 상하의 압력이 동일한 지점이 아니라 건물 내부와 외부의 압력차가 동일한 지점으로 온도가 같다면 건물의 중앙에 위치한다.

●○○ 27 **고층건물의 화재 시 연기 제어의 기본 방법이 아닌 것은?**

① 희석
② 차단
③ 공급
④ 배기

"화재시 연기를 공급하여 제어한다"가 아니라 신선한 공기를 공급하여 연기제어를 한다.

정답 25 ① 26 ② 27 ③

●○○ 28

건축관계법령상 배연창의 설치기준으로 옳지 않은 것은?

① 방화구획된 구역마다 1개 이상 배연창을 설치하여야 한다.
② 유효면적은 바닥면적의 1/100 이상일 것(최소 1 m² 이상)
③ 반자의 높이가 3 m 미만일 때 배연창 상변과 반자의 수직거리는 1 m 이내일 것
④ 반자의 높이가 3 m 이상일 때 배연창 하변과 바닥의 수직거리는 2.1 m 이상일 것

해설
반자의 높이가 3 m 미만일 때 배연창 상변과 반자의 수직거리는 0.9 m 이내일 것

●○○ 29

연기의 농도표시방법 중 단위체적당 연기입자의 개수를 나타내는 방법은?

① 중량농도법
② 입자농도법
③ 투과율법
④ 상대농도법

해설
연기의 측정방법은 중량농도법, 입자농도법, 투과율법이 있다.

●●● 30

연기 속을 투과하는 빛의 양을 측정하는 방법으로 감광계수를 이용한 램버트비어의 법칙은 무엇인가? (단, I_o: 연기가 없을 때 빛의 세기 [lux] I: 연기가 있을 때 빛의 세기 [lux] L: 투과거리 [m])

① $C_s = \frac{1}{L}\ln\left(\frac{I_o}{I}\right)$
② $C_s = L \cdot \ln\left(\frac{I_o}{I}\right)$
③ $C_s = \frac{1}{L}\ln\left(\frac{I}{I_0}\right)$
④ $C_s = L \cdot \ln\left(\frac{I}{I_0}\right)$

해설
$C_s = \frac{1}{L}\ln\left(\frac{I_o}{I}\right)$ [m⁻¹]
I_o : 연기가 없을 때 빛의 세기[lux], I : 연기가 있을 때 빛의 세기[lux], L : 투과거리[m]

●●○ 31

연기에 의한 감광계수가 0.1, 가시거리가 20 ~ 30 m일 때 상황을 바르게 설명한 것은?

① 건물내부에 익숙한 사람이 피난에 지장을 느낄 정도
② 연기감지기가 작동할 정도
③ 어둠침침한 것을 느낄 정도
④ 거의 앞이 보이지 않을 정도

해설

감광계수 (m^{-1})	가시거리[m]	상황
0.1	20 ~ 30	연기감지기가 작동할 때 농도

정답 28 ③ 29 ② 30 ① 31 ②

memo

제2과목 • • •

02

Fire Facilities Manager

소방수리학, 약제화학 및 소방전기

PART 01 소방수리학

PART 02 약제화학

PART 03 소방전기

Fire Facilities Manager

제 2 과목

소방수리학 출제문제 분석 · 학습전략

1 출제문제 분석

(1) 소방수리학은 2과목 중 하나의 파트로서 출제문항이 50% 정도로 제일 많고 2차와 연관된 문제로도 출제되고 있으므로 집중 학습이 필요합니다.

(2) 펌프 및 배관, 유체의 성질, 법칙, 유동 부분에서 출제 빈도가 많습니다.

(3) 기본적인 문제가 출제의 주를 이루고 있으며 번형, 응용하여 반복 출제되고 있습니다. 중요한 것은 교재의 내용과 실전문제에서 크게 벗어나는 문제가 없을 정도로 거의 비슷하게 출제가 되고 있습니다.

(4) 계산문제의 경우 단위를 정확히 알아야 합니다. 단, 시간이 오래 소요될 수 있으므로 체크해 놓고 마지막 문제까지 다 푼 후 풀어야 합니다.

소방수리학 최근 기출문제 경향

■ 유체의 일반적 성질, 차원과 단위
■ 유체의 성질과 법칙, 유체의 유동
■ 유체의 흐름
■ 유체의 측정
■ 유체의 배관 및 펌프 등

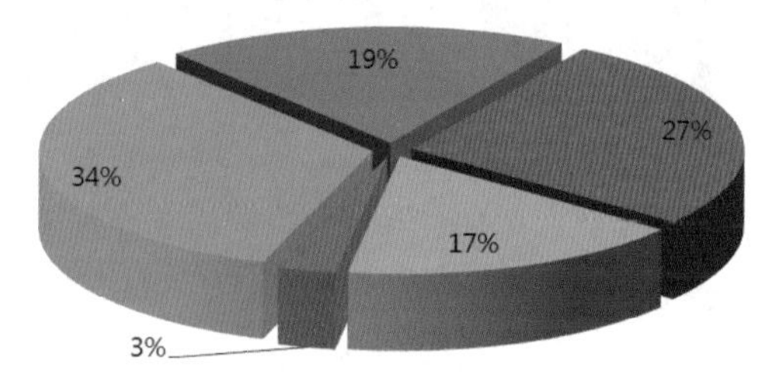

마찰손실을 구하는 하젠-윌리엄 공식은 $\triangle P = 6.174 \times 10^5 \dfrac{Q^{1.85}}{C^{1.85} D^{4.87}} \times L$ 이다.

여기서 D(내경)이 m인지 mm인지, Q(유량)이 ℓ/min 인지 $\mathrm{m^3}$/min 인지 정확히 알아야 한다.
문제에서 주어진 단위를 그 식에 맞는 단위로 계산하지 않으면 답을 얻을 수 없다.
또한 동력의 식인 $\dfrac{rHQ}{102 \cdot 60 \cdot \eta} K(\mathrm{kW})$ 에서 Q의 단위는 $\mathrm{m^3/min}$ 인지 $\mathrm{m^3}$/s인지 알아야 한다.

차원과 단위 / 물리량	유체의 물리량 (압력 등), 단위, 단위변환 등
유체의 성질과 법칙 / 유동	이상기체상태방정식, 베르누이방정식, 연속방정식, 토리첼리방정식 등
유체의 흐름	손실수두, 레이놀드수, 하젠 - 윌리엄 공식, 무차원수, 달시방정식 등
유체의 측정	유량측정기기, 피토정압관, 압력측정장치,
유체의 배관 및 펌프 등	전동기용량, 양정, 상사법칙, 공동현상 등

2 학습전략

(1) 소방시설관리사 2차 설계 및 시공에서 출제가 되는 부분을 집중 공부해서 2차와 연계하여야 합니다.
- 전동기 용량 산정, 펌프에서의 이상 현상, 배관 및 관부속품 등
- $\mathrm{kg_f/cm^2}$의 단위를 MPa로 변환해라. SI 단위로 표현하면 식은 어떻게 되는가? 라는 문제를 풀 수 있으려면 단위변환, 환산은 기본적으로 가능해야 합니다.

(2) 주요 공식 암기는 필수이고 그 식의 단위를 정확히 알아야 합니다.

PART 1 소방수리학

1. 물리량의 차원과 단위

1 차원(Dimension)

(1) 물리량을 형성하는 기본량의 종류

힘은 N으로 $kg \cdot m/s^2$이다. 즉 힘은 질량과 길이와 시간의 단위 조합으로 이루어져 있다.
즉 물리량의 단위가 무엇으로 이루어져 있는지 알기 쉽게 나타낸 것이 차원이다.
dyne의 단위인 $g \cdot cm/s^2$의 차원은 MLT^{-2}이며 N의 단위인 $kg \cdot m/s^2$의 차원도 MLT^{-2}이다.
즉 dnye도 N과 마찬가지로 힘을 나타내는 단위임을 알 수 있다.

① **절대단위의 차원 : 질량(mass) [M], 길이(length) [L], 시간(time) [T]**
② **중력단위의 차원 : 중량(force) [F], 길이(length) [L], 시간(time) [T]**

차원	질량(Mass)	중량(Force) = 무게(Weight)	길이(Length)	시간(Time)
절대단위의 차원	[M]		[L]	[T]
중력단위의 차원		[F]	[L]	[T]

2 단위(Unit)

물리량의 크기를 측정하는 기준

① **절대단위계(Absolute Unit System) : 물리량을 길이, 질량, 시간으로 표현**
② **중력단위계(Gravitational Unit System) : 물리량을 길이, 중량, 시간으로 표현**

단 위		기본단위	
		MKS계	CGS계
절대 단위계	기본단위	m, kg, s	cm, g, s
	유도단위	밀도(ρ) kg/m^3, 힘(N) $kg \cdot m/s^2$	밀도(ρ) g/cm^3, 힘(N) $g \cdot cm/s^2$
중력 단위계	기본단위	m, kg_f, s	cm, g_f, s
	유도단위	비중량(γ) kg_f/m^3, 동력(P) $kg_f \cdot m/s^2$	비중량(γ) g_f/cm^3, 동력(P) $g_f \cdot cm/s^2$

TIP

절대단위와 중력단위의 예 – 힘(F)

절대단위	중력단위
힘 = 질량 × 가속도	힘(무게) = 질량 × 중력가속도
$F = m[kg] \cdot a[m/s^2]$ $1\,N = 1\,kg \cdot m/s^2$	$W = m[kg] \cdot g[9.8\,m/s^2]$ $1\,kg_f = 9.8\,kg \cdot m/s^2 = 9.8\,N$

③ **국제단위계 SI단위 : International Unit System**

㉠ 절대단위계의 MKS 단위를 기준으로 **7개의 기본단위와 2개의 보조단위**를 이용

㉡ **기본단위 : 광도[cd], 온도[K], 물질량[mol], 질량[kg], 전류[A], 시간[s], 길이[m]**

암기 광온물질전시길

• 광도[cd : 칸델라] – 일정한 방향에서 물체 전체의 밝기를 나타내는 양(빛의 세기)

㉢ **보조단위 : 평면각[rad : 라디안], 입체각[sr : 스테라디안]**

㉣ **유도단위**

힘[N] = [kg·m/s^2]	일·열량·에너지·전력량[J] = [N·m]	동력[W] = [J/s]
압력[Pa] = [N/m^2]	Q[C] = I·t [A·s] 전하량 = 전류·시간	V [V] = W/Q [J/C] 전압 = 일/전하량
주파수[Hz] = [s^{-1}]	휘도 [cd/m^2][sb : 스틸브] – 눈부심	조도[ℓx : 룩스] = [lm/m^2]
광속[lm : 루우멘] = [cd·sr] – 광원으로부터 나오는 모든 빛의 총량		

예제 01

국제단위의 기본단위가 아닌 것은?

① 전압(V) ② 광도(cd) ③ 몰(mol) ④ 전류(A)

해답 ①

기본단위 : 광도[cd], 온도[K], 물질량[mol], 질량[kg], 전류[A], 시간[s], 길이[m]

3 주요 물리량의 단위와 차원

물리량	절대단위계		중력단위계	
	단위	차원	단위	차원
질량(m)	kg	[M]	$kg_f \cdot s^2/m$	[$FL^{-1}T^2$]
시간(t)	sec	[T]	sec	[T]
길이(ℓ)	m	[L]	m	[L]
면적(A)	m^2	[L^2]	m^2	[L^2]
체적(V)	m^3	[L^3]	m^3	[L^3]
속도(u)	m/s	[LT^{-1}]	m/s	[LT^{-1}]
가속도(a)	m/s^2	[LT^{-2}]	m/s^2	[LT^{-2}]
힘(F)	$N = kg \cdot m/s^2$	[MLT^{-2}]	kg_f	[F]
압력(P)	$N/m^2 = kg/m \cdot s^2$	[$ML^{-1}T^{-2}$]	kg_f/m^2	[FL^{-2}]
밀도(ρ)	$N \cdot s^2/m^4 = kg/m^3$	[ML^{-3}]	$kg_f \cdot s^2/m^4$	[$FL^{-4}T^2$]
점성계수(μ)	$N \cdot s/m^2 = kg/m \cdot s$	[$ML^{-1}T^{-1}$]	$kg_f \cdot s/m^2$	[$FL^{-2}T$]
동점성계수(ν)	m^2/s	[L^2T^{-1}]	m^2/s	[L^2T^{-1}]

4 주요 물리량 단위의 이미지화(암기방법)

$N \cdot s^2$		$N \cdot s$ 운동량(p) $kg \cdot m/s$	N(dyne) 힘(F) $kg \cdot m/s^2$	$N \cdot m$ 일, 열량, 에너지(J) $kg \cdot m^2/s^2$
			N/m(dyne/cm) 표면장력(σ) kg/s^2	$N \cdot m/s$ 동력(W) $kg \cdot m^2/s^3$
		$N \cdot s/m^2$ 점성계수(μ) $kg/m \cdot s$ $g/cm \cdot s$ = Poise	N/m^2 압력(P) $kg/m \cdot s^2$	
	$\frac{\mu}{\rho}(cm^2/s)$ 동점성계수(ν)		N/m^3 비중량(γ) $kg/m^2 \cdot s^2$	
$N \cdot s^2/m^4$ 밀도(ρ) kg/m^3			N/m^4	

- 힘(N)을 기준으로 길이, 면적, 체적으로 나누어 주면 표면장력, 압력, 비중량이 된다.
- 힘(N)을 기준으로(왼쪽으로) 시간을 곱하면 운동량이 되고 이것을 면적으로 나누어 주면 점성계수가 된다.
- 힘(N)을 기준으로(왼쪽으로) 시간을 두 번 곱하고 m^4로 나누어 주면 밀도가 되며 점성계수를 밀도로 나누어 주면 동점성계수가 된다.
- 힘(N)을 기준으로(오른쪽으로) 길이를 곱하면 일의 단위가 되며 일을 시간으로 나누면 동력의 단위가 된다.

Tip

단위계의 접두어

크기	명칭	기호	크기	명칭	기호
10^1	deca	da	10^{-1}	deci	d
10^2	hecto	H	10^{-2}	centi	c
10^3	kilo	K	10^{-3}	milli	m
10^6	mega	M	10^{-6}	micro	μ
10^9	giga	G	10^{-9}	nano	n
10^{12}	tera	T	10^{-12}	pico	p
10^{15}	peta	P	10^{-15}	femto	f
10^{18}	exa	E	10^{-18}	atto	a

TIP

단위 변환

구분			
길이	1 inch = 25.4 mm 1 ft = 0.3048 m 1 m = 39.37 inch	1 m = 6.21373 × 10^{-4} mile 1 mile(마일) = 1.6093 km	1 m = 1.09361 yd(야드) 1 yd = 0.9144 m 1해리 : 1.852 km
압력	1 atm = 760 mmHg = 1.0332 kg_f/cm^2 = 10.332 mH_2O (mAq) = 101,325 N/m^2 (Pa) = 10.1325 N/cm^2 = 1.013 bar = 14.7 PSI		
체적	1 m^3 = 1,000 ℓ 1 ℓ = 1,000 mℓ	1 mℓ = 1 cc(cm^3) = 1 g	1 gal(갤론) = 3.785 ℓ
힘, 무게	1 lb(파운드) = 0.4536 kg_f 1 kg_f = 2.2 lb	1 carat(캐럿) = 200 mg	1 kg_f = 9.8 N
일, 열량 에너지	1 kWh = 860 kcal 1 BTU = 0.252 kcal	1 kcal = 1/860 kWh 1 kg_f · m = 9.8 N · m = 9.8 J	
동력	1 kW = 102 kg_f · m/s	1 kW = 1.34 HP	1 HP = 0.746 kW
온도	℉ = 9/5℃ + 32	0℃ = 32℉, 100℃ = 212℉	

5 유체에 사용되는 물리량

(1) 힘(force)

① **정지하고 있는 물체를 움직이거나 움직이는 물체의 속도나 운동 방향을 바꾸고 변형시키는 원인**

② 힘은 질량, 길이, 온도, 시간 등과 같이 크기만 갖는 물리량(스칼라)이 아니라 속도, 운동량, 전기장, 자기장과 같이 크기와 방향성을 함께 갖는 물리량(벡터)이다.

③ **절대단위의 힘**

$$F = m \cdot a \ [\mathrm{kg \cdot m/s^2}] \qquad 1[\mathrm{N}] = 1[\mathrm{kg \cdot m/s^2}] = 10^5[\mathrm{g \cdot cm/s^2}] = 10^5[\mathrm{dyne}]$$

④ **중력단위의 힘**

$$W = m \cdot g = 9.8[\mathrm{kg \cdot m/s^2}] = 9.8[\mathrm{N}] = 9.8 \times 10^5[\mathrm{dyne}] = 1[\mathrm{kg}_f]$$

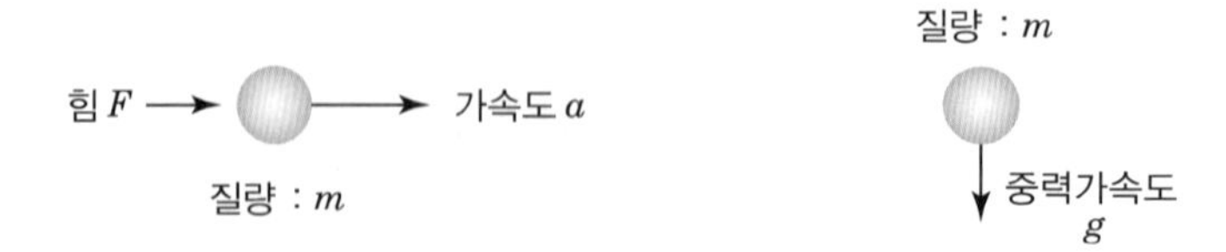

(2) 표면장력(surface tension)

① **단위 길이당 액체의 표면을 최소화 하려는 힘, 분자간의 인력에 의해 표면적을 최소화 하려는 장력, 액체의 표면이 스스로 수축하여 되도록 작은 면적을 가지려는 힘의 성질**

② **액체의 표면장력은 같은 종류의 분자끼리 끌어당기는 응집력(cohesion)과 다른 종류의 분자끼리 끌어당기는 부착력(adhesion)의 차이로 발생**

③ **온도가 상승하면** 응집력이 작아져서 **표면장력은 작아지고 농도가 커지면** 표면의 분자수가 많아지기 때문에 표면자유에너지가 감소하여 퍼지려고 하므로 **표면장력은 작아진다.**
표면장력이 작으면 분자간 응집력이 작아 기화하는 시간이 짧아진다.

④ 그림과 같이 구형방울에서 표면장력 σ에 의한 인장력과 구형방울면의 안과 밖의 압력차 Δp에 의해서 이루어지는 힘은 서로 평형을 이루고 있다.

$2\pi r\sigma = \pi r^2 \Delta p \Rightarrow \pi d\sigma = \dfrac{\pi d^2}{4}\Delta p$(d: 직경)

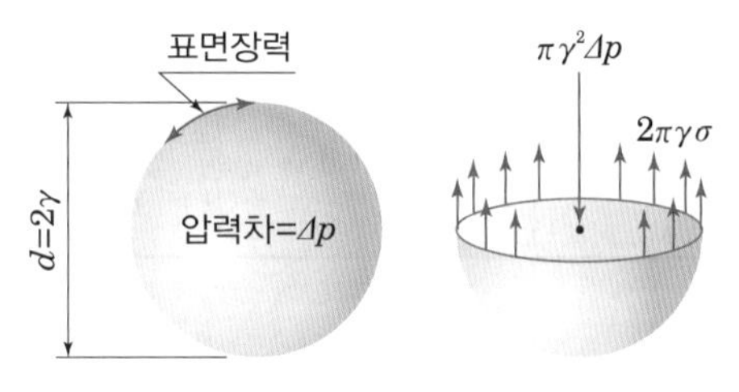

표면장력

$$\sigma = \frac{\Delta pd}{4}[\text{dyne/cm}] \qquad \Delta p\,[\text{dyne/cm}^2],\quad d[\text{cm}]$$

⑤ 물 : 72.75 dyne/cm(20℃), 수은 : 472 dyne/cm(20℃)
포소화약제 : 30 dyne/cm, 수성막포 : 20~17 dyne/cm

⑥ **모세관 현상(capillarity in tube)**

㉠ **액체 속에 가는 관(모세관)을 넣으면 액체가 관을 따라 상승 또는 하강하는 현상으로 표면장력에 의해 발생한다.**

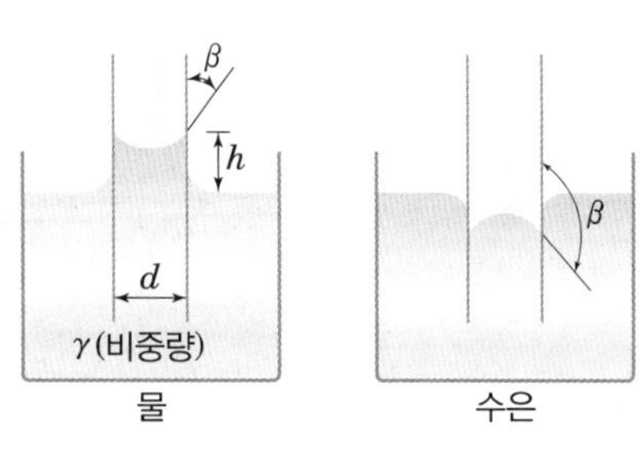

모세관현상

㉡ **모세관 상승·하강 높이**

$$h = \frac{4\sigma\cos\beta}{\gamma d}\,(\text{m})$$

β : 접촉각　d : 모세관 지름(m)　σ : 표면장력(kg_f/m)　γ : 비중량(kg_f/m^3)

㉢ 모세관 내 물이 올라가거나 내려가는 높이는 부착력과 응집력이 같을 때까지 변화하므로 "부착력과 응집력은 같다"라는 전제하에 유도된 식

㉣ 모세관을 물 속에 담그면 물의 응집력에 비하여 부착력이 크기 때문에 물기둥은 상승

(3) 압력(pressure)

① 단위면적당 작용하는 힘

$$P = \frac{F}{A}(\mathrm{N/m^2} = \frac{\mathrm{kg \cdot m/s^2}}{\mathrm{m^2}} = \mathrm{kg/m \cdot s^2})$$

② 압력의 여러 단위

1 atm(atmospheric)	= 760 mmHg	= 10.332 mAq
= 10,332 mmAq	= 1.0332 $\mathrm{kg_f/cm^2}$	= 10,332 $\mathrm{kg_f/m^2}$
= 1.013 bar = 1,013 mbar	= 101,325 Pa (= $\mathrm{N/m^2}$)	= 14.7 PSI (= $\mathrm{lb_f/inch^2}$)

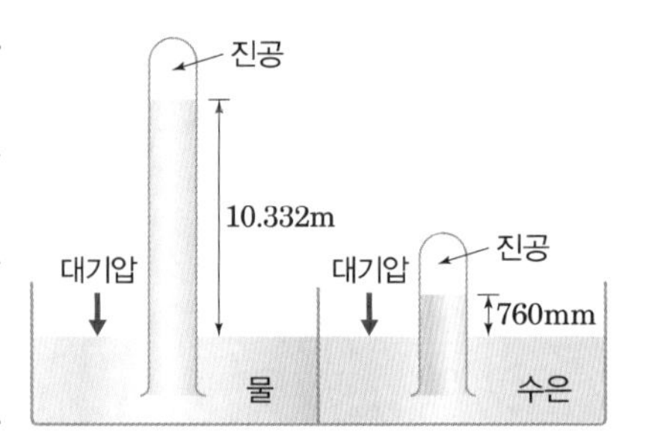

수주와 수은주의 높이

③ 절대압, 대기압(절대, 국소), 게이지압, 진공압

㉠ 절대압(P_0) = 국소대기압(P_a) + 게이지압($P_g = \gamma \cdot h$)

㉡ 절대압(P_0) = 국소대기압(P_a) − 진공압(P_v)

㉢ 절대대기압(STP : 0℃, 1기압)

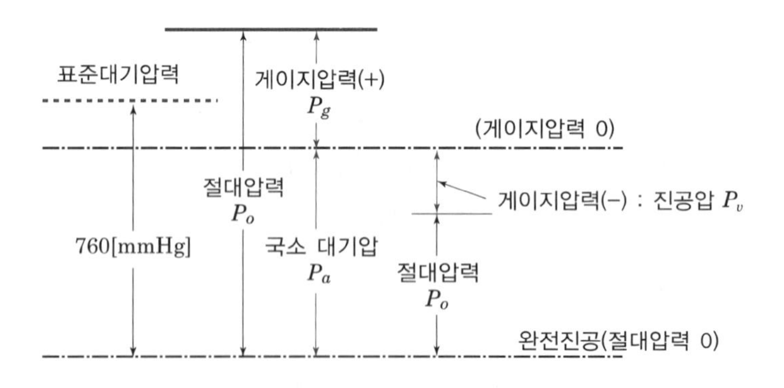

(4) 비중량(specific Weight)

① **단위체적당 유체의 중량**

② $\gamma\,(N/m^3) = W/V$ $\qquad\because W = m \cdot g$ 이므로

$= m \cdot g / V$ $\qquad\because \rho = m / V$ 이므로

$= \rho \cdot g$

③ **물의 비중량(상온)**

$\gamma_w = 9{,}800\,N/m^3 = 1{,}000\,kg_f/m^3$

$\gamma_w = \rho_w \cdot g$ 이므로 $9{,}800\,N/m^3 = \rho_w \cdot 9.8\,m/s^2$

$$\therefore\ \rho_w = \frac{9{,}800\,N/m^3}{9.8\,m/s^2} = 1{,}000\,N \cdot s^2/m^4 = 1{,}000\,kg/m^3$$

(5) 운동량(모멘텀)

① **물체의 질량과 그 속도의 상승적으로 나타나는 물리량**

② $p = N \cdot s\,[kg \cdot m/s^2 \times s = kg \cdot m/s] \Rightarrow m \cdot V$

③ 스프링클러소화설비 : 중력을 이용하여 표면에 도달(질량이 크고 속도가 느리다.)

물분무소화설비 : 운동량(모멘텀)을 이용하여 표면에 도달(질량이 작고 속도가 빠르다.)

(6) 점성계수 μ(뮤)

① **점성**

유체의 고유성질로서 끈끈한 정도를 말하며 유체가 흐를 때 마찰저항을 일으킨다.

유체가 유동 시 흐름의 방향에 저항을 주어 전단응력을 일으키는 성질

② **뉴튼의 점성법칙**

이동 평형판을 일정속도(u)로 운동시키는데 필요한 전단력(F)은 접촉면적(A)에 비례하고

아래 그림의 평판에서 동일 거리에 위치한 ②는 ①보다 더 빠른 속도(속도변화율 : $\frac{du}{dy}$)로 이동하기 위해 더 큰 힘이 드는 것을 알 수 있다.

따라서 전단력 $F \propto A \cdot \frac{du}{dy}$ 가 되며 전단력은 평판과 바닥 사이의 유체가 물이냐 수은이냐 즉, 유체의 고유의 성질인 점성에 따라 달라지므로 점성계수를 고려하면 $F = \mu \cdot A \cdot \frac{du}{dy}$ 가 된다.

즉 **전단력은 유체의 운동방향과 평행한 면에 작용하는 힘(외력)이 된다.**

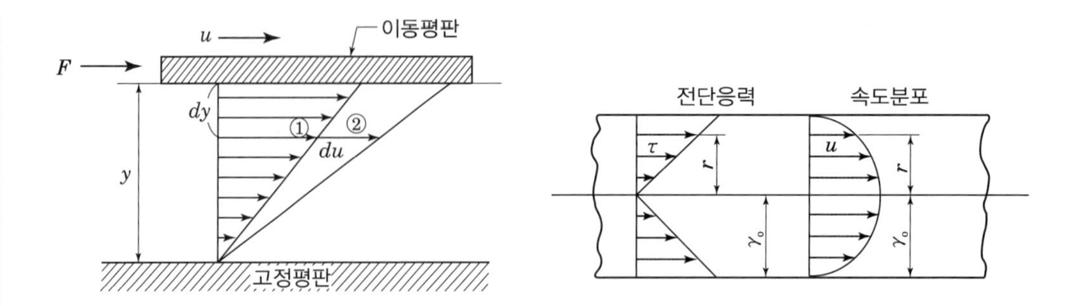

전단응력은 접촉면에 평행한 방향으로 서로 미끄러지려는 경향을 가진 두 연속적인 물체의 저항력이며 면적당 전단력으로 속도구배가 클수록 점성계수가 클수록 커진다.
또한 **전단응력은 배관의 중심에서 배관표면으로 갈수록 K의 모양과 같이 직선적으로 증**가하며 **속도분포는 배관의 중심에서 저항이 가장 작아 가장 빠르고 배관표면으로 갈수록 D의 모양과 같이 곡선처럼 느려진다.**

$$F = \mu A \frac{du}{dy} [N] \qquad \tau = \frac{F}{A} = \mu \frac{du}{dy} [\mathrm{N/m^2}]$$

τ : 전단응력(shear force) μ : 점성계수(absolute viscosity)

$\frac{du}{dy}$: 속도구배(velocity gradient) 또는 각변형률(rate of angular deformation)

③ 점성계수의 단위

$$\mu = \frac{F \cdot dy}{A \cdot du} [\mathrm{N \cdot s/m^2}]$$

- $\mu = \frac{F \cdot dy}{A \cdot du} \left[\frac{\mathrm{kg \cdot m/s^2 \times m}}{\mathrm{m^2 \times m/s}} = \mathrm{kg/m \cdot s} \right]$
- MKS단위 : [kg/m · s] = [kg/m · s] = [N · s/m²]
- CGS단위 : [g/cm · s] = [dyne · s/cm²]

1[p : poise 포와즈] = 100[cp]

④ 뉴튼의 점성법칙에 따른 분류

뉴튼의 점성법칙을 만족하는 유체를 뉴톤유체라 하고 만족하지 못하면 비뉴톤유체라 한다. 뉴튼 유체는 속도구배에 관계없이 점성계수가 일정하다.

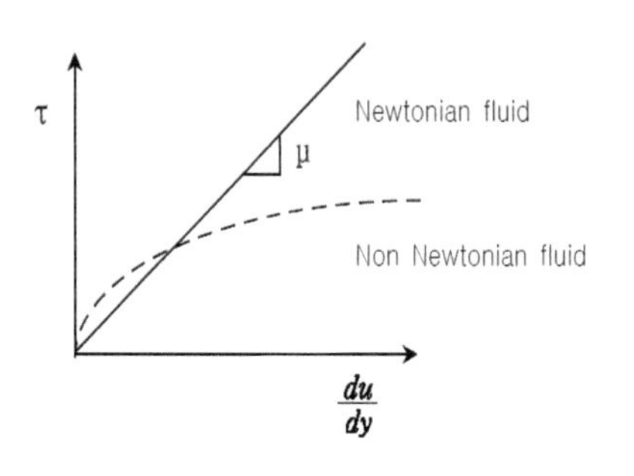

⑤ 점성계수 사용 공식

레이놀드수 $Re = \frac{\rho VD}{\mu} = \frac{VD}{\nu}$

(7) 밀도(density)

$$\rho(\text{밀도 : 로우}) = \frac{M(\text{질량})}{V(\text{부피})}\ (\text{kg/m}^3)$$

물 : $\rho = 1{,}000\ \text{kg/m}^3$

① **이상기체상태방정식** $PV = nRT = \frac{W}{M}RT$ 에서 $\rho = W/V = \frac{PM}{RT}$

P : 압력(N/m^2) M : 분자량(kg/mol) V : 부피(m^3) n : 몰수(mol)

R : 기체상수 8,314 N · m/ mol · K T : 절대온도(K) W : 질량(kg)

② **증기밀도, 증기비중, 공기-증기밀도**

증기밀도	증기비중	공기 - 증기밀도
$\frac{\text{분자량}}{22.4}$	$\frac{\text{분자량}}{29}$	$\frac{P_2 \times d}{P_1} + \frac{P_1 - P_2}{P_1}$ (P_1 : 대기압, P_2 : 증기압, d : 증기밀도)

Tip

공기-증기밀도 암기법

1. 아래와 같이 P를 나열한다. $\frac{P\ \ P}{P}\ \ \frac{P\ \ P}{P}$

2. 부호를 센 부호부터 적어준다. $\frac{P \times P}{P} + \frac{P - P}{P}$

3. P를 구별해 준다. (식의 맨 앞과 맨 뒤에 2를 붙인다.) $\frac{P_2 \times P}{P} + \frac{P - P_2}{P}$

4. P 한 개만 뒤집는다. $\frac{P_2 \times d}{P} + \frac{P - P_2}{P}$ P_2 : 증기압, P : 대기압, d : 증기밀도

예제 02

물질의 증기비중을 옳게 나타낸 것은?

① $\frac{분자량}{22.4}$ ② $\frac{분자량}{29}$ ③ $\frac{분자량}{100}$ ④ $\frac{분자량}{273}$

해답 ②

증기비중은 어떤 증기의 분자량과 공기의 분자량의 비로서 단위가 없으며 29는 공기의 분자량이다. 증기가 바닥에 체류하는 물질인지 아니면 공기 중으로 확산하여 퍼지는 물질인지 알 수 있는 물리량이다.
산소 21%와 질소 79%를 차지하고 있는 공기의 분자량은
$32 \times 0.21 + 28 \times 0.79 ≒ 28.84$

예제 03

증기밀도 $= \frac{분자량}{(\quad)}$ 이다. ( ) 속에 알맞은 숫자는?

① 16 ② 22.4 ③ 24 ④ 32

해답 ②

예제 04

20℃에서 증기압이 76 mmHg이고, 증기밀도가 2인 인화성 액체가 있다. 공기-증기의 밀도는?

① 0.9 ② 1.0 ③ 1.1 ④ 1.2

해답 ③

$$공기-증기밀도 = \frac{P_2 \cdot d}{P_1} + \frac{P_1 - P_2}{P_1} = \frac{76 \times 2}{760} + \frac{760 - 76}{760} = 1.1$$

(P_1 : 대기압, P_2 : 증기압, d : 증기밀도)

(8) 비중

① 유체의 밀도와 특정온도(4℃)에서의 물의 밀도와의 비

$$S = \frac{\rho}{\rho_w} = \frac{\gamma}{\gamma_w}$$

② ρ_w : 4℃의 물의 밀도는 1,000 kg/m³

(9) 비체적

① **단위 질량당 체적(밀도의 역수)**

$$Vs = \frac{1}{\rho} = \frac{V}{M}\ [m^3/kg]$$

② **비체적을 이용한 식**

㉠ **할로겐화합물소화설비 소화약제량**

$W = \frac{V}{S}\left(\frac{C}{100-C}\right)$ [kg]

V : 방호구역 체적(m^3)　　C : 설계농도(%)

S : 소화약제별 선형상수인 비체적

$S = k_1 + k_2 \cdot t$ [t : 방호구역의 최소 예상온도(℃)]

k_1 : 0℃ 1기압에서의 비체적 $\left[\frac{\text{체적}(22.4l)}{\text{분자량}(g)}\right]$

k_2 : 임의의 온도에서의 비체적 $k_2 = k_1 \frac{1}{273}$

㉡ **가스의 기화량 계산 때 사용** $V(m^3) = Vs(m^3/kg) \cdot W(kg)$

(10) 동점성계수(kinematic viscosity) : ν(뉴)

① **유체의 점성계수와 밀도의 비로서 점성계수와 동점성계수의 차이는 차원에서 보면 질량의 유무이고 동점성계수는 질량을 제외한 운동학의 관점 즉 시간당 면적 개념으로 유체의 확산이 어떻게 변화하는가를 나타내며 물질의 속성을 쉽게 파악할 수 있는 물리량**이다.

② $\nu = \frac{\mu}{\rho} = \frac{\frac{N \cdot s}{m^2}}{\frac{N \cdot s^2}{m^4}}$ [m^2/s] [CGS 단위인 cm^2/s를 stokes(스토크)라 한다.]

③ 액체의 경우 온도만의 함수이며 기체의 경우 온도와 압력의 함수이다.

㉠ **액체는 온도가 증가 시 점성계수와 동점성계수는 작아진다.**

㉡ **기체는 압력과 온도가 증가 시 점성계수와 동점성계수는 커진다.**

온도 [℃]	μ		ν
	pa·s	$kg_f \cdot s/m^2$	m^2/s
0	1.792×10^{-3}	0.1827×10^{-3}	1.792×10^{-6}
5	1.520×10^{-3}	0.1550×10^{-3}	1.520×10^{-6}
10	1.370×10^{-3}	0.1333×10^{-3}	1.307×10^{-6}
15	1.138×10^{-3}	0.1160×10^{-3}	1.139×10^{-6}
20	1.002×10^{-3}	0.1022×10^{-3}	1.004×10^{-6}

온도에 따른 물의 점성계수와 동점성계수

(11) 일(J)

① **힘을 주어 물체를 이동시켰을 때 힘의 크기와 이동거리의 상승적인 물리량**

② F(힘)$\times L$(거리) $= J$[N·m], erg[dyne·cm]

③ $1J = 10^7$ erg(에르그) $= 0.239$ cal

④ **물체가 일을 할 수 있는 능력(에너지), 열의 이동량(온도 차이로 인해 이동하는 에너지 : 열량)등과 같이 에너지, 열량, 토크와 관계됨**

⑥ 응용

출입문 개방에 필요한 힘, 플랩댐퍼의 추 위치 선정, 전동기 기동 토크

(12) 동력, 일률(power)

① **단위시간당 한 일의 양** $[J/s = W]$

② **동력 = 힘·거리/시간**

$= F \cdot L / T$

$= P \cdot A \cdot V \cdot T / T$ $\quad \because P = F/A,\ F = PA \quad \because V = L/T,\ L = VT$

$= P \cdot A \cdot V$ $\quad \because Q = AV$

$= P \cdot Q = r \cdot H \cdot Q$ $\quad \because P = r \cdot H$

동력(물을 사용하는 경우) $= rHQ$ [N·m/s = W] $=$ 9.8 HQ [kJ/s = kW]

$r\,[\mathrm{N/m^3}]$: 비중량 $\quad H\,[\mathrm{m}]$: 전양정 $\quad Q\,[\mathrm{m^3/s}]$: 토출량

③ **수동력, 축동력, 전동기동력 (유체는 물)**

㉠ **수동력 : 임펠러에 의해 유체에 주어지는 동력**

$$수동력(P_1) = \frac{9.8\,H\,Q}{60}\,[\mathrm{kW}] \qquad Q[\mathrm{m^3/min}]$$

㉡ **축동력 : 전동기로부터 축을 통해 회전차를 구동하는데 필요한 동력 ⇒ 효율(η) 고려**

$$축동력(P_2) = \frac{9.8\,H\,Q}{60 \cdot \eta}\,[\mathrm{kW}] \qquad Q[\mathrm{m^3/min}]$$

효율(η) = 수력효율(%) × 체적효율(%) × 기계적효율(%)

수력효율(%)	체적효율(%)	기계적효율(%)
실제양정/이론양정	**토출유량/흡입유량**	**마찰손실 고려**
$\eta_h = \dfrac{H}{H_{th}} = \dfrac{H_{th} - h_l}{H_{th}}$	$\eta_v = \dfrac{Q}{Q + \Delta Q}$	$\eta_m = \dfrac{L - L_m}{L}$
− h_l : 펌프 내 수력손실 − H : 전양정 − H_{th} : 이론양정	Q : 펌프의 송출유량 $Q + \Delta Q$: 회전차속을 지나는 유량	L : 축동력 L_m : 기계손실동력

㉢ 전동기 용량(P_3)

$$전동기\ 용량(P_3) = \frac{9.8\ K \cdot H \cdot Q}{60 \cdot \eta}[\text{kW}] \qquad Q[\text{m}^3/\text{min}]$$

전원에서 모터가 회전할 수 있게 전달하는 동력 → 전달계수(K) 고려

전달계수(K)는 전동기 : 1.1 ~ 1.15, 내연기관 : 1.2

$P[\text{kW}] = \frac{\gamma HQ}{102\eta}K$	$P[\text{HP}] = \frac{\gamma HQ}{76\eta}K$(영미)	$P[\text{PS}] = \frac{\gamma HQ}{75\eta}K$(프랑스)
1 kW = 102 $kg_f \cdot m/s$	1 HP ≒ 76.1 $kg_f \cdot m/s$	1 PS = 75 $kg_f \cdot m/s$

HP : 마력(Horse Power), PS : 미터마력(Pferde Starke - 독일어)

$$1\text{ kW} = 1{,}000\text{ W} = 1{,}000\text{ J/s} = 1{,}000\text{ N}\cdot\text{m/s} = \frac{1{,}000}{9.8}\text{kg}_\text{f}\cdot\text{m/s} = 102\text{ kg}_\text{f}\cdot\text{m/s}$$

구 분	Q(m³/s)	Q(m³/min)	P(HP)
수동력	$rHQ[\text{N}\cdot\text{m/s}]$ $= 9.8HQ[\text{kW}]$	$\frac{9.8HQ}{60}[\text{kW}] = 0.163HQ[\text{kW}]$	$\frac{9.8HQ}{0.746 \cdot 60}$ [HP]
축동력	$\frac{rHQ}{\eta}[\text{N}\cdot\text{m/s}]$ $= \frac{9.8HQ}{\eta}[\text{kW}]$	$\frac{9.8HQ}{60 \cdot \eta}[\text{kW}] = \frac{0.163HQ}{\eta}[\text{kW}]$	$\frac{9.8HQ}{0.746 \cdot 60 \cdot \eta}[\text{HP}]$
전동기 용량	$\frac{rHQ}{\eta}K[\text{N}\cdot\text{m/s}]$ $= \frac{9.8HQ}{\eta}K[\text{kW}]$	$\frac{9.8HQ}{60 \cdot \eta}K[\text{kW}] = \frac{0.163HQ}{\eta}K[\text{kW}]$	$\frac{9.8HQ}{0.746 \cdot 60 \cdot \eta}K[\text{HP}]$

예제 05

옥내소화전 설비의 펌프의 양정이 100 m이고 토출량이 390 ℓ/min일 때 수동력[kN·m/s]은 얼마인가? (단, 효율은 50%이고 전달계수는 1.1이다.)

① 6.37 ② 12.75 ③ 14 ④ 650

 ①

수동력은 $9.8HQ$ [kN·m/s]이므로

$$9.8HQ[\text{kN}\cdot\text{m/s}] = \frac{9.8 \times 100\text{ m} \times 0.39\text{ m}^3/\text{min}}{60} = 6.37\text{ kW} = 6.37\text{ kN}\cdot\text{m/s}$$

예제 06

$P[\text{kW}]=\dfrac{\gamma HQ}{102\eta}K$는 동력을 구하는 공식이다. 여기에서 γ의 단위를 N/m^3으로 바꾸었을 때 동력을 구하는 공식으로 옳은 것은?

① $P=\dfrac{K\cdot\gamma\cdot H\cdot Q}{1{,}000\cdot\eta}$ [kW]

② $P=\dfrac{K\cdot\rho\cdot H\cdot Q}{1{,}000\cdot a}$ [kW]

③ $P=\dfrac{K\cdot\gamma\cdot H\cdot Q}{9.8\cdot 1{,}000\cdot\eta}$ [kW]

④ $P=\dfrac{K\cdot\gamma\cdot H\cdot Q}{9.8\cdot\eta}$ [kW]

해답 ①

γ의 단위 $kg_f/m^3 \rightarrow N/m^3$ 바꾸면 $\gamma[kg_f/m^3]\times\dfrac{9.8}{1}=\gamma\,[N/m^3]$

$\gamma[kg_f/m^3]=\dfrac{1}{9.8}\gamma\,[N/m^3]$이고 이것을 γ에 대입하면 $P=\dfrac{K\cdot\gamma\cdot H\cdot Q}{1{,}000\cdot\eta}$ [kW]

(13) 온 도

① 물질의 차갑고 뜨거운 정도를 나타냄

② 온도의 구분

섭씨온도(℃)	어는점을 0℃, 끓는점을 100℃로 하고 100등분한 온도
화씨온도(℉)	어는점을 32℉, 끓는점을 212℉로 하고 180등분한 온도
절대온도(K)	압력 0, −273.15℃를 기준으로 나타내는 온도 K = ℃ + 273.15 예 0℃ → 273.15K
랭킨온도(R)	압력 0, −460℉를 기준으로 한 온도 R = ℉ + 460　예 32 ℉ → 492R

③ $\dfrac{℃}{100}=\dfrac{℉-32}{180}$ → ℉로 정리하면 ℉ = 1.8℃ + 32

예제 07

화씨 113°F를 절대온도인 켈빈(kelvin)온도로 나타내면 약 몇 K 인가?

① 318　② 308　③ 252　④ 178

해답 ①

$\dfrac{℃}{100}=\dfrac{℉-32}{180}\rightarrow\dfrac{℃}{100}=\dfrac{113-32}{180}\quad\therefore ℃=45\quad K=45℃+273=318K$

실전 예상문제

01 다음 중 국제표준단위(SI 단위)가 아닌 것은?

① J　② Pa　③ kg_f　④ A

해설

기본단위와 보조단위로 이루어진 단위를 SI 단위라 한다.

- 기본단위 : 광도(cd), 온도(K), 물질량(mol) 질량(kg), 전류, 시간(s), 길이(m) 암기 광온물질전시길
- 보조단위 : 평면각(rad), 입체각(sr)

02 다음 중 힘의 단위 dyne를 나타내는 단위는?

① $g \cdot m/sec^2$　② $kg \cdot m/sec^2$
③ $g \cdot cm/sec^2$　④ $g/cm^4 \cdot sec^2$

dyne은 힘의 단위를 CGS계로 표현한 단위이다.
$1\,N = 1\,kg \cdot m/s^2 = 10^5\,g \cdot cm/s^2 = 10^5\,dyne$

03 다음 중 운동량의 단위는 어느 것인가?

① N　② $N \cdot m$　③ $N \cdot s^2/m$　④ $N \cdot s$

운동량은 단위의 이미지화 암기방법에서 힘을 기준으로 왼쪽으로 1칸 가면서 시간을 곱해준 단위이다.

04 다음 중 밀도의 단위는?

① N/m　② kg/cm^2　③ kg/cm^3　④ m/s^2

밀도의 단위는 이미지화 암기방법에서 힘을 기준으로 왼쪽으로 2칸 가면서 시간을 두 번 곱해주고 밑으로 4칸 가면서 길이로 4번 나누어준 단위이다.
$N \cdot s^2/m^4$이며 N은 $kg \cdot m/s^2$이므로 $\rho\,[kg/m^3]$로서 체적당 질량의 단위를 갖는다.

정답 01 ③　02 ③　03 ④　04 ③

05 동점성계수의 단위 중 stokes를 옳게 표현한 것은?

① mm^2/s　　② cm^2/s
③ m^2/s　　④ km^2/s

stokes은 동점성계수의 단위를 CGS계로 표현한 단위이다. $\nu = \frac{\mu}{\rho}$ $[cm^2/s]$ (stokes)

06 다음 단위 중 점성계수의 단위가 아닌 것은?

① $dyne \cdot s^2/cm^2$　　② $kg/m \cdot sec$
③ centipoise　　④ $N \cdot s/m^2$

점성계수(μ)
$N \cdot s/m^2$　　$kg/m \cdot s$
$dyne \cdot s/cm^2$　　$g/cm \cdot s$=poise　• 1 poise는 100 centipoise

07 $l \cdot atm$은 어떤 물리량의 단위인가?

① 일　　② 비중량　　③ 압력　　④ 힘

$l \cdot atm \rightarrow m^3 \times N/m^2 \rightarrow N \cdot m$ 즉 일의 단위, 에너지의 단위가 된다.

08 다음 중 단위가 틀린 것은?

① 1 poise = 1 $g/cm \cdot sec$　　② 1 J = 1 $N \cdot m$
③ 1 W = 1 J/s　　④ 1 dyne = 1 $g \cdot cm/s$

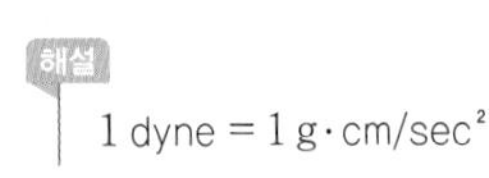

1 dyne = 1 $g \cdot cm/sec^2$

09 다음의 물리적인 양과 단위가 잘못된 것은?

① 1 Joule = 1 $N \cdot m$ = 1 $kg \cdot m^2/sec^2$　　② 1 Watt = 1 $N \cdot m/sec$ = 1 $kg \cdot m^2/sec^4$
③ 1 Newton = 9.8 kg_f = 1 $kg \cdot m/sec^2$　　④ 1 Pascal = 1 N/m^2 = 1 $kg/m \cdot sec^2$

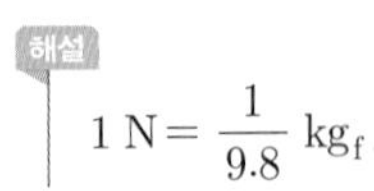

$1\,N = \frac{1}{9.8} kg_f$

정답　05 ②　06 ①　07 ①　08 ④　09 ③

●○○ **10** 질량을 M, 길이 L, 시간 T로 표시할 때 운동량의 차원은 어느 것인가?

① MLT ② $ML^{-1}T$ ③ MLT^{-2} ④ MLT^{-1}

운동량(p) : N·s, kg·m/s → MLT^{-1}

●○○ **11** 표면장력의 중력단위의 차원으로 나타낸 것은 다음 중 어느 것인가?

① FL ② FL^{-1} ③ FL^{-2} ④ FL^{-3}

표면장력은 단위의 이미지화 암기방법에서 힘을 기준으로 밑으로 1칸 가면서 길이로 한번 나눠준 단위이다.
표면장력(σ) : N/m(dyne/cm) → 중력단위 kg_f/m → FL^{-1}

●○○ **12** 점성계수의 차원은?

① $ML^{-1}T^{-1}$ ② $ML^{-2}T^{-1}$ ③ MLT ④ MLT^{-2}

점성계수(μ) : N·s/m² → kg/m·s 따라서 차원은 $ML^{-1}T^{-1}$이다.

●○○ **13** 호주에서 무게가 19.6 N인 어느 물체를 한국에서 측정하니 19.4 N이었다면 한국에서의 중력가속도는? (단, 호주에서의 중력가속도는 9.82 m/sec²)

① 9.80 m/sec² ② 9.78 m/sec²
③ 9.75 m/sec² ④ 9.72 m/sec²

$W = m \cdot g$ 이며 질량 m은 절대 변하지 않는다. 호주에서의 중량 19.6 N $= m \cdot 9.82$ ∴ 질량 $m = 1.996$ kg
한국에서의 중량은 19.4 N $= 1.996 \cdot g$ 이므로 ∴ $g = 9.72$ m/s²

●○○ **14** 모세관의 직경비가 1 : 2 : 3인 3개의 모세관 속을 올라가는 물의 높이의 비는 얼마인가?

① 1 : 2 : 3 ② 6 : 3 : 2 ③ 2 : 3 : 6 ④ 3 : 2 : 1

$h = \frac{4\sigma\cos\beta}{\rho g d} = \frac{4\sigma\cos\beta}{\gamma d}$ 모세관의 상승높이는 관의 지름에 반비례 한다.

정답 10 ④ 11 ② 12 ① 13 ④ 14 ②

●○○ **15** 비중량이 5,880 N/m³인 기름 100 ℓ의 중량은?

① 480 N ② 520 N ③ 564 N ④ 588 N

$W = 5{,}880\ \mathrm{N/m^3} \times 0.1\ \mathrm{m^3} = 588\ \mathrm{N}$ ∵ $1{,}000\ \ell = 1\ \mathrm{m^3}$ 이므로 $100\ \ell = 0.1\ \mathrm{m^3}$

●○○ **16** 완전 진공을 기준으로 한 압력은?

① 공업기압 ② 표준대기압 ③ 국소대기압 ④ 절대압

• 절대압 = 대기압 + 계기압 • 절대압 = 대기압 − 진공압

●○○ **17** 240 mmHg의 절대압력은 계기압력으로 몇 kN / m²인가? (단, 대기압의 크기는 760 mmHg이고, 수은의 비중은 13.6이다.)

① −31.5 ② −48.42 ③ −57.7 ④ −69.33

절대압력 240 mmHg는 대기압보다 작으므로 진공압이다.
절대압력 = 대기압 − 진공압 → 진공압 = 대기압 − 절대압력이므로
$760 - 240 = 520\ \mathrm{mmHg}$

$$520\ \mathrm{mmHg} \times \frac{101.325\ \mathrm{kN/m^2}}{760\ \mathrm{mmHg}} = 69.33\ \mathrm{kN/m^2}(=\mathrm{kPa})$$

진공압이므로 −부호가 붙어 $-69.33\ \mathrm{kN/m^2}$

●○○ **18** 다음 중 압력에 대한 설명으로 옳은 것은?

① 대기압을 기준해서 나타내는 압력은 절대압력이다.
② 완전진공을 기준으로 해서 나타내는 압력을 계기압력이다.
③ 대기압은 절대압력에서 계기압력을 감한 것이다.
④ 대기압은 절대압력에서 계기압력을 더한 것이다.

●●● **19** 100 m 수두를 N/cm²과 MPa로 환산한 것으로 옳은 것은?

① 98 N/cm², 0.98 MPa ② 98 N/cm², 9.8 MPa
③ 9.8 N/cm², 9.8 MPa ④ 9.8 N/cm², 0.98 MPa

해설

$$100\ \mathrm{mAq} \times \frac{10.1325\ \mathrm{N/cm^2}}{10.332\ \mathrm{mAq}} = 98\ \mathrm{N/cm^2} \qquad 100\ \mathrm{mAq} \times \frac{0.101325\ \mathrm{MPa}}{10.332\ \mathrm{mAq}} = 0.98\ \mathrm{MPa}$$

정답 15 ④ 16 ④ 17 ④ 18 ③ 19 ①

●●● 20 다음의 단위 환산 중 옳지 않은 것은?

① 1.0332 kg/cm²= 10.332 mAq = 760 mmHg
② 1 atm = 1.013 bar = 760 mmHg
③ 1 bar = 1.02 kg/cm² = 750 mmHg
④ 1 Pa = 1.02×10^{-3} N/cm²= 7.5×10^{-3} mmHg

해설

$1\text{ Pa}\times\frac{10.1325\text{ N/cm}^2}{101{,}325\text{ Pa}}=1\times10^{-4}\text{ N/cm}^2$ $1\text{ Pa}\times\frac{760\text{ mmHg}}{101{,}325\text{ Pa}}=7.5\times10^{-3}\text{ mmHg}$

●●○ 21 수면 10 m 지점의 압력이 0.235MPa이다. 이 액체의 비중량은? (대기압은 무시한다.)

① 11,760 N/m³ ② 15,680 N/m³
③ 19,600 N/m³ ④ 23,500 N/m³

해설

절대압(P_a) = 대기압(P_0) + 계기압(P_g) = 대기압(P_0) + $\gamma\cdot h$
대기압은 조건에서 무시, 절대압 $0.235MPa=235{,}000\text{N/m}^2$ 이므로
$235{,}000\text{ N/m}^2=0+\gamma\cdot10$ $\therefore\ \gamma=\frac{235{,}000\ N/m^2}{10\ m}=23{,}500\text{ N/m}^3$

●○○ 22 4,018 kPa-g 압력을 받고 있는 물고기는 수중 약 몇 m에서 서식하고 있는가? (단, 액체의 비중은 1.2이다.)

① 180 ② 240 ③ 342 ④ 410

해설

절대압(P_a) = 대기압(P_0) + 계기압(P_g) = 대기압(P_0) + $\gamma\cdot h$
- 4,018 kPa−g의 g은 게이지압(계기압) P_g을 말한다.
  계기압 4,018 kPa = 4,018,000 N/m²이고 $\gamma=s\cdot\gamma_w=1.2\cdot9{,}800=11{,}760\text{ N/m}^3$
  $P_g=\gamma\cdot h$에서 $4{,}018{,}000\text{ N/m}^2=11{,}760\text{ N/m}^3\times h$ $\therefore\ h\fallingdotseq341.67\text{ m}$

정답 20 ④ 21 ④ 22 ③

●●○ 23

바다 속 어느 한 지점에서의 압력을 측정하였더니 1.176 MPa이었다. 어느 한 점은 수면에서부터 약 얼마의 깊이(m)에 있는 곳인가?(단, 해수의 비중은 1.2이고 대기압은 98 kPa이다.)

① 92 ② 110 ③ 120 ④ 130

해설

절대압(P_a) = 대기압(P_0) + 계기압(P_g) = 대기압(P_0) + $\gamma \cdot h$

절대압이 1.176 MPa, 대기압이 98 kPa 이므로 계기압(P_g)은 1.078 MPa 이다.

게이지압 P_g는 1.078 MPa = 1,078,000 N/m² 이고

$P_g = \gamma \cdot h$ $\because \gamma = s \cdot \gamma_w = 1.2 \times 9{,}800 = 11{,}760\ \mathrm{N/m^3}$

$1{,}078{,}000\ \mathrm{N/m^2} = 11{,}760\ \mathrm{N/m^3} \times h$ $\therefore h ≒ 91.67\ \mathrm{m}$

●○○ 24

수은의 비중은 13.6 이다. 수은의 비체적(m^3/kg)은?

① 13.6 ② $\frac{1}{13.6} \times 10^{-1}$ ③ $\frac{1}{13.6} \times 10^{-2}$ ④ $\frac{1}{13.6} \times 10^{-3}$

해설

Vs(비체적)는 밀도의 역수이므로 먼저 밀도를 구하면 S(비중)$= \frac{\rho}{\rho_W} = \frac{\gamma}{\gamma_W}$에서 $13.6 = \frac{\rho}{1{,}000\ \mathrm{kg/m^3}}$

∴ 밀도 ρ는 13,600 kg/m³ 이며 역수 비체적은 $\frac{1}{13{,}600} = \frac{1}{13.6} \times 10^{-3} [\mathrm{m^3/kg}]$ 이다.

●○○ 25

비중 0.88인 벤젠의 밀도($N \cdot s^2/m^4$)는 얼마인가?

① 88.0 ② 89.8 ③ 102 ④ 880

해설

$S = \frac{\rho}{\rho_W}$에서 $0.88 = \frac{\rho}{1{,}000}$ 따라서 밀도는 $880\ \mathrm{kg/m^3} = 880\ \mathrm{N \cdot s^2/m^4} = 89.8\ \mathrm{kg_f \cdot s^2/m^4}$

$\mathrm{kg/m^3}$: 절대단위, $\mathrm{N \cdot s^2/m^4}$: SI 단위, $\mathrm{kg_f \cdot s^2/m^4}$: 중력단위(공업단위)

●○○ 26

어떤 기름이 0.5 m³의 무게가 1,960 N일 때 기름의 밀도는 $N \cdot sec^2/m^4$인가?

① 40.8 ② 50 ③ 81.6 ④ 400

해설

$\gamma [\mathrm{N/m^3}] = \frac{1{,}960\ \mathrm{N}}{0.5\ \mathrm{m^3}} = 3{,}920\ \mathrm{N/m^3}$이며 $\gamma = \rho g$에서 $\rho = \frac{\gamma}{g} = \frac{3{,}920\ \mathrm{N/m^3}}{9.8\ \mathrm{m/s^2}} = 400\ \mathrm{N \cdot s^2/m^4}$

정답 23 ① 24 ④ 25 ④ 26 ④

●○○ **27** 기체의 온도가 상승할 때 점성계수를 가장 올바르게 표현한 것은?

① 분자운동량의 증가로 증가한다. ② 분자운동량의 감소로 감소한다.
③ 분자응집력의 증가로 증가한다. ④ 분자응집력의 감소로 감소한다.

기체의 점성계수는 온도가 올라갈수록 커지고 액체의 점성계수는 온도가 올라갈수록 작아진다.

●●● **28** $9.8\ \mathrm{N \cdot s/m^2}$은 몇 poise인가?

① 9.8 ② 98 ③ $\frac{1}{98}$ ④ $\frac{1}{9.8}$

poise의 단위는[g/cm·s] or [dyne·s/cm²]

$9.8\,\mathrm{N \cdot s/m^2} = 9.8 \times 10^5\,\mathrm{dyne \cdot s}/100^2\,\mathrm{cm^2} = 98\,\mathrm{dyne \cdot s/cm^2}$

●●● **29** Newton의 점성법칙과 관련 되는 것은 어느 것인가?

① 전단응력, 점성계수, 가속도 ② 전단응력, 점성계수, 속도구배
③ 전단응력, 속도구배, 표면장력 ④ 표면장력, 점성계수, 속도구배

뉴튼의 점성 법칙

$\tau(\text{전단응력}) = \frac{F(\text{전단력})}{A(\text{면적})} = \mu \frac{du}{dy}\,[\mathrm{N/m^2}]$ μ : 점성계수, $\frac{du}{dy}$: 속도구배

●●● **30** 전단응력이 증가할 때 속도구배(속도 기울기)는 어떻게 변화하는가?

① 비례 ② 반비례 ③ 제곱에 비례 ④ 제곱에 반비례

$\tau(\text{전단응력}) = \mu \frac{du}{dy}\,[\mathrm{N/m^2}]$ $\therefore \frac{du}{dy} = \frac{\tau}{\mu}$ 전단응력이 증가시 속도구배는 비례하여 증가한다.

μ : 점성계수, $\frac{du}{dy}$: 속도구배

정답 27 ① 28 ② 29 ② 30 ①

●●● 31 두 개의 평행한 평판사이로 점성이 있는 유체가 흐르고 있다. 이 유체에 미치는 전단응력은 어떤 상태인가?

① 배관의 중심에서 벽면까지 일정하다.
② 배관의 중심에서 0이고, 벽면까지 1차 직선의 형태로 상승한다.
③ 벽면에서는 0이고, 중심까지 직선으로 상승한다.
④ 배관의 중심에서 0이고, 벽면까지 2차 포물선의 형태로 상승한다.

해설
뉴튼의 점성 법칙에서 전단응력(면적당 전단력)은 배관의 중심에서 마찰저항이 가장 적고 벽쪽으로 갈수록 마찰저항이 커져 K 모양이 되며 속도는 배관의 중심에서 가장 빠르고 벽쪽으로 갈수록 느려져 D 모양이 된다.

●●● 32 뉴톤 유체는 다음 어느 것을 만족시키는 유체인가?

① PVs = RT
② F = ma
③ $\tau = \mu \dfrac{du}{dy}$
④ $\tau = \mu \dfrac{du}{dy} + Z$

해설
뉴튼유체는 뉴튼의 점성법칙을 만족하는 유체이다.

●●○ 33 비중 1.2인 유체의 동점도 (ν)가 2 stokes이면 절대점도는 얼마인가?

① 0.6 poise
② 1.67 poise
③ 1.2 poise
④ 2.4 poise

절대점도 $\mu = \rho \cdot \nu = 1.2\,\mathrm{g/cm^3} \times 2\,\mathrm{cm^2/s} = 2.4\,\mathrm{g/cm \cdot s} (= \mathrm{poise})$
• 비중 $S = \dfrac{\rho}{\rho_W}$ 이므로 $\rho = 1.2 \times 1\,\mathrm{g/cm^3} = 1.2\,\mathrm{g/cm^3}$
※ $\rho = 1{,}200\,\mathrm{kg/m^3} = 1{,}200 \times 1{,}000\,\mathrm{g}/(100)^3\mathrm{cm^3} = 1.2\,\mathrm{g/cm^3}$ 즉, 비중은 밀도의 CGS계 단위와 같다.
예 비중 1.6 → $\rho = 1.6\,\mathrm{g/cm^3}$ • 동점성계수 단위[stokes] = $[\mathrm{cm^2/s}]$

●●○ 34 어떤 액체의 동점성계수가 1 stokes이며, 비중량이 8×10^{-3} N/cm³이다. 이 액체의 점성계수 (N · s/cm²)는 얼마인가?

① 8.163×10^{-6} N · s/cm²
② 8.163×10^{-5} N · s/cm²
③ 8.163×10^{-4} N · s/cm²
④ 8.163×10^{-3} N · s/cm²

점성계수 $\mu = \rho \cdot \nu = 8.163 \times 10^{-6}\,\mathrm{N \cdot s^2/cm^4} \times 1\,\mathrm{cm^2/s} = 8.163 \times 10^{-6}\,\mathrm{N \cdot s/cm^2}$
• 밀도는 $\rho = \dfrac{\gamma}{g} = \dfrac{8 \times 10^{-3}\,\mathrm{N/cm^3}}{9.8 \times 100\,\mathrm{cm/s^2}} = 8.163 \times 10^{-6}\,\mathrm{N \cdot s^2/cm^4}$
• 1 stokes = 1 cm²/s

31 ② 32 ③ 33 ④ 34 ①

●●○ 35 25℃에서 물의 점성계수는 1.2×10^{-3} Pa·sec이었다. 해당 온도의 밀도가 0.9라면 동점성계수는 얼마인가?

① 1.33×10^{-3} m²/ sec　② 1.09×10^{-3} m²/ sec
③ 1.86×10^{-3} m²/ sec　④ 1.25×10^{-3} m²/ sec

해설

$$v(\text{동점성계수}) = \frac{\mu(\text{점성계수})}{\rho(\text{밀도})} = \frac{1.2 \times 10^{-3}\,\mathrm{N \cdot s/m^2}}{0.9\,\mathrm{N \cdot s^2/m^4}} = 1.33 \times 10^{-3}\,\mathrm{m^2/s}$$

- 점성계수 $= 1.2 \times 10^{-3}\,\mathrm{Pa \cdot s} = 1.2 \times 10^{-3}\,\mathrm{N \cdot s/m^2}$
- 밀도 $= 0.9\,\mathrm{N \cdot s^2/m^4}$

●●○ 36 점성계수가 0.9 poise이고 밀도가 960.4 N·sec²/m⁴인 유체의 동점성계수는 몇 stokes인가?

① 9.38×10^{-1}　② 9.38×10^{-2}　③ 9.38×10^{-3}　④ 9.38×10^{-4}

해설

$$v(\text{동점성계수}) = \frac{\mu(\text{점성계수})}{\rho(\text{밀도})} = \frac{0.9\,\mathrm{g/cm \cdot s}}{0.96\,\mathrm{g/cm^3}} = 0.938\,\mathrm{cm^2/s} = 9.38 \times 10^{-1}\,\mathrm{cm^2/s}$$

- 점성계수 $= 0.9\,\mathrm{g/cm \cdot s}$
- 밀도 $= 960.4\,\mathrm{N \cdot s^2/m^4} = 960.4\,\mathrm{kg/m^3} = 0.96\,\mathrm{g/cm^3}$

●●● 37 펌프의 동력 계산식 $P = \frac{\gamma \cdot Q \cdot H}{\eta} \cdot K$에서 γ은 무엇인가?

① 전달계수　② 효율　③ 비중량　④ 역률

해설

$$P(\text{축동력}) = \frac{\gamma(\text{비중량}) \cdot Q(\text{유량}) \cdot H(\text{양정})}{\eta(\text{효율})} \cdot K(\text{전달계수})$$

정답 35 ① 36 ① 37 ③

38 유량 1.2 m³/min, 전양정이 40 m인 원심펌프가 있다. 펌프의 축동력은? (단, 펌프의 효율은 55% 이다.)

① 7.13 kW ② 10 kW ③ 14.25 kW ④ 25 kW

$$P=\frac{9.8HQ}{60\cdot\eta}[\mathrm{kW}]=\frac{9.8\cdot 40\cdot 1.2}{60\cdot 0.55}=14.25\,[\mathrm{kW}]$$

39 전양정이 100 m이고 유량이 2.4 m³/min이고 펌프의 전동기 효율은 65%이다. 이때 펌프의 수동력(kW)은 얼마인가?

① 25.4 ② 35.6 ③ 39.2 ④ 42.8

수동력은 효율을 계산하면 안 된다. $P=\frac{9.8HQ}{60}[\mathrm{kW}]=\frac{9.8\cdot 100\cdot 2.4}{60}=39.2\,[\mathrm{kW}]$

40 유량 Q = 0.02 m³/sec, 길이 L = 80 m, 관경 D = 15 cm, 마찰손실계수 f = 0.01인 관을 통하여 높이 40m까지 양수할 경우 필요한 이론소요동력(HP)은 얼마인가? (K = 1.1)

① 11.67 HP ② 15 HP ③ 18.4 HP ④ 22.4 HP

해설

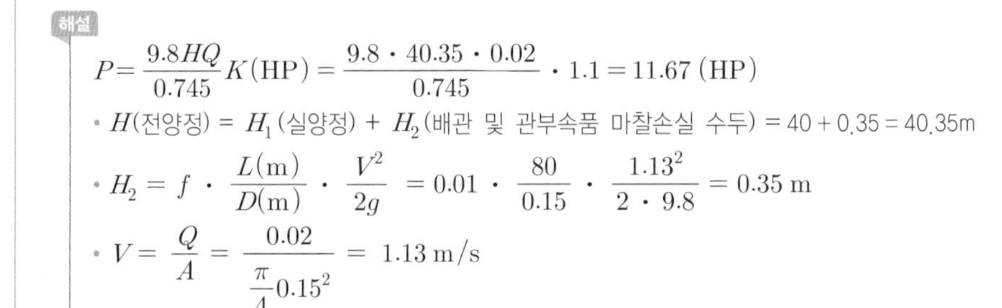

$$P=\frac{9.8HQ}{0.745}K(\mathrm{HP})=\frac{9.8\cdot 40.35\cdot 0.02}{0.745}\cdot 1.1=11.67\,(\mathrm{HP})$$

- H(전양정) = H_1(실양정) + H_2(배관 및 관부속품 마찰손실 수두) = 40 + 0.35 = 40.35m
- $H_2=f\cdot\frac{L(\mathrm{m})}{D(\mathrm{m})}\cdot\frac{V^2}{2g}=0.01\cdot\frac{80}{0.15}\cdot\frac{1.13^2}{2\cdot 9.8}=0.35\,\mathrm{m}$
- $V=\frac{Q}{A}=\frac{0.02}{\frac{\pi}{4}0.15^2}=1.13\,\mathrm{m/s}$

41 11층 사무실에 스프링클러 소화설비를 설치하려고 한다. 전양정 65 m, pump의 효율은 55%, 전동기의 전달계수는 1.1일 때 pump의 전동기 용량(kW)는 얼마인가?

① 46 ② 51 ③ 60 ④ 64

11층 이상의 건축물은 스프링클러 헤드 기준개수가 30개이므로 토출량은 2.4 m³/min이다.

$$P=\frac{9.8HQ}{60\cdot\eta}\cdot K[\mathrm{kW}]=\frac{9.8\times 65\times 2.4}{60\times 0.55}\times 1.1=50.96\,\mathrm{kW}\fallingdotseq 51\,[\mathrm{kW}]$$

정답 38 ③ 39 ③ 40 ① 41 ②

●●● **42** 옥외소화전이 3개 설치된 소방대상물의 전양정이 20 m, 효율은 55%일 때 펌프의 최소 전동기용량(kW)은 얼마인가? (단, 전달계수는 1.1이다)

① 4.57　② 5.58　③ 6.86　④ 12

옥외소화전 1개의 토출량은 0.35 m³/min 이며 3개 설치되어 있으나 펌프의 최소 토출량은 2개로 계산하므로 0.7 m³/min가 된다. $P=\dfrac{9.8HQ}{60 \cdot \eta} \cdot K[\mathrm{kW}]=\dfrac{9.8\times 20\times 0.7}{60\times 0.55}\times 1.1=4.57\ \mathrm{kW}$

●○○ **43** 배관 단면적이 0.018 m²인 원관 내 물이 압력 0.4 MPa, 유속 4.8 m/sec로 흐르고 있다. 수동력은 몇 PS(미터마력)인가?

① 32　② 47　③ 55　④ 60

$$P=\frac{\gamma HQ}{75}(\mathrm{PS})=\frac{1{,}000\times 40.79\times 0.0864}{75}=46.99\ \mathrm{PS}\fallingdotseq 47\ \mathrm{PS}$$

- $Q=A\cdot V=0.018\times 4.8=0.0864\ \mathrm{m^3/s}$
- $H=0.4\ \mathrm{MPa}\times\dfrac{10.332\ \mathrm{mAq}}{0.101325\ \mathrm{MPa}}=40.79\ \mathrm{m}$

●●● **44** 유량이 0.5 m³/min일 때 손실수두가 5 m인 관로를 통하여 50 m 높이 위에 있는 저수조로 물을 이송하고자 한다. 펌프의 효율이 90%라고 할 때 펌프에 공급해야 하는 축동력은 약 몇 kW인가?

① 3　② 4　③ 5　④ 5.5

$$P=\frac{9.8HQ}{60\cdot\eta}[\mathrm{kW}]=\frac{9.8\times 55\times 0.5}{60\times 0.9}\fallingdotseq 5\ \mathrm{kW}$$

$H=H_1$ (실양정) $+\ H_2$(배관 및 관부속품 마찰손실수두) $=50+5=55\ \mathrm{m}$

●●○ **45** 스프링클러 소화설비 가압송수장치의 펌프의 토출량 800 ℓ/min, 양정 50 m, 효율 65%, 전달계수 1.1인 경우 전동기 용량(HP)은 얼마가 적당한가?

① 10 HP　② 15 HP　③ 20 HP　④ 25 HP

$$P=\frac{\gamma HQ}{76\cdot 60\cdot\eta}\cdot K(\mathrm{HP})=\frac{1{,}000\cdot 50\cdot 0.8}{76\cdot 60\cdot 0.65}\cdot 1.1=14.84\mathrm{HP}\fallingdotseq 15\ \mathrm{HP}$$

정답 42 ① 43 ② 44 ③ 45 ②

46 소화펌프의 토출량이 48 m³/hr, 양정 50 m, 펌프효율 50%일 때 필요한 축동력은 약 몇 kW인가? (K = 1.1)

① 8.6 ② 9.75 ③ 10.7 ④ 13.06

해설

축동력은 전달계수를 계산하면 안 된다. $P=\frac{9.8HQ}{60\cdot\eta}[\text{kW}]=\frac{9.8\cdot 50\cdot\frac{48}{60}}{60\cdot 0.5}=13.06[\text{kW}]$

47 펌프에 의하여 유체에 실제로 주어지는 동력은? [단, P : 동력(kW), r : 물의 비중량(N/m³), Q : 토출량(m³/min), H : 전양정(m), g : 중력가속도(m/s²)]

① $P=\frac{\gamma\cdot Q\cdot H}{102\cdot 60}$

② $P=\frac{\gamma\cdot Q\cdot H}{1{,}000\cdot 60}$

③ $P=\frac{\gamma\cdot Q\cdot H\cdot g}{102\cdot 60}$

④ $P=\frac{\gamma\cdot Q\cdot H\cdot g}{1{,}000\cdot 60}$

해설

$P=\frac{\gamma\cdot Q\cdot H}{102\cdot 60}[\text{kW}]$ 에서 γ는 $\text{kg}_\text{f}/\text{m}^3$이다. 여기서 $\gamma[\text{kg}_\text{f}/\text{m}^3]\times 9.8=\gamma[\text{N}/\text{m}^3]$이므로

$\gamma[\text{kg}_\text{f}/\text{m}^3]=\frac{\gamma[\text{N}/\text{m}^3]}{9.8}$ 이것을 대입하면 $P=\frac{\gamma\cdot Q\cdot H}{9.8\cdot 102\cdot 60}[\text{kW}]=\frac{\gamma\cdot Q\cdot H}{1{,}000\cdot 60}[\text{kW}]$

48 거실제연급기 FAN의 풍량 Q = 50,000 CMH, 전압 P_t = 60 mmAq일 때 축동력(kW)은 얼마인가? (단, FAN의 효율은 60%, 전달계수는 1.1로 한다.)

① 9.5 ② 12.4 ③ 13.6 ④ 18.5

해설

P_t (전압=마찰손실)의 단위는 mmAq, Q(풍량)의 단위는 CMM[m³/min] 이다.

$P=\frac{P_t\cdot Q}{102\cdot 60\cdot\eta}[\text{kW}]=\frac{60\cdot 50{,}000/60}{102\cdot 60\cdot 0.6}\fallingdotseq 13.62[\text{kW}]$

※ P_t(mmAq)는 압력의 단위로 수계의 동력을 구하는 식에서 $\gamma[\text{kg}_\text{f}/\text{m}^3]\cdot H[\text{m}]$에 해당된다.
$\gamma[\text{kg}_\text{f}/\text{m}^3]\cdot H[\text{m}]=P[\text{kg}_\text{f}/\text{m}^2]$의 압력단위이기 때문이다.

정답 46 ④ 47 ② 48 ③

2. 유체의 성질과 법칙

유체는 기체와 액체로서 대표적인 수계 및 가스계 소화약제, 거실 및 전실 제연설비 등에 활용된다. 그 유체를 이송하여 소화하고, 연기를 제어하기 위하여 그 유체의 성질 및 특성을 알아야 할 것이다.

1 유체의 정의

전단응력(면적당 전단력) 하에서 아무리 작은 힘을 가해도 연속적으로 변형되는 물질(액체, 기체)

- **전단력** : 유체의 운동 방향과 평행한 면에 작용하는 힘이며 점성과 비례한다.
- **점성** : 유체가 운동(시간에 따라 위치가 변함)을 할 때 동일 분자 간 응집력과 다른 분자 간 부착력 등의 상호작용에 의해 마찰력을 유발시키는 물질의 성질로서 액체는 온도에 반비례 기체는 온도에 비례한다. 제연설비는 기체를 이용하기 때문에 온도가 상승하면 점성이 커져 원하는 풍량을 얻을 수 없게 되므로 열에 노출되는 덕트는 단열재를 하도록 되어 있다.

2 유체의 분류

(1) 밀도 변화에 따른 분류

① **압축성 : 주위의 변화(속도, 압력 등)에 따라 밀도가 변하는 유체(기체) – 체적이 변함**

② **비압축성 : 주위의 변화에 따라 밀도가 변하지 않는 유체(액체) – 체적이 변하지 않음**

(2) 점성과 압축성 유무에 따른 분류

① **이상유체 : 점성이 없고, 비압축성(부피의 변화가 없다) 유체**

② **실제유체 : 점성이 있고, 압축성인 유체**

(3) 점성계수에 의한 분류

① 뉴톤유체 : 점성계수가 불변하여 전단응력과 변형률(=속도구배)에 비례하는 유체
(뉴톤의 점성법칙을 만족하는 유체 : 물, 공기, 기름 등)

② 비뉴톤유체 : 속도 기울기에 따라 점성계수가 변하여 전단응력과 변형률에 비례하지 않는 유체(뉴톤의 점성법칙을 따르지 않는 유체 : 혈액, 페인트, 타르 등)

3 유체의 성질

압력은 유체와 접촉하는 벽면에 대하여 항상 수직으로 작용한다.

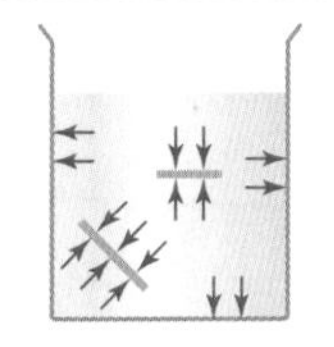

정지 유체 속에 있는 한 점에 미치는 압력의 세기는 어느 방향에서나 같다.
유체 속에서의 압력은 모든 방향으로 같게 작용한다.

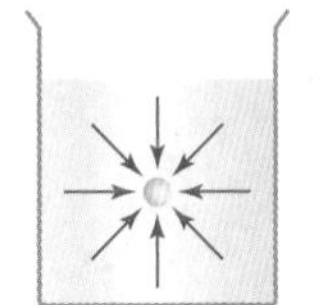

밀폐된 용기 내의 유체에 일부분의 압력을 가할 경우 그 압력은 유체 내 모든 부분에 그대로 전달된다.

- 파스칼의 원리(수압기) $P_1 = \frac{F_1}{A_1} = \frac{F_2}{A_2} = P_2$
- 면적이 달라도 두 지점의 압력이 동일한 원리를 이용하여 세팅하는 밸브가 프리액션밸브이며 힘의 원리를 이용하여 세팅하는 밸브가 드라이밸브이다.

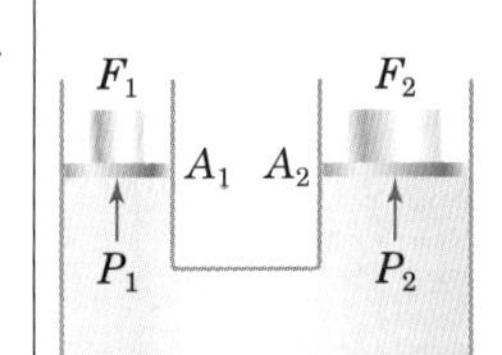

4 유체의 법칙

(1) 보일의 법칙, 샤를의 법칙, 보일 – 샤를의 법칙

보일의 법칙	온도가 일정할 때 기체의 부피는 절대압력에 반비례한다.	$P_1V_1 = P_2V_2$	
샤를의 법칙	압력이 일정할 때 기체의 부피는 절대온도에 비례한다.	$\frac{V_1}{T_1} = \frac{V_2}{T_2}$	
보일–샤를의 법칙	기체의 부피는 압력에 반비례하고, 절대온도에 비례	$\frac{P_1V_1}{T_1} = \frac{P_2V_2}{T_2}$	

(2) 아보가드로 법칙

① **온도 및 압력이 일정한 상태에서는 동일 체적 내에 있는 모든 기체의 분자수는 같다.**

② **모든 기체는 0℃, 1 atm에서 1 mol당 22.4 ℓ의 부피와** 6.023×10^{23} **분자수를 갖는다.**

③ **이상기체상태방정식**

$$PV = nRT \qquad PV = \frac{W}{M}RT$$

P : 압력[atm] V : 부피[m^3] n : 몰수[mol] W : 질량[kg]
M : 분자량[kg/mol] R : 기체상수 [atm·m^3 / mol·K] T : 절대온도[K]

④ **이상기체상태방정식의 R(기체상수)**

$$R = \frac{P \cdot V}{n \cdot T}[\,\mathrm{atm \cdot m^3/mol \cdot K}\,] = \frac{\mathrm{P \cdot M}}{\rho \cdot \mathrm{T}}$$

$$R = \frac{1\mathrm{atm} \cdot 22.4\ \mathrm{m}^3}{1\ \mathrm{mol} \cdot (0+273)K} = 0.082\ \mathrm{atm \cdot m^3/mol \cdot K}$$

$= 0.082\ \mathrm{atm} \cdot \ell\ /\mathrm{mol \cdot K}$

압력의 단위를 atm에서 $\mathrm{N/m^2}$변화시키면 1 atm은 101,325 Pa(= $\mathrm{N/m^2}$)이므로

≒ 8,314 N·m/mol·K ≒ 8,314 J/mol·K

⑤ **이상기체상태방정식의 기체상수의 단위**

$$PV = \frac{W}{M}RT = W\frac{R}{M}T \Rightarrow PV = W \cdot R' \cdot T$$

여기서 R'**의 값은 기체상수를 기체의 분자량으로 미리 나누어준 값**으로 공기의 경우
$R' = 8{,}314/29\ \mathrm{N \cdot m/kg \cdot K} = 286.69\ \mathrm{J/kg \cdot K}$

$PV = W \cdot R' \cdot T$이므로 $\Rightarrow PV_S = R'T \Rightarrow \frac{P}{\rho} = R'T$ 로도 응용이 가능하다.

⑥ **이상기체의 조건**

㉠ 어떤 한 기체는 많은 동일한 분자들로 구성된다. 분자 자체만의 총 부피는 기체 전체의 부피에서 무시할 정도로 작은 부분이다. **즉, 분자의 부피는 무시한다.**

㉡ **분자들은 뉴턴의 운동 법칙을 따른다.**

- 관성의 법칙
- 가속도의 법칙
- 작용과 반작용의 법칙

㉢ **이상 기체는 분자 사이의 인력이나 반발력이 작용하지 않는다.**
(작용시 부피의 변화를 가져온다.)

㉣ **모든 분자의 운동은 무작위적(random)이다.**
즉, 분자들의 운동 방향과 속력이 제각각이다.

㉤ **분자들은 서로 상호작용하지 않으며, 분자의 충돌은 완전탄성충돌이라 가정한다.**
– 비압축성

예제 01

Ideal Gas를 옳게 설명한 것은?

① 실제유체이다.
② 압축성 유체이다.
③ PV = nRT식을 만족하는 기체이다.
④ 분자간의 인력이 작용된 기체이다.

해답 ③

이상기체는 비압축성 및 비점성유체이다.

⑦ **실제기체가 이상기체상태방정식을 만족시킬 수 있는 조건**

㉠ **분자량(分子量)이 작고 분자간의 인력이 작을수록**

㉡ **압력(壓力)이 낮을수록 분자간의 거리가 멀어져 인력이 작아진다.**

㉢ **온도(溫度)가 높을수록 기체의 부피가 커져 분자간의 거리가 멀어져 인력이 작아진다.**

㉣ **비체적(比體積)이 클수록 즉, 단위 질량당 부피가 커질수록 이상기체의 조건을 만족할 수 있다.**

＊ **높은 온도와 낮은 압력에서는 기체의 부피가 커지고, 분자 사이의 거리가 멀어져 분자간의 인력이나 반발력이 무시할 정도로 작아지기 때문이다.**

예제 02

실제기체가 이상기체상태 방정식을 만족시킬 수 있는 조건으로 옳지 않은 것은?

① 분자간의 인력이 작아야 한다.
② 압력(壓力)이 높아야 한다.
③ 온도(溫度)가 높아야 한다.
④ 비체적(比體積)이 커야 한다.

해답 ②

압력(壓力)이 낮을수록 분자간의 거리가 멀어져 인력이 작아진다.

(3) 돌턴의 분압법칙

혼합기체가 차지하는 전체 압력(P_t)은 각성분의 분압의 합과 같다.

$$P_t = P_a + P_b + P_c \cdots \quad P_a = P_t \times a(\text{압력분율})$$

(4) 그레이엄의 확산속도법칙

기체의 확산속도는 일정한 온도 및 압력에서 그 기체의 분자량 (밀도)의 제곱근에 반비례

$$V \propto \frac{1}{\sqrt{M}} \quad V_1 : V_2 = \frac{1}{\sqrt{M_1}} : \frac{1}{\sqrt{M_2}} \quad V_2 / V_1 = \sqrt{M_1 / M_2} = \sqrt{\rho_1 / \rho_2}$$

예제 03

어떤 기체의 확산 속도가 이산화탄소의 2배였다면 그 기체의 분자량은 얼마인가?

① 11 ② 22 ③ 33 ④ 44

해답 ①

$V_2 / V_1 = \sqrt{M_1 / M_2} \Rightarrow 2 = \sqrt{\frac{44}{M_2}} \quad \therefore M_2 = 11$

(5) 파스칼의 원리

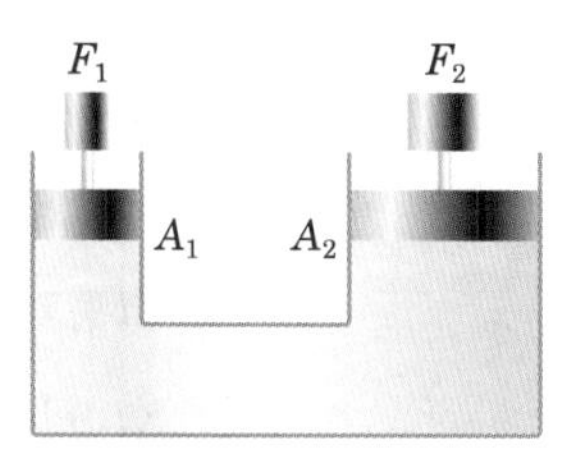

파스칼의 원리

① 밀폐된 용기속의 유체에 압력을 가하면 그 압력은 유체내의 모든 부분에 그대로 전달된다.

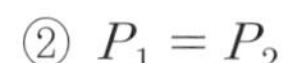

② $P_1 = P_2 \quad \therefore F_1 / A_1 = F_2 / A_2$

③ 파스칼의 원리를 이용하면 작은 힘으로 큰 무게를 들 수 있다.

예제 04

다음 그림과 같이 밀폐된 용기에 A_2의 단면적을 A_1의 5배로 하면 F_2는 F_1의 몇 배의 무게를 더 들 수 있는가?

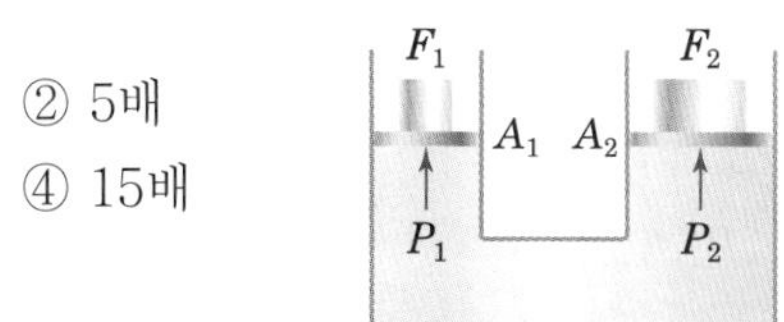

① 3배 ② 5배

③ 10배 ④ 15배

해답 ②

$P_1 = P_2$ 이고 $\frac{F_1}{A_1} = \frac{F_2}{A_2}$ 이므로 A_2가 $5A_1$이 되면 F_2는 $5F_1$이 되야 한다.

예제 05

예제 04번에서 "A_1과 A_2가 원의 면적을 가지고 있다."라고 가정하고 A_2의 지름을 2배 하면 F_2는 F_1 의 몇 배의 무게를 더 들 수 있는가?

① 2배 ② 4배 ③ 8배 ④ 16배

해답 ②

$A = \frac{\pi}{4}D^2$에서 $D \rightarrow 2D$ 라면 πD^2이 되므로 A_2의 면적은 4배 커졌으므로 4배의 힘을 더 들 수 있다.

(6) 아르키메데스의 원리

① 유체 중의 물체는 그 물체가 배제한 체적에 해당하는 유체의 무게만큼의 부력을 받는다.

부력 $\beta = \gamma \cdot V$ B(buoyancy) = W(중량=무게)

부력 B = γV γ : 유체의 비중량 V : 잠김 물체의 체적

중량 W = $\gamma_1 V_1$ γ_1 : 물체의 비중량 V_1 : 물체의 전체 체적

② 부력

물이나 공기 같은 유체에 잠긴 물체는 중력과 반대 방향인 수직방향으로 힘을 유체로부터 받게 되는데 이 힘을 부력이라 한다.

그림과 같이 높이가 h, 단면적 dA인 요소가 받는 힘 F_B는 $F_B = \int \gamma \cdot h \cdot dA = \int \gamma \cdot dV = \gamma V$

여기서 F_B는 부력, V는 물체의 잠긴 체적

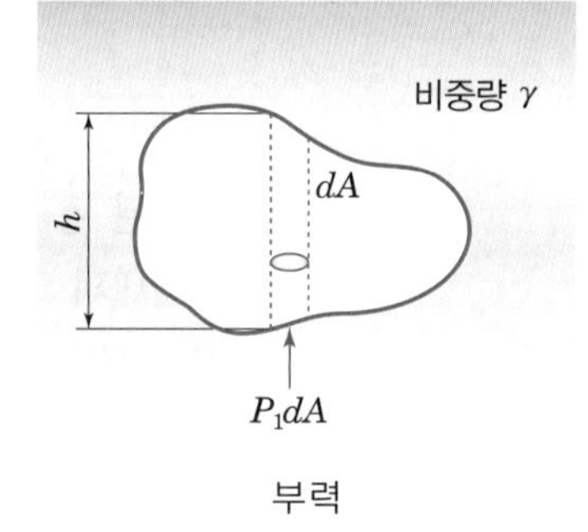

부력

예제 06

단면적이 30 cm²인 원통형의 물체가 물 위에 떠있다. 물체가 물 속에 잠긴 높이가 3 cm라면 물체의 무게(dyne)는 얼마인가?

① 22,050 ② 44,100 ③ 66,150 ④ 88,200

해답 ④

중량 W = $\gamma_1 V_1$ γ_1 : 물체의 비중량 V_1 : 물체의 전체 체적

부력 B = γV γ : 유체의 비중량 V : 잠김 물체의 체적

B = γV = 9.800 N/m³ × 3×10⁻³ m² × 0.03 m = 0.882 N = 88,200 dyne

∴ W = B이므로 W= 88,200 dyne이 된다.

예제 07

0.5 m^3의 부피를 가지고 있는 바위가 1,000 kg/m^3의 밀도를 가지고 있는 물 속에 완전히 잠겨 있다. 바위에 작용하는 부력은 몇 [N]인가?

① 500 N ② 980 N ③ 1,000 N ④ 4,900 N

해답 ④

바위가 가라앉아 있으므로 바위가 밀어낸 물의 부피는 0.5 m^3이므로

부력 $= \gamma V = \rho \cdot g \cdot V = 1{,}000\ kg/m^3 \times 9.8\ m/s^2 \times 0.5\ m^3$
$= 4{,}900\ kg \cdot m/s^2 = 4{,}900\ N$

(7) 체적탄성계수(Bulk modulus of elasticity)

① **유체가 힘(압력)을 받았을 때, 압축이 되는 정도를 나타내는 상수**
체적탄성계수 = 압력변화량/체적변화율

② **스프링계수가 클수록 힘에 비해 길이가 잘 줄어들지 않는 것과 마찬가지로 체적탄성계수가 클수록 잘 압축이 되지 않는 유체임**을 나타낸다.

③ 압력 P, 체적 V인 유체에 압력을 ΔP만큼 증가시켰을 때 체적이 ΔV 만큼 감소한다는 것은 $\Delta p \propto \frac{\Delta V}{V}$ 이 되며 유체의 종류에 따라 압축률이 달라지므로 원래대로 돌아가려는 탄성을 의미하는 체적탄성계수를 고려하면 $\Delta p = K \cdot -\frac{\Delta V}{V}$ 이 된다.

따라서 체적탄성계수는 아래와 같다.

$$K = -\frac{\Delta p}{\frac{\Delta V}{V}} = \frac{\Delta p}{\frac{\Delta \rho}{\rho}}\ [N/m^2]$$

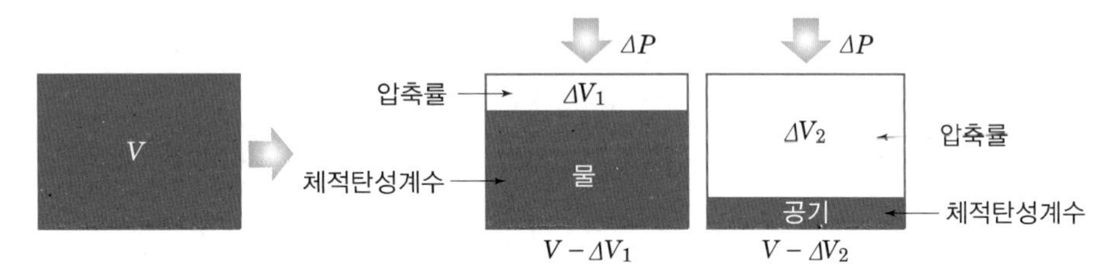

비압축성 유체일수록 체적탄성계수는 크고 압축률은 작다.

④ **압축률**(modulus of compressibility) : β

체적탄성계수 K의 역수 → $\beta = \frac{1}{K} = -\frac{\frac{\Delta V}{V}}{\Delta P}$

실전 예상문제

●○○ 01

실제유체란 어느 것인가?

① 이상 유체를 말한다.
② 유동시 마찰이 존재하는 유체
③ 마찰 전단응력이 존재하지 않는 유체
④ 비점성 유체를 말한다.

해설

이상 유체 : 비압축성, 비점성의 유체　　실제 유체 : 압축성, 점성이 있는 유체

●●● 02

이상유체란 무엇을 가리키는가?

① 점성이 없고 비압축성인 유체
② 점성이 없고 PV = RT를 만족시키는 유체
③ 비압축성 유체
④ 점성이 없고 마찰손실이 없는 유체

해설

이상 유체 : 비압축성, 비점성의 유체

●●● 03

이상기체에 대한 설명으로 틀린 것은?

① 아보가드로의 법칙을 만족하는 기체
② 내부에너지는 체적에 무관하여 온도에 의해서만 변화한다.
③ 기체 입자는 완전 탄성체이다.
④ 기체 분자 자신의 부피를 고려한 기체이다.

해설

- 기체에 비해 분자의 부피는 무시할 정도로 작아 부피는 고려하지 않는다.
- 이상기체상태 방정식 $PV = nRT$에서 PV는 압력 × 체적으로 N·m의 단위를 가진다. 즉 일, 에너지의 단위이다. 따라서 계 내에서의 내부에너지는 nRT에 변화하는데 T가 온도이다.

●●○ 04

실제 기체가 이상 기체 상태 방정식에 잘 맞을 조건은 무엇인가?

① 고온, 고압　② 고온, 저압　③ 저온, 고압　④ 저온, 저압

해설

실제 기체가 이상기체 상태방정식에 맞을 조건은 높은 온도와 낮은 압력을 가져야 한다. 이유는 기체의 부피가 커지고, 분자 사이의 거리가 멀어져 분자간의 인력이나 반발력이 무시할 정도로 작아져야 하기 때문이다.

1. 온도는 높고, 압력이 낮을수록
2. 분자간의 인력이 작을수록
3. 분자량이 작을수록 이상기체 상태방정식에 잘 맞음

정답　01 ②　02 ①　03 ④　04 ②

05 다음 설명 중 완전 기체에 해당하는 것은?

① P=ρRT를 만족하는 기체
② PV=RT를 만족하는 기체
③ PV=ZRT를 만족하는 기체
④ 온도가 낮고 압력이 낮아지면 완전 기체의 성질이 나타난다.

해설

$PV= WRT \rightarrow P=\frac{W}{V}RT=\rho RT$ 　여기서 $R=\frac{PV}{WT}$ [atm ·ℓ/g·K]

R(기체상수) 단위의 분모에 g에 주의!!!! 즉 mol 이 없다면 $PV= WRT$ 식으로 풀고
R(기체상수) 단위의 분모가 mol 인 경우 $PV=nRT$ 식으로 풀어야 함.

06 어떤 가스의 기체상수 R = 0.082 atm·m^3 / mol·K을 J / mol·K로 환산하면 얼마인가?

① 4,134　② 6,801　③ 8,314　④ 9,624

해설

$R = 0.082\,\text{atm}\cdot\text{m}^3/\text{mol}\cdot K = 8{,}314\,\text{N}\cdot\text{m}/\text{mol}\cdot K = 8{,}314\,\text{J}/\text{mol}\cdot\text{K}$

07 이상기체 상태방정식에 포함되어 있는 기체상수(R)와 관계가 없는 것은?

① 달톤의 분압법칙과 그레이엄의 확산속도법칙을 만족한다.
② 1 kg의 기체를 1 K만큼 정압 가열했을 때 기체의 팽창에 따른 일의 양을 뜻한다.
③ 절대온도의 반비례하고 절대압력과 비체적에 비례한다.
④ 아보가드로의 법칙을 만족한다.

해설

1. 달톤의 분압법칙(혼합기체가 차지하는 전체 압력은 각성분의 분압의 합과 같다.)은 기체상수와 관계가 없다.
   $P_t = P_a + P_b + P_c \cdots$　　$P_a = P_t \times a$ (압력분율)
2. ②번의 의미는 기체상수
   $R=\frac{P\cdot V}{n\cdot T}$ [atm ·m^3/(mol·K) = N/m^2·m^3/(mol·K) = N ·m/(mol·K)]
   단위를 보면 분자는 일(에너지)의 단위이며 분모는 1 mol을 1 K 가열함을 말한다.
   ③ $R=\frac{P\cdot V}{n\cdot T}$[atm ·m^3/(mol·K)] $=\frac{P\cdot M}{\rho\cdot T}=\frac{P\cdot M\cdot V_S}{T}$,　V_S : 비체적

08 25℃, 4 ℓ, 1 atm의 공기를 같은 압력 하에서 323℃로 하였을 때 부피는 몇 ℓ인가?

① 4　② 8　③ 12　④ 16

해설

샤를의 법칙 $\frac{V_1}{T_1}=\frac{V_2}{T_2}$　$\frac{4}{25+273}=\frac{V_2}{323+273}$　$\therefore V_2 = 8\,\ell$

정답 05 ①　06 ③　07 ①　08 ②

09 1 kg의 액화 이산화탄소가 20℃에서 대기 중에서 방출될 경우 부피는 몇 ℓ가 되겠는가?

① 537 ② 546 ③ 564 ④ 592

$PV = nRT \rightarrow 1 \cdot V = \frac{1{,}000}{44} \cdot 0.082 \cdot (273 + 20)$ $\therefore 546\ \ell$

※ 부피가 ℓ일 때의 질량의 단위는 g이다.

10 이상기체 상태방정식 PV = nRT에서 기체상수 R의 계수로서 맞는 것은? (단, R의 단위는 J/mol · K이다.)

① 8.314×10^1 ② 8.314×10^2

③ 8.314×10^3 ④ 8.314×10^4

R : 기체상수 $0.0820512\ \text{atm} \cdot \text{m}^3/\text{mol K} = 0.0820512 \times 101{,}325\ \text{J/mol K}$
$= 8.314 \times 10^3\ \text{J/mol K}$

• $1\ \text{atm} \cdot \text{m}^3 = 101{,}325\ \text{pa} \cdot \text{m}^3 = 101{,}325\ \text{N/m}^2 \cdot \text{m}^3 = 101{,}325\ \text{N} \cdot \text{m} = 101{,}325\ \text{J}$

11 어떤 기체를 20℃에서 등온 압축하여 압력이 0.5 MPa에서 1 MPa으로 변할 때 처음과 나중의 체적비는 얼마인가?

① 1 : 1 ② 2 : 1 ③ 5 : 1 ④ 10 : 1

보일의 법칙 $P_1 V_1 = P_2 V_2$에서 $0.5 \cdot V_1 = 1 \cdot V_2$ $\therefore V_1 = 2,\ V_2 = 1$

12 이산화탄소 소화약제가 대기 중에서 2.5 kg 방출되었다. 대기의 온도가 25℃일 경우, 방출된 이산화탄소의 체적(ℓ)은 얼마인가?

① 683 ② 803 ③ 1,206 ④ 1,388

해설

$PV = nRT \rightarrow 1 \cdot V = \frac{2{,}500}{44} \cdot 0.082 \cdot (273 + 25)$ $\therefore V = 1{,}388\ \ell$

정답 09 ② 10 ③ 11 ② 12 ④

13 이산화탄소의 온도가 20℃, 760 mmHg에서 체적이 15 m^3이라면, 50℃, 160.72 kPa에서의 체적(m^3)은 얼마인가?

① 8.24 ② 9.16 ③ 10.4 ④ 14.2

보일샤를의 법칙 $\frac{P_1V_1}{T_1} = \frac{P_2V_2}{T_2} \rightarrow \frac{760 \times 15}{273+20} = \frac{1,205.5 \times V_2}{273+50}$ $\therefore V_2 = 10.42\ m^3$

$160.72\,kPa \times \frac{760\ mmHg}{101.325\ kPa} = 1,205.5\ mmHg$

14 일정한 온도 및 압력에서 기체의 확산속도 법칙을 옳게 설명한 것은?

① 기체의 분자량(밀도)의 제곱근에 반비례하는 법칙
② 기체의 분자량(밀도)에 반비례하는 법칙
③ 기체의 분자량(밀도)의 제곱근에 비례하는 법칙
④ 기체의 분자량(밀도)에 비례하는 법칙

기체의 확산속도 법칙 : 일정한 온도 및 압력에서 기체의 분자량(밀도)의 제곱근에 반비례하는 법칙

$V \propto = \frac{1}{\sqrt{M}}$

15 수압기의 피스톤의 직경이 각각 45 cm와 15 cm이다. 작은 피스톤에 14.7 N의 힘을 가하면 큰 피스톤에는 몇 N의 하중을 올릴 수 있겠는가?

① 58.8 ② 132.3 ③ 235.2 ④ 367.5

파스칼의 원리

$P_1 = P_2 \rightarrow \frac{F_1}{A_1} = \frac{F_2}{A_2}$ 에서 면적을 직경으로 나타내면 $\frac{F_1}{D_1^2} = \frac{F_2}{(D_2)^2}$ 이 되며

15 cm와 45 cm는 3배의 관계가 있으므로 $\frac{14.7}{D_1^2} = \frac{F_2}{(3D_1)^2}$ $\therefore F_2 = 132.3\ N$

원의 직경이 2배 늘어나면 면적은 4배가 되고 3배 늘어나면 9배가 되며 4배 늘어나면 16배 즉 직경의 제곱에 비례하여 면적은 커진다.

정답 13 ③ 14 ① 15 ②

●○○ **16** **유체 속에 잠겨진 물체에 작용되는 부력의 크기는?**

① 물체의 중력과 같다. ② 물체의 질량과 같다.
③ 물체의 질량×중력가속도의 크기와 같다. ④ 물체의 질량×가속도의 크기와 같다.

유체 속에 잠겨진 물체에 작용되는 부력의 크기는 그 물체에 의해서 배제된 액체의 무게와 같으며 물체의 무게와 같다.
W = γV = B(buoyancy) γ : 물체의 비중량 V : 물체의 전체 체적
중량 $W = \gamma V = \rho[kg/m^3] \times g[m/s^2] \times V[m^3] = m\,g[kg \cdot m/s^2]$

●○○ **17** **비중이 1.2인 해수에 전체 부피의 10%가 밖에 떠 있는 물체가 있다. 이 물체의 비중은 얼마인가?**

① 0.875 ② 1.08 ③ 1.96 ④ 2.1

부력 $B = \gamma_1 \cdot V_1 = S_1 \cdot \gamma_w \cdot V_1$ (배제된 액체의 체적 = 잠긴체적)
$= 1.2 \times 9{,}800\,N/m^3 \times 90\,m^3 = 1{,}058{,}400\,N$
물체의 무게 $W = S \cdot \gamma_w \cdot V = S$(물체의 비중) $\cdot\, 9{,}800\,N/m^3 \cdot 100\,m^3$ (물체의 전체부피)
부력과 물체의 무게는 동일하므로 $1{,}058{,}400\,N = S \cdot 9{,}800 \cdot 100$ $\therefore\ S = 1.08$

●○○ **18** **비중이 0.8인 물체를 물에 띄우면 전체 체적의 몇 %가 물속에 잠기는가?**

① 20% ② 40% ③ 80% ④ 100%

물의 부력 $B = \gamma_1 \cdot V_1 = 9{,}800\,N/m^3 \times V_1$ (잠긴체적)$m^3 = 9{,}800\,V_1$
물체의 무게 $W = S \cdot 9{,}800\,N/m^3 \cdot V$(전체 부피)$m^3 = 0.8 \times 9{,}800 \times 100\ m^3$
부력과 물체의 무게는 동일하므로 $9{,}800 \cdot V_1 = 784{,}000$
$\therefore\ V_1 = 80\ m^3$ 즉 전체를 $100\,m^3$으로 계산했기 때문에 80%가 잠긴다.

●○○ **19** **체적탄성계수 설명으로 옳은 것은?**

① 압력에 따른 부피의 변화율을 말한다.
② 압력차원의 역수이다.
③ 비압축성 유체보다 압축성 유체일 때가 크다.
④ 모든 유체의 체적탄성계수는 동일하다.

해설

$\Delta p \propto \dfrac{\Delta V}{V}$ 압력이 증가함에 따라 부피의 감소를 말하며 이는 그 유체의 고유 성질의 값에 따라 다르다.
그 것이 체적탄성계수를 의미한다. $\Delta P = -K\dfrac{\Delta V}{V}$ $\therefore\ K = -\dfrac{\Delta p}{\dfrac{\Delta V}{V}}[N/m^2]$

정답 16 ③ 17 ② 18 ③ 19 ①

20

체적탄성계수 K=176.4 kPa의 유체를 상온에서 체적의 $\frac{1}{100}$ 만큼 압축하는데 필요한 압력은 몇 kPa 인가?

① 1.764 ② 17.64 ③ 176.4 ④ 1764

해설

$$K = \frac{\Delta P}{-\frac{\Delta V}{V}}[N/m^2] \rightarrow \Delta P = -K \cdot \frac{\Delta V}{V} = 176.4 \times 0.01 = 1.764\ kPa$$

−의 의미는 부피가 감소함을 의미한다.

21

배관 속의 유체에 압력을 가했더니 체적이 0.6% 감소하였다. 이때 가해진 압력은 약 얼마인가? (단, 물의 압축률 $45 \times 10^{-6}\ m^2/N$이다.)

① $100\ N/m^2$ ② $133\ N/m^2$
③ $145\ N/m^2$ ④ $600\ N/m^2$

해설

압축률은 체적탄성계수의 역수이다. 압축률 $B = \frac{-\frac{\Delta v}{V}}{\Delta p}$

$$\therefore \Delta p = \frac{-\frac{\Delta v}{V}}{B} = \frac{0.006}{45 \times 10^{-6}} = 133.33\ N/m^2$$

- 0.6% 감소는 100에서 0.6 감소한 것이므로 0.6/100 = 0.006이 된다.

22

압축률에 대한 설명으로 틀린 것은?

① 유체의 체적 감소는 밀도의 감소와 같은 뜻을 가진다.
② 압축률은 체적탄성계수의 역수이다.
③ 압축률은 단위압력 변화에 대한 체적의 변화율을 의미한다.
④ 압축률이 작은 것은 압축하기 어렵다.

해설

밀도$(\rho) = \frac{질량(kg)}{체적(m^3)}$ 이므로 유체의 체적감소는 밀도의 감소가 아닌 증가와 같은 뜻이다.

정답 20 ① 21 ② 22 ①

3. 유체의 운동

1 정상류와 비정상류

(1) 정상류(steady flow)

① 임의의 한 점에서 온도, 속도, 압력, 밀도 등의 값이 시간의 변화에 따라 변하지 않는 흐름

암기+ 정상류 – 시간에 따라 티비프로($TVP\rho$) (TV 프로)가 변하지 않는 흐름

$$\frac{\alpha T}{\alpha t}=0 \qquad \frac{\alpha v}{\alpha t}=0 \qquad \frac{\alpha p}{\alpha t}=0 \qquad \frac{\alpha \rho}{\alpha t}=0$$

(2) 비정상류(unsteady flow)

① 임의의 한 점에서 온도, 속도, 압력, 밀도 등의 값이 시간의 변화에 따라 변화하는 흐름

$$\frac{\alpha T}{\alpha t}\neq 0 \qquad \frac{\alpha v}{\alpha t}\neq 0 \qquad \frac{\alpha p}{\alpha t}\neq 0 \qquad \frac{\alpha \rho}{\alpha t}\neq 0$$

2 연속방정식(질량보존의 법칙)

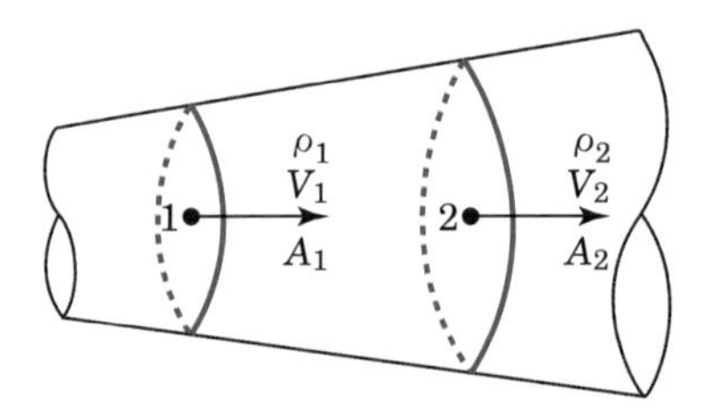

(1) 질량유량

① 1의 지점에서 미소거리 ds_1, 2의 지점에서의 미소거리 ds_2 만큼 일정시간동안 흘렀다면 질량보존의 법칙에 따라 $\rho_1 A_1\, ds_1 = \rho_2 A_2\, ds_2$ 이 되고 양변을 시간에 대해 미분시키면 $ds_1/dt = v_1$, $ds_2/dt = v_2$ 이므로

$$M = \rho_1 A_1 V_1 = \rho_2 A_2 V_2 \text{ [kg/s]} \qquad \rho: \text{밀도[kg/m}^3\text{]},\ A: \text{면적[m}^2\text{]},\ V: \text{유속[m/s]}$$

(2) 중량유량

$$G = \gamma_1 A_1 V_1 = \gamma_2 A_2 V_2 \text{ [kg}_f\text{/s]} \qquad \gamma: \text{비중량[kg}_f\text{/m}^3\text{]}$$

(3) 체적유량

$$Q = A_1 V_1 = A_2 V_2 \text{ [m}^3\text{/s]}$$

예제 01

연속방정식(continuity equation)의 설명에 대한 이론적 근거가 되는 법칙은?

① 에너지 보존의 법칙 ② 질량보존의 법칙
③ 뉴톤의 운동 제2법칙 ④ 관성의 법칙

 ②

3 오일러의 운동방정식(Euler's equation of motion)

① 정의 : 시간에 대해 공간의 각점 흐름의 상태를 살피는 운동방정식
② 조건 : 정상 유동, 유선을 따라 입자가 운동, 비점성 유체(마찰이 없는 유체)
③ $dP/\rho + vdv + gdz = 0$

양변을 g로 나누면 → $\frac{dp}{\gamma} + \frac{vdv}{g} + dz = 0$

오일러의 운동방정식을 적분하면 베르누이의 방정식이 된다.

4 베르누이 방정식(에너지 보존의 법칙)

배관내 어느 지점에서든지 유체가 갖는 역학적에너지(압력에너지, 운동에너지, 위치에너지)는 같다.

(1) 조건

정상유동(정상류), 유선을 따라 입자가 이동, 비점성유체(마찰이 없는 유체), 비압축성유체

+암기 정 유 점 압(정육점에는 오일러가 있고 정육점 앞에는 베르누이가 서 있다)

(2) 베르누이 방정식의 분류

① 에너지로 표현한 베르누이 정리

에너지로 표현(압력E + 운동E + 위치E = 일정)

PV(압력에너지) + $\frac{1}{2}mv^2$ (운동에너지) + mgz (위치에너지) = const $[kg_f \cdot m]$

압력에너지	$\int Fds = \int (PA)ds = \int Pdv = PV$	$\because F = PA,\ Ads = dv$
운동에너지	$\int Fds = \int (ma)ds = \int (m\frac{dv}{dt})ds = \int m\frac{ds}{dt}dv$ $\int mvdv = \frac{1}{2}mv^2$	$\because F = ma$ $a[m/s^2 = m/s \cdot 1/s] = \frac{V}{t}$
위치에너지	$\int Fds = \int (mg)ds = mgs = mgz$	$\because F = mg,\ s = z$

• F·ds는 힘과 거리로서 일, 에너지를 말한다.

② 수두로 표현한 베르누이 정리(압력수두 + 속도수두 + 위치수두 = 일정)

수두로 표현(압력수두 + 속도수두 + 위치수두 = 일정)

$$\frac{P}{\gamma}(\text{압력수두})+\frac{v^2}{2g}(\text{속도수두})+z(\text{위치수두})=\text{const}[\text{m}]$$

에너지로 표현한 베르누이 방정식인 $PV+\frac{1}{2}mv^2+mgz=\text{const}$에서

양변을 mg로 나누면 $\frac{P}{\gamma}+\frac{v^2}{2g}+Z=\text{const}[\text{m}]$

③ 압력으로 표현한 베르누이 정리

$P+\frac{\rho V^2}{2}+rZ$
$=C[\text{N/m}^2]$

압력으로 표현(정압 + 동압 + 낙차압 = 일정)

$$P(\text{정압})+\frac{V^2}{20g}(\text{동압})+\frac{1}{10}Z(\text{낙차압})=\text{const}[\text{kg}_f/\text{cm}^2]$$

예제 02

2kg인 물체가 3m/s의 속도를 가지게 되었다. 한 일은 얼마인가?

① 3J　　② 6J
③ 9J　　④ 12J

해답 ③

$\int F\,ds=\int m\cdot a\,ds=m\int a\,ds=m\int\frac{m}{s}\frac{1}{s}\,ds=m\int v\frac{ds}{dt}=\frac{1}{2}mv^2$ 이므로

$\therefore \frac{1}{2}\times 2\times 3^2=9\ J$

Point

전압, 정압, 동압

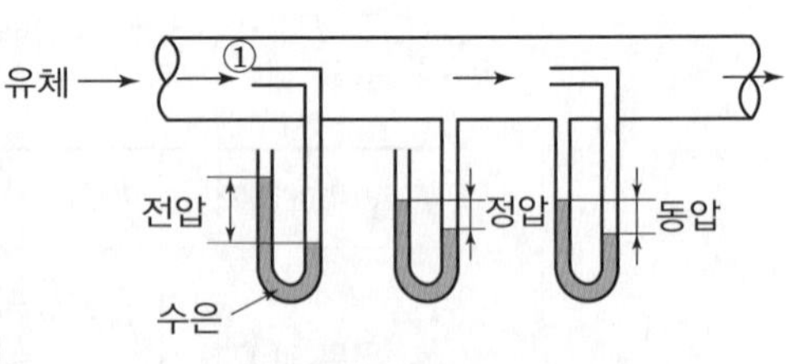

(1) 정압(P_n)

관벽에 미치는(수직으로 작용) 압력

(2) 전압(P_t) = 정압 + 동압

전압의 그림에서 피토관 내부에는 유체가 차 있으므로 정압이 존재하며 유체가 흐를 경우 ①의 부분에 압력이 가해지는데 흐르는 유체에 가해진 압력이 동압이다. 따라서 정압과 동압이 모두 존재하는 전압이다.

(3) 동압(P_v) – 속도에너지에 의해 발생하는 압력

동압의 그림을 보면 주배관에 2개의 배관이 연결되어 있는데 앞의 배관에는 관벽에 미치는 정압이 존재하고 뒤의 배관에는 전압과 같이 동압과 정압이 동시에 존재한다. 즉 앞과 뒤 배관에 미치는 정압은 동일하여 상쇄되므로 동압만 남게 된다.

(3) 신 베르누이 정리

마찰손실을 고려한 베르누이 정리이다.

$$\frac{P_1}{\gamma}+\frac{V^2}{2g}+Z_1=\frac{P_2}{\gamma}+\frac{V_2^2}{2g}+Z_2+h_1$$ ← **실제 유체에서는 마찰손실(h_1)이 발생한다.**

(4) 에너지(경사)선과 동수경사선

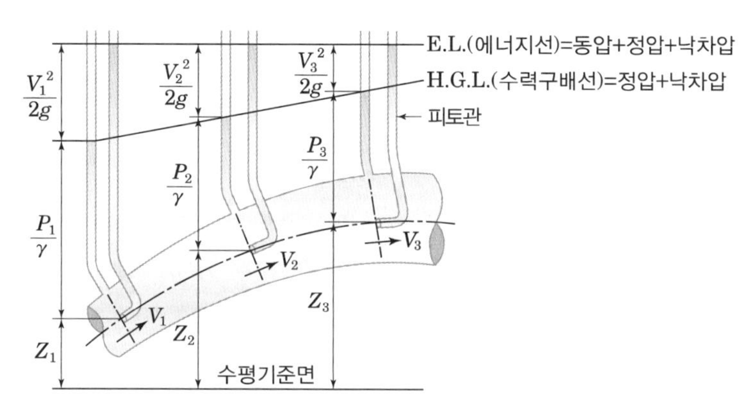

① 에너지 (경사)선

운동에너지, 압력에너지, 위치에너지의 합 $E.L=\frac{v^2}{2g}+\frac{p}{\gamma}+Z$를 연결한 선

② 수력구배선(동수경사선)

㉠ 압력에 따라 흐르는 물의 위치가 구배가 진다는 의미로서
위치에너지와 압력에너지의 합인 $Z+\frac{p}{\gamma}$ 를 연결한 선이 된다.

㉡ 수력구배선은 액주계의 해당 높이인 정압(배관에 설치된 압력계의 압력)의 연결선이 된다.

③ 피토관으로 측정한 압력

㉠ **배관의 중심의 위치에서 피토관으로 측정한 압력**은 정압과 동압의 합인 **전압**이 된다.

㉡ 따라서 피토관에서 측정한 압력인 **전압과 낙차압을 합하면 에너지선**이 된다.

5 베르누이 정리 응용

(1) 옥내소화전, 스프링클러의 방사량

① **압력으로 표현한 베르누이 방정식** $P+\frac{V^2}{20g}+0.1Z=C$**에서 소화수 방출시에는 동압만 존재**하므로 $P_v=\frac{V^2}{20g}[\mathrm{kg_f/cm^2}]$, $V=\sqrt{20\cdot g\cdot P_v}=14\sqrt{P_v}$ 이고

이를 $Q=AV$에 대입하면 $Q[\mathrm{m^3/s}]=\frac{\pi}{4}D^2[\mathrm{m^2}]\times 14\sqrt{P_v[\mathrm{kg_f/cm^2}]}$ ········· (1)

여기서 $Q[\mathrm{m^3/s}]\rightarrow q[\ell/\mathrm{min}]$으로 $D[\mathrm{m}]\rightarrow d[\mathrm{mm}]$로 단위 변환시키면

※ $Q[\mathrm{m^3/s}]\times\frac{1{,}000}{\frac{1}{60}}=q[\ell/\mathrm{min}]$ $\quad\therefore Q[\mathrm{m^3/s}]=\frac{q[\ell/\mathrm{min}]}{60{,}000}$

※ $D^2[\mathrm{m^2}]\times(1{,}000)^2=d^2[\mathrm{mm^2}]$ $\quad\therefore D^2[\mathrm{m^2}]=\frac{d^2}{1{,}000^2}[\mathrm{mm^2}]$

변환한 단위를 (1)식에 대입하면

$$\frac{q}{60{,}000}[\ell/\mathrm{min}]=\frac{\pi}{4}\cdot\frac{d^2}{1{,}000^2}[\mathrm{mm^2}]\times 14\sqrt{P_v[\mathrm{kg_f/cm^2}]}$$

$$\therefore q[\ell/\mathrm{min}]=0.6597\,d^2[\mathrm{mm^2}]\sqrt{P_v\,[\mathrm{kg_f/cm^2}]}$$

유량계수 = $\frac{\text{실제유량}}{\text{이론유량}}$

② **옥내소화전 흐름(유량)계수 C = 0.99를 적용하면**

$$q=C\cdot 0.6597d^2\sqrt{P_v}=0.653d^2\sqrt{P_v}=0.653\,d^2\sqrt{10P\,(\mathrm{MPa})}$$

여기서 P_v는 노즐에서 나오는 물의 압력을 피토게이지로 측정한 동압이다.

※ 옥내소화전 내경은 13 mm, 옥외소화전 내경은 19 mm이다.

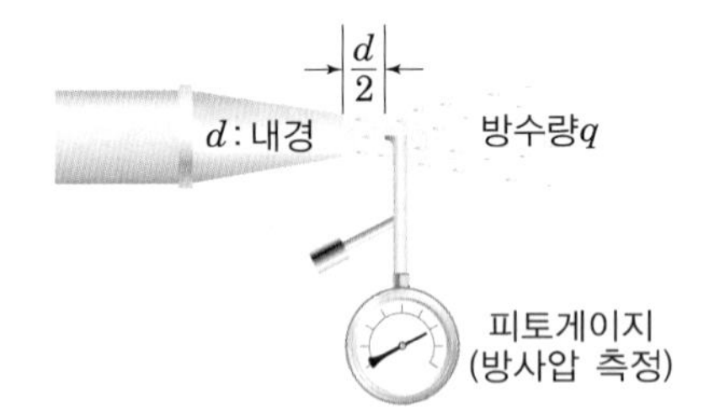

③ **스프링클러 흐름계수 C=0.75, 노즐(헤드)직경 d = 12.7 mm이므로 방수량** q**는**

$$q=0.75\times 0.6597\times 12.7^2\sqrt{P_v}\fallingdotseq 80\sqrt{P_v}=80\sqrt{10P\,(\mathrm{MPa})}$$

따라서 스프링클러 헤드 1개의 유량계수는 방수압력이 0.1 MPa일 때 약 80 ℓ/min 정도가 된다.

(2) 제연설비 누설량 공식

$$\frac{P_1}{\gamma}+\frac{v_1^2}{2g}+Z_1=\frac{P_2}{\gamma}+\frac{v_2^2}{2g}+Z_2$$

위치에너지 $Z_1=Z_2$이고

속도는 $V_1 \ll V_2 \Rightarrow V_1 \fallingdotseq 0$ 이므로

$$\frac{P_1-P_2}{\gamma}=\frac{V_2^2}{2g},\quad V_2=\sqrt{\frac{2g\Delta P}{\gamma}}=\sqrt{\frac{2g\Delta P}{\rho g}}=1.29\sqrt{\Delta P}$$

부속실
옥내
P_1, V_1
P_2, V_2
vena contracta

(20℃에서의 공기의 밀도는 1.2이며 ΔP는 차압이 된다.)

여기서 공기의 흐름계수 C = 0.641를 적용하여

$$Q=C\cdot A\cdot V = 0.641\times A\times 1.29\sqrt{\Delta P} = 0.827A\sqrt{\Delta P}\ [\mathrm{m^3/s}]$$

A : 누설틈새 면적[m^2]

(3) 토리첼리 정리

①과 ② 지점의 에너지 보존의 법칙을 적용하여

$$\frac{P_1}{\gamma}+\frac{V_1^2}{2g}+Z_1=\frac{P_2}{\gamma}+\frac{V_2^2}{2g}+Z_2 \text{ 에서}$$

$P_1=P_2=$ 대기압, $V_1 \ll V_2$이므로 $V_1 \fallingdotseq 0$, $Z_1-Z_2=h$

$$h=\frac{V_2^2}{2g}$$

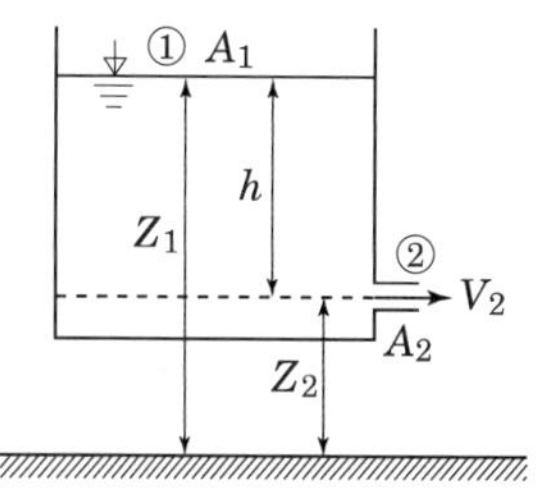

$$\therefore\ V_2=\sqrt{2gh}$$

예제 03

다음 그림은 수조에서 물이 방출되고 있는 그림이다. 수조의 높이는 점선에서 D 지점으로 하강한 상태이다. 이때의 파이프 끝의 C 점에서의 유출속도는 얼마인가? (단, 마찰 손실수두는 무시한다.)

① 3.1 ② 6.2
③ 7.7 ④ 9.9

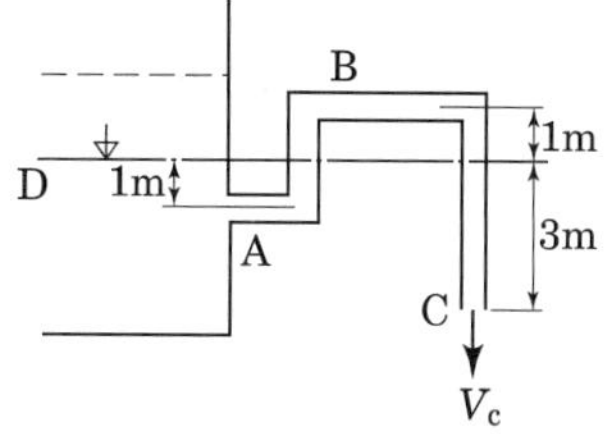

해답 ③

$V=\sqrt{2gh}$ 이므로

$V=\sqrt{2\cdot 9.8\cdot 3}=7.668 \fallingdotseq 7.7\,\mathrm{m/s}$

* h는 수조의 수면에서 유출구까지의 높이 임을 명심해야 한다.

(4) 벤츄리미터 방정식

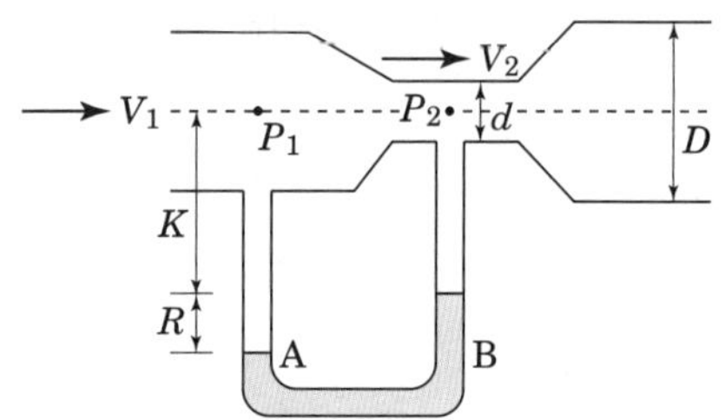

$$\frac{P_1}{\gamma}+\frac{V_1^2}{2g}+Z_1=\frac{P_2}{\gamma}+\frac{V_2^2}{2g}+Z_2$$

위치에너지는 $Z_1 = Z_2$이므로

$$\frac{V_2^2-V_1^2}{2g}=\frac{P_1-P_2}{\gamma},\quad V_2^2-V_1^2=2g\frac{P_1-P_2}{\gamma} \quad \cdots\cdots (1)$$

$$Q = A_1 V_1 = A_2 V_2,\qquad V_1=\frac{A_2}{A_1}V_2 \quad \cdots\cdots (2)$$

(1)식에 (2)식을 대입하면

$$V_2^2-\left(\frac{A_2}{A_1}\right)^2 V_2^2=2g\frac{P_1-P_2}{\gamma}$$ (여기서 $\frac{P_1-P_2}{\gamma}=\frac{\gamma_1-\gamma}{\gamma}R$이므로)

Tip

∵ A와 B는 동일한 위치로서 압력은 동일하다.(유체의 성질)

A에서의 압력은 $P_1+\gamma K+\gamma R$

B에서의 압력은 $P_2+\gamma K+\gamma_1 R$ 이므로

$P_1+\gamma K+\gamma R = P_2+\gamma K+\gamma_1 R$ ∴ $P_1-P_2=\gamma_1 R-\gamma R=(\gamma_1-\gamma)R$

- γ= 물의 비중량, γ_1= 수은의 비중량

$$\left\{1-\left(\frac{A_2}{A_1}\right)^2\right\}V_2^2=2g\frac{\gamma_1-\gamma}{\gamma}R \qquad \therefore V_2=\frac{1}{\sqrt{1-\left(\frac{A_2}{A_1}\right)^2}}\sqrt{2g\frac{\gamma_1-\gamma}{\gamma}R}$$ 이 되며

유량 $Q_2 = A_2\cdot V_2 = A_2\cdot\frac{1}{\sqrt{1-\left(\frac{A_2}{A_1}\right)^2}}\sqrt{2g\frac{\gamma_1-\gamma}{\gamma}R}$ 이 된다.

- **벤츄리미터는 두 지점을 이용하여 압력차, 속도, 유량을 구할 수 있다.**

실전 예상문제

●●○ 01 **유체의 유동상태 중 정상류(Steady flow)의 설명으로 옳은 것은?**

① 어느 순간에 서로 이웃하는 입자들의 상태가 같은 흐름을 말한다.
② 모든 점에서 유체의 상태가 시간에 따라 일정한 비율로 변하는 흐름을 말한다.
③ 유체의 입자들이 질서 있게 흐르는 흐름을 말한다.
④ 모든 점에서 유동특성이 시간에 따라 변하지 않는 흐름을 말한다.

정상류 : 시간에 따라 온도, 속도, 압력, 밀도가 변하지 않는 흐름

암기 T, V, P, ρ 즉 티비프로가 변하지 않는 유체의 흐름(TV의 프로그램은 거의 변하지 않는다.)

●●○ 02 **다음 중 정상류 설명 중 맞는 것은?**

① 관로에서 유속이 변화하고 있는 흐름
② 흐름의 조건에 따라 점차적으로 변하고 있는 흐름
③ V(체적), T(온도), ρ(밀도), P(압력) 등이 시간에 따라 변하지 않고 일정한 흐름
④ 모든 점에서 유동특성이 시간에 따라 변하지 않는 흐름

문제 1번 해설 참조

●●● 03 **정상류에서 유체의 유속은?**

① 관의 지름에 비례
② 관의 지름의 제곱에 비례
③ 관의 지름에 반비례
④ 관의 지름의 제곱에 반비례

정상류의 흐름을 가정한 연속방정식에서 $Q = AV = \frac{\pi}{4}D^2 \cdot V$에서 $V = \frac{4Q}{\pi D^2}$

●●○ 04 **유체흐름의 연속방정식과 관계없는 것은?**

① 질량보존의 법칙
② $Q = AV$
③ 에너지보존의 법칙
④ $G = \gamma AV$

에너지 보존의 법칙으로 나타내는 식은 베르누이 방정식이다.

정답 01 ④ 02 ④ 03 ④ 04 ③

05

다음 중 연속의 방정식이 아닌 것은 어느 것인가?

① $\frac{\partial(\rho A)}{\partial t}+\frac{\partial(\rho A v)}{\partial t}=0$

② $\rho_1 A_1 v_1=\rho_2 A_2 v_2$

③ $\frac{\partial u}{\partial x}+\frac{\partial v}{\partial y}+\frac{\partial w}{\partial z}=0$

④ $\frac{dx}{u}+\frac{dy}{v}+\frac{dz}{w}$

연속의 방정식은 질량보존의 법칙을 이용한 것으로서 유량은 변화가 없음을 말한다. 즉 관 3개가 연결된 배관의 한쪽(A 배관)에서 흘러들어오고 두 배관(B, C 배관)에서 나간다면 A = (B + C)가 되고 A − (B + C) = 0이 된다. 즉, ①번과 ③번의 각 항은 변화량을 얘기하므로 A − (B + C) = 0와 같은 의미이다.

06

직경 40 cm의 소화용 호스에 물이 질량유량 100 kg/s로 흐른다. 이때의 평균유속은 약 몇 m/s인가?

① 0.8 ② 1.2 ③ 1.6 ④ 2.4

질량유량 $M=\rho \cdot A \cdot V \rightarrow 100 = 1{,}000 \cdot \frac{\pi}{4} 0.4^2 \cdot V \quad \therefore V = 0.795 \text{ m/s}$

07

질량유량(질량속도)이 20 kg/sec인 물이 80 mm의 관에서 65 mm관으로 흐를 때 65mm 관에서의 평균유속은 얼마인가?

① 5.4 m/sec ② 6.03 m/sec ③ 8.2 m/sec ④ 10.5 m/sec

$M = \rho A V = \rho \frac{\pi}{4} D^2 V$ 이므로 $20 \text{ kg/sec} = 1{,}000 \text{ kg/m}^3 \cdot \frac{\pi}{4} 0.065^2 \cdot V \quad \therefore V = 6.03 \text{ m/s}$

08

내경 15 cm인 배관에 정상류로 흐르는 물의 동압은 0.01 MPa이었다. 이때 물의 유량 ℓ/min은?

① 2,400 ℓ/min ② 4,680 ℓ/min
③ 6,240 ℓ/min ④ 9,360 ℓ/min

해설

$Q = VA = 4.427 \times \frac{\pi}{4} 0.15^2 = 0.078 \text{ m}^3/\text{s} = 4{,}680 \ \ell/\text{min}$

• P(동압)$= \frac{V^2}{200g}$[MPa] $\quad \therefore V = \sqrt{200gP} = \sqrt{200 \times 9.8 \times 0.01} = 4.427 \text{ m/s}$

$P = \frac{\rho \cdot V^2}{2} \Rightarrow 0.01 \times 10^{-6}\text{Pa} = \frac{1000\text{kg/m}^3 \times V^2}{2} \quad \therefore V ≒ 4.47 \text{m/s}$

정답 05 ④ 06 ① 07 ② 08 ②

●●○ 09 오일러 방정식을 유도하는데 관계가 없는 가정은?

① 정상 유동할 때
② 유선따라 입자가 운동할 때
③ 유체의 점성이 없을 때
④ 비압축성 유체일 때

오일러방정식 유도 가정은 ①~③이 해당되고 베르누이 방정식 유도 가정은 ①~④이다. 암기 정유점 압

정 : 정상유동　　유 : 유선을 따라 입자가 운동
점 : 점성이 없는 유체　　압 : 압축성이 아닌 유체(비압축성 유체)

●●● 10 다음 중 베르누이 방정식이 유도되기 위한 조건이 아닌 것은?

① 유체의 유동은 정상유동이다.
② 유체 입자는 유선에 따라 움직인다.
③ 유체는 점성이 없는 유체이다.
④ 유체는 압축성 유체이다.

문제 8번 해설 참조

●●● 11 베르누이 방정식을 실제 유체에 적용시키려면?

① 정상유동, 유선에 따라 움직이는 조건만 만족하면 된다.
② 실제유체에는 적용이 불가능하다.
③ 손실수두의 항을 삽입시키면 된다.
④ 유체는 점성이 없는 유체라고 가정하면 된다.

실제 유체를 고려한 신 베르누이 정리 $\frac{P_1}{\gamma}+\frac{V^2}{2g}+Z_1=\frac{P_2}{\gamma}+\frac{V_2^2}{2g}+Z_2+h_1$　h_1 =손실수두

●●● 12 베르누이 방정식 $\frac{P}{\gamma}+\frac{v^2}{2g}+Z=H$ 에서 각 항의 SI단위로서 옳은 것은?

① m
② N
③ kg_f/cm^2
④ N·m

수두로 표현한 베르누이 방정식 $\frac{P}{\gamma}+\frac{v^2}{2g}+Z=H$ [m]

정답 09 ④ 10 ④ 11 ③ 12 ①

13 베르누이의 식 $\frac{P}{\gamma}+\frac{v^2}{2g}+Z=C$ 에서 $\frac{v^2}{2g}$ 어떤 수두인가?

① 압력수두 ② 속도수두 ③ 위치수두 ④ 중력수두

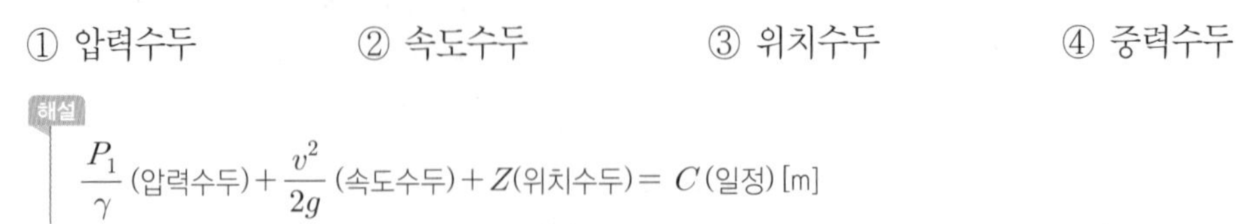

해설

$\frac{P_1}{\gamma}$(압력수두) $+\frac{v^2}{2g}$(속도수두) $+Z$(위치수두) $=C$(일정) [m]

14 수면의 수직하부 h에 위치한 오리피스에서 유출하는 물의 속도수두는 어떻게 표시되는가? (단, 속도계수는 C_v이고, 오리피스에서 나온 직후의 유속은 $V=C_v\sqrt{2gh}$ 이다.)

① $C_v^{\ 2}h$ ② $\frac{C_v^{\ 2}}{h}$ ③ $\frac{C_v}{h}$ ④ $C_v h$

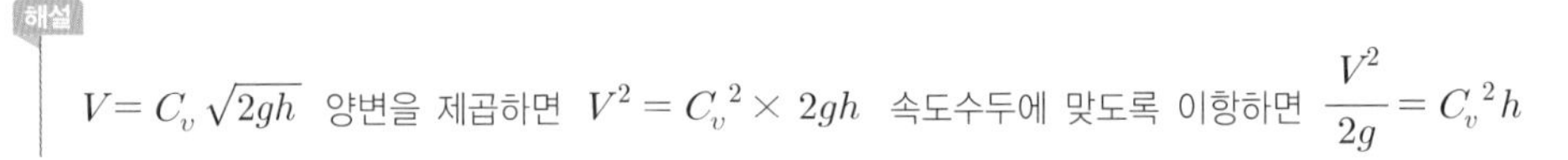

해설

$V=C_v\sqrt{2gh}$ 양변을 제곱하면 $V^2=C_v^{\ 2}\times 2gh$ 속도수두에 맞도록 이항하면 $\frac{V^2}{2g}=C_v^{\ 2}h$

15 내경이 100 mm의 수평배관내로 물이 흐르고 있는데 이때 압력이 392 kPa이고 이 때 전수두는 52 m이다. 배관 내를 흐르는 물의 유속은 얼마인가?

① 7.6 m/sec ② 15.34 m/sec
③ 30.66 m/sec ④ 235 m/sec

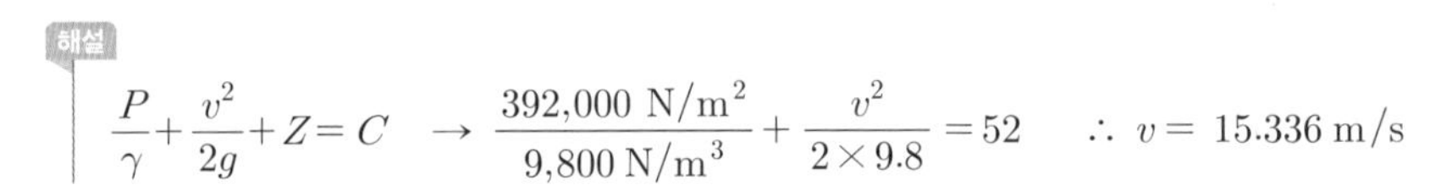

해설

$\frac{P}{\gamma}+\frac{v^2}{2g}+Z=C \quad \rightarrow \quad \frac{392{,}000\ \text{N/m}^2}{9{,}800\ \text{N/m}^3}+\frac{v^2}{2\times 9.8}=52 \quad \therefore\ v=15.336\ \text{m/s}$

16 내경 100 mm인 스프링클러 배관에 정상류의 물이 매분 2,400 ℓ의 유량으로 흐르고 있다면 속도수두는 몇 m인가?

① 0.6 ② 0.82 ③ 1.13 ④ 1.32

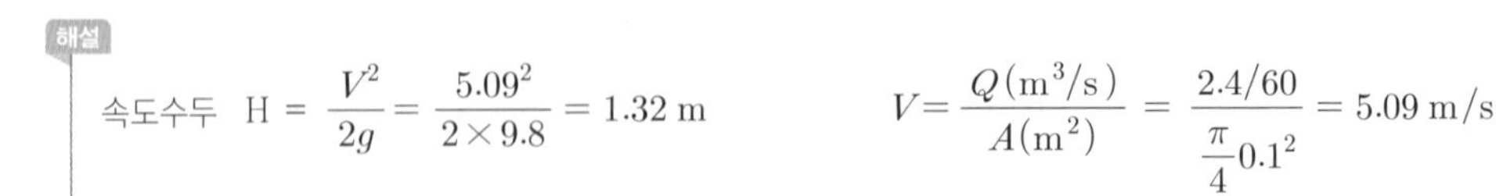

해설

속도수두 $\text{H}=\frac{V^2}{2g}=\frac{5.09^2}{2\times 9.8}=1.32\ \text{m}$ $\quad V=\frac{Q(\text{m}^3/\text{s})}{A(\text{m}^2)}=\frac{2.4/60}{\frac{\pi}{4}0.1^2}=5.09\ \text{m/s}$

정답 13 ② 14 ① 15 ② 16 ④

17 옥내소화전 노즐에서 방사압 측정 시 0.17 MPa이 측정되었다면 그 때의 유체속도는 몇 m/s인가?

① 12 ② 14 ③ 163 ④ 18

$q[\ell/\text{min}] = 0.653\,d^2[\text{mm}^2]\sqrt{10P[\text{MPa}]}$ 에서 $q = 0.653\cdot 13^2\cdot\sqrt{10\cdot\ 0.17} = 143.888[\ell/\text{min}]$

$Q[\text{m}^3/s] = V[\text{m/s}]\cdot A[\text{m}^2]$이므로 q의 단위 ℓ/min을 m^3/s로 바꿔야 한다.

$$\frac{143.888}{1{,}000\times 60}[\text{m}^3/\text{s}] = V[\text{m/s}]\cdot\frac{\pi}{4}0.013^2[\text{m}^2]$$

$\therefore V[\text{m/s}] = 18.06[\text{m/s}]$

- 옥내소화전 노즐의 구경은 13 mm = 0.013 m이다.

18 유속 5.2 m/s의 속도로 소방호스의 노즐로부터 물이 방사되고 있을 때 피토관인 흡입구를 Vena Contrcta 위치에 했을 때 피토관의 수직부에 나타나는 수주의 높이는 몇 m인가? (단, 중력가속도는 9.8 m/s²이다.)

① 1.2 ② 1.28 ③ 1.3 ④ 1.38

$V = \sqrt{2gH}$ $\therefore H = \dfrac{V^2}{2g} = \dfrac{5.2^2}{2\times 9.8} = 1.38\text{ m}$

19 흐르는 물속에 피토관을 삽입하여 압력 측정 시 전압이 300 kPa, 정압이 200 kPa이었다. 이 위치에서 유속은 몇 m/sec인가? (단, 물의 밀도는 1,000 kg/m³이다.)

① 10 ② 11 ③ 12 ④ 14

동압 $P = \dfrac{V^2}{200g}[\text{MPa}] \rightarrow V = \sqrt{200gP} = \sqrt{200\times 9.8\times 0.1} = 14[\text{m/s}]$

전압 = 정압+동압 $\therefore$ 동압 $P = 300 - 200 = 100\text{kPa} = 0.1\text{MPa}$

20 피토 정압관(pitot static tube)을 사용하여 물의 정압과 정체압을 측정하였더니 차이가 0.05 mHg 이다. 유속은 몇 m/s인가? (단, 수은의 비중이 13.6 이다.)

① 1.82 ② 3.65 ③ 4.6 ④ 7.3

해설

동압 $P = \dfrac{V^2}{20g}[\text{kg}_f/\text{cm}^2] \rightarrow V = \sqrt{20gP} = \sqrt{20\times 9.8\times 0.068} = 3.65[\text{m/s}]$

- 동압 $P = 0.05\text{ mHg} = 50\text{ mmHg}\times\dfrac{1.0332\text{ kg}_f/\text{cm}^2}{760\text{ mmHg}} = 0.068[\text{kg}_f/\text{cm}^2]$
- 정체압은 전압을 말한다.

정답 17 ④ 18 ④ 19 ④ 20 ②

●○○ 21

관내를 흐르는 공기의 유속을 측정하기 위해 피토우관을 설치하여 마노미터의 높이가 0.005 mHg 이었다. 공기의 유속 [m/sec]은 얼마인가? (단, 공기의 비중량은 1.20 kg/m³이다.)

① 8.4 ② 14.6 ③ 28.4 ④ 33.32

해설

측정하고자 하는 대상이 물이 아닌 공기임에 주의해야 한다.

$V = \sqrt{2gh}$ 에서 $h[\mathrm{m}] = \dfrac{P[\mathrm{kg_f/m^2}]}{r[\mathrm{kg_f/m^3}]}$ 이므로

$$V = \sqrt{2gh} = \sqrt{2\times 9.8 \times \frac{P[\mathrm{kg_f/m^2}]}{\gamma[\mathrm{kg_f/m^3}]}} = \sqrt{2\times 9.8\times P[\mathrm{kg_f/m^2}]\times \frac{1}{\gamma[\mathrm{kg_f/m^3}]}}$$

$$= \sqrt{2\times 9.8\times\left(0.005\ \mathrm{m}Hg\times\frac{10{,}332\ \mathrm{kg_f/m^2}}{0.76\ \mathrm{m}Hg}\right)\times\frac{1}{1.2\ \mathrm{kg_f/m^3}}} = 33.32\ [\mathrm{m/s}]$$

●○○ 22

배관에 흐르는 물의 압력이 $P_1 = 29.4\ \mathrm{N/cm^2}$ $P_2 = 21.56\ \mathrm{N/cm^2}$일 때 수은마노미터의 R은 얼마인가? (단 γ : $9{,}800\ \mathrm{N/m^3}$ γ_1 : $133{,}280\ \mathrm{N/m^3}$)

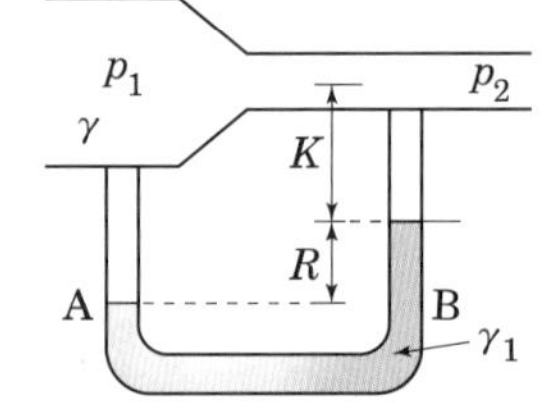

① 46.8 cm ② 52.6 cm

③ 59.2 cm ④ 63.5 cm

해설

A와 B는 동일한 위치로서 압력은 동일하다.

γ= 물의 비중량, γ_1= 수은의 비중량

A에서의 압력은 $P_1 + \gamma K + \gamma R$, B에서의 압력은 $P_2 + \gamma K + \gamma_1 R$ 이므로

$P_1 + \gamma K + \gamma R = P_2 + \gamma K + \gamma_1 R$, $\therefore\ P_1 - P_2 = \gamma_1 R - \gamma R = (\gamma_1 - \gamma)R$

$29.4\ \mathrm{N/cm^2} - 21.56\ \mathrm{N/cm^2} = (133{,}280 - 9{,}800)\ \mathrm{N/m^3} \times \mathrm{R}$

$$R = \frac{7.84\ \mathrm{N/cm^2}}{0.12348\ \mathrm{N/cm^3}} = 63.49\ \mathrm{cm}$$

●●● 23

수조의 밑부분에 구멍을 내고 물을 방출시킬 때 수위가 처음 높이의 1/2로 되었을 때 방출되는 유량은 처음 유량의 몇 배인가?

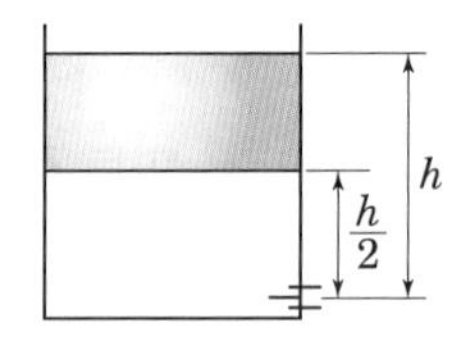

① $\dfrac{1}{2}$ ② $\dfrac{1}{\sqrt{2}}$

③ $\dfrac{1}{2\sqrt{2}}$ ④ $\sqrt{2}$

해설

$V_1 = \sqrt{2\times g\times h}$, $V_2 = \sqrt{2\times g\times \dfrac{h}{2}}$

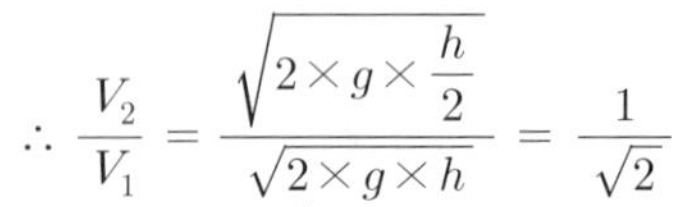

$$\therefore\ \frac{V_2}{V_1} = \frac{\sqrt{2\times g\times\frac{h}{2}}}{\sqrt{2\times g\times h}} = \frac{1}{\sqrt{2}}$$

Q = V·A에서 Q는 면적이 동일할 경우 V와 비례하므로 유속이 $\dfrac{1}{\sqrt{2}}$ 감소되었으므로

유량도 처음유량의 $\dfrac{1}{\sqrt{2}}$배 감소한다.

정답 21 ④ 22 ④ 23 ②

●●○ **24** 그림과 같이 물탱크의 배관에서 물이 유출될 때 속도는?

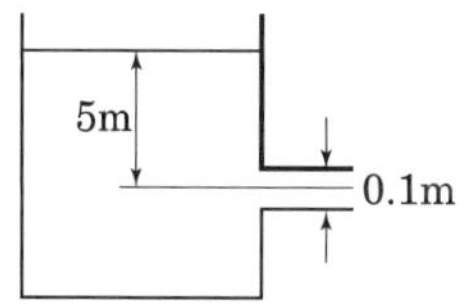

① 8.6 ② 9.39
③ 9.89 ④ 10.38

$$V = \sqrt{2\times g\times h} = \sqrt{2\times 9.8\times 5} = 9.89\ \mathrm{m/s}$$

●○○ **25** 기준면에서 10 m 높은 곳에서 유속이 5 m/s로 물이 흐르고 있으며 이 때 압력이 4.9 N/cm²일 때 전수두는 몇 m인가?

① 10.4 m ② 12.8 m ③ 14.9 m ④ 16.3 m

해설

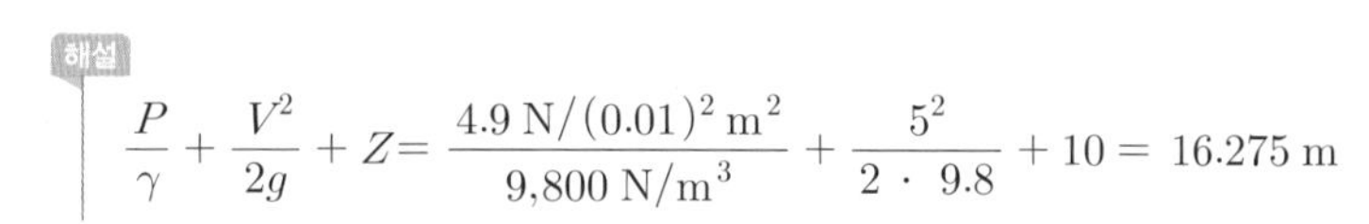

$$\frac{P}{\gamma} + \frac{V^2}{2g} + Z = \frac{4.9\ \mathrm{N}/(0.01)^2\ \mathrm{m}^2}{9{,}800\ \mathrm{N/m}^3} + \frac{5^2}{2\cdot 9.8} + 10 = 16.275\ \mathrm{m}$$

●●● **26** 그림과 같은 사이펀에서 마찰손실수두를 무시할 때 흐를 수 있는 최대유속은 몇 m/s 인가?

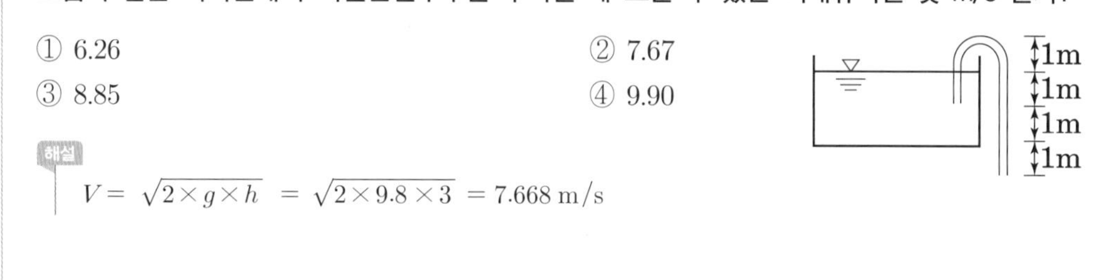

① 6.26 ② 7.67
③ 8.85 ④ 9.90

해설

$$V = \sqrt{2\times g\times h} = \sqrt{2\times 9.8\times 3} = 7.668\ \mathrm{m/s}$$

●●● **27** 그림과 같이 물이 유량 Q로 저수조로 들어가고, 속도 $V = \sqrt{2gh}$ 로 저수조 바닥에 있는 면적 A_2의 구멍을 통하여 나간다. 저수조의 수면 높이의 변화 속도 $\frac{dh}{dt}$ 는?

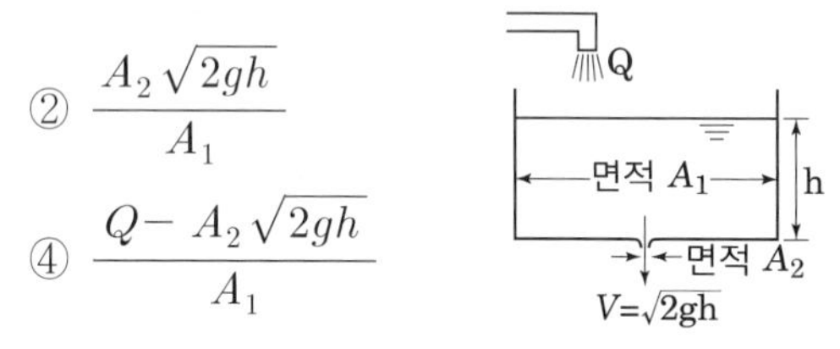

① $\dfrac{Q}{A_2}$ ② $\dfrac{A_2\sqrt{2gh}}{A_1}$

③ $\dfrac{Q - A_2\sqrt{2gh}}{A_2}$ ④ $\dfrac{Q - A_2\sqrt{2gh}}{A_1}$

해설

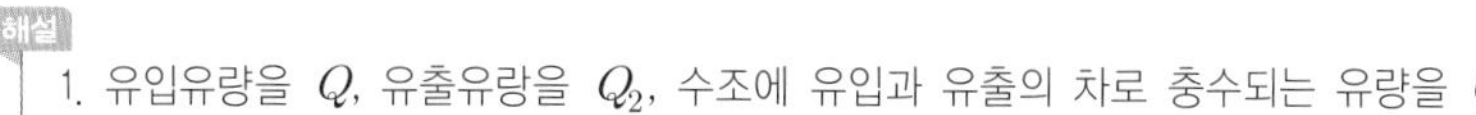

1. 유입유량을 Q, 유출유량을 Q_2, 수조에 유입과 유출의 차로 충수되는 유량을 Q_1이라 하면
2. $Q_1 = Q - Q_2 = Q - A_2 V_2 = Q - A_2\sqrt{2gh}$
3. $Q_1 = A_1 V_1$ 이므로 V_1 (저수조 수면 높이의 변화속도 $\frac{dh}{dt}$) $= \dfrac{Q_1}{A_1} = \dfrac{Q - A_2\sqrt{2gh}}{A_1}$

정답 24 ③ 25 ④ 26 ② 27 ④

●○○ **28** 다음 그림과 같이 설치한 피토정압관이 액주계 눈금 R = 100 mm일 때 ①에서의 물의 유속은 약 몇 m/s인가? (단, 액주계에 사용된 수은의 비중은 13.6이다.)

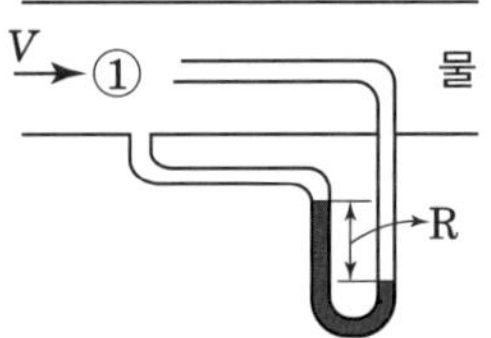

① 15.7　　② 5.35
③ 5.16　　④ 4.97

해설

베르누이 방정식을 이용하면 1지점(배관속의 피토정압관 초입부분)과 2지점(배관속 피토정압관이 구부러진 부분)의 수두는 같다.

따라서 $\dfrac{P_1}{\gamma}+\dfrac{V_1^2}{2g}+Z_1=\dfrac{P_2}{\gamma}+\dfrac{V_2^2}{2g}+Z_2$ 가 되며 $Z_1=Z_2$ 이고,

V_2 지점에서의 유속은 흘러들어 온 물이 충수되어 결국에는 유속이 발생하지 않고 정체되어 있으므로 0이다.

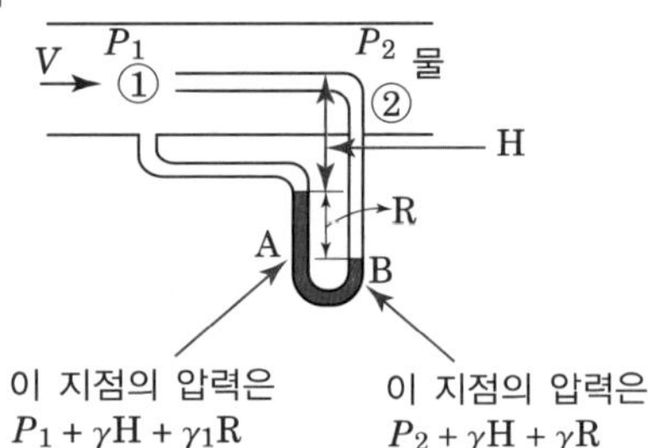

$\therefore\ \dfrac{P_1}{\gamma}+\dfrac{V_1^2}{2g}=\dfrac{P_2}{\gamma}$ 가 되고 V_1으로 정리하면

$V_1=\sqrt{2g\left(\dfrac{P_2-P_1}{\gamma}\right)}$ 이 된다.

여기서, A와 B 지점의 압력은 동일하므로

$P_1+\gamma H+\gamma_1 R=P_2+\gamma H+\gamma R$

$\therefore P_2-P_1=\gamma_1 R-\gamma R=(\gamma_1-\gamma)R$ 이 되며

$V_1=\sqrt{2\cdot 9.8\left(\dfrac{13{,}600-1{,}000}{1{,}000}\right)\cdot 0.1}=4.969$

$\fallingdotseq 4.97\ \mathrm{m/s}$

●●○ **29** 수력 구배선 H.G.L.이란?

① 에너지선 E.L.보다 위에 있어야 한다.
② 항상 수평이 된다.
③ 위치수두와 속도수두의 합을 나타내며 주로 에너지선 밑에 위치한다.
④ 위치수두와 압력수두와의 합을 나타내며 주로 에너지선보다 아래에 위치한다.

해설

수력구배선(동수경사선)은 위치수두와 압력수두의 합을 말한다.

정답　28 ④　29 ④

4. 유체의 흐름

1 유체 흐름의 구분

구분	레이놀드 수	내 용
층류 (Laminar Flow)	2,100 이하	• **유체의 입자가 질서정연하게 흐트러지지 않는 흐름** • 하임계 레이놀드수라고 한다.
임계(천이)영역 (Transition)	2,100 초과 4,000 미만	• 유체의 흐름이 층류에서 난류로 바뀌는 영역
난류 (Turblent Flow)	4,000 이상	• **유체가 불규칙하게 뒤섞여 흐르는 흐름** • 상임계 레이놀드수라고 한다.

2 레이놀드 수(Reynolds Number)

유체의 유동상태를 나타내는 지표, 층류와 난류를 구분하는 수 - 관성력과 점성력의 비

$Re = \dfrac{\rho VD}{\mu} = \dfrac{VD}{\nu}$ ρ: 밀도, V : 유속, D : 직경, μ : 점성계수, ν : 동점성계수

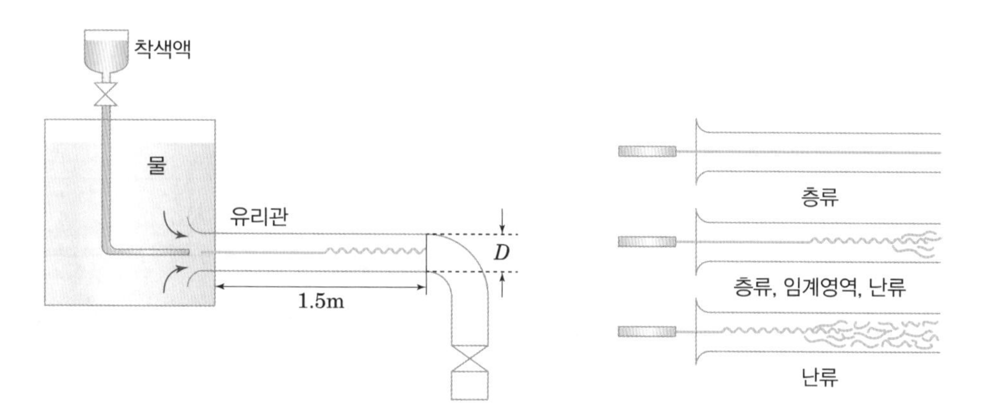

예제 01

레이놀드수가 얼마 이상이어야 난류의 흐름을 갖는가?

① 2,000 이하 ② 2,100 이하
③ 4,000 이상 ④ 4,100 이상

③

3 유체 흐름에 따른 마찰손실

Tip

$\Delta H = H_1$ (실양정)+ H_2 (배관 및 관부속품 마찰 손실수두)+ H_3(방사압력환산수두)
펌프의 양정을 구하는 식에서 보듯이 노즐에서 원하는 방사압과 방사량을 확보하기 위해서는 배관 및 관부속품 등의 마찰손실을 고려하여야 한다.

(1) 배관의 마찰손실

① 주손실(Main Loss) – 유체가 흐를 때 관벽에 의한 손실

㉠ 달시웨버식(Darcy – weisbach) – 모든 유체의 층류, 난류 흐름에 적용

$$H(\mathrm{m}) = f\frac{L}{D}\frac{V^2}{2g} = K\frac{V^2}{2g}$$

f : 관마찰계수 D : 내경[m] L : 길이[m]
V : 유속[m/s] g : 중력가속도[m/s²] K : 손실계수

구 분	층류	천이영역	난류
f (마찰계수)	$f = \frac{64}{Re}$	$f = 0.0055\left[1+\left(2{,}000\frac{\varepsilon}{d}+\frac{10^6}{Re}\right)^{\frac{1}{3}}\right]$ • ε : 절대조도, d : 직경, $\frac{\varepsilon}{d}$: 상대조도 • 조도 : 배관의 거칠기	$f = 0.3164Re^{-\frac{1}{4}}$
함수	Re 수와의 함수	Re 수와 조도와의 함수	Re 수와의 함수

• 관의 상당(등가)길이(L_{eq}) – 임의의 부차적 손실을 관마찰에 의한 손실수두와 동일한 관길이로 환산

$$K = f\cdot\frac{L}{D} \text{ 에서 } L_{eq} = \frac{KD}{f}$$

예제 02

배관 부속품인 분류티에 의한 손실을 지름이 100 mm이고 관마찰계수가 0.03인 관의 길이로 환산한다면 상당 길이는 몇 m인가? (단, 분류티의 부차적 손실계수는 10이다.)

① 20.5 ② 33.3 ③ 40 ④ 46.4

해답 ②

$$K=\lambda\frac{L}{D},\quad L\,(\text{상당관길이}) = \frac{KD}{\lambda} = \frac{10\times0.1}{0.03} = 33.33\ \mathrm{m}$$

㉡ **하젠 포아젤의 법칙(Hagen - Poiseulle) - 층류에 적용**

하젠포아젤의 법칙은 층류에만 적용하는 법칙이므로 달시방정식에 층류의 마찰계수을 대입하여 유도된 식이다.

$$H = f\frac{L}{D}\frac{V^2}{2g} \qquad \left(f = \frac{64}{Re} = \frac{64}{\frac{\rho VD}{\mu}}\right) \quad \rightarrow \quad H = \frac{32\mu LV}{\gamma D^2}(\mathrm{m})$$

μ : 점성계수 [N·s /m^2] L : 길이 [m] V : 속도 [m/s]

γ : 비중량 [N/m^3] D : 관경 [m]

여기서 마찰손실 수두(m)를 압력(N/ m^2)의 단위로 나타내면

$$H = \frac{32\mu LV}{\gamma D^2} \rightarrow \gamma \cdot H = \frac{32\mu LV}{D^2} \rightarrow \Delta P = \frac{32\mu LV}{D^2}$$

여기서 $Q = A \cdot V$이므로 V로 정리하여 $V = \dfrac{4Q}{\pi D^2}$를 대입하면

$$\Delta P = \frac{128\mu LQ}{\pi D^4}\,[\mathrm{N/m^2} = Pa] \qquad Q : \text{유량}[\mathrm{m^3/s}]$$

㉢ **페닝의 법칙(Fanning)(난류)**

난류의 경우 달시방정식보다 배관의 마찰손실이 4배 정도 크므로

$$H = f\frac{L}{D}\frac{V^2}{2g} \times 4 \;\Rightarrow\; H = f\frac{L}{D}\frac{2V^2}{g}$$

㉣ **하젠 윌리엄식(Hazen - williams) - 난류 흐름인 물에 적용**

$$\Delta P = 6.174 \times 10^5 \frac{Q^{1.85}}{C^{1.85} \times D^{4.87}} \times L\ [\mathrm{kg_f/cm^2}]$$

ΔP : 압력손실[$\mathrm{kg_f/cm^2}$] D : 내경 [mm] Q : 유량[ℓ/min] L : 길이 [m]

C : 조도(배관의 거칠기) - 조도가 클수록 배관의 단면은 매끄럽다.

구분	흑관건식	흑관습식	백관	동관, CPVC, STS
조도	100	120	120	150

② **부차적 손실(Minor Loss)**

주손실 외의 엘보, 티, 밸브 등 관부속품, 관로의 단면적 변화에 의한 손실

㉠ **엘보, 티, 밸브 등 관부속품에 의한 손실**

엘보, 티, 밸브 등 관부속품에 의한 손실은 등가길이로 환산하여 나타낸다.

- **등가길이는 관부속품 등의 마찰손실을 온관(직관)의 길이로 나타낸 길이**

- **마찰손실의 크기는 볼밸브〉앵글밸브〉측류티(분류티)〉90° 엘보〉45° 엘보〉직류티〉게이트밸브의 순**으로 볼밸브의 마찰손실수두가 가장 크고 게이트밸브가 가장 작다.

관부속품 마찰손실수두

구 분	볼밸브	앵글밸브	분류티	90° 엘보	45° 엘보	직류티	게이트밸브
15mm	4.5	2.4	0.9	0.6	0.36	0.18	0.12
25mm	7.5	4.5	1.5	0.9	0.54	0.27	0.18

- 자동경보밸브, 스윙체크밸브, 후트밸브의 마찰손실은 앵글밸브와 같다.
- 유니온, 후렌지, 소켓은 손실수두가 너무 작아 생략한다.

㉡ **단면적 변화에 의한 손실**

돌연 확대관에 의한 손실

$$\Delta H = \frac{(V_1 - V_2)^2}{2g} = \left(1 - \frac{A_1}{A_2}\right)^2 \frac{V_1^2}{2g} = K\frac{V_1^2}{2g}$$

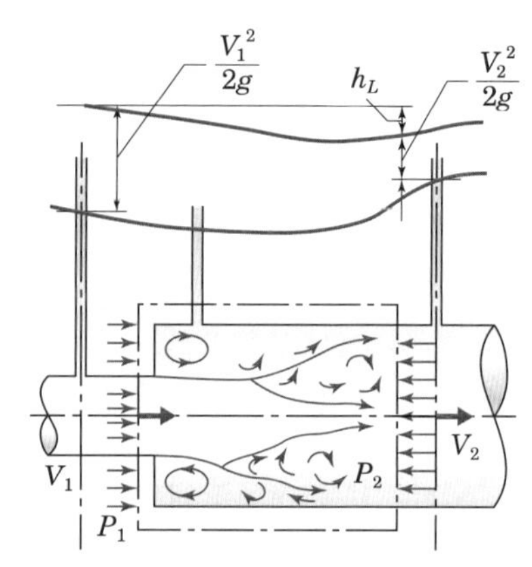

돌연 확대관

$A_1 V_1 = A_2 V_2$, $V_2 = \frac{A_1}{A_2} V_1$이고

이것을 $\frac{(V_1 - V_2)^2}{2g}$에 대입하여 유도된 식

관 내의 흐름은 큰 와류에서 작은 와류로 바뀌면서 흐르고, 관 벽의 마찰력은 와류에 의한 전단력에 비하여 작다.

$(1 - \frac{A_1}{A_2})^2 = K$ 를 돌연 확대관의 부차적 손실계수라 한다.

돌연 축소관에 의한 손실

$$\Delta H = \frac{(V_0 - V_2)^2}{2g} = \frac{\left\{\left(\frac{A_2}{A_0} - 1\right) \cdot V_2\right\}^2}{2g} = \left(\frac{1}{C} - 1\right)^2 \frac{V_2^2}{2g} = K\frac{V_2^2}{2g}, \quad \frac{A_0}{A_2} = C(\text{흐름계수})$$

관로의 단면적이 급축소될 때 흐름은 박리되어, 유면은 A_1에서 A_0로 수축하였다가 A_2로 확대된다. 단면 1에서 0사이의 에너지 변환은 거의 안정되며, 단면 0에서 2사이의 에너지 변환은 불안정하고 그 손실은 단면 1에서 0사이의 손실보다 훨씬 크다.

$\left(\frac{1}{C} - 1\right)^2 = K$를 돌연 축소관의 부차적 손실계수라 한다.

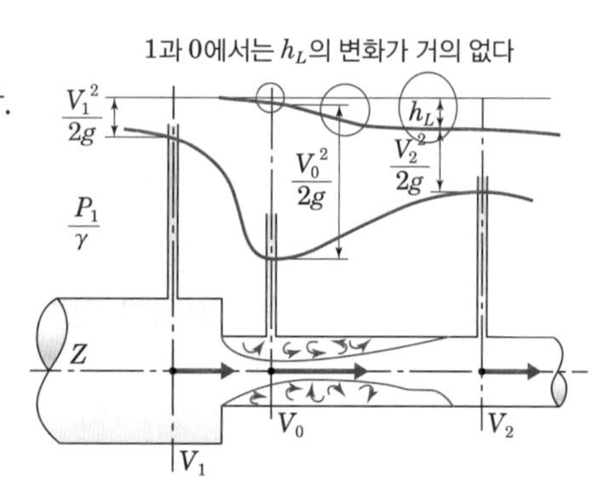

돌연 축소관

4 무차원수

구 분	정 의	물리적 의미	내 용
웨버수 Weber's Number	$We = \frac{\rho L V^2}{\sigma}$	$\frac{관성력}{표면장력}$	1. 표면장력이 중요한 유동에 적용 2. $We = \frac{관성력}{표면장력} = \frac{\rho L^2 V^2}{\sigma L} = \frac{\rho L V^2}{\sigma}$ 3. 표면장력 $F_T = \sigma L$ 4. 관성력 $F = m \cdot a$ $(kg\,m/s^2 = kg/m^3 \times m^3 \times m/s \times 1/s)$ $= \rho L^3 V \cdot \frac{1}{T} = \rho L^3 V \cdot \frac{V}{L}$ $= \rho L^2 V^2 = \rho D^2 V^2$
레이놀즈수 Reynold's Number	$Re = \frac{\rho VD}{\mu}$	$\frac{관성력}{점성력}$	1. 모든 유체 유동에 적용 2. $Re = \frac{관성력}{점성력} = \frac{\rho D^2 V^2}{\mu VD} = \frac{\rho VD}{\mu}$ 3. 점성력(전단력) → τ(전단응력) $= \frac{F}{A}$ $F = \tau \cdot A = \mu \frac{du}{dy} \cdot A = \mu \frac{V}{L} A$ $= \mu \frac{V}{L} L^2 = \mu VL = \mu VD$
코오시스수 Cauchy's Number	$Ca = \frac{\rho V^2}{K}$	$\frac{관성력}{탄성력}$	1. 압축성 유동에 적용 2. $Ca = \frac{\rho L^2 V^2}{KL^2} = \frac{\rho V^2}{K}$ 3. 탄성력 $F = KL^2$
마하수 Maha's Number	$Ma = \frac{V}{\sqrt{K/\rho}}$	$\frac{관성력}{탄성력}$	1. 압축성 유동에 적용 2. $Ma = \frac{\rho L^2 V^2}{KL^2} = \frac{V^2}{K/\rho}$ 또는 $\frac{V}{\sqrt{K/\rho}}$
프루드 수 Froude's Number	$Fr = \frac{V}{\sqrt{Lg}}$	$\frac{관성력}{중력}$	1. 자유표면 유동에 적용 2. $Fr = \frac{\rho L^2 V^2}{\rho L^3 g} = \frac{V^2}{Lg}$ 또는 $\frac{V}{\sqrt{Lg}}$ 3. 중력 $F = mg$ $(kg \cdot m/s^2 = \frac{kg}{m^3} \cdot m^3 \cdot m/s^2)$ $= \rho \cdot L^3 \cdot g$
오일러수 Euler's Number	$Eu = \frac{2P}{\rho V^2}$	$\frac{압력}{관성력}$	1. 압력차에 의한 유동에 적용 2. $Eu = \frac{PL^2}{\rho L^2 V^2} = \frac{P}{\rho V^2}$ 또는 $\frac{2P}{\rho V^2}$ 3. 압력 $F = PA = PL^2$

+ 암기

무차원수 암기법 웨 레 코 마 프 = $\frac{표\ 점\ 탄\ 탄\ 중}{}$, $\frac{압}{관}$ = 오

5 운동량(충격량, 역적) 방정식

운동량 $p = m \cdot V \Leftarrow p$ (힘 × 시간) $= N \cdot s$ $[kg \cdot m/s^2 \times s]$

충격량 $I = F \cdot t$ $[kg \cdot m/s^2 \times s] = [kg \cdot m/s]$

결국 **운동량 = 충격량이므로 $m \cdot V = F \cdot t$이고 $F = m \cdot V/t$가 된다.**

여기서 m/t [kg/s]는 질량유량 $M = \rho AV = \rho Q$이므로 $F = M \cdot V = \rho QV$가 된다.

구 분	관 계 식
고정평판에 작용하는 힘	$F = \rho QV\sin\theta = \rho AV^2\sin\theta$ $[N]$
이동 평판에 작용하는 힘	$F = \rho Q(V_2 - V_1)\sin\theta = \rho A(V_2 - V_1)^2\sin\theta$ $[N]$
탱크에 연결된 노즐에 의한 추력 – 속도차에 의한 힘의차 (수격작용)	$F = \rho QV = \rho AV^2$ $= \rho A2gh = 2rAh$ $[N]$
소화전 방사시 방사압만 주어지고 반동력을 구하는 식	$F = \rho QV = \rho AV^2 = \rho A2gh = \frac{\pi}{2}D^2P = 1.57D^2P$ $[N]$
제트기의 추진	$F = \rho Q(V_2 - V_1)$ $[N]$

예제 03 다음 그림과 같을 때 추력은 몇 N인가? 단, 노즐이 단면적은 0.03 m²이다.

① 1,800　② 1,480

③ 2,700　④ 5,340

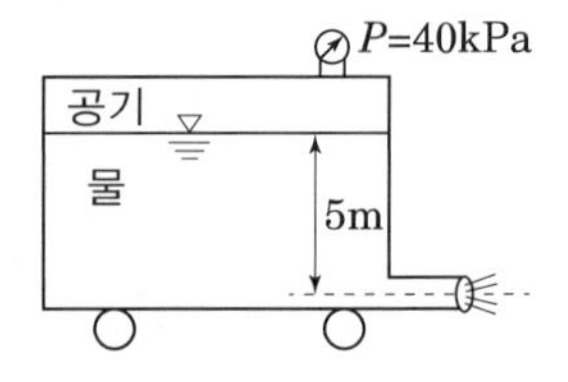

해답 ④

운동량 = 추력 $F = \rho \cdot Q \cdot V = \rho \cdot AV \cdot V$

$= \rho \cdot A \cdot V^2 = \rho \cdot A\ 2gh$

$h = 5m$ 이지만 압축공기 압력을 포함하여 수두로 환산해야 한다.

$$h = 5\ m + 40\ kPa \times \frac{10.332\ m}{101.325\ kPa} = 9.078\ m$$

$$\therefore F = \rho \cdot A \cdot 2gh = 1{,}000\ kg/m^3 \cdot 0.03\ m^2 \cdot 2 \cdot 9.8\ m/s^2 \cdot 9.078\ m$$
$$= 5{,}337.86\ N$$

6 수력반경, 수력직경(지름)

(1) **수력반경(직경)을 사용하는 이유는** 유체가 파이프 내부에서 유동할 때 특성을 보면(원형관인 경우)유체의 유속은 파이프 중심이 가장 빠르고 파이프 내측면으로 갈수록 유속은 감소한다. 또 전단응력은 유속의 분포와 반비례하는 경향을 보이는데 이는 파이프가 원형관인 경우에만 해당된다. 예를 들어, **유체가 이송되는 파이프가 사각일 경우 위의 유동특성을 적용하기가 곤란**하다. 그래서 수력반경 이론을 적용하며 사각파이프에서 산출한 수력반경에 해당하는 원형관의 유동 특성은 사각파이프에서의 유동 특성이 유사하다. 즉, **원형관 이외의 관에서의 유동특성을 알아보기 위해서 적용하는 이론**이다.

$$\text{수력반경}\, R_h[\text{m}] = \frac{\text{단면적}\, A[\text{m}^2]}{\text{접수길이}\, L[\text{m}]}$$

예를 들어 원의 경우 면적은 $\frac{\pi}{4}D^2$이고 길이는 $2\pi r = \pi D$

$\therefore$ 수력반경은 $\dfrac{\frac{\pi}{4}D^2}{\pi D} = \dfrac{D}{4}$ 가 된다.

(2) **수력지름** – 유체에 의해 젖게 되는 둘레와 실제 배관의 면적의 비율을 원으로 환산서 얻어지는 지름으로서 4각형인 경우의 수력지름 = $\dfrac{4\times\text{면적}}{2(\text{가로}+\text{세로})}$ 이다.

7 유선, 유적선, 유맥선

구분	내용	비고
유선 Streamline	**속도와 힘, 방향이 일치한 점을 그린 가상곡선**	v, P 유선
유적선 Pathline	**유체입자가 일정기간 동안에 움직인 경로**	
유맥선 Streakline	① **한 점을 지나는 모든 유체 입자들의 궤적** ② 유맥선은 담배연기처럼 한 점(담배 끝부분)을 지난 유체 입자들의 움직임이다. 보통 유체에 특정 지점에 잉크를 풀거나 연기를 피워 유체의 흐름을 보는데 그것이 바로 유맥선이다. ※ 정상류 → 유선 = 유적선 = 유맥선	

실전 예상문제

●●● 01 원 관에서 유체가 층류로 흐를 때 속도분포는?

① 배관의 전단면에서 일정하다.
② 관 벽에서 0이고, 중심까지 선형적으로 증가한다.
③ 관 중심에서 0이고, 관 벽까지 직선적으로 증가한다.
④ 관 중심에서 속도는 최대속도이고 2차 포물선으로 관 벽에서 속도는 0이 된다.

뉴튼의 점성법칙 참조 : 속도분포는 배관에서 D모양을 전단응력은 K 모양을 가진다.

●●● 02 레이놀드수에 대한 설명으로 옳은 것은?

① 뉴튼유체와 비뉴튼유체를 구별해주는 기준이다.
② 정상류와 비정상류를 구별하는 기준이다.
③ 층류와 난류를 구별하는 기준이다.
④ 이상유체와 실제유체를 구별해 주는 기준이다.

레이놀드 수는 유체의 흐름이 층류인지, 난류인지 구별해주는 기준이 되는 무차원수이다. $Re = \frac{\rho VD}{\mu}$

●○○ 03 다음 상임계 레이놀드수를 옳게 설명한 것은?

① 난류에서 층류로 변할 때의 점성계수
② 층류에서 난류로 변할 때의 점성계수
③ 난류에서 층류로 변할 때의 레이놀드 수
④ 층류에서 난류로 변할 때의 레이놀드 수

층류에서 난류로 파괴되는 순간의 속도를 임계속도라 하고 이 때의 레이놀드수의 값을 상임계 레이놀드수라고 한다. 이와 반대로 난류에서 층류로 변화하는 순간의 속도를 하임계속도 이 때의 레이놀드수를 하임계 레이놀드수라고 한다. 일반적으로 임계레이놀드수라고 하면 하임계레이놀드수를 지칭하다.

●●● 04 유체의 유동을 나타내는 중요한 힘은 무엇인가?

① 중력과 관성력
② 중력과 점성력
③ 점성력과 관성력
④ 관성력과 부력

레이놀드수는 관성력/점성력의 비로서 유체 유동을 나타내는데 중요한 무차원수 이다.

정답 01 ④ 02 ③ 03 ④ 04 ③

05 수평원관 내를 유체가 층류 흐름으로 흐를 경우 유량은?

① 점성계수에 비례한다. ② 관의 길이에 비례한다.
③ 압력 강하에 반비례한다. ④ 직경의 4승에 비례한다.

해설
층류일 때 마찰손실 구하는 식은 하젠 포와젤 공식을 응용한다.
$\Delta P = \frac{128\mu \ell Q}{\pi D^4} [Pa]$ 여기서 Q에 대해 정리하면 $Q = \frac{\Delta P \pi D^4}{128\mu l}$

06 유체의 흐름에서 일반적인 층류의 흐름에 대한 설명 중 틀린 것은?

① 유체입자가 질서정연하게 흐르는 흐름이다.
② Reynolds 수가 2,300 이하인 유체의 흐름이다.
③ 관내의 속도 분포가 정상포물선을 이룬다.
④ 평균 유속은 최대 유속의 약 1/2이다.

해설
Reynolds 수가 2,100 이하인 유체의 흐름을 층류라고 한다.

07 내경 100 mm의 관속을 유속 5 m/sec, 동점도가 1stokes 인 유체가 흐를 때 이때 흐름의 종류는?

① 층류 ② 임계영역 ③ 난류 ④ 천이영역

해설

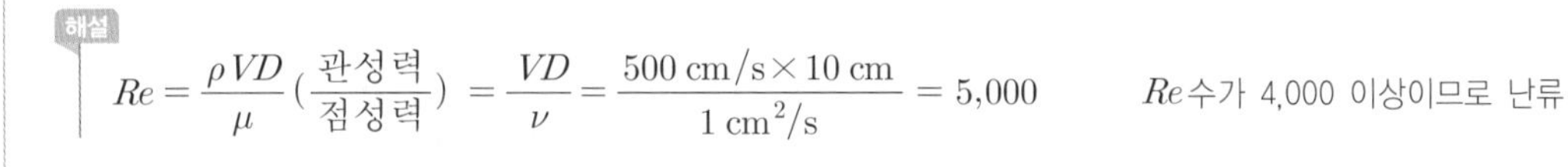

$Re = \frac{\rho VD}{\mu} (\frac{관성력}{점성력}) = \frac{VD}{\nu} = \frac{500 \text{ cm/s} \times 10 \text{ cm}}{1 \text{ cm}^2/\text{s}} = 5,000$ Re수가 4,000 이상이므로 난류

08 내경 50 cm인 관속의 유속 5 cm/sec이고, 동점도가 0.1 cm²/sec 인 유체가 흐를 때 Re 수는 얼마인가?

① 1.500 ② 2,000 ③ 2,500 ④ 3,000

해설

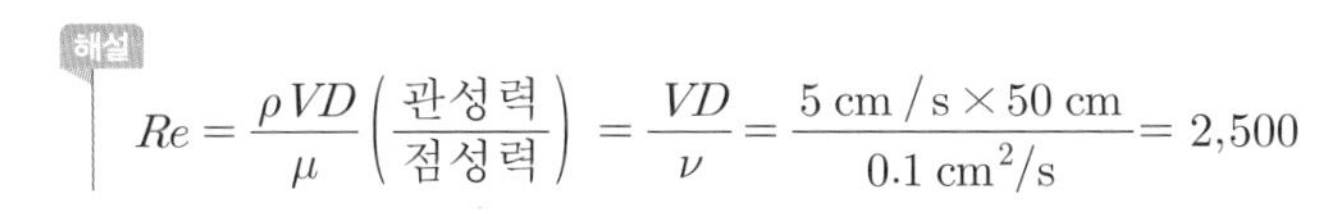

$Re = \frac{\rho VD}{\mu} \left(\frac{관성력}{점성력}\right) = \frac{VD}{\nu} = \frac{5 \text{ cm/s} \times 50 \text{ cm}}{0.1 \text{ cm}^2/\text{s}} = 2,500$

정답 05 ④ 06 ② 07 ③ 08 ③

09 20℃인 물이 직경 40 cm인 관속을 0.5 m³/sec 로 흐르고 있을 때, 레이놀드 수는 얼마인가? (단, 20℃에서 물의 동점성계수는 $\nu = 1.25 \times 10^{-4}$ m²/sec이다.)

① 12,736　② 13,000　③ 13,260　④ 14,200

해설

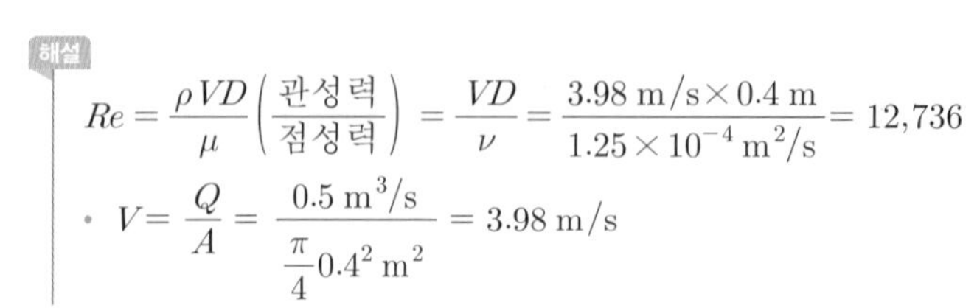

$$Re = \frac{\rho VD}{\mu}\left(\frac{관성력}{점성력}\right) = \frac{VD}{\nu} = \frac{3.98\ \mathrm{m/s} \times 0.4\ \mathrm{m}}{1.25 \times 10^{-4}\ \mathrm{m^2/s}} = 12,736$$

• $$V = \frac{Q}{A} = \frac{0.5\ \mathrm{m^3/s}}{\frac{\pi}{4}0.4^2\ \mathrm{m^2}} = 3.98\ \mathrm{m/s}$$

10 내경 10 cm인 배관 속을 매분 1 m³의 정상 흐름을 보여주는 유체의 레이놀즈수가 1.25×10^6이었다면 이 유체의 점성계수는 몇 Pa·s 인가? (단, 유체 밀도는 980 kg/m³이다.)

① 1.664×10^{-5}　② 3.237×10^{-5}
③ 1.664×10^{-4}　④ 3.237×10^{-4}

해설

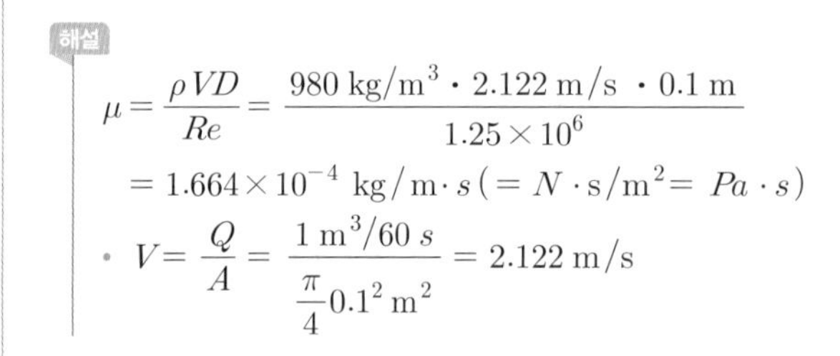

$$\mu = \frac{\rho VD}{Re} = \frac{980\ \mathrm{kg/m^3} \cdot 2.122\ \mathrm{m/s} \cdot 0.1\ \mathrm{m}}{1.25 \times 10^6}$$

$$= 1.664 \times 10^{-4}\ \mathrm{kg/m \cdot s} (= N \cdot \mathrm{s/m^2} = Pa \cdot s)$$

• $$V = \frac{Q}{A} = \frac{1\ \mathrm{m^3}/60\ s}{\frac{\pi}{4}0.1^2\ \mathrm{m^2}} = 2.122\ \mathrm{m/s}$$

11 직경 10 cm의 원관에 20℃물이 평균속도 0.02 m/s로 흐르고 있다. 레이놀드수를 구하고 흐름은 어떻게 되는가? (20℃일 때 물의 동점성계수는 1.004×10^{-3} stokes이다.)

① 19,920(난류)　② 1,992(층류)　③ 2,056(층류)　④ 23,400(난류)

해설

$$Re = \frac{\rho VD}{\mu}\left(\frac{관성력}{점성력}\right) = \frac{VD}{\nu} = \frac{2\ \mathrm{cm/s} \times 10\ \mathrm{cm}}{1.004 \times 10^{-3}\ \mathrm{cm^2/s}} = 19,920.32$$

12 $\nu = 1.004 \times 10^{-3}$ m²/sec인 물이 직경 10 cm인 관내를 임계유속으로 흐르고 있을 때 최대유속(m/sec)은 얼마인가?

① 2.1　② 4.2　③ 21.08　④ 24

해설

임계유속이란 레이놀드수가 2,100일 때의 유속이므로

$V = Re \times \nu \div D = 2,100 \times 1.004 \times 10^{-3}\ \mathrm{m^2/s} \div 0.1\ \mathrm{m} = 21.08\ \mathrm{m/s}$

정답 09 ① 10 ③ 11 ① 12 ③

●●○ **13** 동점성계수가 $1.15\times10^{-6}\ \mathrm{m^2/sec}$ 인 물이 25 mm 지름인 원관 속을 흐르고 있다. 층류가 기대될 수 있는 유량을 계산하면 얼마인가?

① $4.69\times10^{-5}\ \mathrm{m^3/sec}$
② $4.74\times10^{-5}\ \mathrm{m^3/sec}$
③ $4.83\times10^{-5}\ \mathrm{m^3/sec}$
④ $5.24\times10^{-7}\ \mathrm{m^3/sec}$

$Q = VA = 0.0966\times\frac{\pi}{4}0.025^2 = 4.742\times10^{-5}\ \mathrm{m^3/s}$

• $V = Re\times\nu\div D = 2{,}100\times1.15\times10^{-6}\ \mathrm{m^2/s}\div0.025\ \mathrm{m} = 0.0966\ \mathrm{m/s}$

●●● **14** 배관 내를 흐르는 유체의 마찰손실에 대한 설명 중 옳은 것은?

① 유속과 관 길이에 비례하고 지름에 반비례한다.
② 유속의 2승과 관 길이에 비례하고 지름에 반비례한다.
③ 유속의 평방근과 관 길이에 비례하고 지름에 반비례한다.
④ 유속의 2승과 관 길이에 비례하고 지름의 평방근에 반비례한다.

달시(Darcy) 방정식 : $h = f\frac{L}{D}\frac{V^2}{2g}[\mathrm{m}]$

●●● **15** 달시(Darcy) 방정식을 적용하는 곳은?

① 돌연 축소관에서 마찰손실을 계산하는 데 적용된다.
② 확대관에서 마찰손실을 계산하는 데 적용된다.
③ 곧고 긴 관에서 마찰손실을 계산하는 데 적용된다.
④ 관부속품에서 마찰손실을 계산하는데 적용된다.

●●● **16** 유체가 난류로 흐를 때 마찰손실 구하는 식은 어느 것인가?

① Darcy식
② Hagen – poiseuille식
③ fanning식
④ Bernoulli식

해설

층류에서 마찰손실 : 하젠 포아젤의 법칙(Hagen–Poiseulle) $H=\frac{32\mu\ell V}{\gamma D^2}[\mathrm{m}]$ $\triangle P=\frac{128\mu\ell Q}{\pi D^4}[Pa]$

난류에서 마찰손실 : 페닝의 법칙(Fanning) $H=\frac{2f\ell V^2}{gD} = f\frac{\ell}{D}\frac{2V^2}{g}$

하젠 포아젤의 법칙은 달시방정식에 층류일때 마찰계수 $f = \frac{64}{Re}$ 를 넣고 유도된 식이며

페닝의 법칙은 달시방정식에서의 마찰손실보다 4배가 큰 식이다.

 정답 13 ② 14 ② 15 ③ 16 ③

●●● 17 **배관 내의 흐름에 있어서 마찰계수(f)에 대한 설명으로 옳은 것은?**

① 배관의 조도와 레이놀드수에 관계가 있다.
② 배관 내의 조도에는 전혀 관계가 없다.
③ 레이놀드수와는 전혀 관계없고 조도만 관계가 있다.
④ 레이놀드수와 마찰손실수두에 의하여 결정된다.

해설

층류 $f = \dfrac{64}{Re}$, 천이영역 $f = 0.0055\left[1+\left(2000\dfrac{\varepsilon}{d}+\dfrac{10^6}{Re}\right)^{\frac{1}{3}}\right]$, 난류 $f = 0.3164Re^{-\frac{1}{4}}$

ε : 절대조도, $\dfrac{\varepsilon}{d}$: 상대조도

●●○ 18 **정상 상태의 관유동에서 압력강하($\varDelta$P)는 속도(V), 관 직경(D), 관 길이(L), 마찰계수(f), 유체의 밀도 (ρ), 비중량(γ)과 어떤 식으로 표시되는가?**

① $\rho f\dfrac{D}{L}\dfrac{V^2}{2}$ ② $\gamma f\dfrac{L}{D}\dfrac{V^2}{2}$ ③ $\gamma f\dfrac{D}{L}\dfrac{V^2}{2}$ ④ $\rho f\dfrac{L}{D}\dfrac{V^2}{2}$

해설

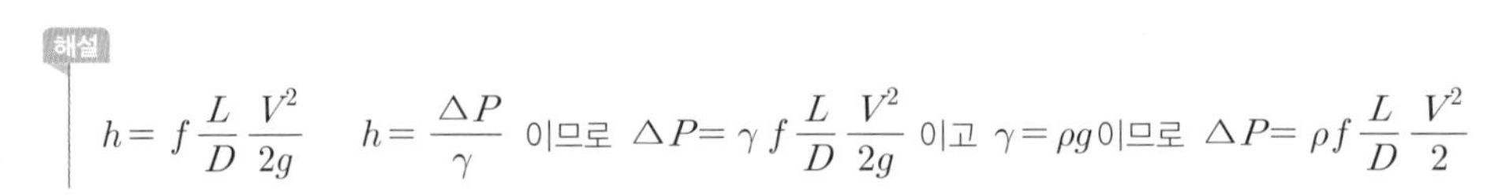

$h= f\dfrac{L}{D}\dfrac{V^2}{2g}$ $h=\dfrac{\Delta P}{\gamma}$ 이므로 $\Delta P= \gamma f\dfrac{L}{D}\dfrac{V^2}{2g}$ 이고 $\gamma=\rho g$이므로 $\Delta P= \rho f\dfrac{L}{D}\dfrac{V^2}{2}$

●●○ 19 **지름이 100 mm, 길이가 250 m인 배관을 통하여 물이 유속이 2 m/s로 흐를 때 손실수두는 몇 m인가? (단, 관마찰계수는 0.050이다.)**

① 20.1 ② 23.0 ③ 25.5 ④ 28.9

해설

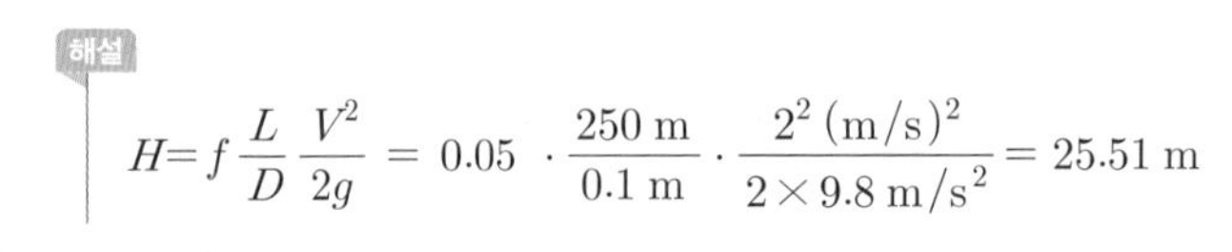

$H= f\dfrac{L}{D}\dfrac{V^2}{2g} = 0.05 \cdot \dfrac{250\ \text{m}}{0.1\ \text{m}} \cdot \dfrac{2^2\ (\text{m/s})^2}{2\times 9.8\ \text{m/s}^2} = 25.51\ \text{m}$

●○○ 20 **스프링클러 헤드의 수두가 6 m이나 실제 물의 유출 속도가 9.7 m/s일 때 손실된 수두는?**

① 0.6 m ② 1.2 m ③ 2.4 m ④ 4.8 m

해설

헤드의 수두가 6 m일 때 유출속도는 $h=\dfrac{V^2}{2g} \rightarrow 6=\dfrac{V^2}{2\times 9.8}$ $\therefore V= 10.84\ \text{m/s}$ 이지만 마찰손실 등에 의해 속도가 9.7 m/s로 감소 시에는 $h=\dfrac{V^2}{2g}=\dfrac{9.7^2}{2\times 9.8}=4.8\ \text{m}$ 가 된다.
즉, 마찰손실수두는 $6-4.8= 1.2\ \text{m}$

정답 17 ① 18 ④ 19 ③ 20 ②

●●○ **21** 수조에서 지름 80 mm인 배관으로 20°C 물이 0.9 m³/min의 유량으로 유입될 때, 10 m의 부차손실이 발생하였다. 이때의 부차적 손실계수는? (단, 중력가속도 g = 9.8 m/s이다.)

① 8.6　　② 12.4　　③ 16.4　　④ 22

해설

$H = f\dfrac{L}{D}\dfrac{V^2}{2g} = K\text{ (손실계수)}\dfrac{V^2}{2g} \rightarrow 10 = K\dfrac{2.984^2}{2\times 9.8}$　　$\therefore K = 22$

- $Q = VA \rightarrow \dfrac{0.9}{60}\,\text{m}^3/\text{s} = V\dfrac{\pi}{4}0.08^2\,\text{m}^2$　　$\therefore V = 2.984\,\text{m/s}$

●●● **22** 지름 15 cm인 매끈한 원관에 물(동점성계수 ν =1.1×10^{-4} m²/s)이 3 m/s의 속도로 흐르고 있다. 길이 10 m에 대한 손실수두는 얼마인가?

① 3.62 m　　② 4.26 m　　③ 4.68 m　　④ 4.84 m

$Re = \dfrac{\rho VD}{\mu}\left(\dfrac{\text{관성력}}{\text{점성력}}\right) = \dfrac{VD}{\nu} = \dfrac{3\times 0.15}{1.1\times 10^{-4}} = 4{,}090.9\text{ (난류)}$　　$f = 0.3164Re^{-\frac{1}{4}} = 0.0395$

$H = f\dfrac{\ell}{D}\dfrac{2V^2}{g} = 0.0395\times\dfrac{10}{0.15}\times\dfrac{2\times 3^2}{9.8} = 4.84\text{ m}$

●○○ **23** 다음 중 마찰손실의 값이 가장 큰 관 부속품은?

① 분류티　　② 볼밸브　　③ 앵글밸브　　④ 게이트밸브

배관부속품(fitting) 마찰손실의 값의 예

구 분	볼밸브	앵글밸브	분류티	90° 엘보	45° 엘보	직류티
15 mm	4.5	2.4	0.9	0.6	0.36	0.18

- 유니온, 후렌지, 소켓은 손실수두가 너무 작아 생략한다.

●○○ **24** 동일구경, 동일재질의 배관 부속품 중 압력손실이 가장 큰 것은 어느 것인가?

① 유니온　　② 45°엘보　　③ 게이트밸브　　④ 분류티

해설

소화전 등에서 물을 방사 시를 기준으로 하여 설치된 티에서 물 흐름의 방향이 바뀌면 분류티(측류티)이고 바뀌지 않으면 직류티이다.

분류티

직류티

정답　21 ④　22 ④　23 ②　24 ④

●●● 25 다음은 배관의 마찰손실을 나타낸 것 중 주손실에 해당되는 것은 어느 것인가?

① 관로에 의한 마찰손실　② 급격한 축소손실
③ 관부속품에 의한 손실　④ 급격한 확대손실

관로(온관)에 의한 마찰손실이 주손실이며 관부속품, 배관의 확대·축소에 의한 손실이 부차적손실이다.

●●● 26 곧은 원관 내 난류 유동에 대한 마찰손실수두에 대한 설명으로 틀린 것은?

① 속도의 제곱에 비례한다.　② 관의 길이에 비례한다.
③ 손실계수에 반비례한다.　④ 마찰계수에 비례한다.

달시(Darcy) 방정식 $h_f = f\frac{L}{D}\frac{V^2}{2g}[\mathrm{m}]$

패닝의 법칙 $H = \frac{2f\ell V^2}{gD} = f\frac{\ell}{D}\frac{2V^2}{g} = K$ (손실계수) $\frac{2V^2}{g}$

●●○ 27 부차적 손실수두의 설명으로 옳은 것은?

① 유량의 제곱에 비례한다.　② 관의 길이에 반비례한다.
③ 점성계수에 반비례한다.　④ 속도에 비례한다.

손실수두

1. 달시방정식 또는 패닝의 법칙 – 속도의 $h_f = f\frac{L}{D}\frac{V^2}{2g}[\mathrm{m}]$ 제곱에 비례한다.
 – 달시(Darcy) 방정식
 – 패닝의 법칙 $H = \frac{2f\ell V^2}{gD} = f\frac{\ell}{D}\frac{2V^2}{g} = K$ (손실계수) $\frac{2V^2}{g}$
2. 하젠포와젤의 방정식 – 속도에 비례한다.
 $H = \frac{32\mu\ell V}{\gamma D^2}[\mathrm{m}]$　$\Delta P = \frac{128\mu\ell Q}{\pi D^4}[Pa]$
 문제의 보기에서 유량, 관의길이, 점성계수를 주어진 것은 하젠포와젤의 방정식과의 관계를 말한 것이다.

●●○ 28 부차적 손실에 해당되지 않는 것은?

① 관부속품　② 급격한 확대　③ 급격한 축소　④ 관벽의 마찰

관벽의 마찰이란 관로에 의한 마찰인 주손실을 말한다.

정답 25 ①　26 ③　27 ④　28 ④

●●○ **29** 원관이 급격한 확대관일 때의 마찰손실수두는?

① 유량에 비례한다.　② 면적에 비례한다.
③ 속도의 제곱에 비례한다.　④ 속도의 제곱에 반비례한다.

급격한 확대관의 마찰손실 $\Delta H = \dfrac{(V_1 - V_2)^2}{2g} = \left(1 - \dfrac{A_1}{A_2}\right)^2 \dfrac{V_1^2}{2g} = K\dfrac{V_1^2}{2g} = K \cdot \dfrac{Q^2}{2gA^2}$

●○○ **30** 손실계수(K)가 0.8이고, 유체가 4 m/sec의 속도로 흐를 때 손실수두(m)는 얼마인가?

① 0.255　② 0.48　③ 0.55　④ 0.653

$H = f\dfrac{L}{D}\dfrac{V^2}{2g}$, K(손실계수 또는 압력계수) $= f\dfrac{L}{D}$, $H = K\dfrac{V^2}{2g} = 0.8\dfrac{4^2}{2 \times 9.8} = 0.653\ \text{m}$

●○○ **31** 지름 30 cm인 원관과 지름 45 cm인 원관이 직접 연결되어 있을 때 작은 관에서 큰 관 쪽으로 매초 230 ℓ의 물을 보내면 연결부의 손실수두는 몇 m인가?

① 0.125　② 0.146　③ 0.155　④ 0.167

급격한 확대관의 마찰손실 $H = \dfrac{(V_1 - V_2)^2}{2g} = \dfrac{(3.254 - 1.446)^2}{2 \times 9.8} = 0.167\ \text{m}$

$V_1 = \dfrac{4Q}{\pi D^2} = \dfrac{4 \times 0.23}{\pi \times 0.3^2} = 3.254$　$V_2 = \dfrac{4Q}{\pi D^2} = \dfrac{4 \times 0.23}{\pi \times 0.45^2} = 1.446$

●●○ **32** 20°C에서 지름 100 mm인 배관으로 물이 0.6 m³/min의 유량으로 유입될 때 10 m의 부차손실이 발생하였다. 이때의 부차적 손실계수는 약 얼마인가? (단, 중력가속도 g=9.8 m/s이다.)

① 10　② 50　③ 100　④ 121

$\triangle H = f\dfrac{L}{D}\dfrac{V^2}{2g} = K\dfrac{V^2}{2g} \rightarrow 10 = K\dfrac{1.27^2}{2 \times 9.8}$　$\therefore K = 121.52$

- $Q = VA \rightarrow \dfrac{0.6}{60}[\text{m}^3/\text{s}] = V \cdot \dfrac{\pi}{4}0.1^2\ \text{m}^2$에서 V는 1.27 m/s

정답 29 ③ 30 ④ 31 ④ 32 ④

33 배관의 길이가 10 m이며 직경이 80 mm인 배관에 유량 2,400 L/min으로 흐른다고 하면 이 때 배관의 손실압력은 얼마인가? (단, Hagen willam's식을 사용하며 C는 100이다.)

① 108.4 kPa ② 112.4 kPa
③ 114.6 kPa ④ 116.8 kPa

해설

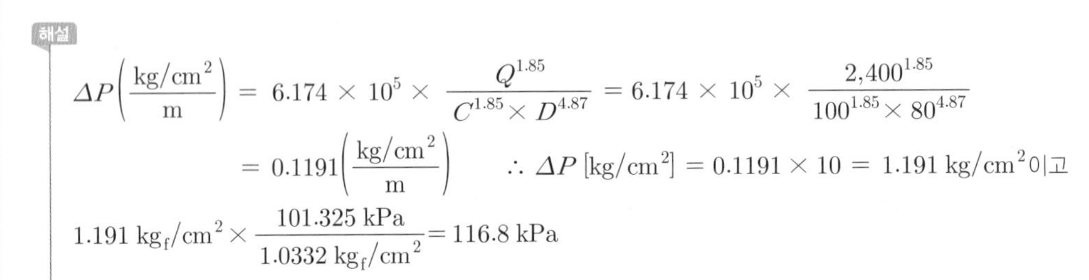

$$\Delta P\left(\frac{kg/cm^2}{m}\right) = 6.174 \times 10^5 \times \frac{Q^{1.85}}{C^{1.85} \times D^{4.87}} = 6.174 \times 10^5 \times \frac{2{,}400^{1.85}}{100^{1.85} \times 80^{4.87}}$$

$$= 0.1191\left(\frac{kg/cm^2}{m}\right) \quad \therefore \Delta P\,[kg/cm^2] = 0.1191 \times 10 = 1.191\ kg/cm^2$$ 이고

$$1.191\ kg_f/cm^2 \times \frac{101.325\ kPa}{1.0332\ kg_f/cm^2} = 116.8\ kPa$$

34 다음 변수 중에서 무차원수가 아닌 것은?

① 레이놀드수 ② 체적탄성계수 ③ 마하수 ④ 프루우드수

해설

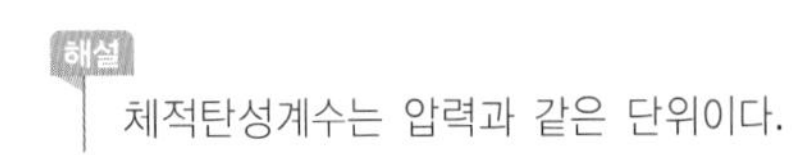

체적탄성계수는 압력과 같은 단위이다.

35 원관 유동에 관한 중요한 무차원수는 다음 중 어느 것인가?

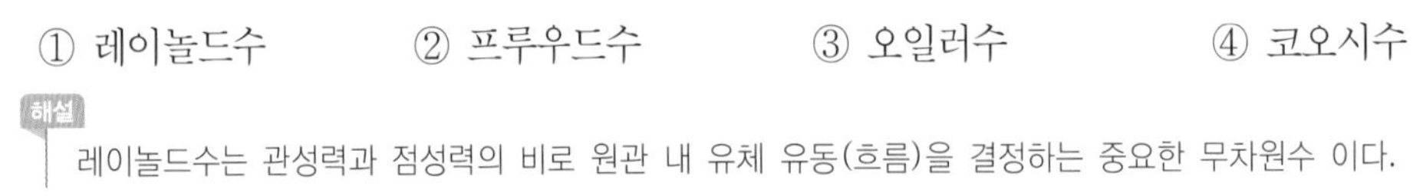

① 레이놀드수 ② 프루우드수 ③ 오일러수 ④ 코오시수

해설

레이놀드수는 관성력과 점성력의 비로 원관 내 유체 유동(흐름)을 결정하는 중요한 무차원수 이다.

36 다음의 무차원수 중 압축력과 관성력의 비로 표시되는 수는 무엇인가?

① 코우시수 ② 프루우드수 ③ 오일러수 ④ 레이놀즈수

해설

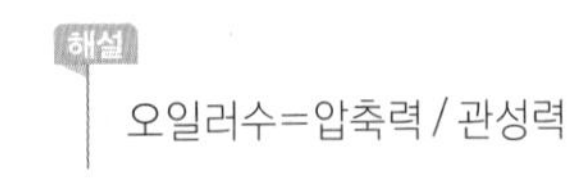

오일러수=압축력 / 관성력

37 다음 중 프루우드수는?

① $\frac{\rho VD}{\mu}$ ② $\frac{\rho V^2}{K}$ ③ $\frac{V}{\sqrt{K/\rho}}$ ④ $\frac{V}{\sqrt{Lg}}$

해설

①은 레이놀드수 ② 코우시수 ③ 마하수 ④ 프루우드수

정답 33 ④ 34 ② 35 ① 36 ③ 37 ④

38

다음 중 수력반경을 올바르게 나타낸 것은?

① 접수길이를 면적으로 나눈 것
② 면적을 접수길이의 제곱으로 나눈 것
③ 면적의 제곱근을 접수길이로 나눈 것
④ 면적을 접수길이로 나눈 것

수력반경(상당직경) : 원관이 아닌 사각 모양 등의 관일 경우 그 흐름의 특성 등을 파악하기 어렵고 자료 또한 부족하여 편의상 원관의 지름에 해당하는 크기로 환산한 것(접수길이 : 각 변 길이의 합)

39

직사각형의 단면이 30 cm × 40 cm인 관에 유체가 흐르고 있을 때 수력 반경은?

① 7 cm　② 8.57 cm　③ 11 cm　④ 14.5 cm

해설

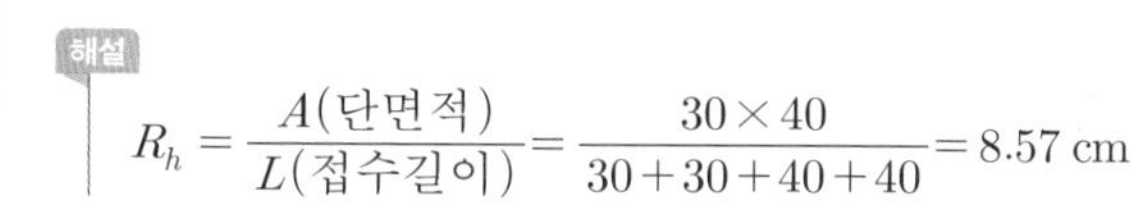

$$R_h = \frac{A(\text{단면적})}{L(\text{접수길이})} = \frac{30 \times 40}{30+30+40+40} = 8.57\text{ cm}$$

40

지름이 d인 원 관의 수력반경은 얼마인가?

① $4d$　② $\frac{d}{4}$　③ 2d　④ $\frac{d}{2}$

해설

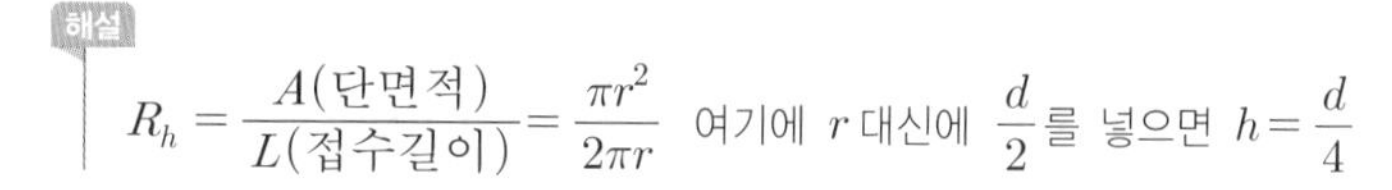

$R_h = \frac{A(\text{단면적})}{L(\text{접수길이})} = \frac{\pi r^2}{2\pi r}$ 여기에 r 대신에 $\frac{d}{2}$를 넣으면 $h = \frac{d}{4}$

41

다음 설명 중 유선의 내용 중 맞는 것은?

① 한 유체입자가 일정한 기간 내에 움직여 간 경로를 말함.
② 유동장의 모든 점에서 속도 벡터의 수직 방향과 일치되는 선이다.
③ 모든 유체입자의 순간적인 흐름이 시간에 따라 변화하는 흐름이다.
④ 유동장의 한 선상의 모든 점에서 그은 접선이 그 점에서 속도방향과 일치되는 선이다.

①번은 유적선을 말하며 유선은 흐름의 방향이 모든 선상에서 일정한 방향을 갖는다.

42

유체의 흐름에서 유적선이란 무엇인가?

① 한 유체 입자가 일정한 기간에 움직인 경로
② 모든 점에서 속도 벡터의 방향을 가지는 연속적인 선이다.
③ 유동단면의 중심을 연결한 선
④ 유체입자의 순간궤적

유적선이란 유체가 남긴 흔적을 말하며 강에서 배를 띄우면 일정한 기간 동안 움직인 경로가 된다.

정답　38 ④　39 ②　40 ②　41 ④　42 ①

5. 유체의 측정

1 압력의 측정〈정압측정〉

(1) 압력계(KS B 5305 부르동관 압력계)

① 양압의 압력만 측정가능, 같은 압력(대기압과 비교)에서의 눈금은 0이다.

② 측정한 유체의 압력은 대기압과의 차를 나타냄

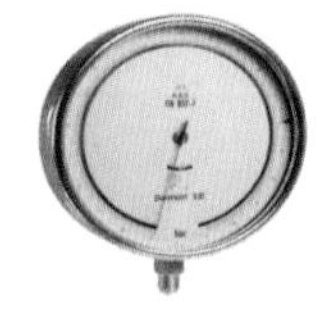

압력계

(2) 진공계

음의 압력의 측정, 펌프가 수조보다 높게 있을 때 펌프의 흡입측 배관에 설치

진공계

(3) 액주계

압력차에 따른 액주의 높이로 압력 측정

피에조미터	• 액주계의 액체가 배관의 유체와 같다. • 비중이 큰 액체에 이용, 압력이 적은 경우 사용
U자관 마노미터	• 액주계의 액체가 배관의 유체와 다르다. • 비중이 작은 액체, 압력이 큰 경우 사용
시차액주계	두 개의 배관, 탱크 압력을 측정하는 장치

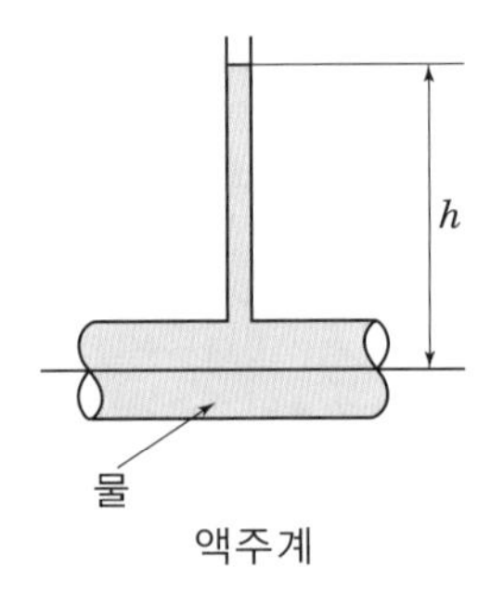

액주계

피에조미터	U자관 마노미터	시차액주계	
A, B, C, h	A, B, C, γ_1, γ_2, h_1, h_2	A, B, C, D, γ_1, γ_2, γ_3, h_1, h_2, h_3	A, B, C, D, γ_1, γ_2, γ_3, h_1, h_2, h_3
$P_B = P_C$ 이므로 $P_A + P_0 + \gamma h = P_0$ $P_A = -\gamma h$ $P_0 =$ 대기압	$P_B = P_C$ 이므로 $P_A + \gamma_1 h_1 = \gamma_2 h_2$ $P_A = \gamma_2 h_2 - \gamma_1 h_1$	$P_C = P_D$ 이므로 $P_A - \gamma_1 h_1 - \gamma_2 h_2 =$ $P_B - \gamma_3 h_3$ $P_A - P_B =$ $\gamma_1 h_1 + \gamma_2 h_2 - \gamma_3 h_3$	$P_C = P_D$ 이므로 $P_A + \gamma_1 h_1 =$ $P_B + \gamma_2 h_2 + \gamma_3 h_3$ $P_A - P_B =$ $\gamma_2 h_2 + \gamma_3 h_3 - \gamma_1 h_1$

2 유량의 측정

(1) 벤츄리미터

① **베르누이 방정식에서 응용한 차압식 유량계로서 압력차, 유속, 유량을 측정**할 수 있다.

② **확대관을 두어 압력손실을 적게 함과 동시에 손실 압력 회복할 수 있어서 압력손실이 가장 적은 대신에 유량측정이 정확**하다.

③ 설치비용이 비싸고 설치장소를 많이 차지한다.

(2) 플로우노즐

① **차압식 유량계**로서 인입 부분을 타원형 또는 원형의 모양으로 제작

② **오리피스미터 보다 내구성과 정확성이 좋아** 고압, 고온의 유량 측정에 사용된다.

(3) 오리피스미터

① **차압식 유량계로 유체의 전체 평균속도를 측정**한다.

② **가격이 싸고 압력손실이 크다.**

Point

- **차압식 유량계의 정확도 및 압력손실**

벤츄리미터	플로우노즐	오리피스

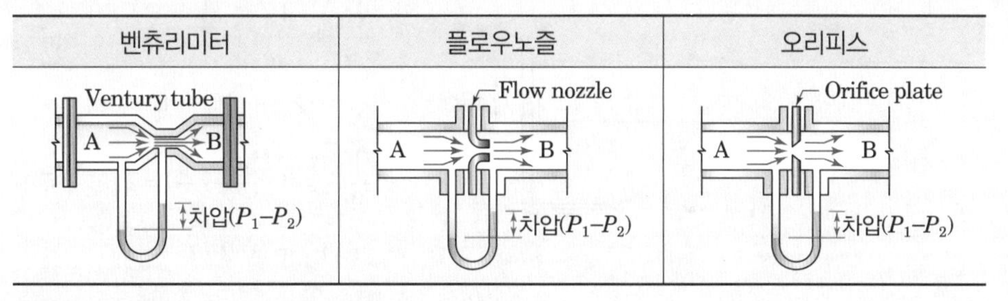

정확도 : 벤츄리미터 〉 플로우노즐 〉 오리피스 유량계

압력손실 : 벤츄리미터 〈 플로우노즐 〈 오리피스 유량계

(4) 로타미터(rotameter)

면적식 유량계로 유체 속에 부자를 띄워서 유량을 직접 눈으로 읽을 수 있고 측정범위 넓으며 손실이 적고 오차가 적다.

오리피스타입

클램프타입

(5) 위어(Weir) – 보, 둑

① **수로의 도중에서 흐름을 막아 이것을 넘치게 하여 물을 낙하시켜 유량을 측정하는 장치**

② 위어의 종류 : 예봉위어, 삼각위어, 사각위어 등

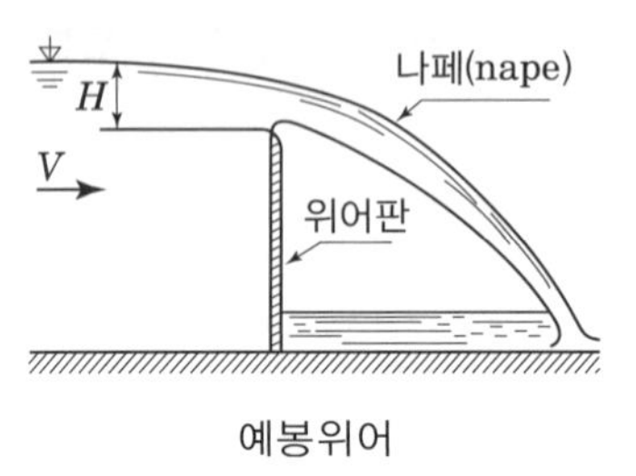

예봉위어

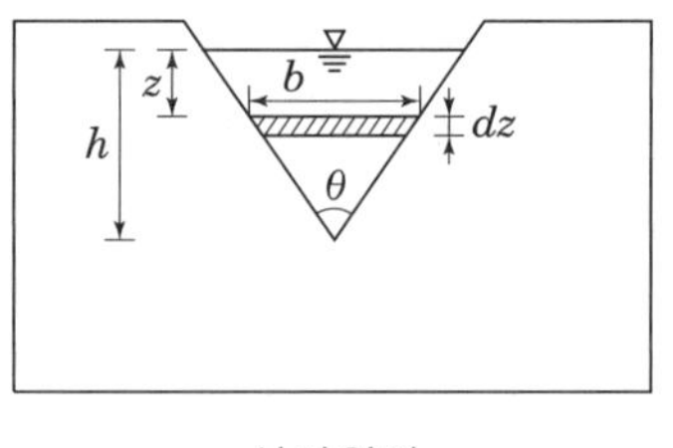

삼각위어

3 유속측정〈동압측정〉

(1) 피토우트관(pitot tube)

① **한점의 속도를 측정(국부속도), 평균속도 구하기 위해 여러 지점의 유속 측정해야 함**

1지점과 2지점을 베르누이 방정식을 이용하여 풀면 토리첼리방정식과 같게 된다.

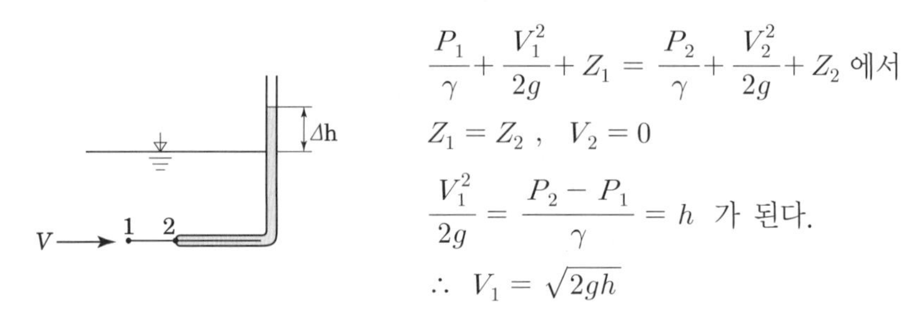

$$\frac{P_1}{\gamma} + \frac{V_1^2}{2g} + Z_1 = \frac{P_2}{\gamma} + \frac{V_2^2}{2g} + Z_2 \text{ 에서}$$

$Z_1 = Z_2$, $V_2 = 0$

$$\frac{V_1^2}{2g} = \frac{P_2 - P_1}{\gamma} = h \text{ 가 된다.}$$

$$\therefore\ V_1 = \sqrt{2gh}$$

(2) 시차액주계(differential manometer) – 유속측정 방법은 벤츄리미터와 동일

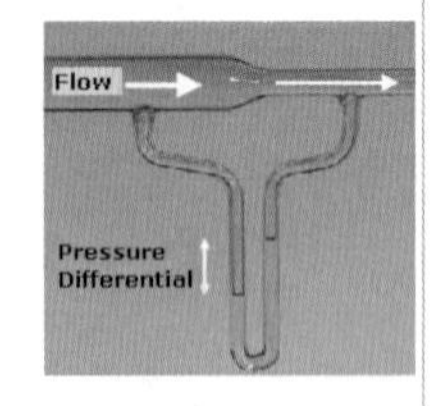

시차액주계

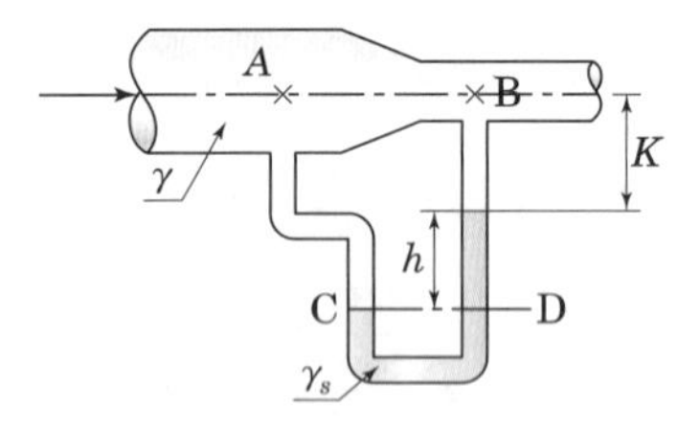

(3) 피토우트 – 정압관 : **유속측정(동압 측정)**

피토관에서 정압과 동압을 측정하고 피에조미터에서 정압을 측정하여 이의 차에 의한 동압을 측정하는 장치이다.

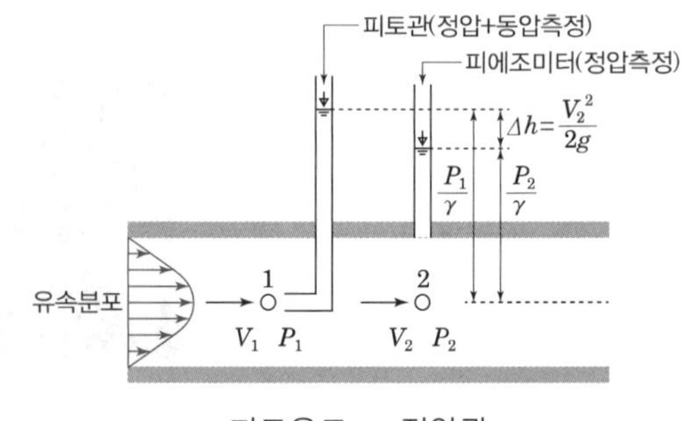

피토우트 – 정압관

예제 01

배관 내에 물이 흐르고 있을 때 그림과 같이 액주계를 설치하였다. 배관에서 물의 평균 유속은 약 몇 m/s인가?

① 2.6 ② 7
③ 11.7 ④ 137.2

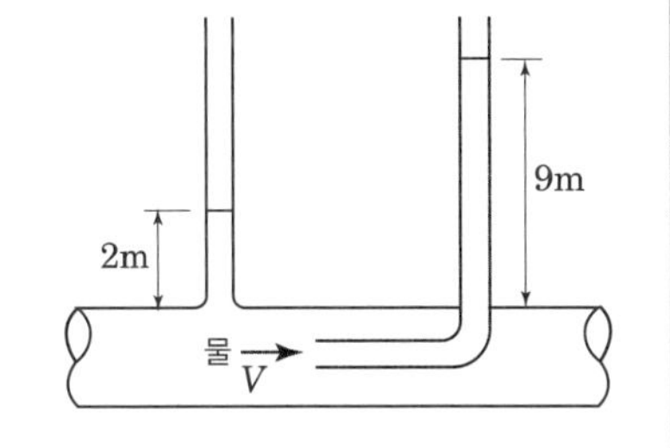

해답 ③

그림에서 정압은 2 m, 전압은 9 m 이므로
동압에 해당하는 수두는 7 m이다.
따라서 $V = \sqrt{2 \times 9.8 \times 7} = 11.7 \text{ m/s}$

4 점성계수의 측정

(1) 회전식 점도계(회전 원통법) : **뉴튼의 점성법칙 적용**

① 스토머(Stormer)점도계 ② 맥 미첼(MacMichael)점도계

(2) 튜브식 점도계(세관법) : **하겐-포와젤의 법칙 적용**

① 세이볼트(Saybolt)점도계 ② 오스트왈트(Ostwald)점도계
③ 레드우드(Redwood)점도계 ④ 앵글러(Engler)점도계
⑤ 바베이(Barbey) 점도계

(3) 낙구식 점도계 : **스토크스의 법칙 적용**

- 스토크스의 법칙 : 만일 물체가 그 무게에 의해 유체 속에서 낙하하고 있는 경우라면 부력과 마찰력의 합이 중력과 같아질 때 그 종단 속도에 도달하는 법칙
- 종단속도 : 자유낙하하는 물체에 작용하는 저항력과 중력이 같아져서 더 이상의 가속도를 받지 않을 때의 속도

예제 02

뉴튼의 점성법칙을 이용하여 점성계수를 측정하는 점도계는?

① MacMichael점도계 ② Saybolt점도계
③ Ostwald점도계 ④ Redwood점도계

해답 ①

예제 03

스토크스의 법칙을 이용하여 만든 회전 원통식 점도계는?

① 회전식점도계 ② 튜브식점도계
③ 세이볼트점도계 ④ 낙구식점도계

해답 ④

실전 예상문제

●○○ 01 압력에 의하여 생기는 금속의 탄성변형을 기계적으로 확대 지시하여 유체의 압력을 측정하는 계기는?

① 마노미터　　② 시차액주례
③ 기압계　　④ 브르동관 압력계

압력계

●●○ 02 Piezometer는 무엇을 측정하기 위한 것인가?

① 정지하고 있는 유체의 정압
② 유동하고 있는 유체의 전압
③ 유동하고 있는 유체의 동압
④ 유동하고 있는 유체의 정압

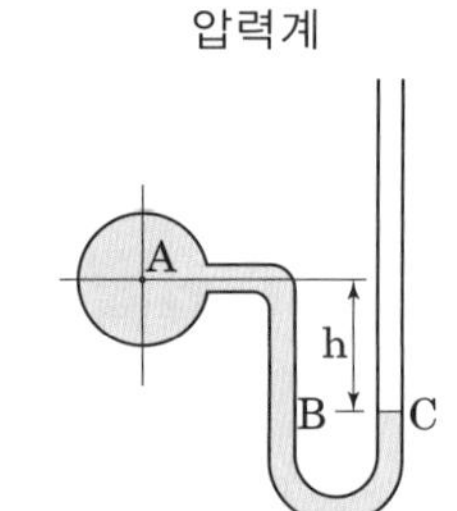

피에조미터

●●● 03 다음 계측기 중 측정하고자 하는 것이 다른 것은?

① Bourdon 압력계　　② U자관 마노미터
③ 피에조미터　　④ 벤츄리미터

벤츄리미터는 두 지점의 압력차, 유속, 유량을 측정하는 장치이다.

●●○ 04 벤츄리작용을 이용하는 유량계는 어떤 원리를 이용한 것인가?

① 파스칼의 원리　　② 베르누이 정리
③ 토리첼리의 원리　　④ 부력의 원리

베르누이 방정식은 위치압이 동일할 경우 정압과 동압의 반비례를 나타내며 벤츄리는 배관을 축소하여 유체의 흐름을 빠르게 하여 동압을 크게 하고 정압을 낮게 하는 원리이다.
포소화설비에서의 혼합기, 발포기 등이 베르누이 원리를 이용한다.

●●● 05 다음 보기 중에서 유량 측정과 관계가 없는 것은?

① 오리피스　　② 벤츄리미터　　③ 피토우관　　④ 위어

피토우트관은 유동하고 있는 유체의 동압을 측정하는 장치이다.

정답　01 ④　02 ④　03 ④　04 ②　05 ③

06 배관에 설치되어 있는 유량 측정 장치 중 유량을 부자에 의해서 직접 눈으로 읽을 수 있는 장치는 어느 것인가?

① orifice ② Venturimeter ③ Nozzle ④ Rotameter

07 유량을 측정하는 장치가 아닌 것은?

① 오리피스 ② 위어 ③ 벤츄리미터 ④ 마노미터

마노미터는 유체의 비중량이 작거나 배관의 압력이 클때 그 유체의 압력을 측정하는 장치이다.

08 유체의 국부속도를 측정하는 장치는?

① orifice ② Nozzle ③ pitot tube ④ Rotameter

플로우노즐은 유량을 측정하는 장치이며 피토우트 튜브는 유체의 국부속도를 측정하므로 평균속도를 알기 위해서는 여러 부분을 측정하여야 한다.

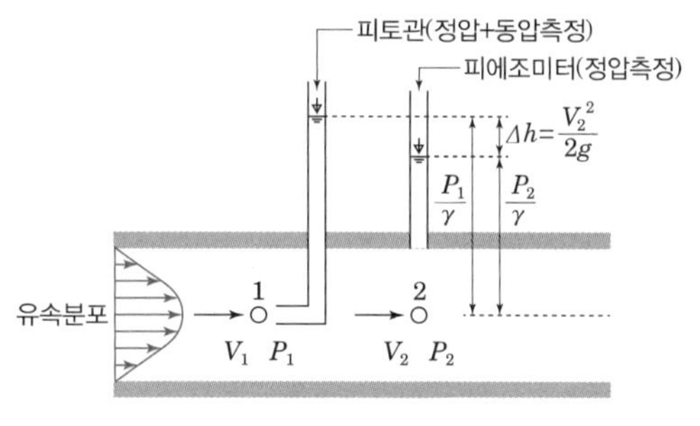

피토우트 – 정압관

09 피토우트 정압관에서 측정되어지는 것은?

① 유동하고 있는 유체에 대한 정압과 동압의 차
② 유동하고 있는 유체에 대한 정압
③ 유동하고 있는 유체에 대한 동압
④ 유동하고 있는 유체에 대한 전압

피토우트 정압관은 전압과 정압을 측정하여 동압을 측정할 수 있다.

06 ④ 07 ④ 08 ③ 09 ③

6. 유체의 배관 및 펌프

1 배관 및 관부속품

(1) 배관의 스케줄수

$$Sch\ No = \frac{\text{최고사용압력(내부 작용)압력}[kg_f/cm^2]}{\text{재료의 허용응력}[kg_f/mm^2]} \times 10$$

① **관의 강도를 표시하는 것으로 $Sch\ NO$가 클수록 배관의 두께는 두껍다.**

② 재료의 허용 응력= $\frac{\text{인장강도}}{\text{안전율}}$이며 인장강도는 배관의 양끝을 잡아당기는 힘을 주어 변형되는 강도로서 이는 유체가 배관에 수직으로 작용하는 압력에 의해 변형되는 강도에 대응된다. 쇠(배관)를 망치(물)로 두들기면 쇠가 늘어나는 원리이다. 즉 인장강도가 클수록 재료의 허용응력은 커지고 배관의 두께는 작아지며 사용하는 유체의 최고 사용 압력이 클수록 배관의 두께는 두꺼워 짐을 알 수 있다.

③ $Sch\ NO$의 종류 : 10, 20, 30, 40, 60, 80, 100 등

Tip

1. SI 단위시 계산

최고사용압력이 kg_f/cm^2에서 MPa, 재료의 허용응력이 kg_f/mm^2에서 N/mm^2으로 하면

$$\text{Sch NO} = \frac{P\,[kg_f/cm^2]}{S\,[kg_f/mm^2]} \times 10 \rightarrow \frac{\frac{1.0332}{0.101325} P\,[MPa]}{\frac{1}{9.8} S\,[N/mm^2]} \times 10 \fallingdotseq \frac{P\,[MPa]}{S\,[N/mm^2]} \times 1{,}000$$

2. 최고사용압력과 재료의 허용응력의 단위가 kg_f/cm^2인 경우

$$\text{Sch No} = \frac{\text{사용압력(내부 작용) 압력}[kg_f/cm^2]}{\text{재료의 허용응력}[kg_f/cm^2]} \times 1{,}000$$

④ **배관의 두께 산출하는 방법**

배관의 두께를 계산하여 그 값 이상의 두께를 가진 스케줄번호의 관을 선택 함

$$t = \frac{P \cdot D}{175\sigma_w} + 2.54$$

t : 관의 두께[mm] P : 최대사용압력[kg_f/cm^2]

D : 관의 외경[mm] σ_w : 허용 인장응력 [kg_f/mm^2]

⑤ 할로겐화합물 및 불활성기체

소화설비의 배관 두께 산출 방법은 5-171 page 참조

(2) 배관의 표시 및 종류

① 배관의 표시

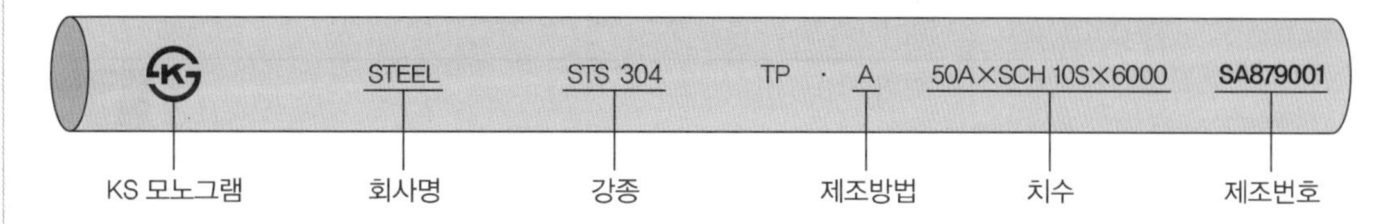

② 배관의 종류

배관의 종류	압력	온도
배관용 탄소 강관(SPP)	10 kg/cm² 이하	350℃ 이하에 사용
압력배관용 탄소 강관(SPPS)	10 kg/cm² ~ 100 kg/cm² 이하	350℃ 이하에 사용
고압배관용 탄소 강관(SPPH)	100 kg/cm² 이상	350℃ 이하에 사용

- 기타 : 고온배관용 탄소 강관(SPHT) : 350℃ 이상
  저온배관용 탄소 강관(SPLT) : 0℃ 이하

(3) 배관의 이음

① 강관의 이음

철에 탄소만을 주로 합금 원소로 내포한 것을 탄소강, 다른 합금 원소를 첨가한 것을 특수강 또는 합금강이라고 한다. 강철은 일반적으로 탄소를 약 0.04~1.7% 함유하는 철을 말하며 소방용으로 사용하는 SPP는 배관용탄소강관이라 한다.

나사 이음	일반적으로 나사 이음은 50 A 이하의 관연결시 사용 이음에 사용하는 패킹제 : 테프론테프, 광명단, 일산화연(PbO) 등 사용	
용접 이음	일반적으로 50 A 이상의 관연결시 사용하며 전기 또는 가스로 용접한다.	
플랜지이음	관 자체를 회전시키지 않고 플랜지 사이에 기밀을 유지하기 위해 가스켓을 넣고 볼트와 너트를 이용하여 접합시키는 방법 배관 중간에 설치한 밸브류, 펌프, 계기 등 각종 기기의 고장 수리시, 배관 해체시 편리하다.	

② 주철관의 이음

주철관 : 주철(1.7% 이상의 탄소를 함유하는 철)로 만들어진 관으로 내식성이 풍부하고 값이 싸고 수도·가스·배수용으로 사용

플랜지이음 (flange joint)	배관 이음 부분에 패킹제(고무, 납 등)를 삽입하고 볼트로 체결하는 이음	
소켓 이음 (socket joint)	주철관의 소켓(Hub)쪽에 삽입구(Spigot)를 넣어 맞춘 다음 마(Yarn)를 단단히 꼬아 감고 정으로 다져 넣은 후 용융된 납(연)을 부어 넣은 후 틈새를 코킹하는 이음	
기계적이음 (mechanical joint)	고무링 등을 압륜으로 하여 볼트로 체결한 것으로 소켓 이음과 플랜지 이음의 특징을 채택한 것으로 기밀성이 좋고 이음부가 다소 휘어도 지장이 없으며 작업이 간단하고 물속에서도 작업이 가능하다.	

③ 배관의 신축이음(expansion joint)

배관의 열 등에 의한 팽창 또는 수축 등을 흡수하여 배관의 손상을 방지한다.

강관의 경우 온도차 1℃일 때 1m 당 0.012 mm만큼 신축이 발생한다. 따라서 접합부나 기기의 접속부가 파손될 우려가 있어 이를 미연에 방지하기 위하여 신축이음을 배관 중에 설치한다. 일반적으로 신축이음은 강관의 경우 직선길이 30 m당, 동관은 20 m마다 1개씩 설치한다.

㉠ **굴곡관형 신축 이음(만곡관형 이음 : Bending pipe joint)**

고온, 고압의 옥외배관에 설치하며 곡률 반경은 관지름의 6배 이상으로 하므로 공간을 많이 차지한다.

굴곡관형　　　　슬리브형

㉡ **슬리브형 신축 이음(미끄럼 이음 : Slide Type expansion joint)**

- 직관의 선팽창을 흡수하여 벨로우즈형보다 큰 압력과 온도에 견딜 수 있으며 직선으로 이음하므로 설치 공간이 루프형에 비해 적다.
- 장시간 사용시 패킹 마모로 누수의 원인이 된다.

㉢ **벨로우즈형 신축 이음(파형 이음 : Bellows Type expansion joint)**

벨로우즈형은 그 주름에 의해 신축을 흡수하며 설치공간을 넓게 차지하지 않고 자체 응력 및 누설이 없다.

벨로우즈형　　　　스위블형　　　　볼조인트형

㉣ **스위블형 신축 이음(스윙형 이음)**

- 2개 이상의 나사 엘보를 사용하므로 설치비가 싸고 쉽게 조립할 수 있다.
- 굴곡부에서 신축을 흡수하여 압력 강하를 가져오나 신축량이 큰 배관에는 부적당하다.

㉤ **볼조인트(Ball Joint)형 신축이음**

볼조인트는 평면상의 변위 뿐만 아니라 입체적인 변위까지 흡수하므로 어떠한 신축에도 배관이 안전하며 설치공간이 적다. 지진에 대비한 설계 방법에 응용된다.

팽창과 수축의 흡수량 크기 : 굴곡관형 〉 슬리브형 〉 벨로우즈형 〉 스위블형

④ **플렉시블 이음(Flexible Joint)**

굴곡이 많은 곳이나 기기의 진동이 배관에 전달되지 않도록 하여 배관이나 기기의 파손을 방지할 목적으로 사용된다. 소방펌프의 흡입측, 토출측에 많이 설치된다.

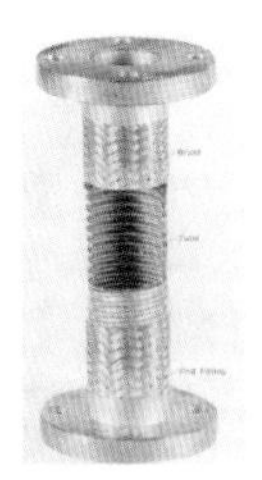

플렉시블조인트

(4) 배관공구

① **강관용 배관공구**

㉠ 쇠톱 : 관절단 공구

㉡ 파이프 바이스(pipe vice) : 관을 고정시키고 작업할 때 쓰인다.

㉢ 파이프 커터(pipe cutter) : 관절단 공구

㉣ 파이프 리머(pipe reamer) : 관절단 후 거치러진 면을 매끄럽게 할 때 쓰인다.

㉤ 파이프 렌치(pipe wrench) : 관부속품을 풀거나 조일 때 쓰인다.

파이프바이스 파이프 커터 파이프렌찌

리머 리머로 배관 다듬기

② **동관용 배관공구**

㉠ 토치 램프(Touch lamp) : 동관을 가열하여 이음, 구부리기시 사용

㉡ 튜브 벤더(Tube bender) : 동관 벤딩시 사용

㉢ 튜브 커터(Tube cutter) : 동관 절단시 사용

㉣ **익스팬더(expander) : 동관 끝 확장시 사용**

㉤ **사이징 투울(Sizing Tool) : 동관을 박아 넣는 이음으로 접합할 경우 정확하게 원형으로 끝을 정형하기 위해 사용하는 공구**

㉥ **플레어링 투울 셋(flaring Tool set) : 동관 압축이음시 나팔모양으로 만들 때 사용**

튜브벤더 튜브컷터 익스팬더 사이징 투울 플레어링 투울 셋

(5) 관부속품

구 분	관 부속품
배관이 둘 또는 하나가 고정된 상태에서 연결	플랜지 유니온
배관과 배관 연결시 회전하면서 연결	니플 소켓
배관을 확대, 축소시 사용	레듀셔 부싱
배관의 방향을 변경시	엘보 티 크로스
유속의 흐름을 차단시	플러그 캡 콕밸브

2 펌프

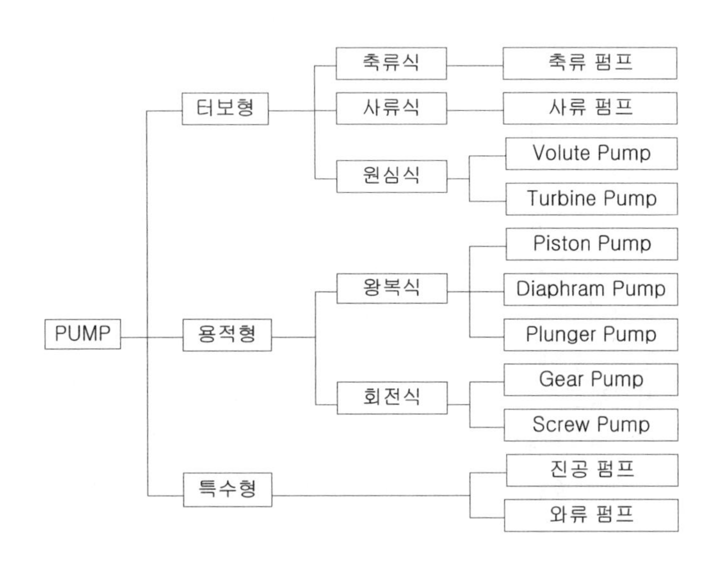

(1) 펌프의 종류

구분	종류	세부	설명
터보형 펌프	원심펌프	볼류트 펌프	임펠러로부터 나온 액체의 속도에너지를 **볼류트로 압력에너지로 변환시키는 펌프** – Volute : 맴돌이, 소용돌이
		터빈 펌프	임펠러로부터 나온 액체의 속도에너지를 **안내깃으로 압력에너지로 변환시키는 펌프**
	사류펌프		임펠러의 **원심력 및 양력**에 의해 액체에 압력 및 속도 에너지를 주는 펌프
	축류펌프		깃의 **양력**에 의해 액체에 압력 및 속도에너지를 주고 안내깃으로 속도에너지를 압력에너지로 변환 하는 펌프
용적형 펌프	왕복펌프		**피스톤 등의 왕복운동**에 의해 액체를 압송하는 펌프 (종류 – 피스톤, 플랜저, 다이어프램 펌프)
	회전펌프		**기어, 베인, 나사(스크류) 등의 회전운동**에 의해 액체를 압송 하는 펌프

• 터보형 펌프 – **임펠러를 케이싱에서 회전**시켜 액체에 에너지를 부여하는 펌프
• 용적형펌프 – **피스톤, 플랜지 등의 압력 작용**에 의해 액체를 압송하는 펌프
• 원심펌프 – **임펠러의 원심력**에 의해 액체에 압력 및 속도에너지를 주는 펌프

축류펌프	왕복펌프	회전펌프(기어펌프)	회전펌프(베인펌프)	회전펌프(나사펌프)
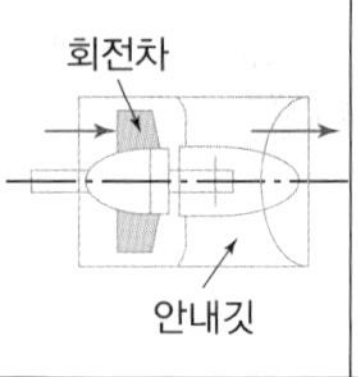 회전차, 안내깃	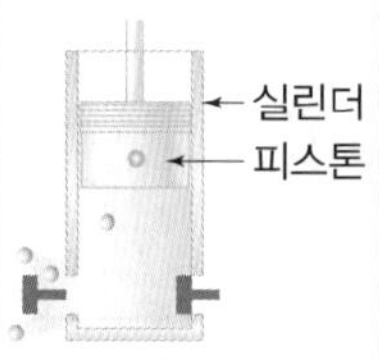 실린더, 피스톤	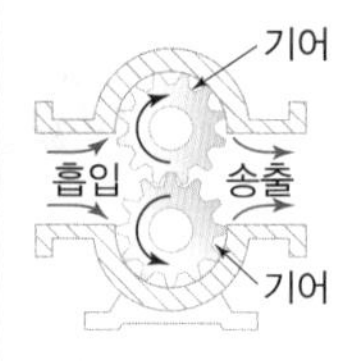 기어, 흡입, 송출, 기어	 축, 회전차, 흡입구, 송출구, 케이싱, 깃	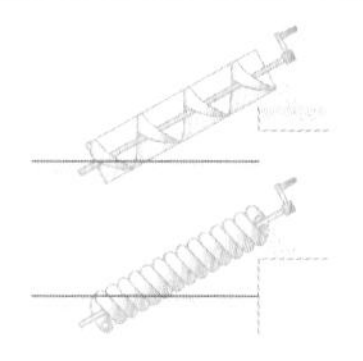

① **축류펌프**

㉠ 회전차의 날개를 회전시킴으로서 발생하는 힘에 의하여 압력에너지를 속도에너지로 변환시켜 유체를 수송하는 펌프, 프로펠러형의 임펠러가 회전함으로써 물을 축방향으로 보내는 펌프이다.

㉡ 설치 면적이 작고 구조가 간단하다.

㉢ **양정이 낮고 양수량이 많은 경우에 사용된다.**

흡입
송출
회전

축류펌프의 날개

② **사류펌프**

회전차의 원심력과 날개의 양력작용으로 압력, 속도에너지를 받은 유체가 축방향에 경사지게 토출된 후 안내날개를 갖는 케이싱으로부터 압력을 받아 수송하는 형식의 펌프

③ **원심펌프**

㉠ 회전차의 원심력에 의한 압력 변화를 이용하여 유체를 수송하는 펌프

㉡ 펌프 중심부에 들어간 물이 회전하는 임펠러(impeller : 날개차)를 지나 압력이 높아져서 바깥둘레로 유출하고 스파이럴형의(나선형, 소용돌이) 통로를 지나 펌프 출구에 도달한다. **임펠러를 나온 물이 안내깃 사이를 지나 케이싱으로 나가는 터빈펌프**와 **안내깃을 가지지 않는 벌류트펌프**로 나뉜다.

㉢ **원심펌프의 종류**

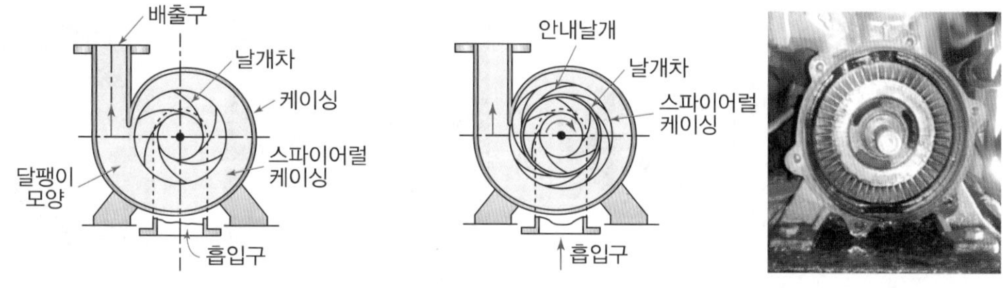

볼류트펌프와 터빈펌프　　　　펌프 내부 임펠러(날개차)

볼류트펌프	터빈펌프
회전차 주위에 날개가 없다	회전차 주위에 안내깃이 있다.
양정이 낮고 토출량이 많은 곳에 사용	양정이 높은 곳 토출량이 적은 곳에 사용

④ **왕복펌프**

실린더에 피스톤, 플랜지등의 왕복 직선운동과 흡입밸브와 송출밸브가 교대로 개폐하여 실린더 내를 진공으로 만들어 액체 흡입 및 압력을 가해 유체를 수송하는 펌프

왕복펌프는 양정이 크고 유량이 작은 경우에 적합하다.

(2) 비교회전도(Speific speed = 비속도)

① **비교회전도는 펌프에서(임펠러 1개당) 단위 유량 및 단위 양정이 나올 때를 가상한 회전수와 펌프의 실제 회전수 비교한 것**이다.

② 아래 그림에서 **단위 유량 및 단위 양정을 내기 위해 임펠러가 작은 펌프는 임펠러가 큰 펌프보다 더 많이 회전하여야 한다. 이 때의 회전수가 그 펌프의 비교회전수(도)라 하며 이것을 알면 대략 펌프의 성능, 임펠러 형상 등을 예측할 수 있다.**

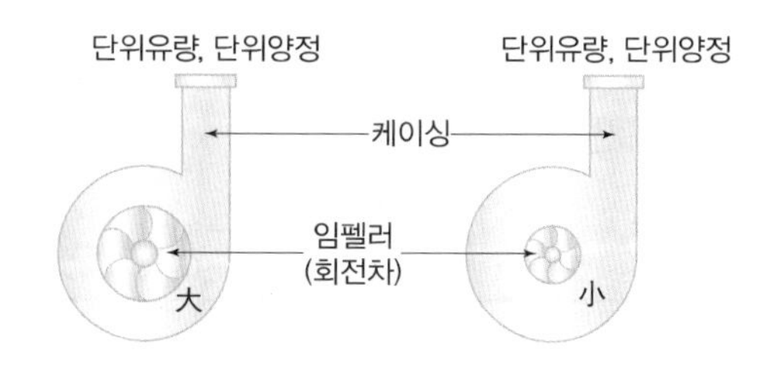

③ 비교회전도는 임펠러 1개당의 회전속도를 나타내므로 양흡입펌프를 설치 시 임펠러가 2개이므로 Q는 2로 나누어 주어야 하며 다단펌프를 사용할 경우 임펠러가 여러 개이므로 H는 단수(H/n)로 나누어 주어야 한다.

$$N_s = \frac{N \cdot Q^{1/2}}{(\frac{H}{n})^{3/4}}$$

Q : 유량[m^3/min], H : 양정[m]

양흡입펌프

양흡입펌프 옆 모습

다단펌프

④ 비교회전도를 알면 임펠러의 형상, 펌프의 특성, 원하는 유량 및 양정을 얻기 위한 최적의 회전수를 구할 수 있다.

비교회전도	1,000	800	300(볼류트) ~ 100(터빈)
종류	축류식	사류식	원심식
유량, 양정	대유량, 저양정	~	소유량, 고양정
압력전달방법	양력	양력 + 원심력	원심력
임펠러형상	축류식	사류식	원심력식
흐름방향	→	↗	↑
H-Q 곡선	H, Q	H, Q	H, Q

예제 01

양정 80 m, 토출량 15 m³/min, 회전수 1,800 rpm인 펌프가 있다. 편흡입 1단 펌프와 2단 펌프, 양흡입 1단 펌프에 대한 비속도가 맞는 것은?

① 260.4, 438.1, 284.4　　② 260.4, 438.1, 184.4
③ 438.1, 260.4, 284.4　　④ 260.4, 438.1, 384.4

편흡입 1단의 경우 $N_S = \dfrac{1,800 \times 15^{1/2}}{80^{3/4}} = \dfrac{1,800 \times 3.87}{26.75} = 260.4$

편흡입 2단의 경우 $N_S = \dfrac{1,800 \times 15^{1/2}}{40^{3/4}} = \dfrac{1,800 \times 3.87}{15.9} = 438.1$

양흡입 1단의 경우 $N_S = \dfrac{1,800 \times 7.5^{1/2}}{80^{3/4}} = \dfrac{1,800 \times 2.74}{26.75} = 184.4$

해답 ②

(3) 상사법칙

비교회전도가 같은 서로 다른 펌프의 경우 "상사성을 갖는다"라고 하고 유량, 양정, 축동력은 회전수와 임펠러의 직경과 일정한 관계가 있는데 이를 상사법칙이라 한다.

$$\frac{Q_2}{Q_1} = \left(\frac{N_2}{N_1}\right)^1 \cdot \left(\frac{D_2}{D_1}\right)^3 \qquad \frac{H_2}{H_1} = \left(\frac{N_2}{N_1}\right)^2 \cdot \left(\frac{D_2}{D_1}\right)^2 \qquad \frac{L_2}{L_1} = \left(\frac{N_2}{N_1}\right)^3 \cdot \left(\frac{D_2}{D_1}\right)^5$$

Q : 유량[m³/min]　H : 양정[m]　L : 축동력[kW]
N : 회전수[rpm]　D : 임펠러 외경[mm]

① 유량이 부족시 회전수를 높이거나 임펠러를 변경하면 원하는 유량을 얻을 수 있으며 양정, 동력도 마찬가지이다. 단, 유량이 부족시 회전수를 높이면 축동력이 커지고 양정이 증가함을 알 수 있다.
② 즉, 동력에 대한 용량을 키워야 하며 양정의 증가로 배관의 압력에 대한 대책도 필요하다.

(4) 펌프의 성능

펌프 2대 연결 방법		직렬 연결	병렬 연결
성능	유량(Q)	Q	2Q
	양정(H)	2H	H

Tip

펌프 직 · 병렬 시 고려사항

펌프를 2대 직·병렬 연결 시 옆의 그림처럼 저항곡선의 증가로 인해 양정과 유량이 감소됨을 알 수 있다.
따라서 설계 시 이를 반영해야 한다.

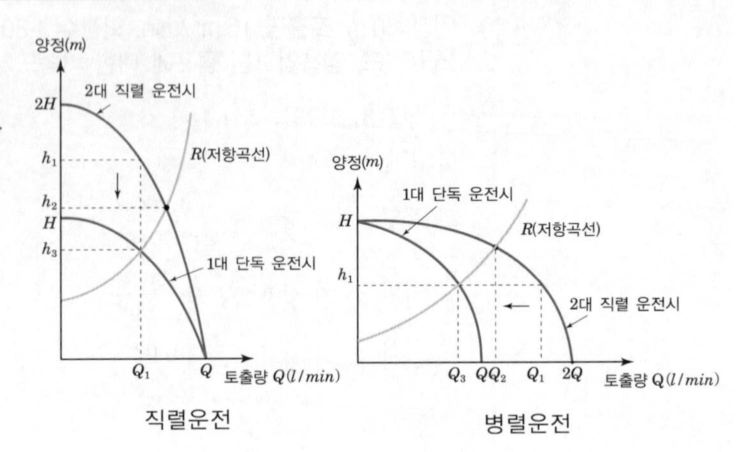

3 펌프 등의 이상 발생현상

(1) Cavitation(공동현상)

① 정의

㉠ **물의 압력이 해당온도의 포화증기압보다 낮을 때 기포가 발생하는 현상(20℃ : 0.0234 kg/cm²)**

㉡ **유체가 넓은 유로에서 좁은 곳으로 고속 유입 시 또는 굴곡이 있거나 만곡부가 있으면 유속이 빠른 부분이 저압(정압)이 되는데 이때 해당온도의 압력이 포화증기압보다 낮으면 공동현상이 생긴다.** 압력이 낮아져 비점이 낮아지므로 수중에 증기 발생 또는 용존 공기가 분리하여 기포가 발생되는데 이와 같은 현상을 Cavitation이라 한다.

② **Cavitation이 일어나는 한계(펌프)**

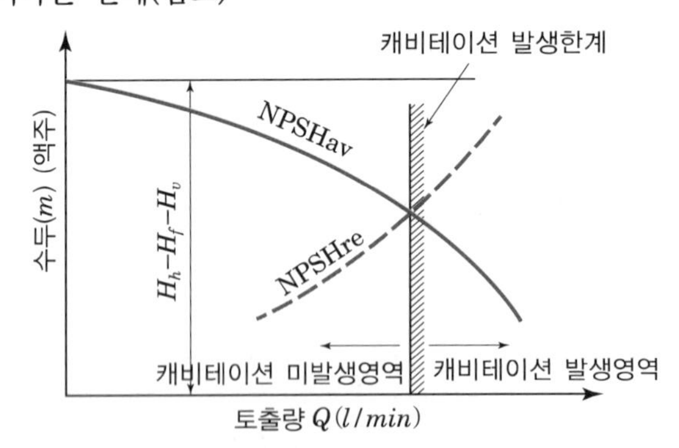

NPSHav = NPSHre	: **Cavitation의 발생한계**
NPSHav 〉 NPSHre	: **Cavitation이 발생되지 않는다.**
NPSHav 〈 NPSHre	: **Cavitation이 발생**
NPSHav ≧ NPSHre × 1.3	: **설계시 적용**

③ NPSH(Net Poistive Suction Head)

액체가 흡입배관을 통해 임펠러로 흐를 수 있게 하는 압력을 수두로 환산한 압력환산 수두를 순흡입양정(NPSH)이라 한다.

④ $NPSH_{av}$ **(유효흡입양정)**

펌프가 회전시 펌프의 중심부는 진공 상태로 압력이 낮아지고 수조의 수면에는 대기압이 누르고 있으므로 물의 높이는 약 10 m까지 상승하게 되는데 실제 물의 상승 높이는 펌프의 위치, 배관의 마찰손실 및 해당온도의 물의 포화증기압 등에 의한 저항으로 상승 높이는 낮아진다. 즉 **펌프의 설치 위치 등에 따라 결정되는 NPSH를 유효흡입양정(NPSHav)이라 하는데 펌프 흡입직전의 물의 압력을 수두로 환산한 것**이다.

$$NPSH_{av} = H_a \pm H_h - H_f - H_v \fallingdotseq 10 \pm H_h - H_f - H_v$$

H_a : 대기압 환산수두[m]　　H_h : 흡입실양정 부압시(-), 정압시(+)[m]

H_f : 흡입손실수두[m]　　H_v : 해당온도의 포화증기압 수두[m]

⑤ $NPSH_{re}$ (요구흡입양정)

㉠ **펌프에 유입된 액체는 회전차에 의해 가압되기 전에 일시적인 압력 강하가 발생하는데 이에 해당하는 수두**를 말하며 펌프 설계시 정해지는 $NPSH$를 $NPSH_{re}$라 하며, 이는 **펌프 제작시 결정 되는 값으로 기포현상을 발생하지 않기 위한 펌프 내부의 마찰 손실수두**이다.

㉡ **흡입비속도, Thoma의 캐비테이션 계수 또는 실험 등으로부터 산출 가능**

$$NPSH_{re} = \sigma H = \left(\frac{N_s}{S}\right)^{\frac{4}{3}} \cdot H$$

σ : Thoma의 캐비테이션 계수　　Ns : 비속도[rpm]

H : 임펠러 1단 마다의 효율 최고점에 있어서의 전양정[m]

S : 펌프의 흡입비속도 - 펌프의 캐비테이션의 발생한계를 판정하기 위한 계수로서 펌프 종류별로 거의 일정(1,200 ~ 1,300)

Tip

펌프의 흡입비속도(S)

$$NPSH_{re} = \sigma H = \left(\frac{N_s}{S}\right)^{\frac{4}{3}} \times H$$

$$\therefore S = \frac{N_s}{\left(\frac{NPSH_{re}}{H}\right)^{\frac{3}{4}}}$$ 여기서 $N_s = \frac{N\sqrt{Q}}{H^{\frac{3}{4}}}$ 이므로 $$S = \frac{\frac{N\sqrt{Q}}{H^{\frac{3}{4}}}}{\left(\frac{NPSH_{re}}{H}\right)^{\frac{3}{4}}} = \frac{N\sqrt{Q}}{NPSH_{re}^{\frac{3}{4}}}$$

⑥ 발생원인

㉠ 펌프의 흡입 실양정이 클 경우

㉡ 펌프의 마찰 손실이 클 경우

㉢ 흡입 배관의 길이가 긴 경우, 임펠러 속도가 지나치게 클 경우,
펌프의 흡입관경이 너무 작을 경우

$$\text{달시 방정식 : } \Delta H = f\frac{L}{D}\frac{V^2}{2g}$$

㉣ 펌프의 흡입압력이 유체의 포화 증기압보다 낮은 경우

$$NPSH_{av} = H_a \pm H_h - H_f - NPSH_{re} < H_v$$

- **공동현상은 물의 압력이 해당온도의 포화 증기압보다 낮은 경우 발생하므로 임펠러를 통해 가압되기 전까지 모든 저항 요소를 고려하여야 한다.**

㉤ 이송하는 유체가 고온인 경우

⑦ 피 해

㉠ 생성된 기포가 액체의 흐름에 따라 이동하여 고압부에 이르러 급격히 파괴하는 현상이 반복됨에 따라 **펌프의 성능은 저하**되며 펌프에서는 회전차 입구부분에서 발생하는 경향이 크다.

㉡ 기포가 파괴될 때 기포의 표면에 밀어 붙이는 액체의 압력은 기포체적의 급격한 축소에 따른 그 압력 강도가 매우 커진다. 이와 같은 큰 힘의 충격으로 인하여 **임펠러 및 케이싱은 침식**(erosion)하게 되며 귤껍질과 같은 모양이 되고, **심해지면 파손**을 일으킬 수 있다.

㉢ **안내깃에 대한 침식 발생 및 소음·진동을 수반하고 심하면 양수불량**이 된다.

⑧ 방지 대책

㉠ $NPSH_{av}$를 높이는 방법

㉡ $NPSH_{re}$를 낮추는 방법

$$NPSH_{re} = \left(\frac{N\sqrt{Q}}{S}\right)^{\frac{4}{3}}$$

- 펌프의 회전수를 낮추고 펌프 유량을 줄이고 양흡입 펌프($\frac{Q}{2}$)를 사용한다.
- 펌프의 흡입비속도가 큰 것을 사용

(2) Water Hammer(수격현상)

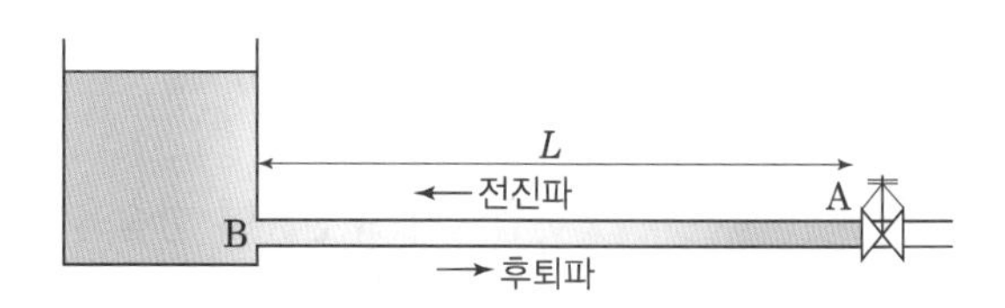

① **개 요**

수격현상은 속도차에 의한 압력차가 힘으로 나타나는 것이다.

배관 속을 빠르게 흐르는 유체를 밸브로 순간 차단하면 유체의 운동에너지가 압력에너지로 변하기 때문에 밸브의 직전 A에서 고압이 발생하고 B의 부분은 상대적으로 저압이 되어 B를 향하여 압력이 되돌아가 충격을 주며 또다시 A는 저압이 되어 A에 충격이 가해진다. 즉 A, B 사이를 반복하여 A와 B의 압력이 동일할 때까지 발생한다.

② **원 인**

㉠ **펌프의 기동**

펌프의 기동시 배관 내에 Void Space(커다란 부피의 공기 또는 가스)가 존재하면 급격한 압착력에 의해 높은 압력상승을 유발한다.

㉡ **펌프의 급정지**

순간 정전, 전동기 트립 등으로 인하여 펌프 토출측에서는 급격한 압력 저하가 발생되고 배관 상부는 고압의 상태이므로 펌프 쪽으로 물의 이동이 발생하게 된다. 압력의 감소는 경우에 따라 수주분리현상을 발생시키고 감소된 압력이 그 유체의 증기압보다 낮을 경우 증기가 방출되어 증기 공간이 형성되며 이 증기 공간에 압력이 가해질 경우 발생되는 충격력은 매우 크다.

㉢ **밸브의 급개폐**

③ **문제점**

㉠ **고압발생으로 배관의 파손 발생시 원하는 방수압, 방수량 확보 불가.**

㉡ **배관의 진동 충격음 발생**

④ **대 책**

㉠ **관 내 유속을 낮게 한다. (관성력을 작게 한다.)**

㉡ **펌프에 Fly wheel부착 : 급격한 속도변화를 감소시킨다.**

㉢ **Air chamber설치** : 공기조는 물과 공기가 들어있는 용기로 펌프 토출측에 설치하여 부압발생시 압력 방출, 양압 발생시 압력을 흡수하여 압력 급상승 및 급강하 방지 (소방펌프의 기동, 정지 기능을 하는 압력챔버도 수격방지 작용을 한다.)

㉣ **릴리프밸브나 스모렌스키 체크밸브(hammerless 체크밸브) 설치**

㉤ **수격흡수장치인 Water hammering 방지기 설치**

㉥ **Surge tank 설치** : 관로 도중에 큰 서어지 탱크를 설치하여 압력상승시 물을 유입시키고 압력 강하시 물을 토출시킨다.

㉦ **자동 수압조절밸브 설치**

(3) Surging(서징현상)

① **개 요**

㉠ **펌프가 운전중에 한숨을 쉬는 것과 같은 상태가 되어 송출압력과 송출유량 사이에 주기적인 변동이 일어나는 현상**을 말한다.

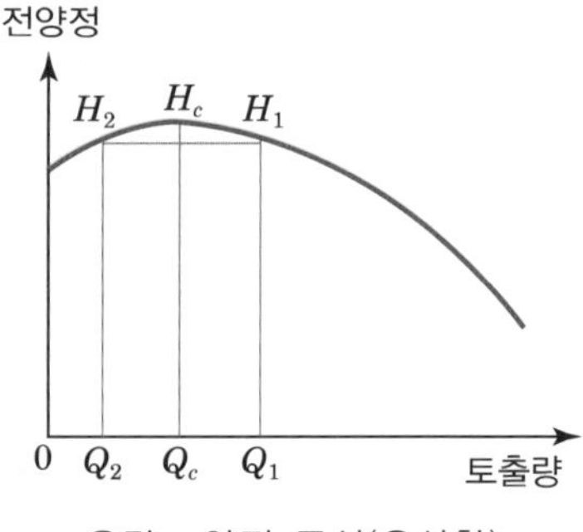

유량 – 양정 곡선(우상향)

㉡ **우상향 유량 – 양정 곡선**에서 유량의 수요가 감소하여 특성곡선의 최대 양정 때의 유량Q_c에서 Q_2로 줄게 되면 이때의 관로의 토출압은 H_c보다 커야 하는데 펌프의 실제 토출양정은 그것보다 낮은 H_2가 된다. 따라서 물은 펌프 내에서 역류하면서 H_1, H_2로 떨어진다. 이 역류하는 물의 보충에 의해 역류는 정지하며 펌프는 다시 토출을 시작하여 운전상태는 점 H_1으로 이동한다. 그러나 점 H_1의 유량은 수요에 대해 과다하므로 운선상태는 곧 점 H_c로 이동하여 점 c에 도달하면 역류가 시작된다.
이렇게 하여 점 H_1 → 점 H_c → 점 H_2으로 상태변화를 반복한다.
즉, H_c 좌변의 운전은 유량(Q)이 증가하면 압력도 증가하여 힘은 유량 방향과 같아 H_c 우변에서 운전하고자 하고 H_c 우변에서의 운전은 유량이 증가하면 압력은 감소하여 힘은 유량 반대방향으로 H_c 좌변에서 운전하고자 한다. 그러므로 펌프의 운전은 H_c, Q_c로 되돌아오고 같은 동작이 반복되어 유량과 수두는 주기적으로 변동을 반복한다.
Surging은 관로관계가 단순하지 않는 경우가 대부분이고 송출량을 조절하는 밸브의 위치가 서징발생유무에 크게 관계된다.

② **발생원인**

㉠ 펌프의 $H-Q$ 곡선이 산형곡선(우상향부가 존재), $\frac{dH}{dQ} > 0$ 이고 산형부에서 운전 시 발생한다. 휀은 아래 그림과 같은 성능곡선을 가지고 있어 서징 발생 우려가 있다.

Sirocco Fan		Airfoil Fan		Turbo Fan	
휀 모양	성능곡선	휀 모양	성능곡선	휀 모양	성능곡선
	압력, 곡, 압력, 축동력, 축동력, 풍량		압력, 압력, 축동력, 축동력, 풍량		압력, 압력, 축동력, 축동력, 풍량

㉡ **배관 중에 수조나 공기조가 있을 때**

㉢ **유량조절밸브가 탱크 뒤쪽에 있을 때 (밸브B)**

③ 문제점

㉠ **헤드 또는 방수구에서의 살수밀도저하**

㉡ 한번 발생시 그 변동 주기는 비교적 일정하고 송출밸브로 송출량을 조작하여 **인위적으로 운전 상태를 바꾸지 않는 한 이 상태가 지속**된다.

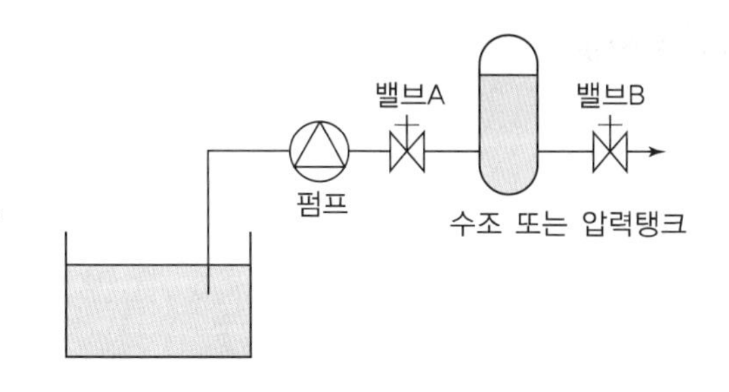

㉢ **흡입 및 토출 배관의 주기적인 진동과 소음을 수반**

④ 방지대책

㉠ **펌프의 H-Q곡선이 우하향 구배를 갖는 펌프를 선정**한다.

㉡ **By-Pass관을 사용하여 운전점이 Surging범위를 벗어난 범위에서 운전**하도록 한다.

㉢ **유량조절밸브를 펌프 토출측 직후(밸브A)에 설치**한다.

㉣ **배관중에 수조 또는 기체상태인 부분이 존재하지 않도록 배관한다.**

㉤ **회전차나 안내깃의 형상치수를 바꾸어 그 특성을 변화시킨다.**

실전 예상문제

●●● 01 **스케줄 No.는 배관의 무엇을 나타내는 것인가?**

① 배관의 길이 ② 배관의 상태
③ 배관의 강도 ④ 배관의 재질

스케쥴 No의 식은 " 재료의 허용응력이 크면(재료의 인장강도가 좋음) 배관의 두께를 줄일 수 있으며 배관 내 사용 압력이 작으면 배관두께를 줄일 수 있다"라는 의미로서 배관의 강도를 나타내며 $Sch\ NO$의 종류로는 두께가 가장 얇은 10부터 20, 30, 40, 60, 80, 100 등이 있다.

●○○ 02 **다음은 스케줄 수이다. 관이 두께가 가장 두꺼운 것은 어느 것인가?**

① 10 ② 20 ③ 40 ④ 80

문제 1번 해설참조

●○○ 03 **스케줄 No.를 바르게 나타낸 것은? (단, 재료의 허용응력과 최고사용압력의 단위는 kg_f/cm^2)**

① $Sch\ No = \dfrac{\text{재료의 허용응력}}{\text{최고사용압력}} \times 1{,}000$

② $Sch\ No = \dfrac{\text{최고사용압력}}{\text{재료의 허용응력}} \times 1{,}000$

③ $Sch\ No = \dfrac{\text{재료의 허용응력}}{\text{최고사용압력}} \times 10$

④ $Sch\ No = \dfrac{\text{최고사용압력}}{\text{재료의 허용응력}} \times 10$

해설

최고사용압력과 재료의 허용응력의 단위가 kg_f/cm^2인 경우

$$Sch\ No = \frac{P[kg_f/cm^2]}{S[kg_f/mm^2]} \times 10 \rightarrow Sch\ No = \frac{P[kg_f/cm^2]}{(0.1)^2 S[kg_f/cm^2]} \times 10 = \frac{P[kg_f/cm^2]}{S[kg_f/cm^2]} \times 1{,}000$$

$$\because\ S[kg_f/mm^2] \times \frac{1}{0.1^2} = S[kg_f/cm^2]$$

정답 01 ③ 02 ④ 03 ②

●○○ **04** **배관 내 최고 사용 압력이 2 MPa이고 배관의 허용응력이 98 N/mm²일 때 Schedule No.는 얼마인가?**

① 10　② 20　③ 200　④ 2000

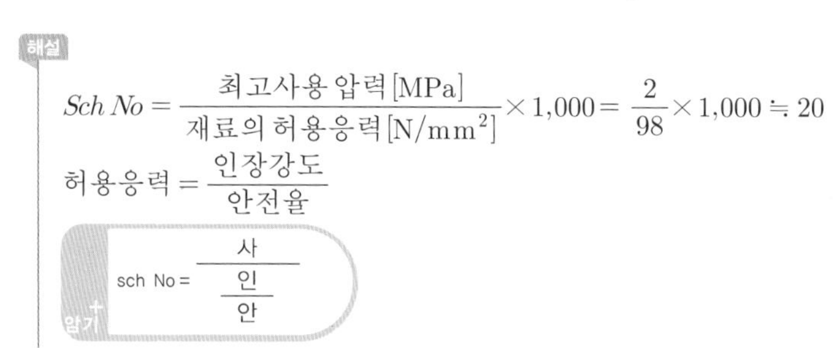

해설

$$Sch\,No = \frac{\text{최고사용압력[MPa]}}{\text{재료의 허용응력}[N/mm^2]} \times 1{,}000 = \frac{2}{98} \times 1{,}000 \fallingdotseq 20$$

$$\text{허용응력} = \frac{\text{인장강도}}{\text{안전율}}$$

●○○ **05** **다음 중 배관용 탄소강관(SPP)에 대한 설명이 옳지 않은 것은?**

① 사용압력이 0.98 MPa 이하인 물과 공기의 배관에 많이 사용된다.
② 주철관에 비해서 내식성이 나쁘다.
③ 강관 1개의 길이는 한국산업규격이 6 m이다.
④ 철에 탄소를 함유한 것으로 주철관 보다 탄소의 함유량이 많다.

해설

주철관은 강관보다 내식성이 풍부하고 가격이 싸다. 주물(쇠붙이를 녹인 쇳물 을 일정한 형태의 거푸집에 부어 넣어 굳혀서 만든 물건)로 만든 관을 주철관이라 하고 탄소의 함유량이 1.7% 이상을 함유하는 철을 말한다.

●○○ **06** **강관의 이음에 해당하지 않는 것은?**

① 플랜지이음　② 나사이음　③ 용접이음　④ 기계적이음

강관의 이음 : 플랜지이음, 나사이음, 용접이음, 글루브이음(압축이음)

●●● **07** **배관의 열 등에 의한 팽창 또는 수축 등을 흡수하여 배관의 손상 방지를 위해 배관의 도중에 설치하는 신축이음과 관계없는 것은?**

① 슬리브형　② 벨로우즈형　③ 루프(loop)형　④ 후렉시블형

신축이음의 종류 : 굴곡관(루프)형, 슬리브형, 벨로우즈형, 스위블형, 볼조인트형

정답　04 ②　05 ④　06 ④　07 ④

●○○ 08 다음은 두 개의 관을 연결할 때 사용하지 않는 것은?

① flange ② nipple ③ elbow ④ socket

해설
elbow는 유체의 흐름이 바뀔 때 사용한다.

●○○ 09 두 개의 관을 연결할 때 회전하면서 연결하는 관 부속품이 아닌 것은?

① nipple ② socket ③ coupling ④ flange

해설
플랜지는 두 개의 배관을 맞대고 볼트, 너트로 조이는 부속품이다.
따라서 배관을 회전 시킬 수 없다

●○○ 10 배관의 관경이 서로 다른 두 배관을 연결시 사용하는 관부속품은?

① nipple ② socket ③ reducer ④ union

해설
배관의 관경이 서로 다른 두 배관 연결시 사용 부속품 : 레듀서, 부싱

●○○ 11 유체의 흐름을 차단할 때 사용되는 관부속품은?

① plug ② socket ③ elbow ④ union

해설
유체의 흐름을 차단 시 사용되는 관 부속품, 플러그, 캡, 밸브 등

●○○ 12 다음 밸브 중 유체의 흐름을 정지시키는 밸브가 아닌 것은?

① 글로브 밸브 ② 콕 밸브 ③ 체크 밸브 ④ 안전 밸브

해설
안전밸브는 과압 발생 시 배관 등 설비 시스템을 보호하기 위해 개방되는 밸브이다.

정답 08 ③ 09 ④ 10 ③ 11 ① 12 ④

●○○ **13** **강관 배관을 절단한 후 거친 표면을 매끄럽게 하기 위해 사용하는 공구는?**

① 샤포　② 리머　③ 벤더　④ 파이프 커터

리머는 배관의 절단 후 거친면을 매끄럽게 하기 위해 사용한다.

●●● **14** **주철관의 이음에 해당하지 않는 이음은?**

① 플랜지이음　② 기계적이음　③ 소켓이음　④ 나사이음

주절관의 이음 – 플랜지이음, 기계적이음, 소켓이음

●○○ **15** **전선 배관을 절단하는데 파이프 커터를 잘 사용하지 않는 이유는?**

① 넓은 작업 장소를 필요로 하기 때문에
② 직각으로 절단되지 않기 때문에
③ 배관이 오그라들어 관경이 줄어들기 때문에
④ 작업속도가 늦기 때문에

파이프 커터는 배관을 누르면서 배관을 자르기 때문에 절단면이 오그라든다.

●○○ **16** **강관의 나사 내기에 사용하는 공구와 관계가 없는 것은?**

① 오스타　② 미싱과 리머　③ 파이프렌치　④ 파이프 벤더

- 강관의 나사내기 공구
  오스타, 미싱, 파이프바이스, 파이프렌치와 리머
- 강관을 구부릴 때 사용
  파이프밴더

미싱

오스타

파이프밴더

정답 13 ② 14 ④ 15 ③ 16 ④

●●● 17 유체를 한 방향으로만 흐르게 하는 체크밸브 종류가 아닌 것은?

① 스모렌스키형 ② 리프트형 ③ 글루브형 ④ 스윙형

해설

유체가 한 방향으로만 흐르게 되어 있는 밸브를 체크밸브라 하고 체크밸브의 종류는 다음과 같다.

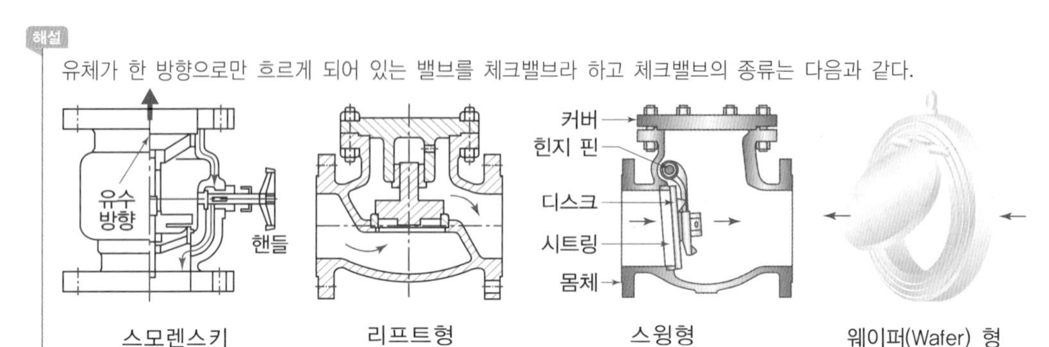

●●● 18 다음 중 소화 펌프 특성에 가장 적합하며 소화 설비용 펌프로 가장 많이 사용되는 것은?

① 원심펌프 ② 사류펌프 ③ 축류펌프 ④ 왕복펌프

해설

소화펌프 : 저유량, 고양정에 적합한 원심펌프(볼류트펌프, 터빈펌프)를 사용한다.

●●○ 19 다음 펌프의 종류 중 왕복식 펌프에 속하는 것은?

① 플런지 펌프 ② 스크류 펌프 ③ 볼류트 펌프 ④ 베인펌프

해설

용적형펌프 피스톤, 플랜지 등의 압력 작용에 의해 액체를 압송하는 펌프	왕복펌프	피스톤 등의 왕복운동에 의해 액체를 압송하는 펌프 (종류 - 피스톤, 플랜저, 다이어프램 펌프)
	회전펌프	기어, 베인, 나사(스크류) 등의 회전운동에 의해 액체를 압송하는 펌프

●●○ 20 일정한 용적의 액체를 흡입측에서 송출측으로 이동시키는 펌프의 명칭은?

① 원심펌프 ② 사류펌프 ③ 축류펌프 ④ 왕복펌프

해설

일정한 용적을 가진 펌프를 용적형 펌프라하고 왕복펌프(플런지, 피스톤 펌프 등)와 회전펌프로 분류된다.

정답 17 ③ 18 ① 19 ① 20 ④

●●● 21 다음 펌프 중 안내깃의 유무에 의해서 분류되는 펌프는 어느 것인가?

① 터빈 펌프 ② 회전(베인)펌프 ③ 플런저 펌프 ④ 나사 펌프

원심펌프는 안내날개의 유무에 따라 터빈펌프, 볼류트펌프로 구분된다.

●●○ 22 펌프에 대한 설명 중 틀린 것은?

① 가이드베인이 없는 원심펌프를 볼류트펌프라 한다.
② 기어펌프는 회전식펌프의 일종이다.
③ 피스톤펌프는 왕복식 펌프이다.
④ 터빈펌프는 고양정, 대유량용 이다.

가이드베인을 안내날개라 하고 안내날개가 있는 펌프를 원심펌프라 한다.
터빈펌프는 고양정, 소유량에 적합하다.

●●● 23 성능이 같은 두 대의 펌프를 직렬 연결 했을 때 전체 토출량 Q(ℓ/min)는?

① Q ② 2Q ③ 3Q ④ 4Q

펌프의 직렬 연결 시 양정은 2배, 유량은 동일하고 병렬 연결 시 양정은 동일, 유량은 2배가 된다.

●●● 24 펌프의 비속도 값의 크기 배열이 가장 적합한 것은?

① 터빈펌프 > 볼류트펌프 > 사류펌프
② 터빈펌프 > 축류펌프 > 사류펌프
③ 축류펌프 > 볼류트펌프 > 터빈펌프
④ 축류펌프 > 터빈펌프 > 사류펌프

비교회전도(비속도)	1,000	800	300(볼류트) ~ 100(터빈)
종류	축류식	사류식	원심식

정답 21 ① 22 ④ 23 ① 24 ③

25 펌프에서 전양정이란 어느 것인가?

① 흡입수면에서 펌프의 중심까지의 수직거리
② 펌프의 중심에서 최상층의 방수구까지의 수직거리
③ 실양정과 흡입양정의 합이다.
④ 실양정과 관부속품의 마찰손실수두, 직관의 마찰손실수두의 합

소방에서의 전양정 = 실양정 + 배관 및 관부속품의 마찰손실수두 + 방사압력환산수두
실양정 = 흡입양정(수조의 수면에서 펌프 중심까지 높이) + 토출양정(펌프 중심에서 최고 위 노즐까지 높이)

26 pump의 흡입측 압력이 392.28 kPa이고 토출측의 압력이 4,903.46 kPa이다. 펌프를 4단으로 압축할 경우 압축비는 얼마인가?

① 1.08　② 1.88　③ 1.48　④ 2.48

압축비 $r = \sqrt[\varepsilon]{\dfrac{p_2}{p_1}} = \left(\dfrac{4{,}903.46}{392.28}\right)^{\frac{1}{4}} = 1.88$　ε : 단수, p_1 : 흡입압력, p_2 : 토출압력

27 다단펌프의 압축비가 2.3이고 흡입압력이 392.28 kPa이고 토출압력이 4,903.46 kPa일 때 단수는 얼마인가? (단, 소수점 이하는 계산하지 않는다.)

① 1　② 2　③ 3　④ 4

$2.3 = \sqrt[\varepsilon]{\dfrac{4{,}903.46}{392.28}} \rightarrow 2.3 = 12.5^{\frac{1}{\varepsilon}} \rightarrow 2.3^{\varepsilon} = 12.5 \quad \therefore\ \varepsilon = \dfrac{\log 12.5}{\log 2.3} = 3.032$

28 유량이 2 m³/min인 4단 다단펌프가 1,750 rpm의 회전으로 30 m의 양정이 필요하다면 비교회전도(m³ · rpm/min · m)는?

① 403　② 425　③ 510　④ 546

해설

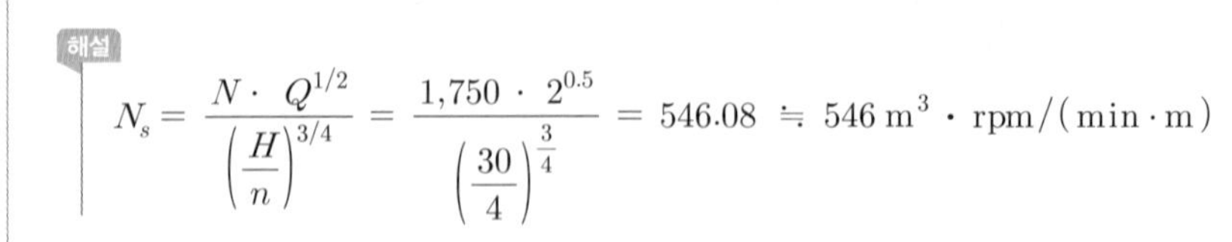

$$N_s = \frac{N \cdot Q^{1/2}}{\left(\frac{H}{n}\right)^{3/4}} = \frac{1{,}750 \cdot 2^{0.5}}{\left(\frac{30}{4}\right)^{\frac{3}{4}}} = 546.08 \fallingdotseq 546\ \mathrm{m^3 \cdot rpm/(min \cdot m)}$$

정답　25 ④　26 ②　27 ③　28 ④

29 펌프에서 회전수를 변화시키면 동력변화는 어떻게 되는가? (단, 변화 전후의 회전수를 각각 N_1, N_2 동력을 L_1, L_2로 표시한다.)

① $L_2 = L_1 \times \left(\dfrac{N_1}{N_2}\right)^3$　② $L_2 = L_1 \times \left(\dfrac{N_1}{N_2}\right)^2$

③ $L_2 = L_1 \times \left(\dfrac{N_2}{N_1}\right)^3$　④ $L_2 = L_1 \times \left(\dfrac{N_2}{N_1}\right)^2$

30 임펠러의 회전속도가 1,800 r/min일 때 토출압 3 kg/cm² 토출량 1,600 ℓ/min의 성능을 보여주는 어떤 원심펌프를 3,600 r/min으로 작동시켜 주었다고 하면 그 토출압과 토출량은 각각 얼마가 될 것인가?

① 5 kg/cm² 및 1,800 ℓ/min　② 10 kg/cm² 및 2,400 ℓ/min
③ 12 kg/cm² 및 3,200 ℓ/min　④ 15 kg/cm² 및 4,800 ℓ/min

해설

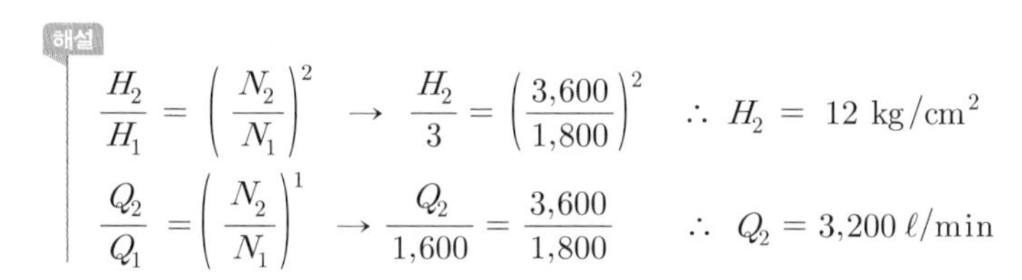

$$\frac{H_2}{H_1} = \left(\frac{N_2}{N_1}\right)^2 \rightarrow \frac{H_2}{3} = \left(\frac{3,600}{1,800}\right)^2 \quad \therefore H_2 = 12 \text{ kg/cm}^2$$

$$\frac{Q_2}{Q_1} = \left(\frac{N_2}{N_1}\right)^1 \rightarrow \frac{Q_2}{1,600} = \frac{3,600}{1,800} \quad \therefore Q_2 = 3,200 \, \ell/\text{min}$$

31 회전속도 1,000 r/min일 때 송출량 Q m³/min, 전양정 H m인 원심펌프가 상사한 조건으로 송출량이 1.1Q m³/min가 되도록 회전속도를 증가시킬 때, 전양정은?

① 0.91 H　② 1 H　③ 1.1 H　④ 1.21 H

해설

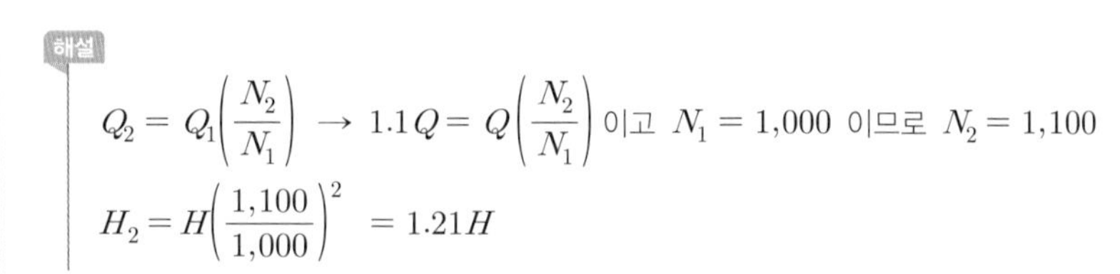

$$Q_2 = Q_1\left(\frac{N_2}{N_1}\right) \rightarrow 1.1Q = Q\left(\frac{N_2}{N_1}\right) \text{ 이고 } N_1 = 1,000 \text{ 이므로 } N_2 = 1,100$$

$$H_2 = H\left(\frac{1,100}{1,000}\right)^2 = 1.21H$$

32 케비테이션의 발생원인과 관계없는 것은?

① 펌프의 설치 위치가 수조보다 높을 때
② 펌프의 흡입수두가 클 때
③ 펌프의 임펠러 속도가 클 때
④ 배관내 물의 정압이 그 때의 증기압보다 클 때

해설

공동현상 : 물의 압력이(정압) 해당온도의 포화 증기압보다 작을 때 기포가 발생하는 현상

정답 29 ③ 30 ③ 31 ④ 32 ④

33 다음 중 펌프의 이상현상인 공동현상(cavitation)의 발생원인과 거리가 먼 것은?

① 펌프의 흡입측 손실이 클 경우
② 펌프의 마찰손실이 클 경우
③ 펌프의 토출측 배관에 수조나 공기 저장기가 있는 경우
④ 펌프의 흡입측 배관경이 너무 작을 경우

해설
펌프의 토출측 배관에 수조나 공기조가 있을 경우 서징현상(맥동현상이 발생한다.)

34 펌프가 수조의 수면보다 낮게 있는 경우의 유효 $NPSH$의 식은 무엇인가? (단, H_a : 대기압, H_h : 흡입수두, H_f : 흡입배관 마찰손실수두, H_v : 포화증기압 이다.)

① $H_a - H_h - H_f - H_v$
② $H_a + H_h + H_f + H_v$
③ $H_a - H_h - H_f + H_v$
④ $H_a + H_h - H_f - H_v$

해설
1. 유효흡입양정(펌프 입구에서의 압력) : 펌프 설치 시 결정
$NPSH_{av}$ = 대기압 H_a ± 흡입양정 H_h − 마찰손실 H_f − 포화증기압 H_V
2. $NPSH_{re}$: 필요흡입양정(펌프에서의 마찰손실) − 펌프 제조 시 결정

35 공동현상의 예방대책이 아닌 것은?

① 펌프의 설치위치를 수원보다 낮게 한다.
② 펌프의 임펠러속도를 증가 시킨다.
③ 펌프의 흡입측 마찰손실을 줄이다.
④ 펌프의 흡입측 관경을 크게 한다.

해설
임펠러 속도를 증가시키면 유속이 빨라져 마찰저항이 증가하여 $NPSH_{av}$가 작아진다.

36 관의 서어징(surging)의 발생 조건으로 적당치 않은 것은?

① 유량조절밸브가 수조의 후방에 있을 때
② 배관 중에 수조가 있을 때
③ 배관 중에 기체상태의 부분이 있을 때
④ 펌프의 성능곡선이 우하향곡선일 때

해설
서어징 발생 조건 : 성능곡선이 우상향곡선일때 유량, 풍량이 적을 때 발생

정답 33 ③ 34 ④ 35 ② 36 ④

37 펌프나 송풍기 운전시 서어징 현상이 발생될 수 있는데 이 현상과 관계가 없는 것은?

① 서징이 일어나면 진동과 소음이 수반된다.
② 펌프에서는 서징현상이 수격현상보다 더 빈번하게 발생하지 않는다.
③ 펌프의 특성곡선이 산 모양이고 운전점이 그 정상부일 때 발생하기 쉽다.
④ 휀에서는 풍량 또는 펌프에서는 토출량을 줄여 서징을 방지할 수 있다.

해설
휀에서는 풍량 또는 펌프에서는 토출량을 늘여 서징범위 밖에서 운전을 하면 서징현상을 방지할 수 있다.

38 수격작용에 대한 설명이다. 알맞은 것은?

① 흐르는 물을 갑자기 정지시킬 때 수압이 급격히 변화하는 현상을 말한다.
② 물의 온도는 낮을 때 생길 수 있다.
③ 토출량과 토출압이 주기적으로 변동하는 현상으로 배관의 파손을 초래한다.
④ 스모렌스키체크밸브를 포함한 모든 체크밸브는 수격작용을 방지한다.

해설
수격현상은 속도차에 의한 압력차, 힘의차로서 속도가 급격히 감소할 때 발생한다.

39 수격작용을 방지하기 위한 방법 중 맞지 않는 것은?

① 관로의 관경을 크게 한다.
② 관로의 관경을 축소한다.
③ Surge tank를 설치하여 적정압력을 유지한다.
④ 관로내의 유속을 낮게 한다.

해설
관로의 관경을 축소하게 되면 $Q=VA$에서 유속이 빨라진다.

40 수격작용을 방지하기 위한 방법 중 적합하지 않은 것은?

① 관로 내의 관경을 축소시킨다.
② 관로 내 유체의 유속을 낮게 한다.
③ 수격방지기를 설치한다.
④ 펌프의 속도가 급격히 변화하는 것을 방지한다.

37 ④ 38 ① 39 ② 40 ①

●●● 41 **수격작용의 방지대책이 아닌 것은?**

① 관내 유속이 빠를수록 수격이 발생하므로 관경을 크게 하거나 유속을 조절한다.
② 에어챔버(Air chamber)를 설치한다.
③ 펌프측에 fly wheel을 설치하여야 한다.
④ 펌프의 운전 중 각종 밸브를 급격히 개폐하여 충격을 최소화한다.

●●● 42 **배관 내에 수격현상을 방지하기 위한 조치와 관계없는 것은?**

① 관내 유속을 적게 한다.
② 펌프에 fly wheel 부착한다.
③ 배관경을 크게 한다.
④ 흡입양정을 작게 한다.

흡입양정을 작게 하는 방법은 공동현상 방지대책이다.

●○○ 43 **수격작용시 발생하는 충격압에 영향을 주는 요소가 아닌 것은?**

① 유체의 탄성
② 유체의 밀도
③ 관의 탄성
④ 관의 밀도

수격작용시 발생하는 충격압에 영향을 주는것은 유체의 밀도, 유체의 탄성, 관의 탄성과 관계가 있다.

●○○ 44 **$NPSH_{re}$가 3.5 m인 펌프가 부압방식으로 설치되어 있을 때 펌프 흡입구와 수조 상부까지의 흡입 가능 높이는 최대 몇 m인가? (단, 배관마찰손실은 무시하며 대기압은 1 kg/cm², 수증기압은 0.018 kg/cm²이다.)**

① 7.85 m
② 6.88 m
③ 6.32 m
④ 5.94 m

해설

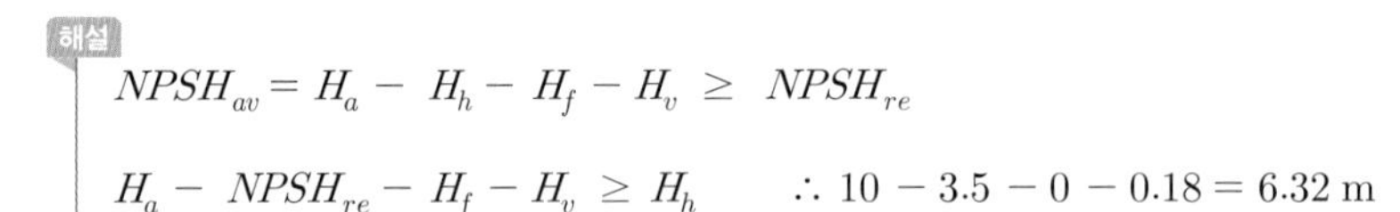

$$NPSH_{av} = H_a - H_h - H_f - H_v \geq NPSH_{re}$$

$$H_a - NPSH_{re} - H_f - H_v \geq H_h \qquad \therefore 10 - 3.5 - 0 - 0.18 = 6.32\ \text{m}$$

정답 41 ④ 42 ④ 43 ④ 44 ③

7. 열역학법칙 등

1 열역학 0법칙

(1) A와 B가 C와 열평형이면 A와 B도 **열평형 상태**이다.

(2) 고온에서 저온으로 열의 이동이 있어 두 물체가 열평형을 유지한다. 예 온도계

2 열역학 제1법칙

(1) 열에너지와 다른 에너지(일에너지) 사이에는 일정한 수치적 관계가 성립한다.

(2) 에너지 보존의 법칙이 성립함을 표시

(3) 에너지 소비없이 계속 일을 할수 있는 기계는 존재하지 않는다.

(4) 기체에 공급된 에너지 = 기체 내부에너지 + 기체가 외부에 한 에너지

(5) 열과 일을 본질상 같은 에너지로서 일정한 비로 상호전환이 가능(가역현상)

① 가역반응 : 온도, 압력 변화시 물질의 상태가 한번 변한 다음 다시 원래의 상태로 바뀔수 있음

② 비가역반응 : 원래의 상태로 복귀 불가

3 열역학 제2법칙

(1) 열과 일을 본질상 같은 에너지로서 일정한 비로 상호전환이 불가능 즉 제한이 있다.

(2) 열이 일로 전환되는 것은 비가역 현상이다.

(3) 열은 스스로 다른 물체에 아무런 변화도 주지 않고 저온물체에서 고온물체로 이동하지 않는다.

(4) 열을 완전히 일로 바꿀 수 있는 열기관은 만들 수 없다.(효율 100% 물체 제작 불가)

(5) 자연계에 아무런 변화도 남기지 않고 어느 열원의 열을 계속해서 일로 바꿀 수 없다.

(6) 모든 현상은 무질서도가 증가하려는 방향으로 반응이 진행된다.

4 열역학 제3법칙

(1) 어떠한 방법으로도 절대영도까지 온도를 내릴수 없다.

(2) 순수물질의 엔트로피는 절대영도 부근에서는 T 세제곱에 비례하며 영에 접근한다.

(3) 절대온도가 0이 되면 엔트로피는 0이 된다. 즉 0K에서 엔트로피는 0 이다.

5 엔트로피

(1) **물질계의 열적 상태를 나타내는 물리량**
(2) **무질서도를 나타내는 상태량**
(3) **자연적인 현상은 비가역적으로 이는 "무질서도가 증가하는 방향으로 일어난다" 이를 수치로 표현**
(4) 에너지도 아니고 온도와 같이 감각으로도 알 수 없으며 또한 측정할 수도 없는 물리학적 상태량
(5) **물체에 열을 가하면 엔트로피는 증가 냉각하면 감소하는 상징적인 양**
(6) **엔트로피는 가역이면 불변하지만 비가역이면 증가 한다.**
(7) **실제 자연계에서 일어나는 변화는 비가역 변화를 동반하므로 엔트로피는 증가할 뿐이고 감소하는 일이 없다.**
(8) **단위중량당의 물체가 일정 온도하에 갖는 열량(엔탈피)를 절대온도로 나눈 값**

6 엔탈피

(1) H = U + PV로 **표현하고 어떤 물체가 가지는 단위중량당의 열에너지, 물질이 가지고 있는 총 열(함)량**
H : 엔탈피 [J]　　U : 내부에너지 [J]　　P : 압력 [N/m²]　　V : 체적 [m³]
(2) PV의 의미 : 일정압력 P에 대하여 체적 V를 차지하기 위해 행한 계 내의 유체를 밀어 내는데 필요한 일
(3) 엔탈피는 어떤 상태의 유체 1 kg이 가지는 열에너지이며 U, P, V는 상태가 결정되면 정해지는 값

예제 01

1 kg의 가스 50 kPa, 2.5m³이 1.25 Mpa, 0.2 m³으로 압력과 체적이 변화시 내부에너지가 일정하다면 엔탈피의 변화량은?

① 100 kJ　② 105 kJ　③ 110 kJ　④ 125 kJ

해답 ④

$$H_2 - H_1 = P_2V_2 - P_1V_1 = 1.25 \times 10^6 \times 0.2 - 50 \times 10^3 \times 2.5 = 125\ \mathrm{kJ}$$

7 특성치

(1) 상태량 : 어느 시간에 물질의 특정한 상태를 나타내는 물리량
기본 상태량 : 압력, 부피, 온도
열적 상태량 : 엔탈피, 내부에너지, 엔트로피
(2) 양(질량)에 따라 변화 : **시량특성치(용량성 상태량) – 부피, 엔탈피, 엔트로피, 내부에너지**
(3) 양(질량)에 따라 무변화 : **질량에 무관한 변화량으로서 시강특성치(강도성상태량) 유체의 크기를 나누어도 변화가 없는 상태량으로 온도, 압력, 밀도 등이 있다.**

실전 예상문제

••• 01

다음이 열역학적 법칙을 설명한 것 중 틀린 것은?

① 열적평형이 된 상태를 설명하는 것이 열역학 제0법칙이다.
② 에너지보존의 법칙을 설명하는 것이 열역학 제1법칙이다.
③ 에너지 변환의 방향성이 제한(비가역성)됨을 나타내는 것이 열역학 제2법칙이다.
④ 열은 그 자신만으로 저온에서 고온으로 이동할 수 없다는 것이 열역학 제3법칙이다.

④번은 열역학 제2법칙을 설명하고 있다.

••• 02

"어떤 방법으로도 어떤 계를 절대 0도에 이르게 할 수 없다."는 것과 가장 관련이 있는 것은?

① 열역학 제0법칙　　② 열역학 제1법칙
③ 열역학 제2법칙　　④ 열역학 제3법칙

••• 03

가역 단열 과정에서의 엔트로피의 변화는?

① $\Delta S = 1$　　② $\Delta S = 0$　　③ $\Delta S > 1$　　④ $0 > \Delta S > 1$

가역과정에서 엔트로피(손실) $\Delta S = 0$이고 비가역과정에서는 $\Delta S > 0$ 이다.

•○○ 04

완전 기체의 엔탈피 및 내부에너지는?

① 마찰 때문에 항상 증가한다.　　② 압력만의 함수이다.
③ 온도만의 함수이다.　　④ 내부에너지가 감소하면 그만큼 증가한다.

완전기체 상태 방정식 PV = WRT, PV는 에너지(열량)를 말한다.
즉, 에너지는 T(온도)에 의해서만 결정되며 H(엔탈피) = U + P·V의 내부에너지가 감소하면 H(엔탈피) = 감소한다.

정답　01 ④　02 ④　03 ②　04 ③

●●○ 05 엔트로피의 설명이 아닌 것은?

① 단위중량당의 물체가 일정 온도하에 갖는 열량(엔탈피)을 절대온도로 나눈 값
② 무질서도를 나타내는 상태량
③ 자연적인 현상은 비가역적으로 이는 무질서도가 증가하는 방향으로 일어난다. 이를 수치로 표현
④ 어떤 물체가 가지는 단위중량당의 열에너지, 물질이 가지고 있는 총 열함량

④번은 엔탈피에 대한 설명이다.

●●○ 06 이상기체를 온도변화 없이 압축시키는 경우 열의 출입 및 내부에너지의 변화를 옳게 표현한 것은?

① 열 방출, 내부에너지 감소
② 열 방출, 내부에너지 불변
③ 열 흡수, 내부에너지 증가
④ 열 흡수, 내부에너지 불변

기체를 압축시키면 내부는 분자의 충돌로 저항의 증가로 온도가 상승하지만 온도의 변화가 없으려면 열을 방출해야 하고 열을 방출함으로서 내부의 에너지(열량)는 변하지 않는다.

●●● 07 계의 상태량은 강도성과 용량성 상태량으로 구분된다. 다음 중 강도성 상태량이 아닌 것은?

① 압력 ② 온도 ③ 밀도 ④ 부피

양의 변화에 따라 변화하는 것이 용량성, 변하지 않는 것이 강도성 상태량이다.
즉 유체의 양을 나누어도 변하지 않는 강도성 상태량은 압력, 온도, 밀도 등이 있으며 변하는 용량성 상태량은 부피, 엔탈피, 엔트로피 등이 있다.

정답 05 ④ 06 ② 07 ④

제 2 과목

약제화학 출제문제 분석 · 학습전략

1 출제문제 분석

(1) 소화약제는 2과목 중 하나의 파트로서 출제문항이 4~5문제로 제일 적은 편입니다.

(2) 소방수리학 보다도 출제되는 문제가 거의 동일하게 반복 출제가 되고 있습니다.

(3) 출제빈도는 수계, 분말, 가스계 순으로 출제가 되고 있습니다.

(4) 기본적인 문제가 출제의 주를 이루고 있으며 교재의 본문 내용과 실전문제에서 크게 벗어나는 문제가 없을 정도로 거의 비슷하게 출제가 되고 있습니다.

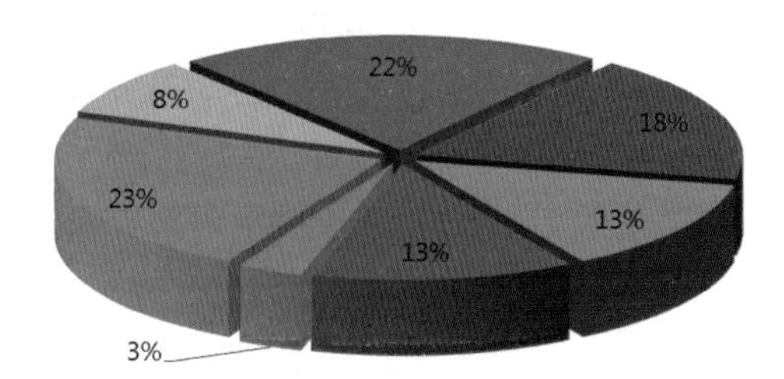

(5) 각 분류별 출제 빈도

수계	물, 포, 강화액
가스계	이산화탄소, 할론, 할로겐화합물 및 불활성가스
기타	분말, 화재의 종류, 소화약제 적응성, 소화원리

2 학습전략

(1) 약제화학은 출제되는 부분이 매우 한정적이며 출제되는 문제가 또 출제되는 경향이 많아 실전문제만 집중적으로 반복하는 학습이 필요합니다.

(2) 2과목은 3개의 파트로 구성 되어 있는데 소방수리학, 소방전기는 만만치 않은 과목입니다.
따라서 과락을 면하기 위해 점수를 좀 더 올릴 수 있는 부분이 약제화학 부분이며 적은 문제수가 나오기 때문에 틀리면 치명적일 수도 있으므로 신중하게 푸는 요령이 필요합니다.

PART 2 약제화학

1. 물 소화약제

1 물의 소화특성

(1) 물의 결합

물은 원자인 **수소와 산소의 극성공유결합**과 **물분자와 물분자의 인력에 의한 수소결합**을 하고 있다. **수소결합의 크기는 공유결합의 약 1/10 정도**이고 이 결합력을 깨트리기 위해 많은 열을 흡수해야 하므로 **물은 비열과 잠열 등이 크고 냉각효과가 우수한 성질**을 가지고 있다.

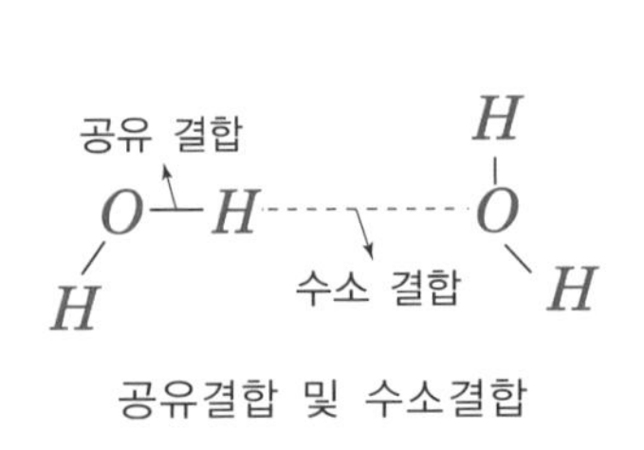

공유결합 및 수소결합

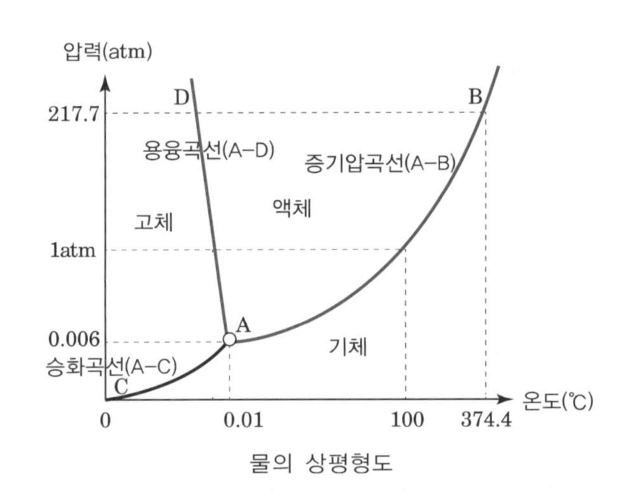

물의 상평형도

(2) 공유결합

화학 결합의 일종으로 전자 한쌍을 두 원자가 서로 공유함으로써 결합을 유지하는 화학적인 결합 상태이다.

구 분	단원자의 결합	비금속원자의 결합	탄소화합물
종류	질소, 산소 등	불화수소(HF) 등	메탄(CH_4) 등

(3) 수소결합에 의한 특성

① **비열과 현열이 크다.**

② **융해잠열, 증발잠열이 크다.**

③ **표면장력이 크다. (물분자와 물분자가 인력에 의해 표면을 최소화하기 때문이다.)**

④ **동파(틈이 있는 구조의 육각결정)**

동파는 물의 특성인 밀도와 관련이 있다. 기본물질은 밀도의 크기가 고체 〉 액체 〉 기체 순이지만 **물의 경우 액체 〉 고체 〉 기체 순으로 액체에서 고체로 될 경우 밀도가 작아져(부피가 커짐 : 약 10% 부피 증가) 배관에 압력(25 MPa)이 가해지고 부피가 커져 배관이 갈라지는 동파로 이어진다.**

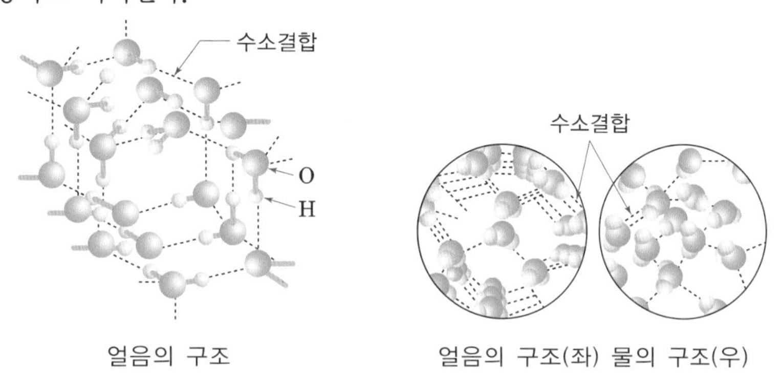

얼음의 구조 얼음의 구조(좌) 물의 구조(우)

2 단 점

(1) **0℃ 이하 온도에서 동결시 물의 수송을 방해하며 밀도의 감소(부피 증가)로 동파가 발생한다.**

(2) **물의 표면장력은 72.75 dyne/cm로서 다른 물질보다 비교적 커 침투능력이 저하되어 속불(심부)화재시 재발화 우려**가 있다.

(3) **산불화재시 높은 곳에서 물을 살수하는 경우 물은 부착력이 작아 나뭇잎, 가지, 기둥의 화재인 수관화, 수간화 화재에 대한 소화능력이 감소**된다.

3 장 점

(1) **비교적 안정된 액체**이다.

(2) **구하기 쉬우며 가격이 싸다.**

(3) **융해잠열이 크다. : 80 kcal/kg (≒ 334.4 kJ/kg)**

(4) **증발잠열(1기압, 100℃)이 크다. : 539 kcal/kg(≒ 2,253 kJ/kg)**

(5) **증발 시 체적은 약 1,700배로 공기와 가연성가스를 배제시킨다.**
따라서 미분무시 질식효과가 크다.

(6) **가장 우수한 용매로서 단점을 보완하기 위해 여러 첨가물을 넣어 소화효과를 증가시킬 수 있다.**

4 단점을 보완하기 위한 첨가제

첨가제	내용
부동액 (antifreeze)	• **0℃ 이하 온도에서 동결로 이송이 안되고 동파인 배관 파손**으로 소화효과 감소 • 원리 : 용매에 불순물을 넣으면 어는점이 낮아지는 원리를 이용하는 것으로 소금 등을 넣어도 부동액을 만들 수 있지만 소금은 배관을 부식시키고 결정체가 생겨 배관을 막을 수 있어 부동액으로 사용할 수 없다. • 부동액의 종류 : 에틸렌글리콜(자동차 부동액), 프로필렌글리콜, 글리세린 • 부동액의 경우 독성과 부식성, 지표수 오염 등의 이유로 소화배관에 사용하지 않는다.
침투제 (Wetting Agent)	• 물의 표면장력은 72.75 dyne/cm로서 비교적 크다. 따라서 **심부화재인 산불화재, 원면화재, 분체화재시 물을 살수하면 깊게 침투되지 못해 소화가 어렵다.** 따라서 물에 계면활성제(약 1%)를 첨가하여 표면장력을 낮추면 침투효과를 높여 소화에 도움을 준다. • 침투제는 소화효과는 없고 표면장력을 낮추어 침투효과와 물의 확산만 도와준다.
증점제 (Viscosity Agent)	• **산불화재의 경우 높은 곳에서 물을 뿌릴 경우 잎과 가지, 기둥에는 부착력이 낮아 소화하기 곤란**하므로 물에 점성을 키워 화심에 도착률을 높이고 부착성을 강화시켜 소화를 도와주는 첨가제로서 용액이나 현탁액 또는 젤 형태를 가진다. • 활엽수처럼 잎이 넓은 수림에서 효과가 좋다. 우리나라의 참나무는 활엽수이고 대부분을 차지하는 소나무, 잣나무 등이 우리나라를 대표하는 침엽수들이다. • 증점제의 종류 : CMC(carboxy methyl cellulose), gelgard, Organic-Gel
유화제 (emulsifying agent)	• **물과 기름은 잘 섞이지 않으나** 큰 압력으로 세차게 방사시 순간적으로 섞이기 되는데 이를 에멀젼효과라 하고 이 효과를 이용하여 산소의 차단 및 가연성기체의 증발을 막아 소화하는데 이러한 소화효과를 높이기 위해 물에 섞는 것을 유화제라고 한다. • 종류 : 친수성콜로이드, 에틸렌글리콜, 계면활성제

5 소화효과

(1) 냉각효과

① 열대류와 복사열 흡수에 의한 냉각효과 : 스프링클러설비, 옥내소화전 등

② 열흡수량과 열방출량이 같아지면 화재는 제어 된다.

(2) 질식효과

① 수증기에 의한 질식 효과 : 미분무소화설비

② 포소화약제와 혼합하여 인화성 액체에 대한 질식효과 : 포소화설비

예제 01

대기압 하에서 100℃의 물 1 mol이 100℃의 수증기가 되려면 팽창비는?

① 1,400배　　② 1,500배
③ 1,600배　　④ 1,700배

해답 ④

1. 물 1 mol은 $1\,mol = \frac{W}{18\,g}$ ∴ W = 18 g이며 18 mℓ이므로 → 0.018 ℓ
2. 이상기체상태방정식에서 압력은 1기압, 몰(질량/분자량 = 18 g/18 g)은 1몰, 기체상수 R은 0.082이므로 V = RT = 0.082 × (273 + 100) = 30.586 ℓ
   처음 0.018 ℓ에서 30.586 ℓ 만큼 팽창했으므로 약 1,700배 팽창함

(3) 유화작용 : 에멀젼효과
(4) 희석작용 : 알콜류 등 수용성 유류 화재시 대량의 주수에 의한 희석작용에 의한 소화

2. 강화액(Loaded Stream)

1 개요

일반화재의 속불(솜뭉치, 종이뭉치 등)의 심부화재 및 주방의 식용유 화재를 신속히 소화하기 위하여 개발된 것이다. 강화액은 **탄산칼륨[강한 알칼리성(PH 12 이상)] 등의 수용액을 주성분**으로 하며 비중이 1.35(15℃) 이상의 것을 말한다. **강화액은 -20℃에서도 동결되지 않으므로 한랭지에서도 보온의 필요가 없을 뿐만 아니라 탄화, 탈수작용으로 목재 종이 등을 불연화하고 재연 방지의 효과도 있어서 A급 화재, K급 화재에 대한 소화능력이 우수**하다.

2 강화액의 특성

(1) **표면장력이 33 mN/m[33 dyne/cm 이하** : 소화약제의 형식승인 및 제품검사의 기술기준]로 **낮아 가연물 속에 잘 침투하여 속불화재에 대해 소화력이 우수**하고 **재연방지 효과가 뛰어나다.**
(2) **부동액을 첨가하여 -20℃에서도 얼지 않으며 방염제, 침투제 등을 첨가하여 소화력을 증가시킴**
(3) 미세한 물방울로 분무시 유류화재에도 소화효과가 있다.
(4) 탄산칼륨, 황산칼륨과 인산암모늄 등은 부촉매 효과가 있다.

실전 예상문제

●●● 01 **물 소화약제의 성질로 틀린 것은?**

① 비열이 크다.
② 표면장력이 작다.
③ 잠열이 크다.
④ 현열이 크다.

해설
물은 분자간의 인력에 의한 수소결합에 의해 표면장력이 크다.

●●○ 02 **물의 유체 특성 중 잘못된 것은?**

① 온도가 올라갈수록 물의 절대압도 높아진다.
② 물의 삼중점의 온도는 0.01℃이다.
③ 압력을 가할 때 밀도의 변화가 크다.
④ 물은 원자간 극성공유결합을 하고 있다.

해설
물은 비압축성유체로서 체적탄성계수가 크고 압력에 의해 밀도변화가 거의 없다.

●●○ 03 **물의 포화증기압 곡선에 대한 설명으로 옳은 것은?**

① 압력이 증가하면 비등점은 높아진다.
② 압력이 증가하면 비등점은 낮아진다.
③ 비등점은 압력과 무관하다.
④ 압력에 따라 비등점은 변화하지 않는다.

해설
물의 상평형도에서 포화증기압곡선이 비등점을 나타내고 비등점은 압력이 증가할수록 커진다.
예 압력이 낮은 높은 산에서 밥을 하면 비등점이 낮아 쌀이 익기 전에 끓어 밥알이 설익는다.

●●● 04 **물의 특성 중 옳지 않은 것은?**

① 대기압 하에서 100℃의 물이 수증기로 바뀔 때 체적은 1,600배 정도로 증가한다.
② 물의 응고 및 융해잠열은 80 cal/g이다.
③ 100℃의 물 1 g이 100℃의 수증기로 되는데 필요한 열량은 539 cal/g이다.
④ 물의 비열은 1 cal/g·℃이다.

해설
물은 수증기로 변화할 때 약 1,700배 증가한다.

정답 01 ② 02 ③ 03 ① 04 ①

●●○ 05 냉각소화 시 소화약제로 물을 사용하는 것은 물의 어떤 성질을 이용한 것인가?

① 기화열 ② 용해열 ③ 응고열 ④ 융해열

해설
물은 냉각소화 시 비열을 이용한 현열과 증발잠열(기화열)을 이용한다.

●●● 06 물의 증발잠열인 539 cal/g란 무엇을 말하는가?

① 0℃의 물 1 g이 수증기로 변화하는데 539 cal의 열량이 필요하다.
② 0℃의 얼음 1 g이 수증기로 변화하는데 539 cal의 열량이 필요하다.
③ 0℃의 물 1 g이 100℃의 물로 변화하는데 539 cal의 열량이 필요하다.
④ 100℃의 물 1 g이 수증기로 변화하는데 539 cal의 열량이 필요하다.

해설
물의 증발잠열은 100℃의 물 1 g이 수증기로 변화하는데 필요한 열량을 말한다.

●○○ 07 소화약제 중 냉각효과가 가장 좋은 것은?

① 물 소화약제 ② 할론 소화약제
③ 포 소화약제 ④ 산·알칼리 소화약제

해설
물은 냉각효과가 가장 우수한 소화약제이다.

●○○ 08 물의 소화약제로 사용하는 경우 기대되는 소화효과와 관계가 없는 것은?

① 질식 ② 냉각 ③ 유화 ④ 연쇄반응 억제

해설
연쇄반응을 억제하는 대표적인 소화약제는 할론, 분말 소화약제이다.

●●○ 09 물의 소화성능을 향상시키기 위해 첨가하는 첨가제로 부적당한 것은?

① 계면활성제 ② 증점제 ③ 유화제 ④ 내유제

해설
내유제는 포소화약제 방사시 유류에 포가 깨지는 것을 방지하기 위한 첨가제이다.

●●● 10 물의 표면장력을 낮추어 가연물 내부로의 침투를 향상시키기 위해 사용하는 첨가제는?

① emulsifying agent ② antifreeze
③ Wetting agents ④ Viscosity agents

해설
emulsifying agent : 유화제, antifreeze : 부동액, Viscosity agents : 증점제

정답 05 ① 06 ④ 07 ① 08 ④ 09 ④ 10 ③

●●○ 11 유류 화재시 기름과 물은 섞이지 않으나 세차게 방사시 순간적으로 기름과 섞여 에멀젼효과를 증가시키는 첨가제는?

① emulsifying agent ② antifreeze
③ Wetting agents ④ Viscosity agents

해설
emulsifying agent(유화제)는 에멀젼효과를 증가시키는 첨가제이다.

●●● 12 물이 0℃에 동결된 후 동파로 이어지는 가장 큰 원인은 무엇인가?

① 극성공유결합 ② 밀도 ③ 표면장력 ④ 응고잠열

해설
물의 밀도의 크기는 액체 〉 고체 〉 기체 순으로 고체로 변할시 밀도가 작아진다.
밀도가 작아지는 이유는 부피가 수소결합에 의해 팽창(약 10%)하기 때문이다.

●●○ 13 다음 중 소화용수로 사용되는 물의 동결 방지제로 부적합한 것은?

① $C_3H_5(OH)_3$ ② $NaClO_3$ ③ $C_2H_4(OH)_2$ ④ $C_3H_8O_2$

해설
부동액 : 에틸렌글리콜 $C_2H_4(OH)_2$, 글리세린 $C_3H_5(OH)_3$, 프로필렌글리콜 $C_3H_8O_2$
염소산나트륨 $NaClO_3$은 산화성고체인 제1류 위험물이다.

●●○ 14 물 소화약제를 휘발유, 경유 화재시 사용하였을 경우 소화효과와 관계가 없는 것은?

① 희석 ② 유화 ③ 냉각 ④ 질식

해설
휘발유, 경유는 비수용성 유류이기 때문에 희석효과를 기대하기 어렵다.

●●● 15 비수용성인 제4류 위험물 화재시 소화약제로 적합하지 않는 것은?

① 할론 소화약제 ② 포 소화약제
③ 분말 소화약제 ④ 물 소화약제

해설
제4류 위험물의 경우 비중이 작아 물위에 떠 유면을 확대시키기 때문에 사용에 적합하지 않다.

정답 11 ① 12 ② 13 ② 14 ① 15 ④

3. 포소화약제

1 개요

포소화약제란 **물과 포를 혼합한 공기포(기계포)** 또는 **화학물질의 혼합에 의해 생성된 화학포**에 의해 **방호대상물을 덮어 질식소화하는 소화약제**이다.

(1) 기계포, 화학포

생성된 포 내부에 공기가 있으면 기계포, 포 내부에 CO_2가 있으면 화학포로 분류하며 화학포는 기계포 보다 설비가 간단하다.

① **기계포(공기) : 물(소화펌프)과 포원액(약제탱크)→혼합기(프로포셔너)에서 포수용액→발포기**

② **화학포(CO_2) : 탄산수소나트륨, 황산알루미늄 혼합→발포기**

Point

① 화학포의 화학물질

$$6NaHCO_3 + Al_2(SO_4)_3 18H_2O \rightarrow 2Al(OH)_3 + 3Na_2SO_4 + 6CO_2 + 18H_2O$$

탄산수소나트륨 황산알루미늄 수산화알루미늄 황산나트륨

② 안정제는 카세인, 단백질 등이 사용된다.

(2) 고발포, 저발포

발포기를 통하여 생성된 포의 팽창비에 따라 고발포와 저발포로 구분 한다.

구분	저발포	고발포	
팽창비	20배 이하	80배 이상～250배 미만	제1종기계포
		250배 이상～500배 미만	제2종기계포(흡입식)
		500배 이상～1,000배 미만	제3종기계포(압입식)
약제 농도	3%, 6%	1%, 1.5%, 2%, 3%, 6%	
사용 약제	단백포, 수성막포, 불화단백포, 알코올포 합성계면활성제포,	합성계면활성제포	

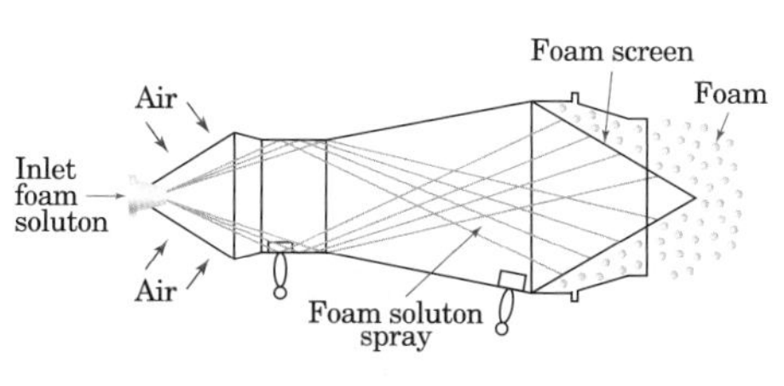

흡입식(Aspirator)

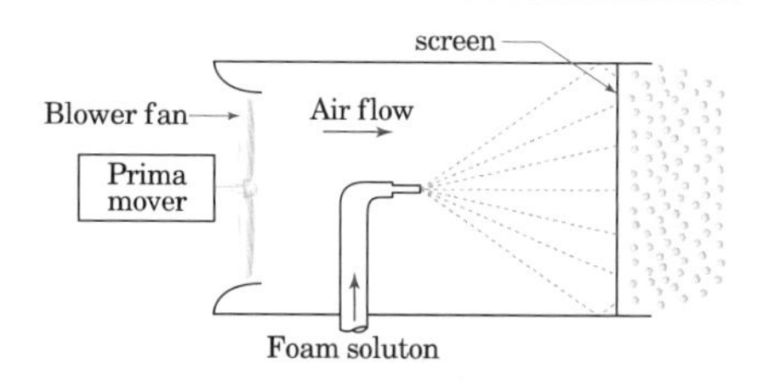

압입식(Blower type)
– 발포기 뒤에 송풍기가 있다.

$$\text{팽창비} = \frac{\text{방출후 포의 체적}}{\text{방출전 포수용액의 체적}} = \frac{\text{방출후 포의 체적}}{\frac{\text{포원액량}}{\text{소화약제의 농도\%} / 100}}$$

Tip

포원액이 3ℓ이고 포소화약제의 농도가 3% 일 때 방출전 포 수용액의 체적을 구해보자.

포소화약제의 농도 3%란	포원액 3ℓ + 물 97ℓ = 포수용액 100ℓ
방출 전 포수용액의 체적은 3ℓ / 0.03 = 100ℓ가 된다.	

2 포소화약제의 종류

종류	포소화약제의 특성
단백포	• **동물성 단백질을 가수분해**하여 **염화제일철염 첨가** 및 **물에 용해**하여 **수용액으로 제조(흑갈색으로 특이한 냄새 : 달걀 썩는 냄새**가 난다.) • **경년기간이 짧아 주기적으로 교체**해야 한다.
수성막포	• **불소계통의 습윤제**(계면활성제 계통의 물질 : 액체의 표면장력을 감소시키는 물질, 물에 잘 젖지 않는 고체를 잘 젖게 하는 물질)**에 계면활성제를 섞은 것**으로 **반영구적이며 투명한 노란색**이다. • **AFFF(Aqueous Film Forming Foam) 또는 Light Water라 하고 Twin Agent (수성막포 + 제3종 분말소화약제)에 사용 된다.** • **포가 얇아 내열성에 약해 윤화현상 (Fire Ring)이 일어나기 쉽다.**
불화단백포	• **단백포 소화약제**에 **불소계면활성제를 소량 첨가** 한 것으로 단백포와 수성막포의 단점인 유동성과 내열성을 보완한 것으로 **가격이 가장 비싸다.** • **표면하 주입방식에도 효과적**이며 **소화효과가 가장 우수하고 변질 부패가 없다.**
합성 계면활성제포	• **계면활성제를 기제**(황산에스테르, 황산염)**로 하여 안정제 등을 첨가**한 것이다. • **저팽창에서 고팽창까지 범위가 넓어 저발포 및 고발포로도 사용**이 가능하다. • **유동성이 좋은 반면에 내유성이 약하고 포가 빨리 소멸되는 단점**이 있다. • 소화성능은 수성막포에 비하여 낮으며 장시간 저장해도 부패, 변질이 없다.
내알콜형포	• **천연단백질의 가수분해물에 합성계면활성제를 혼합** • **수용성 유류의 경우 포가 쉽게 소멸되는 단점을 보완하고자 개발**된 것으로 알콜류, 케톤류와 같은 수용성유류 화재의 소화에 사용 된다. • 소화효과는 질식효과가 주된 효과이고 부수적으로 희석효과가 있다.

예제 01

동물성 단백질을 가수분해하여 염화제일철염 첨가 및 물에 용해하여 수용액으로 제조한 것으로 흑갈색의 달걀 썩는 냄새가 나는 포 소화약제는?

① 단백포 ② 수성막포
③ 합성계면활성제포 ④ 불화단백포

해답 ①

Tip

포소화약제의 비교

구분	단백포	수성막포	불화단백포	합성계면활성제포
유동성	X	O	O	O
점착성	O	X	O	X
내열성	O	X	O	X
내유성	X	O	O	X

소화성능 : 불화단백포 〉 수성막포 〉 계면활성제포 〉 단백포

3 소화약제의 구비조건

(1) 포의 **유동성**이 좋아야 한다.
(2) 포의 **점착성**이 좋아야 한다.
(3) 포의 **소포성**이 적어야 한다. (**내열성**이 좋아야 한다.)
(4) 포의 **안정성**이 좋아 사용기간이 길어야 한다.
(5) 포의 **부식성, 독성**이 적어야 한다.

고발포용 고정포방출구
포소화약제 방출 모습

4 포약제의 Transit Time[포약제의 경과시간]

물과 포약제를 혼합하여 발포시키기까지의 시간을 말하며 경과시간은 포약제의 성질, 물의 온도에 따라 좌우 된다. 포 소화약제의 최대경과시간은 약제 제조사의 제한하는 범위내로 하여야 한다.

5 25% 환원시간

포의 25% 환원시간은 용기에 채집한 포(거품)의 25%가 포수용액으로 환원되는데 걸리는 시간을 말하며 포발포 시험과 동시에 실시한다.

포콘테이너

(1) 소화약제의 형식승인 및 제품검사의 기술기준(제4조 11항)

① **포수용액의 발포성능 : 표준발포노즐을 사용**

구 분	단백포 등	수성막포	합성계면활성제포	방수포용 포
발포 전 포수용액 용량의 25 %인 포수용액이 거품으로부터 환원되는데 필요한 시간	1분 이상	1분 이상	3분 이상	2분 이상
팽창률	6배 이상	5배 이상	500배 이싱	6배 이상 10배 미만

(2) 소방설비용헤드의 성능인증 및 제품검사의 기술기준(제28조 25% 환원시간 시험)

① **25 % 환원시간 : 포헤드를 사용**

구 분	단백포	수성막포	합성계면활성제포
25 % 환원시간	**1분 이상**	**1분 이상**	**3분 이상**
팽창률	5배 이상	–	5배 이상

6 포팽창률

$$포팽창률 = \frac{V}{W - W_1}[\mathrm{m}\ell/\mathrm{g}]$$

V : 포수집용기의 내용적$[ml]$

W : 포수집용기에 거품이 충만했을 때의 총 중량$[g]$

W_1 : 포수집용기의 중량$[g]$

실전 예상문제

01 기계포 소화약제가 유류화재를 소화시킬 수 있는 능력과 관계가 없는 것은?

① 유류 표면으로부터 가연성가스의 증발을 억제 또는 차단한다.
② 수분의 현열과 증발 잠열을 이용한다.
③ 포가 유류 표면을 덮어 공기와의 접촉을 차단한다.
④ 화학적인 소화방법을 이용한다.

연쇄반응을 억제하여 소화하는 소화약제는 할론과 분말소화약제이다.

02 다음 중 포소화설비의 소화성능이 가장 낮은 가연물은?

① 건축물, 기타 공작물
② 가연성 고체
③ 가연성 액체
④ 가연성 기체

포소화설비의 소화원리는 소방대상물을 덮어 소화하는 개념이지만 가연성기체의 경우는 불가하다.

03 포 소화약제가 가연성 액체 소화에 적합한 이유 중 옳지 않는 것은?

① 냉각효과가 있기 때문이다.
② 질식효과가 있기 때문이다.
③ 연쇄반응의 억제효과가 있기 때문이다.
④ 재발화의 위험성이 적기 때문이다.

화학적인 소화방법은 부촉매효과에 의한 연쇄반응 억제를 말한다.

04 화학포와 기계포를 생성하는 가스로서 순서대로 옳게 짝지어 진 것은?

① 이산화탄소 – 이산화탄소
② 공기 – 이산화탄소
③ 공기 – 공기
④ 이산화탄소 – 공기

화학포는 탄산수소나트륨과 황산알루미늄의 화학반응에 의한 이산화탄소가 포를 생성하며 기계포는 포방사시 발포기에 공기가 유입되어 포를 생성한다.

01 ④ 02 ④ 03 ③ 04 ④

●○○ **05** **공기포 소화약제가 화학포 소화약제보다 우수한 점으로 옳지 않는 것은?**

① 혼합 기구가 복잡하지 않다. ② 유동성이 크다.
③ 고체 표면에 점착성이 우수하다. ④ 넓은 면적의 유류화재에 적합하다.

해설
공기포 소화약제는 혼합기와 펌프 등의 설비가 더 필요하다.

●○○ **06** **화학포 소화약제의 주성분으로서 다음 중 옳은 것은?**

① 중탄산칼슘과 황산알루미늄 ② 중탄산칼륨과 황산알루미늄
③ 인산암모늄과 황산알루미늄 ④ 중탄산나트륨과 황산알루미늄

해설
화학포 = 중탄산나트륨과 황산알루미늄

●○○ **07** **포 소화약제 중 화학포 소화약제의 화학 반응식으로 옳은 것은?**

① $6NaHCO_3 + Al_2(SO_4)_3 \cdot 18H_2 0 \rightarrow 3Na_2SO_4 + 2Al(OH)_3 + 6CO_2 + 18H_2O$
② $6NaHCO_3 + Al_2(SO_4)_3 \cdot 18H_2 0 \rightarrow 3Na_2SO_4 + 2Al(OH)_3 + 5CO_2 + 18H_2O$
③ $6NaHCO_3 + Al_2(SO_4)_3 \cdot 18H_2 0 \rightarrow 3Na_2SO_4 + 2Al(OH)_3 + 4CO_2 + 18H_2O$
④ $6NaHCO_3 + Al_2(SO_4)_3 \cdot 18H_2 0 \rightarrow 3Na_2SO_4 + 2Al(OH)_3 + 3CO_2 + 18H_2O$

해설
$6NaHCO_3 + Al_2(SO_4)_3 \cdot 18H_2 0 \rightarrow 3Na_2SO_4 + 2Al(OH)_3 + 6CO_2 + 18H_2O$

●○○ **08** **화학포 소화약제에 관한 설명 중 옳지 않은 것은 어느 것인가?**

① 탄산수소나트륨, 황산알루미늄을 사용한다.
② 화학반응시 생성된 CO_2가 방사원이다.
③ 카세인, 단백질 등의 포안정제를 사용하여 포를 안정시킨다.
④ 유동성과 내열성, 침투성이 좋다.

해설
포소화약제는 침투성이 좋으면 질식효과를 기대하기 어렵다.

●○○ **09** **화학포소화약제를 만들기 위해 사용하는 안정제는 무엇인가?**

① 프로틴(protein) ② 요산
③ 요소 ④ 글리세린

해설
카세인, 단백질(protein) 등의 포안정제를 사용하여 포를 안정시키며, 요산·요소·글리세린은 인산과 함께 제6류 위험물 과산화수소의 안정제로 사용된다.

정답 05 ① 06 ④ 07 ① 08 ④ 09 ①

10 공기포(기계포)는 포의 팽창비에 따라 구분하는데 제3종 기계포의 팽창비는 얼마인가?

① 20배 이상 ② 80배 이상 250배 미만
③ 250배 이상 500배 미만 ④ 500배 이상 1,000배 미만

구분	저발포	고발포		
팽창비	20배 이하	80배 이상	250배 미만	제1종 기계포
		250배 이상	500배 미만	제2종 기계포(흡입식)
		500배 이상	1,000배 미만	제3종 기계포(압입식)

11 다음 포 소화약제 중 팽창비에 따른 저발포와 고발포를 임의로 발포 할 수 있는 포 소화약제는?

① 단백포 ② 불화 단백포 ③ 수성막포 ④ 합성계면 활성제포

합성계면활성제포의 약제농도는 1%, 1.5%, 2%의 고발포와 3%, 6%의 저발포 모두 사용 된다.

12 단백포(3%) 소화약제 5ℓ을 취하여 고정포 방출구로 방출시켰더니 포의 체적이 5만ℓ가 되었다. 고정포 방출구로 방출된 포의 팽창비는 몇 종 기계포인가?

① 제1종 기계포 ② 제2종 기계포 ③ 제3종 기계포 ④ 제4종 기계포

$$\text{팽창비} = \frac{\text{발포 후 포의 체적}}{\text{발포 전 포수용액의 체적}} = \frac{\text{발포 후 포의 체적}}{\dfrac{\text{포원액}}{\text{포약제의 농도\% / 100}}} = \frac{50,000}{\dfrac{5}{3/100}} = 300$$

$100\% : 3\% = x : 5\ell$

∴ 발포 전 포수용액의 체적은 $\dfrac{500}{3} = 166.67\,\ell$

• 팽창비가 250배 이상 500배 미만으로 제2종 기계포에 해당된다.

13 3%의 단백포 3ℓ를 취해서 포의 팽창비가 500이 되었다. 방출된 포의 체적(ℓ)은 얼마인가?

① 5,000 ② 15,000 ③ 25,000 ④ 50,000

$$\text{팽창비} = \frac{\text{발포 후 포의 체적}}{\dfrac{\text{포원액}}{\text{포약제의 농도\% / 100}}} \rightarrow 500 = \frac{X}{\dfrac{3}{3/100}} \quad \therefore X = 50,000\,\ell$$

정답 10 ④ 11 ④ 12 ② 13 ④

●●● 14 다음 중 포 소화약제가 갖추어야 할 구비조건 중 틀린 것은?

① 유동성이 좋아야 한다.　② 점착성이 커야 한다.
③ 내열성이 강해야 한다.　④ 비중이 커야 한다.

비중이 크면 유류 아래로 가라앉기 때문에 질식소화효과를 기대하기 어렵다.

●●● 15 포소화약제가 갖추어야 할 조건 중 옳지 않는 것은?

① 내열성이 좋을 것　② 수용액의 침전량이 0.5 vol% 이하일 것
③ 부패 및 변질이 없을 것　④ 단백포의 25% 환원시간은 1분 이상일 것

- 소화약제의 형식승인 및 제품검사의 기술기준
  (20 ± 2)℃인 포소화약제를 원심분리용 시험관에 넣고 상대원심력을 분당회전수 600~700으로 원심 분리하여 생기는 침전물이 0.1vol% 이하이어야 한다. (변질시험 후 침전량은 0.2% 이하일 것)

●○○ 16 포소화약제의 설명으로 옳지 않은 것은?

① 성상은 균질하여야 하고 변질방지를 위한 유효한 조치가 강구되어야 한다.
② 단백포소화약제의 비중의 범위는 0.8 이상 0.9 이하이어야 한다.
③ 유동점은 KS M 2016(석유제품 유동점 시험방법)에 따라 측정한 경우 사용 하한온도보다 2.5℃ 이하이어야 한다.
④ 인화점은 클리블랜드 개방식 방법에 적합한 인화점 시험기로 측정 한 경우 60℃ 이상이어야 한다.

1. 단백포소화약제의 비중의 범위는 1.1 이상 1.2 이하이어야 한다.
2. 소화약제의 형식승인 및 제품검사의 기술기준
   인화점은 KS M 2010(원유 및 석유제품 인화점 시험방법)의 클리블랜드 개방식 방법에 적합한 인화점 시험기로 측정한 경우 60℃ 이상이어야 한다.〈개정 2012.2.9〉

●●○ 17 단백포에 대한 내용으로 옳지 않은 것은?

① 동물성 단백질을 가수분해하여 염화제일철염 첨가 및 물에 용해하여 수용액으로 제조한 것이다.
② 흑갈색으로 달걀 썩은 냄새가 난다.
③ 경년기간이 짧아 주기적으로 교체해야 한다.
④ 유동성이 좋지 않은 수성막포의 단점을 보완하기 위해 개발된 포소화약제이다.

정답　14 ④　15 ②　16 ②　17 ④

●●● 18

수성막포 소화약제의 사용시 소화의 작용과 관계가 먼 것은?

① 유류 탱크의 화재시 유면을 덮어 산소의 공급을 차단한다.
② 표면장력을 낮추어 빠른 속도로 유면을 덮어 질식소화한다.
③ 질식, 냉각효과를 나타내므로 일반 유류화재에 적합하다.
④ 유동성이 있으나 점착성이 약해 일반화재에는 별 효과가 없다.

해설
포소화약제의 사용장소 : 특수가연물, 차고, 주차장, 항공기격납고 등으로 일반화재에도 적응성이 있다.

●●○ 19

다음은 수성막포의 장점을 설명한 것이다. 옳지 않은 것은?

① 표면장력을 증가시켜 유동성을 증가시킨 약제이다.
② 유류 표면에 피막을 형성하여 유류 증발을 억제한다.
③ 안정성이 좋아 수명이 거의 영구적이다.
④ 내약품성이 좋아 타약제와 겸용 사용도 가능하다.

해설
불소계통의 습윤제(계면활성제 계통의 물질 : 액체의 표면장력을 감소시키는 물질, 물에 잘 젖지 않는 고체를 잘 젖게 하는 물질)에 계면활성제를 섞은 것으로 표면장력을 17 dyne/cm으로 낮춘 것이다.

●●● 20

포 소화약제 중 항공기 격납고에 적합한 약제는?

① 단백포 ② 수성막포 ③ 내알콜포 ④ 합성계면활성제포

분말(제3종 분말) 소화약제는 속소성에 의한 소화효과가 우수하지만 재발화의 우려가 크므로 이를 방지하기 위해 수성막포와 겸용하여 항공기화재에 사용된다.

●●● 21

기름 탱크에서 유출된 기름으로 인하여 옥외에서 화재가 발생하였다면 화재의 소화에 가장 적합한 포 소화약제는?

① 불화단백포 ② 단백포
③ 수성막포 ④ 합성계면활성제포

수성막포는 유동성이 좋아 옥외로 유출된 기름으로 인한 옥외 화재에도 적합하다.

정답 18 ④ 19 ① 20 ② 21 ③

●●● 22 수성막포가 가연성기름의 표면에서 쉽게 퍼져 피막을 형성할 수 있는 것은 다음의 물리적 성질 중 어떤 성질 때문인가?

① 밀도가 작기 때문이다. ② 점성이 크기 때문이다.
③ 비중량이 작기 때문이다. ④ 표면장력이 작기 때문이다.

수성막포는 물분자의 응집력을 낮추어 표면장력을 작게 함으로서 유면에서 쉽게 퍼져 나간다.

●●● 23 계면활성제가 첨가된 약제로서 일종 light water, AFFF라고 하는 약제는?

① 단백포 ② 수성막포 ③ 합성계면활성제포 ④ 내알코올포

light water, AFFF라고 불리는 포는 수성막포이며 윤화현상이 발생한다.

●●● 24 다음의 합성계면활성제포 단점 중 옳지 않은 것은?

① 적열된 기름 탱크 주위에는 효과가 적다.
② 유동성이 좋지 않다.
③ 타약제와 겸용시 소화효과가 좋지 않을 경우가 있다.
④ 가연물에 양이온이 있을 경우 발포성능이 저하된다.

해설

1. 계면활성제를 기제(황산에스테르, 황산염)로 하여 안정제 등을 첨가한 것
2. 저팽창에서 고팽창까지 범위가 넓어 고체 및 기체 연료 등 사용범위가 매우 넓다.
3. 유동성이 좋은 반면에 내유성이 약하고 포가 빨리 소멸되는 단점이 있다.

●○○ 25 내알콜성 포소화약제의 특성에 관한 설명 중 옳지 못한 것은?

① 물에 대해서는 안정성을 갖는다.
② 수용성 유류 화재에 적합하다.
③ 천연단백질의 가수분해물에 합성계면활성제를 혼합하여 만든 소화약제이다.
④ 사용시 물과 오랫동안 섞여 있으면 포가 깨지는 특성이 있다.

●●○ 26 메탄올 저장 탱크의 소화설비에 가장 적합한 포소화약제는 다음중 어느 것인가?

① 단백포 ② 불화단백포 ③ 수성막포 ④ 내알콜포

수용성 유류화재에 포를 방사시 물과의 반응에 의해 포가 쉽게 깨지므로 이를 방지하기 위한 포가 내알코올포로서 수용성유류화재에 적합하다.

정답 22 ④ 23 ② 24 ② 25 ④ 26 ④

●●○ **27** **아세트알데히드, 산화프로필렌과 같은 유류화재에 적합한 포소화약제는?**

① 단백포 ② 불화단백포 ③ 합성계면활성제포 ④ 내알콜포

수용성 유류화재에 적합한 포 : 내알코올포

●○○ **28** **수용성 유류 화재에 사용하는 포 소화약제에 관련된 설명 중 옳지 않는 것은?**

① 수용성 유류라 함은 피리딘, 아세톤, 초산, 의산 등을 말한다.
② 수용성 유류는 극성이 있는 액체라 극성이 있는 물과 잘 혼합된다.
③ 에틸렌글리콜, 글리세린 화재시에는 내알코올성 포 소화약제가 적합하다.
④ 제4류 위험물 제3석유류 화재에 적합한 포소화약제는 내알코올포이다.

해설

수용성유류는 극성이 있기 때문에 극성공유결합하고 있는 물과 혼합되어 있는 포소화약제와 쉽게 혼합되어 파괴된다.
제3석유류 모두가 수용성 유류는 아니고 에틸렌글리콜, 글리세린이 대표적인 수용성이다.

●●● **29** **단백포 소화약제의 포헤드에서 25 % 환원시간 시험시간으로 옳은 것은?**

① 30초 ② 40초 ③ 60초 ④ 3분

포소화약제의 종류	단백포소화약제	수성막포소화약제	합성계면활성제 포소화약제
25 % 환원시간	1분	1분	3분

●○○ **30** **합성계면활성제포 소화약제를 표준발포노즐을 사용할 경우 25 % 환원시간은?**

① 30초 ② 40초 ③ 60초 ④ 3분

구 분	단백포 등	수성막포	합성계면활성제포	방수포용 포
25 % 환원시간	1분 이상	1분 이상	3분 이상	2분 이상

●●○ **31** **공기포 발포배율을 측정하기 위해 중량 340 g, 용량 1,5 ℓ의 포 수집용기에 포를 가득 채웠다. 이 포의 포팽창률은 얼마인가? (단, 포가 가득 채웠을 때의 무게는 640 g이다)**

① 4 mℓ/g ② 5 mℓ/g ③ 6 mℓ/g ④ 9 mℓ/g

해설

포팽창률$= \dfrac{V}{W-W_1} = \dfrac{1{,}500\ m\ell}{640\ g - 340\ g} = 5$ m[ℓ/g]

V : 포수집용기의 내용적[ml]
W : 포수집용기에 거품이 충만 했을 때의 총 중량[g]
W_1 : 포수집용기의 중량[g]

정답 27 ④ 28 ④ 29 ③ 30 ④ 31 ②

●○○ 32 **포소화약제 저장조에 약제의 주입과 교체시에 주의사항으로 옳지 않는 것은?**

① 충전시는 밑부분으로 서서히 주입시킨다.
② 충전시는 상부에서 거품이 발생하지 않도록 천천히 흘려 넣는다.
③ 저장소는 청결히 한다.
④ 약제를 넣기 전에 완전 탈수한다.

포저장탱크에 포소화약제 저장시 상부에서 충전하게 되면 포가 생기기 때문에 하부에서 주입하여야 한다.

●●○ 33 **공기포 소화약제의 혼합방법 중 비례혼합방법의 경우 그 유량 허용범위는?**

① 100 ~ 150%
② 50 ~ 200%
③ 50 ~ 100%
④ 100 ~ 200%

해설

방식	구분	내용
프레져 프로포셔너 (비례혼합방식)		펌프와 발포기의 중간에 설치된 벤추리관의 벤추리작용과 펌프 가압수의 포 소화약제 저장탱크에 대한 압력에 따라 포 소화약제를 흡입 · 혼합하는 방식
	장점	1. 혼합 가능한 유량범위(50 ~ 200%)가 넓어 1개의 혼합기로 다수의 소방대상물을 방호 할 수 있다. 2. 혼합기에 의한 압력손실 (0.035 ~ 0.21 MPa)이 적다.
	단점	1. 격막이 없는 저장탱크는 물이 유입되면 재사용이 불가하다. 2. 혼합비에 도달하는 시간이 다소 소요된다. (2 ~ 3분, 대형은 15분) 3. 물과 비중이 비슷한 수성막포등은 혼합이 어렵다.

혼합기
포방출구
약제탱크
다이어프램
펌프
P
수원

정답 32 ② 33 ②

4. 이산화탄소 소화약제

1 개 요

(1) 가스계 소화약제는 수계에서처럼 화재의 크기에 따라 스프링클러 헤드 10개, 20개, 30개, 소화전 1개~5개와 같은 화재가혹도가 고려되지 않는다. 가스 약제의 특성에 따라 설계농도가 정해지며 이산화탄소 설계농도는 34%이다. 이 말은 전체실의 34%를 이산화탄소가 차지하면 소화가 된다는 의미이다. 즉, 농도(부피) 개념이 되며 농도가 저하될 때에는 소화를 기대하기 어렵기 때문에 가스계소화약제의 경우 밀폐가 전제 되야 한다.

(2) 가스계소화약제 중 **헤드에서 액화상태로 방사되는 소화약제는 빨리 기화하여 부피를 차지하기 위해 기화되기 쉬운 저비점 물질**이어야 한다.

(3) **불연성이며 화재에 의한 피해를 줄이기 위해 잔유물이 존재하지 않아야 한다.**

2 물리·화학적 특성

(1) 분자식 CO_2, **분자량 44로서 비중 = 1.517(공기보다 무거워 피복효과가 있다.)**

(2) 상온 상압 **무색 무취의 기체로서 비전도성의 불연성가스**이다.

(3) **임계점의 임계온도 31.1℃** 이상에서 아무리 큰 압력을 가해도 액화하지 않는다.(액체 또는 기체 상태를 구분할 수 없다.)

(4) **기체, 액체, 고체가 공존하는 3중점은 약 5.11 kg/cm², -56.4℃이며 대기압에서 방사시 온도는 약 -80℃로서 상온에서 동상의 우려가 있다.**

(5) **자체 증기압이 커 별도의 가압원이 필요 없다.**

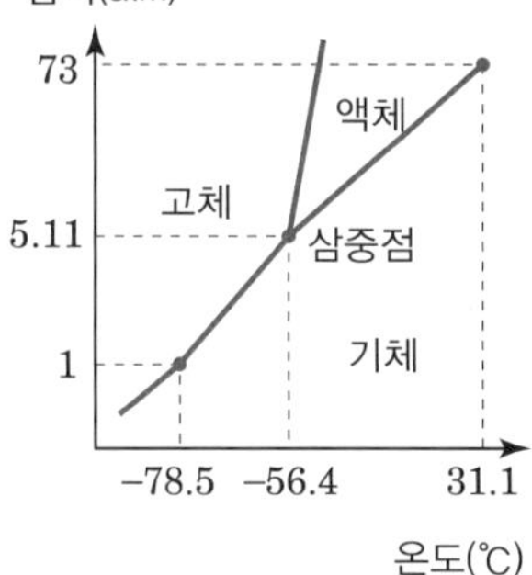

이산화탄소의 상평형도

3 소화특성

(1) **산소농도를 15% 이하로 하여 질식소화** 한다. - 질식효과

(2) 열 흡수에 의한 냉각작용 - **냉각효과 : 기화열 576.5 kJ/kg = 138.36 kcal/kg**

(3) 적응화재

① 소화기 : B급(유류), C급(전기)화재

② 고정식소화설비 : A급(일반), B급(유류), C급(전기)화재

(4) **소화성능은 다른 가스계보다 소화력이 약하다. (할론 1301의 $\frac{1}{3}$, 분말의 $\frac{1}{3}$)**

4 장 점

(1) 화재 진화 후 소화약제의 잔존물이 없어 **증거 보존이 가능**하다.

(2) **침투성이 좋고 공기보다 무거워 심부화재에 적합하며 비전도성으로 전기화재에 사용이 가능**하다.

(3) **화학적으로 안정하며 부식성 없다. 가스계 중 저가로서 가격이 싸다.**

(4) **오존층을 파괴시키지 않는다.(ODP = O)**

5 단 점

(1) **설비가 고압설비**로 배관 및 관부속이 고압에 견디어야 하며 방사시 소음이 크다.
- **고압식 : 압력배관용탄소강관(SPPS) Sch 80 사용**
- **저압식 : 압력배관용탄소강관(SPPS) Sch 40 사용**

(2) 방사시 인명, 가축 등에 **질식의 우려 및 동상의 우려**가 있다.

(3) 공기 중의 CO_2 농도가 10%일 때 시력장애, 1분 이내 의식상실, 장기간 노출시 사망하며 20%일 때 중추신경 마비, 단기간 내 사망한다.

(4) 수계에 비하여 설비비가 고가이다.(가스계 중에서는 가장 저렴하다.)

(5) **압력에 따른 온도강하와 줄톰슨효과에 의해 주위의 수분을 냉각(응결)시켜 구름모양이 생기는데 이를 운무현상**이라 하고 **시야가 가려져 피난시 장애**가 된다.
- **줄-톰슨 효과 : 좁은 오리피스를 고압으로 통과할 때 온도가 낮아지는 효과**

(6) **지구온난화의 주범(GWP)이지만 오존층 파괴지수 ODP = 0이다.**

(7) 금속화재 사용시 탄소의 유리로 금속화재에 적응성이 없다.

6 GWP(지구온난화지수)

Relative Value of Global Warming Potential based on CO_2

(1) 정의

어떤 물질의 지구온난화에 기여하는 정도를 상대적으로 나타내는 지표로서 기준물질 CO_2**의 GWP를 1로 하여 어떤 물질의 지구 온난화에 기여하는 정도의 비**로 나타낸 것을 말한다.

$$GWP = \frac{\text{어떤 물질 } 1\,\text{kg이 지구온난화에 기여하는 정도}}{CO_2\ 1\,\text{kg이 지구온난화에 기여하는 정도}}$$

- 메탄(CH_4) : 23　아산화질소(N_2O) : 296　육불화황(SF_6) : 22,200

(2) 지구온난화의 원인

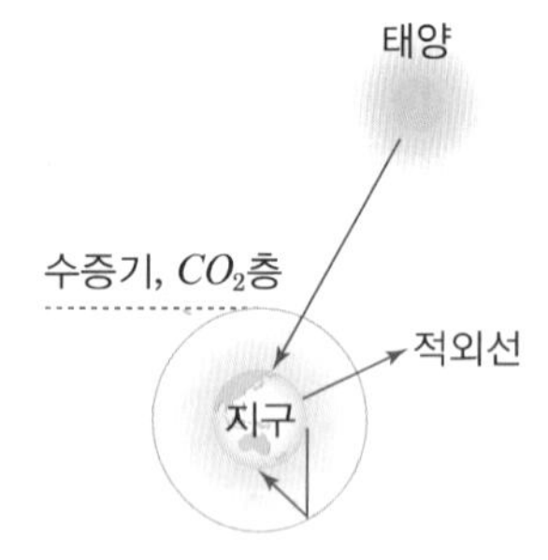

지구는 태양으로부터 받은 에너지를 파장이 긴 적외선으로 방출하는데 대기중의 온실가스가 이를 흡수하며 온실가스는 안정화되기 위해 에너지를 다시 지구로 방출하는데 이 에너지가 지구를 따뜻하게 만드는 것이다.

① 온실가스는 지구의 온도를 약 15℃ 정도로 살기 좋게 유지하여 주지만 산업화 등에 의한 영향으로 온실가스가 과도해져 지구 밖으로 나갔던 적외선을 지구 밖으로 내보내지 못하고 온실가스가 흡수한 후 다시 지구로 복사에너지를 보내 지구가 따스해지는데 이러한 효과를 온실효과(Green House Effect)라 한다.

② CO_2를 1이라고 할 때

종류	GWP	종류	GWP
할론 1301	7,140	HFC – 227ea	3,500
할론 1211	1,890	HFC – 236fa	9,400
할론 2402	1,640	HFC – 23	12,000
HFC–125	3,400	CFC 계열	1만~2만

(3) 지구 온난화의 영향

① 지구 온도 상승 : 기후변화
② 빙하의 해빙
③ 생태계의 변화
④ 수자원의 영향 : 사막화
⑤ 질병발생 및 인류 희생 초래

(4) 대책

① 냉매누설을 줄인다.
② 대체 소화제 개발 및 사용
③ 온실가스 저장 및 활용

7 Soaking Time

가스 소화약제는 초기에 소화가 가능한 표면화재에 주로 사용 하지만 심부화재에 적용할 경우 또는 재발화 방지를 위한 경우 설계농도를 일정시간 유지하여야 하는데 이에 필요한 시간을 「Soaking Time」 또는 Holding time이라고 한다.

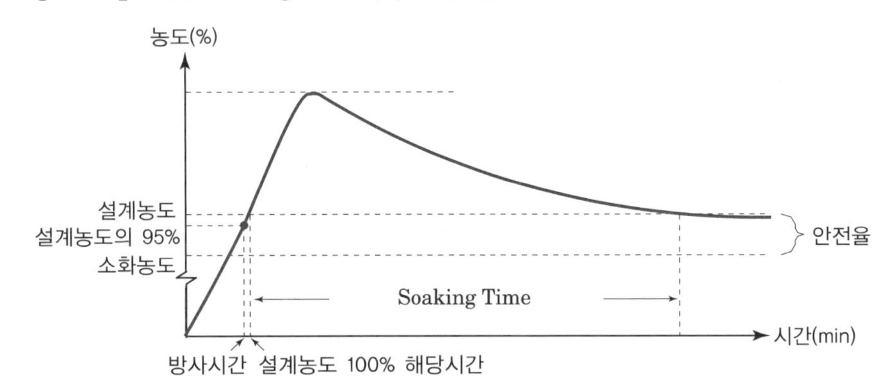

관련법규 및 Code	소화약제		Soaking Time	비 고
화재안전기준	이산화탄소		–	국내 : 가스계소화설비 소화시험기준 A급 : 10분 B급 : 30초
	할론		–	
	할로겐화합물 및 불활성가스		–	
NFPA Code	이산화탄소	표면화재	1분	NFPA 12.2 – 4.1
		심부화재	20분	
	할론		10분	NFPA 12A.A – 3.4.2
	할로겐화합물 및 불활성가스		10분	

실전 예상문제

●●● 01 상온에서 무색, 무취의 불연성 가스로서 삼중점이 -56.3℃인 가스는?

① N_2　② O_2　③ CO_2　④ Cl_2

이산화탄소의 삼중점은 고체, 액체, 기체가 모두 공존하는 곳이며 온도는 -56.3℃, 압력은 5.11 atm이다.

●●○ 02 저장용기 속의 액화 이산화탄소가 온도상승으로 액체와 기체의 밀도가 서로 같아졌다. 이때의 온도를 무엇이라고 하는가?

① 임계점　② 비점　③ 삼중점　④ 평형점

해설

임계점은 물질의 상태가 액체인지 기체인지 구분할 수 없는 온도로서 이 온도에서 아무리 큰 압력을 가해도 액화되지 않는다. 저장용기실의 온도가 28℃ 이상이 되면 약제 저장량 측정시 정확하지 않다.

●○○ 03 CO_2를 용기 내에 저장하는 경우 CO_2가스가 일부 방출되고 나면?

① 압력이 낮아진다.　② 압력이 상승한다.
③ 압력이 변하지 않는다.　④ 압력은 0이 된다.

이산화탄소의 압력은 온도에 따라 결정되므로 양과는 관계가 없다.

●●● 04 이산화탄소소화설비로 사용하는 CO_2에 대한 설명 중 옳은 것은?

① 이산화탄소의 인체에 대한 허용 농도는 TWA 기준으로 3,000 ppm이다.
② 표준상태에서 액체 상태로 저장할 수 있다.
③ 액상을 유지하는 한계온도는 31℃로 이를 이산화탄소의 임계온도라 한다.
④ 이산화탄소의 농도가 20% 이상이 되면 호흡 곤란이 시작된다.

해설

이산화탄소의 인체에 대한 허용 농도는 5,000 ppm(TWA 기준)이다.
이산화탄소는 표준상태(0℃, 1 atm)에서 기체이며 농도가 8% 이상이 되면 호흡 곤란이 시작된다.

정답　01 ③　02 ①　03 ③　04 ③

●○○ **05** 이산화탄소 소화약제에 관한 설명으로 옳지 않은 것은?

① 이온결합 물질이다.
② 기체의 비중은 약 1.52로 공기보다 무겁다.
③ 1기압 상온에서 무색 기체이다.
④ 삼중점은 5.1기압에서 약 -56°C이다.

해설
공유결합물질 - H_2O, CO_2, O_2 이온결합물질 - NaCl(소금), NaOH 수산화나트륨 (비누)

●○○ **06** 이산화탄소 소화약제의 저장 취급 시 저장용기실에 대한 설명으로 옳지 않은 것은?

① 주위 온도가 55℃ 이하가 되어야 한다.
② 직사광선을 받지 아니하는 장소에 저장하여야 한다.
③ 습기에 노출시 부식의 우려가 있어 주의해야 한다.
④ 온도변화가 적은 장소에 설치하여야 한다.

해설
CO_2 소화설비 저장용기 설치장소의 주위온도는 40℃ 이하로 하여야 한다.

●●● **07** 다음 중 이산화탄소 소화약제의 주된 소화 효과는?

① 냉각 효과 ② 질식 효과
③ 연쇄반응 억제 효과 ④ 피복 효과

해설
CO_2의 주된 소화효과는 산소의 농도를 15%이하로 감쇠시켜 소화하는 질식효과이다.

●○○ **08** 다음의 소화약제 중 증발잠열(kJ/kg)이 가장 큰 것은 어느 것인가?

① 이산화탄소 ② 할론 1301
③ 할론 1211 ④ 할론 2402

해설

종류 / 특성	이산화탄소	Halon 1301	Halon 1211	Halon 2402
증발잠열(kJ/kg)	576.5	119	130	105

정답 05 ① 06 ① 07 ② 08 ①

●○○ 09 가스 중 소화약제로 쓰일 수 있는 가스는 어느 것인가?

① Cl_2 ② CO ③ O_2 ④ CO_2

해설

Cl_2는 허용농도가 1 ppm(TWA 기준)으로 독성이 강한 원소이다.
소화약제는 소화성능, 독성, 환경영향성, 물성, 안정성, 경제성을 고려하여야 한다.

●●○ 10 이산화탄소 소화약제의 소화효과 중 가장 먼 것은?

① 냉각 효과 ② 질식 효과 ③ 피복 작용 ④ 희석 작용

주된 소화효과는 질식효과이다.

●●● 11 구획된 실에 CO_2 소화약제가 방사시 농도(%)의 계산식으로 맞는 것은? (단, 무유출 조건이다.)

① $CO_2\ \% = \dfrac{O_2 - 21}{21} \times 100$ ② $CO_2\ \% = \dfrac{21 - O_2}{21} \times 100$

③ $CO_2\ \% = \dfrac{21 - O_2}{O_2} \times 100$ ④ $CO_2\ \% = \dfrac{O_2 + 21}{21} \times 100$

●●● 12 구획된 실 내 이산화탄소의 농도가 34%이면 산소의 농도는 얼마인가?

① 1.38% ② 7.38% ③ 13.86% ④ 14.86%

해설

$CO_2\ \% = \dfrac{21 - O_2}{21} \times 100 \rightarrow 34 = \dfrac{21 - O_2}{21} \times 100 \quad \therefore\ O_2 = 13.86\ \%$

●●● 13 표준상태에서 440 g의 이산화탄소가 기화하는 경우 체적은 약 몇 ℓ인가?

① 22.4 ② 224 ③ 509 ④ 535

해설

분자량을 몰로 계산하면 $\dfrac{440}{44} = 10\ \text{mol}$, 몰을 부피비로 나타내면 $10\ \text{mol} = \dfrac{x}{22.4} \quad \therefore x = 224\ \ell$

정답 09 ④ 10 ④ 11 ② 12 ③ 13 ②

●●● 14 1 kg의 액화 이산화탄소가 20℃에서 대기중으로 방출될 경우 몇 ℓ가 되겠는가?

① 334 ② 537 ③ 546 ④ 564

$PV = \frac{W}{M} RT$ 에서 $1 \cdot V = \frac{1,000}{44} \cdot 0.082 \cdot (20+273)$ $\therefore V = 546\ \ell$

●○○ 15 액화 이산화탄소 45 kg이 가압용 가스용기에 충전되어 있을 때 용기의 내용적(ℓ)은? (단, 충전비는 1.5이다)

① 48 ② 67.5 ③ 80 ④ 100

고압식 이산화탄소 소화설비의 충전비는 1.5 이상 ~ 1.9 ℓ/kg 이하, $1.5\ \ell/\text{kg} = \frac{x}{45\ \text{kg}}$ $\therefore x = 67.5\ \ell$

●●○ 16 이산화탄소 소화약제의 방사과정에서 운무현상이 발생한 이유는 무엇인가?

① 이산화탄소의 방사 시 주위의 온도가 상대적으로 올라가 대기 중의 수분이 응결하기 때문이다.
② 이산화탄소의 방사 시 주위의 온도가 내려가 액화의 이산화탄소가 기화, 응고하였기 때문이다.
③ 이산화탄소의 방사 시 다량의 수증기가 발생하였기 때문이다.
④ 이산화탄소의 방사 시 주위의 온도가 내려가 대기 중의 수분이 응결하였기 때문이다.

대기압 하에서 이산화탄소 방사시 해당 온도는 약 -80℃이다. 또한 고압의 가스가 헤드의 작은 오리피스를 관통할 때 온도가 내려가는 톰-줄슨효과에 의해 수분이 응결하여 구름모양을 형성하는 현상이 운무현상이다.

●○○ 17 가스계 소화약제의 특성을 설명한 것 중 옳은 것은?

① 이산화탄소는 순도가 99.5% 이상인 것을 소화약제로 사용해야 한다.
② 이산화탄소 소화약제는 할론 소화약제보다 소화효과가 약 1/3 정도 우수하다.
③ 할론 소화약제의 분자량의 크기는 할론 2402 > 1211 > 1301의 순이다.
④ 할론 2402는 상온에서 기체로 존재하므로 저장시에는 고압으로 액화시켜 저장한다.

해설

이산화탄소를 소화약제로 사용시 순도가 99% 이상이어야 하며 할론(소화농도 : 5%)은 이산화탄소(소화농도 : 28%)보다 소화효과가 더 우수하고 할론2402는 상온에서 액체이므로 방사시 빠르게 기화시켜야 하므로 무상방사가 필요하다.

정답 14 ③ 15 ② 16 ④ 17 ③

●○○ **18** 이산화탄소 가스 소화약제 측정법이 아닌 것은?

① 중량측정법 ② 액면측정법
③ 비파괴검사법 ④ 농도측정법

저장용기내 액화상태의 약제를 측정하는 방법 : 중량측정법, 액면측정법, 비파괴검사법

●○○ **19** GWP 의 정의로서 옳은 것은?

① $\frac{\text{어떤 물질 1 kg이 지구온난화에 미치는 정도}}{CFC-11\ \text{1 kg이 지구온난화에 미치는 정도}}$

② $\frac{\text{어떤 물질 1 kg이 지구온난화에 미치는 정도}}{CO\ \text{1 kg이 지구온난화에 미치는 정도}}$

③ $\frac{\text{어떤 물질1 kg이 지구온난화에 미치는 정도}}{CO_2\ \text{1 kg이 지구온난화에 미치는 정도}}$

④ $\frac{\text{어떤 물질1 kg이 지구온난화에 미치는 정도}}{\text{수증기 1 kg이 지구온난화에 미치는 정도}}$

기준물질 CO_2의 GWP를 1로 하여 어떤 물질의 지구 온난화에 기여하는 정도의 비

●○○ **20** 가스 소화약제는 초기에 소화가 가능한 표면화재에 주로 사용 하지만 심부화재에 적용할 경우 또는 재발화 방지를 위한 경우 설계농도를 일정시간 유지하여야 하는데 이에 필요한 시간을 무슨 시간이라 하는가?

① Soaking Time ② Keeping Time
③ Staying Time ④ Remaining Time

정답 18 ④ 19 ③ 20 ①

5. 할론 소화약제

1 개 요

할론 소화약제는 알칸계(C_nH_{2n+2})의 지방족 탄화수소인 메탄과 에탄의 분자중 수소원자 1개 이상을 할로겐원소로 치환한 형태의 화합물 중 소화약제로 사용할 수 있는 것의 총칭으로 할론 1301, 2402, 1211, 1040, 1011 등이 있다. 하지만 화재안전기준에 의한 할론 소화약제는 할론 1301, 2402, 1211의 3가지로 되어 있다.

할론은 소화효과가 우수하지만[약제의 **설계농도가 5% 이하**(CO_2의 경우 34%임)]

오존층 파괴의 주범으로 사용 제한 및 생산이 금지되었다.

2 소화특성

주된 소화 효과	부촉매효과 – 활성화된 라디칼의 전파, 분기 반응에 의한 연쇄반응 억제로 소화
부수적인 소화효과	냉각효과, 희석효과

3 장 점

(1) 소화 후 기기를 오염시키지 않는다.

(2) 약제의 변질, 분해 염려 등이 없다, 전기부도체이다.

(3) 화학적 부촉매에 의한 연소억제 작용이 크고 소화능력이 우수하다

(4) 금속에 대한 부식성이 없다. (저장용기를 부식시키는 부식성)

(5) 경제적으로 할로겐화합물 및 불활성가스와 이산화탄소의 중간 가격이다.(현재는 생산 안됨)

4 단 점

(1) **독성가스(Br_2 – 0.1 ppm, Cl_2 – 0.5 ppm, HF – 0.5 ppm 등)를 발생 한다.**

(2) **성층권에 있는 오존층(O_3)이 파괴되어 자외선에 노출된다.**

5 소화약제의 명명 방법

(1) Halon 1 3 0 1

C F Cl Br → CF_3Br(브로모 트리 플루오르 메탄)

(2) Halon 2402 → $C_2F_4Br_2$(디브로모 테트라 플루오르 에탄)

(3) Halon 1211 → CF_2ClBr(브로모 클로로 디플루오르 메탄)

6 할론 1301, 1211, 2402 약제 특성

구 분	할론 1301	할론1211	할론2402
분자식	CF_3Br (분자량 : 148.9)	CF_2ClBr (분자량 : 165.4)	$C_2F_4Br_2$ (분자량 : 259.9)
비점	-57.8℃	-3.4℃	47.5℃(상온에서 액체)
기화열	119	130	105
증기압(MPa)	1.4	0.25	0.048
소화농도(n-Heptan)	3.5%	3.8%	2.1%
ODP	10	3	6
GWP	7,140	1,890	1,640
NOAEL, LOAEL	5%, 7.5%	-	-

(1) 할론 1301

① **메탄의 유도체로서 무색, 무취, 부도체이며 증기압 1.4 MPa**, 비점 -57.8℃이다.

② **상온 상압하에서 기체로 존재, 증기는 공기보다 약 5.13배 무겁다.**

③ 약 500℃ 이상에서 HBr, HF 등의 독성가스가 생성되므로 소화 후 실내를 환기한다. 하지만 **할론 1211, 2402에 비교하여 독성이 가장 낮다.**

④ **ODP 및 GWP는 가장 크다.**

⑤ **할론 1211, 2402와 비교시 소화효과 가장 우수함**

⑥ **소화기 : B급, C급에 적응성**

⑦ **소화기용 소화약제로 사용 시 자체증기압이 커 방출원 질소로 가압하지 않는다.**

(2) 할론 1211

① **메탄의 유도체로서 증기압 0.25 MPa**, 비점 -3.4℃

② **증기압이 낮아 질소가스를 가압**하여야 한다.

③ Halon 1301보다 **독성이 높은 관계**로 **소규모 공간 사용 금지**

- **지하층, 무창층, 밀폐된 거실로서 바닥면적 20 m² 미만의 경우 사용을 제한**

④ **소화기 : A급, B급, C급에 적응성**

(3) 할론 2402

① **에탄의 유도체로서 증기압 0.048 MPa, 비점이 47.5℃**

② **증기압이 낮아 질소가스로 가압**하여야 하며 **비점이 47.5℃로서 상온에서 액체**이다.

- **배관을 통해 방사시 액체상태로 방사되므로 빠른 기화를 위해 무상방사가 필요**하다.

③ 독성은 사염화탄소(CCl_4)보다는 약하나 할론 1211, 1301보다 강하다.

④ **소화기 : B급, C급에 적응성**

예제 01

GWP가 가장 큰 할론 소화약제는?

① 할론 1301 ② 할론 1211 ③ 할론 2402 ④ 할론 1040

해답 ①

종류	할론 1301	할론 1211	할론 2402	할론 1040
GWP	7,140	1,890	1,640	1,400

(4) 할론을 구성하는 7족 원소의 특성

구분	소화효과	오존층 파괴 순서	전기음성도	이온화에너지
F	④	④	①	①
Cl	③	③	②	②
B_r	②	②	③	③
I	①	①	④	④

- **전기음성도 : 전자1개를 끌어당기려는 힘(경향)**
- **이온화에너지 : 전자1개를 떼어내는데 필요한 에너지**

7 ODP(오존파괴지수)

Relative Value of Ozone Depletion Potential based on CFC-11

(1) 정의

어떤 물질이 오존파괴에 기여하는 능력을 상대적으로 나타내는 지표로서 기준물질인 CFC-11의 ODP를 1로 하여 같은 무게의 어떤 물질의 오존 파괴량을 나타낸 것을 말한다.

$$ODP = \frac{\text{어떤 물질 1kg이 파괴하는 오존량}}{CFC-11\ \text{1kg이 파괴하는 오존량}}$$

(2) 소화약제의 ODP

할론 1301	할론 2402	할론 1211	CO_2
10	6	3	0.05

(3) Ozon층 파괴 Mechanism

① Cl 혹은 Br을 포함한 프레온가스가 성층권에 도달하여 자외선에 분해되어 오존과 반응하여 오존을 파괴하고 재생산에 의해 연쇄적으로 파괴한다.

② CFC-11[$CFCl_3$]의 오존파괴 Mechanism

$CFCl_3 \rightarrow CFCl_2 + Cl$ (자외선에 의해 분해)

$Cl + O_3 \rightarrow ClO + O_2$ (오존과 결합)

$ClO + O \rightarrow Cl + O_2$ (Cl 재생산)

즉, 한 개의 염소원자 [Cl]는 안정된 화합물을 형성할 때까지 수천~수십만개의 오존[O_3]을 파괴한다.

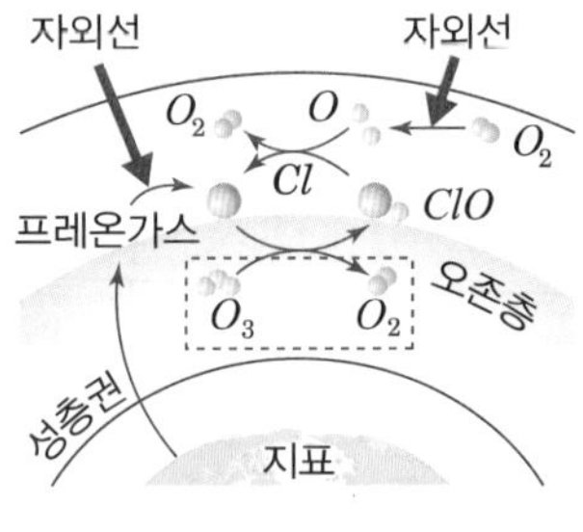

Ozon층 파괴 Mechanism

8 NOAEL/LOAEL

(1) NOAEL(No Observable Adverse Effect Level) : **최대 허용설계 농도를 말함**

농도를 증가시킬 때 아무런 악영향도 감지할 수 없는 최대농도

→ 심장에 독성을 미치지 않는 최대농도

(2) LOAEL(Lowest Observable Adverse Effect Level)

농도를 감소시킬 때 악영향이 감지되는 최소농도 → 심장에 독성이 미치는 최저농도

(3) 설계농도의 적용

소화농도	대상	조건
LOAEL 이상	비상시거주지역	30초 이내에 대피가 가능한 지역
LOAEL과 NOAEL 사이	상시거주지역	PBPK모델 시간(5분)간 노출에도 안전해야 함
NOAEL 이하	상시거주지역	할론 1301의 설계농도는 하론의 NOAEL인 5%보다 낮아야 한다.

9 PBPK(physiologically Based Pharmacokinetic) 모델링

(1) **인간과 관계되는 농도로서 개에게서 측정을 했던 NOAEL과 LOAEL이 아닌 사람을 대상으로 시뮬레이션한 모델링**으로서 생리학적 약물동태학을 이용한 할론카본계 소화약제에 대한 인체 허용노출기준을 제시한 것이다.

(2) **생리학에 기초한 약물동태학 모델링**

독성물질의 흡수, 체내 확산, 신진대사 및 분비와 관련된 반응을 분석하여 인명에 대한 노출안전도를 정량적으로 측정하는 방법

(3) **5분간 노출이 안전하다고 간주되면 상시거주지역에 사용 가능함**

- HFC-125(소화농도는 8.1~9.4%) : 구법에 의한 최대허용설계농도 7.5%.(NOAEL 7.5%)
- PBPK 모델링(11.5%)에 의한 개정 후 최대허용설계농도 11.5%로 변경

6. 할로겐화합물 소화약제 및 불활성기체 소화약제

1 개 요

할로겐화합물 소화약제 및 불활성기체 소화약제는 오존층을 파괴하는 물질로서 **오존층 파괴에 따른 인체 및 지구 환경변화 등 문제가 야기되어 이에 대응하는 소화약제 개발의 필요성에 따라 개발**되었다.

(1) 할로겐화합물(9가지)

소 화 약 제	최대허용 설계농도(%)	소 화 약 제	최대허용 설계농도(%)
FC－3－1－10	40	FK－5－1－12	10
HFC－23	30	HCFC BLEND A	10
HFC－236fa	12.5	HCFC－124	1
HFC－125	11.5	FIC－13I1	0.3
HFC－227ea	10.5		

- 불소, 염소, 브롬 또는 요오드 중 하나 이상의 원소를 포함하고 있는 유기화합물을 기본성분으로 하는 소화약제(화재안전기준에 등록되어 있는 할로겐화합물 소화약제의 원소에는 브롬이 없다.)

(2) 불활성기체(4가지)

소 화 약 제	최대허용 설계농도(%)	소 화 약 제	최대허용 설계농도(%)
IG－01	43	IG－541	43
IG－100	43	IG－55	43

- 헬륨, 네온, 아르곤 또는 질소가스중 하나 이상의 원소를 기본성분으로 하는 소화약제
- IG 다음에 오는 첫 번째 숫자는 질소, 두 번째 숫자는 아르곤, 세 번째 숫자는 이산화탄소를 가리킨다.

(3) 소화약제 선정시 고려사항

① 소화성능 : 소화성능이 우수해야 한다.

② 독성 : 독성이 낮고 거주지역인 경우 농도가 NOAEL 이하에서 소화가 가능해야 함

③ 환경영향성 : ODP, GWP, ALT(대기잔존시간) 등이 적어야 하며 토양 등을 오염시키지 말아야 한다.

④ 물성 : 전기설비 등 고가장비 소화시 약제 방사에 의한 정전 등 피해를 주지 말아야 한다.

⑤ 안정성 : 소화약제가 안정적이고 저장용기 등을 부식시키지 말아야 하며 수명이 길어야 한다.

⑥ 경제성 : 가격이 저렴하고 유지관리 비용이 저렴해야 한다.

2 소화특성

(1) 할로겐화합물 : **냉각효과(전기음성도가 강함), 부촉매효과 등**

(2) 불활성기체 : **질식효과(이산화탄소와 같은 원리), 냉각효과**

3 장 점

(1) 독성이 거의 없으며 환경영향성이 거의 없다.
(2) 소화약제는 안정하여 약제의 변질, 분해 등이 없으며 부식성이 없다.
(3) 소화 후 기기를 오염시키지 않는다.
(4) 전기의 부도체로서 전기화재에 사용이 가능하다.

4 단 점

(1) 환경영향성이 거의 없는 대신에 고가이다.
(2) **불활성기체의 경우 고압(약 15 MPa)용 저장용기를 사용**하여 유지관리에 주의하여야 하며 고압으로 방사시 방사압력에 의해 구조체의 파괴, 기기의 파손 우려가 있다.
따라서 반드시 **압력배출구를 설치**해야 한다.
(3) 대부분 하론 1301보다 소요 약제량이 더 많이 필요하며 더 큰 저장실이 필요함

5 소화약제 명명법

H F C - 2 3 → CHF_3**(트리플루오로메탄)**

- 3 --------- F수이며 가감 하지 않는다. → F = 3 개
- 2 --------- H수이며 빼기 1을 하여 2-1 = 1 → H = 1 개
- (0) --------- C수이며 더하기 1을 하여 0+1 = 1 → C = 1 개

- C가 1개이므로 이는 메탄(CH_4)의 유도체이며 수소 1개가 있으므로 나머지 수소 3개가 플루오로 3개로 치환된 것이다. 플루오로(F) 오른쪽의 숫자 3은 희랍어로 "트리"라고 읽는다.

(1) HFC 계열(Hydro Fluoro Carbon)

① H F C - 2 2 7 ea → C_3HF_7**(헵타플루오로프로판)**

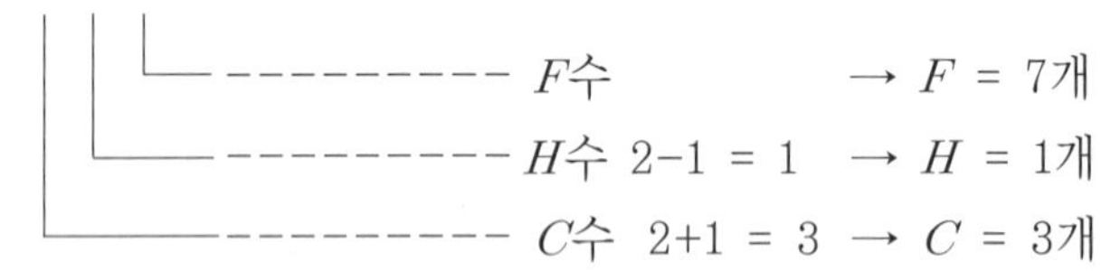

C가 3개이므로 이는 프로판(C_3H_8)의 유도체이며 수소 1개가 있으므로 나머지 수소 7개가 플루오로 7개로 치환된 것이다. 플루오로(F) 오른쪽의 숫자 7은 희랍어로 "헵타"라고 읽는다.

(2) HCFC 계열(Hydro Chloro Fluoro Carbon)

① H C F C - 1 2 4 → C_2HF_4Cl(**클로로테트라플루오로에탄**)

```
  │ │ │               Cl수          → Cl = 1개
  │ │ └──────-------- F수           → F = 4개
  │ └────────-------- H수 2-1 = 1   → H = 1개
  └──────────-------- C수 1+1 = 2   → C = 2개
```

C가 2개이므로 이는 에탄(C_2H_6)의 유도체이며 수소 1개가 있으므로 나머지 수소 5개가 할로겐원소로 치환되는데 그 중 4개는 플루오로로 치환되어 C_2HF_4의 분자식을 갖게 되며 이는 에탄보다 원자 1개가 모자란다. 이때에는 모자란 수만큼 Cl(클로로)로 채워주면 된다. 프루오로 오른쪽의 4는 "테트라"라고 읽는다.

② H C F C - 2 2 → CHF_2Cl(**클로로디플루오로메탄**)

```
  │ │ │            Cl수         → Cl = 1개
  │ │ └──────----- F수          → F = 2개
  │ └────────----- H수 2-1= 1   → H = 1개
  └──────────----- C수 0+1= 1   → C = 1개
```

C가 1개이므로 이는 메탄(CH_4)의 유도체이며 수소 1개가 있으므로 나머지 수소 3개가 불소 2개, 염소 1개로 치환된 것이다. 플루오로 오른쪽의 2는 "디"라고 읽는다.

- HCFC-22은 HCFC-123 등과 함께 HCFC BLEND A를 구성하는 소화약제이다.

(3) FC 계열(Fluoro Carbon)

F C 3 - 1 - 10 → C_4F_{10}(**퍼플루오로부탄**)

```
  │ │ │
  │ │ └──────------- F수          → F = 10개
  │ └────────------- H수 1-1= 0   → H = 0개
  └──────────------- C수 3+1= 4   → C = 4개
```

C가 4개 이므로 이는 부탄(C_4H_{10})의 유도체이며 수소가 없으므로 수소 10개가 불소 10개로 치환된 것이다. 플루오로 오른쪽의 10는 "퍼"라고 읽는다.

6 소화약제의 종류별 특성

HFC -23

(1) HFC-23[상품명 : FE-13]

① FC에 수소가 첨가된 HFC계로서 할론의 대체물질
② 최대허용설계농도 30%
③ NOAEL(30%)이 설계농도(14.4%)보다 높아 주거지역에서 사용가능
④ 브롬이 함유되지 않아 화학적 소화성능이 거의 없고 물리적 소화성능(냉각소화)만 발휘하기 때문에 소화성능이 기존의 할론보다 못하며 할론1301 소화성능의 1/4 정도이다.
⑤ HFC-23의 증기압은 이산화탄소와 비슷하고 밀도는 더 커서 이산화탄소의 대체물질
⑥ HFC계 물질은 브롬과 염소도 함유하지 않아 ODP가 0이며 독성도 낮다. ALT가 280년의 온실가스이다.
⑦ ALT[Atmospheric Life Time] : **대기권 잔존 수명**
- **대기권에서 분해되지 않고 존재하는 기간을 말한다.**
  ALT가 높은 가스는 온실가스로 분류 된다.

(2) HFC-125[상품명 : FE-25]

HFC -125

① NOAEL(11.5%), 최대허용설계농도
(예전 7.5%에서 11.5%로 변경됨)
② 불꽃의 소화농도는 8.1 ~ 9.4%로
구법에서는 NOAEL이 7.5%인 관계로
정상거주지역에는 사용할 수 없었으나
PBPK 모델링을 통해 최대허용농도가
11.5%로 변경되어 현재는 정상거주지역
에서 사용할 수 있는 소화약제이다.

(3) HFC-227ea[상품명 : FM 200]

HFC -227ea

① NOAEL(10.5%)이 소화농도(5.8 ~ 6.6%)보다
높아 정상거주지역에서 사용이 가능하다.
② ODP = 0, GWP = 3,500
최대허용설계농도 : 10.5%(예전 9%에서 10.5%로 변경됨)

(4) HCFC-124[상품명 : FE-241]

① N-Heptane 불꽃의 소화농도는 6.4 ~ 8.2%

② NOAEL 1.0 %로 소화농도보다 낮아 정상거주지역에 사용할 수 없으며 LOAEL 2.5%이다.

③ 할론1301과 비교할 때 무게비로 1.6배, 부피비로 2.3배를 투입하여야 동등 소화효과를 기대할 수 있다.

(5) HCFC BLEND A[상품명 : NAFS-Ⅲ]

① HCFC-123, HCFC-22, HCFC-124와 $C_{10}H_{16}$의 혼합물이다.

② 소화농도가 7.2%이고, NOAEL이 10%로 사람이 있는 거실에서 사용이 가능하지만 2030년까지만 사용이 가능하다.

③ 소화 후 검정액의 끈적끈적한 검댕 잔여물이 있으며 오렌지 향기가 난다.

(6) FC-3-1-10

① 소화농도가 5.0 - 5.9%로 비교적 소화성능도 우수하다. 또한 NOAEL이 40%로 소화농도보다 훨씬 높기 때문에 정상거주지역에서도 사용할 수 있는 장점이 있다.

② 할론1301에 비해 무게비로 약 2배의 양을 사용해야 소화된다.

(7) IG-541[상품명 : Inergen]

① IG-541은 질소 52%, 아르곤 40%, 이산화탄소 8%로 이루어진 혼합소화약제

② ODP = 0, GWP = 0, ALT ≒ 0

③ 다른 소화약제에 비하여 소화약제량이 많아(약 24배) 넓은 저장 공간이 필요하다.

- 불활성기체의 고압압축가스이므로 양이 많다.

④ **NOAEL(43%), LOAEL(52%)**, 최대설계허용농도(43%)

7 불활성가스계의 NEL, LEL

(1) NEL(No Effect Level)

해로운 생리학적 영향이 관측되지 않는 최고농도(최대설계농도 : 43%)

(2) LEL(Low Effect Level)

해로운 생리학적 영향이 관측되는 최저농도 : 불활성가스계는 모두 52%이다.

실전 예상문제

●●○ 01 할론, 할로겐화합물 및 불활성가스 소화약제의 구비 조건으로 옳지 않는 것은?

① 증발 잔유물이 없어야 한다. ② 기화되기 쉬워야 한다.
③ 불연성이어야 한다. ④ 고비점 물질이어야 한다.

해설
액상으로 저장하는 소화약제는 배관에서 헤드로 방사하기까지는 액상 상태를 유지해야 약제 손실량을 줄일 수 있으며 헤드에서 방출될 때에는 비점이 낮아 바로 기화하여 그 실에 요구하는 설계농도를 유지해야 한다.

●●● 02 연소의 연쇄반응을 차단하여 소화하는 가스계 소화약세는?

① $NH_4H_2PO_4$ ② CF_3Br ③ $IG-100$ ④ CO_2

해설
$NH_4H_2PO_4$(인산암모늄)은 연쇄반응을 억제하여 소화 하지만 가스계 소화약제가 아닌 고체 소화약제이다.

●●● 03 소화능력이 가장 우수한 할로겐 원소는 어느 것인가?

① F ② Cl ③ Br ④ I

해설
1. 소화효과 및 오존층 파괴 순서 : $F < Cl < Br < I$
2. 전기음성도 : 전자1개를 끌어 당기려는 힘(경향) : $F > Cl > Br > I$
3. 이온화에너지 : 전자1개를 떼어내는데 필요한 에너지 : $F > Cl > Br > I$

●●○ 04 다음 중 할론 소화약제로 사용할 수 없는 것은?

① 할론 1301 ② 할론 1211
③ 할론 2402 ④ 할론 1040

해설
소화약제가 갖추어야 할 성질 : 소화성능이 우수할 것, 독성이 없을것, 환경영향성이 적을 것, 물성(비점이 낮을 것 등), 안정성, 경제성 → 할론 1040은 $CCl_4 + H_2O \rightarrow 2HCl + COCl_2$ (포스겐) 형성

●●● 05 다음 할론 소화약제 중 독성이 가장 약한 것은?

① 할론 1301 ② 할론 1211 ③ 할론 2402 ④ 할론 1011

해설
할론소화설비의 소화약제 중 독성이 가장 낮은 것은 할론 1301이다.

정답 01 ④ 02 ② 03 ④ 04 ④ 05 ①

●●● 06 할론 소화약제 중 오존 파괴지수(ODP)가 가장 큰 것은?

① 할론 1301 ② 할론 1211 ③ 할론 2402 ④ 할론 1011

해설

구 분	할론1301	할론2402	할론1211	CO_2
ODP	10	6	3	0.05

●●○ 07 할론 소화약제 중 화학식이 틀린 것은?

① 할론 1301 → CF_3Br ② 할론 1211 → CF_2ClBr
③ 할론 2402 → $C_2F_4Br_2$ ④ 할론 1011 → $CHClBr$

해설
할론 1011은 메탄(CH_4)의 유도체로서 수소 4개 중 수소 2개가 각각 염소와 브롬으로 치환하였으므로 수소는 2개가 남아 CH_2ClBr이 되어야 한다.

●●○ 08 할론 1301 소화약제 중 없는 할로겐원소는?

① 탄소 ② 불소 ③ 염소 ④ 취소

해설
할론 숫자의 첫 번째는 탄소, 두 번째는 불소, 세 번째는 염소, 네 번째는 브롬(취소)을 말한다.

●○○ 09 할론 1211의 질소가스 축압에 대한 설명이 바르지 않은 것은?

① 질소가스를 축압할 때 쉽게 가압할 수 있다.
② 질소가스를 축압할 때 할론 1211은 화학적으로 반응하여 안정화 된다.
③ 할론 1211은 자체 증기압이 낮기 때문에 질소가스로 축압한다.
④ 질소가스의 가압은 압력에 따라 고압식과 저압식으로 나누어진다.

해설
소화약제를 어떤 물질로 축압할 때 화학적으로 반응하면 약제의 특성이 변화되므로 반응하는 물질은 사용할 수 없다.

●●○ 10 할론 1301 소화약제가 열분해 할 때 발생하는 기체로서 다음 중 틀린 것은?

① HCl ② HF ③ HBr ④ Br_2

해설
할론 1301에는 염소가 없어 HCl(염산)이 생성되지 않는다.

정답 06 ① 07 ④ 08 ③ 09 ② 10 ①

11 할론 1301의 화학적 성질을 바르게 나타낸 것은?

① 무색 무취의 비전도성이며 상온에서 기체이다.
② 지구온난화의 주범으로 2010년에 사용이 중단되었다.
③ 무색 무취이며 상온에서 액체로서 방사시 무상방사가 필요하다.
④ 비전도성의 기체이며 화염과 접촉하여 생긴 분해 생성물이 인체에 무해하여 소화약제로 사용한다.

해설
비전도성인 할론 1301은 무색 무취 및 상온에서 기체이며 증기밀도는 공기보다 약 5배 무겁고 분해 생성물인 HF, HBr, Br_2은 독성이 강하다.

12 할론 1301 소화기나 CO_2 소화기의 소화약제는 소화기 내부에 어떤 상태로 보존되고 있는가?

① 할론 1301 – 기체, CO_2 – 액상
② 할론 1301 – 액상, CO_2 – 기체
③ 할론 1301 – 기체, CO_2 – 기체
④ 할론 1301 – 액상, CO_2 – 액상

해설
할론과 CO_2는 대기압 상태에서는 기체로서 기체 상태로 저장 시 많은 공간을 필요로 하므로 많은 양을 저장하기 위해 저장용기에 액화상태로 저장한다.

13 할론 1301의 소화효과의 주 원리는?

① 냉각효과 ② 질식효과 ③ 억제효과 ④ 희석효과

할론과 분말의 주된 소화효과는 부촉매효과를 이용한 연쇄반응 억제이다.

14 기체 상태의 할론 1301은 공기보다 약 몇 배 무거운가? (단, 할론 1301의 분자량은 149이고 공기는 78%의 질소와 21%의 산소와 1%의 아르곤으로 구성되어 있다. 계산은 소수 셋째자리에서 반올림한다.)

① 약 5.05배 ② 약 5.15배
③ 약 5.17배 ④ 약 5.25배

공기의 분자량은 $28 \times 0.78 + 32 \times 0.21 + 39.95 \times 0.01 = 28.96$이므로 $\frac{149}{28.96} = 5.145 ≒ 5.15$

정답 11 ① 12 ④ 13 ③ 14 ②

●○○ **15** **할론 1301 소화약제의 사용이 가능한 소방대상물로서 적합한 것은?**

① 반응성이 강한 금속　　② 가연성고체 및 액체
③ 자기연소성 물질　　④ 금속수소 화합물

할론 소화약제는 자기연소성물질과 반응성이 강한 금속의 경우 적응성이 없으며 금속수소화합물은 할로겐원소와 반응에 의해 수소가스를 발생한다.

●●○ **16** **할론 소화약제 중 상온 상압에서 액체 상태인 것은?**

① 할론 2402　　② 할론 1301　　③ 할론 1211　　④ 할론 1040

해설

할론 2402는 상온(약 15 ~ 25℃) 상압(대기압)에서 액체이다.
따라서 방사시 빠른 기화를 위해 미분무소화설비처럼 무상방사가 필요하다.

●●○ **17** **다음 중 잘못 된 것은?**

① 할론 1301 – 염소가 없는 소화약제로서 연쇄반응을 억제하여 소화한다.
② 할론 2402 – 에탄의 유도체로서 표준상태에서 액체이다.
③ 할론 1211 – 할론 소화약제 중 독성이 가장 적고, 생산가격도 저렴하다.
④ 할론 1040 – $COCl_2$의 발생으로 현재 사용을 하지 않는다.

해설

할론 소화약제 중 독성이 가장 적은 것은 할론 1301 소화약제이다.

●○○ **18** **할론 소화약제의 측정방법 중 부적합한 것은?**

① 농도 측정법　　② 압력 측정법
③ 중량 측정법　　④ 액위 측정법

해설

할론 소화약제 측정방법은 압력 측정법, 액위 측정법, 중량 측정법, 비중 측정법 등이 있다.

●●○ **19** **할론 1301 소화설비에서 다음 조건에 의한 방출오리피스의 분구면적은 얼마인가?**

[조건] 소요약제량 1,500 kg, 노즐 10개, 약제방출시간 10초, 약제방출량 2.4 kg/sec · cm²

① 0.65 cm²　　② 2.65 cm²　　③ 3.95 cm²　　④ 6.25 cm²

오리피스의 분구면적 $1{,}500\ \text{kg} \div 10\ 개 \div 10\ s \div 2.4\ \text{kg/cm}^2 \cdot s \cdot 개 = 6.25\ \text{cm}^2$

정답 15 ② 16 ① 17 ③ 18 ① 19 ④

●●○ **20** 할론 1211 소화설비에서 소요 약제량 600 kg, 분사헤드 6개, 1개의 노즐에 걸리는 압력 2 kg/cm²이라면 이때 노즐 orifice의 면적은 몇 cm²인가? (단, 방출율은 2.0 kg/sec·cm²이며 방출 시간은 10초이다.)

① 0.5 cm² ② 1 cm² ③ 3 cm² ④ 5 cm²

오리피스의 분구면적 = 600 kg ÷ 6 개 ÷ 10 s ÷ 2 kg/(s · cm²·개) = 5 cm²

●○○ **21** 공기 중 HFC-125 농도와 인체에 미치는 영향으로서 5분 정도 흡입하여 인체에 거의 해가 없는 기준치는 어느 정도인가?

① 10 ② 11.5 ③ 12.5 ④ 15.2

PBPK(physiologically Based Pharmacokinetic) 모델링
인간과 관계되는 농도로서 개에게서 측정을 했던 NOAEL과 LOAEL이 아닌 사람을 대상으로 시뮬레이션한 모델로서 5분간 노출이 안전하다고 간주되면 정상거주지역에 사용 가능함
→ HFC-125(PBPK 11.5%) : 최대 허용 설계농도 11.5%

●○○ **22** 불활성가스 소화설비의 소화약제 기본성분이 아닌 것은?

① 헬륨 ② 네온 ③ 아르곤 ④ 크세논

불활성가스 소화약제	헬륨, 네온, 아르곤 또는 질소가스중 하나 이상의 원소를 기본성분으로 하는 소화약제

●○○ **23** 불활성가스소화설비의 $IG-100$의 주성분인 질소에 대한 설명 중 틀린 것은?

① 질소의 분자량은 28이고 공기 중에 79%가 함유되어 있다.
② 질소는 발열 반응을 하는 산화반응을 하지만 연소되지 않아 불연성 가스로 취급한다.
③ 질소의 비점은 −195.6℃이고 산소의 비점은 −183℃이므로 산소가 먼저 기화된다.
④ 질소는 이산화탄소보다 증기 비중이 작으며 인체에 대한 독성이 거의 없다.

질소 또는 질소화합물이 가연물이 될 수 없는 이유는 흡열반응하기 때문이다.

●○○ **24** 화재안전기준에서 정한 할로겐화합물 소화설비의 소화약제가 아닌 것은?

① HFC−227ea ② HFC−23 ③ HFC−236fa ④ HFC−126

할로겐화합물 소화약제(9가지)			불활성가스 소화약제(4가지)	
FC-3-1-10	HCFC-124	HFC-236fa	IG-01	IG-541
FK-5-1-12	HFC-227ea	HFC-125	IG-100	IG-55
HCFC BLEND A	HFC-23	FIC-13I1		

정답 20 ④ 21 ② 22 ④ 23 ② 24 ④

●●○ 25 할로겐화합물 소화설비의 ODP를 현저히 낮추기 위해 배제하는 원소는?

① F ② Cl ③ Br ④ I

할로겐화합물 소화설비를 구성하는 원소는 C, H, F, Cl, I 이다. 즉 브롬은 없다.

●●● 26 할로겐화합물 소화설비 중 최대허용설계농도가 가장 큰 것은?

① HFC−23 ② FC−3−1−10
③ HFC−236fa ④ HFC−125

소 화 약 제	최대허용 설계농도(%)	소 화 약 제	최대허용 설계농도(%)
HFC−23	30	FC−3−1−10	40
HFC−236fa	12.5	HFC−125	11.5

●●● 27 할로겐화합물 소화설비 중 최대허용설계농도가 가장 작은 것은?

① HCFC BLEND A ② FK−5−1−12
③ HCFC−124 ④ FIC−13I1

소 화 약 제	최대허용 설계농도(%)	소 화 약 제	최대허용 설계농도(%)
HCFC BLEND A	10	FK−5−1−12	10
HCFC−124	1	FIC−13I1	0.3

●●○ 28 1기압, 0℃의 어느 밀폐된 공간 $1m^3$ 내에 HFC−125 약제가 0.32 kg 방사되면 HFC−125의 농도는 몇 v% 인가?

① 4.82% ② 5.97% ③ 6.62% ④ 8.3%

$HFC-125$ 의 분자식은 C_2HF_5이므로 분자량은 $12\times2+1+19\times5 = 120\,g$ 이며 몰로 환산하면

$$\frac{320\,g}{120\,g} = 2.667\text{ mol} = \frac{x}{22.4\,\ell}$$

$\therefore x = 59.7\,\ell = 0.0597\,\text{m}^3$ 이므로 전체실 $(1\,\text{m}^3)$의 5.97%가 된다.

정답 25 ③ 26 ② 27 ④ 28 ②

7. 분말소화약제

1 개 요

(1) **소화약제가 액체, 기체가 아닌 고체 분말 가루**로서 **부촉매, 질식, 냉각효과를 이용하여 소화**

(2) **약제를 신속하고 균등하게 방사하기 위해 토너먼트 배관 사용(고체는 기체보다 유동성이 작기 때문)**

(3) 분말소화약제는 **유동성을 좋게 하기 위해 흡습 방지용 스테아린산아연과 실리콘 오일 등에 의해 방습가공** 되어 있는 **소화성능이 우수한 소화약제**이다.

2 분말소화약제의 구비조건

(1) 내습성이 좋아야 한다. [약제 굳음 방지 위한 수분함유율(%) = 0.2 wt% 이하]

$$수분함유율(\%) = \frac{원시료무게 - 건조후무게}{원시료무게} \times 100$$

(2) **입자가 미세해야 한다.(입자 크기가 20 μm ~ 25 μm일 때 소화효과가 가장 우수함)**

(3) 독성이 없고, 환경영향성이 없어야 한다.

(4) **유동성이 좋아야 한다.(안식각 30° 이하)**

(5) 일정한 겉보기 비중이 있어야 한다.

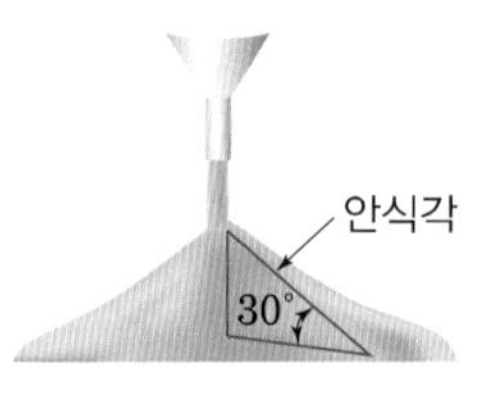

3 분말소화약제의 장, 단점

장점	단점
• 연소를 억제하는 부촉매, 질식, 냉각 등에 의해 소화효과가 우수하다. • 가연성액체의 표면화재 소화에 탁월한 효과가 있다. • 절연성이 우수하여 전기화재에 효과적이다. • 소화약제의 수명이 반영구적이어서 경제적이다.	• 피연소물에 피해를 준다. – 정밀기기나 통신기기류에 부적합 • 방출할 때 고압을 필요로 한다.

4 분말소화약제 종류

(1) **제1종분말($NaHCO_3$ 중탄산나트륨 : 백색, 순도 90% 이상)**

270℃ $2NaHCO_3 \rightarrow Na_2CO_3 + H_2O + CO_2$ − Q kcal …… BC화재 적용

탄산수소나트륨 　 탄산나트륨 　 수증기 　 이산화탄소

850℃ $\rightarrow Na_2O + H_2O + 2CO_2$ − Q kcal

산화나트륨

주성분	중탄산나트륨
소화특성	• **연쇄반응을 억제하는 부촉매효과 : Na^+ 이온** • 약제의 열분해에 의해 생성되는 CO_2, 수증기에 의한 질식 및 냉각효과 • 흡열반응에 의한 냉각 효과 • **식용유화재에는 비누화현상에 의해 적응성이 있다.** • 분말 미립자에 의한 희석효과
장점	• 값이 싸고 유류화재와 전기화재에 적응성이 있다. • 소화력이 우수하다. • **식용유나 지방질유 화재시 Na의 비누화현상에 의해 포가 형성되어 산소공급을 차단하여 소화하는 효과가 있다.**
단점	• **A급(일반화재)화재에는 적응성이 없다.** • **소화 후 불씨가 남아 있으면 재발화 한다.** • 불꽃이 꺼져도 주위에 과열된 금속이 있으면 재발화 한다.
적응화재	B급(유류화재), C급(전기화재), 알칼리금속화재

(2) **제2종분말($KHCO_3$ 중탄산칼륨 : 자색, 순도 92% 이상)**

190℃ $2KHCO_3 \rightarrow K_2CO_3 + H_2O + CO_2$ − Q kcal

중탄산칼륨 탄산칼륨 이산화탄소 수증기

890℃ $\rightarrow K_2O + H_2O + 2CO_2$ − Q kcal

주 성 분	중탄산칼륨
소화특성	• **연쇄반응을 억제하는 부촉매효과 : K^+ 이온** • 약제의 열분해에 의하여 생성되는 CO_2와 수증기의 질식작용과 냉각작용 • 흡열반응에 의한 냉각효과 • 분말 미립자에 의한 희석작용
장 점	• **소화성능은 1종 분말소화약제보다 2배 더 우수하다.** **− K이 Na보다 반응성이 더 크기 때문** • 전기화재, 유류화재에 사용할 수 있다.
단 점	• **A급(일반)화재에는 적응성이 없다.** • 소화 후 불씨가 남아 있으면 재발화한다. • 불꽃이 꺼져도 주위에 과열된 금속이 있으면 재발화한다.
적응화재	**B급(유류화재), C급(전기화재)**

(3) **제3종분말($NH_4H_2PO_4$ 인산암모늄 : 담홍색, 순도 75% 이상)**

166 ℃ $NH_4H_2PO_4 \rightarrow NH_3 + H_3PO_4$ − Q kcal

올쏘인산 : 탄화, 탈수작용

360 ℃ $\rightarrow NH_3 + HPO_3 + H_2O$ − Q kcal

메타인산 : 방진작용

주 성 분	제1인산암모늄
소화특성	• **연쇄반응을 억제하는 부촉매효과 : NH_4^+ (암모늄)이온** • 약제의 열분해에 의하여 생성되는 수증기의 질식작용과 냉각작용 • **오쏘인산(H_3PO_4)의 탄화, 탈수작용** – 섬유소를 탄화·탈수시켜 난연성의 탄소와 물로 분해시키기 때문에 연소 반응이 억제된다. • **메타인산(HPO_3)의 방진작용**에 의한 피복효과 – A급 화재에 적응성이 있는 이유 • 흡열반응에 의한 냉각작용 • 분말미립자에 의한 희석작용
장 점	• 여러 가지 소화효과로 인해 소화성능이 우수하다. • **A, B, C급 화재에 적응성이 있다.**
단 점	• 소화 후 불씨가 남아 있거나 과열된 물체가 있으면 재발화한다. • 일반화재 중 솜뭉치, 종이뭉치 등에는 약제가 내부까지 침투하지 못하므로 소화효과를 기대할 수 없다.
적응화재	• A급(일반화재), B급(유류화재), C급(전기화재) – **Multi purpose dry chemical이라 한다.** • 화재안전기준 108 분말 소화설비에서 **주차장, 차고에는 제3종 분말을 사용**하도록 규정되어 있다.

(4) **제4종분말 소화약제[$KHCO_3 + (NH_2)_2CO$ 중탄산칼륨 + 요소] : 회백색**

$$2KHCO_3 + (NH_2)_2CO \rightarrow K_2CO_3 + 2NH_3 + 2CO_2 - Q\,kcal$$

주 성 분	중탄산칼륨($KHCO_3$)와 요소
소화특성	• **연쇄반응을 억제하는 부촉매작용 : K^+이온, NH_4^+ (암모늄) 이온** • 열분해로 발생되는 CO_2 불연성가스에 의한 질식작용 • 흡열반응에 의한 냉각작용 • 분말미립자에 의한 희석작용
장 점	**소화성능이 가장 우수하다.**
단 점	• **A급 화재에는 효과가 없다.** • 다른 약제에 비하여 고가이다.
적응화재	B급(유류화재), C급(전기화재)

5 분말소화약제의 비누화현상

(1) 식용유화재에 1종 분말소화약제($NaHCO_3$)를 방출시 Na_2O**은 유지와 반응하여 금속비누를 만들고 이 비누가 거품을 생성하여 질식효과를 갖는 현상을 분말소화약제의「비누화현상」**이라고 한다.

(2) 식용유화재에는 가연물과 직접 반응하여 비누화현상을 일으키므로 질식소화 및 재발방지 효과가 있다. 또한 비누화가 일어나고 수증기와 비누가 포를 형성하며 이때 발생하는 탄산가스 및 글리세린 막이 소화를 돕게 된다.

(3) 비누화 효과를 이용한 식용유, 지방질유 화재시 제1종분말 소화약제에 의한 소화효과는 매우 우수하다.

6 분말소화설비의 Knock-Down 효과

(1) **연소중의 불꽃을 입체적으로 포위하여 부촉매효과를 이용한 연소반응 억제 등을 통하여 순식간에 불꽃을 사그러지게 하는 효과를 Knock-Down 효과**라고 한다.
(2) 보통 약제 방사 후 10초 ~ 20초 이내에 소화한다.
(3) 30초 이내에 Knock-Down이 되지 않으면 소화가 불가하며 대부분의 원인은 약제량 부족이 원인이 된다.

7 CDC 분말소화약제(Compatible Dry Chemical)

(1) 개요

분말소화약제는 모두 속소성으로 그 소화성능이 우수한 것에 반해 단숨에 전체 표면을 소화하지 않으면 재발화 할 수 있는 단점이 있다. 따라서 재발화 방지를 위하여 재발화 방지에 효과가 좋은 소화약제와 병행하여 사용하며 **「분말의 속소성」과 「거품의 지속 안정성」의 2가지 장점을 지닌 약제를 「CDC 분말소화약제」**라고 한다. 또한 이를 **Twin Agent System(2약제 소화방식)**이라고도 한다.

- Compatible : 호환이 되는, 양립할 수 있는

(2) Twin Agent System(분말소화약제와 포소화약제의 조합)

① Twin 20/20 : **제3종 분말소화약제 20kg + 수성막포 20ℓ**
② Twin 40/40 : **제3종 분말소화약제 40kg + 수성막포 40ℓ**

(3) 용 도

항공기의 불시착시 인명구조는 시각을 다투므로 분말의 속소성과 포의 지속안정성이 모두 요구되므로 항공기 화재시 사용 된다.

예제 01

항공기 화재에 사용하는 Compatible Dry Chemical 소화약제로 구성된 것은?

① 제1종 분말소화약제 + 수성막포
② 제2종 분말소화약제 + 수성막포
③ 제3종 분말소화약제 + 수성막포
④ 제3종 분말소화약제 + 합성계면활성제포

해답 ③

실전 예상문제

01 분말약제의 입자표면을 실리콘으로 표면처리 하는 이유는?

① 약제가 열을 쉽게 흡수하도록 하기 위해
② 약제의 비산 방지를 위해
③ 약제가 굳는 것을 방지하기 위해
④ 약제를 매끄럽게 하여 유동성을 높이기 위해

분말소화약제는 고체로서 유동성이 가스계보다 좋지 않으며 방습하지 못하면 약제가 굳어 유동성은 더욱 나빠진다. 즉 약세가 굳지 않도록 스테아린신아연, 실리콘 등으로 방습치리를 한다.

02 분말 소화약제의 분말 입도와 소화력에 대하여 옳은 것은?

① 미세할수록 소화력이 좋다.
② 클수록 소화력이 좋다.
③ 입도와 소화력과는 관계가 없다.
④ 입도의 크기는 적당해야 소화력이 좋다.

입자가 너무 미세하면 화세에 의해 약제가 비산해 버리며 너무 크면 유동성이 좋지 않아 소화가 어렵다.

03 분말 소화약제로서 소화 효과가 가장 크기 위한 입자의 크기는 얼마인가?

① 10~15 μm　② 15~20 μm　③ 20~25 μm　④ 35~40 μm

소화 효과가 가장 크기 위한 입자의 크기는 20~25 μm가 가장 적합하다.

04 다음은 분말 소화약제의 색상 중 틀린 것은?

① 제1종 분말 – 백색　② 제2종 분말 – 담자색
③ 제3종 분말 – 담적색　④ 제4종 분말 – 회색

제1종 분말 : 백색, 제2종 분말 : 담자색, 제3종 분말 : 담홍색, 제4종 분말 : 회색

정답 01 ③ 02 ④ 03 ③ 04 ③

●●○ 05

제1종 분말 소화약제의 열분해 반응식으로 옳은 것은?

① $2NaHCO_3 \rightarrow Na_2CO_3 + H_2O + CO_2$ + Q Kcal
② $2NaHCO_3 \rightarrow Na_2CO_3 + H_2O + CO_2$ − Q Kcal
③ $2KHCO_3 \rightarrow K_2CO_3 + H_2O + CO_2$ + Q Kcal
④ $2KHCO_3 \rightarrow K_2CO_3 + H_2O + CO_2$ − Q Kcal

해설
제1종 분말 소화약제는 $NaHCO_3$ 이며 열분해시 흡열반응한다.

●●● 06

제1종 분말 소화약제 분해시 발생되는 물질과 관계가 없는 것은?

① Na_2O ② H_2O ③ CO_2 ④ K_2CO_3

해설
$2NaHCO_3 \rightarrow Na_2CO_3 + H_2O + CO_2$ − Q Kcal
$\rightarrow N_{a2}O + H_2O + 2CO_2$ − Q Kcal : 탄산나트륨, 산화나트륨, 수증기, 이산화탄소가 생성된다.

●○○ 07

제1종 분말 소화약제의 중탄산나트륨의 순도는 얼마 이상이어야 하는가?

① 90% ② 92% ③ 75% ④ 80%

해설
제1종 분말 소화약제 : 90%, 제2종 분말 소화약제 : 92%, 제3종 분말 소화약제 : 75%

●●● 08

다음 중 식용유 및 유지류의 화재에 소화력이 가장 적합한 것은?

① 탄산수소나트륨 ② 탄산수소칼륨 ③ 제1인산암모늄 ④ 요소

해설
제1종 분말은 나트륨에 의해 식용유나 지방질유 화재시 거품을 형성하여 산소 차단에 의한 재발화방지 효과가 있다 → 비누화효과

●●● 09

식용유 화재의 소화에는 제1종 분말 소화약제가 제2종 분말 소화약제보다 우수하다. 그 이유로 가장 적합한 것은?

① 나트륨은 칼륨보다 분자량이 작아 화학반응이 빠르기 때문이다.
② 제1종 분말 소화약제는 식용유와 비누화 반응을 일으키지만 제2종 분말 소화약제는 그러하지 못하기 때문이다.
③ 연소의 연쇄반응을 일으키는 활성화된 라디칼의 전파, 분기 반응이 빨라서 소화성능이 더 우수하기 때문이다.
④ 제2종 분말 소화약제에 결합된 칼륨은 분자량이 무거워 식용유 밑으로 침전하여 소화력이 감소되기 때문이다.

해설
칼륨은 화학적으로 나트륨보다 반응이 빨라 소화효과가 더 우수한 특징이 있다.

정답 05 ② 06 ④ 07 ① 08 ① 09 ②

10 제2종 분말 소화약제의 방사 시 발생되는 물질과 관계가 없는 것은?

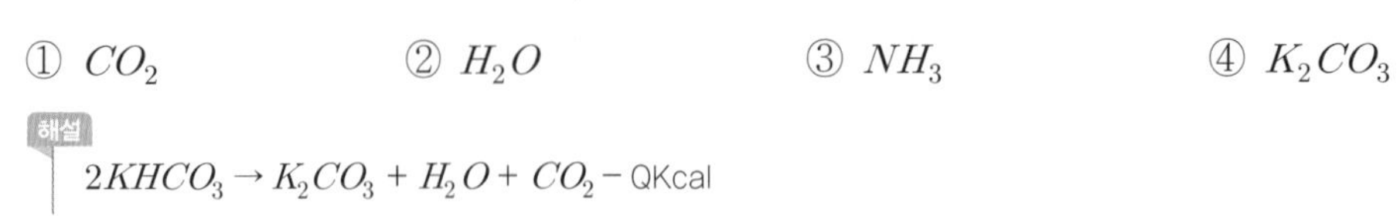

① CO_2 ② H_2O ③ NH_3 ④ K_2CO_3

해설

$2KHCO_3 \rightarrow K_2CO_3 + H_2O + CO_2$ − QKcal

11 Multi purpose dry chemical인 분말약제는?

① $NaHCO_3$
② $KHCO_3$
③ $NH_4H_2PO_4$
④ $KHCO_3 + (NH_2)_2CO$

제3종은 A, B, C 급 모두 적응성이 있어 Multi purpose dry chemical라고 한다.

12 제3종 분말 소화약제의 주성분은 어느 것인가?

① 탄산수소나트륨
② 탄산수소칼륨
③ 인산암모늄
④ 탄산수소칼륨과 요소

제3종 분말의 주성분 : $NH_4H_2PO_4$(인산암모늄)

13 다음 분말소화약제 중 방사시 담홍색으로 보이는 약제는 어느 것인가?

① 중탄산나트륨
② 중탄산칼륨
③ 인산암모늄
④ 중탄산칼륨과 요소

제1종 분말 : 백색, 제2종 분말 : 담자색, 제3종 분말 : 담홍색, 제4종 분말 : 회색 암기 백자홍회

14 분말소화약제 중 적응화재가 다른 것은?

① 중탄산나트륨 ② 중탄산칼륨 ③ 제1인산암모늄 ④ 중탄산칼륨 + 요소

제3종 분말 : A, B, C급 모두 적응성이 있다.

정답 10 ③ 11 ③ 12 ③ 13 ③ 14 ③

●●○ 15 제3종 분말 약제의 열분해 반응식은?

① $NH_4H_2PO_4 \rightarrow NH_4 + H_2O + HPO_3 - \text{Q Kcal}$
② $NH_4H_2PO_4 \rightarrow NH_4 + PO_3 + H_2O - \text{Q Kcal}$
③ $NH_4H_2PO_4 \rightarrow NH_3 + HPO_4 + H_2O - \text{Q Kcal}$
④ $NH_4H_2PO_4 \rightarrow NH_3 + HPO_3 + H_2O - \text{Q Kcal}$

해설

열분해시 수소는 +1가 × 3, 질소는 −3가 즉, 3 + (−3) = 0 중성화되기 위해 열분해 생성물인 암모니아 NH_3가 생성되고 불안정한 암모늄이온인 NH_4^+가 연쇄반응에 참여한다. 또한 원인계와 생성계의 질량수가 같아야 하므로 좌변에 산소 4개 우변에 산소 4개가 있는 화학반응식이 된다.

●●● 16 분말 소화약제 중 이산화탄소를 발생하지 않는 것은?

① 제1종 분말　② 제2종 분말　③ 제3종 분말　④ 제4종 분말

해설

생성물질	H_2O	CO_2	NH_3
제1종	○	○	X
제2종	○	○	X
제3종	○	X	○
제4종	X	○	○

●●● 17 제3종 분말의 소화효과 중 틀린 것은?

① 열분해 시 주위의 흡수열에 의한 냉각작용
② 열분해 시 수증기에 의한 질식작용
③ 메타인산에 의한 방진 작용
④ 유리된 NH_4^+ 이온에 의한 물리적 소화작용

해설

NH_4^+은 연쇄반응 억제의 화학적 소화작용을 하며 H_3PO_4(올쏘인산)은 탄화·탈수작용을 한다.

●●● 18 제3종 분말의 소화효과 중 부촉매 역할을 하는 것은?

① 암모이나(NH_3^+)　② 암모늄이온(NH_4^-)
③ 암모니아(NH_3^-)　④ 암모늄이온(NH_4^+)

해설

NH_4^+은 연쇄반응 억제작용

정답 15 ④ 16 ③ 17 ④ 18 ④

●●● 19 **인산암모늄이 주성분인 분말소화약제의 소화작용과 직접 관련되지 않는 것은?**

① 메타인산에 의한 방진작용
② 열분해에 의한 냉각작용
③ 발생된 불연성가스에 의한 질식작용
④ 수산화기(NH_4^+) 작용에 의한 연쇄 반응차단 효과

해설

수산화기 : $-OH$로 표시되는 −1가(價)의 염기

●●● 20 **제3종 분말 소화약제가 A급 화재에도 소화력이 우수한 이유는 무엇인가?**

① 열 분해시 생성되는 물질이 특수한 냉각효과를 보여주기 때문이다.
② 열 분해시 생성되는 다량의 불연성 가스가 질식효과를 부여주기 때문이다.
③ 열 분해시 생성되는 불연성의 용융물질이 가연물의 표면에 부착되어 차단 효과를 보여주기 때문이다.
④ 열 분해시 생성되는 물질이 강력한 연쇄반응 차단효과를 보여주기 때문이다.

해설

$NH_4H_2PO_4 \rightarrow NH_3 + HPO_3 + H_2O$ − Q kcal
열 분해시 HPO_3(메타인산)에 의한 방진작용 때문에 A급 화재에 적응성이 있다.

●○○ 21 **제4종 분말 소화약제의 성분은 무엇인가?**

① 탄산수소칼륨 + 효소
② 탄산수소칼륨 + 요지
③ 탄산수소칼륨 + 요소
④ 탄산수소칼륨 + 유지

주성분 : 탄산수소칼륨 + 요소 $2KHCO_3 + (NH_2)_2CO \rightarrow K_2CO_3 + 2NH_3 + 2CO_2$ − Q

●○○ 22 **분말 소화약제 중 소화성능이 가장 우수한 약제는?**

① 제1종 분말 ② 제2종 분말 ③ 제3종 분말 ④ 제4종 분말

해설

제4종 분말이 소화효과가 가장 우수하다.

정답 19 ④ 20 ③ 21 ③ 22 ④

●○○ 23 분말 소화설비의 소화약제 중 충전비(비체적)가 가장 큰 것은?

① 제1종 분말　② 제2종 분말　③ 제3종 분말　④ 제4종 분말

해설

구 분	제1종	제2종	제3종	제4종
충전비(ℓ/kg)	0.8ℓ 이상	1ℓ	1ℓ	1.25ℓ

●○○ 24 연소중의 불꽃을 입체적으로 포위하여 연소반응을 억제 등을 통하여 순식간에 불꽃을 사그러지게 하는 Knock-Down 효과가 있는 소화약제는?

① 이산화탄소소화약제　② 강화액소화약제
③ 할로겐화합물소화약제　④ 분말소화약제

정답 23 ④　24 ④

제 2 과목

소방전기 출제문제 분석 · 학습전략

1 출제문제 분석

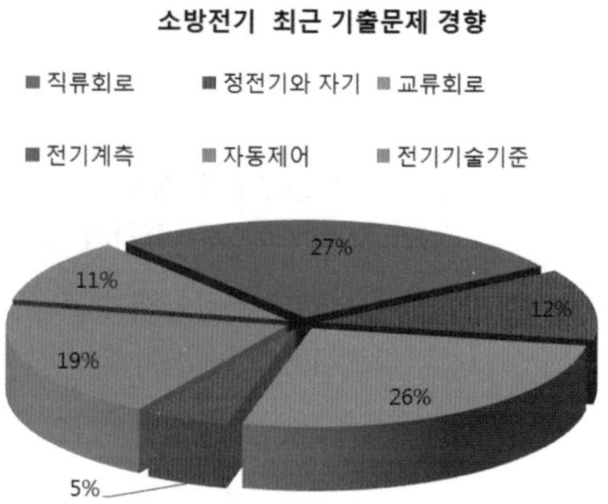

소방전기 최근 기출문제 경향

(1) 소방전기는 2과목 중 하나의 파트로서 출제문제가 소방수리학에 비해 일반적으로 적은 편입니다.

(2) 각 회당 보통제 7~8 문제 이거나 이보다 적었으며 최근에만 10문제 이상 출제되었습니다.
즉 출제위원의 성향에 따라 출제 문제수가 기복이 심합니다.

(3) 출제빈도는 직류회로, 교류회로, 자동제어 순으로 출제가 되고 있습니다.

(4) 소방수리학 및 소화약제와 같이 어렵게 출제되는 문제는 거의 없으며 **넓은 시험범위 내에서 가장 기본적인 문제가 주를 이루고 있으며** 계산문제가 다른 과목보다 많이 출제되고 있습니다.

(5) 각 분류별 출제 빈도

직류회로	저항, 줄의 법칙, 오옴의 법칙, 전력 등
정전기와 자기	콘덴서 - 전류, 저항, 정전용량, 전압, 정전용량의 단위 등
교류회로	R, L, C 직렬, 병렬회로, 실효값, 전력 등
전기계측	권선비와 전류, 전압과의 관계, 배율기, 전기계측기의 지시값
자동제어	자동제어, 시퀀스제어, 블록선도, 반도체의 종류 등
전기기술기준	절연저항, 절연전선의 종류, 금속관공사에 사용되는 공사재료 등

2 학습전략

(1) 소방전기는 적게 출제된 경우 4~5문제, 많게는 11~12문제가 출제되었는데 소방전기를 건너뛰고 과락을 면할 방법으로 공부하기에는 위험부담이 크므로 출제빈도가 많은 부분 또는 이해하기 쉬운 부분부터 접근하셔야 합니다.

(2) 독학하시는 분의 경우 한 문제로 한 시간 이상씩 소요되게 공부하는 방법은 독이 될 수 있으므로 가까운 지인 또는 저자에게 문의하여 학습하는 방법이 필요합니다.

(3) 가장 기초적인 계산문제에 대비하기 위해 소방수리학과 마찬가지로 계산문제 주요 공식 암기가 필수이고 그 식의 단위를 정확히 알아야 합니다.

PART 3 소방전기

1. 전기의 본질

1 물질의 구성

물질은 분자와 분자, 분자는 원자와 원자로 구성되어 있고 원자는 원자핵과 그 주위를 둘러싸고 있는 전자로 구성되어 있으며 원자핵은 양성자와 중성자로 구성되어 있다.

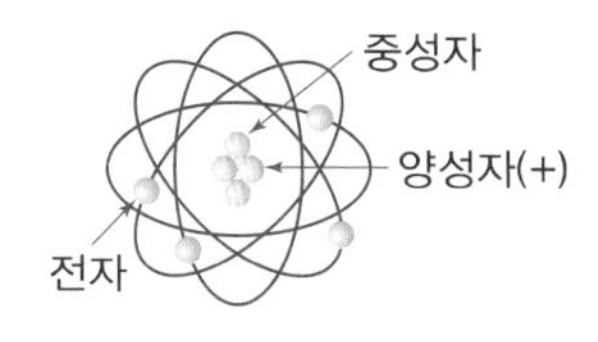

원자

원자의 구성 / 구 분	전자	원자핵	
		중성자	양성자
질량[kg]	9.10955×10^{-31}	1.67491×10^{-27}	1.67491×10^{-27}
전하량[C : 쿨롱(coulomb)]	-1.60219×10^{-19}	0	$+1.60219\times10^{-19}$

(1) 질량

① 중성자와 양성자의 질량은 같거나 중성자가 약간 크다.

② **양성자의 무게는 전자의 무게보다 1840배 크므로 어떤 외부의 영향에 의해 양성자보다는 전자가 이동하게 된다.**

(2) 전하량

① **전자와 중성자, 양성자의 전하량을 보면 전자와 양성자는 크기가 같고 음, 양의 부호만 다르다. 중성자는 전하량이 없어서 결국 원자는 중성의 성질을 갖는다.**

② **대전 : 전자의 이동으로 인해 어떤 물질이 전자의 과부족이 생겨 전기의 성질을 갖는 것**

③ **전하 : 대전에 의해서 물체가 띠고 있는 전기(+ 전하, - 전하)**

④ **전하량 : 대전된 물질의 가지고 있는 총 전기량**

$$Q = n \cdot e\,[\mathrm{C}]$$

Q : 전하량

n : 전자의 수

e : 전자 1개의 전하량 1.6×10^{-19}[C]

예제 01

전자수가 2×10^{20}인 전하의 전하량[C]은 얼마인가?

① 4　　② 8　　③ 16　　④ 32

해답 ④

$Q = n \cdot e = 2 \times 10^{20} \times 1.6 \times 10^{-19} = 32$ [C]

즉, 전하량은 전자의 수에 의해 결정된다.

예제 02

1[C]은 몇 개의 전자로 되어 있는가?

① 6.24×10^{12}개의 전자　　② 6.24×10^{14}개의 전자

③ 6.24×10^{16}개의 전자　　④ 6.24×10^{18}개의 전자

해답 ④

전자 1개당 1.6×10^{-19}[C] 의 크기를 가지고 있으므로

$$\frac{1[\mathrm{C}]}{1.6 \times 10^{-19}[\mathrm{C}/개]} = 6.24 \times 10^{18} \text{ 개의 전자}$$

2. 직류 회로

- 직류(Direct current) : 시간의 흐름에 따라 전류, 전압의 크기 및 방향이 일정한 것
- 교류(alternating current) : 시간의 흐름에 따라 전류, 전압의 크기 및 방향이 변하는 것

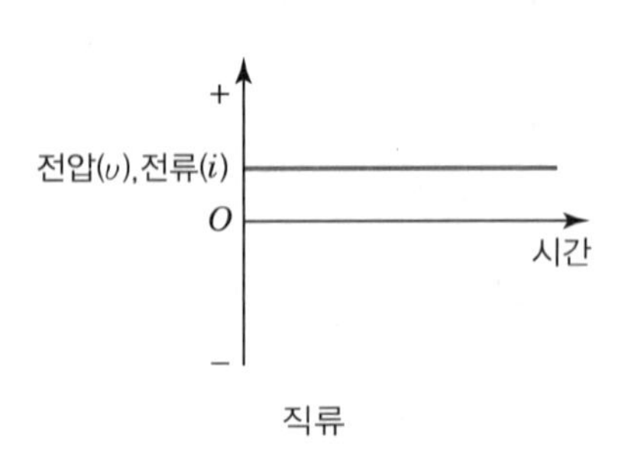

직류

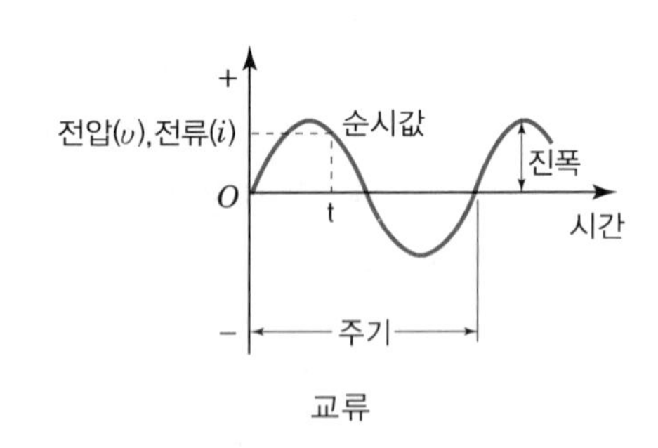

교류

1 전기회로

(1) 전기회로의 구성

① 전기회로 : 전원과 부하 및 전류가 흐르는 통로인 도선

② 전원 : 기전력을 가지고 있어 전류를 흘리는 원동력이 되는 것(전지)

③ 부하 : 전원에서 전기를 공급받아 어떤 일을 하는 기계나 기구(전구)

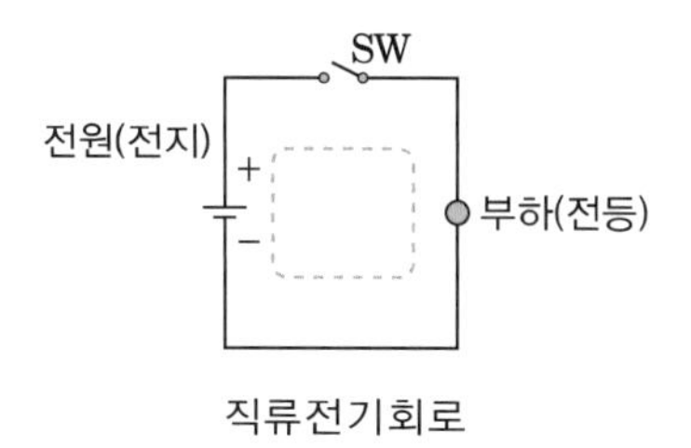

직류전기회로

(2) 전류

① 정의

전자의 흐름을 전류라 하고 전류의 방향은 전자와 반대방향으로 약속(전자는 − 에서 + 로 흐름)

② 전류의 세기

어떤 도체의 단면을 t[s] 동안에 Q[C]의 전기량을 가진 전하가 이동시 시간에 대한 전하량의 비

$$\text{전류 } I[\mathrm{A}] = \frac{\text{전하량 } Q[\mathrm{C}]}{\text{시간 } t[\mathrm{s}]} \rightarrow \frac{1\mathrm{C}}{1\mathrm{s}} = \frac{6.24\times 10^{18}\times 1.6\times 10^{-19}[\mathrm{C}]}{1[\mathrm{s}]} = 1[\mathrm{A}]$$

• 전하량 $Q[\mathrm{C}] = \text{전류 } I[\mathrm{A}] \cdot \text{시간 } t[\mathrm{s}]$

(3) 전압

① 정의

㉠ 전하(전류)를 흐르게 하는 전기적인 에너지의 차이, 전기적인 압력의 차이를 전위차 또는 전압이라 한다.

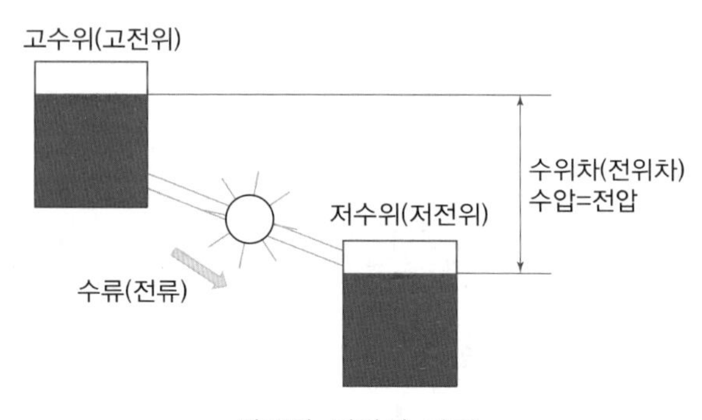

전류와 전압의 관계

㉡ Q[C]의 전기량을 가진 전하가 두 점 사이를 이동해서 W[J]의 일을 한 두 점 사이의 전위차 수류가 흘러 물레방아를 돌리는 일을 할 수 있게 한 수위차가 전기에서는 전위차가 된다.

$$V[\mathrm{V}] = \frac{W[\mathrm{J}]}{Q[\mathrm{C}]} = \frac{W[\mathrm{J}]}{I[\mathrm{A}]\cdot t[\mathrm{s}]}, \qquad W[\mathrm{J}] = Q[\mathrm{C}]\cdot V[\mathrm{V}]$$

즉, 1 V는 1 C의 전하가 두 점 사이를 이동할 때 얻거나 잃는 에너지가 1 J일 때의 전위차가 된다.

예제 03

10 C의 전하가 30 J 일을 하면 전위차(전압)은?

① $\frac{1}{3}$　② 1　③ 3　④ 300

해답 ③

$$V[\mathrm{V}] = \frac{W[\mathrm{J}]}{Q[\mathrm{C}]} = \frac{30}{10} = 3\mathrm{V}$$

예제 04

2 A의 전류가 5초 동안 흘러 30 J의 일을 하였다면 전압은?

① 300　② 30　③ 12　④ 3

해답 ④

$$V[\mathrm{V}] = \frac{W[\mathrm{J}]}{Q[\mathrm{C}]} = \frac{W[\mathrm{J}]}{I[\mathrm{A}]\cdot t[\mathrm{s}]} = \frac{30}{2\cdot 5} = 3\mathrm{V}$$

② **기전력**

수위차가 계속 유지되면 물레방아는 계속해서 회전하게 되는데 전기에서도 전위차를 일정하게 유지시켜 주면 계속하여 전류가 흐르며 이와 같이 **전위차를 만들어 주는 힘을 기전력 E[V]라고 한다.**

③ **전위**

전기통로의 임의의 점에서 전압의 값(+전위, −전위)

④ **전위차**

전기통로에서 임의의 두 점 간의 전위의 차를 전위차로 하고 전위차를 0으로 만드는 것이 접지이다.

- 접지 : 회로의 일부분을 대지에 도선으로 접속하여 영전위가 되도록 하는 것

(4) 저항 : R[Ω – 옴(ohm)]

① 정의

㉠ 전류의 흐름을 방해하는 성질을 가진 회로소자

㉡ 1Ω : 도체의 양단에 1V의 전압을 가할 때, 1A의 전류가 흐르는 경우의 저항값

② 옴의 법칙

전기회로에 흐르는 전류는 전압에 비례하고, 저항에 반비례한다.

$$I = \frac{V}{R} = G \cdot V\,[\mathrm{A}]$$

Point

지금까지 배운 전류, 전압, 저항을 이미지화 하면 $R = \frac{V}{I} \rightarrow \frac{\frac{W}{Q}}{\frac{Q}{t}}$

③ 컨덕턴스 : G [℧ : 모흐(mho)]

저항의 역수, 전류를 잘 통하는 정도를 나타내는 것으로 S(siemens) [Ω^{-1}]라고도 한다.

④ 고유저항(저항률) : ρ [Ω · m : 로우]

전류의 흐름을 방해하는 물질의 고유한 성질, 전도율의 역수

Tip

여러 물질의 고유저항

도체	반도체	부도체(절연체)
10^{-4}[Ω · m] 이하의 고유저항	10^{-4} ~ 10^{6}[Ω · m]의 고유저항	10^{6}[Ω · m] 이상의 고유저항
구리, 은, 백금, 크롬, 수은	게르마늄, 규소	페놀수지, 부틸고무, 백운모, 석영유리

⑤ 전도율 : σ [℧/m : 시그마]

도체에 전류가 흐르기 쉬운 정도를 나타내는 성질. 고유저항(저항률)의 역수

Point

구분	저항	고유저항	컨덕턴스	전도율
식	$R = \rho\frac{l}{A}[\Omega]$	$\rho = \frac{RA}{l}\,[\Omega \cdot \mathrm{mm}^2/\mathrm{m}]$	$G = \sigma\frac{A}{\ell}[\Omega^{-1}]$	$\sigma = \frac{1}{\rho} = \frac{l}{RA}\,[\mathrm{m}/\Omega \cdot \mathrm{mm}^2]$

(5) 퍼센트 전도율(%σ)

① **연동선 전도율(σ_S)과 비교한 다른 전선의 전도율의 비를 퍼센트로 나타낸 값**

$$퍼센트전도율(\%\sigma) = \frac{다른전선의 전도율(\sigma)}{연동선의 전도율(\sigma_S)} \times 100\% = \frac{연동선의 저항률(\rho_S)}{다른전선의 저항률(\rho)} \times 100\%$$

② 연동선의 전도율 $\sigma_S = \frac{1}{\rho(연동선의\ 고유저항)} = \frac{1}{1.7241 \times 10^{-8}} = 5.8 \times 10^7\ [℧/m]$

③ 연동선의 고유저항 $\rho = \frac{1}{58}\ [\Omega \cdot mm^2/m] = 1.7241 \times 10^{-8}\ [\Omega \cdot m]$

(6) 저항 - 온도 특성

① **금속 도체는 온도 상승과 함께 저항은 점점 직선적으로 증가**하지만, **반도체는 반대로 저항 감소** 등을 보인다. 반도체인 서미스터(온도검출용) 및 탄소, 절연체, 전해액 등은 저항이 감소되는 부(-)의 온도계수를 갖는다.

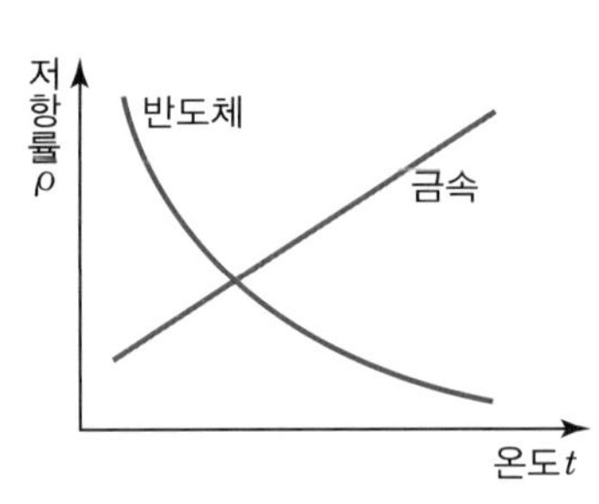

저항의 온도 특성

② **온도에 따른 저항값**

$$R_2 = R_1 + R_1 \cdot \alpha_t \cdot \Delta t\ [\Omega] \rightarrow R_2 = R_1 [1 + \alpha_t(t_2 - t_1)]$$

R_2 : t_2 ℃일 때 저항 R_1 : t_1 ℃일 때 저항 α_t : 저항의 온도계수

③ **저항의 온도계수(α_t[1/℃])**

㉠ **온도변화에 의한 저항의 변화를 비율로 나타낸 것**

㉡ 표준연동선의 저항 온도계수

$$\alpha_t = \frac{1}{234.5 + t℃}\ [1/℃]$$

예제 05

0℃때 표준 연동선의 저항 온도계수는?

① $\alpha_t = \frac{1}{234.5}$ ② $\alpha_t = \frac{1}{235.5}$

③ $\alpha_t = \frac{1}{236.5}$ ④ $\alpha_t = \frac{1}{237.5}$

해답 ①

(7) 저항의 접속

① 직렬 접속

㉠ 접속 방법 : 각각의 저항을 일렬로 접속하는 것

㉡ 직렬 회로의 합성 저항 : 각 저항마다 전류는 일정하고 전압의 크기는 다르다.

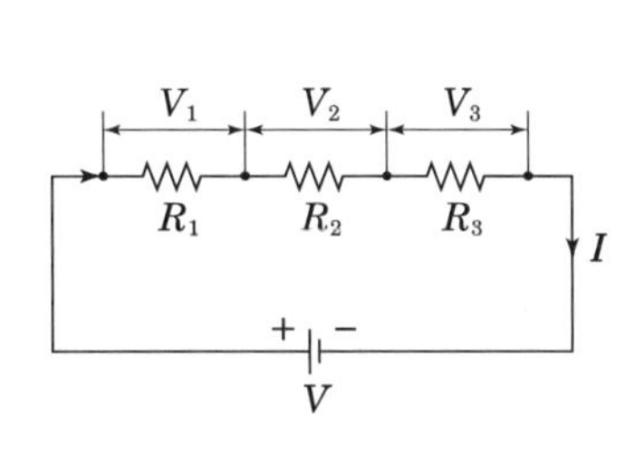

$$V = V_1 + V_2 + V_3 = I \cdot R_1 + I \cdot R_2 + I \cdot R_3$$
$$= I(R_1 + R_2 + R_3)$$

$V = I \cdot R$이므로 ∴ 합성저항은

$$R = R_1 + R_2 + R_3$$

$$V_1 = I \cdot R_1 = \frac{V}{R} \cdot R_1 = \frac{R_1}{R_1 + R_2 + R_3} \cdot V[\mathrm{V}]$$

② 병렬 접속

㉠ 접속방법 : 2개 이상의 저항의 양 끝을 각각 한 곳에서 접속하는 것

㉡ 병렬회로의 합성 저항 : 각 저항마다 전압은 일정하고 전류는 다르다.

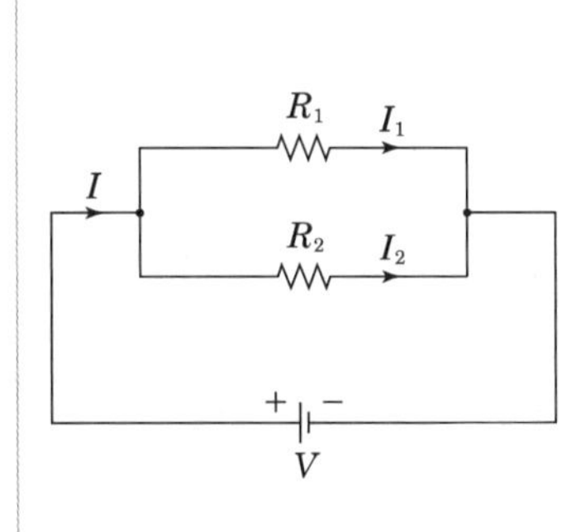

$$I = I_1 + I_2 = \frac{V_1}{R_1} + \frac{V_2}{R_2} = \left(\frac{1}{R_1} + \frac{1}{R_2}\right) \cdot V = \left(\frac{R_1 + R_2}{R_1 \cdot R_2}\right) \cdot V$$

$I = \dfrac{V}{R} = \dfrac{1}{R} \cdot V$이므로 ∴ 합성저항 $\dfrac{1}{R} = \dfrac{R_1 + R_2}{R_1 \cdot R_2}$

$$R = \frac{R_1 \cdot R_2}{R_1 + R_2}$$

$$I_1 = \frac{V}{R_1} = \frac{I \cdot R}{R_1} = \frac{I \cdot \frac{R_1 \cdot R_2}{R_1 + R_2}}{R_1} = I \cdot \frac{R_2}{R_1 + R_2}[\mathrm{A}]$$

예제 06

합성저항은 몇 Ω인가?

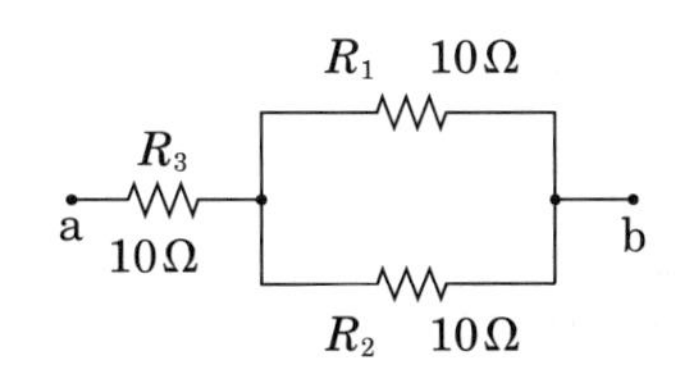

$$R = R_3 + \frac{R_1 R_2}{R_1 + R_2}$$
$$= 10 + \frac{10 \times 10}{10 + 10} = 15\,\Omega$$

예제 07

합성저항은 몇 [Ω]인가?

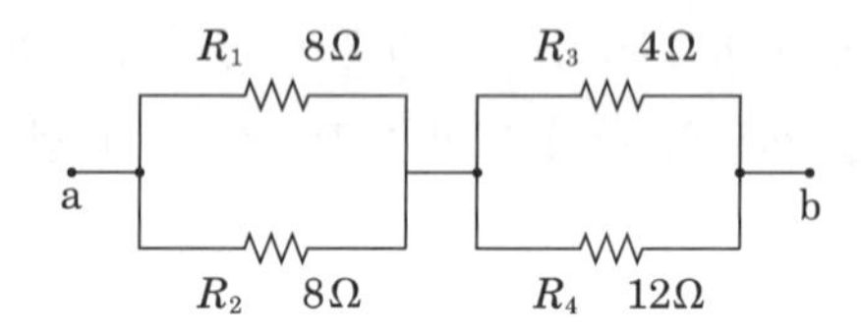

$$R = \frac{R_1R_2}{R_1+R_2} + \frac{R_3R_4}{R_3+R_4} = \frac{64}{16} + \frac{48}{16} = 7\ \Omega$$

(8) 전위의 평형

① **전위의 평형**

전기회로에서 두 점 사이의 전위차가 없는 것으로 옆 그림에서 c와 d의 전위가 같다면 전위의 평형에 의해 직류계 쪽으로는 전류가 흐르지 않는다.

이렇게 **전위가 같으려면 휘스톤브리지의 평형 조건을 만족**해야 한다.

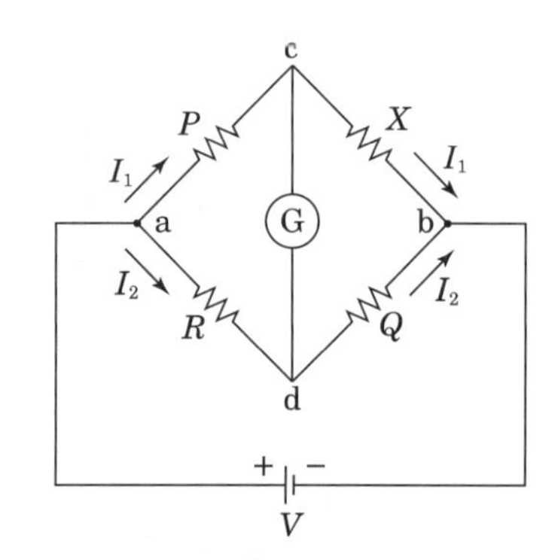

휘스톤브리지 회로

② **휘스톤 브리지**

㉠ 휘스톤 브리지회로 : 4개의 저항 P, Q, R, X에 검류계를 접속하여 미지의 저항을 측정하기 위한 회로

㉡ **브리지의 평형 조건 : PQ = RX처럼 마주보는 저항의 곱은 서로 같다.**

예제 08

휘스톤브리지의 원리를 이용한 감지기는 무엇인가?

① 차동식스포트형 공기식감지기
② 차동식스포트형 열기전력식감지기
③ 차동식스포트형 반도체식감지기
④ 차동식분포형 열반도체식감지기

해답 ③

①은 공기의 팽창을 이용한 감지기이며 ②, ④는 제벡효과를 이용한 감지기이다.
반도체식감지기 종류 : 서미스터와 싸이리스터

(9) 키르히호프의 법칙

① **키르히호프의 제1법칙(전류법칙)**

: Σ유입전류 = Σ유출전류

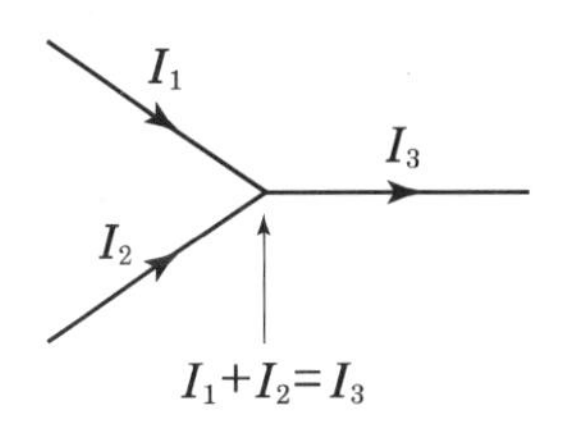

키르히호프 제1법칙

유체의 연속방정식과 같은 원리로서 회로의 한 접속점에서 접속점에 흘러 들어오는 전류의 합과 흘러 나가는 전류의 합은 같다.

예제 09 누전경보기의 작동원리를 설명하는 법칙은 무엇인가?

① 렌쯔의 법칙 ② 키르히호프 제1법칙
③ 플레밍의 왼손법칙 ④ 패러데이의 법칙

 ②

② **키르히호프의 제2법칙(전압법칙)**

: Σ기전력 = Σ전압강하

㉠ **회로망 중의 임의의 폐회로 내에서 일주 방향에 따른 전압강하의 합은 기전력의 합과 같다.**

㉡ **기전력의 합 = 전압강하의 합**

$E_1 + E_2 = I \cdot r_1 + I \cdot r_2 + I \cdot R_1 + I \cdot R_2$

E_1, E_2 : 전지, I : 전류, r_1, r_2 : 전지 내부 저항, R_1, R_2 : 저항

㉢ 전지의 직병렬 회로에 응용

키르히호프 제2법칙

(10) 전지의 접속

① 내부저항 : 전지 자체의 저항(전지 내부에 가지고 있는 저항)

② **단자전압(키르히호프 제2법칙)**

$$E = I \cdot (r + R) = I \cdot r + I \cdot R = I \cdot r + V \quad \therefore \; V = E - I \cdot r$$

③ **전지의 직렬접속**

$E_1 + E_2 = I \cdot r_1 + I \cdot r_2 + I \cdot R$이고

전지가 동일한 전지라면

$2E = I(2r + R)$

$$\therefore I = \frac{2E}{(2r+R)} \rightarrow I = \frac{nE}{(nr+R)}$$

n : 직렬 연결된 전지의 수

전지의 직렬접속

④ **전지의 병렬접속**

병렬로 연결된 동일한 전지의 내부저항 r_1, r_2의 합성 저항은 1/2값인 $\frac{r}{2}$이 되며 기전력은 변화가 없다.

- 기전력의 합은 $E_1 + E_2 = E$
- 전압강하의 합은 $I \cdot \frac{r}{2} + I \cdot R = I\left(\frac{r}{2} + R\right)$
- 키르히호프 제 2법칙에 의해 $E = I\left(\frac{r}{2} + R\right)$

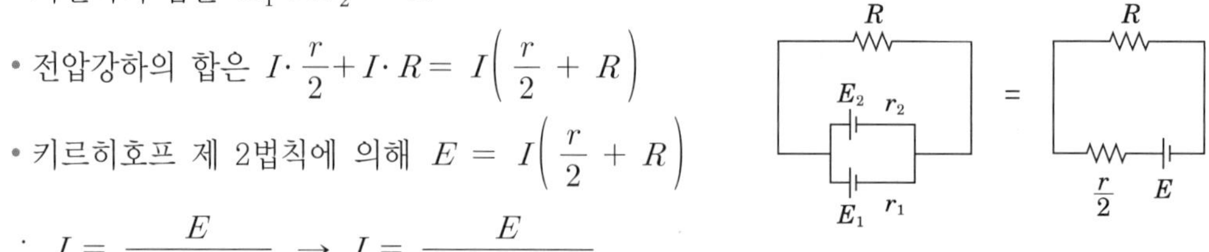

$$\therefore I = \frac{E}{\left(\frac{r}{2} + R\right)} \rightarrow I = \frac{E}{\left(\frac{r}{m} + R\right)}$$

m : 병렬 연결선 전지의 수

전지의 병렬접속

⑤ **전지의 직·병렬 접속**

기본식	직렬접속	병렬접속	직병렬접속
$I = \frac{E}{r+R}$	$I = \frac{nE}{nr+R}$	$I = \frac{E}{\left(\frac{r}{m} + R\right)}$	$I = \frac{nE}{\left(\frac{nr}{m} + R\right)}$

$I = \frac{E}{r+R}$ 에서

직렬일 때는 직렬 수(n)만큼 내부저항과 전지에 곱해주어 $\frac{nE}{nr+R}$ 이 되고

병렬일 때는 내부저항을 전지의 병렬의 수(m)로 나누어주어 $\frac{E}{\frac{r}{m} + R}$ 이 된다.

예제 10

저항 R과 전지 2개를 직렬로 연결한 3개조를 병렬로 연결시 전류의 크기는 몇 [A]인가?

① $I=\dfrac{2E}{\left(\dfrac{2r}{3}+R\right)}$ ② $I=\dfrac{3E}{\left(\dfrac{3r}{2}+R\right)}$

③ $I=\dfrac{2E}{\left(\dfrac{2r}{\sqrt{3}}+R\right)}$ ④ $I=\dfrac{\sqrt{2}E}{\left(\dfrac{\sqrt{2}r}{3}+R\right)}$

해답 ①

예제 11

어떤 전지의 외부회로 저항은 5 Ω이고 전류는 8 A가 흐른다. 외부회로에 5Ω 대신에 15 Ω의 저항을 접속하면 전류는 4 A로 떨어진다. 전지의 기전력은 몇 [V]인가?

① 80 V ② 50 V
③ 20 V ④ 15 V

해답 ①

$I=\dfrac{E}{r+R}$ 에서 저항이 5Ω 인 경우 $8=\dfrac{E}{r+5}$ $\therefore E=8(r+5)$

저항이 15Ω 인 경우 $4=\dfrac{E}{r+15}$ $\therefore E=4(r+15)$

기전력은 동일하므로 $8(r+5)=4(r+15)$ 이므로 전지의 내부저항 $r=5\ \Omega$

$\therefore 8=\dfrac{E}{5+5}$, $4=\dfrac{E}{5+15}$가 되며 기전력에 대해 정리하면 $E=80\ V$

2 전력과 열량

(1) 전류의 발열작용

① 줄의 법칙

㉠ 어떤 도체에 일정 기간 동안 전류를 흘리면 도체에 열이 발생되는 법칙.

㉡ $H=P\cdot t=V\cdot I\cdot t=I^2\cdot R\cdot t=\dfrac{V^2}{R}\cdot t\ [\mathrm{J}]=0.24I^2Rt\ [\mathrm{cal}]$

㉢ $V[\mathrm{V}]=\dfrac{W[\mathrm{J}]}{Q[\mathrm{C}]}=\dfrac{W[\mathrm{J}]}{I[\mathrm{A}]\cdot t[\mathrm{s}]}$이고 이것을 W로 정리하면

$W[\mathrm{J}]=I[\mathrm{A}]\cdot t[\mathrm{s}]\cdot V[\mathrm{V}]=VI\cdot t=P\cdot t$

줄의 법칙은 전압의 정의와 관계된 식임을 알 수 있다.

예제 12

10 Ω 의 저항에 10 A를 10분간 흘렸을 때의 발열량은 얼마인가?

① 125 kcal　　② 130 kcal
③ 144 kcal　　④ 165 kcal

해답 ③

$H = 0.24 I^2Rt = 0.24 \times 10^2 \text{A} \times 10\ \Omega \times 10 \times 60\ \text{s} = 144\ \text{kcal}$

② 줄열의 응용
　전기용접기, 전기로, 가정용 : 전기난로, 전기밥솥, 전기다리미, 백열전구

(2) 전력량과 전력

① **전력량(Wh)**

㉠ **일정한 시간 동안 전기가 하는 일의 양(소방수리학에서는 일, 에너지 개념이다)**

㉡ **줄의 법칙과 동일한 식이다.**

$$W = H = P \cdot t = VIt = I^2Rt\ [\text{J}] = 0.24 I^2Rt\ [\text{cal}]$$

㉢ **전력량의 단위**

전력량	Ws = (J /s) × s = J	1 W의 전력을 1 s 동안 사용한 양
	Wh = 3,600 W · s	1 W의 전력을 1 h 동안 사용한 양
	kWh = 3,600 × 1,000 W · s	1 kW의 전력을 1 h 동안 사용한 양

② **전력(P[W])(소방수리학에서의 동력의 개념이다)**

㉠ 전력량을 시간으로 나눈 것이 전력이다.　$P = V \cdot I = I^2 \cdot R = \dfrac{V^2}{R}\ [\text{W}]$

㉡ **1초 동안에 전기가 하는 일의 양**

3 전류의 화학작용과 전지

(1) 전류의 화학작용

① **전리, 전해질, 전기분해**

㉠ **전기분해 : 전해액에 전류가 흘러 화학변화를 일으키는 현상**

㉡ **전리 : 어떤 물질이 물에 녹아 양이온과 음이온으로 분리되는 현상**

㉢ **전해질 : 물에 용해되어 전류를 잘 흐르게 할 수 있는 물질**
　예 **소금, 황산**

㉣ **전해액을 통하여 흐르는 전류는 전해액의 농도를 높게 할수록 크게 된다.**

전지
− 극　+ 극
수소　염소
Na^+ Cl^-
Cl^- 나트륨 이온　Na^+ 염소 이온

전기분해

② 패러데이의 제1법칙

㉠ **전기분해에 의해서 석출되는 물질의 양(W)은 전해액을 통과한 총 전기량(Q)에 비례**한다.
$W \propto Q$

㉡ **전기량이 일정할 때 석출되는 물질의 양은 화학당량에 비례**한다.

$$W = K \cdot Q = K \cdot I \cdot t[\mathrm{g}]$$

화학당량 K는 1쿨롱(C)의 전기량이 이동할 때 반응하는 원자 또는 원자단의 질량이며 $\frac{원자량}{원자가}$이다.

㉢ 원자량은 원자의 상대적인 질량을 말하며 원자가는 최외각 전자의 개수 즉, 족을 의미하며 1족은 +1가, 2족은 +2가, 6족은 +6가 또는 −2가, 7족은 +7가 또는 −1가(전자 1개가 부족함을 말함)라 한다.

예제 13

전기분해에 의해 석출되는 물질의 양과 비례하지 않는 것은 무엇인가?

① 화학당량 ② 전류
③ 시간 ④ 원자량

해답 ④

전기분해에 의해 석출되는 물질의 양은 원자가 때문에 원자량과 꼭 비례하지는 않는다.

(2) 전지

전지	화학변화에 의하여 생기는 화학적에너지 또는 빛, 열 등의 물리적인 에너지를 전기에너지로 변환하는 장치
1차전지	한 번 방전하면 재차 사용할 수 없는 전지(건전지)
2차전지	방전 방향과 반대방향으로 충전하여 몇 번이고 계속 사용할 수 있는 전지 (납, 알칼리 축전지)
볼타전지	묽은 황산용액(전해액)에 아연(Zn)과 구리(Cu)판을 넣으면 아연판, 구리판은 각각 음극, 양극으로 되어 그 사이에 약 1V의 기전력이 발생한다. 감극제 : 이산화망간(MnO_2), 과망간산칼륨 ($KMnO_4$) • 감극제 : 분극작용의 방지로 쓰이며 수소기체를 제거하여 전극의 작용을 활발하게 유지시키는 물질

(3) 전지의 종류

구분	망간건전지(1차 전지)	납(연)축전지(2차 전지)
양극	탄소(C)	이산화납(PbO_2)
음극	아연(Zn)	납(Pb)
전해액	염화암모늄용액 ($NH_4Cl + H_2O$)	묽은황산(H_2SO_4)
감극제	이산화망간(MnO_2)	이산화납(PbO_2)
구조	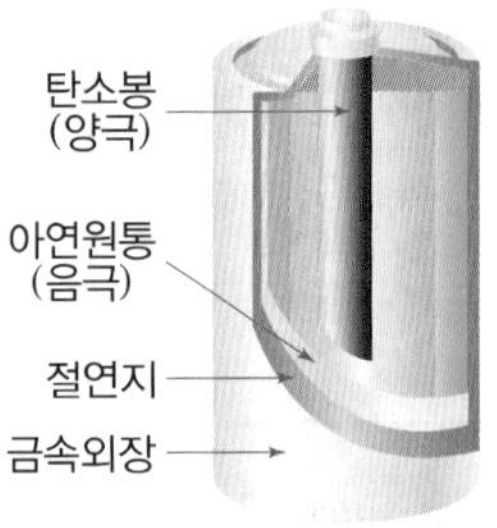	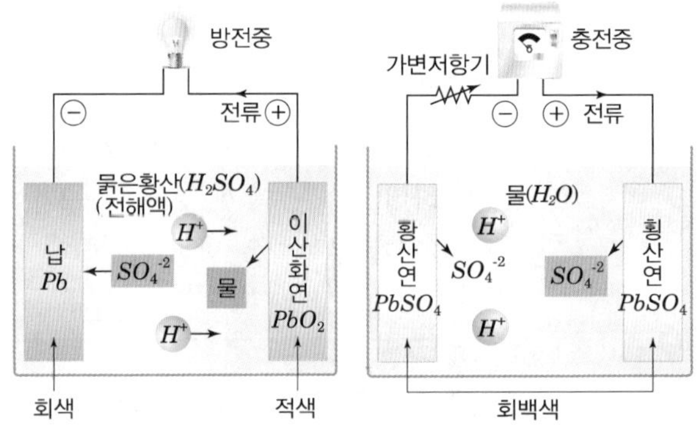 충전상태에서 방전시 전해액이 물로 변함
충·방전시 화학식	-	$PbO_2 + 2H_2SO_4 + Pb \underset{충전}{\overset{방전}{\rightleftarrows}} PbSO_4 + 2H_2O + PbSO_4$ (+) 과산화납, (황산), (−) 납, (+) 황산납, (물), (−) 황산납

(4) 2차 전지의 종류

구분	연축전지	알칼리축전지
기전력	2.05 ~ 2.08 V	1.32 V
공칭전압	**2.0 V**	**1.2 V**
용량	**10시간 방전율**	**5시간 방전율**
기계적강도	약하다	강하다
충전시간	길다	짧다
온도특성	나쁘다	우수하다
수명	짧다(10 ~ 20년)	길다 (30년 이상)
가격	싸다	비싸다
자가방전	보통	약간 작음
전해액	묽은 황산(H_2SO_4)	수산화칼륨(KOH)
종 류	CS : 클래드식 HS : 페이스트식	소결식(AH형, AHH형) 포켓식(AL형, AM형 등)

(5) 전지의 기전력을 감소시키는 현상

분극 작용	전지에 전류가 흐르면 **양(+)극의 표면에 수소가스가 발생하는데 그 중 기체가 되지 못한 수소기포가 빽빽하게 달라 붙어 전류의 흐름을 방해함으로서 전지의 기전력을 감소시키는 현상**으로 **성극작용**이라고도 한다.
국부작용	**전지를 오래 방치하면 전지의 전극과 불순물이 국부적인 하나의 회로를 구성하여 전지 내부에 순환전류가 흘러서 화학변화에 의해 기전력이 감소**하는 현상
셀페이션현상 (sulfation)	**납축전지 방전상태에서 방치하면 전극부분에 회백색(가루)으로 변하고 내부저항의 증가로 충전이 잘되지 않으며 전지의 기전력이 감소**하고 충전 시 전해액의 온도가 상승하는 현상

예제 14

전지의 기전력을 감소시키는 현상 또는 작용이 아닌 것은?

① 성극작용 ② 국부작용
③ 셀페이션현상 ④ 감극작용

해답 ④

감극작용 : 전기 분해나 전지 따위에서 전극(電極)의 분극(分極)작용을 방해하여 그 진행을 막는 일

(6) 전지의 충전방식

보통충전	보통충전방식은 필요할 경우 그 때마다 표준 시간율로 충전을 하는 방식이다. 급속충전방식 보다 충전시간이 길게 소요된다.
급속충전	급속충전방식은 필요할 경우 그 때마다 보통충전 전류의 2 ~ 3배로 충전하는 방식이다. 보통충전보다 충전시간이 단축되는 이점이 있다.
부동충전	**부동충전방식은 충전기, 축전지, 부하를 병렬로 접속한 것으로 부하에 대한 전원은 충전장치(충전기)가 공급하고, 충전장치가 부담하기 어려운 일시적인 부하에 대한 전원은 축전지가 공급하는 방식**이다. 정전시에는 부하에 대한 전원을 축전지에서 공급한다. 장점 : 부하에 대한 전원을 충전장치가 공급하고 일시적인 대부하만 축전지가 담당하므로 부하변동에 대해 대처가 신속, 용이하고 용량이 작아도 되며 사용 빈도 횟수가 적어 수명이 연장된다. 또한 보수가 편리한 장점이 있다.

세류충전 (트리클충전)	세류충전방식은 **방전된 용량만을 충전하는 방식**이다.
균등충전	균등충전방식은 전지를 장시간 사용하는 경우 각 전해조에 전위차가 발생하게 되는데, 이것을 방지하기 위하여 1~3개월마다 한번씩 10시간~12시간 일정한 전압(2.4 ~2.5 V)으로 충전하여 전해조의 전위를 균일화 하는 충전방식이다.
회복충전방식	축전지의 과방전 및 방전상태로 오래 두어 셀페이션 등이 발생 시 **기능회복을 위해 실시하는 충전방식**

예제 15

전지의 자기방전을 보충함과 동시에 상용부하에 대한 전력공급은 충전기가 부담하도록 하되, 충전기가 부담하기 어려운 일시적인 대전류 부하는 축전지로 하여금 부담케 하는 충전방식은?

① 급속충전 ② 부동충전
③ 균등충전 ④ 세류충전

해답 ②

실전 예상문제

●○○ 01

전기의 성질에 대한 설명 중 틀린 것은?

① 원자는 핵과 전자로 구성되어 있다.
② 원자핵은 양성자와 중성자로 되어 있다.
③ 전하를 가지고 있는 것은 전자와 양성자이다.
④ 전자 1개의 전하량은 -1.602×10^{-21} [C]이다.

전기의 구조
(1) 원자는 그의 중심에 원자핵이 있다.
(2) 원자핵은 양성자와 중성자로 되어 있다.
(3) 전자 1개의 전하량은 -1.602×10^{-19} [C]이다.
(4) 전하를 가지고 있는 것은 전자(−)와 양성자(+)이다.

●●○ 02

전자의 개수를 n전자 1개의 전하량은 e라 할 때 총 전하량 Q는?

① $Q = n \cdot e$
② $Q = n^2 \cdot e$
③ $Q = \frac{e}{n}$
④ $Q = \frac{n}{e}$

총 전하량(전기량)은 전자의 수와 전자 가지고 있는 전기량의 곱이다. Q = n・e

●●○ 03

12 C의 전하가 3초 동안 어느 점을 통과하고 있을 때 전류 값은 몇 A인가?

① 4 ② 6 ③ 12 ④ 36

전류 I[A]는 도체의 단면을 t [s] 동안에 통과하는 전기량(전하량, Q[C])으로 $I=\frac{Q}{t}=\frac{12}{3}=4\text{A}$

●●○ 04

단면적인 2.5 mm^2인 도체가 있다. 이 단면을 5초 동안 20 C의 전하가 이동하면 전류는 몇 A인가?

① 4 ② 5 ③ 20 ④ 100

전류 $I=\frac{Q}{t}=\frac{20}{5}=4\text{ A}$

01 ④ 02 ① 03 ① 04 ①

●○○ 05

2 Ah는 몇 C인가?

① 1　② 860　③ 3,600　④ 7,200

해설

전하량 $Q[\mathrm{C}] = I \cdot t[\mathrm{A} \cdot \mathrm{s}]$이므로 $2\ \mathrm{Ah} = 2\ \mathrm{A} \times 3{,}600\ \mathrm{s} = 7{,}200\ \mathrm{A} \cdot \mathrm{s} = 7{,}200\ \mathrm{C}$

●●○ 06

5 V의 기전력으로 10 C의 전기량이 이동할 때 한 일은 몇 J인가?

① 5　② 50　③ 250　④ 500

해설

일(에너지) W = VQ = 5 × 10 = 50 J

●●● 07

굵기가 한결같은 도체의 단면적인 S [m^2], 길이가 ℓ [m]이고 도체의 고유저항이 ρ [$\Omega \cdot m$]일 때 저항 R [Ω]은 무엇과 반비례하는가?

① ℓ　② ρ^2　③ S　④ $\frac{S}{\ell}$

해설

저항 $R = \rho \frac{\ell}{S}$ 에서 $R \propto \frac{\ell}{S}$

즉, 도체의 저항은 도체의 단면적 S에 반비례하고, 도체의 고유저항 ρ 및 길이 ℓ에 비례한다.

●○○ 08

지멘스(Siemens)는 무엇의 단위인가?

① 저항　② 컨덕턴스　③ 저항율　④ 인덕턴스

해설

지멘스 : 컨덕턴스의 단위 [S]이며 컨덕턴스는 저항의 역수이다.

●●○ 09

반도체의 저항값과 온도와의 관계로 옳은 것은?

① 저항값은 온도에 반비례한다.
② 저항값은 온도에 비례한다.
③ 저항값은 온도의 제곱에 반비례한다.
④ 저항값은 온도의 제곱에 비례한다.

해설

반도체는 온도변화에 의해 저항값이 변화하는데 온도가 상승하면 저항값이 감소하는 특성이 있다.

정답　05 ④　06 ②　07 ③　08 ②　09 ①

●○○ **10** 20℃ 구리선의 저항의 온도계수는 얼마인가? (단, 0℃일 때 구리선의 온도 계수는 $\frac{1}{234.5}$ 이다.)

① 234.5　② 254.5　③ $\frac{1}{244.5}$　④ $\frac{1}{254.5}$

해설

표준연동선의 경우 t_1의 온도에서 매 1℃ 마다 증가하는 저항의 온도계수 $\frac{1}{234.5+t_1}$ 이다.

$\therefore \frac{1}{234.5+t_1} = \frac{1}{234.5+20} = \frac{1}{254.5}$

●●● **11** 저항 R_1, R_2가 병렬로 접속된 경우, 합성저항 R은?

① $R = R_1 + R_2$　② $R = \frac{R_1R_2}{R_1 + R_2}$　③ $R = \frac{R_1 + R_2}{R_1R_2}$　④ $R = \frac{R_1 - R_2}{R_1 + R_2}$

해설

병렬 접속된 저항의 합성저항 $R = \frac{1}{\frac{1}{R_1}+\frac{1}{R_2}} = \frac{R_1R_2}{R_1+R_2}$

●●● **12** 다음 회로의 합성저항은?

6Ω　3Ω　4Ω　8Ω　4Ω

① 5.14　② 6.2

③ 3.6　④ 4.8

해설

브리지회로의 평형조건(서로 마주보는 저항의 곱은 일정하다)이 되므로 세로의 저항인 4 Ω의 저항에는 전류가 흐르지 않는다. 그러므로 $R_0 = \frac{1}{\frac{1}{(6+3)}+\frac{1}{(8+4)}} = \frac{(6+3)(8+4)}{(6+3)+(8+4)} \fallingdotseq 5.14\ \Omega$

●○○ **13** 병렬로 연결된 저항 $R_1 = 5\ \Omega$, $R_2 = 5\ \Omega$, $R_3 = 5\ \Omega$일 때 합성저항 R은?

① $\frac{5}{2}$　② $\frac{5}{3}$

③ $\frac{5}{6}$　④ $\frac{5}{8}$

해설

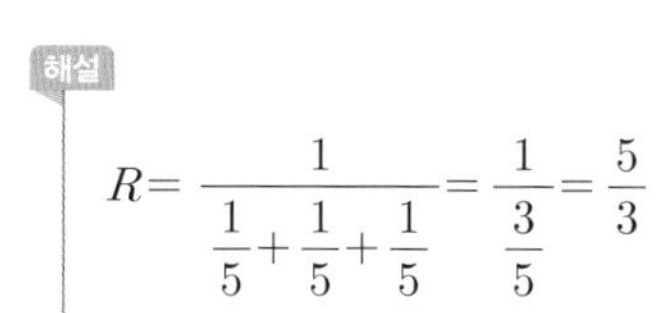

$R = \frac{1}{\frac{1}{5}+\frac{1}{5}+\frac{1}{5}} = \frac{1}{\frac{3}{5}} = \frac{5}{3}$

정답　10 ④　11 ②　12 ①　13 ②

14 3개의 저항을 병렬로 연결하였을 때의 합성저항은? (단, 저항의 저항값은 동일하다.)

① 저항 하나의 2배이다. ② 저항 하나의 1/2배이다.
③ 저항 하나의 값과 같다. ④ 저항 하나의 1/3배이다.

해설

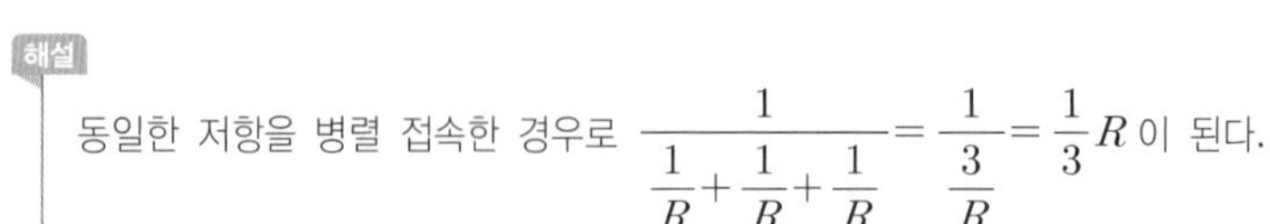

동일한 저항을 병렬 접속한 경우로 $\dfrac{1}{\dfrac{1}{R}+\dfrac{1}{R}+\dfrac{1}{R}}=\dfrac{1}{\dfrac{3}{R}}=\dfrac{1}{3}R$ 이 된다.

15 다음의 회로에서 전체전류와 2 Ω에 흐르는 전류는 각각 몇 A인가?

① 4 A, 2.6 A ② 2 A, 1.2 A
③ 2 A, 0.8 A ④ 4 A, 1.4 A

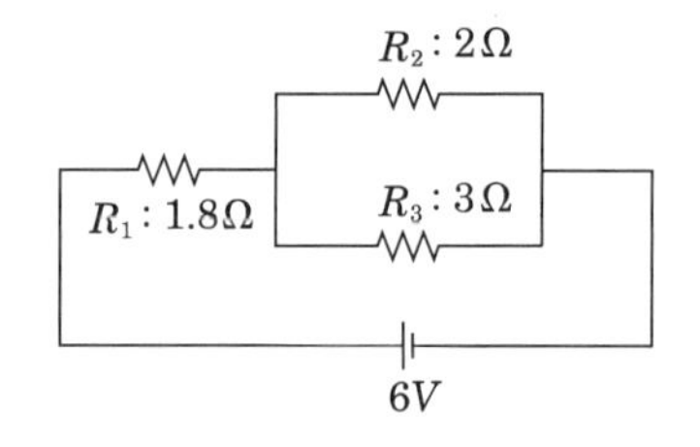

해설

전체 전류 $I=\dfrac{V}{R}=\dfrac{6}{1.8+\dfrac{1}{\dfrac{1}{2}+\dfrac{1}{3}}}$

$=\dfrac{6}{1.8+\dfrac{2\times 3}{2+3}}=2A$

2Ω에 흐르는 전류를 I_2라 할 때 $I_2=\dfrac{R_3}{R_2+R_3}I=\dfrac{3}{2+3}\times 2=1.2\text{ A}$

즉, 2개의 저항을 병렬로 연결시 각 저항에 흐르는 전류는 합성저항분에 반대 저항을 한 값에 전체 전류를 곱하면 된다.

16 일정 전압의 직류전원에 저항을 접속하고 전류를 흘릴 때 이 전류값을 20% 증가시키려면 저항값을 몇 배로 하여야 하는가?

① 0.64 ② 0.83 ③ 1.2 ④ 1.25

해설

$R=\dfrac{V}{I}$ 에서 I가 $1.2I$가 되려면 $R=\dfrac{V}{1.2I}=0.83\times\dfrac{V}{I}[\Omega]$ 즉 저항값을 0.83배로 줄여야 한다.
전류와 저항은 반비례 관계이므로 전류를 증가시키려면 ③번과 ④번처럼 저항을 증가 시켜서는 안된다.

17 다음 회로에서 E_1의 전압은?

① $E_1=\dfrac{R_1}{R_1+R_2}E$ ② $E_1=\dfrac{R_2}{R_1+R_2}E$
③ $E_1=\dfrac{R_1}{R_1\times R_2}E$ ④ $E_1=\dfrac{R_2}{R_1\times R_2}E$

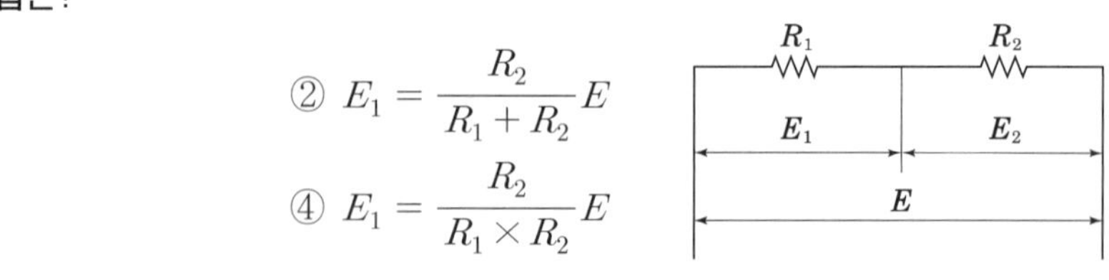

해설

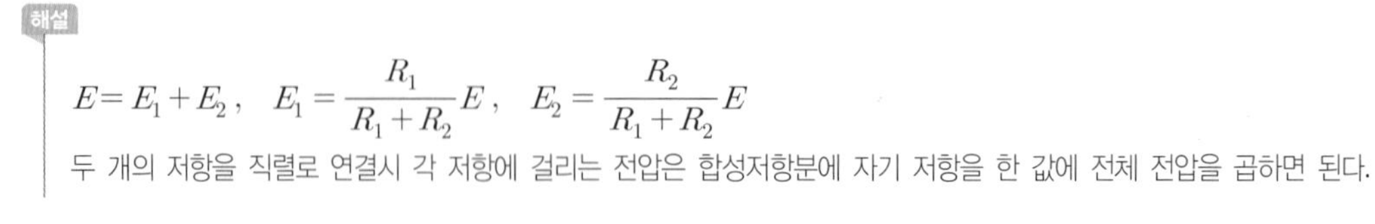

$E=E_1+E_2$, $E_1=\dfrac{R_1}{R_1+R_2}E$, $E_2=\dfrac{R_2}{R_1+R_2}E$

두 개의 저항을 직렬로 연결시 각 저항에 걸리는 전압은 합성저항분에 자기 저항을 한 값에 전체 전압을 곱하면 된다.

정답 14 ④ 15 ② 16 ② 17 ①

●●○ **18** **그림과 같은 회로망에서 전류는?**

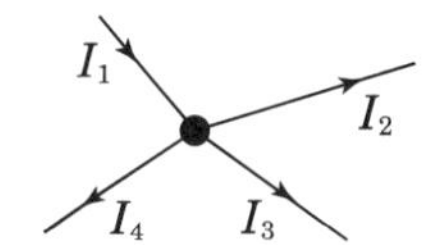

① $I_1 = I_2 + I_3 - I_4$ ② $I_1 + I_2 = I_3 + I_4$
③ $I_1 = I_2 - I_3 - I_4$ ④ $I_1 = I_2 + I_3 + I_4$

1. 키르히호프의 제1법칙 : 접속점에 출입하는 전류의 대수합은 0이다. $\Sigma I = 0$ (유체의 연속방정식과 동일함)
2. 키르히호프의 제2법칙 : 회로망 중에 임의의 폐회로 내에서, 한 방향으로 일주하면서 생기는 전압강하의 합과 기전력이 합은 같다.

●●● **19** **전류의 열작용과 관계가 깊은 것은?**

① 옴의 법칙 ② 주울의 법칙
③ 키르히호프의 법칙 ④ 패러데이의 법칙

주울의 법칙 : 저항에서는 전류의 제곱에 비례하여 에너지가 소비되는데 이 소비된 에너지는 모두 열로 바뀐다는 법칙(전류의 열작용) $H = 0.24Pt = 0.24\,VIt = 0.24I^2Rt = 0.24\dfrac{V^2}{R}t$ [cal]

●○○ **20** **110 V용의 전기드라이를 220 V로 사용하면 같은 시간 내에 발생하는 열량은 몇 배로 되는가?**

① 1.21 ② 1.5 ③ 2 ④ 4

$$H_1 = 0.24\frac{V^2}{R}t = 0.24 \times \frac{(110)^2}{R}t = 0.24 \times \frac{12{,}100}{R}t \text{ cal}$$
$$H_2 = 0.24\frac{V^2}{R}t = 0.24 \times \frac{(220)^2}{R}t = 0.24 \times \frac{48{,}400}{R}t \text{ cal} \quad \therefore \frac{H_2}{H_1} = \frac{48{,}400}{12{,}100} = 4 \text{배}$$

●○○ **21** **220 V, 200 W의 전등 2개를 같은 전압에서 직렬로 접속한 경우와 병렬로 접속한 경우의 전력은 각각 몇 W인가?**

① 직렬 : 100, 병렬 : 100 ② 직렬 : 100, 병렬 : 50
③ 직렬 : 100, 병렬 : 400 ④ 직렬 : 200, 병렬 : 100

전력 $P = I^2R = \dfrac{V^2}{R}$, $R = \dfrac{V^2}{P} = \dfrac{220^2}{200} = 242\ \Omega$

1. 직렬접속시 전력 $P_1 = \dfrac{V^2}{R} = \dfrac{220^2}{(242+242)} = 100\text{ W}$
2. 병렬접속시 전력 $P_2 = \dfrac{V^2}{R} = \dfrac{220^2}{\dfrac{242 \times 242}{242+242}} = 400\text{ W}$

18 ④ 19 ② 20 ④ 21 ③

●●○ **22** 200 V, 100 W 전등 2개를 매일 6시간씩 점등하고, 1 kW 전열기 1개를 매일 1시간씩 사용할 경우 1개월(30일)의 소비전력량은 몇 kWh인가?

① 18　② 36
③ 66　④ 96

1개월의 소비 전력량 $W = Pt = \{(100 \times 2 \times 6) + (1{,}000 \times 1 \times 1)\} \times 30 = 66{,}000\ \text{Wh} = 66\ \text{kWh}$

●●○ **23** 100 V, 100 W의 전구와 100 V, 200 W의 전구가 그림과 같이 직렬 연결되어 있다면 100 W 전구와 200 W의 전구가 실제 소비하는 전력의 비는 얼마인가?

① 4 : 1　② 1 : 2
③ 2 : 1　④ 1 : 1

해설

100 W의 저항은 $P = \dfrac{V^2}{R_1}$ 에서 $100 = \dfrac{100^2}{R_1}$ $\therefore R_1 = 100\ \Omega$

200 W의 저항은 $P = \dfrac{V^2}{R_2}$ 에서 $200 = \dfrac{100^2}{R_2}$ $\therefore R_2 = 50\ \Omega$

따라서 직렬회로의 합성저항은 $150\ \Omega$ 이며 전류는 $I = \dfrac{100}{150} = 0.666\ \text{A}$ 가 흐른다.

100 W에 걸리는 전압은 $V_1 = \dfrac{R_1}{R_1 + R_2} \times V = \dfrac{100\ \Omega}{150\ \Omega} \times 100\,V = 66.66\ V$

200 W에 걸리는 전압은 $V_2 = \dfrac{R_2}{R_1 + R_2} \times V = \dfrac{50\ \Omega}{150\ \Omega} \times 100\,V = 33.33\ V$

100 W, 200 W에서 소모되는 전력 $P = VI$에서 전류는 동일하므로 전압에 비례한다.

$\therefore$ 66.66 : 33.33 = 2 : 1

●●● **24** 차동식 분포형감지기에서 열전대식과 관계가 있는 것은?

① 제벡 효과　② 펠티어 효과　③ 톰슨 효과　④ 볼타 효과

해설

차동식 스포트형 열기전력식 및 차동식 분포형 열전대식, 열반도체식감지기는 화재 발생시 열전대의 제벡효과을 이용하여 수신기에 화재신호를 보내는 감지기이다.
제백효과 : 다른 종류의 금속 양단을 접속하여 그 접합점에 온도차를 주면 기전력이 발생하는 효과

●●○ **25** 두 종류의 금속으로 폐회로를 만들어 전류를 흘리면 양 접속점에서 한 쪽은 온도가 올라가고 다른 쪽은 온도가 내려가는 현상은?

① 펠티어 효과　② 제백 효과　③ 톰슨 효과　④ 피치 효과

해설

펠티어 효과 : 다른 두 종류의 금속 양단을 접속하여 양 접속점에 전류를 흘리면 한 쪽은 열이 발생하고 다른 한쪽은 열을 흡수하는 현상으로 제벡효과의 반대현상이다.

정답　22 ③　23 ③　24 ①　25 ①

26 동일한 금속의 2점 사이에 온도차가 있는 경우 전류가 흐르면 열의 발생 또는 흡수가 일어나는 현상은?

① Thomson 효과 ② Seebeck 효과 ③ Peltier 효과 ④ Ampere 효과

- 톰슨효과 : 온도차가 있는 동일한 금속 도체 내부의 두 점 사이에 전류를 흘리면 줄열 이외의 열의 발생 또는 흡수가 일어나는 효과
- 열전효과 : 열과 전기의 상관 현상을 말하며 제백효과, 펠티에효과, 톰슨효과가 있다.

27 자동화재 탐지설비용 지구경종 5개를 동시에 동작시키기 위하여 수신기에서 흘려야 할 전류는 몇 A인가? (단, 지구경종은 각각 정격 DC 24 V, 1.2 VA이다.)

① 0.2 ② 0.25 ③ 0.4 ④ 0.45

전력 $P = VI$에서 $I = \dfrac{P}{V} = \dfrac{1.2 \times 5}{24} = 0.25\ \mathrm{A}$

28 20 kW의 옥내소화전 펌프전동기를 정격상태에서 20분간 사용했을 경우의 전력량을 열량으로 환산하면 몇 kcal인가?

① 5,360 ② 5,760 ③ 6,120 ④ 6,400

① 줄의 법칙에서 열량 $H = 0.24 \cdot I^2[\mathrm{A}] \cdot R[\Omega] \cdot t[\mathrm{s}] = 0.24Pt = 0.24 \times 20 \times 20 \times 60 = 5{,}760\ \mathrm{kcal}$

② $20\ \mathrm{kW} \Rightarrow 20\ \mathrm{kJ/s} \times 20 \times 60 \times 0.24 = 5{,}760\ \mathrm{kcal}$

29 a, b 간의 전압이 24 V일 때 소비되는 전력이 0.48 kW라면 저항 $R_1[\Omega]$은?

① 1.2 ② 1.5
③ 1.6 ④ 1.7

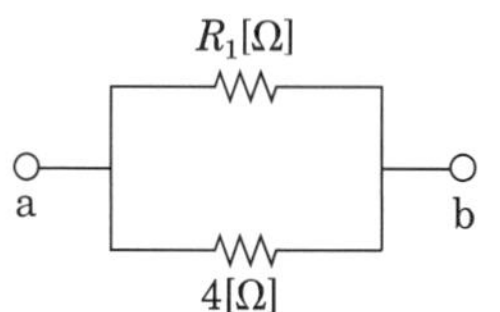

소비전력 $P = \dfrac{V^2}{R}[\mathrm{W}]$ 에서 합성저항 $R = \dfrac{V^2}{P} = \dfrac{(24)^2}{480} = 1.2\ \Omega$ 이므로

$R = \dfrac{4R_1}{4 + R_1} = 1.2\ \Omega \quad \therefore R_1 = 1.714 \fallingdotseq 1.7\ \Omega$

26 ① 27 ② 28 ② 29 ④

●●● 30 **동일 전선으로 길이를 변화시키지 않고 지름을 2배로 하고 전류를 2배로 하면 전력손실은 어떻게 되는가?**

① 변하지 않는다. ② 1/2배가 된다. ③ 2배가 된다. ④ 4배가 된다.

(1) 도체의 저항 $R=\rho\frac{\ell}{A}=\rho\frac{\ell}{\frac{\pi D^2}{4}}[\Omega]$이고

(2) 변경전 전력 $P=I^2\ R=I^2\cdot\frac{\ell}{\frac{\pi D^2}{4}}=I^2\cdot\frac{4\ell}{\pi D^2}$

(3) 지름을 2배, 전류를 2배로 하였을 때의 전력

$P=I^2\cdot\frac{4\ell}{\pi D^2}\Rightarrow(2I)^2\cdot\frac{4\ell}{\pi(2D)^2}=I^2\cdot\frac{4\ell}{\pi D^2}$ 로서 처음의 전력과 동일하다.

∴ 전력은 변하지 않았으므로 손실은 없다.

●●○ 31 **전극의 불순물로 인하여 기전력이 감소하는 것은 무엇 때문인가?**

① 국부작용 ② 성극작용 ③ 셀페이션 ④ 감극현상

국부작용 : 전지의 불순물에 의해 전지내부에 순환전류가 흘러 기전력을 감소시키는 현상

●○○ 32 **전해액에서 도전율은 어느 것에 의하여 증가되는가?**

① 전해액의 농도 ② 전해액의 양 ③ 전해액의 점도 ④ 전해액의 부피

전해액의 도전율은 농도에 따라 증가한다. 즉 농도가 높으면 흐르는 전류도 크다. 증류수(순수한 물)에 소금을 집어 넣으면 전류가 흘러 전구가 켜지는데 소금의 농도가 증가할수록 밝기는 더 밝아진다.

●●○ 33 **납축전지가 방전하면 양극물질(P) 및 음극물질(N)은 어떻게 변하는가?**

① P : 납, N : 납 ② P : 과산화납, N : 납
③ P : 황산납, N : 납 ④ P : 황산납, N : 황산납

해설

납(연) 축전지의 충·방전 화학 반응식

$$PbO_2\ +2H_2SO_4+Pb\ \underset{\text{충전}}{\overset{\text{방전}}{\rightleftarrows}}\ PbSO_4+2H_2O+PbSO_4$$

(+)(과산화납) (전해액) (−)(납) (+)(황산납) (물) (−)(황산납)

정답 30 ① 31 ① 32 ① 33 ④

●●○ 34

동일한 축전지 3개를 병렬로 연결하면?

① 전압은 3배가 되고 용량은 1개일 때와 같다.
② 전압은 1개일 때와 같고 용량은 3배가 된다.
③ 전압과 용량 모두가 3배로 된다.
④ 전압과 용량 모두가 1/3배로 된다.

전지 m개를 병렬로 연결하면 전압은 동일하고, 용량은 m배가 된다.

접속방법 \ 항목	전압(V)	전류 용량(I)	내부저항(r)
직렬접속(n)	nE	I	nr
병렬접속(m)	E	mI	r/m

●○○ 35

페러데이의 법칙에서 같은 전기량에 의해서 석출되는 물질의 양은 각 물질의 무엇에 비례하는가?

① 원자량 ② 화학당량 ③ 원자가 ④ 전류의 세기

전기분해에 관한 패러데이의 법칙($W = KQ = KIt$)
1. 전기분해에 의해 석출된 물질의 양(W)은 전해액을 통과한 총 전기량(Q)에 비례한다.
2. 전기분해에 의해 석출된 물질의 양은 전해액을 통과한 총 전기량이 같으면 그 물질의 화학당량(K)에 비례한다.
3. 화학당량은 원자량/원자가(원자량이 크다고 W값이 커지지 않는데 그 이유는 원자가 때문이다. 나트륨은 원자량이 23이고 원자가가 1로서 화학당량은 23이지만 마그네슘은 원자량이 24이고 원자가가 2로서 화학당량이 12이다.)

●●○ 36

전기분해에서 석출한 물질의 양을 W, 시간을 t, 전류를 I라 하면 다음 중 맞는 식은 어느 것인가?

① $W = KIt$ ② $W = KI^2t$
③ $W = KI^2t^2$ ④ $W = KIt^2$

전기 분해에 관한 패러데이 법칙
1. 전기 분해에 의해서 석출되는 물질의 양 W[g]은 전해액을 통과한 총 전기량 Q[C]에 비례
2. 전해액을 통과한 총 전기량 Q[C]이 같으면 그 물질의 화학당량 K에 비례한다.
3. Q[C] = I[A]×t[s]

●●○ 37

1V와 같은 값은?

① 1 J/C ② 1 C/A ③ 1 wb/m ④ 1 Ω/m

$W = VQ[J]$에서 전압 $V[V] = \dfrac{W[J]}{Q[C]}$

정답 34 ② 35 ② 36 ① 37 ①

3. 콘덴서의 정전(기)용량

1 정전기와 정전기력

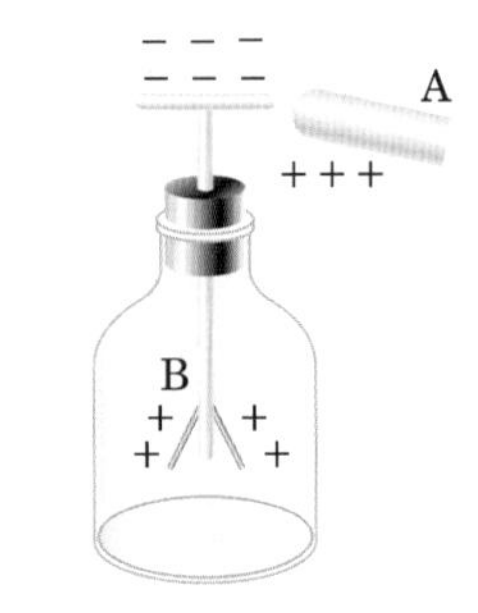

정전유도 및 정전기력

(1) 정전기

정지된 전기로서 대전에 의하여 얻어진 전하가 절연체 위에서 더 이상 이동하지 않고 정지하고 있는 것

(2) 대전

어떤 물질이 양(+)전기나 음(−)전기를 띠는 현상

(3) 정전 유도

대전체 A를 대전되지 않은 도체 B에 가까이 하면 A에 가까운 쪽에는 다른 종류의 전하가, 먼 쪽에는 같은 종류의 전하가 나타나는 현상

(4) 정전기력(전기력, 정전력)

두 전하 사이에 작용하는 힘. 같은 전하는 반발력, 다른 전하는 흡인력이 작용한다.
위의 오른쪽 그림에서 **병 아래 부분은 + 전하만으로 대전되어 반발력이 발생**한다.

2 정전(기)용량과 콘덴서

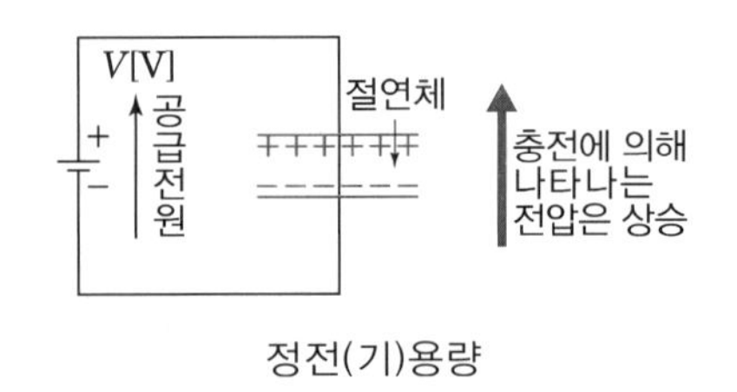

정전(기)용량

(1) 정전(기)용량(= 커패시턴스)

① **커패시턴스 : C**

전압을 인가하면 전하량은 전압에 따라 증가한다. ($Q \propto V$) 하지만 그 물질의 고유 능력에 따라 축적되는 전하량이 달라지므로 그 고유 능력을 고려하면 → $Q = C \cdot V$ 이 된다.
즉 **커패시턴스는 물질이 전하를 축적하는 그 고유의 능력**이며 물질의 형상 및 그 사이를 채운 유전체의 종류에 따라 결정된다.

$$Q = C \cdot V \rightarrow C[\mathrm{F}] = \frac{Q\,[\mathrm{C}]}{V\,[\mathrm{V}]}$$

② 1 F(farad)

㉠ 두 도체 사이에 1 V의 전압을 가하여 1 C의 전하가 축적된 경우의 정전 용량

㉡ 1 μF = 10^{-6} F, 1 nF = 10^{-9} F, 1 pF = 10^{-12} F

(2) 콘덴서(=커패시터)의 구조

① 구조

2개의 도체 사이에 유전체를 끼워 넣어 커패시턴스 작용을 하도록 만들어진 장치

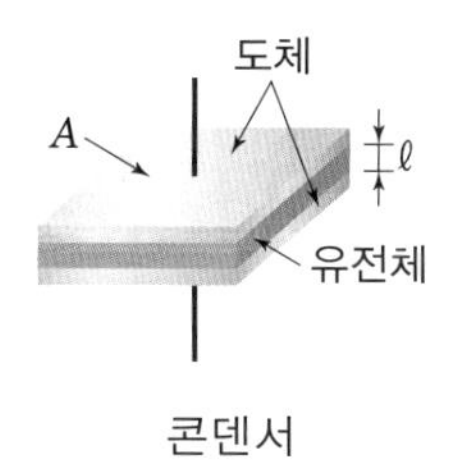

콘덴서

$$C = \varepsilon \frac{A}{\ell} \,[\mathrm{F}]$$

ε : 유전율 [F/m], ℓ : 극판간의 간격 [m], A : 극판의 면적 [m^2]

- 유전율 : 부도체의 전기적인 특성을 나타내는 값. 물질 내부의 +, - 모멘트가 얼마나 민감하게 잘 반응(정렬) 되느냐의 정도를 유전율이라 한다.

② 큰 정전용량의 콘덴서를 얻는 방법

$C = \varepsilon \frac{A}{\ell} = \varepsilon_o \varepsilon_s \frac{A}{\ell} \,[\mathrm{F}]$	극판의 면적을 넓게 함
	극판 간의 간격을 좁게 함
	비유전율이 큰 절연체를 사용함

- 비유전율(ε_s) : 물질의 유전율(ε)과 진공의 유전율(ε_o)의 비$\left(\frac{\varepsilon}{\varepsilon_o}\right)$

(3) 콘덴서의 접속

① 직렬 접속(전하량이 일정)

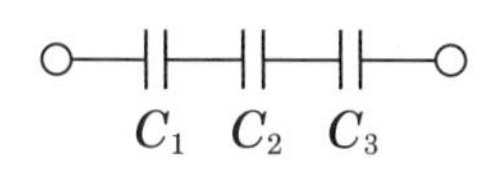

콘덴서 직렬접속

$$V = V_1 + V_2 + V_3 = \frac{Q}{C_1} + \frac{Q}{C_2} + \frac{Q}{C_3}$$

$$= \left(\frac{1}{C_1} + \frac{1}{C_2} + \frac{1}{C_3}\right) \cdot Q \,[\mathrm{V}]$$ 이고 $V = \frac{1}{C} \cdot Q$이므로

$$C = \frac{1}{\frac{1}{C_1} + \frac{1}{C_2} + \frac{1}{C_3}} \,[\mathrm{F}]$$

② 병렬 접속(전압이 일정)

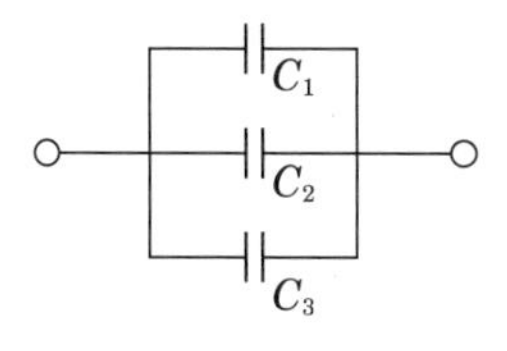

콘덴서 병렬접속

$$Q = Q_1 + Q_2 + Q_3 = C_1 V + C_2 V + C_3 V$$

$$= (C_1 + C_2 + C_3) \cdot V \,[\mathrm{C}]$$ 이고 $Q = C \cdot V$이므로

$$C = C_1 + C_2 + C_3 \,[\mathrm{F}]$$

예제 01

동일한 콘덴서 3개가 병렬로 연결시 합성콘덴서 용량은 얼마인가?

① C ② 3C ③ 1/C ④ 1/3C

해답 ②

(4) 콘덴서의 기능

① 전기를 저장하거나 방출하는 축전지 기능

② 직류를 통하지 않는 성질을 이용한 기능

㉠ 회로의 평활회로

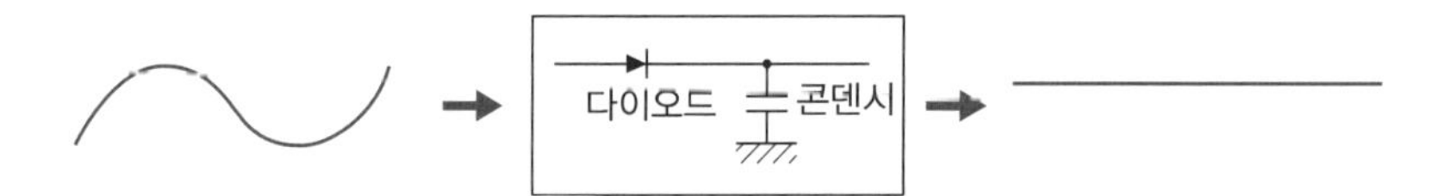

㉡ 여러신호 중에서 특정(고, 저)주파수 성분만을 추출 또는 제거하는 필터 기능

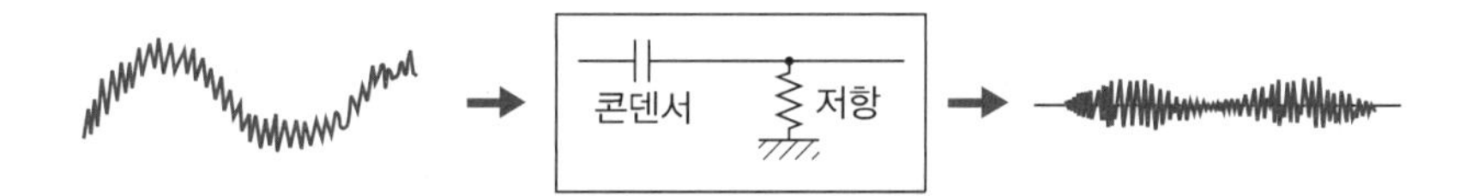

㉢ 충방전에 필요한 시간을 이용한 타이머 회로 등

(5) 콘덴서의 정전 에너지

① 정의

콘덴서로 유입(축적)되는 에너지를 정전 에너지라 하고 콘덴서를 충전할 때 축적되는 에너지는 전압과 전하량의 비례곡선의 밑줄 부분이 축적되는 에너지이므로

$$W = \frac{1}{2}QV = \frac{1}{2}CV^2 = \frac{1}{2}\frac{Q^2}{C}\ [\mathrm{J}]$$

이는 전압의 정의 $V[\mathrm{V}] = \dfrac{W[\mathrm{J}]}{Q[\mathrm{C}]}$ 와 같은 개념이다.

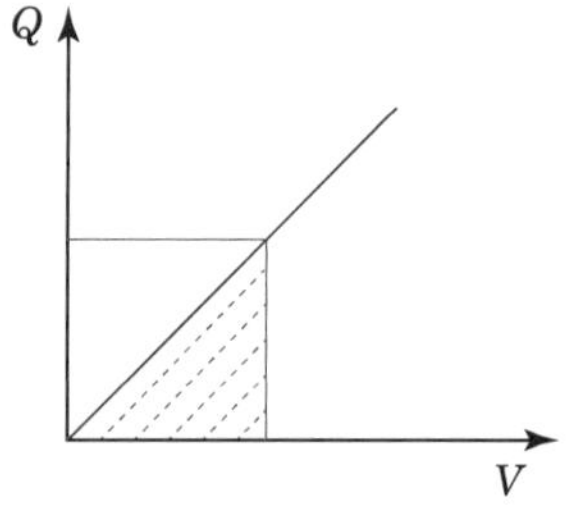

전압과 전하량의 비례곡선

예제 02

전압 220 V, 전류 5 A로 30분 동안 콘덴서에 충전되는 에너지는 몇 kJ인가?

① 990 ② 1,050 ③ 1,500 ④ 2,000

해답 ①

$$W = \frac{1}{2}QV = \frac{1}{2}ItV = \frac{1}{2} \times 5 \times 30 \times 60 \times 220 = 990{,}000\ \mathrm{J} = 990\ \mathrm{kJ}$$

② **유전체 내의 전기장의 에너지**

♣ 유전체 내의 전기장의 에너지는 전계와 자계 부분을 선학습 후 학습하십시오.

㉠ **정전 에너지의 다른 표현**

$$W = \frac{1}{2}QV = \frac{1}{2}Q \cdot E \cdot l = \frac{1}{2}DA \cdot E \cdot l\,[\mathrm{J}]$$

• V(전위) $= E \cdot l$ (전계 · 길이), D(전속밀도) $= \dfrac{Q(\text{전하량})}{A(\text{면적})}$

㉡ **단위 체적당 정전 에너지**

$$W_0 = \frac{\frac{1}{2}DA \cdot E \cdot l}{A \cdot l} = \frac{1}{2}D \cdot E = \frac{1}{2}\varepsilon \cdot E^2 = \frac{1}{2} \cdot \frac{D^2}{\varepsilon}\,[\mathrm{J/m^3}]$$

• 전계(전기장의 세기) $E = \dfrac{D}{\varepsilon}$

(6) 정전기의 흡인력

① 단위면적당 정전흡인력(= 단위체적당 정전에너지)

$$F = \frac{1}{2}\varepsilon \cdot E^2\,[\mathrm{J/m^3} = N \cdot \mathrm{m/m^3} = \mathrm{N/m^2}]$$

② 정전 흡인력

$$F = \frac{1}{2}\varepsilon \cdot E^2 \cdot A\,[\mathrm{N}]$$

③ 정전 흡인력의 이용

정전 전압계, 정전 집진장치(먼지 등의 작은 입자를 제거하는 장치), 정전기록, 정전도장(자동자 도장)

(7) 콘덴서의 종류

① 가변 콘덴서 : 전극은 고정 전극과 가변 전극으로 되어 있고 가변 전극을 회전하면 전극판의 상대면적이 변하므로 정전 용량이 변함 예 바리콘

② 고정 콘덴서

마일러 콘덴서, 마이카 콘덴서, 세라믹 콘덴서, 전해콘덴서

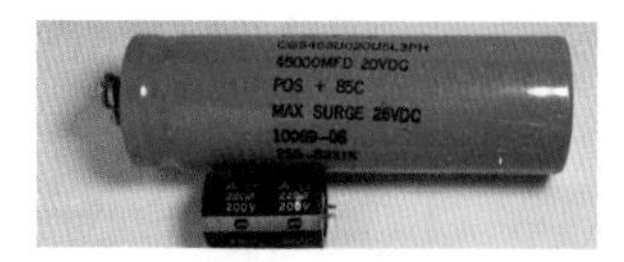

전해콘덴서(직류용)

4. 전계와 자계

1 전기장

✍ 알아두어야 할 내용
1. 전기력선의 성질 2. 전기력의 크기와 전기장(전계)의 세기 3. 전속의 의미와 전속밀도

(1) 전기장과 전기력선
① **전기장 : 전기력이 작용하는 공간**
② **전기력선 : 전기장의 상태를 나타낸 가상의 선**
③ **전기력선의 성질**
㉠ 전기력선의 **접선방향은 그 접점에서의 전기장의 방향**을 가리킨다.
㉡ **전기력선의 밀도는 전기장의 크기**를 나타낸다.
㉢ **도체 표면에서 수직으로 출입**한다.
㉣ **서로 교차하지 않는다.**
㉤ **양(+)전하에서 시작하여 음(−)전하에서 끝난다.**
㉥ **전위가 높은 점에서 낮은 점으로 향한다.**
㉦ **그 자신만으로는 폐곡선이 안된다.**

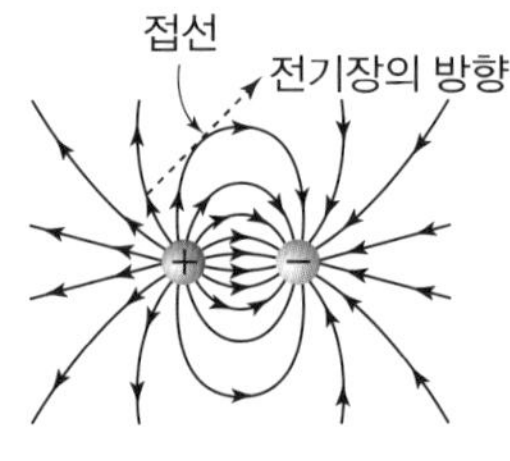

전기력선

(2) 전기장의 세기
① **전기력(쿨롱의 법칙)**
㉠ **두 전하가 있을 때 다른 종류의 전하는 흡인력이 작용하고, 같은 종류의 전하는 반발력이 작용**한다.

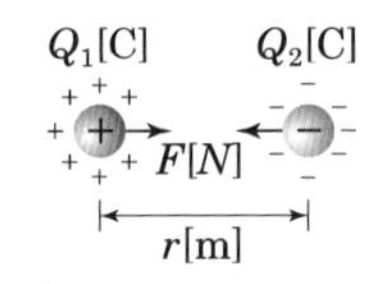

쿨롱의 법칙

㉡ **두 전하 사이에 작용하는 힘은 두 전하 Q_1[C], Q_2[C]의 곱에 비례하고, 두 전하 사이의 거리 r[m]의 제곱에 반비례한다.**

$$F = \frac{1}{4\pi\varepsilon} \cdot \frac{Q_1 Q_2}{r^2} = \frac{1}{4\pi\varepsilon_0\varepsilon_S} \cdot \frac{Q_1 Q_2}{r^2} = K \cdot \frac{Q_1 Q_2}{r^2} [\mathrm{N}]$$

F : 전기력 − 두 전하 사이에 작용하는 힘[N]
K : 비례상수[$K = 1/(4\pi\varepsilon)$, 진공 중의 비례상수 = 9×10^9]
r : 두 전하 사이의 거리[m], Q_1, Q_2 : 전하량[C]
ε : 유전율[F/m] $\varepsilon = \varepsilon_0 \cdot \varepsilon_S$ {ε_0 : 진공의 유전율(= 8.855×10^{-12}[F/m])}

㉢ **비유전율(ε_S) : 물질의 유전율과 진공의 유전율과의 비**
- 진공 중의 비유전율 : $\varepsilon_S = 1$
- 공기 중의 비유전율 : $\varepsilon_S = 1.00059 ≒ 1$

② **전계(전기장)의 세기**

P 점에 놓여진 +1 C의 전하에 작용하는 힘으로 나타낸다.

Q_1[C] Q_2[C]=1[C] P E[V/m] r[m]

$$E = \frac{1}{4\pi\varepsilon} \cdot \frac{Q_1}{r^2} = \frac{1}{4\pi\varepsilon_0\varepsilon_S} \cdot \frac{Q_1}{r^2} = K \cdot \frac{Q_1}{r^2} = \frac{9\times10^9}{\varepsilon_S} \cdot \frac{Q_1}{r^2} [\text{V/m}]$$

전계의 세기

③ **전기력과 전계의 세기의 관계**

$$F = E \cdot Q [\text{N}] [\text{V}\cdot\text{C/m}]$$

전계 : E[V/m or N/C]   전하량 : Q[C]

(3) 전위와 등전위면

① 전위[V] : 임의의 점에서 전압의 값

② 전위차[V] : 임의의 두 점간의 전위의 차

③ **전위의 크기**

$$V = E \cdot r(\text{또는 } \ell) = \frac{1}{4\pi\varepsilon}\frac{Q}{r^2} \cdot r = \frac{1}{4\pi\varepsilon} \cdot \frac{Q}{r} = \frac{1}{4\pi\varepsilon_0\varepsilon_S} \cdot \frac{Q}{r} = \frac{9\times10^9}{\varepsilon_S} \cdot \frac{Q}{r} [\text{V}]$$

예제 03

전기 쌍극자로부터 r만큼 떨어진 점의 전위 크기 V는 r과 어떤 관계인가?

① $V \propto r$ ② $V \propto \frac{1}{r}$ ③ $V \propto \frac{1}{r^2}$ ④ $V \propto \frac{1}{r^3}$

해답 ②

④ **등전위면 : 전기장 중에서 전위가 같은 점을 모두 연결했을 때 나타나는 1개의 면.**

㉠ **전기력선과 직각으로 교차한다.**

㉡ 등전위면의 밀도가 높은 곳에서 전기장의 세기도 크다.

㉢ 전기력선은 전하가 이동하는 방향을 가리키므로 전하는 등전위면에 직각으로 이동한다.

(4) 전속과 유전체

① **전속과 전속밀도**

㉠ **전속(∅ [C]) : 전하에서 나오는 전체의 전기력선의 수**

㉡ **전속 수 : Q[C]의 전하를 가진 전하 주위의 매질에 관계없이 Q개의 전기력선이 나온다고 가정함**

∴ ∅ [C] = Q[C]

㉢ **전속 밀도 : 단면을 통과하는 전속의 수**

$$D = \frac{\varnothing}{A} = \frac{Q}{A} = \frac{Q}{4\pi r^2} \,[\text{C/m}^2] \qquad \text{A(구의 면적)} = 4\pi r^2$$

㉣ **전기장의 세기와 전속 밀도 관계**

$$\text{전속밀도는 } D = \frac{Q}{A} \text{ 이고 } \rightarrow \quad E = \frac{Q}{4\pi r^2} \cdot \frac{1}{\varepsilon} = D \cdot \frac{1}{\varepsilon} \qquad \therefore\ D = \varepsilon \cdot E$$

② 유전체 : 도체에 전기가 통하려는 것을 막는 데 사용하는 물체

③ 유전분극 : 유전체가 분극되는 현상

④ 쌍극자 : 유전체 내에서 크기가 같고 극성이 반대인 +q와 −q의 1쌍의 전하를 가지는 원자

⑤ 쌍극자 모멘트

$$M = q \cdot \ell \,[\text{C} \cdot \text{m}]$$

M(쌍극자모멘트), q(전하량[C]), l(쌍극자간의 거리[m])

2 자기장

✍ 알아두어야 할 내용

1. 자석이 있을 때 그 자하에 의한 자기력, 자기장(자계)의 크기 및 자속의 의미와 자속밀도
2. 전류가 흐르면 자석이 있는 것과 마찬가지로 자기장이 생성되는데 그 때 자기장의 방향과 그 자기장 (자계)의 세기

(1) 용어

구 분	정 의	구 분	정 의
자성	쇠를 끌어당기는 성질	자기	자성의 근원
자석	자기를 띄고 있는 물체	자극	자석의 양끝
자하	자석이 가지는 자기량	자기현상	N극은 북쪽, S극은 남쪽을 가리키는 현상
자기력	흡인력, 반발력의 힘	자기장	자기력이 미치는 공간 (자계, 정자장, 자장)
자화	어떤 물체가 자성을 가지게 되는 현상	자기유도	자석에 의해 자화되는 현상
자성체	자석에 의해 자화되는 물체	자속	자기력선의 총수

- **자석의 성질**
  - 철편 및 철가루를 흡인하는 작용은 자석의 양끝에서 가장 강하다.
  - 항상 두 종류의 극성이 있고, 두 자극이 가지는 자기량은 같다.
  - 막대자석의 N(+)극은 북쪽, S(−)극은 남쪽을 가리킨다.

- 같은 극성의 자석은 반발력, 다른 극성은 흡인력이 작용한다.
- 자석을 잘게 부수어도 언제나 N극과 S극이 존재한다.

(2) 자기장과 자기력선

① **자기장 : 자극에 대하여 자력이 작용하는 공간.**

② **자기력선 : 자기장의 크기와 방향을 표시하는 가상의 선**

③ **자기력선의 성질**

㉠ 자석의 N극에서 시작하여 S극에서 끝난다.

㉡ 서로 교차하지 않는다.

㉢ 전기력선과의 성질이 같다.

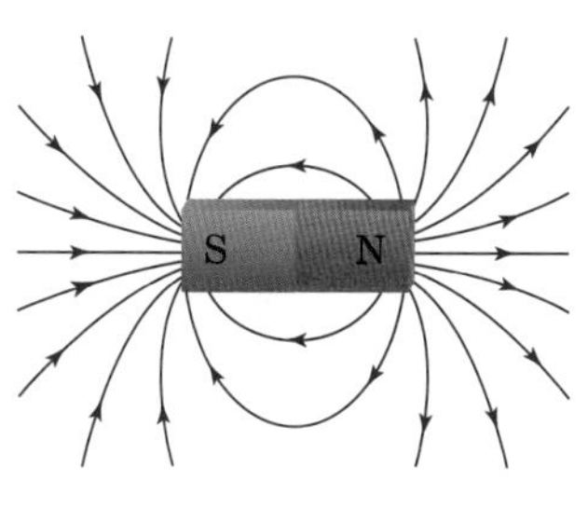

자기력선

(3) 자기장의 세기

① **자극의 세기(m[Wb – 웨버]) : 자극의 자기량의 많고 적음을 나타내는 것**

② **자기력(쿨롱의 법칙)**

㉠ **자기력 : 자석이 철편 등을 끌어당기는 힘. 자기에 작용하는 힘**

㉡ **자기력의 크기는 두 자극의 세기의 곱에 비례하고 자극간의 거리의 제곱에 반비례한다.**

$$F = \frac{1}{4\pi\mu} \cdot \frac{m_1 m_2}{r^2} = \frac{1}{4\pi\mu_0\mu_S} \cdot \frac{m_1 m_2}{r^2} = K \cdot \frac{m_1 m_2}{r^2} [\mathrm{N}]$$

F : 두 자극 사이에 작용하는 힘[N]

K : 비례상수 $K = 1/(4\pi\mu)$, 진공 또는 공기중에서의 $K = 6.33 \times 10^4$

r : 두 자극 사이의 거리[m]

m_1, m_2 : 자하[Wb]

μ_0 : 진공의 투자율($\mu_0 = 4\pi \times 10^{-7}$[H/m : 헨리 퍼 미터])

• 투자율 : 자속이 얼마나 잘 통과하느냐를 의미하는 계수
(투자율이 좋은 물질은 자화가 잘 된다.)

μ_S : 비투자율[단위 없음]

• $\mu_s = \dfrac{\mu}{\mu_o}$ 로서 어떤 물질의 투자율과 진공의 투자율의 비,
진공의 비투자율은 1 공기의 비투자율은 약 1이다.

③ **자계(자기장)의 세기**

자기장 중의 어느 점에 자하(+1[Wb])를 놓고 이 자하에 작용하는 자력의 방향을 그 점에서의 자기장의 방향으로 하고 자력의 크기를 그 점에서의 자기장의 크기로 한다.

$$H = \frac{1}{4\pi\mu} \cdot \frac{m_1}{r^2} = \frac{1}{4\pi\mu_0\mu_S} \cdot \frac{m_1}{r^2} = K \cdot \frac{m_1}{r^2} [\mathrm{AT/m}]$$

H : 자기장의 세기[AT/m : 암페어턴 퍼 미터]

④ 자기력과 자계의 세기와의 관계

$$F = mH[\mathrm{N}]\ [\mathrm{AT \cdot Wb/m}]$$

(4) 자속(∅ [Wb])과 자속밀도

① 자속

㉠ 자극에서 나오는 전체의 자기력선의 수 $N = \dfrac{m(\text{자하})}{\mu(\text{투자율})}$

㉡ m[Wb]의 자하를 가진 자하 주위의 매질에 관계없이 m개의 자기력선이 나온다고 가정 함

② 자속 밀도 : 자속의 방향에 수직 단위면적 1[m²]를 통과하는 자속 수

$$B = \frac{\varnothing}{A} = \frac{m}{A} = \frac{m}{4\pi r^2}\ [\mathrm{Wb/m^2}]$$

③ 자속 밀도와 자기장

자속밀도는 $B = \dfrac{m}{A}$ 이고

구에서의 자계의 세기는 $H = \dfrac{m}{4\pi r^2} \cdot \dfrac{1}{\mu} = B \cdot \dfrac{1}{\mu}$

$$B = \mu \cdot H$$

(5) 자기유도

① 자기 유도

자석의 N극을 철편에 가까이 하면 철편의 자극 가까운 곳에는 S극, 먼 쪽에는 N극이 나타나서 자석의 N극과 철편의 S극 사이에 쿨롱의 법칙에 따른 자기력이 작용하는 현상

② 자성체의 종류

㉠ **상자성체** : 자석 N극에 S극으로 자화되는 것이며 알루미늄, 백금, 텅스텐

㉡ **반자성체** : 상자성체와 반대인 경우로 N-N, S-S로 자화되며 금, 은, 구리, 아연, 탄소 유황 등이다.

㉢ **강자성체** : 강하게 자화되는 것으로 철, 니켈, 코발트, 망간 등

③ 자화의 세기 : 단위 체적당 자극의 세기

$$\frac{m}{A} = \frac{m \cdot \ell}{A \cdot \ell} = \frac{M}{V}\ [\mathrm{Wb/m^2}]$$

M [Wb/m] : 자기모멘트로서 자석의 세기를 나타냄

ℓ [m] : 자극간의 거리

(6) 전류에 의한 자기장

① 개요

자석이 존재하는 공간에는 자기장이 존재한다. 또한 자석이 없는 공간에서도 자기장이 발생할 수 있는데 이는 도체에 전류가 흐를 때이다.

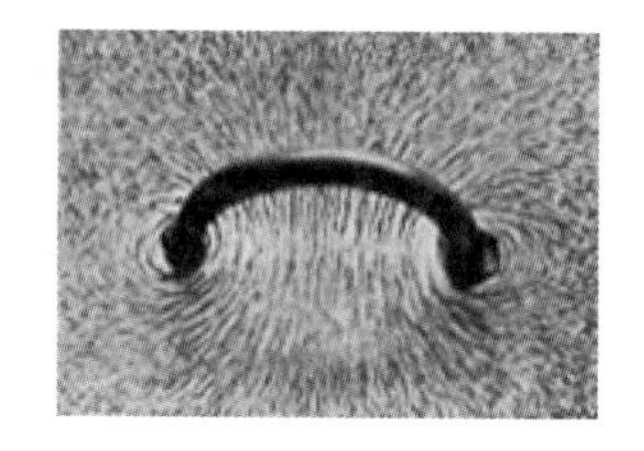

도체에 전류가 흐를 때 자기력선의 모습

② 앙페르의 오른나사의 법칙

㉠ 직선 전류에 의한 자기장의 방향을 결정하는 법칙

전류의 방향	오른나사의 진행방향, 엄지손가락
자기장의 방향	오른나사의 회전방향, 나머지 손가락

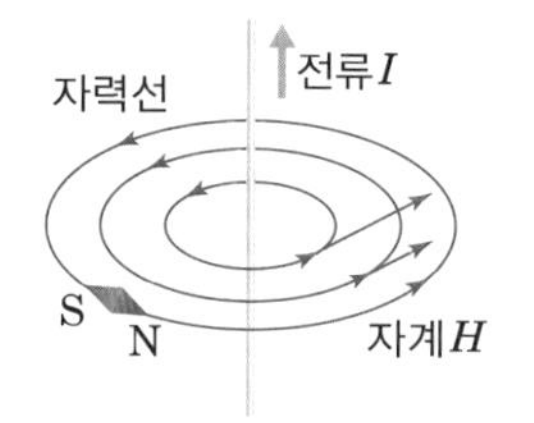

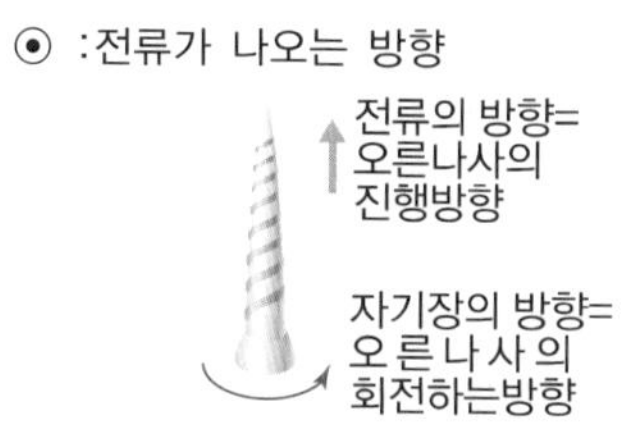

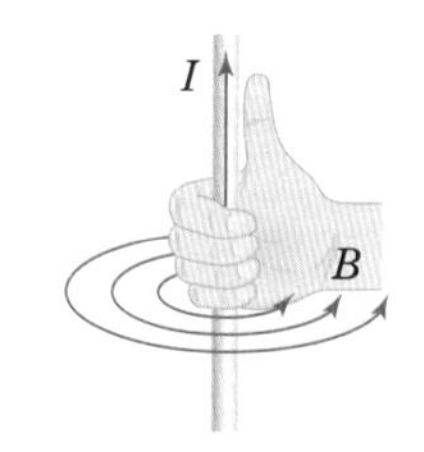

㉡ 코일 전류에 의한 자기장의 방향은 암페어의 오른나사법칙의 반대임(엄지가 자기장 방향)

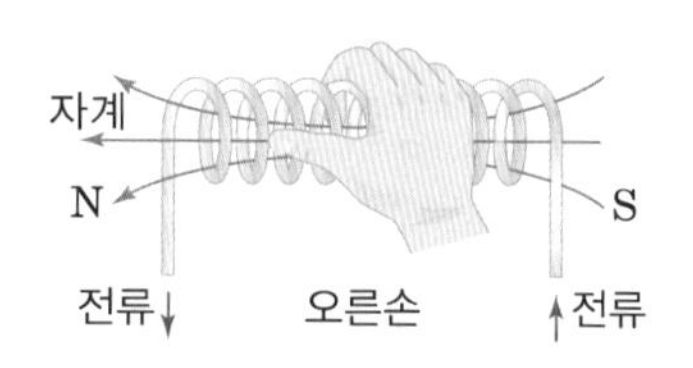

코일에 전류가 흐를 때 자기장의 방향

③ 자기장의 크기

㉠ 암페어의 주회적분법칙

전류가 흐를 때 임의의 폐곡선을 취하면 그 미소거리와 그때의 자기장의 세기의 곱의 모든 합은 전류의 대수합(크기)와 같다.

$\sum H \cdot \ell = N \cdot I\,[\mathrm{AT}]$ 　기자력 $F = N \cdot I\,[\mathrm{AT}]$: 자속을 발생시키는 원동력

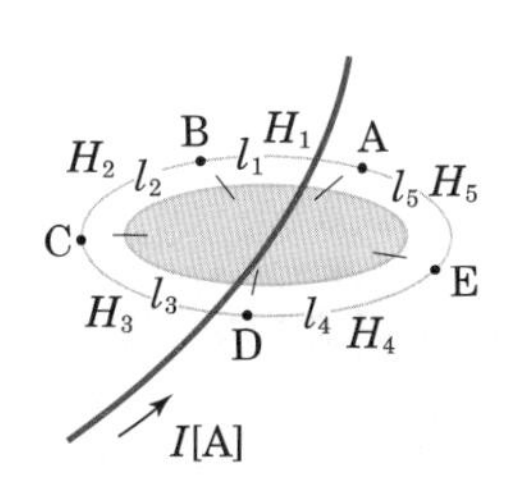

암페어의 주회적분법칙

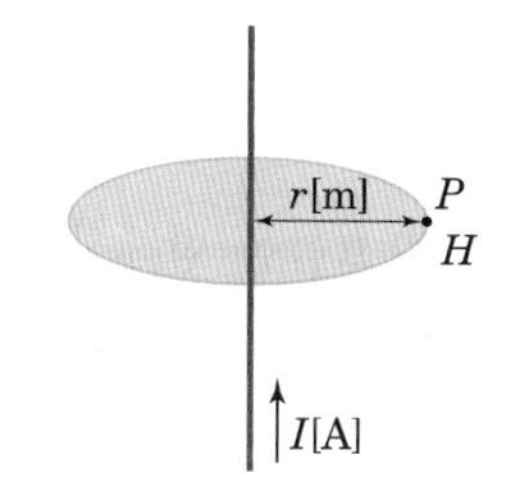

직선 도체에 의한 자기장

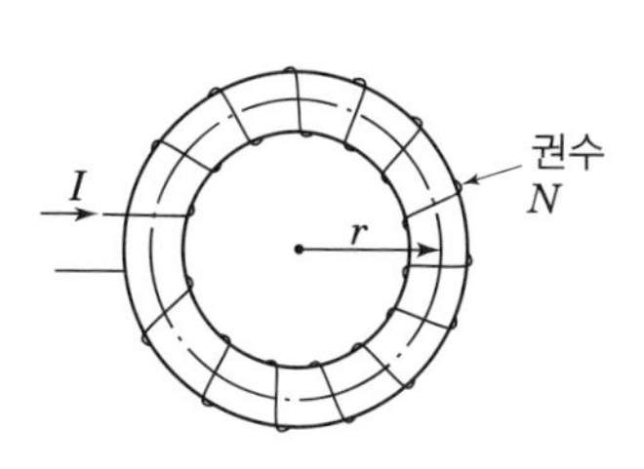

환상 솔레노이드

ⓛ 직선 도체(전류)에 의한 자기장 $H = \frac{N \cdot I}{\ell} = \frac{N \cdot I}{2\pi r}$ [AT/m]

ⓒ 환상 솔레노이드 및 무한장 솔레노이드 내부의 자기장 $H = \frac{N \cdot I}{2\pi r}$ [AT/m]

• 구의 넓이 $4\pi r^2$
• 구의 부피 $\frac{3}{4}\pi r^2$

ⓡ 비오-사바르의 법칙(유한장)
- 전류에 의한 자기장의 세기를 구하는 모든 경우에 적용 가능함
- 도체의 미소부분에 흐르는 전류에 의해 발생되는 자기장과 전류의 크기와의 관계를 나타내는 것

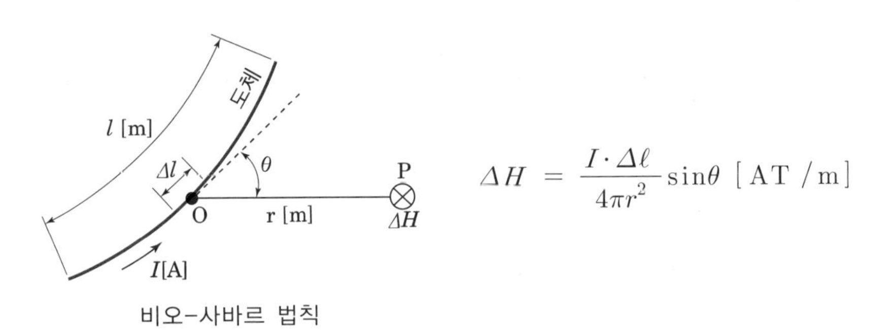

$$\Delta H = \frac{I \cdot \Delta \ell}{4\pi r^2} \sin\theta \text{ [AT/m]}$$

비오-사바르 법칙

(7) 자기회로

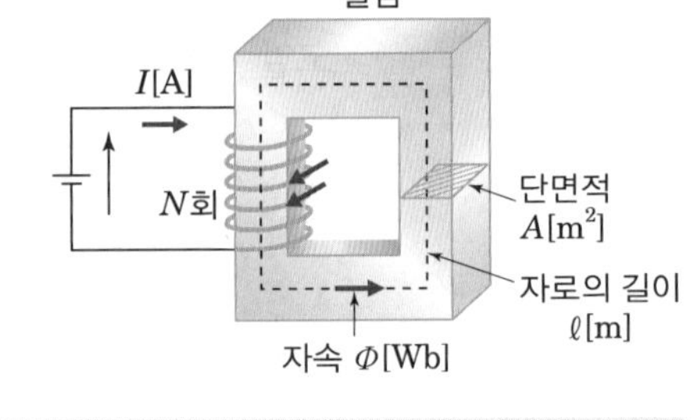

① 정의
자기장에 의한 자속이 통과하는 폐회로를 자기회로라 한다.(점선 : 자기회로)

② 환상 코일에 의한 자기장의 세기

$$H = \frac{\text{기자력}}{\text{자기회로평균길이}} = \frac{N \cdot I}{\ell} \text{ [AT/m]}$$

N : 코일의 권수[N] I : 전류[A] ℓ : 자기회로의 길이[m]

③ 자기회로의 옴의 법칙
자기회로를 통하는 자속 ∅ [Wb]는 NI[AT]에 비례하고 자기저항 R[AT/Wb]에 반비례한다.

$$\varnothing = \frac{N \cdot I}{R} \text{ [Wb]}$$

④ 자기저항
자기회로에서 전류의 흐름을 방해하는 것
자기저항은 투자율과 자기회로 단면적의 곱에 반비례한다.

$$\varnothing = \frac{N \cdot I}{R} \text{ 에서 } R = \frac{N \cdot I}{\varnothing} = \frac{N \cdot I}{BA} = \frac{N \cdot I}{\mu HA} = \frac{N \cdot I}{\mu (N \cdot I/\ell) A} = \frac{\ell}{\mu \cdot A} \text{[Wb]}$$

5. 전자력

✍ 알아두어야 할 내용
자기장이 존재하는 공간에서 다른 자기장이 존재한다면 자석이 두 개 있는 것과 마찬가지로 밀고 당기는 힘이 존재하는데 그 전자력의 크기와 그 힘의 방향을 알아보고 응용되는 기기는 무엇인지 알아보자.

1 전자력

(1) 전자력

자기장 내에 있는 도체에 전류를 흘릴 때 작용하는 힘

(2) 플레밍의 왼손 법칙

① **전자력의 방향을 결정하는 법칙(예 전동기)**

② **엄지 – 힘(F)의 방향, 검지 – 자기장(B)의 방향, 중지 – 전류(I)의 방향**

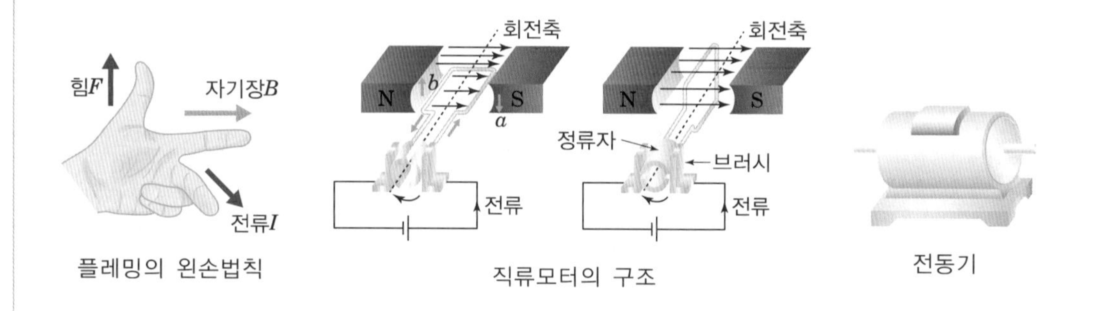

플레밍의 왼손법칙 / 직류모터의 구조 / 전동기

(3) 직류모터의 원리

① 자석의 S극 근처에 있는 도선에 전류와 자기장의 방향을 플레밍의 왼손 법칙에 따라 맞춰보면, 그 도선은 아래쪽(a)으로 힘을 받게 되고 N극 근처의 도선에도 적용해보면 위쪽(b)으로 힘을 받게 된다. 따라서 도선은 회전 운동을 하게 된다.

② 도선이 자기장의 방향과 직각일 때는 브러시와 정류자가 떨어져 전류가 흐르지 않으므로, 관성에 의해 도선은 계속 회전하여 처음과 같이 된다.

③ 다시 전류가 흘러 S극 쪽에서는 아래로, N극 쪽에서는 위로 힘을 받아 도선은 전원이 공급되는 동안 지속적으로 회전하게 된다.

2 전자력의 크기

(1) 자기장의 방향과 도체의 방향에 따른 크기

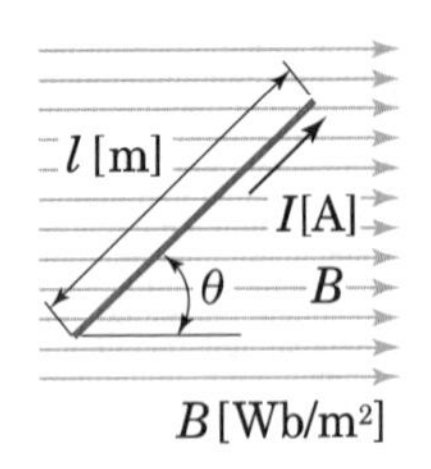

전자력의 크기

$F = B \cdot I \cdot l \cdot \sin\theta[\mathrm{N}]$

도체가 자기장과 직각에서 점점 기울어질수록 $\sin\theta$는 점점 작아지며 θ와 마주보는 변의 길이가 짧아져 힘은 작아진다.

자기장과 도체가 직각인 경우(90°)	직각이 아닌 경우	자기장과 평행인 경우(0°)
$F = B \cdot I \cdot l[\mathrm{N}]$ (sin 90° = 1로서 최대가 된다)	$F = B \cdot I \cdot l \cdot \sin\theta[\mathrm{N}]$	$F = B \cdot I \cdot l \cdot \sin 0°[\mathrm{N}]$ (sin 0° = 0으로 최소)

(2) 평행 도체 사이에 작용하는 힘

✍ 알아두어야 할 내용
두 도체에 전류가 흐르면 각 전류에 의해 자기장이 생기면서 작용하는 힘을 알아보자.

① **흡입력, 반발력**

2개의 도체에 동일한 방향의 전류가 흐르면 흡인력이 형성, 반대 방향의 전류가 흐르면 반발력이 형성

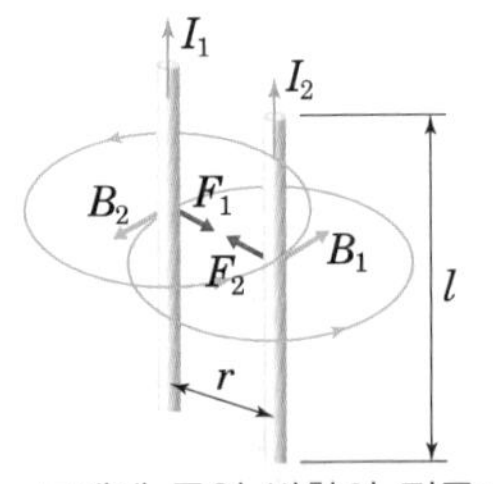

도체에 동일 방향의 전류가 흐를 때 흡인력이 발생

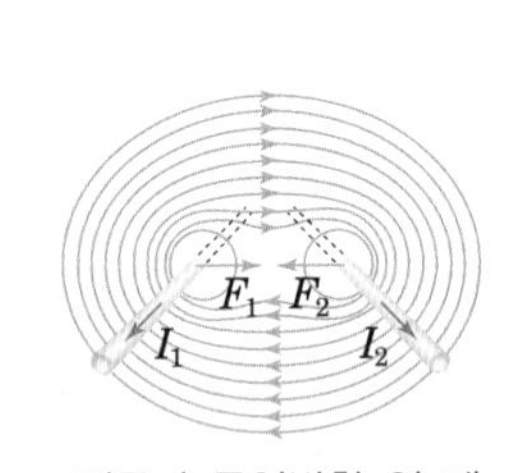

전류가 동일방향 일 때 자기장의 분포

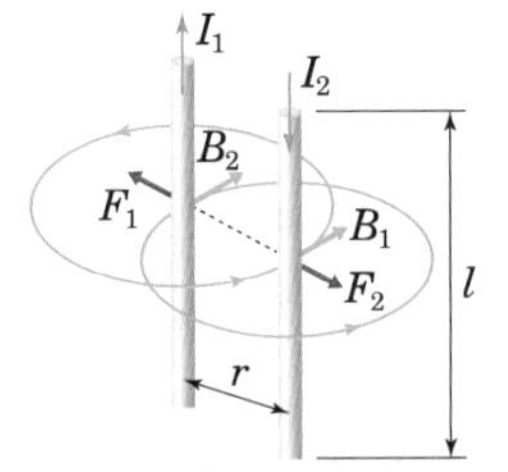

도체에 반대 방향의 전류가 흐를 때 반발력이 발생

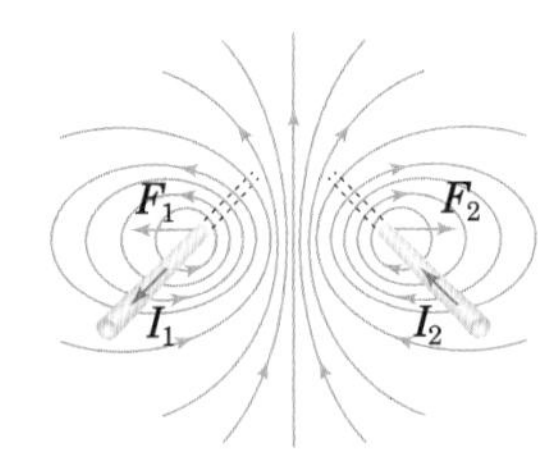

전류가 반대방향 일 때 자기장의 분포

② **힘의 크기**

㉠ 전류 I_1이 흐르는 전선의 전류에 의해 전선 B의 위치에 형성되는 자기장의 세기

$$H = \frac{I_1}{2\pi r}\,[\mathrm{AT/m}]$$

㉡ 전류 I_1이 흐르는 전선의 자속밀도(진공 또는 공기)

$$B = \mu H = 4\pi \times 10^{-7} \cdot H = 4\pi \times 10^{-7} \cdot \frac{I_1}{2\pi r} = 2 \times 10^{-7}\frac{I_1}{r}\,[\mathrm{Wb/m^2}]$$

㉢ **I_2가 흐르는 전선의 1[m]당 작용하는 힘**

$$F = BI_2\ell = 2 \times 10^{-7}\frac{I_1}{r} \cdot I_2 \cdot 1 = \frac{2I_1I_2}{r} \times 10^{-7}[\mathrm{N}]$$

예제 04

일정한 간격을 두고 떨어진 두 개의 긴 평행 도선에 전류가 각각 서로 반대 방향으로 흐를 때 단위 길이당 두 도선간에 작용하는 힘은 어떻게 되는가?

① 두 전류의 곱에 비례하고 도선간의 거리에 반비례하여 반발한다.
② 두 전류의 곱에 비례하고 도선간의 거리에 반비례하여 흡인한다.
③ 두 전류의 곱에 비례하고 도선간의 거리의 2승에 반비례하여 반발한다.
④ 두 전류의 곱에 비례하고 도선간의 거리의 2승에 반비례하여 흡인한다.

해답 ①

$$F = \frac{2I_1I_2}{r} \times 10^{-7}\ \mathrm{N}$$

6. 유도기전력

✍ 알아두어야 할 내용
1. 전류를 흐르게 하는 기전력이 발생하는 원리 3가지를 알아보자.
2. 자속의 변화, 도체의 운동, 전류의 변화에 의해 발생하는 유도기전력의 방향 및 크기는 얼마인지 알아보고 응용하는 기기에 대해 알아보자.

1 자속의 변화에 의한 유도기전력

(1) 전자유도

자석 또는 외부의 영향으로 자속의 변화에 의해 도체에 기전력이 발생하는 현상

(2) 유도기전력 : 전자 유도에 의해 발생된 기전력

(3) 유도기전력의 방향

① **렌츠의 법칙**

자속변화에 의한 유도기전력의 방향 결정

즉, **유도기전력은 자신의 발생 원인이 되는 자속의 변화를 방해하려는 방향으로 발생**

② **유도 기전력의 방향**

유도 기전력은 코일을 지나는 자속이 증가될 때에는 자속을 감소시키는 방향으로 또 감소될 때에는 자속을 증가시키는 방향으로 발생한다.

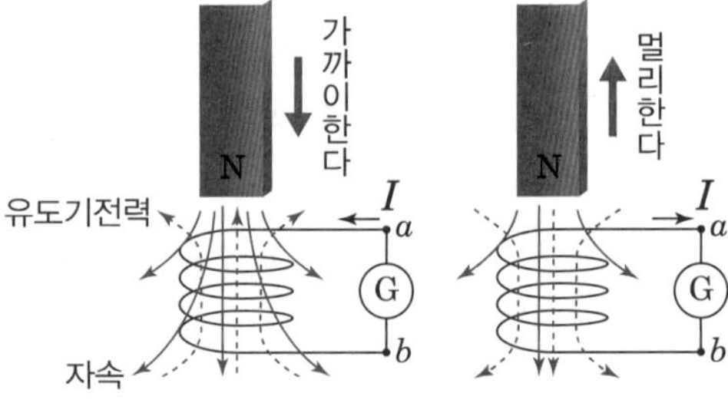

자속변화에 의한 유도기전력

(4) 유도 기전력의 크기

① **패러데이의 전자유도 법칙**

자속 변화에 의한 유도기전력의 크기를 결정하는 법칙

② **유도 기전력의 크기**

$$e = -\frac{N \cdot \Delta \varnothing}{\Delta t} \text{ [V]}$$

e : 유도기전력[V]
N : 코일권수
$\Delta \varnothing$: 자속의 변화량
$N \cdot \Delta \varnothing$: 자교쇄교수[Wb]
Δt : 시간의 변화량[s]
음(−)의 부호 : 유도 기전력이 발생하는 방향

예제 05

자속 변화에 의한 유도기전력의 크기를 구하는 법칙은 무슨 법칙인가?

① 렌츠의 법칙
② 패러데이의 전자유도 법칙
③ 플레밍의 오른손 법칙
④ 암페어의 오른나사 법칙

해답 ②

예제 06

권수가 300회 감긴 원통형 코일에 2분 동안에 자속이 20 Wb가 흘렀다면 유도기전력의 크기는 몇 V인가?

① 50
② 100
③ 3,000
④ 12,000

해답 ①

$$e = -\frac{N \cdot \ \Delta\varnothing}{\Delta t}\ [\mathrm{V}] = \frac{300 \times 20}{2 \times 60\ s} = 50\ \mathrm{V}$$

2 도체 운동에 의한 유도기전력

(1) 유도기전력의 크기

① **자기장 속에서 도선을 움직이면 유도기전력이 발생하고 유도전류가 흐른다.**

② **도체운동에 의한 유도기전력의 크기**

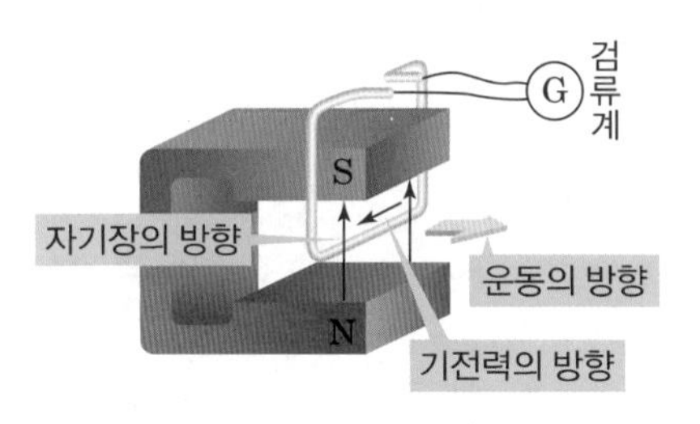

도체운동과 전자유도

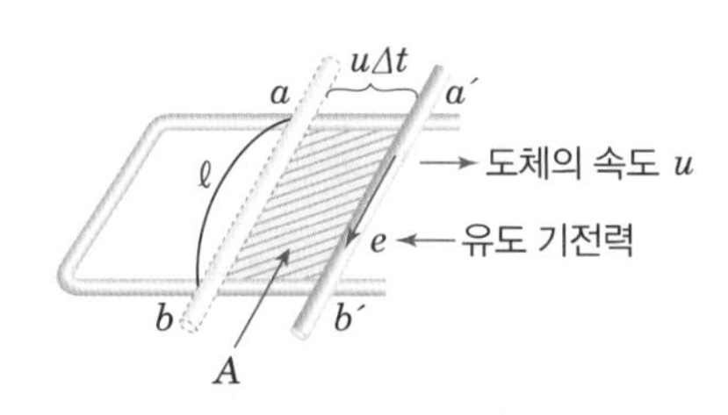

도체가 움직인 면적

$$e = \frac{N \cdot \Delta\varnothing}{\Delta t} = \frac{1 \cdot B \cdot A}{\Delta t} = \frac{B \cdot \ell \cdot u \cdot \Delta t}{\Delta t} = B \cdot u \cdot \ell [\mathrm{Wb/s}] \quad \text{or } [\mathrm{V}]$$

u : 도체의 운동속도[m/s] ℓ : 도체의 길이[m] B : 자속밀도[$\mathrm{Wb/m^2}$]

- A는 면적이므로 가로 × 세로에서 세로는 ℓ이고 가로는 거리(속도 × 시간)개념으로 $u \times \Delta t$ 이다.

(2) 유도기전력의 방향

① **플레밍의 오른손 법칙**

㉠ **도체 운동에 의한 유도 기전력의 방향을 결정하는 법칙(예 : 발전기)**

㉡ **엄지 – 도체의 운동방향, 검지 – 자기장의 방향, 중지 – 유도기전력의 방향**

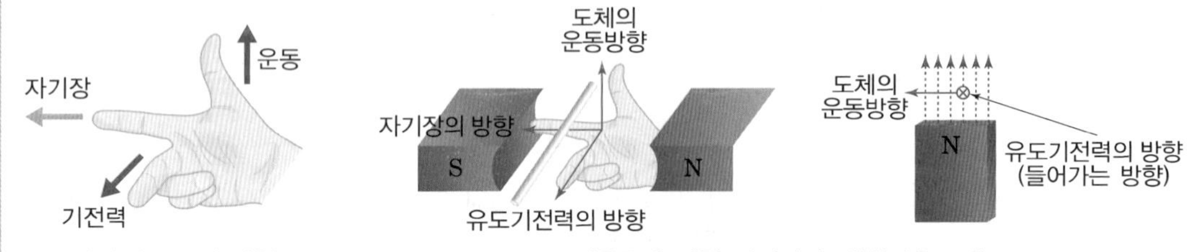

플레밍의 오른손법칙

도체운동에 의한 기전력의 방향(좌측그림)
도체가 좌측으로 운동하므로 기전력은 들어가는 방향이다.(우측그림)

예제 07

도체 운동에 의한 유도 기전력의 방향을 결정하는 법칙은?

① 렌츠의 법칙
② 패러데이의 전자유도 법칙
③ 플레밍의 오른손 법칙
④ 암페어의 오른나사 법칙

3 전류에 의한 유도기전력

(1) 자체 유도

코일에 전류가 흘러 자속이 변하면 전자유도에 의해 자속을 방해하려는 방향으로 유도기전력이 발생하는데 이를 자체유도라 한다.

(2) 코일에 발생되는 유도 기전력의 방향

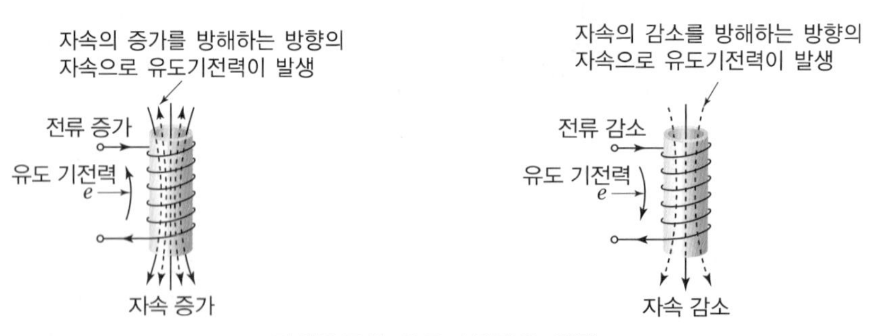

자체유도와 유도기전력의 방향

유도기전력의 방향 : 자체유도에 의해 생기는 기전력은 외부에서 공급해 준 전류의 변화를 방해하는 방향으로 생기며 이 때문에 역기전력이라 한다.

(3) 유도기전력의 크기

① 유도기전력의 크기 $e \propto \frac{\Delta I}{\Delta t}$ 이며 코일의 고유능력인 인덕턴스에 따라 크기가 다르므로

$$e = -L\frac{\Delta I}{\Delta t}[\mathrm{V}]$$

② 인덕턴스 : L[H]

자속 쇄교수의 변화는 전류의 변화에 비례하는데 이것이 같기 위해서는 비례상수 L 이 필요하다. 이를 자체 인덕턴스라고 하고 코일의 자체 유도능력의 정도를 나타내는 코일 고유의 값이다.

$e = -\frac{N\cdot\Delta\varnothing}{\Delta t} = -L\cdot\frac{\Delta I}{\Delta t}[\mathrm{V}]$ 이므로 인덕턴스 $L = \frac{N\cdot\varnothing}{I}$[H] 가 된다.

예제 08

인덕턴스가 3 mH이고 권수가 100회 감긴 코일에 전류가 1초 동안에 2 A가 흐르면 발생하는 유도기전력의 크기는?

① 2×10^{-3} V　② 3×10^{-3} V

③ 4×10^{-3} V　④ 6×10^{-3} V

해답 ④

$e = L\cdot\frac{\Delta I}{\Delta t}[\mathrm{V}] = 3\times10^{-3}\,\mathrm{H}\times\frac{2\,\mathrm{A}}{1\,\mathrm{s}} = 6\times10^{-3}\,\mathrm{V}$

Point

유도기전력

발생원인	크기	유도기전력의 방향	비고
도체의 운동	$e = B\cdot\ell\cdot u$[V]	플레밍의 오른손 법칙	유도 기전력의 방향을 결정하는 법칙 (발전기)
자속	$e = -\frac{N\cdot\ \Delta\varnothing}{\Delta t}$ [V] 패러데이의 전자유도 법칙	렌쯔의 법칙	-
전류	$e = -L\cdot\frac{\Delta I}{\Delta t}$[V]	〃	$L = \frac{N\cdot\varnothing}{I}$ [H]

7. 인덕턴스

✍ 알아두어야 할 내용
1. 선로에 코일이 하나 있을 때의 자체인덕턴스의 크기
2. 코일이 두 개 있을 때 상호 유도에 의한 상호인덕턴스의 크기
3. 인덕턴스 접속에 따른 합성인덕턴스를 구하여 보자.

1 자체 인덕턴스(L [H])

(1) **코일의 자체 유도 능력 정도를 나타내는 양**
(코일 고유의 성질에 따라 유도기전력이 크기가 달라진다)

(2) L은 비례상수로 코일의 자체 유도계수 또는 자체 인덕턴스라 하고 이것은 코일의 감은 수, 단면적, 길이 및 코일 속에 들어 있는 철심의 종류에 의해서 결정된다.

(3) **L의 단위**는 $e = -L\dfrac{\Delta I}{\Delta t}$[V]의 식에서 $L = e \cdot \Delta t / \Delta I$이므로 [V·s/A, Ω·s]이고 이를 **헨리**[H]라 한다.

2 자체 인덕턴스의 크기

$$L = \frac{N \cdot \varnothing}{I}\ [\mathrm{H}] \qquad \because\ \varnothing = BA = \mu HA = \frac{\mu \cdot N \cdot I \cdot A}{\ell}[\mathrm{Wb}]$$

$$L = \frac{\mu \cdot N^2 \cdot A}{\ell} = 4\pi \times 10^{-7} \cdot \frac{N^2 \cdot A}{\ell}[\mathrm{H}]$$

예제 09

N회 감긴 환상 코일의 단면적이 $A[\mathrm{m}^2]$이고 평균길이가 $\ell[\mathrm{m}]$이다. 이 코일의 권수를 반으로 줄이고 인덕턴스를 일정하게 하려면 어떻게 해야 하는가?

① 길이를 1/4 배로 한다.
② 단면적을 2배로 한다.
③ 전류의 세기를 2배로 한다.
④ 전류의 세기를 4배로 한다.

해답 ①

$L = \dfrac{\mu \cdot N^2 \cdot A}{\ell}$ [H] 에서는 단면적을 4배, 길이를 1/4배 해야 한다.

3 상호 인덕턴스

(1) 상호 유도

한쪽 코일에 흐르는 전류의 세기를 변화시킬 때, 가까이 있는 다른 코일에 유도 기전력이 생기는 현상

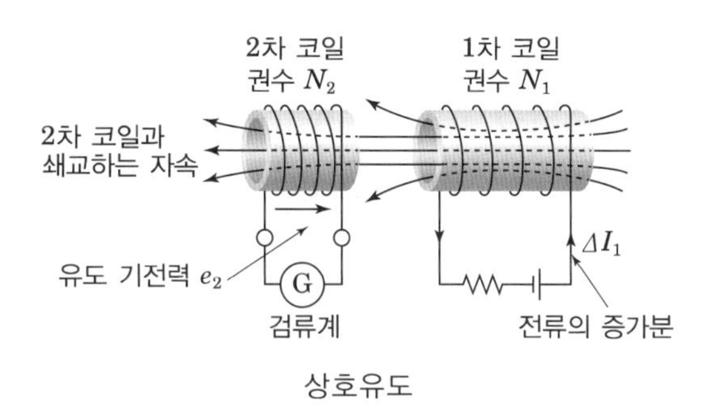

상호유도

(2) 2차 코일에 발생되는 유도기전력

① 2차 코일의 유도기전력은 2차 코일의 자속변화에 비례 하므로 $e_2 = -\dfrac{N_2 \Delta \varnothing_2}{\Delta t}$

② 또한 2차 코일의 유도기전력은 1차 코일에 흐르는 전류에 비례하므로

$$e_2 = -M\frac{\Delta I_1}{\Delta t}$$

여기서 **M은 1차 전류의 시간 변화량과 2차 유도 전압간의 비례상수로서 상호인덕턴스라 하고 단위는 헨리[H]이다.**

(3) 상호 인덕턴스

① 2차 코일의 자속의 변화 $\Delta \varnothing_2$ [Wb]는 1차 코일에서의 전류의 변화량 ΔI_1 [A]에 비례 하므로

$$e_2 = -\frac{N_2 \Delta \varnothing_2}{\Delta t} = -M\frac{\Delta I_1}{\Delta t} \rightarrow N_2 \Delta \varnothing_2 = M \Delta I_1$$

$$\therefore M = \frac{N_2 \Delta \varnothing_2}{\Delta I_1}[\mathrm{H}]$$

② **상호 인덕턴스**

$$M = \frac{N_2 \cdot \varnothing_2}{I_1} = \frac{N_2 \cdot B \cdot A}{I_1} = \frac{N_2 \cdot \mu \cdot H \cdot A}{I_1} = \frac{N_2 \cdot \mu \cdot \frac{N_1 \cdot I_1}{\ell} \cdot A}{I_1} = \frac{\mu \cdot N_1 \cdot N_2 \cdot A}{\ell}[\mathrm{H}]$$

(4) 자체 인덕턴스와 상호 인덕턴스와의 관계

$$M = \sqrt{L_1 \times L_2}\ [\mathrm{H}]$$

$L_1 = \dfrac{\mu \cdot N_1^2 \cdot A}{\ell}$ [H]	$L_2 = \dfrac{\mu \cdot N_2^2 \cdot A}{\ell}$ [H]	$M = \dfrac{\mu \cdot N_1 \cdot N_2 \cdot A}{\ell}$ [H]

누설자속에 따른 구분		상호인덕턴스
누설 자속이 없는 경우		$M = \sqrt{L_1 \cdot L_2}$ [H]
누설 자속이 있는 경우		$M = K\sqrt{L_1 \cdot L_2}$ [H] K : 코일간의 결합계수

(5) 환상 코일의 상호 인덕턴스

$$M = \frac{N_2 \cdot \varnothing_2}{I_1} = \frac{N_2 \cdot B \cdot A}{I_1} = \frac{N_2 \cdot \mu \cdot H \cdot A}{I_1}$$

$$= \frac{N_2 \cdot \mu \cdot \dfrac{N_1 \cdot I_1}{\ell} \cdot A}{I_1} = \frac{\mu \cdot N_1 \cdot N_2 \cdot A}{\ell} [\mathrm{H}]$$

$$= 4\pi \times 10^{-7} \cdot \frac{N_1 \cdot N_2 \cdot A}{l}\ [\mathrm{H}]$$

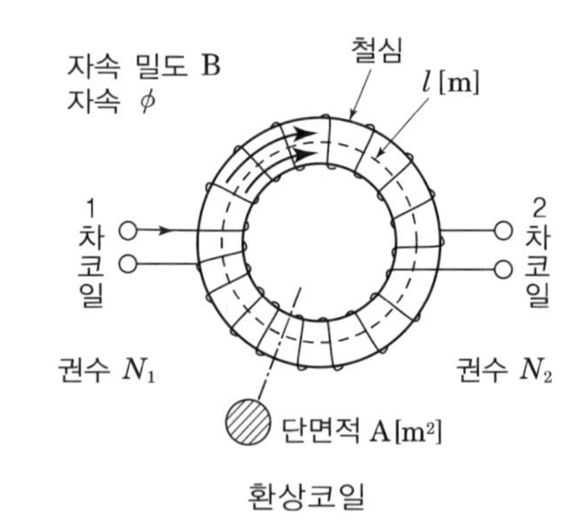

환상코일

(6) 인덕턴스의 접속

① **전자결합이 없는 경우**

$$L = L_1 + L_2\,[\mathrm{H}]$$

② **전자결합이 있는 경우**

㉠ **가동접속 : 1·2차 코일이 만드는 자속의 방향이 정방향이 되는 접속**

㉡ **차동접속 : 1·2차 코일이 만드는 자속의 방향이 역방향이 되는 접속**

구 분	자속의 방향	코일의 모양	전류의 방향을 기준
가동접속 (화동, 결합, 순방향) $L = L_1 + L_2 + 2M[\mathrm{H}]$	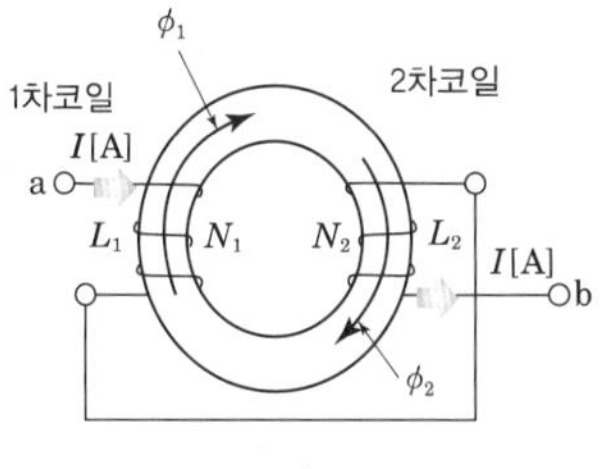 그림 A	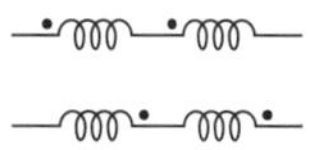	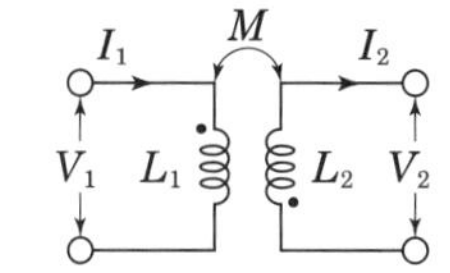 점의 위치가 코일 둘 다 코일 앞쪽 또는 뒤쪽인 경우
차동접속 (역방향) $L = L_1 + L_2 - 2M[\mathrm{H}]$	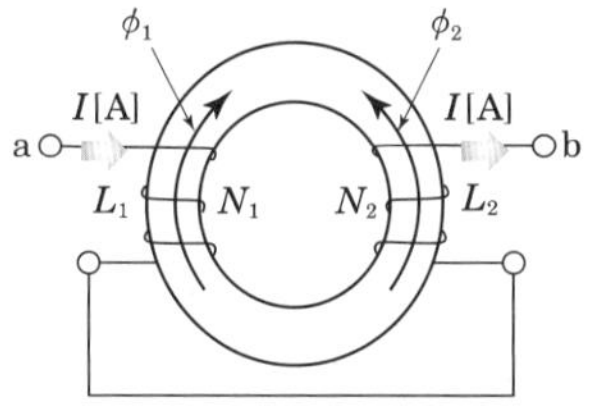 그림 B	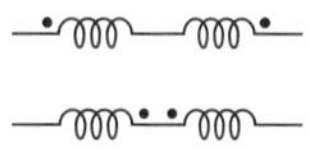	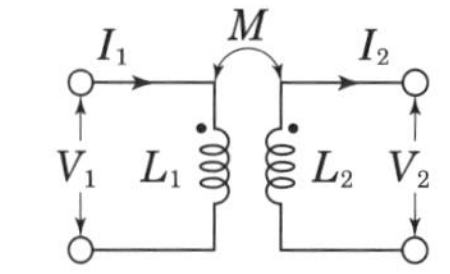 점의 위치가 코일 하나는 앞쪽 하나는 뒤쪽

- 그림 A에서 위(좌측 코일 – 1차측)와 위(우측 코일 – 2차측)로 전류가 흐르면 자속은 암페어 오른나사의 법칙에 의해 정방향으로 자속이 증가 되는 가동결합으로 상호인덕턴스가 + 가 된다.
- 그림 B에서 위(좌측 코일 – 1차측)와 아래(우측 코일 – 2차측)로 전류가 흐르면 자속은 역방향이 되어 상쇄 즉, 자속이 감쇄하는 차동결합으로 상호인덕턴스가 – 가 된다.

예제 10

두 코일의 인덕턴스가 각각 5 mH, 10 mH일 때 합성인덕턴스는 얼마인가? (단, 코일의 접속은 그림과 같고 상호인덕턴스는 10 mH이다.)

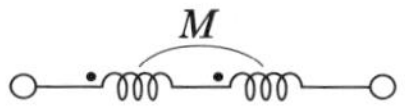

① 5　　② 15
③ 25　　④ 35

해답 ④

코일의 점 방향이 모두 코일의 앞 부분에 표시가 되었으므로 가동접속이다.

$L = L_1 + L_2 + 2M[\mathrm{H}] = 5 + 10 + 2 \times 10 = 35\ \mathrm{mH}$

8. 전자 에너지

✍ 알아두어야 할 내용

1. 인덕턴스에 축적되는 에너지의 크기

1 전자 에너지

(1) 자기 인덕턴스(코일)에 축적되는 에너지를 전자에너지라 한다.
전류와 자속은 비례하므로 축적되는 에너지는 밑줄 부분이 된다.

따라서 $W = \frac{1}{2}\varnothing \cdot I[J]$ 이고 $L = \frac{N\varnothing}{I}$ 에서

N(권수)를 1이라 하면 $\varnothing = LI$ 이므로

$$W = \frac{1}{2}L \cdot I^2[\text{J}]$$

W : 축적에너지 [J], L : 자체 인덕턴스 [H], I : 전류 [A]

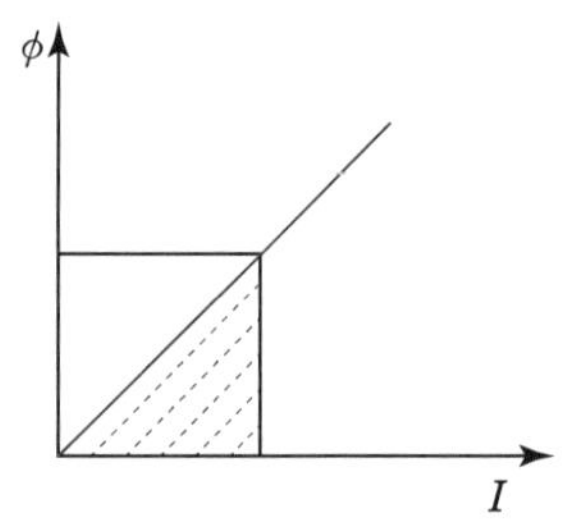

예제 11

코일에 10 A의 전류가 흐를 때 그 코일에 축적되는 에너지는 몇 [J]인가? (단, 코일의 인덕턴스는 30 mH이다.)

① 1.5 ② 3 ③ 25 ④ 35

해답 ①

$W = \frac{1}{2}L \cdot I^2[\text{J}] = \frac{1}{2} \times 30 \times 10^{-3}\,\text{H} \times 10^2\text{A} = 1.5\,\text{J}$

(2) 자기 흡인력(길이당 전자에너지)

① $W = \frac{1}{2} \cdot L \cdot I^2 = \frac{1}{2} \cdot \frac{\mu \cdot N^2 \cdot A}{\ell} \cdot \left(\frac{H \cdot \ell}{N}\right)^2 = \frac{1}{2}\mu \cdot A \cdot H^2 \cdot \ell[\text{J}][\text{N} \cdot \text{m}]$

$\because L = \frac{\mu \cdot N^2 \cdot A}{\ell}$, $H = \frac{NI}{\ell}$ 에서 $I = \frac{H \cdot \ell}{N}$

② 자기흡인력

$$F = \frac{\Delta W}{\Delta \ell} = \frac{1}{2}\mu \cdot A \cdot H^2 = \frac{1}{2} \cdot \frac{B^2}{\mu} \cdot A = \frac{1}{2}H \cdot B \cdot A[\text{N}]$$

(3) 단위 체적당 인덕턴스에 축적되는 에너지

$W = \frac{1}{2}\mu \cdot A \cdot H^2 \cdot l = \frac{1}{2} \cdot \frac{B^2}{\mu} \cdot l \cdot A = \frac{1}{2} H \cdot B \cdot A \cdot l[\mathrm{J}]$이므로

$$W = \frac{1}{2}\mu \cdot H^2 = \frac{1}{2} \cdot \frac{B^2}{\mu} = \frac{1}{2}H \cdot B[\mathrm{J/m^3}]$$

(4) 자화 곡선과 히스테리시스 곡선

① **자화 곡선(B-H 곡선)** : 자기장 H[AT/m]에 대해 철심 중의 자속 밀도 B[Wb/m²]가 변화되는 상태를 나타내며 H가 어느 이상 일정 되면 B는 증가하지 않는데 이 곡선을 자화곡선이라 한다.

② **히스테리시스곡선** : 자화되지 않는 철편을 자기장 중에 놓고 자기장의 크기 H를 변화시키면 자속밀도 B가 변화하는데 전원의 투입 후 자기장의 세기는 a이르고 그 자속밀도는 A가 된다. 전원을 OFF하면 자속밀도는 O지점으로 돌아와야 하는데 그렇지 않고 b지점에 머무르게 되는데 이러한 특성 곡선을 히스테리시스곡선이라 한다.

• 전자석 : 철심이 전류에 의해 자화되어 자석화 된 것

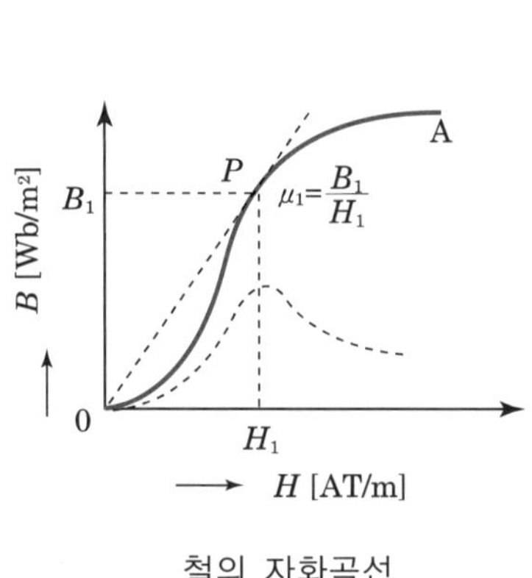

철의 자화곡선

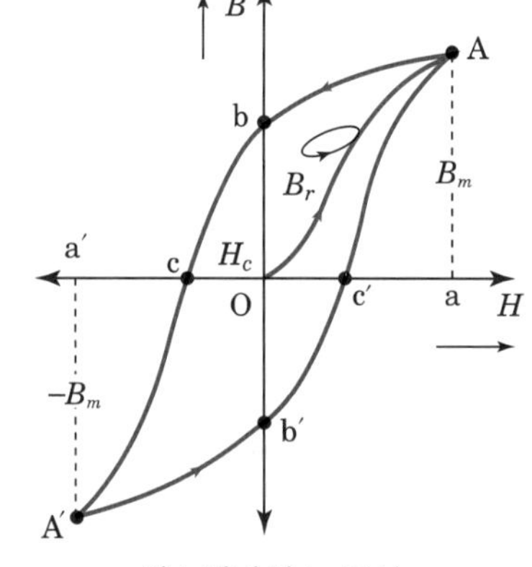

히스테리시스 곡선

B_m : 최대자속밀도, B_r : 잔류자기, H_C : 보자력

예제 12

자화곡선과 히스테리시스 곡선의 X축과 Y축이 나타내는 것은 각각 무엇인가?

① 자속밀도와 자계의 세기
② 자계의 세기와 자속밀도
③ 자속밀도와 보자력
④ 보자력과 자속밀도

해답 ②

실전 예상문제

01 정전용량[F]와 동일한 전기단위는?

① V ② C ③ V/C ④ C/V

전하량 $Q=CV[\text{C}]$, 전압 $V=\frac{Q}{C}[\text{V}]$, 정전용량 $C[\text{F}]=\frac{Q[\text{C}]}{V[\text{V}]}$

02 평행판 콘덴서에서 콘덴서가 큰 정전용량을 얻기 위한 방법이 아닌 것은?

① 극판의 면적을 넓게 한다. ② 극판간의 간격을 좁게 한다.
③ 비유전율이 작은 절연체를 사용한다. ④ 유전율이 큰 절연체를 사용한다.

평행판 콘덴서의 정전용량 $C=\frac{\varepsilon\cdot A}{\ell}[\text{F}]$이므로 콘덴서의 정전용량을 크게 하기 위한 방법은

(1) 극판의 면적(A)를 넓게 (2) 극판의 간격(ℓ)를 좁게 (3) 유전율(ε)을 크게 한다.

(4) 비유전율 $\varepsilon_s=\frac{\varepsilon}{\varepsilon_o}$이므로 $\varepsilon=\varepsilon_o\cdot\varepsilon_s$ ∴ 비유전율이 큰 절연체를 사용한다.

03 정전용량 0.2 μF와 0.2 μF의 콘덴서를 병렬로 접속한 경우 그 합성용량은 몇 μF인가?

① 0.1 ② 0.2 ③ 0.4 ④ 0.8

병렬 접속된 콘센서의 합성 정전용량 $C_0=C_1+C_2+C_3+\cdots+C_n$ 이 되므로

∴ $C=C_1+C_2=0.2+0.2=0.4\,\mu\text{F}$

04 다음 회로에 3 C의 전하를 충전시키려 한다. a, b 사이에 몇 [V]의 전압을 인가해야 하는가?

① 1.5×10^2 V ② 1.5×10^3 V
③ 1.5×10^4 V ④ 1.5×10^5 V

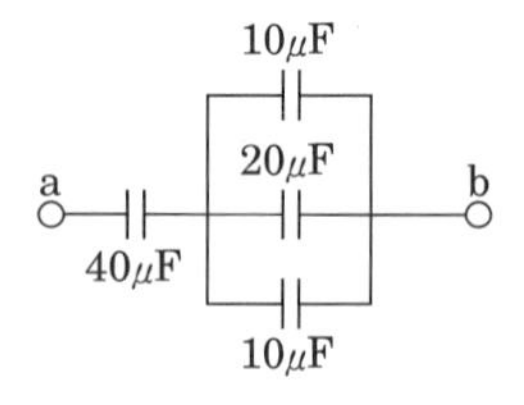

$Q=CV[\text{C}]$, $V=\frac{Q}{C}[\text{V}]$ 에서

회로의 합성 정전용량 $C=\frac{1}{\frac{1}{40}+\frac{1}{10+20+10}}=20\,\mu F$

$V=\frac{Q}{C}=\frac{3\text{C}}{20\times10^{-6}\,\text{F}}=150{,}000=1.5\times10^5\,\text{V}$

01 ④ 02 ③ 03 ③ 04 ④

●●● 05 정전용량이 C[F]인 콘덴서에 V[V]의 전압을 가하여 Q[C]의 전기량을 충전시켰을 때 이에 축적되는 에너지는?

① $\frac{CV}{2}$ ② $\frac{QV}{2}$ ③ $\frac{C^2V}{2}$ ④ $2CV$

정전에너지 $W = \frac{1}{2}QV = \frac{1}{2}CV^2$[J] 이며 단위는 Q[C], V[V], C[F] 임을 알아두자.

●●● 06 정전용량 1.2 μF의 콘덴서를 직류 3 kV로 충전할 때 이것에 축적되는 에너지는 몇 [J]인가?

① 5.4 ② 6.2 ③ 9 ④ 12.4

콘덴서에 축적되는 에너지 $W = \frac{1}{2}CV^2 = \frac{1}{2} \times 1.2 \times 10^{-6} \times (3 \times 10^3)^2 = 5.4$ J

●○○ 07 진공 중에서 크기가 10^{-4} C인 두 개의 같은 점전하가 서로 10 m 떨어져 있을 때 두 전하 사이에 작용하는 힘은 몇 [N]인가?

① 0.9 ② 1.0 ③ 1.2 ④ 1.5

전기장에 관한 쿨롱의 법칙 $F = \frac{1}{4\pi\varepsilon} \times \frac{Q_1Q_2}{r^2} = 9 \times 10^9 \times \frac{Q_1Q_2}{r^2} = 9 \times 10^9 \times \frac{10^{-4} \times 10^{-4}}{10^2} = 0.9$ N

●○○ 08 공기 중에 1.2×10^{-7} C의 (+)전하가 있을 때 이 전하로부터 10 cm의 거리에 있는 점의 전기장의 세기는 몇 [V/m]인가?

① 8.6×10^4 ② 10.8×10^4 ③ 12.8×10^4 ④ 14.2×10^4

해설

- 전계의 세기 $E = \frac{1}{4\pi\varepsilon} \cdot \frac{Q}{r^2} = 9 \times 10^9 \times \frac{Q}{r^2} = 9 \times 10^9 \times \frac{1.2 \times 10^{-7}}{0.1^2} = 10.8 \times 10^4$ V/m
- 진공 또는 공기 중에서 $\frac{1}{4\pi\varepsilon} = 9 \times 10^9$

●○○ 09 진공 중에 1 μC의 전하가 있을 때 이로부터 10 cm 떨어진 점의 전위는 몇 [V] 인가?

① 3×10^5 ② 6×10^4 ③ 9×10^4 ④ 12×10^4

전위의 크기 $V = E \cdot r = \frac{1}{4\pi\varepsilon} \cdot \frac{Q}{r^2} \cdot r = \frac{1}{4\pi\varepsilon} \times \frac{Q}{r} = 9 \times 10^9 \times \frac{1 \times 10^{-6}}{0.1} = 9 \times 10^4$ V

정답 05 ② 06 ① 07 ① 08 ② 09 ③

●○○ **10** **간격이 5 mm, 단면적이 25 mm²인 평형전극에 500 V의 직류전압을 공급할 때 전극 사이의 전계의 세기[V/m]는?**

① 1×10^5 ② 2.5×10^5 ③ 3×10^5 ④ 4.2×10^5

평행극판 사이의 전계의 세기 $E=\dfrac{V}{r}=\dfrac{500}{5\times10^{-3}}=1\times10^5\ \mathrm{V/m}$

●○○ **11** **공기 중에 1.5×10^{-6}C의 점전하로부터 0.5 m 떨어진 점의 전속 밀도는 몇 [C/m²] 인가?**

① 4.8×10^{-7} ② 4.2×10^{-7} ③ 4.8×10^{-5} ④ 4.2×10^{-5}

전속밀도 $D=\dfrac{Q}{4\pi r^2}=\dfrac{1.5\times10^{-6}}{4\pi\times0.5^2}\fallingdotseq 4.8\times10^{-7}\ \mathrm{C/m^2}$

●●● **12** **두 자극간의 거리를 2배로 하면 자극 사이에 작용하는 힘은 몇 배인가?**

① 1 ② 1/2 ③ 1/4 ④ 1/8

해설

자계에 관한 쿨롱의 법칙 $F=\dfrac{1}{4\pi\mu}\cdot\dfrac{m_1m_2}{r^2}$[N]에서 작용하는 힘 F는 거리(r)의 제곱에 반비례 하므로 $\dfrac{1}{4}$[배]가 된다.

●●● **13** **소화설비의 기동장치에 사용하는 전자솔레노이드의 자계의 세기는?**

① 코일의 권수에 비례한다.
② 코일의 권수에 반비례한다.
③ 코일의 권수 제곱근에 비례한다.
④ 코일의 권수 제곱근에 반비례한다.

해설

솔레노이드의 내부 자계의 세기 $H=\dfrac{N\cdot I}{\ell}$[AT/m] ∴ 코일의 권수(N)와 전류의 세기(I)에 비례한다.

정답 10 ① 11 ① 12 ③ 13 ①

●●● **14** **코일에 전류가 흐를 때 생기는 자력의 세기를 설명한 것 중 옳은 것은?**

① 자력의 세기와 전류와는 무관하다.
② 자력의 세기와 전류는 반비례한다.
③ 자력의 세기와 전류는 비례한다.
④ 자력의 세기는 전류의 2승에 비례한다.

자력의 세기(기자력) F = N·I [AT]이므로 자력의 세기(F)는 코일의 권수(N)와 전류(I)에 비례한다.

●○○ **15** **코일의 권수가 1,000회인 환상솔레노이드의 평균길이가 20 cm이며, 단면적이 30 cm²이고, 코일에 흐르는 전류가 1 A일 때 솔레노이드의 내부자속은 몇 [Wb]인가?**

① 1.88×10^{-5} ② 2.62×10^{-5} ③ 1.88×10^{-6} ④ 2.62×10^{-6}

환상솔레노이드의 내부자계의 세기 $H = \frac{N \cdot I}{\ell} = \frac{N \cdot I}{2\pi r}$[AT/m], 자속 밀도 $B = \frac{\varnothing}{A} = \mu H$[Wb/m²]

$\therefore \varnothing = BA = \mu HA = \mu \frac{N \cdot I}{\ell} A = 4\pi \times 10^{-7} \times \frac{1{,}000 \times 1}{0.2} \times 30 \times 10^{-4} = 1.88 \times 10^{-5}$ Wb

●○○ **16** **자속밀도 B[Wb/m²]의 자장 중에 있는 m[Wb]의 자극이 받는 힘은 몇 [N]인가?**

① mB ② $\frac{mB}{\mu_S}$ ③ $\frac{mB}{\mu_0}$ ④ $\frac{mB}{\mu_0 \mu_S}$

자극이 받는 힘 $F = mH[\mathrm{N}] = m\frac{B}{\mu_0 \mu_S}[\mathrm{N}]$

$\because$ 자속밀도 $B = \mu \cdot H = \mu_0 \mu_S \cdot H[\mathrm{Wb/m^2}]$에서 $H = \frac{B}{\mu_0 \mu_S}[\mathrm{AT/m}]$

●●○ **17** **자성체의 종류 중 강자성체가 아닌 것은?**

① 철 ② 니켈 ③ 코발트 ④ 알루미늄

- 상자성체 : 자석 N극에 S극으로 자화되는 것으로 알루미늄, 백금, 텅스텐 등
- 반자성체 : 상자성체와 반대인 경우로 N-N, S-S로 자화 되며 금, 은, 구리, 아연, 탄소 유황 등
- 강자성체 : 강하게 자화되는 것으로 철, 니켈, 코발트, 망간 등

정답 14 ③ 15 ① 16 ④ 17 ④

●●● 18 전류에 의한 자계의 방향을 결정하는 법칙은?

① 렌쯔의 법칙
② 비오사바르의 법칙
③ 암페어의 오른나사법칙
④ 플레밍의 오른손법칙

(1) 렌쯔의 법칙 : 유도 기전력의 방향은 자속의 변화를 방해하려는 방향으로 발생하는 법칙
(2) 비오사바르 법칙 : 직선도체에 전류가 흐를 때 어느 지점에서의 자계의 세기를 나타내는 법칙
(3) 암페어의 오른나사 법칙 : 전류의 진행 방향에 대한 자기장의 회전방향을 결정하는 법칙
(4) 플레밍의 오른손법칙 : 자계중의 도체가 운동을 했을 때 유도 기전력의 방향이 결정을 결정하는 법칙

●●● 19 코일에 흐르는 전류와 코일 권선수와 기자력에 관한 관계를 설명한 것으로 가장 적당한 것은?

① 기자력의 세기는 전류와 권선수에 비례한다.
② 기자력의 세기는 전류에 비례하고 권선수에 반비례한다.
③ 기자력의 세기는 전류의 제곱에 비례한다.
④ 기자력의 세기는 권선수의 제곱과 전류에 비례한다.

기자력(자력의 강도) F = NI [AT] 이므로 기자력(자력의 강도)은 코일의 권회수(N)와 전류(I)에 비례한다.

●●● 20 환상철심에 코일을 감고 이 코일에 2 A의 전류를 흘리면 1,000 AT의 기자력이 생긴다. 코일의 권수는 몇 회인가?

① 200
② 250
③ 300
④ 500

자력의 세기(기자력) $F = N \cdot I[\mathrm{AT}]$

$\therefore N = \frac{F}{I} = \frac{1,000}{2} = 500$ [회]

●●○ 21 환상 솔레노이드의 평균 길이가 0.4 m이고, 권수가 250회일 때 0.2 A의 전류를 흘리면 자계의 세기는 몇 [AT/m] 인가?

① 50
② 125
③ 150
④ 200

자계의 세기 $H = \frac{N \cdot I}{2\pi r} = \frac{N \cdot I}{\ell} = \frac{250 \times 0.2}{0.4} = 125 \mathrm{~AT/m}$

정답 18 ③ 19 ① 20 ④ 21 ②

22 자기장내에 있는 도선에 전류가 흐를 때 자기장의 방향과 몇 도 각도로 되어 있으면 작용하는 힘이 최대가 되는가?

① 30°　② 45°　③ 60°　④ 90°

작용하는 힘 $F = B\ell I\sin\theta[\text{N}]$ 이 되므로 $\sin\theta = 90°$ 에서 최대가 된다.

23 전자유도상에서 코일에 생기는 유도기전력의 방향을 정의한 법칙은?

① 플레밍의 오른손법칙　② 플레밍의 왼손법칙
③ 렌쯔의 법칙　④ 패러데이의 법칙

렌쯔의 법칙 : 전자유도에 의해 발생하는 유도 기전력의 방향은 자속의 변화를 방해하려는 방향으로 발생하는 법칙
패러데이의 전자유도법칙 : 유도 기전력의 크기를 결정하는 법칙

24 유도작용에 의해 유도기전력이 발생하지 않는 것은?

① 자기유도　② 상호유도　③ 전자유도　④ 자체유도

유도기전력이 발생하는 유도작용은 전자유도, 자체유도, 상호유도이다.
자기유도는 자석의 N극을 철편에 가까이 하면 철편의 자극 가까운 곳에는 S극, 먼 쪽에는 N극이 나타나서 자석의 N극과 철편의 S극 사이에 쿨롱의 법칙에 따른 자기력이 작용하는 현상

25 자체인덕턴스가 4 mH인 두 코일이 있다. 두 코일 사이의 상호인덕턴스가 2 mH라면 결합계수는 얼마가 되겠는가?

① 0.3　② 0.5　③ 0.7　④ 0.9

상호인덕턴스의 결합계수 $K = \dfrac{M}{\sqrt{L_1 L_2}} = \dfrac{2\times10^{-3}}{\sqrt{4\times10^{-3}\times4\times10^{-3}}} = 0.5$

26 100 mH의 코일에 전류가 2초간에 5 A 변화되었다면 유도되는 기전력은 몇 [mV]가 되겠는가?

① 20　② 50　③ 250　④ 500

유도 기전력 $e = -L\dfrac{di}{dt} = 100\times10^{-3}\times\dfrac{5}{2} = 250\times10^{-3}\,\text{V} = 250\,\text{mV}$

정답 22 ④　23 ③　24 ①　25 ②　26 ③

27 자체인덕턴스가 5 mH인 코일에 10 A의 전류가 흐른 경우 축적된 에너지는 몇 [J]인가?

① 0.25 ② 0.5 ③ 0.75 ④ 1

해설

코일에 축적되는 전자에너지 $W=\frac{1}{2}LI^2=\frac{1}{2}\times 5\times 10^{-3}\times 10^2=0.25\text{ J}$

28 다음과 같은 결합회로의 등가 인덕턴스는?

① $L_1+L_2+2M[\text{H}]$

② $L_1+L_2-2M[\text{H}]$

③ $L_1+L_2+M[\text{H}]$

④ $L_1+L_2-M[\text{H}]$

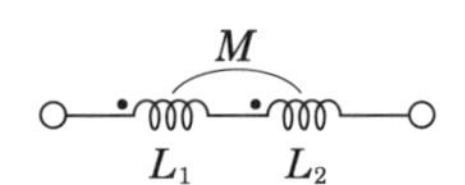

해설

합성인덕턴스

(1) 결합 접속(자속의 방향이 동일) : $L_1+L_2+2M[\text{H}]$ (점의 위치가 코일 앞과 앞, 뒤와 뒤인 경우)

(2) 차동 접속(자속의 방향이 반대) : $L_1+L_2-2M[\text{H}]$ (점의 위치가 코일 앞과 뒤, 뒤와 앞인 경우)

29 회로에서 합성 인덕턴스 값은?

① $L_0=L_1+L_2+2M+L$

② $L_0=L_1+L_2-2M+L$

③ $L_0=L_1+L_2-2M-L$

④ $L_0=L_1-L_2-2M+L$

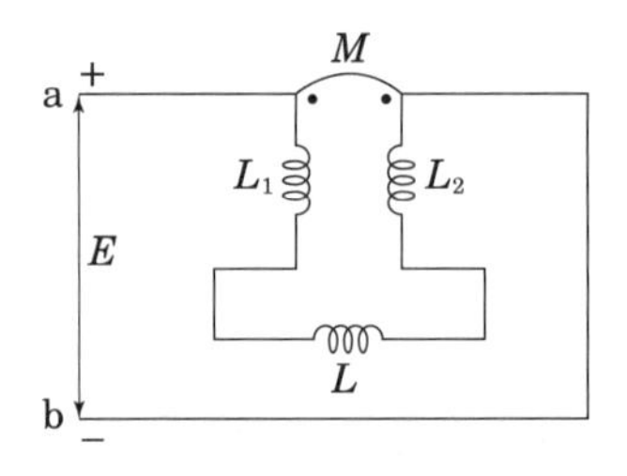

해설

차동접속(코일의 자속 방향이 서로 다른 방향으로 연결, 점의 위치가 L_1은 코일의 앞, L_2는 코일의 뒤)한 합성 인덕턴스 $L_0=L_1+L_2-2M$ 이며 회로 중앙에 L의 인덕턴스가 있으므로 합성 인덕턴스는 $L_0=L_1+L_2-2M+L$이 된다.

30 합성 인덕턴스는? (각 단위는 [H])

① 2 ② 5

③ 10 ④ 20

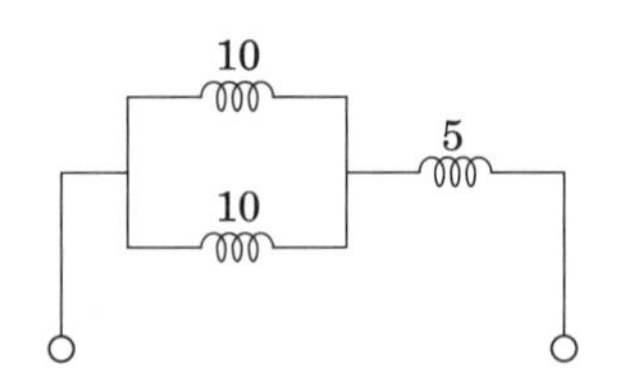

해설

합성 인덕턴스(상호유도는 무시) $L_0=\dfrac{1}{\dfrac{1}{L_1}+\dfrac{1}{L_2}}+L_3=\dfrac{1}{\dfrac{1}{10}+\dfrac{1}{10}}+5=10\text{H}$

정답 27 ① 28 ① 29 ② 30 ③

●●● 31 자기 인덕턴스 50 mH인 코일에 흐르는 전류가 5초 동안에 20 A가 변화했다. 코일에 유기되는 기전력은 몇 [V]인가?

① 0.1 ② 0.2 ③ 0.3 ④ 0.4

코일에 유기되는 기전력 $e = -L\dfrac{di}{dt}$[V] $\therefore e = 50\times10^{-3}\times\dfrac{20}{5} = 0.2$ V

• (−)는 유기기전력의 발생방향

●●● 32 전자유도현상에 의하여 생기는 유도기전력의 크기를 정의하는 법칙은?

① 렌쯔의 법칙 ② 페러데이의 전자유도법칙

③ 앙페에르의 오른 나사법칙 ④ 플레밍의 오른손법칙

문제 18번, 23번 참조

●○○ 33 어느 강철의 자화 곡선을 응용하여 종축을 자속 밀도, 횡축을 자화의 세기라고 하면 다음 중에 투자율 곡선을 가장 잘 나타내고 있는 것은?

①
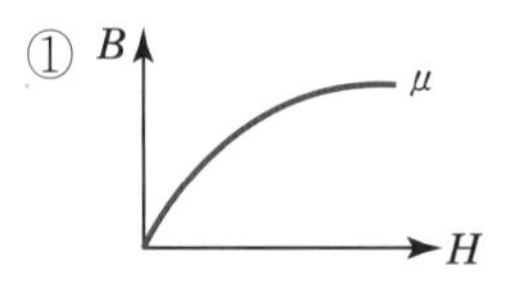

②

③
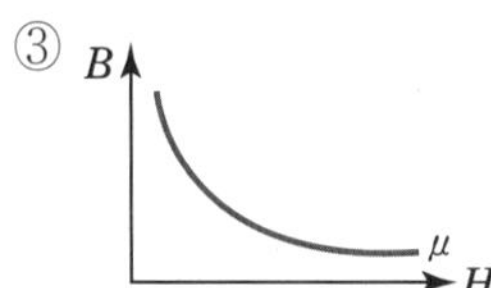

④
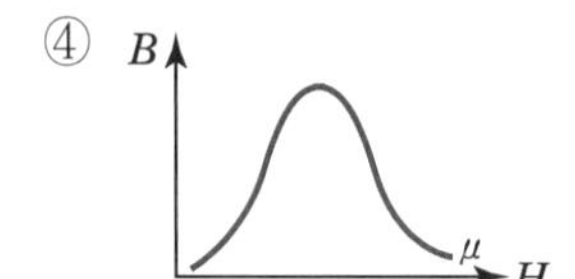

자화(투자율)곡선 또는 B–H 곡선

강철, 철편 등의 자화(어떤 물체가 자성을 가지게 되는 현상)상태를 나타내는 곡선으로 자기장 H[AT/m]에 대해 철심 중의 자속 밀도 B[Wb/m^2]가 변화되는 상태를 나타내며 H가 어느 이상 일정 되면 더 이상 자화되지 않는 즉, B는 증가하지 않는데 이 곡선을 자화곡선이라 한다.

프리액션밸브에는 감압하여 프리액션밸브를 동작하게 하는 솔레노이드밸브가 설치되어 있다. 이 솔레노이드밸브의 동작 원리는 자석 안에 코일이 감겨 있으며 이 코일에 전류가 흐를 경우 코일이 자화되어 자석의 성질을 가지게 되며 두 자석 사이에 밀고 당기는 자기력에 의해 동작되어 가압된 가압수를 감압하게 된다.

정답 31 ② 32 ② 33 ①

9. 교류 회로의 기초

1 교류 회로의 종류

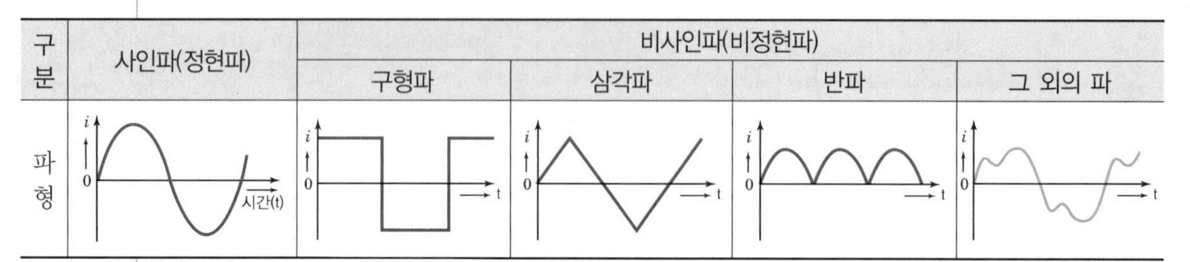

구분	사인파(정현파)	비사인파(비정현파)			
		구형파	삼각파	반파	그 외의 파
파형					

• 파형 : 전압, 전류 등이 시간의 흐름에 따라 변화하는 모양

2 사인파 교류의 표시

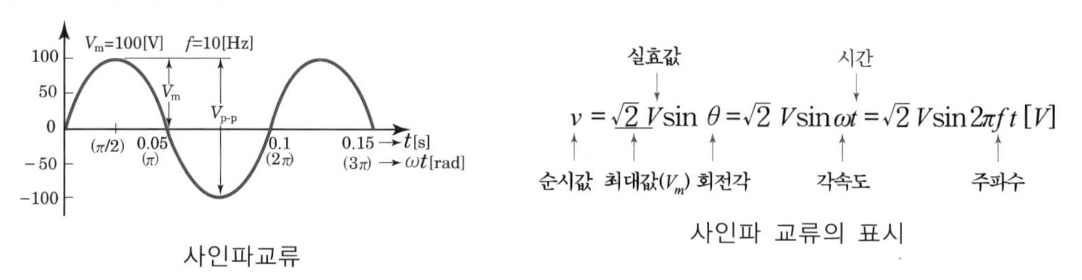

사인파교류

사인파 교류의 표시

(1) 순시값 : v, i (소문자로 표시)

순간 순간 변하는 교류의 임의의 시간에 해당하는 값

$$v(\text{순시값}) = V_m(\text{최대값}) \times \sin\omega t\ [\mathrm{V}]$$

(2) 최대값 : V_m, I_m (m: $maximum$)

순시값 중에서 가장 큰 값

• 피크 – 피크값(Vp–p) : 파형의 양의 최대값과 음의 최대값 사이의 값

(3) 실효값 : V, I (대문자로 표시)

교류의 크기를 교류와 동일한 일을 하는 직류의 크기로 바꿔 나타낸 값

$$I = \sqrt{i^2\text{의 1주기간 평균값}}\ ,\quad I = \frac{I_m}{\sqrt{2}} = 0.707\, I_m\ [\mathrm{A}]$$

(4) 평균값 : V_a, I_a (a: $average$)

교류 순시값의 1주기 동안의 평균을 취하여 교류의 크기를 나타낸 값

$$I_a = \frac{2}{\pi} I_m = 0.637\, I_m\ [\mathrm{A}]$$

(5) 파고율, 파형률

① 파고율 : 파형 평활도를 나타낸다.

$$\text{정현파의 파고율} = \frac{\text{최대값}}{\text{실효값}} = \frac{V_m}{\frac{V_m}{\sqrt{2}}} = \sqrt{2}$$

② 파형률 : 각종 파형의 날카로움의 정도를 나타낸다.

$$\text{정현파의 파형율} = \frac{\text{실효값}}{\text{평균값}} = \frac{\frac{V_m}{\sqrt{2}}}{\frac{2V_m}{\pi}} = \frac{\pi}{2\sqrt{2}} = 1.11$$

Point

구분	구형파	삼각파	반파	정현파				
V_m 최대값	V_m	V_m	V_m	V_m	파고율	$\sqrt{2}$		
V 실효값	V_m	$\frac{V_m}{\sqrt{3}}$	$\frac{V_m}{2}$	$\frac{V_m}{\sqrt{2}}$			파형률	1.11
V_a 평균값	V_m	$\frac{V_m}{2}$	$\frac{V_m}{\pi}$	$\frac{2V_m}{\pi}$				

(6) 회전각

$$\text{회전각 } \theta = \frac{\ell}{r}[\text{rad}]$$

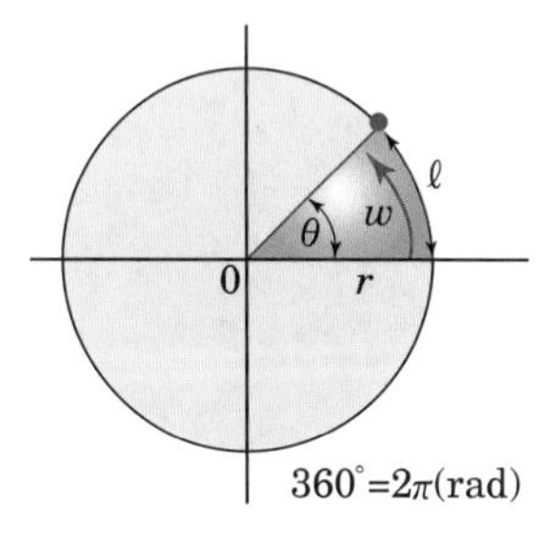

호도법

$\theta = \frac{\ell}{r}[\text{rad}] \rightarrow 180^\circ = \frac{\pi r}{r} = \pi[\text{rad}],\ 360^\circ = \frac{2\pi r}{r} = 2\pi[\text{rad}]$

각도를 라디안[rad]으로 나타내는 것을 호도법이라 한다.

(7) 각속도

회전체가 t초 동안에 회전한 각도(θ)

$$\omega = \frac{\theta}{t}[\text{rad/s}] \quad \therefore\ \theta = \omega \cdot t\ [\text{rad}]$$

(8) 주기와 주파수

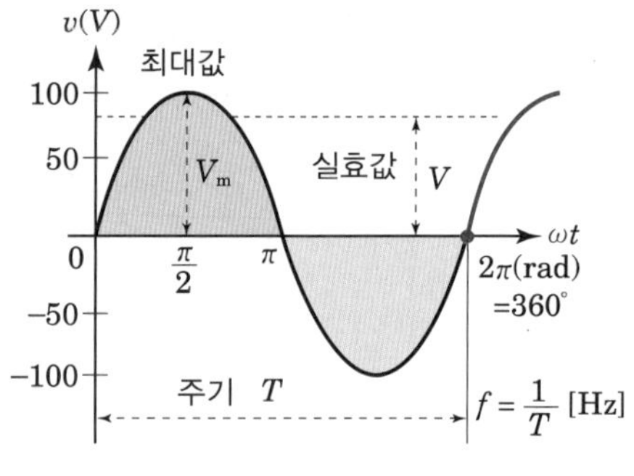

주기와 주파수

① **주기(T) : 1사이클의 변화에 필요한 시간[s]**

② **주파수(f) : 1초 동안에 반복되는 사이클의 수[Hz]**

③ **회전체가 1초 동안에 1회전하면 회전체의 각속도는**

$\omega = \dfrac{\theta}{t} = \dfrac{2\pi}{1} = 2\pi \cdot 1$ [rad/s]이 되고

2번 회전하면 $\omega = \dfrac{4\pi}{1} = 2\pi \cdot 2$

즉, 1초 동안에 2번 회전했다는 것은 주파수가 2라는 말이므로 회전수는 결국 주파수가 된다. $\therefore \ \omega = 2\pi f$ [rad/s]

④ **주기와 각속도의 관계** $\omega = 2\pi f = 2\pi \dfrac{1}{T}$ $\therefore \ T = 2\pi / \omega$ [s]

(9) 위상과 위상차

① **위상**

주파수가 동일한 2개 이상의 교류가 존재할 때 상호간의 시간적인 차이

각속도로 표현 $\theta = \omega \cdot t$[rad]

② **위상차**

2개 이상의 교류 사이에서 발생하는 위상의 차

③ **동상**

동일한 주파수에서 위상차가 없는 경우

(주기가 동일 함을 의미)

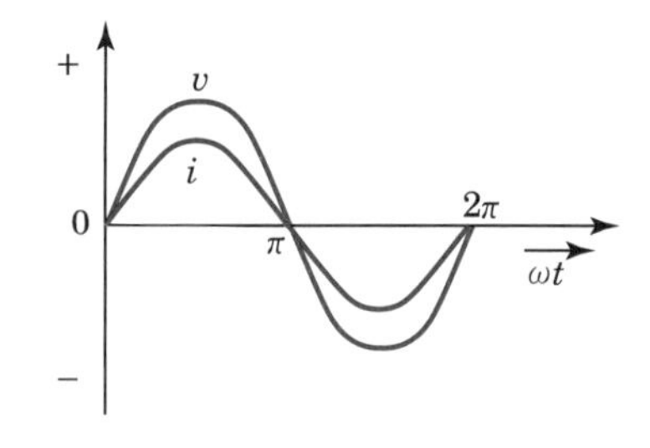

동상(위상차 없음)

④ **위상차와 교류 표시**

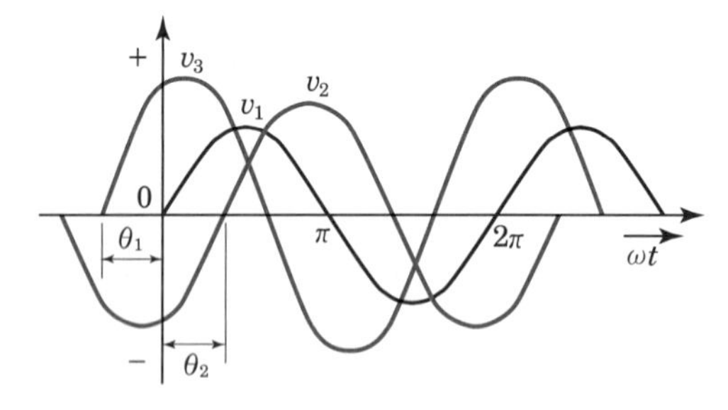

교류의 위상차

기준	뒤진 사인파	앞선 사인파
$v_1 = V_m \sin\omega t$	$v_2 = V_m \sin(\omega t - \theta_2)$	$v_3 = V_m \sin(\omega t + \theta_1)$

3 사인파 교류의 벡터표시

(1) 스칼라와 벡터

① 스칼라 : 길이나 온도 등과 같이 크기라는 하나의 양만으로 표시되는 물리량

② 벡터 : 힘과 속도와 같이 크기와 방향 등으로 2개 이상의 양으로 표시되는 물리량

(2) 사인파 교류의 벡터 표시

① 회전 벡터와 정지 벡터

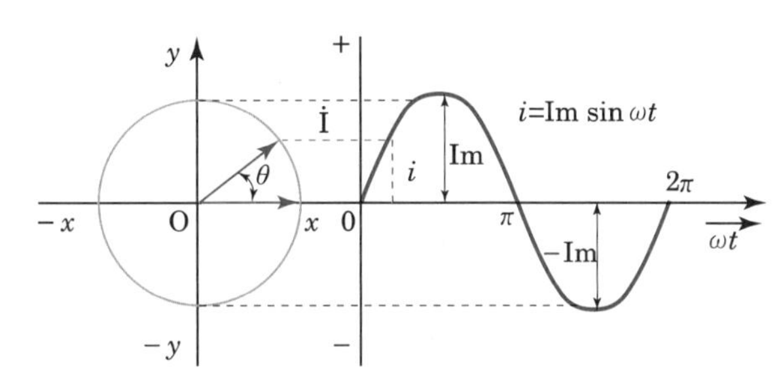

회전벡터와 사인파 교류

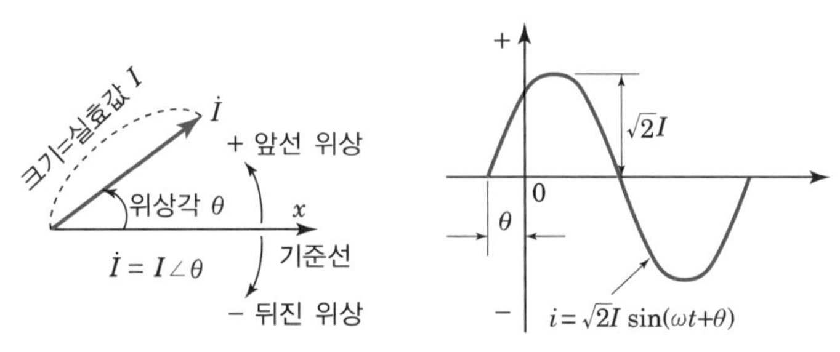

정지벡터와 사인파 교류

② **사인파 교류의 순시값과 벡터 표시**

㉠ **순시값 표시** : $v = \sqrt{2}\, V\sin(\omega t + \theta)$[V]

㉡ **벡터 표시** : $\dot{V} = V\angle\theta$[V]

(V: 크기(실효값), θ: 방향)

- 벡터 표시 : $\dot{V}$ –「V 도트」라고 읽고, 벡터 V라 한다.
- 벡터의 크기 표시는 실효값(V)으로 나타내고 절대값으로 계산한다.

4 사인파 교류 회로의 기호법 표시

기호법 : 사인파 교류를 복소수로 나타내어 교류 회로를 계산하는 방법

(1) 복소수에 의한 벡터 표시

① **복소수**

㉠ **복소수 : $\dot{I} = a + jb$(a는 실수부, b는 허수부)**

㉡ **복소수의 크기를 나타내는 값을 "절대값"이라 하고**

$$\text{절대값} = \sqrt{(\text{실수부})^2 + (\text{허수부})^2}$$

㉢ **허수의 단위는 j로 표시하고 $j = \sqrt{-1}$, $j^2 = -1$로 계산한다.**

㉣ 공액 복소수

- 실수부는 같고, 허수부의 부호만이 다른 2개의 복소수
  서로 공액인 복소수를 곱하면 항상 실수가 됨
  $\dot{I} = a + jb$, $\dot{V}_2 = a - jb$ $\dot{I} \cdot \dot{V} = (a + jb)(a - jb) = a^2 + b^2$

② **복소수에 의한 벡터 표시 및 사인파 교류의 표시**

$$\dot{I} = a + jb = I(\cos\theta + j\sin\theta) = I\angle\theta$$

여기서 I는 절대값(실효값)으로 $I = \sqrt{a^2 + b^2}$, $\theta = \tan^{-1}\dfrac{b}{a}$

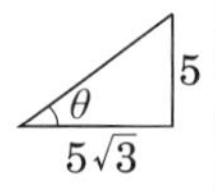

예 $\dot{I} = 5\sqrt{3} + j5 = 10(\cos\dfrac{\pi}{6} + j\sin\dfrac{\pi}{6}) = 10\angle\dfrac{\pi}{6}$ (벡터 표시)

$I = \sqrt{a^2 + b^2} = \sqrt{(5\sqrt{3})^2 + 5^2} = 10$

$\theta = \tan^{-1}\dfrac{b}{a} = \tan^{-1}\dfrac{5}{5\sqrt{3}} = 30°$ $\left(30° \times \dfrac{\pi}{180} = \dfrac{\pi}{6}\right)$

$i = \sqrt{2} \cdot 10 \cdot \sin(\omega t + \dfrac{\pi}{6})$ [A] (사인파 교류의 표시)

(2) 복소수의 계산

복소수의 곱셈	복소수의 나눗셈
$\dot{A} = \dot{A}_1\dot{A}_2 = (A_1\angle\theta_1)(A_2\angle\theta_2) = A_1A_2\angle(\theta_1 + \theta_2)$	$\dot{A} = \dfrac{\dot{A}_1}{\dot{A}_2} = \dfrac{A_1\angle\theta_1}{A_2\angle\theta_2} = \dfrac{A_1}{A_2}\angle(\theta_1 - \theta_2)$

10. 교류 회로에 대한 R L C의 동작

✍ 알아두어야 할 내용

교류회로의 저항 코일과 콘덴서의 연결 방법에 따라 전류, 전압, 임피던스, 위상차, 역률의 관계를 알아보자.

1 회로에 저항만 있는 경우 – R

(1) 저항의 동작

① $v = \sqrt{2}\,V\sin\omega t$ [V]

② $i = \sqrt{2}\,I\sin\omega t$ [A]

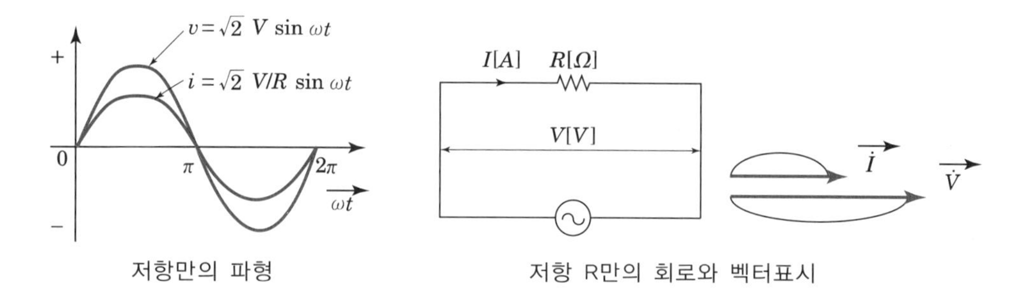

저항만의 파형 　　　　 저항 R만의 회로와 벡터표시

③ **전류와 전압은 동상이다.**

동상이란 전류와 전압의 주기가 동일함을 말하며 동상의 경우 **전류의 최대값과 전압의 최대값의 곱인 전력이 최대가 된다.** 따라서 저항만이 있을 경우 최대한의 전력을 공급할 수 있다. 또한 인덕턴스와 커패시턴스는 전압과 전류가 동상이 아니므로 전력의 크기는 저항만 있을 경우 보다 작다. 즉 인덕턴스와 커패시턴스는 전력을 감소시키는 무효전력에 해당된다.

(2) 전압과 전류의 관계 $I = \dfrac{V}{R}$ [A]

2 회로에 코일(인덕턴스)만 있는 경우 – L

(1) 코일의 동작

① $i = I_m \sin\omega t = \sqrt{2}\, I \sin\omega t\,[\mathrm{A}]$

② 유도기전력 $e = L\dfrac{di}{dt}$ 에서

$$v = L\frac{di}{dt} = L\frac{d(I_m \cdot \sin\omega t)}{dt}$$

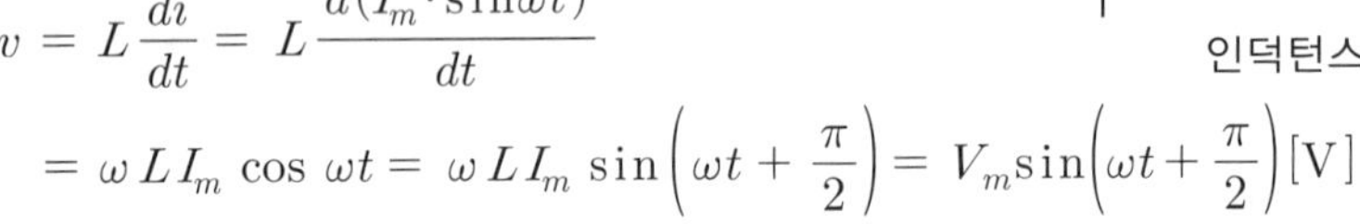

$$= \omega L I_m \cos\omega t = \omega L I_m \sin\left(\omega t + \frac{\pi}{2}\right) = V_m \sin\left(\omega t + \frac{\pi}{2}\right)[\mathrm{V}]$$

인덕턴스 L만의 파형

③ **전류는 전압보다 π/2[rad] 만큼 늦다.**

(2) 전압과 전류의 관계

① $V_m = \omega L I_m \quad \therefore\ V = \omega L I[\mathrm{V}]\ ,\ I = \dfrac{V}{\omega L} = \dfrac{V}{X_L}[\mathrm{A}]$

② **유도 리액턴스** $X_L = \omega L = 2\pi f L[\Omega]$

(3) 유도 리액턴스의 주파수 특성

유도 리액턴스 $X_L[\Omega]$은 자체 인덕턴스 L[H]과 주파수 f[Hz]에 정비례한다.

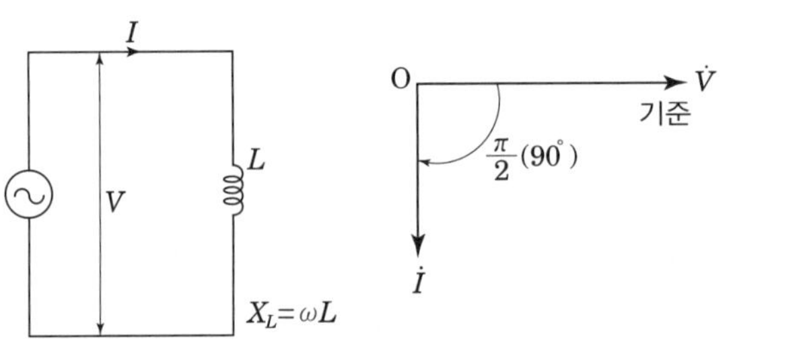

인덕턴스 L만의 회로와 벡터 표시

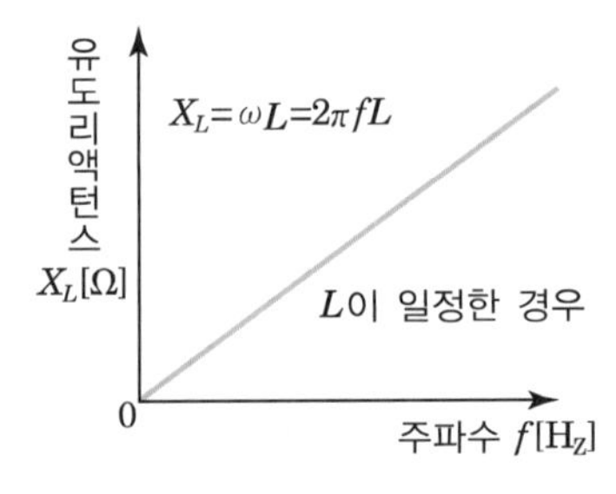

유도리액턴스의 주파수 특성

3 회로에 콘덴서(정전 용량)만 있는 경우 – C

(1) 콘덴서의 동작

① $v = \sqrt{2}\, V \sin\omega t\ [\mathrm{V}]$

② $I = \dfrac{Q}{t} = \dfrac{C \cdot V}{t}$

$$\therefore\ i = C\frac{dv}{dt} = C\frac{d(V_m \sin\omega t)}{dt}$$

$$= \omega C V_m \cos\omega t = \omega C V_m \sin\left(\omega t + \frac{\pi}{2}\right)$$

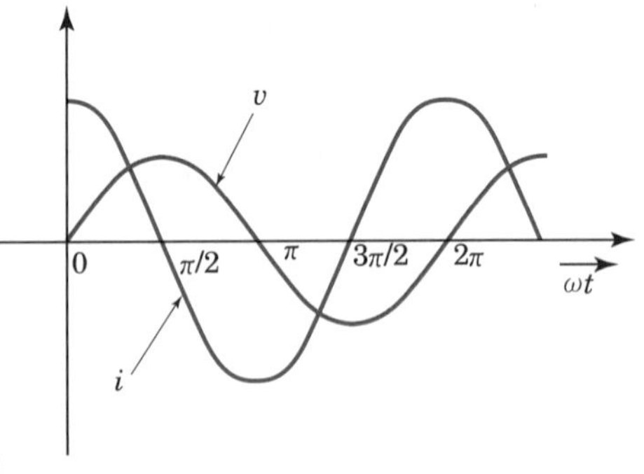

커패시턴스 C만의 파형

③ **전류가 전압보다 π /2[rad] 만큼 빠르다.**

(2) 전압, 전류의 관계

① $I_m = \omega C V_m \quad \therefore \ I = \omega C V\,[\mathrm{A}]$, $V = I \cdot \dfrac{1}{\omega C} = I \cdot X_c$

② 용량 리액턴스

$$X_c = \frac{1}{\omega C} = \frac{1}{2\pi f C}[\Omega]$$

③ 용량 리액턴스의 주파수 특성

용량 리액턴스 $X_C\,[\Omega]$는 정전 용량 C와 주파수 f에 반비례한다.

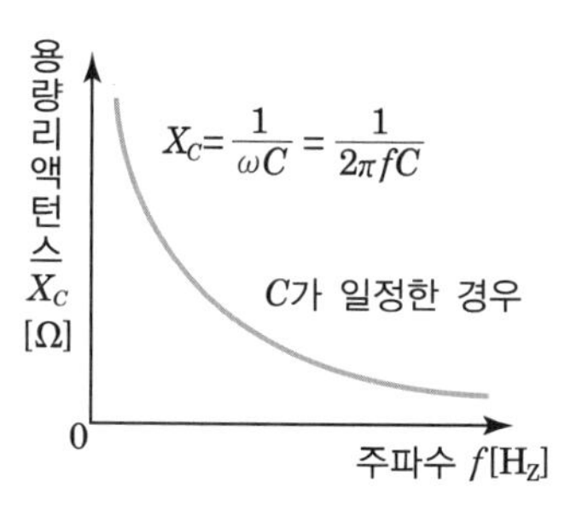

용량 리액턴스의 주파수 특성

Point

R, L, C 회로의 정리

구 분	저항	인덕턴스	커패시턴스
전류	$I = \dfrac{V}{R}\,[\mathrm{A}]$	$I = \dfrac{V}{X_L} = \dfrac{V}{\omega L}$	$I = \dfrac{V}{X_C} = \omega C V\,[\mathrm{A}]$
임피던스 Z	$R\,[\Omega]$	$X_L = \omega L = 2\pi f L\,[\Omega]$	$X_C = \dfrac{1}{\omega C} = \dfrac{1}{2\pi f C}\,[\Omega]$
전류의 순시값	$i = \sqrt{2}\,I \sin\omega t\,[\mathrm{A}]$	$i = \sqrt{2}\,I \sin\omega t\,[\mathrm{A}]$	$i = \omega C V_m \sin(\omega t + \dfrac{\pi}{2})$
전압의 순시값	$v = \sqrt{2}\,V \sin\omega t\,[\mathrm{V}]$	$v = \omega L I_m \sin(\omega t + \dfrac{\pi}{2})$	$v = \sqrt{2}\,V \sin\omega t\,[\mathrm{V}]$
위상차	동상	전압이 전류보다 90° 앞섬	전압이 전류보다 90° 뒤짐

4 R L C의 직렬 회로

(1) R L 직렬 회로

① R 양단 전압 : $V_R = IR$ (V_R 은 전류 I와 동상)

② L 양단 전압 : $V_L = IX_L = I\omega L$ (V_L 은 전류 I 보다 π /2[rad]만큼 앞선 위상)

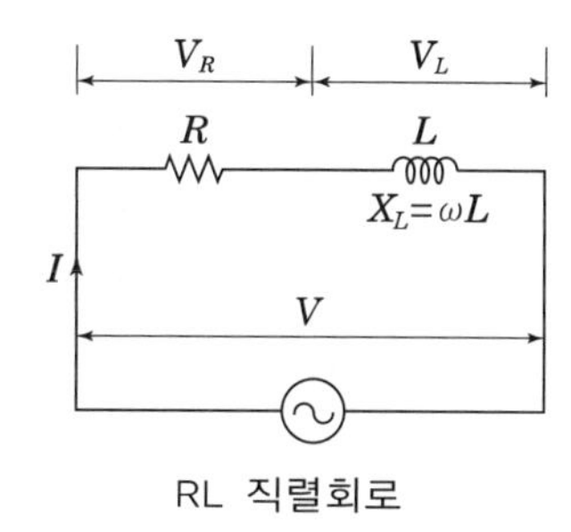

RL 직렬회로

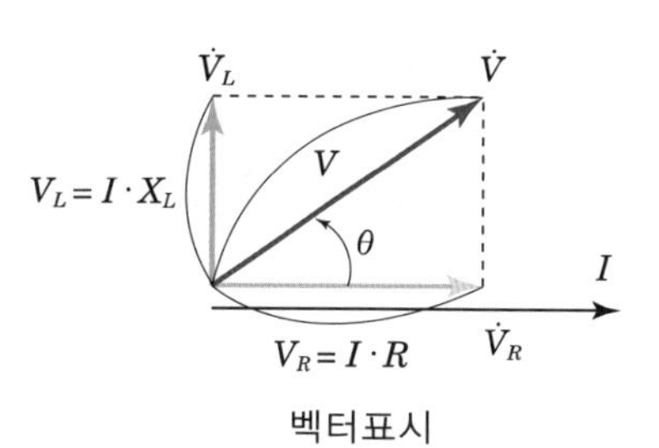

벡터표시

③ 임피던스

교류에서 전류의 흐름을 방해하는 R, L, C의 벡터적인 합

$Z = \sqrt{R^2 + (\omega L)^2}\,[\Omega]$

예제 01

교류회로에 R과 L이 직렬 연결된 경우 임피던스는 몇 [Ω]인가? R은 3 Ω, X_L은 4 Ω이다.

① 5 ② 6 ③ 7 ④ 8

해답 ①

$\dot{Z} = R + jX_L = 3 + j4$ 이므로 $Z = \sqrt{R^2 + X_L{}^2} = \sqrt{3^2 + 4^2} = 5\,\Omega$

④ 전압

직렬회로에서는 전류의 값은 같고 각 소자의 전압의 값이 다르기 때문에 전압을 구하는 문제가 출제된다. 저항 R은 실수고 인덕턴스 L은 허수이기 때문에 벡터 개념과 복소수에 의해 계산해야 한다.

$\dot{V} = V_R + jV_L$

$V = \sqrt{V_R{}^2 + V_L{}^2} = \sqrt{(IR)^2 + (IX_L)^2} = I\sqrt{R^2 + X_L{}^2} = I\sqrt{R^2 + (\omega L)^2}\,[\mathrm{V}]$

⑤ 전류

$I = \dfrac{V}{\sqrt{R^2 + X_L{}^2}} = \dfrac{V}{\sqrt{R^2 + (\omega L)^2}}\,[\mathrm{A}]$

예제 02

직렬로 연결된 저항 4 Ω 과 인덕턴스의 코일에 100 V, 60 Hz의 교류를 가하니 20 A의 전류가 흘렀다. 인덕턴스의 값[mH]은 얼마인가?

① 5 ② 6 ③ 7 ④ 8

해답 ④

$V = I\sqrt{R^2 + X_L{}^2}\,[\mathrm{V}]$ 이므로 $100 = 20\sqrt{4^2 + X_L{}^2}$ $\therefore X_L = 3\,\Omega$

$X_L = \omega L \rightarrow 3 = 2\pi f L = 2\pi \times 60 \times L$ $\therefore L = 7.96 \times 10^{-3}\,\mathrm{H} \fallingdotseq 8\,\mathrm{mH}$

⑥ **위상차**

$$\theta = \tan^{-1}\frac{V_L(\text{허수부전압})}{V_R(\text{실수부 전압})} = \tan^{-1}\frac{IX_L}{IR} = \tan^{-1}\frac{X_L}{R} = \tan^{-1}\frac{\omega L}{R}\,[\text{rad}]$$

전류는 전압보다 θ[rad]만큼 위상이 뒤진다.

예제 03

교류회로에 R과 L이 직렬 연결된 경우 위상차는 어떻게 되는가? (단, R은 5 Ω, X_L은 5 Ω 이다.)

① 전압은 전류보다 $\frac{\pi}{2}$ 앞선다.
② 전압은 전류보다 $\frac{\pi}{4}$ 앞선다.
③ 전압은 전류보다 $\frac{\pi}{2}$ 뒤진다.
④ 전압은 전류보다 $\frac{\pi}{4}$ 뒤진다.

해답 ②

$$\theta = \tan^{-1}\frac{V_L(\text{허수부전압})}{V_R(\text{실수부 전압})}$$

$$= \tan^{-1}\frac{IX_L}{IR} = \tan^{-1}\frac{X_L}{R} = \tan^{-1}\frac{\omega L}{R}\,[\text{rad}] = \tan^{-1}\frac{5}{5} \fallingdotseq 45^\circ$$

$45^\circ \times \frac{\pi}{180^\circ} = \frac{\pi}{4}$ 이고 회로에 L(인덕턴스) 성분이 있기 때문에 전압은 전류보다 $\frac{\pi}{4}$ 앞선다.

⑦ **역률** $\cos\theta = \frac{R}{Z}$

(2) R C 직렬 회로

① R 양단 전압 : $V_R = IR$ (V_R은 전류 I와 동상)

② C 양단 전압 : $V_C = I \cdot X_C = \frac{I}{\omega C}$ (V_C는 I보다 π /2[rad]만큼 뒤진 위상)

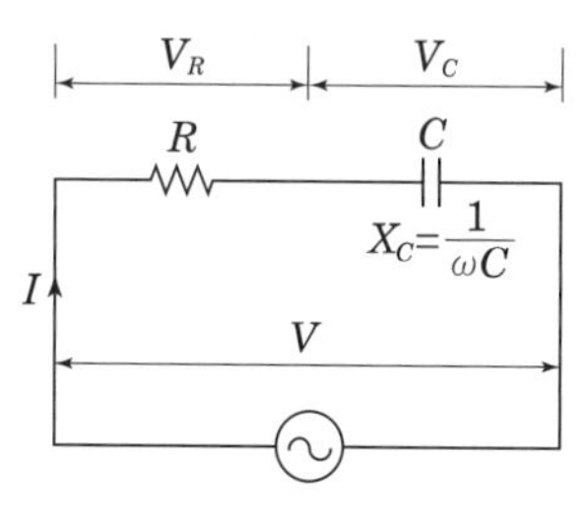

RC 직렬회로

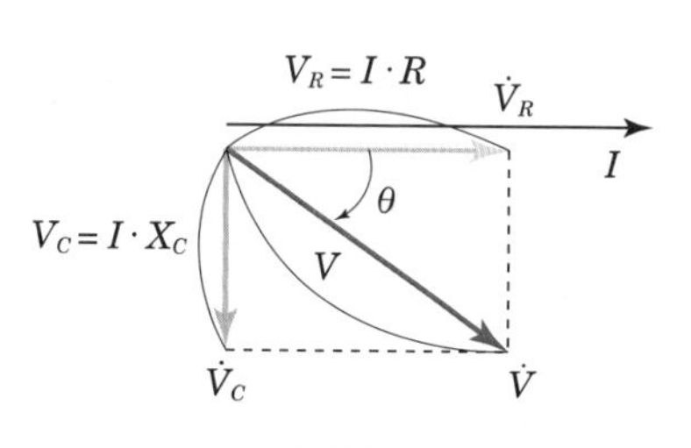

벡터표시

③ **전압**

$$\dot{V} = V_R - jV_C$$

$$V = \sqrt{{V_R}^2 + {V_C}^2} = \sqrt{(IR)^2 + (IX_C)^2} = I\sqrt{R^2 + {X_C}^2} = I\sqrt{R^2 + \left(\frac{1}{\omega C}\right)^2}\ [\mathrm{V}]$$

④ **전류**

$$I = \frac{V}{\sqrt{R^2 + {X_c}^2}} = \frac{V}{\sqrt{R^2 + \left(\frac{1}{\omega C}\right)^2}}\ [\mathrm{A}]$$

⑤ **임피던스** : $Z = \sqrt{R^2 + {X_c}^2} = \sqrt{R^2 + \left(\frac{1}{\omega C}\right)^2}\ [\Omega]$

⑥ **위상차** : $\theta = \tan^{-1}\frac{V_C(\text{허수부전압})}{V_R(\text{실수부 전압})} = \tan^{-1}\frac{X_C}{R} = \tan^{-1}\frac{1}{\omega CR}\ [\mathrm{rad}]$

전류는 전압보다 θ[rad]만큼 위상이 앞선다.

(3) R L C 직렬회로

① R, L, C 양단 전압

㉠ 전체 전압 : $V = V_R + V_L + V_C$ [V]

㉡ R 양단 전압 : $V_R = IR$ (V_R은 전류 I와 동상)

㉢ L 양단 전압 : $V_L = IX_L = I\omega L$ (V_L은 전류 I보다 π /2[rad]만큼 앞선 위상)

㉣ C 양단 전압 : $V_C = IX_C = \frac{I}{\omega C}$ (V_C는 I보다 π /2[rad]만큼 뒤진 위상)

② **RLC 직렬회로의 관계**($\omega L > \frac{1}{\omega C}$ **의 경우)**

허수부에는 인덕턴스와 커패시턴스가 있기 때문에 그 크기가 큰 성분에 영향을 받는다.

㉠ **전압**

$$\dot{V} = V_R + jV_L - jV_C = V_R + j(V_L - V_C)$$

$$V = \sqrt{{V_R}^2 + (V_L - V_C)^2}$$

$$= I\sqrt{R^2 + (X_L - X_C)^2}\ [\mathrm{V}]$$

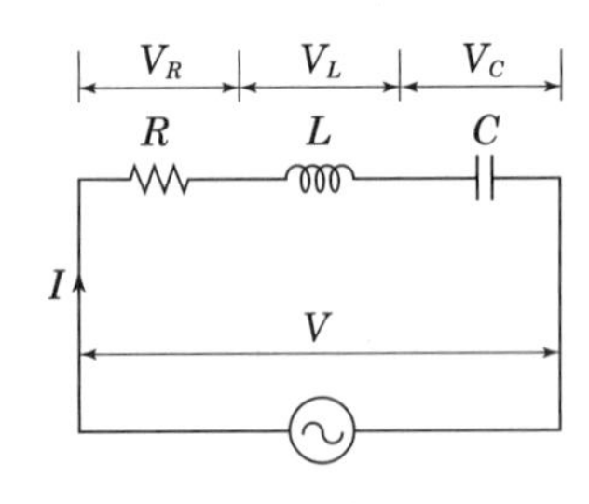

RLC 직렬회로

㉡ **전류**

$$I = \frac{V}{\sqrt{R^2 + (X_L - X_C)^2}}\ [\mathrm{A}]$$

㉢ **임피던스**

$$Z = \sqrt{R^2 + (X_L - X_C)^2}\ [\Omega]$$

㉣ **위상차**

$$\theta = \tan^{-1}\frac{\text{허수부전압}}{\text{실수부전압}} = \tan^{-1}\frac{I(X_L - X_C)}{IR} = \tan^{-1}\frac{X_L - X_C}{R}\ [\text{rad}]$$

③ **임피던스의 유도성과 용량성**

구 분	$\omega L > \frac{1}{\omega C}$ 일 때	$\omega L < \frac{1}{\omega C}$ 일 때	$\omega L = \frac{1}{\omega C}$ 일 때
위 상	전류는 전압에 비해 뒤진 위상(유도성)	전류는 전압에 비해 앞선 위상(용량성)	전류와 전압이 같은 위상(공진)

④ **직렬공진**

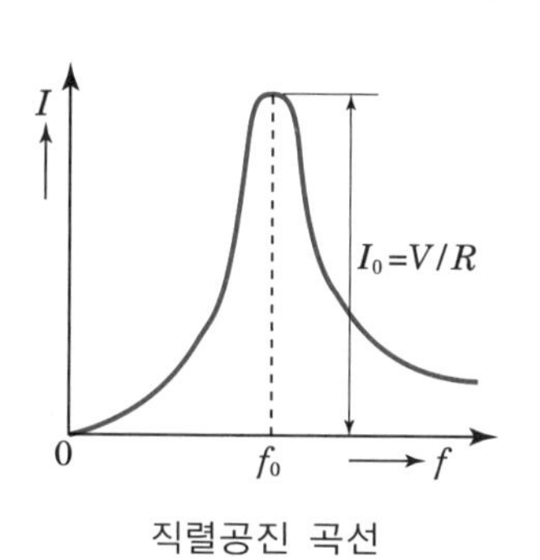

직렬공진 곡선

㉠ **공진 조건 :** $\omega L = \frac{1}{\omega C}$

㉡ **공진 임피던스 : Z = R[Ω]이 되어 임피던스는 최소, 전류는 최대가 된다.**

㉢ 공진시 전류 : $I_o = V/R[\text{A}]$

㉣ **공진 주파수**

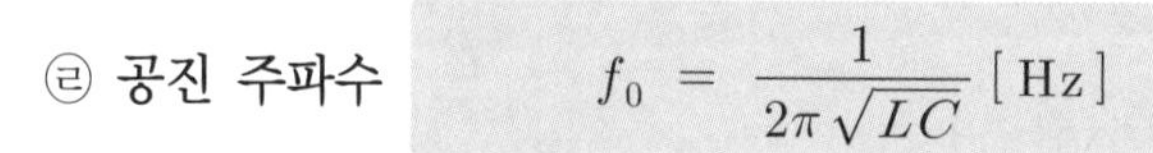

$$f_0 = \frac{1}{2\pi\sqrt{LC}}\ [\text{Hz}]$$

㉤ 공진 곡선 : 공진회로에서 주파수에 대한 전류변화를 나타낸 곡선

㉥ 선택도(전압증폭도)

- 회로에서 원하는 주파수와 원하지 않는 주파수를 분리하는 것
- $L \cdot C$ 양단에 인가전압(E)의 Q배가 증폭된 $Q \cdot E$의 전압이 나타남

$$Q = \frac{1}{R}\sqrt{\frac{L}{C}}$$

(4) L C 직렬회로($\omega L > \frac{1}{\omega C}$ 인 경우)

① **전압**

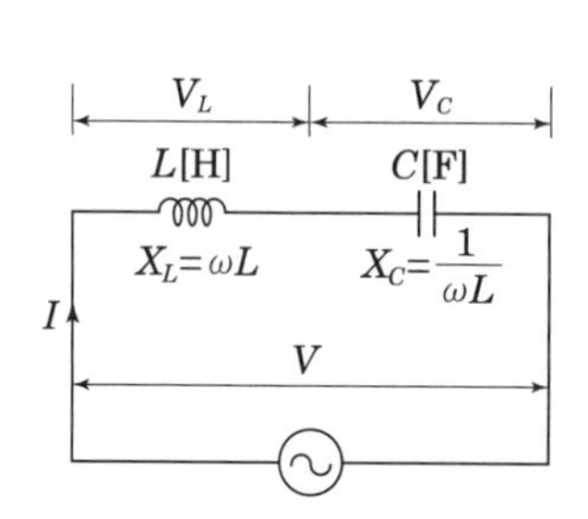

LC 회로의 직렬회로

$$\dot{V} = jV_L - jV_C = j(V_L - V_C)$$

$$V = \sqrt{(V_L - V_C)^2} = V_L - V_C$$

$$= IX_L - IX_C = I\left(\omega L - \frac{1}{\omega C}\right)[\text{V}]$$

② **전류**

$$I = \frac{V}{\left(\omega L - \frac{1}{\omega C}\right)} = \frac{V}{Z}\ [\text{A}]$$

③ 임피던스 $Z = \sqrt{(X_L - X_C)^2}$

5 R L C의 병렬 회로

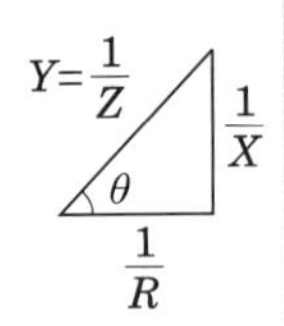

(1) R L 병렬 회로

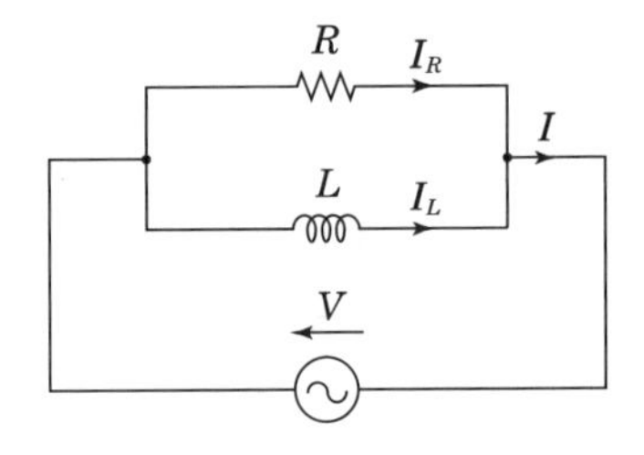

RL 병렬회로

① **전류**

$$\dot{I} = I_R + jI_L$$

$$I = \sqrt{I_R^2 + I_L^2} = \sqrt{\left(\frac{V}{R}\right)^2 + \left(\frac{V}{X_L}\right)^2}$$

$$= V\sqrt{\left(\frac{1}{R}\right)^2 + \left(\frac{1}{X_L}\right)^2}\,[\mathrm{A}]$$

② **임피던스, 어드미턴스**

$$Z = \frac{1}{\sqrt{\left(\frac{1}{R}\right)^2 + \left(\frac{1}{X_L}\right)^2}}\,[\Omega] \qquad Y = \frac{1}{Z} = \sqrt{\left(\frac{1}{R}\right)^2 + \left(\frac{1}{X_L}\right)^2}\,[\Omega^{-1}]$$

③ **위상차** $\theta = \tan^{-1}\frac{I_L(\text{허수부 전류})}{I_R(\text{실수부 전류})} = \tan^{-1}\frac{\frac{V}{X_L}}{\frac{V}{R}} = \tan^{-1}\frac{R}{X_L}\,[\mathrm{rad}]$

④ **역율** $\cos\theta = \frac{G(\text{컨덕턴스})}{Y(\text{어드미턴스})}$

⑤ $\frac{1}{R} = G$(**컨덕턴스**), $\frac{1}{X} = B$ (**서셉턴스**), $\frac{1}{Z} = Y$ (**어드미턴스**)

(2) R C 병렬 회로

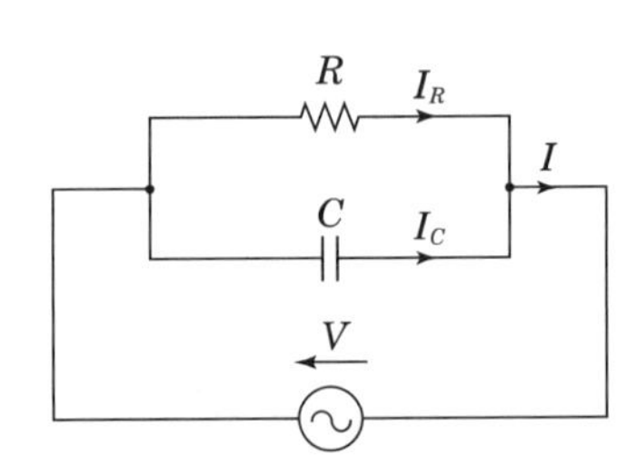

RC 병렬회로

① **전류**

$$\dot{I} = I_R - jI_C$$

$$I = \sqrt{I_R^2 + I_C^2} = V\sqrt{\left(\frac{1}{R}\right)^2 + \left(\frac{1}{X_C}\right)^2}$$

$$= V\sqrt{\left(\frac{1}{R}\right)^2 + (\omega C)^2}\,[A]$$

② **임피던스** $Z = \frac{1}{\sqrt{\left(\frac{1}{R}\right)^2 + (\omega C)^2}}\,[\Omega]$

③ **위상차**

$$\theta = \tan^{-1}\frac{I_C(\text{허수부 전류})}{I_R(\text{실수부 전류})} = \tan^{-1}\frac{\frac{V}{X_C}}{\frac{V}{R}} = \tan^{-1}\frac{R}{X_C} = \tan^{-1}\omega CR\,[\mathrm{rad}]$$

(3) R L C 병렬 회로($\omega L > \frac{1}{\omega C}$ 인 경우)

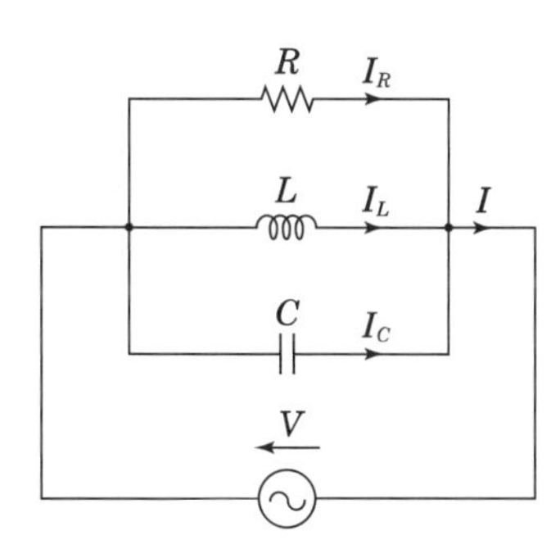

RLC 병렬회로

① **전류**

$$\dot{I} = I_R + jI_L - jI_C = I_R + j(I_L - I_C)$$

$$I = \sqrt{I_R^2 + (I_L - I_C)^2}$$

$$= V\sqrt{\left(\frac{1}{R}\right)^2 + \left(\frac{1}{X_L} - \frac{1}{X_C}\right)^2} \text{ [A]}$$

② **임피던스**

$$Z = \frac{1}{\sqrt{\left(\frac{1}{R}\right)^2 + \left(\frac{1}{X_L} - \frac{1}{X_C}\right)^2}} \ [\Omega]$$

③ **위상차**

$$\theta = \tan^{-1}\frac{\text{허수부 전류}}{\text{실수부 전류}} = \tan^{-1}\frac{\frac{V}{X_L} - \frac{V}{X_C}}{\frac{V}{R}} = \tan^{-1}\left(\frac{1}{X_L} - \frac{1}{X_C}\right)R$$

$$= \tan^{-1}\left(\frac{1}{\omega L} - \omega C\right)R \text{ [rad]}$$

④ **임피던스의 유도성과 용량성**

구 분	$\omega C > \frac{1}{\omega L}$ 일 때	$\omega C < \frac{1}{\omega L}$ 일 때	$\omega C = \frac{1}{\omega L}$ 일 때
위 상	전류는 전압에 비해 앞선 위상(용량성)	전류는 전압에 비해 뒤진 위상(유도성)	전류와 전압이 같은 위상(공진)

⑤ **병렬 공진 회로**

㉠ 공진주파수 : $f_0 = \frac{1}{2\pi\sqrt{LC}}$ [Hz]

㉡ **병렬공진 시 : Z(임피던스)는 최대, I(전류)는 최소**

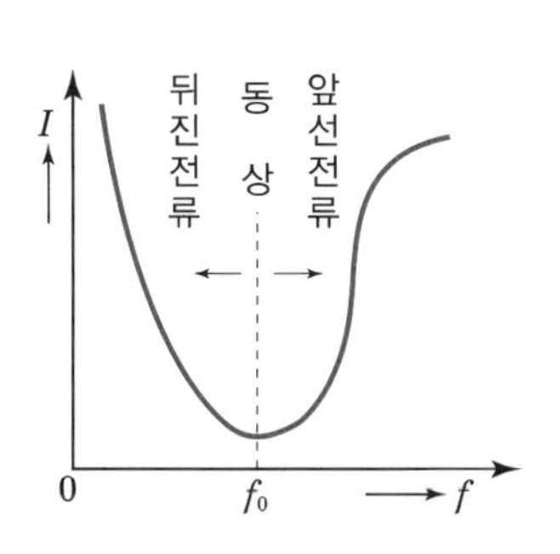

(4) L C 병렬 회로

구 분	$\omega L < \frac{1}{\omega C}$	$\omega L > \frac{1}{\omega C}$
전류	$\dot{I} = j(I_C - I_L)$ $\therefore I = \sqrt{(I_C - I_L)^2} = I_C - I_L = \frac{V}{X_C} - \frac{V}{X_L}$ $= V(\frac{1}{X_C} - \frac{1}{X_L}) = V(\omega C - \frac{1}{\omega L})[A]$	$\dot{I} = j(I_L - I_C)$ $\therefore I = \sqrt{(I_L - I_C)^2} = I_L - I_C = \frac{V}{X_L} - \frac{V}{X_C}$ $= V(\frac{1}{X_L} - \frac{1}{X_C}) = V(\frac{1}{\omega L} - \omega C)$
임피던스	$Z = \frac{1}{(\omega C - \frac{1}{\omega L})}[\Omega]$	$Z = \frac{1}{(\frac{1}{\omega L} - \omega C)}[\Omega]$

Point

직렬회로, 병렬회로의 합성 임피던스, 어드미턴스

구 분	직렬회로의 임피던스	병렬회로의 어드미턴스
RL	$\dot{Z} = R + jX_L \rightarrow Z = \sqrt{R^2 + X_L^2}[\Omega]$	$\dot{Y} = G + jB \rightarrow Y = \sqrt{(\frac{1}{R})^2 + (\frac{1}{X_L})^2}[\Omega^{-1}]$
RC	$\dot{Z} = R - jX_C \rightarrow Z = \sqrt{R^2 + X_C^2}[\Omega]$	$Y = \sqrt{(\frac{1}{R})^2 + (\frac{1}{X_C})^2}[\Omega^{-1}]$
RLC (L〉C)	$\dot{Z} = R + j(X_L - X_C)[\Omega]$ $Z = \sqrt{R^2 + (X_L - X_C)^2}[\Omega]$	$Y = \sqrt{(\frac{1}{R})^2 + (\frac{1}{X_L} - \frac{1}{X_C})^2}[\Omega^{-1}]$
합성	$\dot{Z} = \dot{Z}_1 + \dot{Z}_2 + \dot{Z}_3[\Omega]$	$\dot{Y} = \dot{Y}_1 + \dot{Y}_2 + \dot{Y}_3[\Omega^{-1}]$

- $\dot{Y} = \frac{1}{\dot{Z}} =$ G(컨덕턴스) + jB(서셉턴스)[℧]

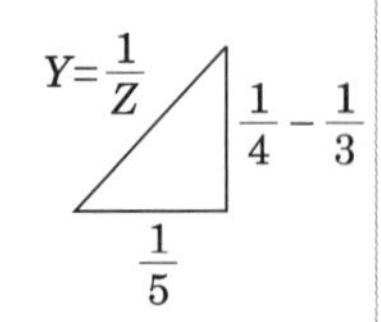

예제 04

RLC 병렬회로에서 $R = 5\,\Omega$, $X_L = 4\,\Omega$, $X_c = 3\,\Omega$일 때 전압이 100 V를 인가하면 전류는 몇 [A]인가?

① 18.6　　② 21.6

③ 28.4　　④ 32.6

해답 ②

$I = V \cdot Y = 100 \times 0.216 = 21.6\,A$

$$Y = \sqrt{\left(\frac{1}{5}\right)^2 + \left(\frac{1}{4} - \frac{1}{3}\right)^2} = 0.216\ \Omega^{-1}$$

11. 교류 전력

1 부하에 따른 교류의 전력과 역률

(1) 저항(R) 부하의 전력

① 순시전력 $P = VI - VI\cos 2\omega t$[W]

② **평균 전력** : 순시 전력 P의 1주기에 대한 평균값으로 $P = VI$[W]

(2) 리액턴스(X) 부하의 전력

① **인덕턴스(L) 부하인 경우**

㉠ L은 전원으로부터 전력을 흡수하여 에너지를 저장하고 다시 방출하여 전원으로 돌려 보내므로 평균은 0이 된다. 따라서 **전자 에너지($W = \frac{1}{2}LI^2$ [J])만큼 축적, 방출되어 전력을 소비하지 않는다.**

㉡ 순시 전력 : $P = -VI\sin 2\omega t$[W]

㉢ **평균 전력**(1주기 평균값) $P = 0$[W]

② **콘덴서(C) 부하인 경우**

㉠ **정전 에너지($W = \frac{1}{2}CV^2$ [J])만큼 축적, 방출되어 전력을 소비하지 않는다.**

㉡ 순시 전력 : $P = VI\sin 2\omega t$[W]

㉢ **평균 전력**(1주기 평균값) $P = 0$[W]

(3) 임피던스(Z) 부하(일반 부하)의 전력

① 순시 전력 : $P = VI\cos\theta - VI\cos(2\omega t - \theta)$[W]

② **평균 전력** : $P = VI\cos\theta$[W]

(4) 역률(Power Factor)

① **역률(%) : 전원에서 공급된 전력이 부하에서 유효하게 이용되는 비율로서 $\cos\theta$로 나타낸 것**

② **R만의 회로의 역률 : 1, L만의 회로의 역률 : 0, C만의 회로의 역률 : 0**

③ RL 직렬 회로의 역률 : $\cos\theta = \frac{R}{Z} = \frac{R}{\sqrt{R^2 + X_L^2}}$

④ RL 병렬 회로의 역률 :

$$\cos\theta = \frac{G}{Y} = \frac{\frac{1}{R}}{\frac{1}{Z}} = \frac{Z}{R} = \frac{\frac{1}{\sqrt{(\frac{1}{R})^2 + (\frac{1}{X_L})^2}}}{R} = \frac{1}{R\sqrt{(\frac{1}{R})^2 + (\frac{1}{X_L})^2}}$$

2 교류전력의 종류

(1) 피상 전력(apparent power)

① 교류의 부하 또는 전원의 용량을 표시하는 전력, 전원에서 공급되는 전력

② 피상 전력의 표현

$$P_a = VI = I^2 Z\,[\mathrm{VA}] \qquad \because \; V = I \cdot Z$$

(2) 유효 전력

① 전원에서 공급되어 부하에서 유효하게 이용되는 전력,
전원에서 부하로 실제 소비되는 전력

② 유효 전력의 표현

$$P = VI\cos\theta = I^2 R\,[\mathrm{W}] \qquad \because \; \cos\theta = \frac{R}{Z}$$

(3) 무효 전력(reactive power)

① 실제로 아무런 일을 하지 않아 부하에서 전력으로 이용될 수 없는 전력, 실제로 아무런 일도 할 수 없는 전력

② 무효 전력의 표현

$$P_r = VI\sin\theta = I^2 X\,[\mathrm{Var}] \qquad \because \; \sin\theta = \frac{X}{Z}$$

(4) 유효·무효·피상 전력 사이의 관계

$$\dot{P}_a = P + jP_r \qquad P_a = \sqrt{P^2 + P_r^2}\;[\mathrm{VA}]$$

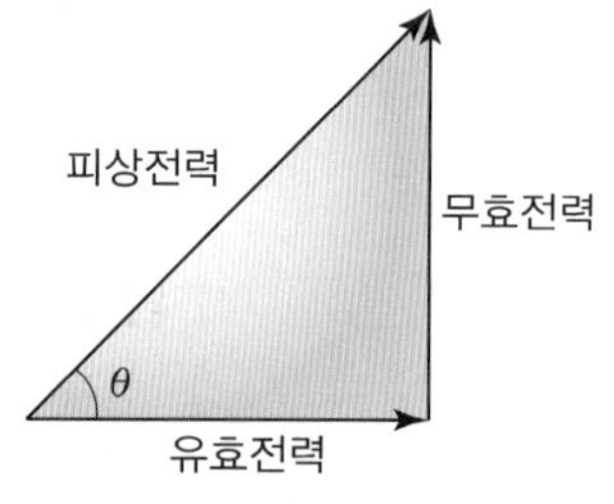

피상, 유효, 무효전력의 관계

(5) 역률

① 피상전력 중에서 유효전력으로 사용되는 비율

② 역률의 표현

$$\cos\theta = \frac{VI\cos\theta}{VI} = \frac{P}{P_a}$$

③ 역률 개선 : 부하의 역률을 1에 가깝게 높이는 것

④ **역률 개선 방법 : 소자에 흐르는 전류의 위상이 소자에 걸리는 전압보다 앞서는 용량성 부하인 콘덴서를 부하에 첨가**

⑤ **역률 개선용 콘덴서의 용량**

$$Q_C = P(\tan\theta_1 - \tan\theta_2) = P(\frac{\sin\theta_1}{\cos\theta_1} - \frac{\sin\theta_2}{\cos\theta_2})$$
$$= P(\frac{\sqrt{1-\cos^2\theta_1}}{\cos\theta_1} - \frac{\sqrt{1-\cos^2\theta_2}}{\cos\theta_2})$$

Q_C : 역률 개선용 콘덴서의 용량[kVA]
P : 유효전력[W]
$\cos\theta_1$: 개선전의 역률
$\cos\theta_2$: 개선후의 역률

(6) 복소전력

전력계산을 간편하게 하기 위하여 복소전력이라는 전력표시방법을 도입한 것으로 유효전력과 무효전력을 각각 실수부와 허수부로 취하여 P_a로 표시한다.

"복소전력 P_a의 크기는 피상전력 $P_a = \dot{V} \cdot \overline{\dot{I}}$ [W] 와 같다"라는 것을 알아두자.

$\dot{V} = V_1 + jV_2 \qquad \dot{I} = I_1 + jI_2$

① $\dot{P_a} = \dot{V} \cdot \overline{\dot{I}} = (V_1 + jV_2)(I_1 - jI_2) = V_1I_1 + V_2I_2 + j(V_2I_1 - V_1I_2)$
$= P + jP_r =$ 유효전력 + 무효전력 $= I^2 \cdot R + jI^2 \cdot X$[VA]

② $P_a = \sqrt{P^2 + {P_r}^2} = VI\cos\theta + jVI\sin\theta$[VA]

예제 05

어떤 회로에 $\dot{V}$=100+j20 V인 전압을 가했을 때 $\dot{I}$=8+j6 A인 전류가 흘렀다. 이 회로의 소비전력은 몇 [W]인가?

① 800 ② 920
③ 1,200 ④ 1,400

해답 ②

$\dot{V} = 100 + j20$ V, $\dot{I} = 8 + j6$ A의 복소전력
(실수부 : 유효전력[W], 허수부 : 무효전력 [Var])
$\dot{P_a} = \dot{V} \cdot \overline{\dot{I}} = (100 + j20)(8 - j6) = 800 - j600 + j160 + 120 = 920 - j440$
※ 전류의 공액을 취한다. (부호를 변경 함 – 공액관계에 있는 두 벡터를 곱하면 크기는 제곱이 되고 위상은 0이 되어 스칼라가 되기 때문이며 지상의 경우 전류 값을 공액하며 진상의 경우 전압을 공액 한다. 문제를 풀 때는 둘 중에 하나만 부호를 바꿔주어도 답은 동일하다.

12. 3상 교류

1 3상 교류의 정의 및 표시

(1) 정의

① 3상 교류 : 주파수가 동일하고 위상이 2π / 3[rad] 만큼씩 다른 3개의 파형

② 상(phase) : 3상 교류를 구성하는 각 단상 교류

③ 상순 : 3상 교류에서 발생하는 전압들이 최대값에 도달하는 순서

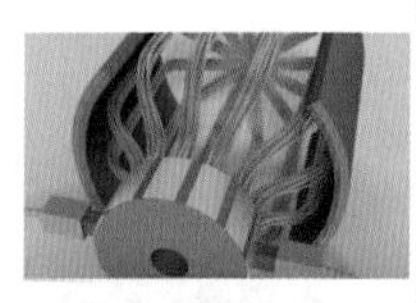

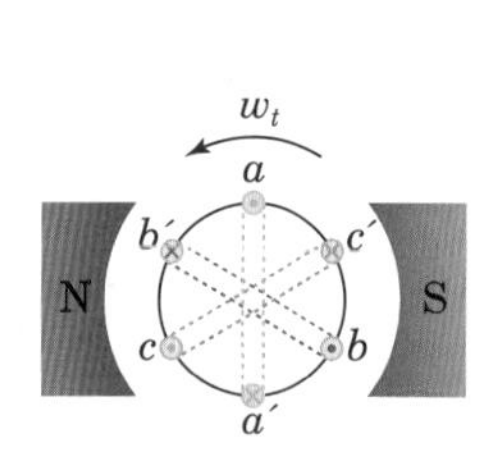

(a) 코일들의 배치

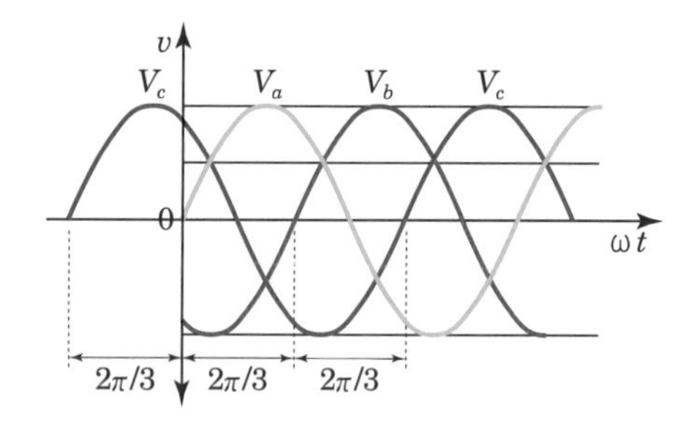

(b) 각 코일에서 발생되는 전압

(2) 3상 교류 표시(순시값, 극좌표, 기호법)

① **3상 교류의 순시값**

㉠ $v_a = \sqrt{2}\,V\sin\omega t = V\angle 0[\mathrm{V}]$

㉡ $v_b = \sqrt{2}\,V\sin(\omega t - \frac{2\pi}{3}) = V\angle -\frac{2\pi}{3}[\mathrm{V}]$

$= V(\cos -\frac{2\pi}{3} + j\sin -\frac{2\pi}{3}) = V(\cos -120 + j\sin -120)$

$= V(-0.5 - j0.86) = V(-\frac{1}{2} - j\frac{\sqrt{3}}{2})$

㉢ $v_c = \sqrt{2}\,V\sin(\omega t - \frac{4\pi}{3}) = V\angle -\frac{4\pi}{3}[V] = V(\cos -\frac{4\pi}{3} + j\sin -\frac{4\pi}{3})$

$= V(\cos -240 + j\sin -240) = V(-0.5 + j0.86) = V(-\frac{1}{2} + j\frac{\sqrt{3}}{2})$

② **극좌표 표시**

$\dot{V}_o = V\angle 0[\mathrm{V}],\ \dot{V}_b = V\angle -\frac{2\pi}{3}[\mathrm{V}],\ \dot{V}_c = V\angle -\frac{4\pi}{3}[\mathrm{V}]$

③ **기호법에 의한 표시**

기호법 : 사인파 교류를 복소수로 나타내어 교류 회로를 계산하는 방법

$\dot{V}_a = V[\mathrm{V}]$ $\dot{V}_b = V(-\frac{1}{2} - j\frac{\sqrt{3}}{2})[\mathrm{V}]$ $\dot{V}_c = V(-\frac{1}{2} + j\frac{\sqrt{3}}{2})[\mathrm{V}]$

④ **전압의 벡터 합** : $\dot{V}_a + \dot{V}_b + \dot{V}_c = 0$

2 3상 교류의 결선법

- 상전압 : 각 상에 걸리는 전압 V_P(p : phase – 상 : 기기)
- 선간전압 : 부하에 전력을 공급하는 선들 사이의 전압 V_ℓ(ℓ : line – 선)

(1) Y 결선

전원과 부하를 Y형으로 접속하는 방법. 성형 결선(Y-Y 회로)

① 선간전압(V_{ab}, V_{bc}, V_{ca})과 상(기기)전압(V_a, V_b, V_c)관계
선간전압이 상전압보다 $\pi/6(30°)$ 앞선다.

② 선전류와 상전류의 관계 : 선전류와 상전류는 동상이다.

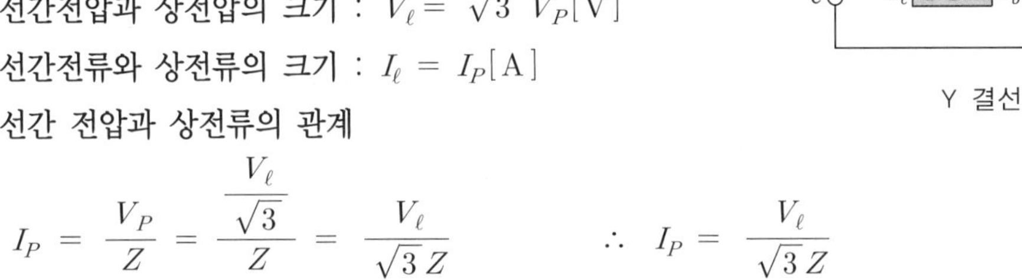

③ **선간전압과 상전압의 크기** : $V_\ell = \sqrt{3}\ V_P[\mathrm{V}]$

④ **선간전류와 상전류의 크기** : $I_\ell = I_P[\mathrm{A}]$

⑤ **선간 전압과 상전류의 관계**

$$I_P = \frac{V_P}{Z} = \frac{\frac{V_\ell}{\sqrt{3}}}{Z} = \frac{V_\ell}{\sqrt{3}\,Z} \qquad \therefore\ I_P = \frac{V_\ell}{\sqrt{3}\,Z}$$

Y 결선

(2) △ 결선

전원과 부하를 △형으로 접속하는 방법
삼각 결선(△-△ 회로)

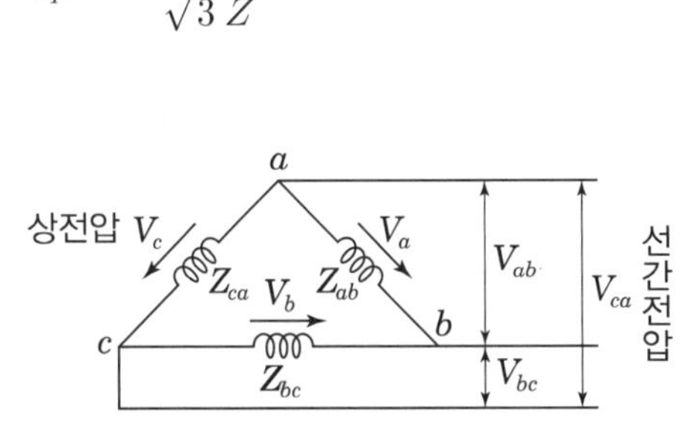

△ 결선

① 선간전압과 상전압과 관계
선간전압과 상전압은 동상이다.

② 선전류와 상전류의 관계
선전류는 상전류보다 30° 뒤진다.

③ **선간전압과 상전압의 크기** : $V_\ell = V_P[\mathrm{V}]$

④ **선간전류와 상전류의 크기** : $I_\ell = \sqrt{3}\ I_P[\mathrm{A}]$

⑤ **상전압과 선간전류의 관계**

$$I_P = \frac{V_P}{Z} \text{ 이고 } \frac{I_\ell}{\sqrt{3}} = \frac{V_P}{Z} \qquad \therefore\ I_\ell = \frac{\sqrt{3}\ V_P}{Z}$$

Point

구 분	Y 결선	△ 결선
선간전압과 상전압	$\sqrt{3}\ V_P[\mathrm{V}] = V_\ell$ (V_ℓ이 V_P보다 30° 앞섬)	$V_P = V_\ell[\mathrm{V}]$ (동상)
선간전류와 상전류	$I_P = I_\ell[\mathrm{A}]$ (동상)	$\sqrt{3}\ I_P = I_\ell[\mathrm{A}]$ (I_ℓ이 I_p보다 30° 뒤짐)

예제 06

Y 결선한 변압기의 선간전압은 380 V이고 Z(임피던스)가 100 Ω 일 때 선전류[A]는 얼마인가?

① 1.5　　② 2.19　　③ 2.5　　④ 3.8

해답 ②

$I_P = \dfrac{V_P}{Z}$ 에서 $V_P = \dfrac{V_\ell}{\sqrt{3}}$ 이므로 $I_P = \dfrac{\frac{V_\ell}{\sqrt{3}}}{Z} = \dfrac{\frac{380}{\sqrt{3}}}{100} \fallingdotseq 2.19$ A

Y 결선에서는 상전류와 선간전류는 동일하므로 $I_P = I_\ell = 2.19$ A

(3) V 결선

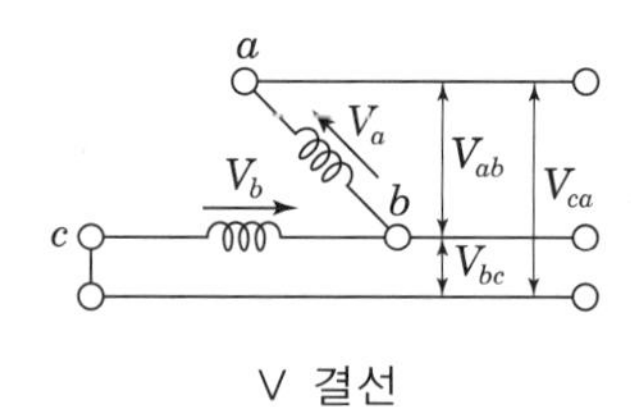

V 결선

① **V결선 : △결선된 전원 중 1상을 제거하여 결선한 방식**

② V결선의 경우 유효 전력 : $P_V = \sqrt{3}\ V_P I_P \cos\theta$ [W]

③ △결선의 경우 유효 전력 : $P_\triangle = 3\ V_P I_P \cos\theta$ [W]

④ **출력비 :** $\dfrac{P_V}{P_\triangle} = \dfrac{\sqrt{3}}{3} = 57.7\ \%$

⑤ **이용률 :** $\dfrac{P_V(\triangle\text{결선에서 } V\text{결선이 된 경우의 전력})}{P(\text{변압기 2대 이용시 전력})} = \dfrac{\sqrt{3}\ V_P I_P \cos\theta}{2\,V_P I_P \cos\theta} = 86.6\ \%$

⑥ V결선은 변압기 사고시 응급조치 등의 용도로 사용된다.

(4) Y부하와 △부하의 변환

구 분	Y → △ 변환	△ → Y 변환
Y, △ 결선	$Z_{ab} = \dfrac{Z_aZ_b + Z_bZ_c + Z_cZ_a}{Z_c}[\Omega]$	$Z_a = \dfrac{Z_{ab} \cdot Z_{ca}}{Z_{ab} + Z_{bc} + Z_{ca}}[\Omega]$
	$Z_{bc} = \dfrac{Z_aZ_b + Z_bZ_c + Z_cZ_a}{Z_a}[\Omega]$	$Z_b = \dfrac{Z_{ab} \cdot Z_{bc}}{Z_{ab} + Z_{bc} + Z_{ca}}[\Omega]$
	$Z_{ca} = \dfrac{Z_aZ_b + Z_bZ_c + Z_cZ_a}{Z_b}[\Omega]$	$Z_c = \dfrac{Z_{bc} \cdot Z_{ca}}{Z_{ab} + Z_{bc} + Z_{ca}}[\Omega]$
부하의 변환	$Z_\triangle = 3Z_Y$ [Ω]	$Z_Y = \dfrac{Z_\triangle}{3}$ [Ω]

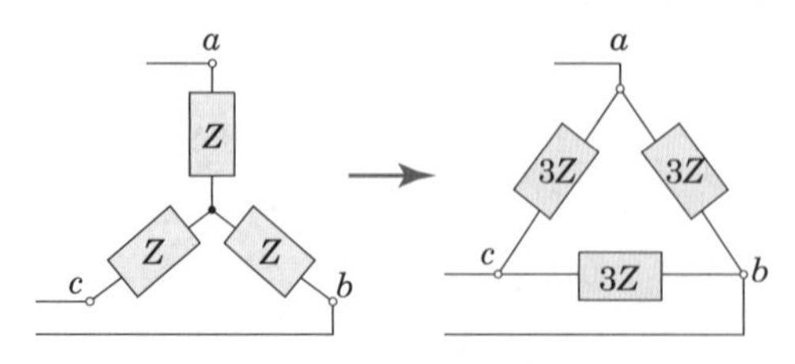

Y → △ 변환시 부하가 3배 증가

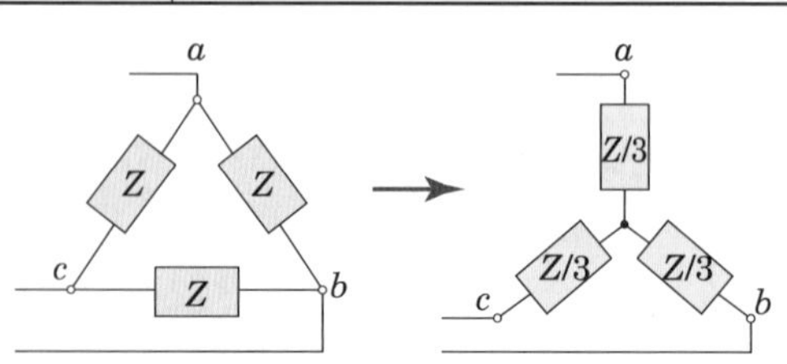

△ → Y 변환시 부하가 3배 감소

13. 3상 전력

1 평형 3상회로의 전력

(1) 3상 전력

$$P = 3\ V_P I_P \cos\theta\ [\mathrm{W}]$$

(2) Y결선시의 전력

$$P = 3\ V_P I_P \cos\theta = \sqrt{3}\ V_\ell I_\ell \cos\theta [\mathrm{W}]$$

$\because\ V_P = \dfrac{V_\ell}{\sqrt{3}} [\mathrm{V}]\ ,\ I_P = I_\ell [\mathrm{A}]$

(3) △결선시의 전력

$$P = 3\ V_P I_P \cos\theta = \sqrt{3}\ V_\ell I_\ell \cos\theta [\mathrm{W}]$$

$\because\ V_P = V_\ell\ [\mathrm{V}]\ ,\ I_P = \dfrac{I_\ell}{\sqrt{3}}\ [\mathrm{A}]$

2 3상 전력의 구별

(1) **피상전력** : $P_a = 3\ V_P I_P = \sqrt{3}\ V_\ell I_\ell [\mathrm{VA}]$

(2) **유효전력** : $P = 3\ V_P I_P \cos\theta = \sqrt{3}\ V_\ell I_\ell \cos\theta [\mathrm{W}]$

(3) **무효전력** : $P_r = 3\ V_P I_P \sin\theta = \sqrt{3}\ V_\ell I_\ell \sin\theta [\mathrm{Var}]$

(4) **3상 전력 사이의 관계**

$$P_a = \sqrt{P^2 + P_r^2} [\mathrm{VA}]$$

3 3상 전력의 측정

(1) 1전력계법 : $P = 3P_1 [\mathrm{W}]$ (전력계 1개 가지고 3상의 전력을 측정)

(2) 2전력계법 : $P = P_1 + P_2 [\mathrm{W}]$(전력계 2개 가지고 3상의 전력을 측정)

(3) 3전력계법 : $P = P_1 + P_2 + P_3 [\mathrm{W}]$ (평형회로는 물론 불평형 회로도 정확하게 측정이 가능)

14. 비정현파

1 비정현파 교류

(1) 비정현파 교류의 해석 : 푸리에 급수의 전개

$$f(t) = a_0 + \sum_{n=1}^{\infty} a_n \cos n\omega t + \sum_{n=1}^{\infty} b_n \sin n\omega t$$

a_0 : 직류분, a_n : cos 항, b_n : sin 항

(2) 특수한 파형의 푸리에 급수의 전개

	대칭파(반파대칭)	기함수파(정현대칭)	우함수파(여연대칭)
대칭조건	$f(t) = -f(t+\frac{T}{2})$	$f(t) = -f(-t)$	$f(t) = f(-t)$
결 과	고조파 차수가 홀수차 항만 존재한다. 직류분 : $a_0 = 0$	sin항 : b_n 항만 존재 $a_0 = a_n = 0$	cos 항 : $a_n = 0$ 직류분 존재 sin항 존재

2 비정현파 = 직류분 + 기본파 + 고조파

예제 07

비정현파를 나타내는 식은?

① 직류분 + 기본파 + 고조파
② 기본파 + 직류분 − 고조파
③ 직류분 + 고조파 − 기본파
④ 교류분 + 기본파 + 고조파

①

비정편파의 구성 ⇒ $v = 3 + 10\sqrt{2}\sin\omega t + 5\sqrt{2}\sin(3\omega t - 30^\circ)$
직류분 기본파 고조파

3 비정현파의 실효값

(1) 실효값

$$V = \sqrt{V_0^2 + (\frac{V_{m1}}{\sqrt{2}})^2 + (\frac{V_{m2}}{\sqrt{2}})^2 + .. + (\frac{V_{mn}}{\sqrt{2}})^2} = \sqrt{V_0^2 + V_1^2 + V_2^2 + .. + V_n^2}$$

V_0, V_1, V_2 : 직류성분, 기본파 및 고조파의 실효값

예제 08

$v = 3 + 10\sqrt{2}\sin\omega t + 5\sqrt{2}\sin(3\omega t - 30°)$ [V]의 실효값 [V]은?

① 20.1 ② 16.4 ③ 13.2 ④ 11.6

해답 ④

$$V = \sqrt{V_0^2 + (\frac{V_{m1}}{\sqrt{2}})^2 + (\frac{V_{m2}}{\sqrt{2}})^2 + .. + (\frac{V_{mn}}{\sqrt{2}})^2} = \sqrt{3^2 + (\frac{10\sqrt{2}}{\sqrt{2}})^2 + (\frac{5\sqrt{2}}{\sqrt{2}})^2}$$

$= 11.57\text{ V}$

(2) 비정현파의 전력 및 역률의 계산

① $v = V_1\sin\omega t + V_2\sin 2\omega t + V_3\sin 3\omega t + \cdots\cdots$

② $i = I_1\sin(\omega t + \theta_1) + I_2\sin(2\omega t + \theta_2) + I_3\sin 3(\omega t + \theta_3) + \cdots\cdots$ 인 경우

③ 유효전력 $P = V_1 I_1\cos\theta_1 + V_2 I_2\cos\theta_2 + V_3 I_3\cos\theta_3 \cdots\cdots$

- $P = V_0 I_0 + \sum_1^n V_n I_n \cos\theta_n = I_0^2 R + \sum_1^n I_n^2 R[\text{W}]$

(3) 왜형율(왜곡된 모형 : 파형의 찌그러진 상태)

$$\frac{\text{전 고조파의 실효값 합}}{\text{기본파의 실효값}} = \frac{\sqrt{V_2^2 + V_3^2 + \ldots + V_n^2}}{V_1}$$

예제 09

비정현파 전압 $v = 100\sqrt{2}\sin\omega t + 50\sqrt{2}\sin 2\omega t + 30\sqrt{2}\sin 3\omega t$ 의 왜형률은?

① 1.0 ② 0.8 ③ 0.58 ④ 0.3

해답 ③

$$\text{왜형률} = \frac{\text{전 고조파의 실효값 합}}{\text{기본파의 실효값}} = \frac{\sqrt{V_2^2 + V_3^2 + \ldots + V_n^2}}{V_1} = \frac{\sqrt{50^2 + 30^2}}{100} = 0.583$$

$v = 100\sqrt{2}\sin\omega t + 50\sqrt{2}\sin 2\omega t + 30\sqrt{2}\sin 3\omega t$

↳ 기본파 ↳ 2 고조파 ↳ 3고조파

실전 예상문제

●●● 01

정현파 전압의 순시값 $v = V_m \sin(\omega t + \theta)$를 설명하는 요소끼리 잘 묶여진 것은 어느 것 인가?

① 실효값, 각속도, 주기
② 실효값, 위상각, 주파수
③ 최대값, 각속도, 주기
④ 최대값, 실효값, 주기

정현파 전압의 순시값 $v = V_m \sin(\omega t + \theta)$에서
v : 정현파 선압의 순시값 V_m : 정현파 진입의 최대값 ω : 각속도($2\pi f$) t : 주기 θ : 위상각

●●○ 02

정현파 교류의 식이 $i = \sqrt{2}\, I \sin(\omega t + \theta) = I_m \sin(\omega t + \theta)$로 표시되었을 때 "$i$" 는 무슨 전류라 하는가?

① 전파전류 ② 실효전류 ③ 순시전류 ④ 반파전류

정현파 교류의 표시는
i, v : 순시값, I_m, V_m : 최대값, I, V : 실효값, I_{av}, V_{av} : 평균값으로 나타낸다.

●●● 03

$v = V_m \sin(\omega t + \theta)$ 의 실효값은?

① Vm ② Vm/$\sqrt{2}$ ③ Vm/2 ④ Vm/π

최대값$(V_m) = \sqrt{2}\, V$ [V], 실효값$(V) = \frac{V_m}{\sqrt{2}}$ [V]

●●○ 04

어떤 정현파 전압의 평균값이 191 V이면 최대값은 몇 [V]인가?

① 100 ② 200 ③ 300 ④ 450

정현파 전압의 평균값 $V_{av} = \frac{2V_m}{\pi}$ 에서 최대값 $V_m = \frac{\pi}{2} V_{av} = \frac{\pi}{2} \times 191 \fallingdotseq 300$ V

정답 01 ③ 02 ③ 03 ② 04 ③

05

$v = \sqrt{2}\ V\sin\omega t$[V]의 전압에서 ωt=π/6[rad]일 때의 크기가 70.7 V이면 이 전원의 실효값은 몇 [V]가 되는가?

① 100 ② 200 ③ 300 ④ 400

$v = V_m \sin\omega t = \sqrt{2}\ V\sin\omega t$에서 $\omega t = \frac{\pi}{6}$[rad]일 때 $v = \sqrt{2}\ V\sin\frac{\pi}{6} = \sqrt{2}\ V\sin 30°$

$\therefore$ 실효값 $V = \frac{v}{\sqrt{2}\sin 30°} = \frac{70.7}{\sqrt{2}\times 0.5} \fallingdotseq 100$ V

06

교류의 파고율은?

① 실효값 / 평균값 ② 실효값 / 최대값
③ 최대값 / 평균값 ④ 최대값 / 실효값

정현파(사인파)의 파고율 및 파형률

(1) $\text{파고율} = \frac{\text{최대값}}{\text{실효값}} = \sqrt{2}$

(2) $\text{파형률} = \frac{\text{실효값}}{\text{평균값}} = \frac{\frac{1}{\sqrt{2}}V_m}{\frac{2}{\pi}V_m} = \frac{\pi}{2\sqrt{2}}$

07

v = 141 sin377t [V] 인 정현파 전압의 주파수는 몇 [Hz]인가?

① 50 ② 55 ③ 60 ④ 65

$v = 141\sin 377t$[V] 에서 각 속도 $\omega = 2\pi f = 377$ 이므로 $\therefore\ f = \frac{\omega}{2\pi} = \frac{377}{2\pi} \fallingdotseq 60$ Hz

08

주파수가 반으로 줄면 주기와 각속도는 어떻게 되는가?

① 주기와 각속도는 반으로 된다. ② 주기는 반으로 각속도는 2배로 된다.
③ 주기는 2배로 각속도는 반으로 된다. ④ 주기와 각속도는 2배로 된다.

각속도 $\omega = 2\pi f$[rad/sec], 주파수 $f = \frac{\omega}{2\pi}$[Hz], 주기 $T = \frac{1}{f}$[sec]에서 주파수 f를 반($\frac{1}{2}$)으로 하면

주기 $T = \frac{1}{f} \rightarrow \frac{1}{\frac{1}{2}f} = \frac{2}{f}$[sec] 로 2배, 각속도 $\omega = 2\pi f \rightarrow 2\pi\frac{1}{2}f = \pi f$[rad/s]로 $\frac{1}{2}$배가 된다.

05 ① 06 ④ 07 ③ 08 ③

09 0.2 H인 코일의 리액턴스가 125.66 Ω 일 때 주파수는 몇 [Hz]인가?

① 약 25 ② 약 100 ③ 약 400 ④ 약 628

$X_L = \omega L = 2\pi f L\,[\Omega]$ $\quad f = \dfrac{X_L}{2\pi L} = \dfrac{125.66}{2\pi \times 0.2} ≒ 100\text{ Hz}$

10 $v = 141\sin(100\pi t - 30°)[\text{V}]$ 인 전압의 주기는 몇 [sec]인가?

① 0.01 ② 0.02 ③ 0.03 ④ 0.04

$w = 2\pi f,\ f = \dfrac{\omega}{2\pi} = \dfrac{100\pi}{2\pi} = 50\text{ Hz},\quad \therefore T = \dfrac{1}{f} = \dfrac{1}{50} = 0.02\text{ sec}$

11 $v = \sqrt{2}\,V\cos(wt + 30°)$ 와 $i = \sqrt{2}\,I\sin(wt + 60°)$ 의 위상차는?

① 전압이 30° 앞선다. ② 전압이 60° 앞선다.
③ 전압이 90° 앞선다. ④ 전압이 120° 앞선다.

$\cos(wt + 30°) = \sin(wt + 30° + 90°) = \sin(wt + 120°)$
$\sin(wt + 60°)$와의 위상차는 $\theta = 120° - 60° = 60°$ 즉 전압이 60° 앞선다.

12 콘덴서만의 회로에서 전압과 전류 사이의 위상관계는?

① 전압이 전류보다 180° 앞선다. ② 전압이 전류보다 180° 뒤진다.
③ 전압이 전류보다 90° 앞선다. ④ 전압이 전류보다 90° 뒤진다.

전압과 전류사이의 위상관계

저항(R)만의 회로	코일(L)만의 회로	콘덴서(C)만의 회로
전압과 전류는 동상이다.	전압이 전류보다 90° 앞선다.	전압이 전류보다 90° 뒤진다.

13 RLC 직렬회로에서 R=3 Ω, X_L=8 Ω, X_C=4 Ω 일 때 합성임피던스의 크기는 몇 [Ω]인가?

① 5 ② 7 ③ 8 ④ 10

해설

R-L-C 직렬회로의 합성 임피던스
$\dot{Z} = R + j(X_L - X_C) \quad \therefore Z = \sqrt{R^2 + (X_L - X_C)^2} = \sqrt{3^2 + (8-4)^2} = 5\ \Omega$

정답 09 ② 10 ② 11 ② 12 ④ 13 ①

●●● 14 저항 4 Ω과 유도리액턴스 3 Ω이 병렬로 접속된 회로의 임피던스는 몇 [Ω]인가?

① 1.2 ② 2.4 ③ 3.6 ④ 5

해설

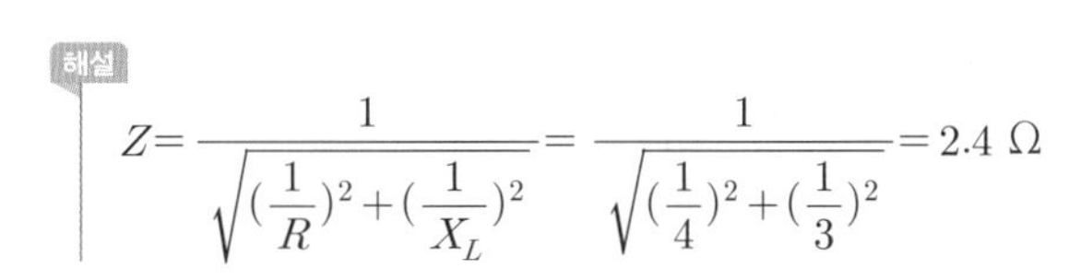

$$Z=\frac{1}{\sqrt{(\frac{1}{R})^2+(\frac{1}{X_L})^2}}=\frac{1}{\sqrt{(\frac{1}{4})^2+(\frac{1}{3})^2}}=2.4\ \Omega$$

●●● 15 직렬 공진 회로에서 최대가 되는 것은?

① 전류 ② 저항 ③ 리액턴스 ④ 임피던스

직렬공진회로에서는 전압과 전류가 동상이 되며 리액턴스 성분이 0이므로 임피던스는 최소가 되고 전류는 최대가 되어 전력이 최대가 된다.

●●○ 16 L-C 직렬회로에서 L 또는 C를 증가시키면 공진주파수는 어떻게 되는가?

① 증가한다. ② 감소한다.
③ L에 반비례한다. ④ C에 반비례한다.

$L-C$ 회로의 공진주파수 $f_0=\frac{1}{2\pi\sqrt{LC}}$ 에서 공진 주파수 f_0는 L또는 C의 제곱근에 반비례 하므로 감소함

●●○ 17 RLC 직렬회로에서 일반적인 공진조건으로 옳지 않은 것은?

① 리액턴스 성분이 0 이 되는 조건
② 임피던스가 최대가 되어 전류가 최소로 되는 조건
③ 임피던스의 허수부가 0이 되는 조건
④ 전압과 전류가 동상이 되는 조건

임피던스가 최대가 되어 전류가 최소로 되는 조건 : RLC 병렬회로 공진조건이다.

●●○ 18 리액턴스의 역수를 무엇이라고 하는가?

① 컨덕턴스 ② 어드미턴스 ③ 임피던스 ④ 서셉턴스

임피던스(Z)의 역수	저항(R)의 역수	리액턴스(X)의 역수
어드미턴스(Y) [℧], [Ω^{-1}]	컨덕턴스(G) [℧], [Ω^{-1}]	서셉턴스(B) [℧], [Ω^{-1}]

정답 14 ② 15 ① 16 ② 17 ② 18 ④

●●○ 19 v = 141sinωt [V]로 표시되는 교류전압을 저항 20 Ω에 인가할 때 소비되는 전력은 몇 [W]인가?

① 300 ② 400 ③ 500 ④ 600

해설

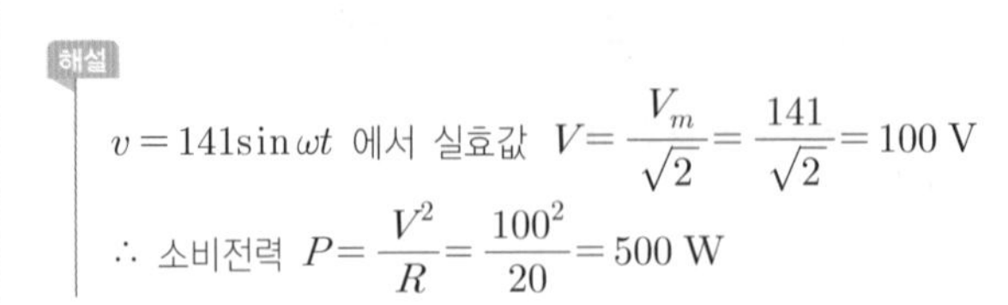

$v = 141\sin\omega t$ 에서 실효값 $V = \frac{V_m}{\sqrt{2}} = \frac{141}{\sqrt{2}} = 100\text{ V}$

∴ 소비전력 $P = \frac{V^2}{R} = \frac{100^2}{20} = 500\text{ W}$

●●○ 20 어떤 회로에 $\dot{V}$ =100+j20 V인 전압을 가했을 때 $\dot{I}$ =8+j6 A인 전류가 흘렀다. 이 회로의 무효전력은 몇 [Var]인가?

① 440 ② 920 ③ 1,020 ④ 1,200

해설

- 전압 또는 전류의 공액을 취한다. (부호를 변경 함) • 실수부 : 유효전력[W], 허수부 : 무효전력[Var]

$P_a = V \cdot \overline{I} = (100 + j20)(8 - j6) = 800 - j600 + j160 + 120 = 920 - j440$

●●○ 21 어떤 회로의 전압과 전류가 각각 $v = 50\sin(\omega t + \theta)[\text{V}]$, $i = 4\sin(\omega t + \theta - 30°)[\text{A}]$ 일 때 무효전력(Var)은 얼마인가?

① 50 ② 60 ③ 80 ④ 100

해설

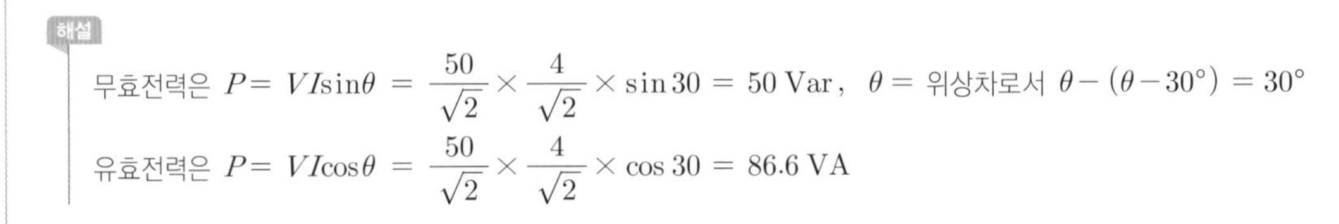

무효전력은 $P = VI\sin\theta = \frac{50}{\sqrt{2}} \times \frac{4}{\sqrt{2}} \times \sin 30 = 50\text{ Var}$, θ = 위상차로서 $\theta - (\theta - 30°) = 30°$

유효전력은 $P = VI\cos\theta = \frac{50}{\sqrt{2}} \times \frac{4}{\sqrt{2}} \times \cos 30 = 86.6\text{ VA}$

●●● 22 3상 평형부하의 역률이 0.85, 전류가 60 A이고, 유효전력은 20 kW이다. 이때 전압은 약 몇 [V]인가?

① 131 ② 200 ③ 226 ④ 240

해설

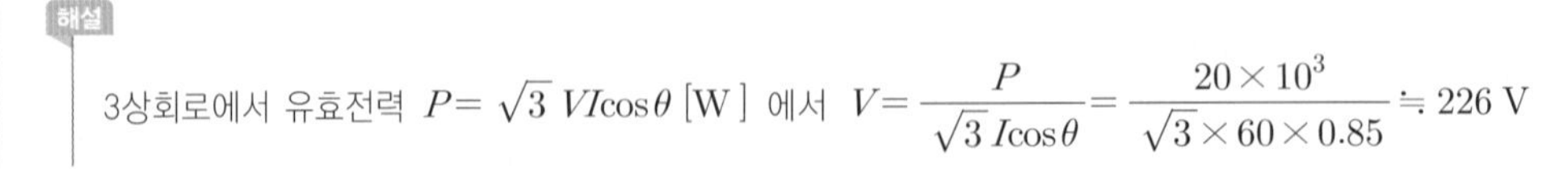

3상회로에서 유효전력 $P = \sqrt{3}\,VI\cos\theta\,[\text{W}]$ 에서 $V = \frac{P}{\sqrt{3}\,I\cos\theta} = \frac{20 \times 10^3}{\sqrt{3} \times 60 \times 0.85} \fallingdotseq 226\text{ V}$

정답 19 ③ 20 ① 21 ① 22 ③

●●○ **23** 동력용 전원으로 사용하는 3상 교류전원의 상간 위상차는 몇 [rad]인가?

① $\frac{1}{3}\pi$ ② $\frac{2}{3}\pi$ ③ π ④ 2π

해설

$v_a = V_m \sin \omega t$ [V], $v_b = V_m \sin(\omega t - \frac{2}{3}\pi)$ [V], $v_c = V_m \sin(\omega t - \frac{4}{3}\pi)$ [V]

그러므로 각 상간의 위상차는 $\frac{2}{3}\pi$ [rad] 이다.

●○○ **24** 220 V의 3상 3선식 회로에 R=6 Ω, X_L=8 Ω의 부하 3조를 Y접속했을 때 성형(상)전압은 몇 [V] 인가?

① 115.47 ② 127 ③ 190.5 ④ 254

해설

Y 결선에서 $I_\ell = I_P$, $V_\ell = \sqrt{3}\,V_P$ 이므로 $V_P = \frac{V_\ell}{\sqrt{3}} = \frac{220}{\sqrt{3}} = 127$ V

●○○ **25** 대칭 3상 Y결선 부하에서 각 상의 임피던스가 $Z = 3 + j4$ Ω이고 부하전류가 20 A일 때 부하의 선간 전압 [V]은?

① 100 ② 173.2 ③ 300 ④ 346.4

해설

Y 결선의 선간전압 $V_\ell = \sqrt{3}\,V_P$ 이므로 상전압 V_P 를 구하여야 한다.

$V_P = I_P \times Z$ 이고 I_P는 부하전류 20[A], $Z = 3 + j4$ 이므로

$V_P = 20 \times (3 + j4) = 60 + j80 = \sqrt{60^2 + 80^2} = 100\ V$

$\therefore\ V_\ell = \sqrt{3}\,V_P = \sqrt{3} \times 100 = 173.2$ V

●○○ **26** 단상변압기(용량 100 kVA) 3대를 △결선으로 운전하던 중 한 대가 고장이 생겨 V결선하였다면 출력은 몇 [kVA]인가?

① 200 ② 300 ③ $200\sqrt{3}$ ④ $100\sqrt{3}$

해설

변압기 3대를 Δ결선한 경우 전력은 $3 V_P I_P \cos\theta = 300$ kVA $\therefore\ V_P I_P \cos\theta = 100$ kVA

변압기 3대를 Δ결선하여 운전시 V결선된 경우 전력은 $\sqrt{3}\,V_P I_P \cos\theta$이므로 $\sqrt{3} \times 100 = 100\sqrt{3}$ kVA

정답 23 ② 24 ② 25 ② 26 ④

15. 전기계측

1 측정

어떤 양이나 변수의 크기를 같은 종류의 기준양과 비교하여 수량적으로 나타내는 것

(1) **직접측정** : 계기를 이용하여 기준양과 직접비교하여 측정

구 분	편 위 법(deflection method)	영 위 법(zero method)
장점	취급이 용이하고 신속하게 측정하므로 공업용으로 많이 사용	감도가 높고 정밀한 측정에 적합
단점	감도가 좋지 않음	취급 불편
사용법	측정량의 크기에 따라 지침 등을 편위 시켜 측정량을 구하는 방법	어느 측정량을 그것과 같은 종류의 기준양과 비교하여 측정량과 똑같이 되도록 기준양을 조정한 후 기준양의 크기로부터 측정량을 구하는 방법
측정계	전압계 및 전류계	휘스톤 브리지 및 전위차계

(2) **간접측정** : 계기를 이용하지 못하는 경우 계산에 의해 측정량의 값을 결정

2 오차와 보정

구 분	정 의	비 고
오차	**측정값(Measure)과 참값(True) 사이의 차**	**오차백분율** $\varepsilon = \dfrac{M-T}{T} \times 100$ **[%]**
보정	**참값과 측정값 사이의 차 (오차를 보정하기 위한 값)**	**보정백분율** $\alpha = \dfrac{T-M}{M} \times 100$ **[%]**

3 계측기

정의	측정하려는 여러 가지 전기량 즉, 전압, 전류, 전력, 역률, 주파수 등을 지침으로 직접 눈금판에 지시하는 계기
특징	① 보조 전원이나 특별한 조작이 필요 없다. ② 취급이 쉽고 구조가 비교적 간단하다. ③ 수명이 길고 값이 싸서 정밀 측정을 요구하지 않는 공업 계측이나 현장 계측에 사용된다.

<table>
<tr><td colspan="2">구비 조건</td><td>① 확도가 높고 외부의 영향을 받지 않을 것
② 지시가 측정값의 변화에 신속히 응답 할 것
③ 눈금이 균등하든가 대수 눈금일 것
④ 내구성이 좋고 취급이 용이 할 것
⑤ 절연내력이 높을 것</td></tr>
<tr><td rowspan="2">구성</td><td>구동 장치</td><td>① 가동부를 움직이게 하는 구동 토크를 발생하는 장치. 고정부와 가동부로 구성
② 구동 토크 : 측정량에 따라 계기의 지침과 같은 가동 부분을 움직이게 하는 힘
③ 구동 토크를 발생시키는 방법
<table><tr><td>㉠ 자기장과 전류 사이에 작용하는 힘. 전자력, 가동코일형, 정류형</td></tr><tr><td>㉡ 자기장 내에 있는 철편에 작용하는 힘. 자기력, 가동철편형</td></tr><tr><td>㉢ 두 전류 사이에 작용하는 힘. 전자력, 전류력계형</td></tr><tr><td>㉣ 줄열에 의한 금속선의 팽창 및 제벡효과. 열전형</td></tr><tr><td>㉤ 충전된 두 물체 사이에 작용하는 힘. 정전기력, 정전형</td></tr><tr><td>㉥ 회전 자기장 및 이동 자기장 내에 있는 금속 도체에 작용하는 힘</td></tr><tr><td>㉦ 전류에 의한 전기 분해 작용을 이용</td></tr></table></td></tr>
<tr><td>제어 장치</td><td>① 구동 토크가 발생되어서 가동부가 움직이게 되었을 때, 이에 대하여 반대 방향으로 작용하는 제어 토크 또는 제어력을 발생시키는 장치. 가동 부분의 변위나 회전에 맞서 원래의 0위치에 되돌려 보내려는 제어 토크를 발생시키는 장치
② 제어 장치의 종류
<table><tr><td>스프링제어</td><td>• 스프링의 변형에 의해 발생되는 탄력을 제어 토크로 이용하는 방식
• 대부분의 지시 계기에 사용</td></tr><tr><td>중력제어</td><td>• 추에 작용하는 중력을 제어 토크로 이용하는 방식, 구조상 계기를 바르게 세워 놓지 않으면 계기의 오차가 커지므로 주로 값싼 배전반용에 사용함
• 값싼 배전반용 가동 철편형 계기에 사용</td></tr><tr><td>전기력제어</td><td>• 비율계나 메거와 같은 교차 코일형 계기에서 주로 사용됨
• 적산 계기에 사용</td></tr><tr><td>자기적제어</td><td>• 가동 자침형 검류계와 같은 독특한 것에 쓰임, 작은 자침이 지자기나 특별히 마련한 영구 자석의 자기장에서 방위(각)를 가지는 성질을 이용한 제어
• 가동 지침형 검류계에 사용</td></tr><tr><td>맴돌이 전류 제어</td><td>• 교류용 적산 전력계에 대표적으로 사용되는 제어 방법
• 적산 전력계에 사용</td></tr></table></td></tr>
</table>

<table>
<tr><td rowspan="4">제동장치</td><td colspan="2">지시 계기의 가동 부분에 적당한 제동 토크를 가해 지침의 진동을 빨리 멈추게 하는 장치</td></tr>
<tr><td>공기 제동</td><td>지시 계기에 가장 많이 쓰이는 방법으로 물체가 운동할 때에 받는 공기 저항을 이용한 것</td></tr>
<tr><td>액체 제동</td><td>공기 대신 날개를 글리세린과 같은 액체 속에서 움직이게 하여 강한 제동력을 얻는 것. 기록 계기나 정전형 계기로 주로 쓰임</td></tr>
<tr><td>맴돌이
전류 제동</td><td>계기의 회전축에 장치한 알루미늄 원판을 영구 자석의 강한 자기장 내에 회전시키면 원판에 맴돌이 전류가 흐르게 되어, 이 맴돌이 전류와 자기장이 상호작용을 하여 원판의 운동을 방해하는 방향으로 전자력을 발생시켜 제동하는 방식. 가동 코일형 계기와 적산 전력계(유도형계기)에 주로 사용</td></tr>
<tr><td>가동부
지시
장치</td><td colspan="2">축과 베어링으로 구성
• 볼식(축과 베어링 사이에 볼을 넣은 것)
• 스프링식(베어링을 스프링으로 밀어주는 것)
• 자석식(자석의 자력으로 당겨 주는 것)</td></tr>
<tr><td>지침과 눈금</td><td colspan="2">• 지침 : 계기의 정도나 사용 목적에 따라 가볍고 튼튼하며, 관성이 작도록 알루미늄 등의 얇은 판 또는 가는 판으로 제조
• 눈금 : 계기의 동작 원리에 따라 눈금은 균등 눈금과 불균등 눈금으로 구분. 눈금은 정확하고 읽기 쉬워야 하므로, 균등 눈금이 일반적이다.</td></tr>
</table>

4 지시계기 동작원리에 의한 분류

가동코일형 계기(직류) 	영구 자석이 만드는 자기장 내에 가동 코일을 놓고, 코일에 측정하고자 하는 전류를 흘리면 이 전류와 자기장 사이에 전자력이 발생한다. • **자석에 의한 자기장 + 전류에 의한 자기장 = 전자력** 이 전자력을 구동 토크로 한 계기를 영구 자석 가동코일형계기라 한다. • **전류, 전압, 저항** 측정시 사용하며 측정된 값은 **평균값**이다.	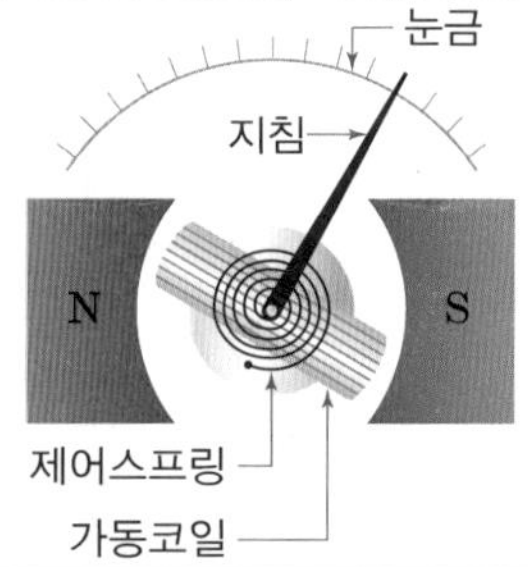 눈금 지침 N S 제어스프링 가동코일
유도형계기 (교류) 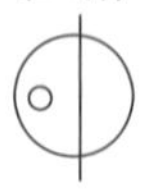	피측정 전류 또는 전압을 여자 코일에 공급해서 자기장을 만들고, 이 자기장과 가동부의 전자 유도 작용에 의해서 생기는 맴돌이 전류 사이의 전자력에 의한 구동 토크를 이용한 계기 • **전류에 의한 자기장 + 맴돌이 전류에 의한 자기장 = 전자력** 대표적 예 아라곤의 원판 • **전력** 측정 시 사용하며 측정값은 **실효값**이다.	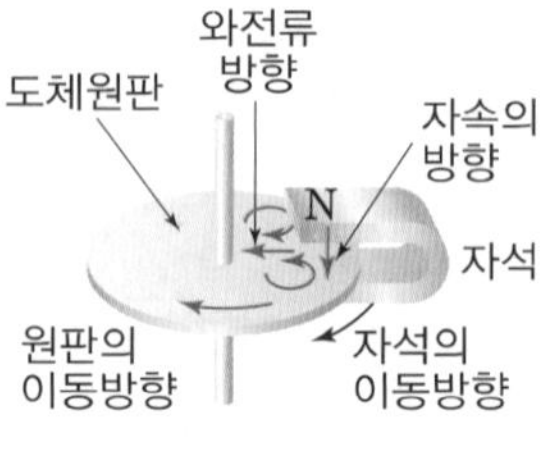 와전류 방향 도체원판 자속의 방향 N 자석 원판의 이동방향 자석의 이동방향

정류형계기 (교류)	**측정하고자 하는 교류**를 반도체 정류기에 의해 **직류로 변환한 후 가동 코일형 계기로 지시시키는 계기** • **전류, 전압, 저항** 측정 시 사용하며 측정값은 **실효값**이다. • 전자력을 이용	
가동철편형 계기(교류)	고정 코일에 흐르는 전류에 의해서 자기장이 생기고, 이 자기장 속에서 연철편이 흡인, 반발 또는 반발흡인 하는 힘을 구동 토크로 사용한 것이다. • **전류에 의한 자기장→흡인력, 반발력, 흡인반발력** • **전류, 전압** 측정 시 사용하며 측정값은 **실효값**이다.	
전류력계형 계기(직, 교류)	고정 코일에 피측정 전류를 흘려 자기장을 만들고, 그 자기장 중에 가동코일을 설치하여 여기에도 피측정 전류를 흘려, 이 전류와 자기장 사이에 작용하는 전자력을 구동 토크로 이용하는 기계 • **전류에 의한 자기장 + 전류에 의한 자기장 = 전자력** • **전류, 전압, 전력** 측정 시 사용되며 측정값은 **실효값**이다.	
열전형계기 (직, 교류)	전류의 열작용에 의한 금속선의 팽창 또는 **종류가 다른 금속의 접합점의 온도차에 의한 열기전력**으로 가동 코일형 계기를 동작하게 한 계기. 금속선의 팽창을 이용한 열선형은 현재 사용되지 않으며, 열전쌍형이 고주파 전류계로 널리 사용되고 있다. • **전류, 전압** 측정 시 사용되며 측정값은 **실효값 또는 평균값**이다.	
정전형계기 (직, 교류)	2장의 고정 전극과 그 사이에 알루미늄 가동 전극을 장치한 것으로, **구동력은 양 전극에 걸어 준 전압에 의하여 축적된 정전에너지**로서, 양 극판에 대전된 전하 사이에 작용하는 힘(정전기력)을 이용한 것 • **고전압** 측정 시 사용되며 측정값은 **실효값 또는 평균값이다.**	

• 교류에만 사용하는 계기 : 유도형, 정류형, 가동철편형계기 암기 유정철

• 직류, 교류에 사용하는 계기 : 전류력계형, 열전형, 정전형계기 암기 전류 열 받으면 정전 된다.

16. 지시 계기의 측정 범위 확대

1 분류기(分流器 : Seperator)

측정하고 싶은 전류 전부를 전류계에 흘릴 수 없으므로 전류의 일부를 전류계에 병렬로 연결된 저항에 흘림으로써 전류계 측정범위를 확대하는 장치

$$I = I_a(1 + \frac{r_a}{R_d})\,[\mathrm{A}]$$

I : 측정전류[A] I_a : 전류계에 흐르는 전류[A]

r_a : 전류계의 내부저항[Ω] R_d : 분류저항의 저항값[Ω]

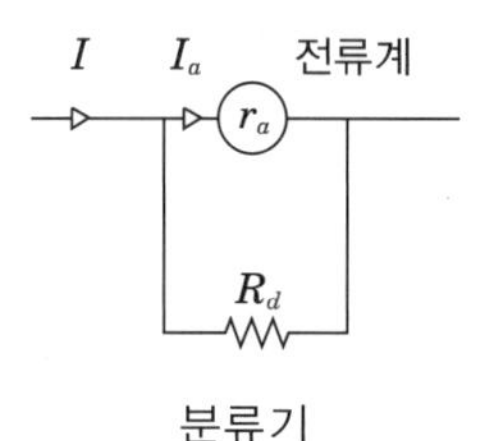

분류기

2 배율기(倍率器 : Multiplier)

측정하고 싶은 전압 전부를 전압계에 가할 수 없는 경우에 전압계에 직렬로 배율저항을 연결하여 배율저항에서 전압강하를 일으키고 전압계의 측정범위를 확대하는 장치

$$V = V_v(1 + \frac{R_m}{r_v})\,[\mathrm{V}]$$

V : 측정전압[V] V_v : 전압계에 가하는 전압[V]

r_v : 전압계의 내부저항[Ω] R_m : 배율저항의 저항값[Ω]

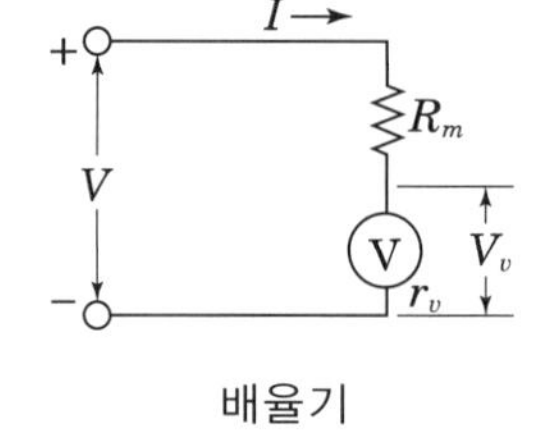

배율기

3 분압기

(1) 정전 전압계의 전압의 측정 범위를 확대하기 위한 것으로 계기와 직렬 접속한다.

(2) 저항 분압기 : 저항에 흐르는 전류에 의해 전력이 소비되므로 사용하지 않는다.

(3) 용량 분압기 : 소비전력이 작아 주로 사용되며 용량분압기는 교류 측정에만 쓰인다.

4 계기용 변성기

계기용 변성기	전압 또는 전류 측정 범위의 확장에 사용되는 계기용 변압기, 변류기의 총칭
종류	**변류기(CT) : 전류 측정용** **계기용 변압기(PT) : 전압 측정용**
기능	고압 대전류를 취급이 용이한 저압 소전류로 변성시켜 교류용 계기의 측정 범위를 확대. 측정 계기를 고압 회로로부터 절연하여 안정하게 측정할 수 있는 기능 안전을 위하여 반드시 계기용 변성기의 2차 권선의 한쪽 끝을 접지

(1) 변류기

① **변류기** : 전류계에서 사용하는 일종의 변압기로서 **1차 권선은 회로에 직렬로 접속, 2차권선은 두 단자 사이에 전류계를 접속**하여 **전류계의 지시로 1차 권선의 전류의 세기를 알 수 있다.**

② 권선비를 알고 2차 전류를 측정하면 측정하려는 1차 전류를 구할 수 있다.

③ 실제의 경우 **변류기 2차측에는 보통 정격 전류가 5 A인 규정된 전류계를 접속하여 사용**하기 때문에, 1차 최대전류를 임의로 결정하는 것과는 상관없이 2차 전류는 최대 5 A로서 권선비가 정해진다.

$$n_1 \cdot I_1 = n_2 \cdot I_2 \rightarrow \frac{I_2}{I_1} = \frac{n_1}{n_2}$$

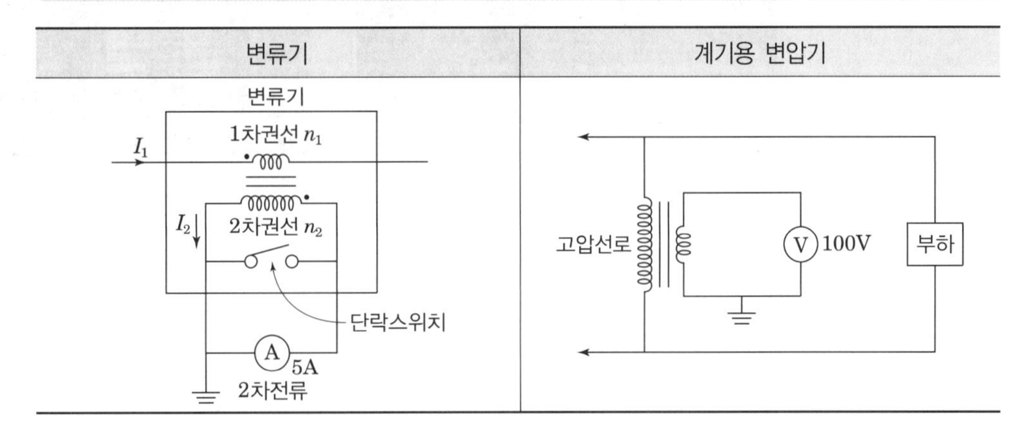

④ 통전 중에 전류계의 접속을 풀어 변류기 2차측을 개방 상태로 해서는 절대로 안된다. 개방이 되는 경우에는 2차측 권선에는 수천 [V] 이상의 전압이 발생되며 철심은 큰 철손으로 온도가 상승한다.

⑤ 부득이 2차측 계기 교체시 반드시 2차측 권선을 단락 후 계기를 떼어 내어야 한다.

(2) 계기용 변압기

① **계기용 변압기** : 교류 전압계의 측정범위를 확대하고 또는 고압 회로와 계기와의 절연을 위해 사용하는 변압기로 배율은 권선비와 같다. **계기용 변압기는 전력용 변압기와 같이 2차측에 전압계나 전력계의 전압 코일이 접속되도록 회로와 병렬로 접속**되어 있다.

② **실제의 계기용 변압기의 2차 최대 전압은** 그 변압기의 1차 정격(최대) 전압이 크든 작든 관계없이 어느 것이나 **100 V 또는 110 V가 되도록 권선비가 정해진다**. 그리고 **안정상 1차측에는 퓨즈를 달아 둔다.**

$$\frac{V_1}{V_2} = \frac{n_1}{n_2} = \frac{E_1}{E_2}$$

V_1, V_2 : 1차, 2차 단자전압　　　n_1, n_2 : 1차, 2차 권선수

E_1, E_2 : 1차, 2차 기전력

(3) 계기용 변압 변류기(MOF)

계기용 변압 변류기 : 계기용 변압기와 변류기를 1개의 케이스 속에 넣은 것으로 사용이 편리

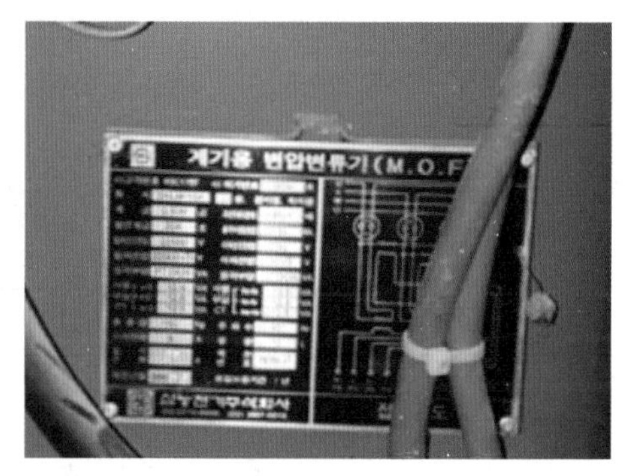

계기용 변압 변류기

예제 01

1차전압 6,600 V, 권수비 60인 단상변압기가 전등부하에 40 A를 공급할 때 1차 전류[A] 및 2차 전압[V]은?

① 3/2 A, 120 V　　② 2/3 A, 110 V

③ 3/2 A, 220 V　　④ 2/3 A, 220 V

해답 ②

- 1차 전류

변압기의 1차와 2차의 $AT(Ampere\ turn)$은 동일하므로 $n_1 \cdot I_1 = n_2 \cdot I_2$

$\frac{n_1}{n_2}$(권선비)$\cdot I_1 = I_2$ 이므로 $60 \cdot I_1 = 40$　　$\therefore\ I_1 = \frac{2}{3}$ A

- 2차 전압

$\frac{V_1}{V_2} = \frac{n_1}{n_2}$ 이므로 $\frac{6,600}{V_2} = 60$　　$\therefore\ V_2 = 110$ V

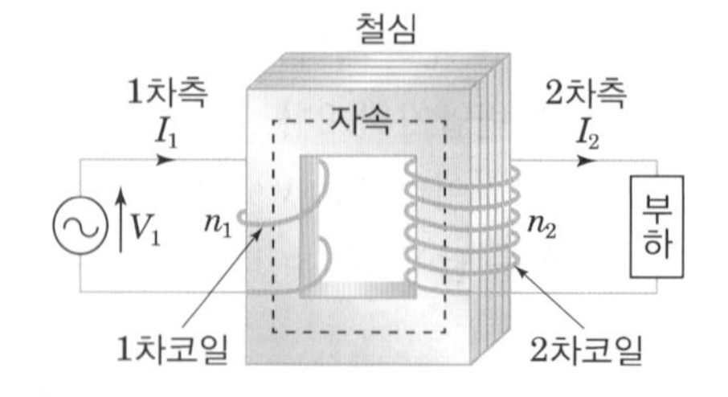

17. 자동제어 시스템

1 자동제어의 구분

신호에 의한 구분	제어 주체에 의한 구분
정성적제어 – 2진신호	수동제어 – 사람이 제어
정량적제어 – 아나로그 신호	자동제어 – 제어장치에 의한 자동제어

2 자동제어의 장점

(1) 불량률의 감소에 따른 제품의 신뢰성증가 및 균일화

(2) 인간 능력 이상의 정밀작업 및 고속작업이 가능함에 따른 편리함.

(3) 연속 작업에 다른 대량 생산이 가능

(4) 위험한 사고의 방지 및 위험장소에서의 작업이 가능하여 안전성 확보

(5) 노력의 절감 및 투자 자본의 절약 가능

3 자동 제어계의 종류

(1) 개회로 제어계

① 입력신호에 출력이 영향을 주지 못하여 부정확하고 신뢰성이 저하, 설비비 저렴

② 미리 정하여진 순서에 의하여 동작을 하므로 순차 제어시스템(sequential control system) 이라고도 한다.

③ **시퀀스제어 : 미리 정해 놓은 순서에 따라 각 단계를 순차적으로 행하는 것**

(2) 폐회로 제어계

출력신호를 입력신호로 피드백하여 출력값을 비교한 후에 출력값이 목표값에 이르도록 제어하는 것으로서 피드백제어시스템(feedback control ststem)이라 한다.

4 시퀀스제어(Sequence Control – 개회로제어계)

미리 정해진 순서에 따라 제어의 각 단계를 차례차례 추진해 나가는 제어를 말한다.

(1) 논리 대수의 공리

[공리1] $X \neq 1$이면 $X = 0$	$X \neq 0$이면 $X = 1$
[공리2a] $0 \cdot 0 = 0$	[공리2b] $1 + 1 = 1$
[공리3a] $1 \cdot 1 = 1$	[공리3b] $0 + 0 = 0$
[공리4a] $1 \cdot 0 = 0 \cdot 1 = 0$	[공리4b] $0 + 1 = 1 + 0 = 1$
[공리5a] $\overline{0} = 1$	[공리5b] $\overline{1} = 0$

(2) 논리 대수의 정리

교환의 법칙	$A+B=B+A$	$A\cdot B=B\cdot A$
결합의 법칙	$(A+B)+C=A+(B+C)$	$(A\cdot B)C=A(B\cdot C)$
분배의 법칙	$A(B+C)=AB+AC$	$A+B\cdot C=(A+B)\cdot(A+C)$
동일의 법칙	$A+A=A$	$A\cdot A=A$
흡수의 법칙	$A+A\cdot B=A$ $0+A=A$ $1+A=1$ $(A+\overline{B})\cdot B=AB$	$A(A+B)=A$ $0\cdot A=0$ $1\cdot A=A$ $A\overline{B}+B=A+B$
부정의 법칙	$\overline{\overline{A}}=A$	
보수성의 법칙	$A+\overline{A}=1$	$A\cdot\overline{A}=0$
드모르강의 정리	$\overline{A+B}=\overline{A}\cdot\overline{B}$	$\overline{A\cdot B}=\overline{A}+\overline{B}$

예제 02

다음 시퀀스회로를 최소화 시키면 어떻게 되는가?

$F=X\overline{Y}+Y$	$F=XY+X\overline{Y}$	$F=\overline{\overline{X+Y}+\overline{X+Y}}$
$F=X\overline{Y}+Y$ $=(X+Y)\cdot(\overline{Y}+Y)$ $=(X+Y)\cdot 1$ $=X+Y$	$F=XY+X\overline{Y}$ $=X\cdot(Y+\overline{Y})$ $=X\cdot 1$ $=X$	$F=\overline{\overline{X+Y}+\overline{X+Y}}$ $=\overline{\overline{X+Y}}\cdot\overline{\overline{X+Y}}$ $=\overline{\overline{X+Y}}$ $=X+Y$

(3) 제어 회로의 접점

a접점	**보통 때에는 접점이 떨어져 있고, 계전기 등이 동작 시에만 접점이 붙는다.** (예 소방펌프 전동기 기동 시 자기유지 하기 위한 접점)
b접점	**보통 때에는 접점이 붙어 있고, 계전기 등이 동작 시에만 접점이 떨어진다.** (예 소방펌프 전동기 정지 시에 들어오는 적색등을 위한 접점)
c접점	a접점과 b접점이 하나의 케이스 안에 있는 것으로, 필요에 따라 **a접점과 b접점을 선택하여 사용 할 수 있다. (예 소방펌프 전동기 수동 기동 시 ON-OFF 접점)**

신호			기호		비고
			가로표기	세로표기	
출력신호	보통접점	a접점	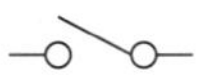		전등 스위치와 같이 접점조작을 손으로 넣고 끊는 것(유지형)
		b접점			
	수동조작 자동복귀	a접점	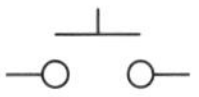		수동조작하면 폐로 또는 개로 하지만 손을 떼면 스프링 등의 힘으로 복귀하는 접점(누름형)
		b접점			
	계전기 및 보조 계전기	a접점	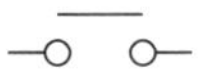		계전기나 전자접촉기의 보조 접점으로 전자코일에 전류가 흐르거나 흐르지 않음에 따라 개로 또는 폐로하는 접점(순시 접점)
		b접점			
	한시동작 순시복귀	a접점	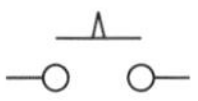		타이머 등 한시계전기의 접점으로 접점이 일정 시간 지나 작동하고 타이머가 소자되면 바로 복귀하는 접점
		b접점			
	순시동작 한시복귀	a접점	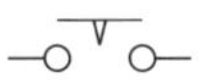		타이머 등 한시계전기의 접점으로 타이머가 여자되면 바로 작동하고 타이머가 소자되면 일정시간 지나 복귀하는 접점
		b접점			
	수동복귀	a접점	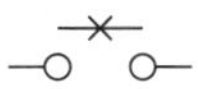		열동계전기(THR, 88)접점 (인위적으로 복귀되는 것, 전자석으로 복귀되는 것도 포함)
		b접점	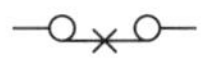		

(4) 논리회로

① NOT회로(인버터회로)

NOT 회로는 입력과 출력이 1 : 1이며 입력과 출력이 반대인 부정 회로이다.

논리회로	유접점회로	무접점회로	진리표
$\overline{A} = X$			

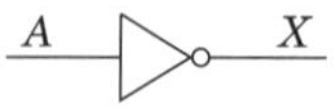

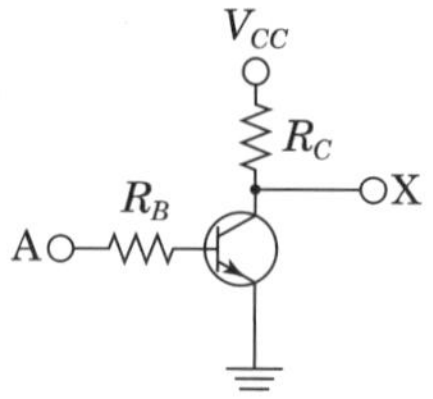

A	X
0	1
1	0

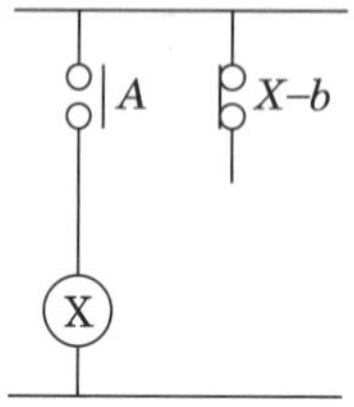

② AND회로

- AND는 복수 입력이 있으며, 기본적으로 2입력 1출력소자이다.
- **모든 입력이 1인 경우에만 출력이 1이 되는 회로이며, 곱하기로 표현한다.**

논리회로	유접점회로	무접점회로	진리표
$A \cdot B = X$			

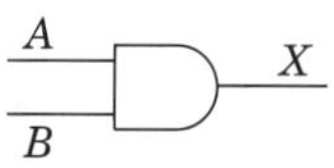

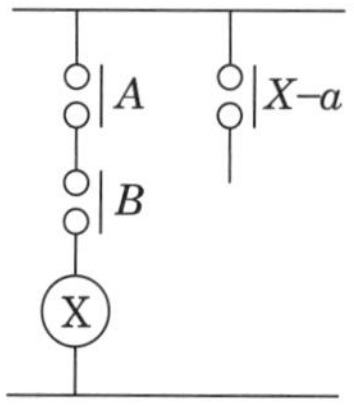

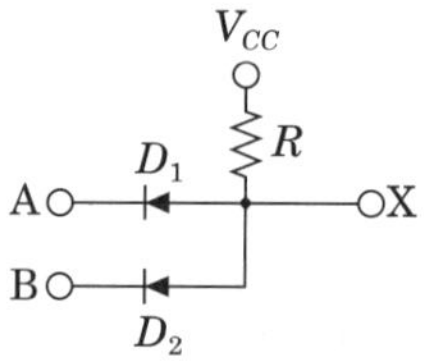

A	B	X
0	0	0
0	1	0
1	0	0
1	1	1

③ OR회로

- OR는 복수 입력이 있으며, AND와 마찬가지로 2입력 1출력소자가 기본이다
- **어느 하나가 1일 때 출력이 1이 되는 회로로 더하기로 표현한다.**

논리회로	유접점회로	무접점회로	진리표
$A + B = X$			

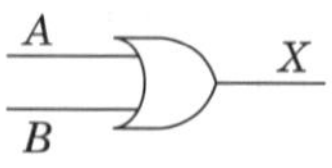

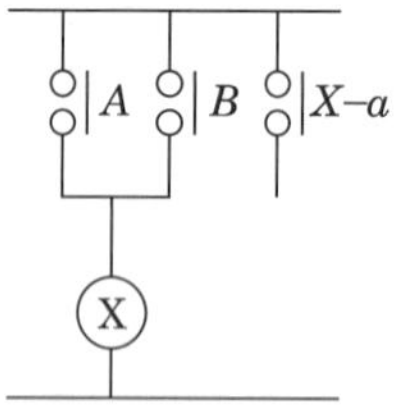

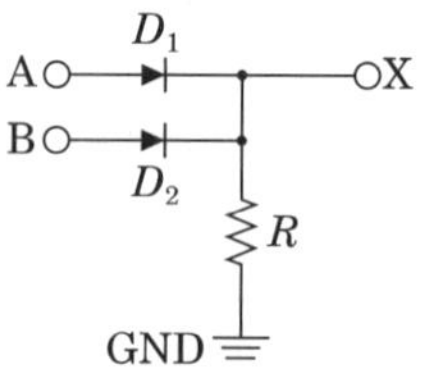

A	B	X
0	0	0
0	1	1
1	0	1
1	1	1

④ NAND회로

- AND 회로와 NOT회로를 조합한 회로를 NAND 회로라 한다.
- 모든 입력이 1일 때에만 출력이 0인 회로

논리회로	유접점회로	무접점회로	진리표
$\overline{A \cdot B} = X$			

A	B	X
0	0	1
0	1	1
1	0	1
1	1	0

⑤ NOR회로

- OR 회로와 NOT회로를 조합한 회로를 NOR 회로라 한다.
- 모든 입력이 0일 때에만 출력이 1인 회로

논리회로	유접점회로	무접점회로	진리표
$\overline{A + B} = X$			

A	B	X
0	0	1
0	1	0
1	0	0
1	1	0

예제 03

입력이 1과 0일 때 출력이 나오지 않는 게이트는?

① OR 게이트　　② NAND 게이트
③ NOR 게이트　　④ Exclusive-OR 게이트

해답 ③

NOR 회로는 모든 입력이 0일 때에만 출력이 나오는 회로이다.

⑥ XOR(Exclusive – OR, EX – OR)회로, 인터록회로

$A \cdot \overline{B} + \overline{A} \cdot B = A \oplus B = X$

배타적 OR라고 부르기도 하며, 2입력 중 어느 하나가 1일 때 출력이 1이 되는 회로이다. 입력이 같으면 출력은 0이고 입력이 다르면 1이다.

논리회로	유접점회로	타임챠트	진리표
A, B, X A, B, X	A-a, A-b, B-b, B-a, X	A, B, X	(아래 표)

A	B	X
0	0	0
0	1	1
1	0	1
1	1	0

⑦ XNOR(Exclusive - NOR, EX - NOR)회로

$A\cdot B + \overline{A}\cdot\overline{B} = A\odot B = X = \overline{A\oplus B}$

입력과 출력이 동일할 때에만 출력이 나오는 회로

논리회로	유접점회로	타임챠트	진리표
A, B, $X=A\odot B$ A, B, X	A-a, A-b, B-a, B-b, X	A, B, X	(아래 표)

A	B	X
0	0	1
0	1	0
1	0	0
1	1	1

예제 04 입력이 1과 1일 때 출력이 나오지 않는 게이트는?

① OR 게이트　　② AND 게이트
③ NOR 게이트　　④ Exclusive-NOR 게이트

해답 ③

NOR 회로는 모든 입력이 0일 때에만 출력이 나오는 회로이다.

5 피드백제어(폐회로제어계)

(1) 피드백제어의 특성

① 외부조건의 변화에 대한 영향 감소
② 제어기 부품의 성능이 저하되어도 큰 영향을 받지 않는다.
③ 균일한 제품 생산으로 생산품질 향상
④ 감도(입력과 출력의 비)가 감소한다.
⑤ 시스템이 복잡하고 대형이며 설비비가 고가이다.

(2) 피드백 제어계의 구성

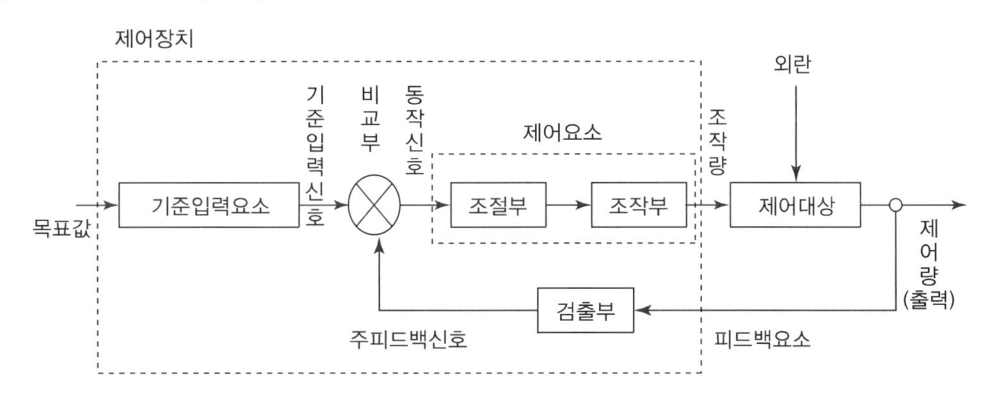

목표값	제어대상에 따라 위치, 각도, 온도 등으로 제어 시스템에서 원하는 입력치인 설정값이다.
기준입력요소	목표값에 비례하는 기준입력신호를 발생하는 장치로 제어장치의 구성요소.
기준입력신호	제어계를 동작시키는 기준신호로서 목표값에 비례하는 전압, 전류, 길이, 높이 등으로서 나타낸다.
비교부	기준입력과 피드백량과의 차이를 구해 서로 비교하여 제어동작을 일으키는 신호를 만드는 부분
동작신호	기준입력과 주피드백신호의 차(오차)로서 제어계의 동작을 일으키는 신호
제어요소	동작 신호를 조작량으로 변환하는 요소(조절부 + 조작부)
조절부	동작신호를 제어계가 동작 하는데 필요한 신호로 만들어 조작부에 보내는 장치로서 증폭기, PID조절기, 레버 등으로 조절하는 부분이다.
조작부	조절부로부터 받은 신호를 조작량으로 바꾸어 제어 대상에 보내 주는 장치
조작량	동작신호를 증폭하여 충분한 에너지를 가진 신호로써 제어대상을 직접 구동할 수 있는 양
외란	기준입력 이외의 제어량을 변화시키는 모든 변수값
제어대상	제어 활동을 갖지 않는 출력 발생 장치로 제어장치로 부터 직접 제어를 받는 장치
검출부	제어량을 검출하고 입력과 출력을 비교하는 장치
제어량	제어 대상의 출력으로 검출부로부터 상시 감시받는다.
제어장치	기준입력요소 + 제어요소 + 피드백요소

• 검출 방법에 따른 기기 분류

온도 → 변위	바이메탈, 액체팽창	변위 → 압력	유압 분사관, 스프링
온도 → 전압	열전대, 방사온도계	변위 → 전압	차동변압기, 전위차계
온도 → 임피던스	정온식감지선형감지기	변위 → 임피던스	가변저항기
압력 → 임피던스	스트렌게이지	전압 → 변위	전자석
압력 → 변위	벨로우즈, 다이아프램	광(빛) → 전압	광전지, 광전다이오드

6 자동 제어계의 분류

(1) 목표값의 성질에 의한 분류

구 분	내 용	종 류
정치 제어 (constant-value control)	목표값이 **시간적으로 변화하지 않고** 일정한 제어	프로세스 제어 자동 조정 제어
추종장치 (follow-up control)	목표값이 **시간적으로 변화**하는 경우의 제어 임의로 변화하는 제어로 서보 기구가 이에 해당한다.	대공포, 추적 레이다 자동평형 계기
프로그램 제어 (program control)	목표값의 **변화가 미리 정해진 신호**에 따라 동작	무인열차, 자판기 엘리베이터 등

(2) 제어대상(제어량)의 성질에 의한 분류

구 분	내 용	종 류
서보 기구	물체의 위치, 방위, 자세, 거리, 각도 등 **기계적 변위를 제어량**으로 해서 목표값의 임의의 변화에 추종하도록 구성된 제어계	방향제어계 추적용 레이더 등
프로세스 제어	농도, 온도, 압력, 유량, 습도, 효율 등 생산 공정 중의 **공업프로세스의 상태를 제어량**으로 하는 제어	온도계, 압력계, 습도계 등
자동 조정 기구	속도(회전수), 전위, 전류, 힘, 주파수, 전압 등 **전기적 또는 기계적 양을 제어량**으로 하는 제어	정전압장치 발전기의 조속기

예제 05

다음 중 자동조정기구에 속하지 않는 제어량은?

① 회전수 ② 효율
③ 전압 ④ 주파수

해답 ②

예제 06

프로세스 제어에 해당하는 것은?

① 전압 ② 압력
③ 주파수 ④ 위치

해답 ②

(3) 연속성에 의한 분류

① **연속 제어(Continuous Control)**

제어량의 변화를 연속 측정하여 설정치와 비교, 연산하고 상시 정정하는 제어로 비례(proportion), 미분(differential), 적분(integral) 제어가 이에 속한다.

비례 제어	P 제어	잔류 편차(off set) 발생, $G(s)=K$
비례적분 제어	PI 제어	잔류 편차는 제거되지만 속응성이 길다. $G(s)=K\left(1+\frac{1}{T_i s}\right)$
비례미분 제어	PD 제어	속응성을 향상, 잔류 편차는 있다. $G(s)=K(1+T_d\, s)$
비례미분적분 제어	PID 제어	속응성도 향상시키고 잔류 편차도 제거한 제어계로 가장 안정적인 제어계 $G(s)=K\left(1+T_d\, s+\frac{1}{T_i s}\right)$

② **불연속 제어(Floating Control)**

제어량의 변화는 연속적으로 측정하지만 조작량의 정정은 불연속적으로 행하는 ON-OFF 제어 2-Position Control 제어가 이에 속한다.

예제 07

연속제어 중 비례미분제어에 해당하는 것은?

① P 제어 ② PI 제어

③ PD 제어 ④ PID 제어

해답 ③

예제 08

비례미분제어의 특징에 해당하는 것은?

① 잔류 편차(off set) 발생

② 잔류 편차는 제거되지만 속응성이 길다.

③ 속응성을 향상시키나 잔류 편차는 있다.

④ 속응성도 향상시키고 잔류 편차도 제거한 제어계

해답 ③

7 블록선도

작은 단위의 시스템들이 결합되어 큰 단위의 시스템이 형성되는 경우가 많다. 이런 경우 작은 단위 시스템들을 블록 선도로 나타내면 전체 시스템을 표현하는데 매우 편리하다.

(1) 블록선도의 표기법

① **네모의 모양 : 입력신호를 받아 출력신호로 만드는 전달요소(곱하기로 표현한다)**

② **화살표 : 전달요소에서 신호의 방향을 표시한다.**

③ **두 가지 이상의 신호를 합 또는 차로 나타낼 때에는 화살표 옆에 +, −의 기호를 표시한다.**

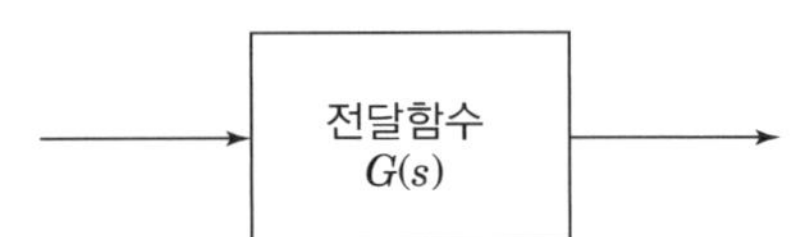

블록선도

(2) 블록선도의 간소화

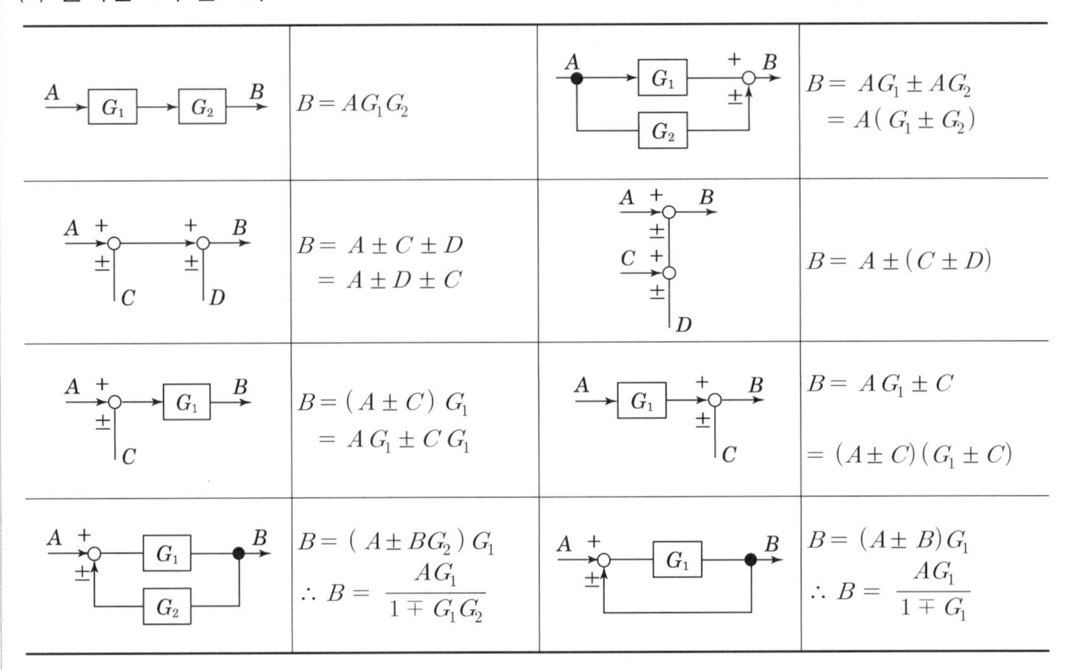

블록선도	식	블록선도	식
	$B = AG_1G_2$		$B = AG_1 \pm AG_2$ $= A(G_1 \pm G_2)$
	$B = A \pm C \pm D$ $= A \pm D \pm C$		$B = A \pm (C \pm D)$
	$B = (A \pm C)\, G_1$ $= AG_1 \pm CG_1$		$B = AG_1 \pm C$ $= (A \pm C)(G_1 \pm C)$
	$B = (A \pm BG_2)\, G_1$ $\therefore B = \dfrac{AG_1}{1 \mp G_1G_2}$		$B = (A \pm B)G_1$ $\therefore B = \dfrac{AG_1}{1 \mp G_1}$

예제 09

다음의 블록선도에서 B는?

① $\dfrac{A(G_1 - G_2)}{2}$ ② $A(G_1 - G_2)$

③ $A(G_1 + G_2)$ ④ $\dfrac{A(G_1 + G_2)}{2}$

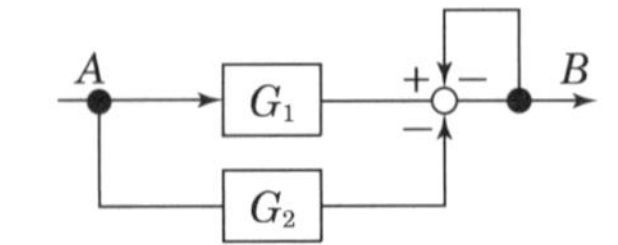

해답 ①

$AG_1 - AG_2 - B = B \qquad A(G_1 - G_2) = 2B$

$\therefore\ B = \dfrac{A(G_1 - G_2)}{2}$

18. 전기 공사 재료 등

1 전선의 구비조건 (암기 내 기 도 가 신 비)

- 내구성이 있을 것, 기계적 강도가 클 것, 도전율이 클 것
- 가격이 저렴하고 가요성이 클 것
- 신장률(팽창률)이 크고, 비중(중량)이 작을 것
- 구입이 쉽고 대량 생산 가능 할 것

2 전선의 구분

(1) 단선과 연선

단선(좌측)과 연선

① 단선(solid wire) : 전선의 단면이 1개의 도체로 된 전선

② 연선(stranded wire) : 여러 단선을 필요한 굵기에 따라 합쳐 꼰 전선

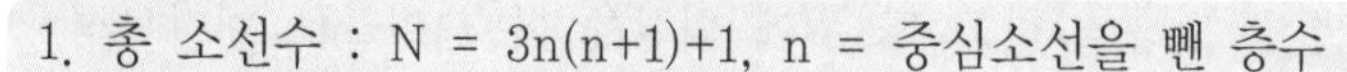
1. 총 소선수 : N = 3n(n+1)+1, n = 중심소선을 뺀 층수
2. 연선의 단면적 : A = aN, a = 소선 한 가닥의 단면적
3. 연선의 바깥지름 D = (1+2n)d, d = 소선의 지름

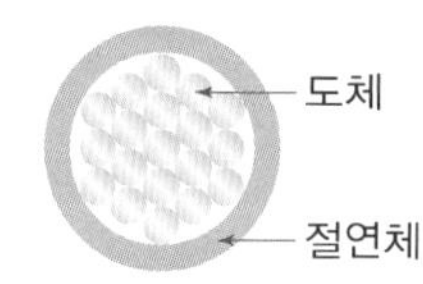

연선

(2) 경동선과 연동선

① 경동선 : 인장 강도가 커서 가공 선로에 사용한다. 고유저항 $\frac{1}{55}\ \Omega \cdot mm^2/m$

② 연동선 : 전기 저항이 작고, 부드러운 성질이 있어서 주로 옥내 배선에 사용한다.
고유저항 $\frac{1}{58}\ \Omega \cdot mm^2/m$

(3) 절연전선

① 나전선을 고무, 면사 등으로 피복하거나 또는 에나멜(enamel)등을 말아 절연 시킨 전선

② 1종 및 2종 면 절연전선, 고무절연선, 비닐절연선 등

③ 소방의 내화배선, 내열배선에 사용하는 절연전선

- **450/750 V 저독성 난연 가교 폴리올레핀 절연 전선**
- **300/500 V 내열성 실리콘 고무 절연전선(180℃)**

(4) 케이블

① 전력 케이블 – 전선을 고무, 비닐 등으로 절연하고, 연피[연–lead : 납, 피–sheath(시스) : 피복], 강대 외장 및 알루미늄테이프로 외장한 것

- **0.6/1 kV 가교 폴리에틸렌 절연 저독성 난연 폴리올레핀 시스 전력 케이블**

- **6/10 kV 가교 폴리에틸렌 절연 저독성 난연 폴리올레핀 시스 전력용 케이블**
  ※ 올레핀(알켄 - C_nH_{2n}) : 탄화수소화합물 중 2중 결합의 불포화탄화수소로 에틸렌(C_2H_4), 프로필렌, 부틸렌 등을 말한다.

② 비닐 절연 비닐 시스 케이블(VV 케이블) - 절연과 외장에 비닐을 사용한 것

③ 고무 절연 클로로프렌 시스 케이블(RN 케이블)
  ㉠ 절연체로 천연 고무, 외장으로 클로로프렌을 사용한 것
  ㉡ **0.6/1 kV EP 고무 절연 클로로프렌 시스 케이블**

④ 가교 폴리에틸렌 절연 비닐 시스 케이블(CV 케이블)
  ㉠ 폴리에틸렌의 결점인 열적 특성을 가교 반응에 의해 개선한 것
  ㉡ **가교 폴리에틸렌 절연 비닐 시스 트레이용 난연 전력 케이블**

⑤ Minera Insulation 케이블(MI 케이블)
  전선과 외장인 동관 사이를 미네랄(광물질)의 산화마그네슘과 같은 무기물의 절연물로 충전하고 이를 압연 열처리하여 만든 것으로 내열성이 우수한 케이블(insulation - 절연처리)

⑥ 캡타이어 케이블
  도체위에 절연 피복을 하고 그 위에 외장을 한 케이블로 내마모성, 내충격성, 내수성이 있다.

3 전선의 접속

(1) 전선의 접속시 주의 사항

① **접속점의 전기적 저항을 증가시키지 않아야 한다.**
② **접속점의 기계적 강도를 20% 이상 감소시키지 않아야 한다.**
③ **접속점의 절연을 약화시키지 않도록 절연테이프나 와이어 커넥터로 보호한다.**
④ **옥내배선 공사에서 전선의 접속은 박스 안에서 하고, 접속점에 장력이 가해지지 않도록 한다.**

(2) 전선의 병렬접속 사용시 주의 사항

① 동일한 도체, 동일한 굵기, 동일한 길이로 할 것
② 같은 극의 각 전선은 동일한 터미널 러그에 완전히 접속할 것
③ 전류의 불평형을 초래하지 않도록 할 것
④ 전선 각각에는 퓨즈를 장치해서는 안되며, 퓨즈를 장치해야 할 경우는 공용 퓨즈로 할 것

Terminal Lug

(3) 전선의 접속방법

트위스트 접속	전선의 굵기가 6 mm² 이하의 가는 전선을 접속하는 방법
브리타니어 접속	두 선을 포개고 조인트 선을 감는 방법으로 10 mm² 이상의 굵은 단선에 적합

4 금속 전선관

(1) 종류

후강 전선관	1. 관의 근사 안지름 : 16 mm부터 104 mm까지 10종 – 16, 22, 28, 36, 42, 54, 70, 82, 92, 104 mm 2. 공장 등의 배관에서 특히 강도를 필요로 하는 경우 또는 폭발성가스나 부식성가스가 있는 장소에 사용(厚 두터울 후 , 鋼 강철 강)
박강 전선관	1. 관의 근사 바깥 지름 : 15 mm부터 75 mm까지 8종 – 15, 19, 25, 31, 39, 51, 63, 75 mm 2. 薄 엷을 박 鋼 강철 강

(2) 금속 전선관의 시공

① 관의 절단 및 나사내기 : 금속 전선관의 절단은 파이프 바이스에 고정시키고 파이프 커터 또는 쇠톱 등으로 절단하고, 절단한 내면을 리머로 다듬어 전선의 피복이 손상되지 않도록 하고, 나사 내기는 오스터 또는 미싱 등으로 한다.

② 금속 전선관의 구부리기 : 금속 전선관을 구부릴 때 관의 단면이 심하게 변형되지 않도록 구부려야 하며, 그 안쪽의 반지름은 관 안지름의 6배 이상이 되게 한다.

③ **금속 전선관에는 3개소를 초과하는 굴곡 개소를 만들면 안 된다. 굴곡 개소가 많은 경우 또는 관의 길이가 30 m를 초과하는 경우에는 도중에 풀 박스를 설치한다.**

④ **금속 전선관을 콘크리트에 매입할 경우 1.2 mm 이상, 기타의 경우에는 1.0 mm 이상이어야 한다.**

- **내화배선 시에는 내화구조로 된 벽 또는 바닥의 표면으로부터 25 mm 이상 깊이로 매설하여야 한다.**

⑤ **굵기가 다른 절연 전선을 동일관 내에 넣는 경우 전선의 피복을 포함한 단면적의 총 합계가 관내 단면적의 32% 이하가 되도록 선정**하여야 한다.

⑥ **굵기가 동일한 경우**에는 **전선의 피복을 포함한 단면적의 총 합계가 관내 단면적의 48% 이하**

5 전기공사재료

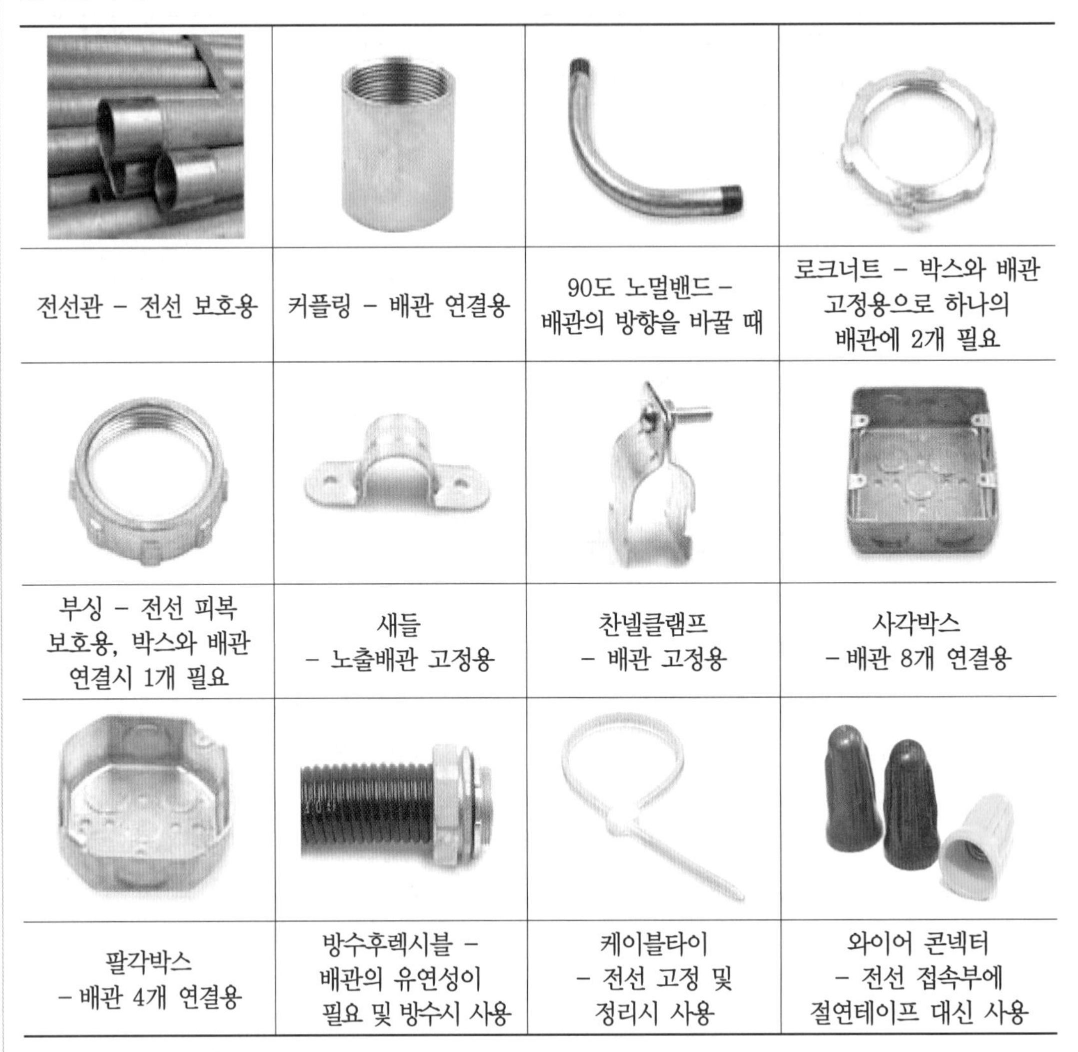

전선관 – 전선 보호용	커플링 – 배관 연결용	90도 노멀밴드 – 배관의 방향을 바꿀 때	로크너트 – 박스와 배관 고정용으로 하나의 배관에 2개 필요
부싱 – 전선 피복 보호용, 박스와 배관 연결시 1개 필요	새들 – 노출배관 고정용	찬넬클램프 – 배관 고정용	사각박스 – 배관 8개 연결용
팔각박스 – 배관 4개 연결용	방수후렉시블 – 배관의 유연성이 필요 및 방수시 사용	케이블타이 – 전선 고정 및 정리시 사용	와이어 콘넥터 – 전선 접속부에 절연테이프 대신 사용

6 절연물의 허용온도

종류	Y	A	E	B	F	H	C
온도	90℃	105℃	120℃	130℃	155℃	180℃	180℃초과

7 접지공사의 종류

– 단독접지, 공통접지, 통합접지

8 전압강하

구 분	전압강하 식	결선도
단상 2선식	$e[\mathrm{V}]=\dfrac{35.6\times L\times I}{1{,}000A}$ ※ $e = 2IR$	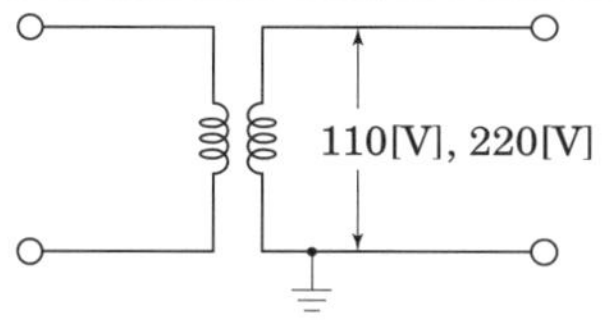 110[V], 220[V]
단상 3선식	$e[\mathrm{V}]=\dfrac{17.8\times L\times I}{1{,}000A}$	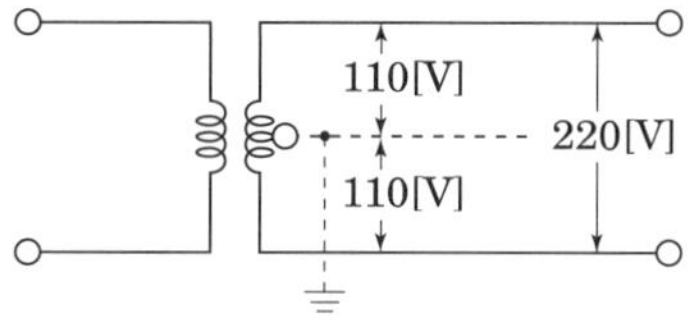 110[V], 110[V], 220[V]
3상 3선식 (단상보다 전류가 $\sqrt{3}$ 배)	$e[V]=\dfrac{30.8\times L\times I}{1{,}000A}$	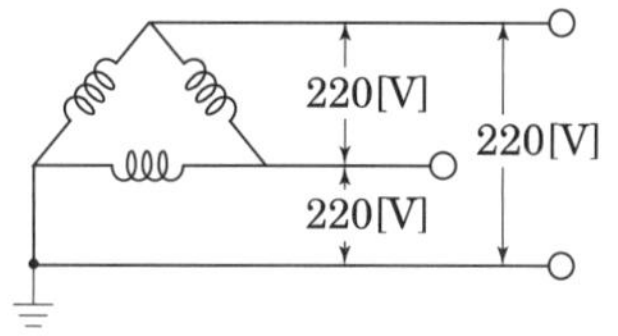 220[V], 220[V], 220[V]
3상 4선식	$e[V]=\dfrac{17.8\times L\times I}{1{,}000A}$	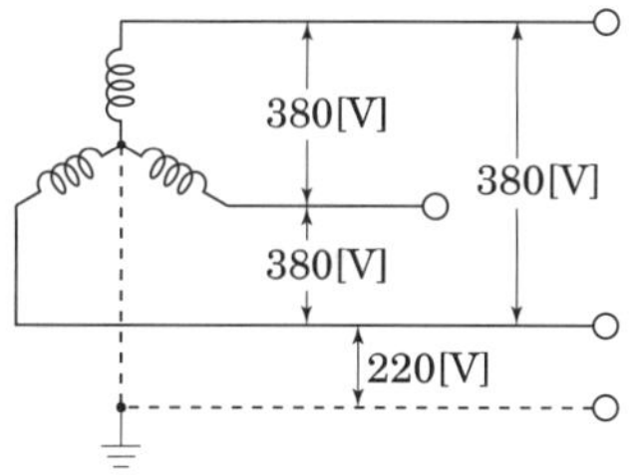 380[V], 380[V], 380[V], 220[V]

• L : 전선의 길이(m), I : 소요전류(A), A : 전선의 단면적(mm²)

9 허용 전류

전선 및 케이블의 허용 전류는 피복 절연물의 종류, 도체의 굵기, 시설 조건 등에 의하여 결정되는데, 이것은 온도가 어느 정도 이상 상승하면 절연체의 절연을 약화시켜 전선으로서의 기능을 다하지 못하게 되기 때문이다.

$$I(\text{단락 시 허용전류})=\frac{K(\text{도체의 저항률})\cdot A(\text{도체의 단면적})}{\sqrt{t(\text{단락전류의 지속시간, 1초})}}$$

• 전선의 굵기 선정 시 고려하여야 할 사항 : 허용전류, 전압강하, 기계적강도

10 화재감지기 감시전류, 동작전류

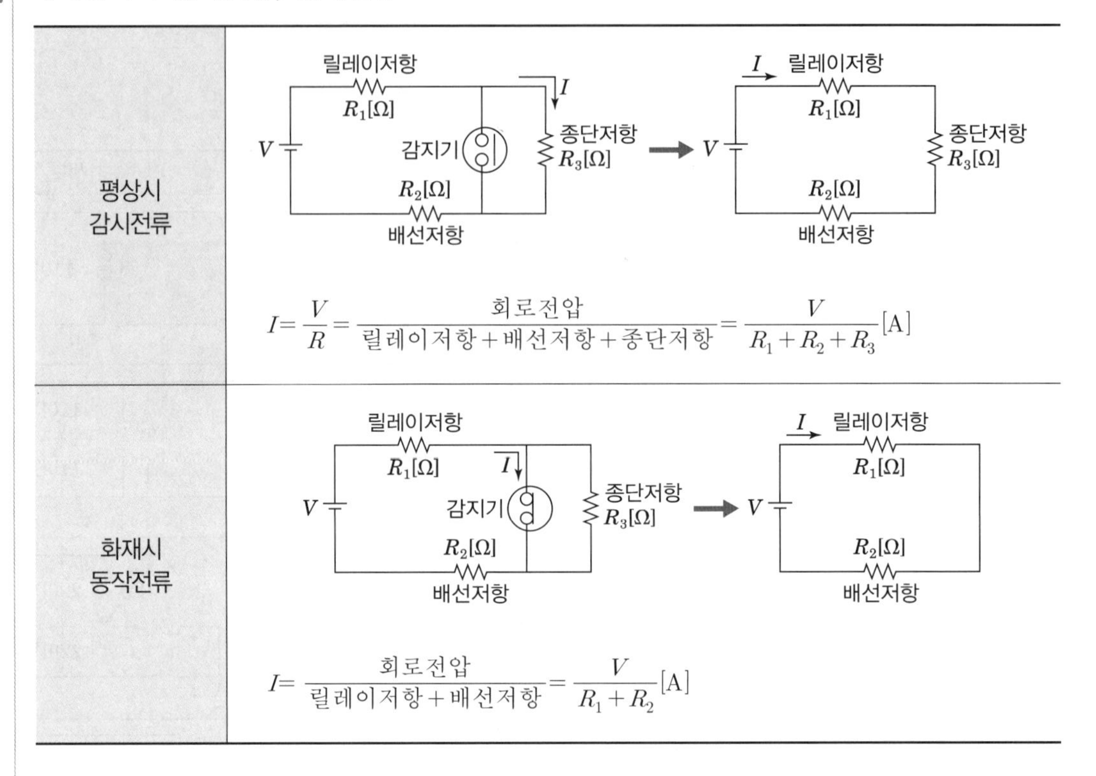

구분	내용
평상시 감시전류	$I=\dfrac{V}{R}=\dfrac{\text{회로전압}}{\text{릴레이저항}+\text{배선저항}+\text{종단저항}}=\dfrac{V}{R_1+R_2+R_3}[\text{A}]$
화재시 동작전류	$I=\dfrac{\text{회로전압}}{\text{릴레이저항}+\text{배선저항}}=\dfrac{V}{R_1+R_2}[\text{A}]$

실전 예상문제

01

백분율 오차가 +5.0%일 때 보정 백분율은?

① -4.76% ② 4.76% ③ -1.05% ④ 1.05%

해설

백분율의 공식

- 오차 백분율 $= \frac{M-T}{T} \times 100\%$ 보정백분율 $= \frac{T-M}{M} \times 100\%$
- 오차 백분율 $5 = \frac{M-T}{T} \times 100\%$ 에서 측정값 $M = \frac{5T}{100} + T = 1.05T$
- 보정 백분율 $\frac{T-M}{M} \times 100 = \frac{T-1.05T}{1.05T} \times 100 = -4.76\%$

02

내부저항 $0.5\,\Omega$, 최대측정범위 10 A의 전류계에 $5\,\Omega$이 분류기를 병렬로 연결하면 최대 몇 [A]의 전류를 측정할 수 있는가?

① 11 ② 80 ③ 100 ④ 110

해설

분류기를 사용하여 측정하고자 하는 전류는 전체전류를 구하는 것이다. 따라서 저항의 병렬 연결 시 하나의 저항에 흐르는 전류의 값을 구하는 식으로 풀면 된다.

$I_r = \left(\frac{R}{r+R}\right) I[\mathrm{A}] \rightarrow 10 = \left(\frac{5}{0.5+5}\right) \times I$ $\therefore I = 11\,\mathrm{A}$

I : 측정 가능한 전류[A], I_r : 전류계의 최대 범위[A], R : 분류기의 저항[Ω], r : 전류계의 내부저항[Ω]

03

최대 눈금이 50 V인 직류 전압계가 있다. 이 전압계를 사용하여 1,000 V의 전압을 측정하려면 배율기의 저항은 몇 [kΩ]을 사용하여야 하는가? (단, 전압계의 내부 저항은 250 Ω이다.)

① 2.75 ② 3.25 ③ 4.5 ④ 4.75

해설

배율기를 설치하여 측정 가능한 전압(저항의 직렬 연결 시 하나의 저항에 걸리는 전압을 계산하는 식에서 유도)

$V_r = \frac{r_v}{r_v + R_m} V \rightarrow V = \left(1 + \frac{R_m}{r_v}\right) V_r [\mathrm{V}] \rightarrow R_m = \left(\frac{V}{V_r} - 1\right) r_v$

V : 측정가능한 전압[V], V_r : 전압계의 최대눈금[V], R_m : 배율기의 저항[Ω], r_v : 전압계의 내부저항[Ω]

$\therefore$ 배율기의 저항 $R_m = \left(\frac{V}{V_v} - 1\right) r_v = \left(\frac{1{,}000}{50} - 1\right) \times 250 = 4{,}750\,\Omega = 4.75\,\mathrm{k\Omega}$

정답 01 ① 02 ① 03 ④

●○○ 04 가동철편형 계기의 구동 토크 발생 방법이 아닌 것은?

① 흡인형 ② 반발형 ③ 반발흡인형 ④ 회전자장형

해설
가동철편형 계기의 구조형태 : 흡인형, 반발형, 반발흡인형

●○○ 05 전류측정에 사용되지 않는 것은?

① 가동코일형계기 ② 가동철편형계기 ③ 정전형계기 ④ 열전대형계기

해설
정전형 계기의 특징
(1) 고전압 측정(전류측정에는 사용하지 않는다.)
(2) 입력 임피던스가 높고 소비전력이 극히 적다.
(3) 외부 전기장에 의한 오차가 발생한다.
(4) 직교류 겸용이며 주파수 및 파형의 영향이 없다.

●●● 06 직류전압을 측정할 수 없는 계기는?

① 가동코일형계기 ② 정전형계기 ③ 유도형계기 ④ 열전형계기

해설
- 교류에만 사용하는 계기 : 유도형, 정류형, 가동철편형계기 암기+ 유정철
- 직류, 교류에 사용하는 계기 : 전류력계형, 열전형, 정전형계기 암기+ 전류 열 받으면 정전 된다.

●●● 07 정류형 계기의 눈금이 지시하는 것은?

① 순시값 ② 최대값 ③ 실효값 ④ 평균값

해설
정류형 계기는 교류를 직류로 변환한 후 가동코일형 계기로 지시하는 계기로 가동철편형이나 전류력계형 계기보다 정도와 감도가 좋으며 측정값은 교류의 실효값을 나타낸다.

●●● 08 가동코일형 측정계기로 전류를 측정하는 경우 지시값은?

① 순시값 ② 최대값 ③ 실효값 ④ 평균값

해설
계기의 지시값(가동코일형 제외하고 모두 실효값)
(1) 가동코일형 : 직류(평균값)
(2) 가동철편형 : 교류(실효값)
(3) 전류력계형 : 직, 교류(실효값)
(4) 유도형 : 교류(실효값)

정답 04 ④ 05 ③ 06 ③ 07 ③ 08 ④

●●○ **09** 단상 교류회로에 연결되어 있는 부하의 역률을 측정하고자 한다. 이때 필요한 계측기의 구성으로 옳은 것은?

① 전압계, 전력계, 회전계 ② 저항계, 전류계, 전력계
③ 전압계, 전류계, 전력계 ④ 전류계, 전압계, 저항계

$P = VI\cos\theta$에서 $\cos\theta = \dfrac{P}{VI}$이므로 여기서 P : 전력계, V : 전압계, I : 전류계
- 역률 측정 계측기의 구성 : 전력계, 전압계, 전류계

●●● **10** 피드백제어시스템에서 조절부와 조작부로 이루어진 것을 무엇이라 하는가?

① 기준입력요소 ② 제어요소 ③ 피드백요소 ④ 제어대상

제어요소 = 조절부 + 조작부

●●● **11** 제어장치의 구성요소가 아닌 것은?

① 기준입력요소 ② 제어요소 ③ 피드백요소 ④ 검출요소

제어장치 = 기준입력요소 + 제어요소 + 피드백요소

●●○ **12** 변위를 전압으로 변환할 수 있는 장치는?

① 차동변압기 ② 서미스터 ③ 노즐플래퍼 ④ 벨로우즈

변환요소
(1) 압력 → 변위 : 벨로우즈, 다이아프램, U자관 등
(2) 변위 → 압력 : 노즐플래퍼, 유압분사관 등
(3) 변위 → 전압 : 전위차계, 차동 변압기, 발진기 등
(4) 온도 → 전압 : 열전대
(5) 온도 → 임피던스 : 측온저항계, 감지선형 감지기 등
(6) 광 → 전압 : 광전지

●●● **13** 감지기 중에 정온식 감지선형은 어느 변환요소에 속하는가?

① 압력 → 변위 ② 온도 → 임피던스
③ 온도 → 전압 ④ 변위 → 임피던스

- 감지선형 감지기 : 일정한 온도에서 용해되는 절연물질을 피복으로 만든 전선을 꼬아 삽입한 것으로 화재로 인해 온도가 상승하면 절연물질이 용해되면서 전선이 서로 접촉 하여 화재신호를 보내는 감지기
- 감지선형 감지기 : 온도 → 임피던스로 변환하여 화재 위치를 알 수 있다.

정답 09 ③ 10 ② 11 ④ 12 ① 13 ②

●●○ **14** 제어장치가 제어대상에 가하는 제어신호로 제어장치의 출력인 동시에 제어대상의 입력인 것은?

① 제어량 ② 조작량 ③ 목표값 ④ 동작신호

해설
조직량 : 제어 대상에 직접 가해지는 양으로 제어장치의 출력인 동시에 제어 대상의 입력이 된다.

●●● **15** 목표값이 미리 정해진 시간적 변화를 하는 경우 제어량을 그것에 추종시키기 위한 제어는?

① 추종제어 ② 정치제어 ③ 프로세스제어 ④ 프로그램제어

해설
프로그램 제어 : 목표값의 변화가 시간적으로 미리 정하여져 있어 그 정하여진 데로 변화하는 제어방식(열처리로의 온도제어, 열차의 무인 운전, 무인조정 승강기 등)

●○○ **16** 조작기기는 직접 제어대상에 작용하는 장치이고 응답이 빠른 것이 요구된다. 다음 중 전기식 조작기기가 아닌 것은?

① 서보전동기 ② 전동밸브 ③ 전자밸브 ④ 다이어프램

해설
다이어프램은 전기식이 아닌 기계식 조작기기이다.

●●● **17** 제어량이 변화하는 물체의 위치, 방향, 자세 등일 경우의 제어는?

① 프로세스제어 ② 추종제어 ③ 서보기구 ④ 정치제어

해설
- 서보기구 : 물체의 위치, 방향, 자세 등의 기계적 변위를 제어량으로 해서 목표값의 임의 변화에 추종하도록 구성된 제어방식
- 추종제어 : 목표값이 시간적으로 변화하는 경우의 제어 임의로 변화하는 제어로 서보 기구와 동일 제어이다.

●○○ **18** PD 제어에 해당되는 것은?

① 비례미분제어 ② 비례적분제어
③ 비례적분미분제어 ④ 비례제어

해설
조절용기기의 기본제어
(1) ON-OFF 제어 : 2위치 제어 (2) 비례제어 : P 제어 (3) 비례적분제어 : PI 제어
(4) 비례미분제어 : PD 제어 (5) 비례적분미분제어 : PID 제어

정답 14 ② 15 ④ 16 ④ 17 ③ 18 ①

●●○ 19 다음 그림의 블록선도에서 C(S)의 값은?

① $\dfrac{R(S)\,G(S)}{1-G_2}$ ② $\dfrac{R(S)\,G(S)}{1+G_2}$

③ $\dfrac{R(S)}{1+G_2}$ ④ $\dfrac{G(S)}{1+G_2}$

해설

$R(S)\,G(S) + C(S)\,G_2 = C(S)$ $\therefore\ C(S) = \dfrac{R(S)\,G(S)}{1-G_2}$

●●○ 20 다음 피드백 제어의 전달함수 $\dfrac{C}{R}$는?

① $\dfrac{G_2}{1-G_1G_2}$ ② $\dfrac{G_1}{1-G_1G_2}$

③ $\dfrac{G_1}{1\times G_1G_2}$ ④ $\dfrac{G_1}{1+G_1G_2}$

해설

$C=(R+CG_2)G_1=RG_1+CG_1G_2$, $RG_1=C-CG_1G_2=C(1-G_1G_2)$ $\therefore \dfrac{C}{R}=\dfrac{G_1}{1-G_1G_2}$

●●○ 21 다음 블록선도에서 $\dfrac{C}{R}$는?

① $\dfrac{G_2(G_1-H_1)}{1+G_2}$ ② $\dfrac{G_2(G_1+H_1)}{1+G_2}$

③ $\dfrac{G_2(G_1+H_1)}{1-G_2}$ ④ $\dfrac{G_2(G_1-H_1)}{1-G_2}$

해설

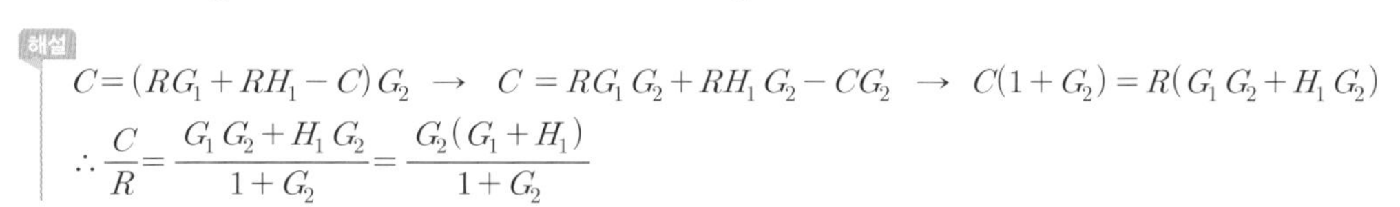

$C=(RG_1+RH_1-C)G_2 \rightarrow C=RG_1G_2+RH_1G_2-CG_2 \rightarrow C(1+G_2)=R(G_1G_2+H_1G_2)$

$\therefore \dfrac{C}{R}=\dfrac{G_1G_2+H_1G_2}{1+G_2}=\dfrac{G_2(G_1+H_1)}{1+G_2}$

●●● 22 다음 그림과 같은 다이오드 논리회로 명칭은?

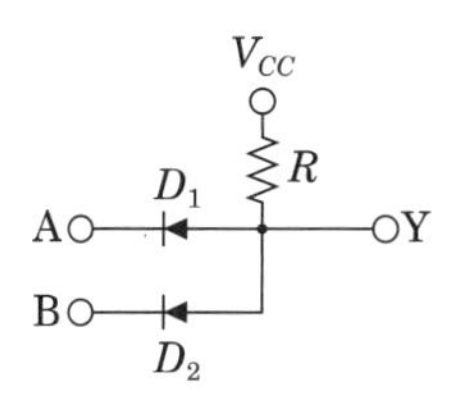

① OR회로 ② AND회로

③ NOR회로 ④ NAND회로

해설

A, B 둘 다 앞에 다이오드가 역으로 연결되어 있다. 다이오드가 반대로 설치되면 OR회로이다.

정답 19 ① 20 ② 21 ② 22 ②

23

그림과 같은 무접점회로는 어떤 논리회로인가?

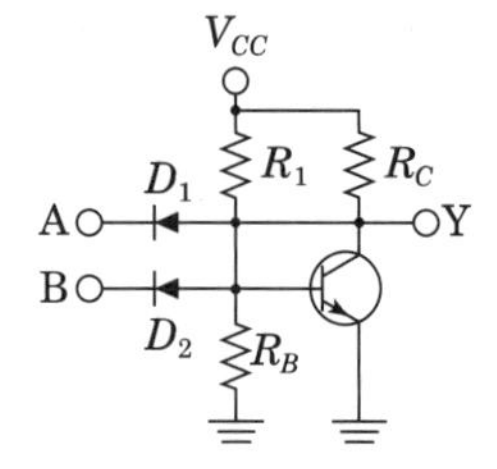

① OR회로　　② AND회로
③ NOR회로　　④ NAND회로

해설

A, B 둘 다 앞에 다이오드가 역으로 연결되어 있고 다이오드 우측에 트랜지스터가 있다. 다이오드가 반대로 설치되면 NOR회로이다.

24

그림과 같은 릴레이 시퀀스 회로의 출력식은?

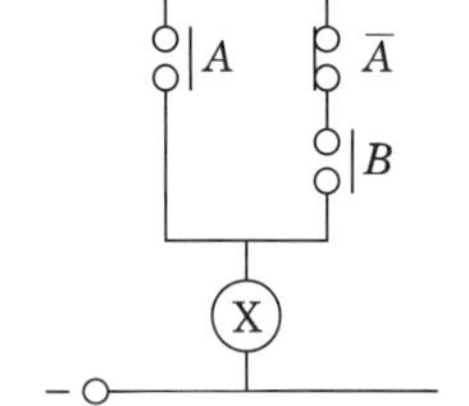

① $X = A$　　② $X = A \times B$
③ $X = B$　　④ $X = A + B$

해설

출력 $X = A + (\overline{A} \cdot B) = (A + \overline{A}) \cdot (A + B) = 1 \cdot (A + B) = A + B$
직렬회로는 곱, 병렬회로는 더하기로 표현한다.

25

그림과 같은 계전기 접접회로의 논리식은?

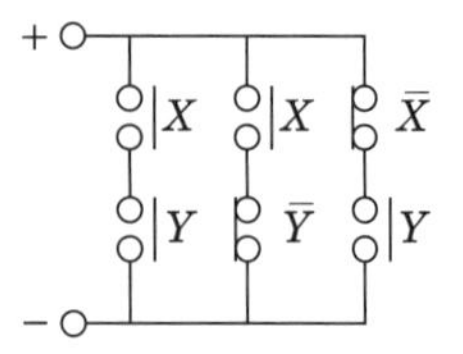

① $X + Y$　　② $X \times Y$
③ X　　④ Y

해설

병렬회로 : + (합), 직렬회로 : × (곱), X의 a접점은 X, X의 b접점은 $\overline{X}$로 표현한다.
$\therefore\ XY + X\overline{Y} + \overline{X}\,Y = X(Y + \overline{Y}) + \overline{X}\,Y = X + \overline{X}\,Y = (X + \overline{X}) \cdot (X + Y) = X + Y$

26

그림과 같은 논리회로에서 X의 값은?

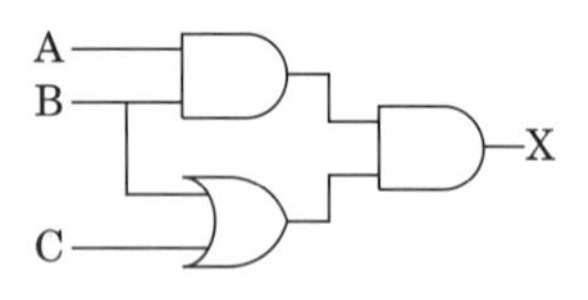

① $X = A + B + C$　　② $X = A + B$
③ $X = B + C$　　④ $X = A \times B$

해설

A와 B는 AND 회로 : AB,
B와 C는 OR 회로 : B+C　이 두 개의 회로가 AND 회로로 만났으므로
X = AB × (B + C) = ABB + ABC = AB + ABC = AB(1 + C) = AB

정답　23 ④　24 ④　25 ①　26 ④

●○○ 27 **논리식 중 성립하지 않는 것은?**

① $A + A = A$　　② $A \cdot A = A$

③ $A \cdot \overline{A} = 1$　　④ $A + \overline{A} = 1$

$A \cdot \overline{A} = 1$이 아니라 0이 성립한다. A와 $\overline{A}$가 직렬로 연결되어 있어서 곱으로 표현하며 이 회로는 a접점이 떨어져 있어서 램프 L은 켜지지 않으며 a접점이 붙어도 b접점이 떨어지기 때문에 램프는 절대 켜지지 않아 출력이 0이다. 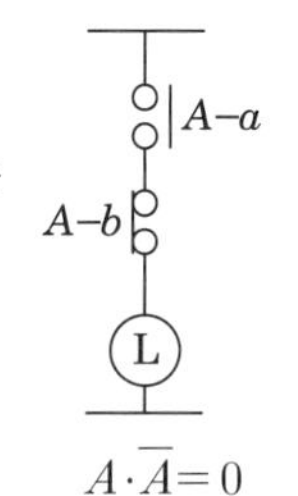	A의 a접점과 b접점이 병렬 연결되어 있기 때문에 합으로 표현한다. 램프는 항상 켜지게 되어 있다. a접점에 의해 L이 켜지며 a접점이 떨어져도 b접점이 붙기 때문에 램프는 항상 켜져 출력이 1이다. 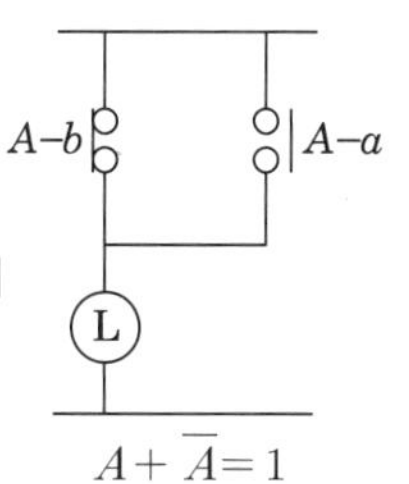

●●● 28 **다음 중 쌍방향성 사이리스터는?**

① 브리지 정류기　② SCR　③ IGBT　④ TRIAC

SCR (Thyristor) 사이리스터	A(+) → K(−), G	3극 단방향 사이리스터, PNPN으로 3접합(Junction) 구조 • 전력회로의 제어나 교류제어 등에 자주 사용되는 소자 • Gate의 역할 : 전류의 흐름을 제어
TRIAC	T_2, G, T_1	쌍방향 3극 다이리스터, TRIAC는 양방향 도통이 가능하며, 일반적으로 AC 위상제어에 사용된다. 두 개의 SCR을 게이트 공통으로 하여 역병렬 연결한 것이다

●●● 29 **전자회로에서 온도보상용으로 많이 사용되고 있는 소자는?**

① 저항　② 리액터　③ 콘덴서　④ 서미스터

서미스터 : 온도에 의해 저항값이 변화하는 반도체로 온도보상용, 온도 계측용으로 사용하며 차동식스포트형 반도체식에 사용된다.

●○○ 30 **반도체인 바리스터의 주된 용도는?**

① 온도보상　　② 출력전류 조절

③ 전압증폭　　④ 서어지전압에 대한 회로보호

바리스터 Varistor(Variable resisfor의 약자) : 전압에 따라 저항치가 비직선형으로 현저하게 변하는 반도체로 전자기기의 서어지전압에 대한 회로보호 및 계전기 접점의 불꽃 소거용으로 사용된다. − 종류 : ZNR,INR,TNR

정답　27 ③　28 ④　29 ④　30 ④

●●○ 31 다음 중 접지 방식이 아닌 것은?

① 단독접지 ② 공통접지 ③ 통합접지 ④ 분리접지

해설
접지 방식 : 단독, 공통, 통합 접지

●○○ 32 다음 중 접지 방식의 종류가 아닌 것은?

① T-T ② T-N ③ I-T ④ N-T

해설
접지 종류 : T-T, T-N, I-T

●●● 33 저압 옥내전로에 사용하는 배선용차단기의 주된 사용 목적은?

① 누설 전류에 의한 선로 차단
② 뇌 등의 서지 전압에 의한 위험방지
③ 과부하 또는 단락전류에 의한 보호
④ 전원 ON-OFF에 의한 회로 차단

해설
배선용 차단기(MCCB : Molded Case Circuit Breaker) : 과부하(과전류) 및 단락전류 보호용

●●○ 34 접지공사를 실시하는 목적으로 옳지 않은 것은?

① 기기의 절연물이 열화 또는 손상되었을 때 흐르는 누설전류로 인한 감전방지
② 1,2차 혼촉사고가 발생하였을 때 인축에 위험을 주는 전류를 대지로 흘려서 감전방지
③ 기기 및 배전선에서 이상고전압이 발생하였을 경우 대지전위를 억제하고 절연강도의 경감
④ 송전선, 배전선, 고전압 모선 등에서 지락사고가 발생하였을 경우 계전기의 동작방지

해설
접지 공사의 목적
1. 기기 절연물이 열화 또는 손상되었을 경우 흐르는 누설전류로 인한 감전 방지
2. 고·저압 혼촉 사고가 발생하였을 경우 인축에 위험을 주는 전류를 대지로 흘려 감전 방지
3. 뇌해방지
4. 송전선, 배전선, 고압모선 등에서 지락사고가 발생하였을 경우 계전기를 신속, 정확하게 동작하도록 하는 작용
5. 기기 및 배전선에서 이상고전압이 발생하였을 경우 대지전위를 억제하고 절연강도의 경감

정답 31 ④ 32 ④ 33 ③ 34 ④

35 가공전선로 등에 사용되는 전선이 구비하여야 할 조건은?

① 도전율이 작을 것
② 기계적 강도가 적을 것
③ 인장 강도가 작을 것
④ 가요성이 풍부할 것

(1) 내구성이 좋을 것 (2) 기계적 강도가 클 것 (3) 도전율이 클 것 (4) 가요성이 풍부할 것
(5) 신장율이 좋을 것 (6) 비중이 작을 것(가벼울 것) 암기 내 기도가 신비

36 간선의 굵기를 결정하는데 고려하지 않아도 되는 것은?

① 기계적 강도
② 허용전류
③ 전압강하
④ 전선관의 굵기

전선의 굵기를 결정하는 3요소
(1) 전선의 기계적 강도 (2) 전압강하 (3) 전선의 허용전류

37 비상경보설비의 전원회로의 배선공사방법으로 적당한 것은? (단, 전선은 450/750 V 저독성 난연 가교 폴리올레핀 절연 전선이다.)

① 합성수지관 공사
② 금속몰드공사
③ 케이블 공사
④ 금속덕트공사

해설

비상방송설비의 전원회로는 내화배선을 해야 한다. (경보설비 전원은 내화배선임)
내화배선의 공사 방법에서 내화전선은 케이블공사 방법에 따르고 기타 전선은 다음 배관에 수납하고 내화구조의 벽 또는 바닥에 25mm 이상 매립해야 한다.
① 금속관 공사 ② 합성수지관 공사 ③ 2종 금속제 가요 전선관 공사(방수형)

38 다음은 금속관공사 방법이다. A, B, C 각 명칭으로 옳은 것은?

① 새들, 커플링, 노멀밴드
② 새들, 니플, 엘보
③ 클램프, 커플링, 노멀밴드
④ 클램프, 니플, 엘보

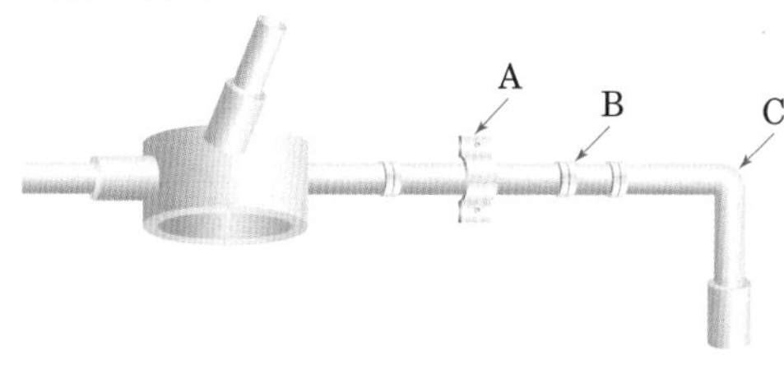

새들(노출배관 고정시 사용), 커플링(배관과 배관을 연결 시 사용), 노멀밴드(배관의 방향을 90도 바꿀 때 사용)
둥근 박스의 명칭 : 환형 3방출 정크션(junction : 연결지점) 박스

 35 ④ 36 ④ 37 ① 38 ①

39 가요전선관 공사에서 다음에 사용되는 부속품의 명칭은 순서대로 각각 무엇인가?

가요전선관과 박스의 연결	가요전선관과 스틸전선관 연결	가요전선관과 가요전선관 연결

① 스트레이트박스 콘넥터, 컴비네이션 커플링, 스프리트 커플링
② 컴비네이션 커플링, 스프리트 커플링, 스트레이트박스 콘넥터
③ 스트레이트박스 콘넥터, 스프리트 커플링, 컴비네이션 커플링
④ 스프리트 커플링, 컴비네이션 커플링, 스트레이트박스 콘넥터

해설

구분	가요전선관과 박스의 연결	가요전선관과 스틸전선관 연결	가요전선관과 가요전선관 연결
부속품	스트레이트박스 콘넥터	컴비네이션 커플링	스프리트 커플링

40 전선의 표시기호로서 노출 배선은?

① ────────
② ─ ─ ─ ─ ─
③ ── ── ──
④ ── · ── · ─

해설

천장 은폐 배선	────────
천장 은폐배선 중 천장 속의 배선을 구별하는 경우	── · ── · ── ·
바닥 은폐 배선	── ── ── ──
노출 배선	─ ─ ─ ─ ─ ─ ─
노출배선 중 바닥면 노출배선을 구별하는 경우	── · · ── · · ──

41 H종의 절연저항온도는?

① 105℃ ② 130℃ ③ 155℃ ④ 180℃

해설

종류	Y	A	E	B	F	H	C
온도	90℃	105℃	120℃	130℃	155℃	180℃	180℃ 초과

42 피드백제어계의 특징이 아닌 것은?

① 정확성이 증가한다.
② 변화에 대한 입력 대 출력비의 감도가 감소한다.
③ 외란에 대해 정확한 제어가 가능하다.
④ 구조가 간단하고 설치비가 저렴하다.

해설

피드백제어계는 정확도가 증가하고 변화에 대한 입력 대 출력비의 감도가 좋아지는 대신 구조가 복잡하다.

정답 39 ① 40 ② 41 ④ 42 ④

제3과목 • • •

03

Fire Facilities Manager

소방관련법령

PART 01 소방기본법, 시행령, 시행규칙

PART 02 소방시설공사업법, 시행령, 시행규칙

PART 03 화재예방, 소방시설설치·유지 및 안전관리에 관한 법률, 령, 규칙 (소방시설법)

PART 04 다중이용업소의 안전관리에 관한 특별법, 령, 규칙

제 3 과목

소방관련법령 출제문제 분석 · 학습전략

1 출제문제 분석

(1) 소방관련법령은 5가지 법으로 구성되어 있습니다.
(2) 출제빈도는 소방시설관리사와 관련이 가장 많은 소방시설 설치·유지 및 안전관리에 관한 법률부터 소방기본법, 소방공사업법 순으로 출제가 되고 있습니다.
(3) 개정된 법은 반드시 반영되어 출제되고 있습니다.
(4) 범위가 광범위하여 출제 되는 문제도 매우 광범위하게 출제되고 있으나 60점 정도 얻기 위해서는 고정적으로 반복되어 출제되는 문제위주로 학습하는 요령이 필요합니다.
(5) 관계법령의 시행령, 시행규칙의 별표는 반드시 출제가 되며 2차 시험에서도 비중 있는 문제(30점)로 출제 되고 있습니다.

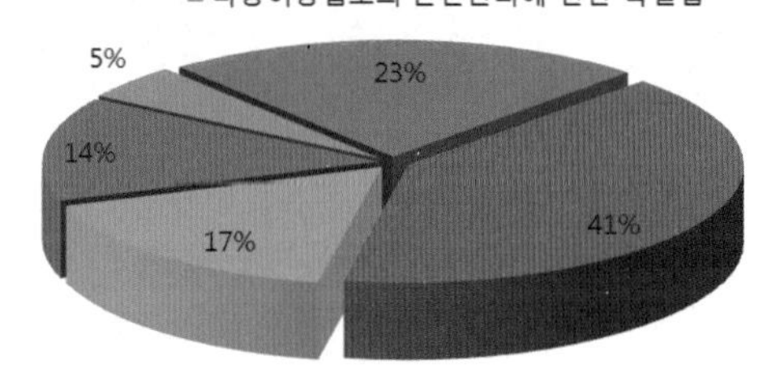

(6) 전체적인 내용 중 옳은 것, 옳지 않은 것을 묻는 문제가 두드러집니다.
- 핵심적인 포인트만 묻는 것이 아닌 포괄적으로 정확히 알고 있느냐 라는 문제의 유형이 증가하고 있습니다.
(7) 이해하여 푸는 문제가 아닌 암기 해야만 풀 수 있는 문제가 대부분 입니다.
- 수치(이상, 초과, 이하, 미만)와 기간, 벌칙, 법의 근거, 예외규정 등
(8) 각 분류별 출제 빈도(고정적으로 반복하여 출제되는 문제)

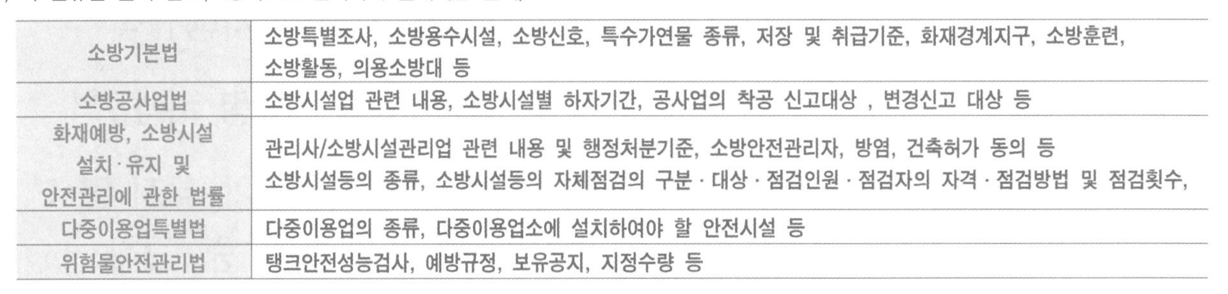

소방기본법	소방특별조사, 소방용수시설, 소방신호, 특수가연물 종류, 저장 및 취급기준, 화재경계지구, 소방훈련, 소방활동, 의용소방대 등
소방공사업법	소방시설업 관련 내용, 소방시설별 하자기간, 공사업의 착공 신고대상 , 변경신고 대상 등
화재예방, 소방시설 설치·유지 및 안전관리에 관한 법률	관리사/소방시설관리업 관련 내용 및 행정처분기준, 소방안전관리자, 방염, 건축허가 동의 등 소방시설등의 종류, 소방시설등의 자체점검의 구분 · 대상 · 점검인원 · 점검자의 자격 · 점검방법 및 점검횟수,
다중이용업특별법	다중이용업의 종류, 다중이용업소에 설치하여야 할 안전시설 등
위험물안전관리법	탱크안전성능검사, 예방규정, 보유공지, 지정수량 등

2 학습전략

(1) 출제 빈도가 적은 부분까지 많은 범위를 공부하는 방법은 효율적이지 않습니다.
(2) 실전문제(개정 법령 포함) 및 기출문제 빈도순으로 공부하여 50~60점 이상 확보하는 전략이 필요합니다.
(3) 많은 문제를 여러번 반복하되 소방시설관리사 2차와 연관된 중요부분은 절대 암기가 필요합니다.
(4) 관련법령은 1차와 2차 시험뿐만 아니라 실무에서도 중요하므로 연계 될 수 있도록 정리해 두시면 더욱 좋습니다.
(5) 위험물 안전관리법은 4과목인 위험물 성상 및 시설기준과 연계해 학습하시는게 효율적입니다. 따라서 제4과목 앞부분에 수록되어 있습니다.

PART 1 소방기본법, 시행령, 시행규칙

1. 목적

(1) 화재를 **예방 · 경계**하거나 **진압**하고
(2) 화재, 재난 · 재해, 그 밖의 위급한 상황에서의 **구조 · 구급** 활동 등을 통하여
(3) 국민의 생명 · 신체 및 재산을 보호함으로써
(4) **공공의 안녕 및 질서 유지와 복리증진에 이바지함을 목적**으로 한다.

2. 소방업무, 소방력 등의 기준

1 소방기관의 설치

(1) **소방업무를 수행하는 소방기관의 설치에 필요한 사항**은 대통령령으로 정한다.
(2) **소방업무** : 시·도의 화재 예방·경계·진압 및 조사, 소방안전교육·홍보와 화재, 재난·재해, 그 밖의 위급한 상황에서의 구조·구급 등의 업무

2 소방업무에 관한 종합계획의 수립 · 시행 · 필요한 재원 확보 등

구 분	주체	수립시기	수립기한
종합계획	소방청장	5년마다	10월 31일까지
세부계획	시 · 도지사	매년	12월 31일까지

(1) 소방청장
① 소방업무에 관한 종합계획을 관계 중앙행정기관의 장과의 협의를 거쳐 수립하고 수립한 종합계획을 관계 중앙행정기관의 장, 시·도지사에게 통보하여야 한다.
② 소방업무의 체계적 수행을 위하여 필요한 경우 시·도지사가 제출한 세부계획의 보완 또는 수정을 요청할 수 있다.

(2) 시 · 도지사
관할 지역의 특성을 고려하여 종합계획의 시행에 필요한 세부계획을 매년 수립하여 소방청장 에게 제출하여야 하며, 세부계획에 따른 소방업무를 성실히 수행

(3) 그 밖에 종합계획 및 세부계획의 수립·시행에 필요한 사항은 대통령령으로 정한다.

Tip

종합계획의 사항

① 소방서비스의 질 향상을 위한 정책의 기본방향
② 소방업무에 필요한 체계의 구축, 소방기술의 연구 · 개발 및 보급
③ 소방업무에 필요한 장비의 구비
④ 소방전문인력 양성
⑤ 소방업무에 필요한 기반조성
⑥ 소방업무의 교육 및 홍보(소방자동차의 우선 통행 등에 관한 홍보를 포함한다)
⑦ 그 밖에 소방업무의 효율적 수행을 위하여 필요한 사항으로서 대통령령으로 정하는 사항

대통령령으로 정하는 사항

1. 재난 · 재해 환경 변화에 따른 소방업무에 필요한 대응 체계 마련
2. 장애인, 노인, 임산부, 영유아 및 어린이 등 이동이 어려운 사람을 대상으로 한 소방활동에 필요한 조치

3 소방업무를 수행하는 자

(1) **소방본부장 또는 소방서장**

① 소방본부장 또는 소방서장은 관할하는 **시 · 도지사의 지휘와 감독을 받는다.**

② 소방본부장 : 특별시 · 광역시 · 특별자치시 · 도 또는 특별자치도에서 화재의 예방 · 경계 · 진압 · 조사 및 구조 · 구급 등의 업무를 담당하는 부서의 장

(2) **소방업무의 보조**

– 의용소방대의 설치(의용소방대의 설치 및 운영에 관하여는 별도의 법률로 정한다.)

4 소방력의 기준 등

(1) **소방력(消防力)**

① **소방력** – 소방기관이 **소방업무를 수행하는 데에 필요한 인력과 장비 등**

② 행정안전부령**으로 정하는 기준 등**

㉠ **소방업무를 수행하는 데에 필요한 인력과 장비 등에 관한 기준**

㉡ **소방활동장비 및 설비의 종류와 규격**

③ 소방자동차 등 소방장비의 분류·표준화와 그 관리 등에 필요한 사항은 따로 법률에서 정한다.

(2) **소방력의 확충**

시 · 도지사는 소방력을 확충하기 위하여 필요한 계획을 수립하여 시행하여야 한다.

5 소방장비 등에 대한 국고보조

(1) **국가는 소방장비의 구입 등 시 · 도의 소방업무에 필요한 경비의 일부를 보조**한다.

(2) **보조 대상사업의 범위** (대통령령으로 정함)

① **소방활동장비와 설비의 구입 및 설치**

소방자동차	소방헬리콥터 및 소방정
소방전용통신설비 및 전산설비	방화복 등 소방활동에 필요한 소방장비

② **소방관서용 청사의 건축**

(3) **국고보조산정을 위한 기준가격(기준보조율)** – 대통령령으로 정함

① **국내조달품** : 정부고시가격

② **수입물품** : 조달청에서 조사한 해외시장의 시가

③ **정부고시가격 또는 조달청에서 조사한 해외시장의 시가가 없는 물품** : 2 이상의 공신력 있는 물가조사 기관에서 조사한 가격의 평균가격

3. 소방용수시설의 설치 및 관리 등

소방용수시설 설치 · 유지 · 관리 및 소방용수표지 설치	소방용수시설에 대한 조사 및 소방활동에 필요한 지리에 대한 조사
시 · 도지사	소방본부장 또는 소방서장

※ 「수도법」에 따라 소화전을 설치하는 일반수도사업자는 관할 소방서장과 사전협의를 거친 후 소화전을 설치하여야 하며, 설치 사실을 관할 소방서장에게 통지하고, 그 소화전을 유지 · 관리하여야 한다.

※ **시·도지사**는 소방자동차의 진입이 곤란한 지역 등 화재발생 시에 초기 대응이 필요한 지역으로서 **대통령령으로 정하는 지역**에 소방호스 또는 호스릴 등을 소방용수시설에 연결하여 화재를 진압하는 시설이나 장치(이하 **"비상소화장치"**라 한다)를 설치하고 유지·관리할 수 있다.

Tip

대통령령으로 정하는 지역

① 화재경계지구

② 시 · 도지사가 비상소화장치의 설치가 필요하다고 인정하는 지역

※ 소방용수시설과 비상소화장치의 설치 기준은 행정안전부령으로 정하고 비상소화장치의 설치기준에 관한 세부 사항은 소방청장이 정한다.

Tip

비상소화장치의 설치기준

1. 비상소화장치는 비상소화장치함, 소화전, 소방호스(호스, 소방용릴호스 또는 소방용고무내장호스), 관창(나사식 또는 차입식 토출기구)을 포함하여 구성할 것
2. 소방호스 및 관창 – 형식승인 및 제품검사의 기술기준에 적합한 것으로 설치
3. 비상소화장치함 – 성능인증 및 제품검사의 기술기준에 적합한 것으로 설치

1 소방용수시설

(1) 종류

소방활동에 필요한 **소화전(消火栓) · 급수탑(給水塔) · 저수조(貯水槽)**

(2) 소방대상물과의 수평거리

지 역	소방대상물과의 수평거리
상업지역 · 공업지역 및 주거지역	100 m 이하
기타지역	140 m 이하

※ 소방대상물 : 건축물, 차량, 선박(항구에 매어둔 선박만 해당한다), 선박 건조 구조물, 산림, 그 밖의 인공구조물 또는 물건

2 소방용수시설별 설치기준(5m이내 주 · 정차 금지)

(1) 소화전

① 상수도와 연결하여 지하식 또는 지상식의 구조로 설치

② 소방용호스와 연결하는 소화전의 연결금속구의 구경은 65 mm로 할 것

(2) 급수탑

① **급수배관의 구경은 100 mm 이상**

② **개폐밸브**는 지상에서 **1.5 m 이상 1.7 m 이하**의 위치에 설치

(3) 저수조

① **지면으로부터의 낙차가 4.5 m 이하**일 것

② **흡수부분의 수심이 0.5 m 이상**일 것

③ 소방펌프자동차가 쉽게 접근할 수 있도록 할 것

④ 흡수에 지장이 없도록 토사 및 쓰레기 등을 제거할 수 있는 설비를 갖출 것

⑤ 흡수관의 투입구가 사각형 – **한 변의 길이가 60 cm 이상, 원형 – 지름이 60 cm 이상**

⑥ 저수조에 물을 공급하는 방법은 상수도에 연결하여 자동으로 급수되는 구조일 것

3 소방용수표지

(1) 지하에 설치하는 소화전 또는 저수조의 경우
① 맨홀뚜껑은 지름 648 mm 이상의 것으로 할 것. 다만, 승하강식 소화전은 제외
② 맨홀뚜껑에는 "소화전 · 주정차금지" 또는 "저수조 · 주정차금지"의 표시를 할 것
③ 맨홀뚜껑 부근에는 노란색반사도료로 폭 15 cm의 선을 그 둘레를 따라 칠할 것

(2) 지상에 설치하는 소화전 · 저수조 및 급수탑의 경우
① 안쪽**문자는 흰색, 바깥쪽 문자는 노란색**
안쪽바탕은 붉은색
바깥쪽바탕은 파란색
② 반사도료를 사용하여야 한다.

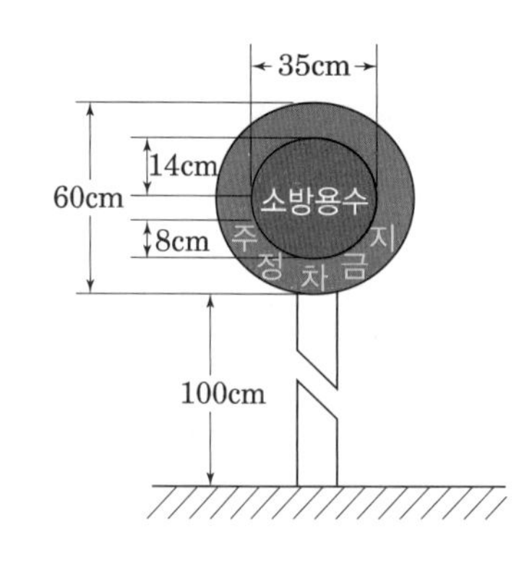

4 소방용수시설 및 지리조사의 내용

(1) 소방용수시설에 대한 조사
(2) 대상물에 인접한 도로의 폭·교통상황, 도로주변의 토지의 고저·건축물의 개황, 그 밖의 소방활동에 필요한 지리에 대한 조사
(3) 조사결과 – 전자적 처리가 가능한 방법으로 작성·관리하여야 한다.
(4) **월 1회 이상 실시** 후 그 조사결과를 **2년간 보관**하여야 한다.

5 소방용수시설의 사용금지 등

(1) 정당한 사유 없이 소방용수시설 또는 비상소화장치를 **사용**하는 행위
(2) 정당한 사유 없이 손상·파괴, 철거 또는 그 밖의 방법으로 소방용수시설 또는 비상소화장치의 **효용(效用)을 해치는** 행위
(3) 소방용수시설 또는 비상소화장치의 정당한 사용을 **방해**하는 행위

☞ 정당한 사유 없이 소방용수시설을 사용하거나 소방용수시설의 효용을 해치거나 그 정당한 사용을 방해한 사람 – **5년 이하의 징역 또는 5천만원 이하의 벌금**

4. 소방박물관 등의 설립과 운영

1 소방박물관 – 소방청장이 설립

(1) **설립과 운영에 필요한 사항은** 행정안전부령**으로 정함**
(2) 소방박물관의 관광업무 · 조직 · 운영위원회의 구성 등에 관하여 필요한 사항은 소방청장이 정함
(3) **소방박물관장(소방공무원중에서 소방청장이 임명) 1인과 부관장 1인**
(4) **운영위원회** – 운영에 관한 중요한 사항을 심의 : **7인 이내의 위원**

2 소방체험관 – 시 · 도지사가 설립

소방체험관의 설립과 운영에 필요한 사항은 행정안전부령으로 정하는 기준에 따라 시 · 도의 조례로 **정함**

5. 소방의 날 제정과 운영 등

(1) 국민의 안전의식과 화재에 대한 경각심을 높이고 안전문화를 정착시키기 위하여 매년 11월 9일을 소방의 날로 정하여 기념행사를 한다.
(2) 소방의 날 행사에 관하여 필요한 사항
 – 소방청장 또는 시 · 도지사가 따로 정하여 시행할 수 있다.
(3) **소방청장**은 다음에 해당하는 사람을 **명예직 소방대원으로 위촉**할 수 있다.
 – 의사상자(義死傷者), 소방행정 발전에 공로가 있다고 인정되는 사람

6. 화재경계지구의 지정

1 화재경계지구(火災警戒地區)

(1) **시 · 도지사**는 아래 (2)에 해당하는 지역을 **화재경계지구로 지정**
 – 시·도지사가 화재경계지구로 지정할 필요가 있는 지역을 화재경계지구로 지정하지 아니하는 경우 소방청장은 해당 **시·도지사에게 해당 지역의 화재경계지구 지정을 요청할 수 있다.**
 – 시·도지사는 화재경계지구에서의 화재예방 및 경계에 필요한 자료(화재경계지구의 지정 현황, 소방특별조사의 결과, 소방설비 설치 명령 현황, 소방교육의 현황 등)를 매년 작성·관리하여야 한다.

(2) 화재경계지구로 정하는 지역 암기 시소위 석공목산

① 시장지역
② 소방시설 · 소방용수시설 또는 소방출동로가 없는 지역
③ 위험물의 저장 및 처리시설이 밀집한 지역
④ 석유화학제품을 생산하는 공장이 있는 지역
⑤ 공장 · 창고가 밀집한 지역
⑥ 목조건물이 밀집한 지역
⑦ 산업단지(산업입지 및 개발에 관한 법률 제2조제8호)
⑧ 소방청장·소방본부장 또는 소방서장이 지정할 필요가 있다고 인정하는 지역

2 화재경계지구(火災警戒地區)내 소방특별조사 및 훈련 · 교육

(1) **소방특별조사자 – 소방본부장, 소방서장**

① **화재경계지구 안의 소방대상물 소방특별조사 : 년 1회 이상 실시**

☞ 화재경계지구 안의 소방대상물에 대한 소방특별조사를 거부 · 방해 또는 기피한 자 – 100만원 이하의 벌금

② **미흡 시 소방에 필요한 설비의 설치를 명할 수 있다**

☞ 소방용수시설, 소화기구 및 설비 등의 설치 명령을 위반한 자 – 200만원 이하의 과태료

(2) 훈련 및 교육 – 소방본부장, 소방서장

① 화재경계지구 안의 소방대상물 관계인에게 **훈련 및 교육을 실시** 할 수 있다.
② **연 1회 이상 실시하고 훈련 또는 교육 10일 전까지 그 사실을 통보**

7. 소방교육 · 훈련

1 소방대원에 대한 교육 – 소방청장, 소방본부장, 소방서장

(1) 소방대원에게 필요한 교육 · 훈련을 실시하여야 한다.

소방대(消防隊) 암기 소무용

화재를 진압하고 화재, 재난 · 재해, 그 밖의 위급한 상황에서 구조 · 구급 활동 등을 하기 위하여 구성된 조직체
① 소방공무원 ② 의무소방원(義務消防員) ③ 의용소방대원(義勇消防隊員)

(2) 소방대원 소방교육·훈련의 종류와 종류별 소방교육·훈련의 대상자

훈련의 종류	교육·훈련 대상자		
화재진압훈련	화재진압업무를 담당하는 소방공무원	의무소방원	의용소방대원
인명구조훈련	구조업무를 담당하는 소방공무원		
응급처치훈련	구급업무를 담당하는 소방공무원		
인명대피훈련	소방공무원		
현장지휘훈련	지방소방위·지방소방경·지방소방령 및 지방소방정 암기+ 위 경령 정		

(3) 소방교육 및 훈련 시기 – **2년마다 1회 이상 실시**하되, **교육·훈련기간은 2주 이상**

2 영유아, 학생 등에 대한 교육 – 소방청장, 소방본부장, 소방서장

(1) 소방청장

소방안전교육훈련 운영계획의 작성에 필요한 지침을 정하여 소방본부장과 소방서장에세 매년 **10월 31일까지 통보**

(2) 소방청장, 소방본부장 또는 소방서장

소방안전교육훈련을 실시하려는 경우 매년 12월 31일까지 다음 해의 소방안전교육훈련 운영계획을 수립 및 어린이집의 영유아, 유치원의 유아, 초·중·고등·특수학교의 학생에 대해 소방안전에 관한 교육과 훈련을 실시하되 어린이집·유치원·학교의 장과 교육일정 등에 관하여 협의

3 기준 등

(1) **소방대원의 교육·훈련의 종류 및 대상자, 그 밖에 교육·훈련의 실시에 필요한 사항은** 행정안전부령으로 정하고 소방청장, 소방본부장 또는 소방서장은 **국민의 안전 의식을 높이기 위하여 홍보하여야 한다.**

(2) 그 밖에(위에 언급이 없는) 소방교육·훈련의 실시에 관하여 필요한 사항은 소방청장이 정한다.

(3) 소방청장, 소방본부장 또는 소방서장은 국민의 안전 의식을 높이기 위하여 홍보

8. 한국119청소년단

1 설립목적

청소년에게 소방안전에 관한 올바른 이해와 안전의식을 함양시키기 위하여 설립한다.

2 한국119청소년단의 설립

① 한국119청소년단은 법인, 그 주된 사무소의 소재지에 설립등기를 함으로써 성립

② 국가나 지방자치단체

– 한국119청소년단에 그 조직 및 활동에 필요한 시설·장비를 지원할 수 있으며, 운영 경비와 시설비 및 국내외 행사에 필요한 경비를 보조할 수 있다.

③ 개인·법인 또는 단체

– 한국119청소년단의 시설 및 운영 등을 지원하기 위하여 금전이나 그 밖의 재산을 기부 할 수 있다.

④ 이 법에 따른 한국119청소년단이 아닌 자는 한국119청소년단 또는 이와 유사한 명칭을 사용할 수 없다.

☞ 위반하여 한국119청소년단 또는 이와 유사한 명칭을 사용한 자 – **200만원 이하의 과태료**

⑤ 한국119청소년단의 정관 또는 사업의 범위·지도·감독 및 지원에 필요한 사항은 **행정안전부령**으로 정하고 소방청장은 한국119청소년단의 설립목적 달성 및 원활한 사업 추진 등을 위하여 필요한 지원과 지도·감독을 할 수 있다.

⑥ 한국119청소년단의 사업 범위 등

1. 한국119청소년단 단원의 선발·육성과 활동 지원
2. 한국119청소년단의 활동·체험 프로그램 개발 및 운영
3. 한국119청소년단의 활동과 관련된 학문·기술의 연구·교육 및 홍보
4. 한국119청소년단 단원의 교육·지도를 위한 전문인력 양성
5. 관련 기관·단체와의 자문 및 협력사업
6. 그 밖에 한국119청소년단의 설립목적에 부합하는 사업

⑦ 한국119청소년단에 관하여 이 법에서 규정한 것을 제외하고는 「민법」 중 사단법인에 관한 규정을 준용한다.

9. 소방안전교육사

1 결격사유

(1) **피성년후견인**

(2) **금고 이상의 실형을 선고받고 그 집행이 끝나거나**(집행이 끝난 것으로 보는 경우를 포함) **집행이 면제된 날부터 2년이 지나지 아니한 사람**

(3) 금고 이상의 형의 집행유예를 선고받고 그 **유예기간 중에 있는 사람**

(4) 법원의 판결 또는 다른 법률에 따라 **자격이 정지되거나 상실된 사람**

2 소방안전교육사의 배치

(1) 배치대상별배치기준

배치장소	배치기준(단위 : 명)
소방청	2 이상
소방본부	2 이상
소방서	1 이상
한국소방안전원	본회 : 2 이상 , 시·도지부 : 1 이상
한국소방산업기술원	2 이상

(2) **소방안전교육사의 배치대상 및 배치기준, 그 밖에 필요한 사항**은 대통령령으로 정한다.

(3) 소방청장은 소방안전교육사 시험에서 부정행위를 한 사람에 대하여는 해당 시험을 정지시키거나 무효로 처리한다.

10. 화재의 예방조치 등

1 정 의

화재의 예방상 위험하다고 인정되는 행위를 하는 사람이나 소화(消火) 활동에 지장이 있다고 인정되는 물건을 치우게 하는 등의 조치

2 조치권자, 대상자 등

화재의 예방조치 등의 조치권자	화재의 예방조치 대상자
소방본부장, 소방서장	소유자·관리자 또는 점유자

※ 관계인 : 소방대상물의 소유자 · 관리자 또는 점유자 암기 소관점

Point

화재의 예방조치 대상이 되는 경우

1. **불장난, 모닥불, 흡연, 화기취급, 풍등 등 소형 열기구 날리기**, 그 밖에 화재예방상 위험하다고 인정되는 행위의 금지 또는 제한
2. **타고 남은 불** 또는 **화기가 있을 우려가 있는 재의 처리**
3. **함부로 버려두거나 그냥 둔 위험물**, 그 밖에 **불에 탈 수 있는 물건**을 옮기거나 치우게 하는 등의 조치

☞ 정당한 사유 없이 명령에 따르지 아니하거나 이를 방해한 자 – **200만원 이하의 벌금**

3 관계인을 모르는 경우

① 소속공무원으로 하여금 그 위험물 또는 물건을 옮기거나 치우게 할 수 있다.

② 옮기거나 치운 위험물 또는 물건은 보관

보관하는 경우	내 용
소방본부, 소방서의 게시판에 공고	공고기간 : 보관하는 그 날부터 14일 동안
보관기간	게시판에 공고하는 기간의 종료일 다음 날부터 7일
보관기간이 종료 시	• 매각 – 지체없이 세입조치 • 폐기 – 보관 물품 등이 부패·파손된 경우
매각되거나 폐기된 물건 등을 소유자가 보상을 요구하는 경우	소방본부장 또는 소방서장은 보상금액에 대하여 소유자와 협의를 거쳐 이를 보상

③ **소방본부장이나 소방서장이 보관하는 위험물 또는 물건의 보관기간 및 보관기간 경과 후 처리 등**에 대하여는 대통령령으로 정한다.

예제 01

화재의 예방조치등에 따라 옮기거나 치운 위험물 또는 물건을 보관하는 경우 공고하는 기간은?

① 보관하는 그 날부터 14일 동안
② 보관하는 다음 날부터 14일 동안
③ 보관하는 그 날부터 30일 동안
④ 보관하는 다음 날부터 30일 동안

해답 ①

11. 불을 사용하는 설비 등의 관리와 특수가연물의 저장 · 취급

1 불을 사용할 때 지켜야 하는 사항

(1) 보일러, 난로, 건조설비, 가스 · 전기시설, 그 밖에 화재 발생 우려가 있는 설비 또는 기구 등의 위치 · 구조 및 관리와 화재 예방을 위하여 불을 사용할 때 지켜야 하는 사항은 대통령령으로 정한다.

☞ 불을 사용할 때 지켜야 하는 사항 기준을 위반한 자 – 200만원 과태료

령 [별표 1] 보일러 등의 위치 · 구조 및 관리와 화재예방을 위하여 불의 사용에 있어서 지켜야 하는 사항

종 류	내 용
보 일 러	1. 가연성 벽 · 바닥 또는 천장과 접촉하는 증기기관 또는 연통의 부분 – 규조토 · 석면 등 **난연성 단열재로 덮어 씌워야** 한다. 2. 경유 · 등유 등 액체연료를 사용하는 경우 ㉠ **연료탱크는 보일러본체로부터 수평거리 1 m 이상의 간격**을 두어 설치 ㉡ 연료탱크에는 화재 등 긴급상황이 발생하는 경우 **연료를 차단할 수 있는 개폐밸브를 연료탱크로부터 0.5 m 이내에 설치** ㉢ 연료탱크 또는 연료를 공급하는 배관에는 여과장치를 설치 ㉣ 사용이 허용된 연료 외의 것을 사용하지 아니할 것 ㉤ 연료탱크에는 불연재료로 된 받침대를 설치하여 연료탱크가 넘어지지 아니하도록 할 것 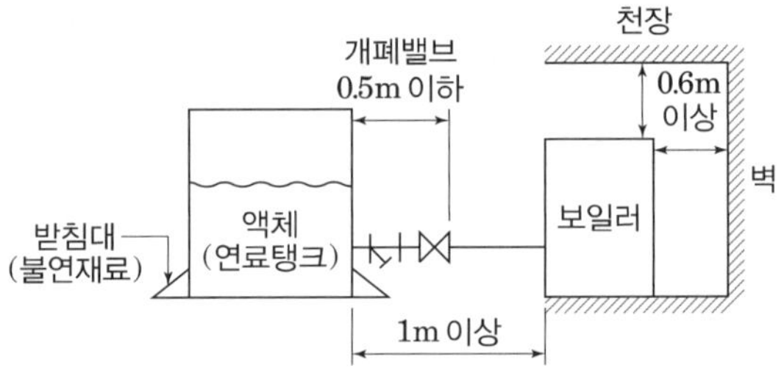 천장 / 개폐밸브 0.5m 이하 / 0.6m 이상 / 벽 / 받침대(불연재료) / 액체(연료탱크) / 보일러 / 1m 이상 3. 기체연료를 사용하는 경우 ㉠ 보일러를 설치하는 장소에는 환기구를 설치하는 등 가연성가스가 머무르지 아니하도록 할 것 ㉡ **연료를 공급하는 배관은 금속관**으로 할 것 ㉢ 화재 등 **긴급시 연료를 차단할 수 있는 개폐밸브를 연료용기 등으로부터 0.5 m 이내에 설치**할 것 ㉣ 보일러가 설치된 장소에는 가스누설경보기를 설치할 것 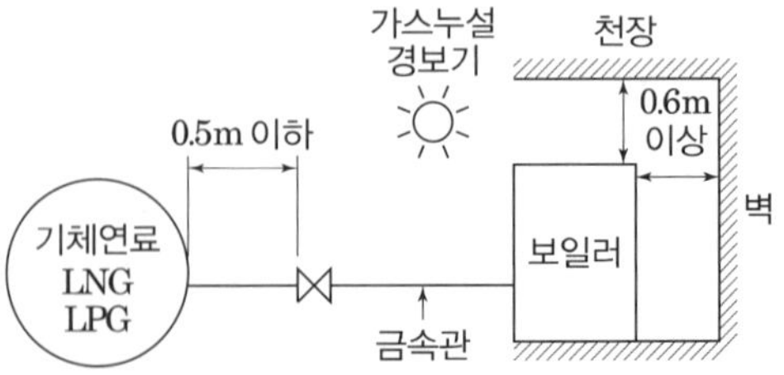 가스누설 경보기 / 천장 / 0.6m 이상 / 0.5m 이하 / 벽 / 기체연료 LNG LPG / 보일러 / 금속관

<table>
<tr><td></td><td>4. 보일러와 벽 · 천장 사이의 거리는 0.6 m 이상 되도록 하여야 한다.
5. 보일러를 실내에 설치하는 경우에는 콘크리트바닥 또는 금속 외의 불연재료로 된 바닥 위에 설치하여야 한다.</td></tr>
<tr><td>난 로</td><td>1. 연통은 천장으로부터 0.6 m 이상 떨어지고, 건물 밖으로 0.6m 이상 나오게 설치하여야 한다.
2. 가연성 벽 · 바닥 또는 천장과 접촉하는 연통의 부분은 규조토 · 석면 등 난연성 단열재로 덮어씌워야 한다.
3. 이동식난로는 다음 각목의 장소에서 사용하여서는 아니된다. 다만, 난로가 쓰러지지 아니하도록 받침대를 두어 고정시키거나 쓰러지는 경우 즉시 소화되고 연료의 누출을 차단할 수 있는 장치가 부착된 경우에는 그러하지 아니하다.
㉠ 「다중이용업소의 안전관리에 관한 특별법」 제2조제1항제1호에 따른 다중이용업의 영업소
㉡ 「학원의 설립 · 운영 및 과외교습에 관한 법률」 제2조제1호의 규정에 의한 학원
㉢ 「학원의 설립 · 운영 및 과외교습에 관한 법률 시행령」 제2조제1항제4호의 규정에 의한 독서실
㉣ 「공중위생관리법」 제2조제1항제2호 · 제3호 및 제6호의 규정에 의한 숙박업 · 목욕장업 · 세탁업의 영업장
㉤ 「의료법」 제3조제2항의 규정에 의한 종합병원 · 병원 · 치과병원 · 한방병원 · 요양병원 · 의원 · 치과의원 · 한의원 및 조산원
㉥ 「식품위생법 시행령」 제21조제8호에 따른 휴게음식점영업, 일반음식점영업, 단란주점영업, 유흥주점영업 및 제과점영업의 영업장
㉦ 「영화 및 비디오물의 진흥에 관한 법률」 제2조제10호에 따른 영화상영관
㉧ 「공연법」 제2조제4호의 규정에 의한 공연장
㉨ 「박물관 및 미술관 진흥법」 제2조제1호 및 제2호의 규정에 의한 박물관 및 미술관
㉩ 「유통산업발전법」 제2조제6호의 규정에 의한 상점가
㉪ 「건축법」 제20조에 따른 가설건축물
㉫ 역 · 터미널</td></tr>
<tr><td>건 조
설 비</td><td>1. 건조설비와 벽 · 천장 사이의 거리는 0.5 m 이상 되도록 하여야 한다.
2. 건조물품이 열원과 직접 접촉하지 아니하도록 하여야 한다.
3. 실내에 설치하는 경우에 벽 · 천장 또는 바닥은 불연재료로 하여야 한다.</td></tr>
<tr><td>수소가스를
넣는 기구</td><td>1. 연통 그 밖의 화기를 사용하는 시설의 부근에서 띄우거나 머물게 하여서는 아니된다.
2. 건축물의 지붕에서 띄워서는 아니된다. 다만, 지붕이 불연재료로 된 평지붕으로서 그 넓이가 기구 지름의 2배 이상인 경우에는 그러지 아니하다.
3. 다음 각목의 장소에서 운반하거나 취급하여서는 아니된다.
㉠ 공연장 : 극장 · 영화관 · 연예장 · 음악당 · 서커스장 그 밖의 이와 비슷한 것
㉡ 집회장 : 회의장 · 공회장 · 예식장 그 밖의 이와 비슷한 것
㉢ 관람장 : 운동경기관람장(운동시설에 해당하는 것을 제외한다) · 경마장 · 자동차경주장 그 밖의 이와 비슷한 것
㉣ 전시장 : 박물관 · 미술관 · 과학관 · 기념관 · 산업전시장 · 박람회장 그 밖의 이와 비슷한 것
4. 수소가스를 넣거나 빼는 때에는 다음 각목의 사항을 지켜야 한다.
㉠ 통풍이 잘 되는 옥외의 장소에서 할 것
㉡ 조작자 외의 사람이 접근하지 아니하도록 할 것
㉢ 전기시설이 부착된 경우에는 전원을 차단하고 할 것
㉣ 마찰 또는 충격을 주는 행위를 하지 말 것
㉤ 수소가스를 넣을 때에는 기구 안에 수소가스 또는 공기를 제거한 후 감압기를 사용할 것
5. 수소가스는 용량의 90% 이상을 유지하여야 한다.
6. 띄우거나 머물게 하는 때에는 감시인을 두어야 한다. 다만, 건축물 옥상에서 띄우거나 머물게 하는 경우에는 그러하지 아니하다.</td></tr>
</table>

	7. **띄우는 각도는 지표면에 대하여 45° 이하로 유지하고 바람이 7 m/s 이상 부는 때에는 띄워서는 아니 된다.**
불꽃을 사용하는 용접 · 용단기구	용접 또는 용단 작업장에서는 다음 각 호의 사항을 지켜야 한다. 다만, 「산업안전보건법」 제23조의 적용을 받는 사업장의 경우에는 적용하지 아니한다. 1. 용접 또는 용단 작업자로부터 **반경 5 m 이내에 소화기**를 갖추어 둘 것 2. 용접 또는 용단 작업장 주변 **반경 10 m 이내에는 가연물을 쌓아두거나 놓아두지 말 것.** 다만, 가연물의 제거가 곤란하여 방지포 등으로 방호조치를 한 경우는 제외한다.
전기시설	1. 전류가 통하는 전선에는 과전류차단기를 설치하여야 한다. 2. 전선 및 접속기구는 내열성이 있는 것으로 하여야 한다.
노 · 화덕 설비	1. **실내에 설치하는 경우**에는 **흙바닥 또는 금속 외의 불연재료로 된 바닥이나 흙바닥에 설치** 2. 노 또는 화덕을 설치하는 장소의 벽 · 천장은 불연재료로 된 것이어야 한다. 3. 노 또는 화덕의 주위에는 녹는 물질이 확산되지 아니하도록 **높이 0.1 m 이상의 턱**을 설치 4. 시간당 열량이 30만 kcal 이상인 노를 설치하는 경우 ㉠ 주요구조부는 불연재료로 할 것 ㉡ 창문과 출입구는 갑종방화문 또는 을종방화문으로 설치 ㉢ 노 주위에는 1 m 이상 공간을 확보할 것
음식조리를 위하여 설치하는 설비	일반음식점에서 조리를 위하여 불을 사용하는 설비를 설치하는 경우 ㉠ **주방설비에 부속된 배기닥트는 0.5 mm 이상의 아연도금강판** 또는 이와 동등 이상의 내식성 불연재료로 설치 ㉡ **주방시설에는 동물 또는 식물의 기름을 제거할 수 있는 필터 등을 설치** ㉢ 열을 발생하는 **조리기구는 반자 또는 선반으로부터 0.6 m 이상 떨어지게 할 것** ㉣ 열을 발생하는 **조리기구로부터 0.15 m 이내의 거리에 있는 가연성 주요구조부는 석면판 또는 단열성이 있는 불연재료로 덮어 씌울 것**

(2) **위 내용 외에 불을 사용하는 설비의 세부관리기준은** 시 · 도의 조례로 정한다.

2 특수가연물(特殊可燃物)의 저장 및 취급 기준

(1) 기준

화재가 발생하는 경우 불길이 빠르게 번지는 고무류 · 면화류 · 석탄 및 목탄 등 대통령령으로 정하는 특수가연물(特殊可燃物)의 저장 및 취급 기준은 대통령령으로 정한다.

☞ 특수가연물의 저장 및 취급 기준을 위반한 자 – **200만원 과태료**
(과태료 1차 ~ 4차까지 최고 금액은 100만원)

(2) 특수가연물 저장 및 취급 기준

① 특수가연물을 저장 또는 취급하는 장소 – 품명 · 최대수량 및 화기취급의 금지표지를 설치

② 저장방법. 다만, 석탄 · 목탄류를 발전(發電)용으로 저장하는 경우 제외

㉠ 품명별로 구분하여 쌓을 것

㉡ 쌓는 부분의 바닥면적 사이는 1 m 이상이 되도록 할 것

㉢ 높이, 면적

구　분	높이	면적	비고
일반적인 경우	10 m 이하	50 m^2이하	석탄·목탄류 – 200 m^2
살수설비를 설치하거나, 방사능력 범위에 해당 특수가연물이 포함되도록 대형 수동식 소화기를 설치하는 경우	15 m 이하	200 m^2 이하	석탄·목탄류 – 300 m^2

Point

소방기본법 시행령 [별표 2] 특수가연물(제6조 관련)

품명		수량
면화류		200 kg 이상
나무껍질 및 대팻밥		400 kg 이상
넝마 및 종이부스러기		1,000 kg 이상
사류(絲類)		1,000 kg 이상
볏짚류		1,000 kg 이상
가연성고체류		3,000 kg 이상
석탄 · 목탄류		10,000 kg 이상
가연성액체류		2 m^3 이상
목재가공품 및 나무부스러기		10 m^3 이상
합성수지류	발포시킨 것	20 m^3 이상
	그 밖의 것	3,000 kg 이상

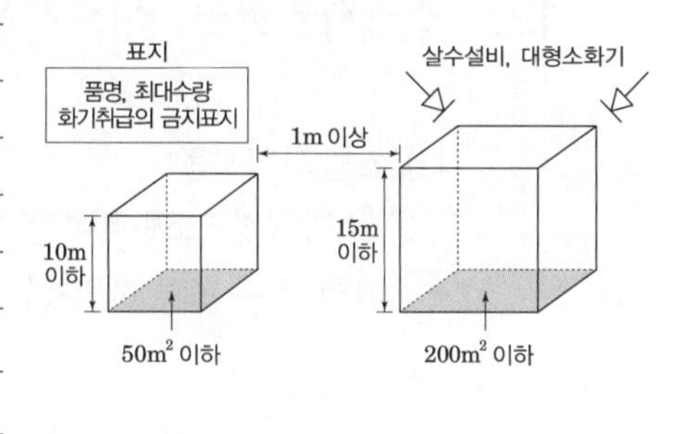

Tip

특수가연물의 정의

1. 면화류 – 불연성 또는 난연성이 아닌 면상 또는 팽이모양의 섬유와 마사(麻絲) 원료를 말한다.
2. 넝마 및 종이부스러기 – 불연성 또는 난연성이 아닌 것(동식물유가 깊이 스며들어 있는 옷감 · 종이 및 이들의 제품을 포함한다)에 한한다.
3. 사류 – 불연성 또는 난연성이 아닌 실(실부스러기와 솜털을 포함한다)과 누에고치를 말한다.
4. 볏짚류 – 마른 볏짚 · 마른 북더기와 이들의 제품 및 건초를 말한다.
5. 가연성고체류

구 분	인화점	연소열량(1 g당)	융점
고체	40℃ 이상 100℃ 미만	–	–
	100℃ 이상 200℃ 미만	8 kcal 이상	–
	200℃ 이상	8 kcal 이상	100℃ 미만
액상 (1기압과 20℃ 초과 40℃ 이하)	70℃ 이상 200℃ 미만	–	–
	100℃ 이상 200℃ 미만	8 kcal 이상	–
	200℃ 이상	8 kcal 이상	100℃ 미만

6. 석탄 · 목탄류에는 코크스, 석탄가루를 물에 갠 것, 조개탄, 연탄, 석유코크스, 활성탄 및 이와 유사한 것을 포함한다.

7. 가연성액체류

구 분	1기압과 20℃ 이하	가연성 액체량	인화점	연소점
–	액상	40w% 이하	40℃ 이상 70℃ 미만	60℃ 이상
	액상	40w% 이하	70℃ 이상 250℃ 미만	–
동물의 기름기와 살코기 또는 식물의 씨나 과일의 살로부터 추출한 것	액상	–	250℃ 미만 (♣)	–
	액상	–	250℃ 이상	–

(♣) – 용기기준과 수납 · 저장기준에 적합하고 용기외부에 물품명 · 수량 및 "화기엄금" 등의 표시를 한 것

8. 합성수지류

불연성 또는 난연성이 아닌 고체의 합성수지제품, 합성수지반제품, 원료합성수지 및 합성수지 부스러기(불연성 또는 난연성이 아닌 고무제품, 고무반제품, 원료고무 및 고무 부스러기를 포함한다)를 말한다. 다만, 합성수지의 섬유 · 옷감 · 종이 및 실과 이들의 넝마와 부스러기를 제외한다.

12. 소방지원활동, 생활안전활동

(1) 소방지원활동

① **소방청장 · 소방본부장 또는 소방서장은** 공공의 안녕질서 유지 또는 복리증진을 위하여 필요한 경우 소방지원활동을 하게 할 수 있다. 단, 소방활동 수행에 지장을 주지 아니하는 범위에서 할 수 있다

1. **산불**에 대한 예방 · 진압 등 지원활동
2. 자연재해에 따른 **급수 · 배수 및 제설** 등 지원활동
3. 집회 · 공연 등 각종 **행사 시 사고에 대비한 근접대기** 등 지원활동
4. 화재, 재난 · 재해로 인한 **피해복구** 지원활동
5. 그 밖에 행정안전부령으로 정하는 활동

② 유관기관 · 단체 등의 요청에 따른 소방지원활동에 드는 비용

지원요청을 한 유관기관 · 단체 등에게 부담하게 할 수 있다. 다만, 부담금액 및 부담방법에 관하여는 지원요청을 한 유관기관 · 단체 등과 협의하여 결정한다.

(2) 생활안전활동

① 신고가 접수된 생활안전 및 위험제거 활동(화재, 재난 · 재해, 그 밖의 위급한 상황에 해당하는 것은 제외한다)에 대응하기 위하여 소방대를 출동시켜야 한다.

1. 붕괴, 낙하 등이 우려되는 고드름, 나무, 위험 구조물 등의 제거활동
2. 위해동물, 벌 등의 포획 및 퇴치 활동
3. 끼임, 고립 등에 따른 위험제거 및 구출 활동
4. 단전사고 시 비상전원 또는 조명의 공급
5. 그 밖에 방치하면 급박해질 우려가 있는 위험을 예방하기 위한 활동

② 누구든지 정당한 사유 없이 출동하는 소방대의 생활안전활동을 방해하여서는 아니 된다.

☞ 정당한 사유 없이 소방대의 생활안전활동을 방해한 자 – 100만원의 벌금

13. 화재에 관한 위험경보

(1) **경보권자 – 소방본부장, 소방서장**

(2) **이상기상(異常氣象)의 예보 또는 특보가 있을 때**에는 화재에 관한 경보를 발령하고 그에 따른 조치를 할 수 있다.

14. 소방신호

1 소방신호의 종류 암기 경발해훈

(1) 경계신호 : 화재예방상 필요하다고 인정되거나 "13. 화재에 관한 위험경보"시 발령

(2) 발화신호 : 화재가 발생한 때 발령

(3) 해제신호 : 소화활동이 필요 없다고 인정되는 때 발령

(4) 훈련신호 : 훈련상 필요하다고 인정되는 때 발령

2 소방신호의 종류별 소방신호의 방법

구분 / 신호의 종류	타종 신호	싸이렌 신호			그 밖의 신호
		간격	작동시간	회수	
경계신호	1타와 연2타를 반복	5초	30초	3회	통풍대, 게시판, 기
발화신호	난타	5초	5초	3회	
해제신호	상당한 간격을 두고 1타씩 반복	–	60초	1회	
훈련신호	연3타 반복	10초	60초	3회	

1. 소방신호의 방법은 그 전부 또는 일부를 함께 사용할 수 있다.
2. 게시판을 철거하거나 통풍대 또는 기를 내리는 것으로 소방활동이 해제되었음을 알린다.
3. 소방대의 비상소집을 하는 경우에는 훈련신호를 사용할 수 있다.
4. 화재예방, 소방활동 또는 소방훈련을 위하여 사용되는 소방신호의 종류와 방법은 행정안전부령으로 정한다.

15. 화재 등의 통지

(1) 화재 현장 또는 구조 · 구급이 필요한 사고 현장을 발견한 사람은 그 현장의 상황을 소방본부, 소방서 또는 관계행정기관에 지체 없이 알려야 한다.

☞ 화재 또는 구조 · 구급이 필요한 상황을 거짓으로 알린 사람 – **500만원의 과태료**

(2) **다음 지역 또는 장소에서 화재로 오인할 만한 우려가 있는 불을 피우거나 연막(煙幕) 소독을 하려는 자**는 시 · 도의 조례로 정하는 바에 따라 관할 **소방본부장 또는 소방서장에게 신고**하여야 한다.

시장지역	위험물의 저장 및 처리시설이 밀집한 지역	석유화학제품을 생산하는 공장이 있는 지역
공장 · 창고가 밀집한 지역	목조건물이 밀집한 지역	그 밖에 시 · 도의 조례로 정하는 지역 또는 장소

☞ 신고를 하지 아니하여 소방자동차를 출동하게 한 자 – **20만원 이하의 과태료**
– 조례로 정하는 바에 따라 관할 소방본부장 또는 소방서장이 부과·징수한다.

16. 119 종합상황실의 설치와 운영

1 설치목적

화재, 재난·재해, 그 밖에 구조·구급이 필요한 상황이 발생하였을 때에 신속한 소방활동(소방업무를 위한 모든 활동을 말한다. 이하 같다)을 위한 정보의 수집·분석과 판단·전파, 상황관리, 현장 지휘 및 조정·통제 등의 업무를 수행하기 위하여 119종합상황실을 설치 · 운영하여야 한다.

2 설치자 – 소방청장, 소방본부장 및 소방서장

3 설치 및 운영의 근거

(1) **119종합상황실의 설치 · 운영**에 필요한 사항은 행정안전부령으로 정한다.
(2) **119종합상황실의 운영**에 관하여 필요한 사항
– **소방청장, 소방본부장 또는 소방서장**이 정한다.

4 119종합상황실에 설치하여야 할 시설 및 운영체제

(1) 「소방력 기준에 관한 규칙」에 의한 **전산 · 통신요원을 배치**
(2) 소방청장이 정하는 **유 · 무선통신시설**
(3) 운영체제 – 24시간

5 119종합상황실의 실장의 업무 내용

(1) 재난상황 발생시

신고접수 ▶ 재난상황의 전파 및 보고 ▶ 인력 및 장비의 동원을 요청하는 등의 사고수습 ▶ 현장에 대한 지휘 및 피해현황의 파악 ▶ 수습에 필요한 정보수집 및 제공 ▶ 지원요청

(2) 119종합상황실의 실장의 보고

① **보고 할 상황**

- **사망자가 5인 이상** 또는 **사상자가 10인 이상 발생한 화재**
- **이재민이 100인 이상** 발생한 화재
- **재산피해액이 50억원 이상** 발생한 화재
- 층수가 **11층 이상인 건축물**
- 층수가 **5층 이상**이거나 **객실이 30실 이상인 숙박시설**
- 층수가 **5층 이상**이거나 **병상이 30개 이상인 종합병원 · 정신병원 · 한방병원 · 요양소**
- **연면적 1만5천 m^2 이상인 공장 또는 화재경계지구**에서 발생한 화재
- **지정수량의 3천배 이상**의 위험물의 **제조소등**
- 철도차량, 항구에 매어둔 총 톤수가 **1천톤 이상인 선박**
- **항공기, 발전소, 변전소**에서 발생한 화재
- **가스 및 화약류의 폭발**에 의한 화재
- **다중이용업소**, 관공서 · 학교 · 정부미 도정공장 · 문화재 · 지하철 또는 지하구의 화재, 관광호텔, 지하상가, 시장, 백화점에서 발생한 화재
- **통제단장의 현장지휘가 필요한 재난상황**
- **언론에 보도된 재난상황**
- **그 밖에 소방청장이 정하는 재난상황**

② ①에 해당하는 경우 **지체없이** 서면 · 모사전송 또는 컴퓨터통신 등으로 **보고하여야 한다.**
소방서의 종합상황실 ▶ 소방본부의 종합상황실 ▶ 소방청의 종합상황실

16-1. 소방기술민원센터의 설치 · 운영

① 소방청장 또는 소방본부장

– 소방시설, 소방공사 및 위험물 안전관리 등과 관련된 법령해석 등의 민원을 종합적으로 접수하여 처리할 수 있는 기구(소방기술민원센터)를 설치 · 운영할 수 있다.

② 소방기술민원센터의 설치 · 운영 등에 필요한 사항은 **대통령령**으로 정한다.

17. 소방활동

(1) **소방청장, 소방본부장 또는 소방서장** – 재난상황이 발생시 소방대를 현장에 신속하게 출동시켜 화재 진압과 인명구조·구급 등 **소방에 필요한 활동(소방활동)을 하게 하여야 한다.**

(2) 관계인의 소방활동

관계인은 소방대상물에 화재, 재난·재해, 그 밖의 위급한 상황이 발생한 경우에는 소방대가 현장에 도착할 때까지 경보를 울리거나 대피를 유도하는 등의 방법으로 사람을 구출하는 조치 또는 불을 끄거나 불이 번지지 아니하도록 필요한 조치를 하여야 한다.

☞ 정당한 사유 없이 소방대가 현장에 도착할 때까지 사람을 구출하는 조치 또는 불을 끄거나 불이 번지지 아니하도록 하는 조치를 하지 아니한 사람 100만원 벌금

(3) 누구든지 정당한 사유 없이 출동한 소방대의 소방활동을 방해하여서는 아니 된다.

① 위력(威力)을 사용하여 출동한 소방대의 화재진압·인명구조 또는 구급활동을 방해하는 행위

② 소방대가 화재진압·인명구조 또는 구급활동을 위하여 현장에 출동하거나 현장에 출입하는 것을 고의로 방해하는 행위

③ 소방대원에게 폭행 또는 협박을 행사하여 화재진압·인명구조 또는 구급활동을 방해하는 행위

④ 소방장비를 파손, 그 효용을 해하여 화재진압·인명구조 또는 구급활동을 방해하는 행위

☞ 방해한 자 – **5년 이하의 징역 또는 5천만원 이하의 벌금**에 처한다.

(4) 소방대원은 소방활동 또는 생활안전활동을 방해하는 행위를 하는 사람에게 필요한 경고를 하고, 그 행위로 인하여 사람의 생명·신체에 위해를 끼치거나 재산에 중대한 손해를 끼칠 우려가 있는 긴급한 경우에는 그 행위를 제지할 수 있다.

18. 소방활동에 대한 면책 및 소송지원

(1) 소방공무원이 소방활동으로 인하여 타인을 사상(死傷)에 이르게 한 경우 그 소방활동이 불가피하고 소방공무원에게 고의 또는 중대한 과실이 없는 때에는 그 정상을 참작하여 사상에 대한 형사책임을 감경하거나 면제할 수 있다.

(2) 소방청장, 소방본부장 또는 소방서장은 소방공무원이 소방활동, 소방지원활동, 생활안전활동으로 인하여 민·형사상 책임과 관련된 소송을 수행할 경우 변호인 선임 등 소송수행에 필요한 지원을 할 수 있다.

19. 소방자동차의 우선 통행 등

(1) 모든 차와 사람은 소방자동차(지휘를 위한 자동차와 구조·구급차를 포함한다.)가 화재진압 및 구조·구급 활동을 위하여 출동을 할 때에는 이를 방해하여서는 아니 된다.

☞ 소방자동차의 출동을 방해한 사람 – **5년 이하의 징역 또는 5천만원 이하의 벌금**

(2) **소방자동차의 우선 통행에 관하여는 「도로교통법」에서 정하는 바에 따른다.**

(3) 소방자동차가 화재진압 및 구조·구급 활동을 위하여 출동하거나 훈련을 위하여 필요할 때에는 **사이렌을 사용할 수 있다.**

(4) 모든 차와 사람은 소방자동차가 화재진압 및 구조·구급 활동을 위하여 사이렌을 사용하여 출동하는 경우에는 다음의 행위를 하여서는 아니 된다.

1. 소방자동차에 진로를 양보하지 아니하는 행위
2. 소방자동차 앞에 끼어들거나 소방자동차를 가로막는 행위
3. 그 밖에 소방자동차의 출동에 지장을 주는 행위

☞ 소방자동차의 출동에 지장을 준 자 – 200만원 이하의 과태료

(5) 소방대는 화재, 재난·재해, 그 밖의 위급한 상황이 발생한 현장에 신속하게 출동하기 위하여 긴급 시 일반적인 통행에 쓰이지 아니하는 도로·빈터 또는 물 위로 통행할 수 있다.

20. 소방자동차 전용구역 등

(1) 소방자동차 전용구역 설치 대상

세대수가 100세대 이상인 아파트, 기숙사 중 3층 이상의 기숙사

다만, 하나의 대지에 하나의 동으로 구성되고 정차 또는 주차가 금지된 편도 2차선 이상의 도로에 직접 접하여 소방자동차가 도로에서 직접 소방활동이 가능한 공동주택은 제외

(2) 공동주택 중 대통령령으로 정하는 공동주택의 건축주

① 소방자동차가 접근하기 쉽고 소방활동이 원활하게 수행될 수 있도록 각 동별 전면 또는 후면에 **소방자동차 전용구역을 1개소 이상 설치**

② 하나의 전용구역에서 여러 동에 접근하여 소방활동이 가능한 경우로서 소방청장이 정하는 경우에는 각 동별로 설치하지 아니할 수 있다.

(3) 전용구역 설치 기준

① 노면표지의 외곽선은 빗금무늬로 표시

② **빗금은 두께를 30센티미터로 하여 50센티미터 간격**으로 표시한다.

③ **전용구역 노면표지 도료의 색채는 황색**
④ **문자(P, 소방차 전용)는 백색**으로 표시한다.

(3) 전용구역 방해행위의 기준
① 전용구역에 물건 등을 쌓거나 주차하는 행위
② 전용구역의 앞면, 뒷면 또는 양 측면에 물건 등을 쌓거나 주차하는 행위.
다만, 부설주차장의 주차구획 내에 주차하는 경우는 제외한다.
③ 전용구역 진입로에 물건 등을 쌓거나 주차하여 전용구역으로의 진입을 가로막는 행위
④ 전용구역 노면표지를 지우거나 훼손하는 행위
⑤ 그 밖의 방법으로 소방자동차가 전용구역에 주차하는 것을 방해하거나 전용구역으로 진입하는 것을 방해하는 행위

☞ 전용구역에 차를 주차하거나 전용구역에의 진입을 가로막는 등의 방해행위를 한 자 – **100만원 이하의 과태료**

(4) 전용구역의 설치 기준·방법, 방해행위의 기준, 그 밖의 필요한 사항은 대통령령으로 정한다. [본조신설 2018.2.9.]

예제 02

소방기본법에 따른 소방자동차 전용구역 설치기준으로 옳지 않은 것은?

① 노면표지의 외곽선은 빗금무늬로 표시
② 빗금은 두께를 30센티미터로 하여 50센티미터 간격으로 표시한다.
③ 전용구역 노면표지 도료의 색채는 황색
④ 문자(P, 소방차 전용, 119)는 백색으로 표시한다.

해답 ④

21. 소방활동구역의 설정

(1) 재난 등의 현장 출입 제한

① 소방대장은 화재, 재난 · 재해, 그 밖의 위급한 상황이 발생한 현장에 소방활동구역을 정하여 소방활동에 필요한 사람으로서 대통령령으로 정하는 사람 외에는 그 구역에 출입하는 것을 제한할 수 있다.

☞ 소방활동구역을 출입한 사람 – **200만원의 과태료**

※ **소방대장(消防隊長)** : 소방본부장 또는 소방서장 등 화재, 재난 · 재해, 그 밖의 위급한 상황이 발생한 현장에서 **소방대를 지휘하는 사람**

Point

대통령령으로 정하는 사람

(1) 소방활동구역 안에 있는 소방대상물의 소유자 · 관리자 또는 점유자
(2) 전기 · 가스 · 수도 · 통신 · 교통의 업무에 종사하는 사람으로서 원활한 소방활동을 위하여 필요한 사람
(3) 의사 · 간호사 그 밖의 구조 · 구급업무에 종사하는 사람
(4) **취재인력 등 보도업무에 종사하는 사람**
(5) 수사업무에 종사하는 사람
(6) 그 밖에 소방대장이 소방활동을 위하여 출입을 허가한 사람

② **경찰공무원**은 소방대가 소방활동구역에 있지 아니하거나 소방대장의 요청이 있을 때에는 그 구역에 **출입하는 것을 제한**할 수 있다.

22. 피난 명령

(1) **소방본부장, 소방서장 또는 소방대장**은 화재, 재난 · 재해, 그 밖의 위급한 상황이 발생하여 사람의 생명을 위험하게 할 것으로 인정할 때에는 일정한 구역을 지정하여 그 구역에 있는 사람에게 그 구역 밖으로 피난할 것을 명할 수 있다.

☞ 피난 명령을 위반한 사람 – **100만원 벌금**

(2) 소방본부장, 소방서장 또는 소방대장은 (1)에 따른 명령을 할 때 필요하면 관할 경찰서장 또는 자치경찰 단장에게 협조를 요청할 수 있다.

23. 소방활동 종사 명령

1 소방활동 종사 명령자

(1) **소방본부장, 소방서장 또는 소방대장**

소방활동을 위하여 그 현장에 있는 사람등으로 하여금 소방활동을 하게 할 수 있다. 이 경우 보호장구를 지급하는 등 안전을 위한 조치를 하여야 한다.

☞ 사람을 구출하는 일 또는 불을 끄거나 불이 번지지 아니하도록 하는 일을 방해한 사람
– **5년 이하의 징역 또는 5천만원 이하의 벌금**

2 소방활동 종사자의 보상

(1) 명령에 따라 소방활동에 종사한 사람 – 시·도지사로부터 소방활동의 비용을 지급

(2) 소방활동의 비용을 받지 못하는 자

① 소방대상물에 화재, 재난·재해, 그 밖의 위급한 상황이 발생한 경우 그 관계인
② 고의 또는 과실로 화재 또는 구조·구급 활동이 필요한 상황을 발생시킨 사람
③ 화재 또는 구조·구급 현장에서 물건을 가져간 사람

24. 위험시설 등에 대한 긴급조치

(1) 소방본부장, 소방서장 또는 소방대장은 화재 진압 등 소방활동을 위하여 필요할 때에는 **소방용수 외에 댐·저수지 또는 수영장 등의 물을 사용하거나 수도(水道)의 개폐장치 등을 조작할 수 있다.**

☞ 정당한 사유 없이 물의 사용이나 수도의 개폐장치의 사용 또는 조작을 하지 못하게 하거나 방해한 자
– **100만원 벌금**

(2) 소방본부장, 소방서장 또는 소방대장은 화재 발생을 막거나 폭발 등으로 화재가 확대되는 것을 막기 위하여 **가스·전기 또는 유류 등의 시설에 대해 위험물질의 공급을 차단 등 필요한 조치를 할 수 있다.**

☞ 정당한 사유 없이 방해한 자 – **100만원 벌금**

25. 강제처분 등

(1) **소방본부장, 소방서장 또는 소방대장**은 사람을 구출하거나 불이 번지는 것을 막기 위하여 필요할 때에는 화재가 발생하거나 **불이 번질 우려가 있는 소방대상물 및 토지**를 **일시적으로 사용**하거나 그 사용의 **제한** 또는 소방활동에 필요한 **처분**을 할 수 있다.

☞ 처분을 방해한 자 또는 정당한 사유 없이 그 처분에 따르지 아니한 자
　- 3년 이하의 징역 또는 3000만원 이하의 벌금

(2) 소방본부장, 소방서장 또는 소방대장은 사람을 구출하거나 불이 번지는 것을 막기 위하여 긴급하다고 인정할 때에는 **(1)에 따른 소방대상물 또는 토지 외의 소방대상물과 토지**에 대하여 (1)에 따른 처분을 할 수 있다.

☞ 처분을 방해한 자 또는 정당한 사유 없이 그 처분에 따르지 아니한 자 – 300만원 이하의 벌금

(3) 소방본부장, 소방서장 또는 소방대장은 소방활동을 위하여 긴급하게 출동할 때에는 **소방자동차의 통행과 소방활동에 방해가 되는 주차 또는 정차된 차량 및 물건 등을 제거하거나 이동**시킬 수 있다.

☞ 처분을 방해한 자 또는 정당한 사유 없이 그 처분에 따르지 아니한 자 – 300만원 이하의 벌금

(4) 소방본부장, 소방서장 또는 소방대장은 소방활동에 방해가 되는 주차 또는 정차된 차량의 제거나 이동을 위하여 관할 지방자치단체 등 관련 기관에 견인차량과 인력 등에 대한 지원을 요청할 수 있고, 요청을 받은 관련 기관의 장은 정당한 사유가 없으면 이에 협조하여야 한다. <신설 2018. 3. 27.>

(5) 시·도지사는 견인차량과 인력 등을 지원한 자에게 시·도의 조례로 정하는 바에 따라 비용을 지급할 수 있다. <신설 2018. 3. 27.>

26. 소방업무의 응원

(1) 소방활동을 할 때에 긴급한 경우 이웃한 소방본부장 또는 소방서장에게 도움을 요청하는 것

(2) **소방업무의 응원(應援)을 요청 하는 자 – 소방본부장이나 소방서장**

(3) 응원 요청을 받은 소방본부장 또는 소방서장 – 정당한 사유 없이 그 요청을 거절하면 안 됨

(4) **파견된 소방대원 – 응원을 요청한 소방본부장 또는 소방서장의 지휘에 따라야 한다.**

(5) 이웃하는 **시·도지사와 협의하여 미리 규약(規約)으로 정해야 한다.**

(6) **소방업무의 응원의 체결자 – 시·도지사**

(7) **상호응원협정을 체결할 때 사항**

① **소방활동에 관한 사항**

화재의 경계 · 진압활동	구조 · 구급업무의 지원	화재조사활동

② **응원출동대상지역 및 규모**

③ **소요경비의 부담에 관한 사항**

출동대원의 수당 · 식사 및 피복의 수선	소방장비 및 기구의 정비와 연료의 보급	그 밖의 경비

④ **응원출동의 요청방법**

⑤ **응원출동훈련 및 평가**

(8) **출동 대상지역 및 규모와 필요한 경비의 부담 등에 관하여 필요한 사항**을 행정안전부령으로 정함

27. 소방력의 동원

(1) 동원 – **소방청장이 각 시·도지사에게 도움 요청**

(2) 소방력의 요청자

① 소방청장이 **시·도지사에게 요청**

② 긴급을 요하는 경우에는 119종합상황실장에게 직접 요청

(3) 내용

① 동원을 요청하는 인력 및 장비의 규모

② 소방력 이송 수단 및 집결장소

③ 소방활동을 수행하게 될 재난의 규모, 원인 등 소방활동에 필요한 정보

(4) 동원 요청을 받은 시·도지사 – 정당한 사유 없이 거절해서는 안 됨

(5) 소방청장은 필요한 경우 직접 소방대를 편성하여 화재진압 및 인명구조 등 소방에 필요한 활동을 하게 할 수 있다.

(6) 동원된 소방대원은 재난상황이 발생한 지역을 관할하는 소방본부장 또는 소방서장의 지휘에 따를 것

(7) 소방청장이 직접 소방대를 편성하여 소방활동을 하게 하는 경우 소방청장의 지휘에 따를 것

(8) 기준

① **소방활동을 수행하는 과정에서 발생하는 경비 부담에 관한 사항은** 대통령령**으로 정한다.**

㉠ **재난상황이 발생한 시·도에서 부담**

㉡ 구체적인 내용은 해당 시·도가 서로 협의

② **그 밖에 동원된 소방력의 운용과 관련하여 필요한 사항은** 대통령령**으로 정한다.**

③ **소방활동을 수행한 민간 소방 인력이 사망하거나 부상을 입었을 경우의 보상주체·보상 기준 등에 관한 사항은** 대통령령**으로 정한다.**

㉠ **보상주체 – 재난상황이 발생한 시·도**

㉡ **보상기준 – 해당** 시·도의 조례**로 정하는 바에 따라 보상한다.**

(9) ① 또는 ③에서 정한 이외의 동원된 소방력의 운용과 관련하여 필요한 사항은 소방청장이 정함

28. 화재의 원인 및 피해 조사

(1) **화재조사자 – 소방청장, 소방본부장 또는 소방서장**

(2) 화재조사를 전담하는 부서를 설치 · 운영하는 대상
– 소방청, 시·도의 소방본부와 소방서

(3) **화재조사자의 교육을 실시하는 자 – 소방청장**

(4) 화재조사전담부서의 장의 업무

① 화재조사의 총괄·조정

② 화재조사의 실시

③ 화재조사의 발전과 조사요원의 능력향상에 관한 사항

④ 화재조사를 위한 장비의 관리운영에 관한 사항

⑤ 그 밖의 화재조사에 관한 사항

(5) **화재조사자의 자격**

① **소방공무원이며 다음에 해당하는 자로서 소방청장이 실시하는 화재조사에 관한 시험에 합격한 자.**

㉠ 소방교육기관에서 **8주 이상** 화재조사에 관한 전문교육을 이수한 자

㉡ 국립과학수사연구원 또는 외국의 화재조사관련 기관에서 **8주 이상** 화재조사에 관한 전문교육을 이수한 자

② **화재조사에 관한 시험에 합격한 자가 없는 경우**에는 소방공무원 중 건축·위험물·전기·안전관리(가스·소방·소방설비·전기안전·화재감식평가) 분야 산업기사 이상의 자격을 취득한 자 또는 소방공무원으로서 **화재조사 분야에서 1년 이상 근무한 자**로 하여금 화재조사를 실시하도록 할 수 있다.

③ 소방청장은 화재조사에 관한 시험에 합격한자에게 **2년마다 전문보수교육을 실시하여야 하며** 전문보수교육을 받지 아니한 자에 대하여는 전문보수교육을 이수하는 때까지 화재조사를 실시하게 하여서는 아니 된다.

④ 소방청장은 전문보수교육을 소방본부장 또는 소방교육기관에 위탁하여 실시할 수 있다.

(6) 화재조사 기준 등

① 화재조사는 관계 공무원이 화재사실을 인지하는 즉시 장비를 활용하여 실시되어야 한다.

② **화재조사의 방법 및 전담조사반의 운영과 화재조사자의 자격 등 화재조사에 필요한 사항**은 행정안전부령으로 정한다.

Point

화재조사의 종류 및 조사의 범위

1. 화재원인조사

종류	조사범위
가. 발화원인 조사	화재가 발생한 과정, 화재가 발생한 지점 및 불이 붙기 시작한 물질
나. 발견·통보 및 초기 소화상황 조사	화재의 발견·통보 및 초기소화 등 일련의 과정
다. 연소상황 조사	화재의 연소경로 및 확대원인 등의 상황
라. 피난상황 조사	피난경로, 피난상의 장애요인 등의 상황
마. 소방시설 등 조사	소방시설의 사용 또는 작동 등의 상황

2. 화재피해조사

종류	조사범위
가. 인명피해조사	(1) 소방활동중 발생한 사망자 및 부상자 (2) 그 밖에 화재로 인한 사망자 및 부상자
나. 재산피해조사	(1) 열에 의한 탄화, 용융, 파손 등의 피해 (2) 소화활동중 사용된 물로 인한 피해 (3) 그 밖에 연기, 물품반출, 화재로 인한 폭발 등에 의한 피해

③ ②에 따른 **화재전담조사부서의 운영** 및 (5) ①에 따른 **화재조사에 관한 시험의 응시자격, 시험방법, 시험과목, 그 밖에 시험의 시행에 필요한 사항**은 **소방청장**이 정한다.

29. 출입 · 조사 등

(1) **소방청장, 소방본부장 또는 소방서장**은 화재조사를 하기 위하여 필요하면 **관계인에게 보고 또는 자료 제출을 명**하거나 **관계 공무원으로 하여금** 관계 장소에 출입하여 **화재의 원인과 피해의 상황을 조사** 하거나 **관계인에게 질문하게 할 수 있다.**

☞ 정당한 사유 없이 관계 공무원의 출입 또는 조사를 거부 · 방해 또는 기피한 자 – **200만원 벌금**
☞ 명령을 위반하여 보고 또는 자료 제출을 하지 아니하거나 거짓으로 보고 또는 자료 제출을 한 자 – **200만원 과태료**

(2) 화재조사를 하는 관계 공무원은 **그 권한을 표시하는 증표를 지니고 이를 관계인에게 보여 주어야 한다.**

(3) 화재조사를 하는 관계 공무원은 관계인의 정당한 업무를 방해하거나 화재조사를 수행하면서 알게 된 **비밀을 다른 사람에게 누설하여서는 아니 된다.**

☞ 관계인의 정당한 업무를 방해하거나 화재조사를 수행하면서 알게 된 비밀을 다른 사람에게 누설한 사람 – **300만원 벌금**

(4) 수사기관에 체포된 사람에 대한 조사

소방청장, 소방본부장 또는 소방서장은 수사기관이 방화(放火) 또는 실화(失火)의 혐의가 있어서 이미 피의자를 체포하였거나 증거물을 압수하였을 때에 화재조사를 위하여 필요한 경우에는 수사에 지장을 주지 아니하는 범위에서 그 피의자 또는 압수된 증거물에 대한 조사를 할 수 있다. 이 경우 수사기관은 소방청장, 소방본부장 또는 소방서장의 신속한 화재조사를 위하여 특별한 사유가 없으면 조사에 협조하여야 한다.

30. 국가경찰공무원, 관계 보험회사의 협력 등

(1) **국가경찰공무원과의 협력**

① **소방공무원과 국가경찰공무원**은 화재조사를 할 때에 서로 협력하여야 한다.

② 소방본부장이나 소방서장은 화재조사 결과 방화 또는 실화의 혐의가 있다고 인정하면 지체 없이 관할 경찰서장에게 그 사실을 알리고 필요한 증거를 수집 · 보존하여 그 범죄수사에 협력하여야 한다.

(2) **보험회사와의 협력**

① 소방본부, 소방서 등 소방기관과 관계 보험회사는 화재가 발생한 경우 그 원인 및 피해상황을 조사할 때 필요한 사항에 대하여 서로 협력하여야 한다.

31. 소방산업의 육성 · 진흥 및 지원 등

(1) 국가의 책무

① **국가**는 **소방산업의 육성, 진흥을 위하여 필요한 계획의 수립** 등 **행정, 재정상의 지원시책을 마련** 할 것.

② **소방산업 : 소방용 기계 · 기구의 제조, 연구 · 개발 및 판매 등에 관한 일련의 산업**을 말한다.

(2) 소방산업과 관련된 기술개발 등의 지원

① **국가**는 소방산업과 관련된 기술(이하 "소방기술"이라 한다)의 개발을 촉진하기 위하여 **기술개발을 실시하는 자에게 그 기술개발에 드는 자금의 전부나 일부를 출연하거나 보조**할 수 있다.

② **국가는** 우수소방제품의 전시 · 홍보를 위하여 「대외무역법」 제4조제2항에 따른 **무역전시장 등을 설치한 자**에게 다음 각 호에서 정한 범위에서 **재정적인 지원을 할 수 있다.**

㉠ **소방산업전시회 운영에 따른 경비의 일부**

㉡ **소방산업전시회 관련 국외 홍보비**

㉢ **소방산업전시회 기간 중 국외의 구매자 초청 경비**

(3) 소방기술의 연구 · 개발사업 수행

① **국가**는 국민의 생명과 재산을 보호하기 위하여 다음에 해당하는 **기관이나 단체로 하여금 소방기술의 연구 · 개발사업을 수행하게 할 수 있다.**

1. 국공립 연구기관
2. 「과학기술분야 정부출연연구기관 등의 설립 · 운영 및 육성에 관한 법률」에 따라 설립된 연구기관
3. 「특정연구기관 육성법」 제2조에 따른 특정연구기관
4. 「고등교육법」에 따른 대학 · 산업대학 · 전문대학 및 기술대학
5. 「민법」이나 다른 법률에 따라 설립된 소방기술 분야의 법인인 연구기관 또는 법인 부설 연구소
6. 「기초연구진흥 및 기술개발지원에 관한 법률」 제14조제1항제2호에 따른 기업부설연구소
7. 「소방산업의 진흥에 관한 법률」 제14조에 따른 한국소방산업기술원
8. 그 밖에 대통령령으로 정하는 소방에 관한 기술개발 및 연구를 수행하는 기관 · 협회

② 국가가 ①에 따른 기관이나 단체로 하여금 소방기술의 연구 · 개발사업을 수행하게 하는 경우에는 필요한 경비를 지원하여야 한다.

(4) 소방기술 및 소방산업의 국제화사업

① **국가**는 소방기술 및 소방산업의 **국제경쟁력과 국제적 통용성을 높이는 데에 필요한 기반 조성을 촉진하기 위한 시책을 마련**하여야 한다.

② **소방청장**은 소방기술 및 소방산업의 국제경쟁력과 국제적 통용성을 높이기 위하여 다음 각 호의 **사업을 추진**하여야 한다.

㉠ 소방기술 및 소방산업의 국제 협력을 위한 조사 · 연구

㉡ 소방기술 및 소방산업에 관한 국제 전시회, 국제 학술회의 개최 등 국제 교류

㉢ 소방기술 및 소방산업의 국외시장 개척

㉣ 그 밖에 소방기술 및 소방산업의 국제경쟁력과 국제적 통용성을 높이기 위하여 필요한 사업

32. 한국소방안전원의 설립 등

(1) 한국소방안전원의 설립

① **설립 목적 - 소방기술과 안전관리기술의 향상 및 홍보**, 그 밖의 **교육 · 훈련 등 행정기관이 위탁하는 업무의 수행**과 소방 관계 종사자의 기술 향상을 위하여 한국소방안전원(이하 "안전원"이라 한다)을 소방청장의 **인가**를 받아 설립한다.

② **안전원은 법인**으로 한다.

③ 안전원에 관하여 이 법에 규정된 것을 제외하고는 「민법」중 재단법인에 관한 규정을 준용한다.

(2) 교육계획의 수립 및 평가 등

① 안전원장

㉠ 소방기술과 안전관리의 기술향상을 위하여 매년 교육 수요조사를 실시하여 교육계획을 수립하고 소방청장의 승인을 받아야 한다.

㉡ 소방청장에게 해당 연도 교육결과를 평가 · 분석하여 보고하여야 하며, 소방청장은 교육평가 결과를 교육계획에 반영하게 할 수 있다.

㉢ 교육결과를 객관적이고 정밀하게 분석하기 위하여 필요한 경우 교육 관련 전문가로 구성된 위원회를 운영할 수 있다.

② 교육평가심의위원회의 구성 · 운영 - 대통령령으로 정한다.

Tip

교육평가심의위원회의 구성 · 운영

① 심의 사항

1. 교육평가 및 운영에 관한 사항
2. 교육결과 분석 및 개선에 관한 사항
3. 다음 연도의 교육계획에 관한 사항

② 평가위원회는 위원장 1명을 포함하여 9명 이하의 위원으로 성별을 고려하여 구성한다.
③ 평가위원회의 위원장은 위원 중에서 호선(互選)한다.
④ 평가위원회의 위원은 다음의 어느 하나에 해당하는 사람 중에서 안전원장이 임명 또는 위촉한다.
1. 소방안전교육 업무 담당 소방공무원 중 소방청장이 추천하는 사람
2. 소방안전교육 전문가
3. 소방안전교육 수료자
4. 소방안전에 관한 학식과 경험이 풍부한 사람
⑤ 평가위원회에 참석한 위원에게는 예산의 범위에서 수당을 지급할 수 있다. 다만, 공무원인 위원이 소관 업무와 직접 관련되어 참석하는 경우에는 수당을 지급하지 아니한다.
⑥ 제1항부터 제5항까지에서 규정한 사항 외에 평가위원회의 운영 등에 필요한 사항은 안전원장이 정한다.

(3) 안전원의 정관
① **안전원의 정관에 기재하여야 하는 사항은** 대통령령으로 정한다.
② **안전원은 정관을 변경하려면 소방청장의 인가**를 받아야 한다.
③ **안전원에 임원**으로 **원장 1명을 포함한 9명 이내의 이사와 1명의 감사**를 둔다.
– 원장과 감사는 소방청장이 임명한다.
④ **정관의 기재사항**

1. 목적 2. 명칭 3. 주된 사무소의 소재지 4. 사업에 관한 사항
5. 이사회에 관한 사항 6. 회원과 임원 및 직원에 관한 사항
7. 재정 및 회계에 관한 사항 8. 정관의 변경에 관한 사항 등

⑤ 법에 따른 안전원이 아닌 자는 한국소방안전원 또는 이와 유사한 명칭을 사용하지 못한다.

☞ 한국소방안전원 또는 이와 유사한 명칭을 사용한 자 – 200만원 이하의 과태료

(4) 안전원의 업무
① 소방기술과 안전관리에 관한 **교육 및 조사·연구**
② 소방기술과 안전관리에 관한 **각종 간행물 발간**
③ 화재 예방과 안전관리의식 고취를 위한 **대국민 홍보**
④ 소방업무에 관하여 **행정기관이 위탁하는 업무**
⑤ 소방안전에 관한 **국제협력**
⑥ 그 밖에 회원에 대한 기술지원 등 정관으로 정하는 사항

(5) 안전원의 운영 경비 – **안전원의 운영 및 사업에 소요되는 경비는 회원의 회비, 업무 수행에 따른 수입금, 자산운영수익금, 그 밖의 부대수입등의 재원으로 충당한다.**

(6) 감독

① **소방청장은 안전원의 업무를 감독**한다.

② 소방청장은 안전원의 다음의 업무를 감독하여야 한다.

1. 이사회의 중요의결 사항	2. 회원의 가입 · 탈퇴 및 회비에 관한 사항
3. 사업계획 및 예산에 관한 사항	4. 기구 및 조직에 관한 사항

5. 그 밖에 소방청장이 위탁한 업무의 수행 또는 정관에서 정하고 있는 업무의 수행에 관한 사항

③ **안전원의 사업계획 및 예산**에 관하여는 **소방청장의 승인**을 얻어야 한다.

④ 소방청장

㉠ 안전원에 대하여 업무·회계 및 재산에 관하여 필요한 사항을 보고하게 하거나, 소속 공무원으로 하여금 안전원의 장부·서류 및 그 밖의 물건을 검사하게 할 수 있으며 보고 또는 검사의 결과 필요하다고 인정되면 시정명령 등 필요한 조치를 할 수 있다.

㉡ 안전원의 업무감독을 위하여 필요한 자료의 제출을 명하거나 위탁된 업무와 관련된 규정의 개선을 명할 수 있다. 이 경우 안전원은 정당한 사유가 없는 한 이에 따라야 한다.

(7) 회원의 자격

소방시설법 소방시설공사업법, 위험물 안전관리법	등록을 하거나 허가를 받은 사람으로서 회원이 되려는 사람
	소방안전관리자, 소방기술자 또는 위험물안전관리자로 선임되거나 채용된 사람으로서 회원이 되려는 사람
그 밖에 소방 분야에 관심이 있거나 학식과 경험이 풍부한 사람으로서 회원이 되려는 사람	

(8) 위탁받은 업무에 종사하는 안전원의 임직원은 「형법」 제129조부터 제132조까지를 적용할 때에는 공무원으로 본다.

33. 손실보상

(1) 소방청장 또는 시·도지사 – 손실보상심의위원회의 심사·의결에 따라 정당한 보상을 하여야 한다.

① 생활안전활동에 따른 조치로 인하여 손실을 입은 자

② 소방활동 종사 명령에 따른 소방활동 종사로 인하여 사망하거나 부상을 입은 자

③ 불이 번질 우려가 있는 소방대상물 및 토지 외의 소방대상물 및 토지 처분 및 소방자동차의 통행과 소방활동에 방해가 되는 주차 또는 정차된 차량 및 물건 등을 처분으로 인하여 손실을 입은 자. 다만, 법령을 위반하여 소방자동차의 통행과 소방활동에 방해가 된 경우는 제외한다.

④ 위험시설 등에 대한 긴급조치로 인하여 손실을 입은 자
⑤ 그 밖에 소방기관 또는 소방대의 적법한 소방업무 또는 소방활동으로 인하여 손실을 입은 자

(2) 손실보상을 청구할 수 있는 권리
손실이 있음을 안 날부터 3년, 손실이 발생한 날부터 5년간 행사하지 아니하면 시효의 완성으로 소멸한다.

(3) 손실보상의 기준, 보상금액, 지급절차 및 방법, 손실보상심의위원회의 구성 및 운영, 그 밖에 필요한 사항은 대통령령으로 정한다.

(4) 손실보상의 기준 및 보상금액 [본조신설 2018. 6. 26.]
① 물건의 멸실·훼손으로 인한 손실보상을 하는 때 금액
이 경우 영업자가 손실을 입은 물건의 수리나 교환으로 인하여 영업을 계속할 수 없는 때에는 영업을 계속할 수 없는 기간의 영업이익액에 상당하는 금액을 더하여 보상한다.
㉠ 손실을 입은 물건을 수리할 수 있는 때 : 수리비에 상당하는 금액
㉡ 손실을 입은 물건을 수리할 수 없는 때 : 손실을 입은 당시의 해당 물건의 교환가액
② 물건의 멸실·훼손으로 인한 손실 외의 재산상 손실에 대해서는 직무집행과 상당한 인과관계가 있는 범위에서 보상한다.
③ 사상자의 보상금액 등의 기준

Tip

「의사상자 등 예우 및 지원에 관한 법률 시행령」
1. 사망자의 보상금액 기준 – 보건복지부장관이 결정하여 고시하는 보상금에 따른다.
2. 부상등급의 기준등은 기본법시행령 별표 2의4 참조

(5) 손실보상의 지급절차 및 방법
① 소방기관 또는 소방대의 적법한 소방업무 또는 소방활동으로 인하여 발생한 손실을 보상받으려는 자 → 소방청장 또는 시·도지사(이하 소방청장등)에게 제출
㉠ 행정안전부령으로 정하는 보상금 지급 청구서
㉡ 손실내용과 손실금액을 증명할 수 있는 서류
② 소방청장 또는 시·도지사
㉠ 손실보상금의 산정을 위하여 필요하면 손실보상을 청구한 자에게 증빙·보완 자료의 제출을 요구할 수 있다.
㉡ 손실보상심의위원회의 심사·의결을 거쳐 특별한 사유가 없으면 **보상금 지급 청구서를 받은 날부터 60일 이내에 보상금 지급 여부 및 보상금액을 결**정하여야 한다.
㉢ 다음에 해당하는 경우에는 그 청구를 각하(却下)하는 결정을 하여야 한다.

- 청구인이 같은 청구 원인으로 보상금 청구를 하여 보상금 지급 여부 결정을 받은 경우. 다만, 기각 결정을 받은 청구인이 손실을 증명할 수 있는 새로운 증거가 발견되었음을 소명(疎明)하는 경우는 제외한다.
- 손실보상 청구가 요건과 절차를 갖추지 못한 경우. 다만, 그 잘못된 부분을 시정할 수 있는 경우는 제외한다.

㉣ **보상금 지급 여부 및 보상금액을 결정일부터 10일 이내**에 행정안전부령으로 정하는 바에 따라 **결정 내용을 청구인에게 통지**하고, **보상금을 지급하기로 결정한 경우**에는 특별한 사유가 없으면 **통지한 날부터 30일 이내에 보상금을 지급**하여야 한다.

㉤ 보상금을 지급받을 자가 지정하는 **예금계좌에 입금하는 방법으로 보상금을 지급**한다. 다만, 보상금을 지급받을 자가 체신관서 또는 은행이 없는 지역에 거주하는 등 **부득이한 사유가 있는 경우**에는 그 보상금을 지급받을 자의 신청에 따라 **현금으로 지급**할 수 있다.

㉥ **보상금은 일시불로 지급**하되, 예산 부족 등의 사유로 일시불로 지급할 수 없는 특별한 사정이 있는 경우에는 **청구인의 동의를 받아 분할하여 지급**할 수 있다.

㉦ 위에서 규정한 사항 외에 보상금의 청구 및 지급에 필요한 사항은 소방청장이 정한다.

예제 03 다음 ( ) 안에 들어갈 말을 순서대로 나열한 것은?

> 소방청장 또는 시·도지사는 손실보상심의위원회의 심사·의결을 거쳐 특별한 사유가 없으면 보상금 지급 청구서를 받은 날부터 ( )일 이내에 보상금 지급 여부 및 보상금액을 결정하여야 하고 보상금 지급 여부 및 보상금액을 결정일부터 ( )일 이내에 결정 내용을 청구인에게 통지하고, 보상금을 지급하기로 결정한 경우에는 특별한 사유가 없으면 통지한 날부터 ( )일 이내에 보상금을 지급하여야 한다.

① 60일, 10일, 30일　② 30일, 30일, 30일
③ 60일, 14일, 30일　④ 30일, 14일, 30일

해답 ①

(6) 손실보상심의위원회의 설치 및 구성

① 소방청장등은 손실보상청구 사건을 심사·의결하기 위하여 각각 손실보상심의위원회(이하 "보상위원회"라 한다)를 둔다.

② **보상위원회는 위원장 1명을 포함하여 5명 이상 7명 이하의 위원으로 구성**한다.

③ **보상위원회의 위원은** 다음에 해당하는 사람 중에서 소방청장등이 위촉하거나 임명한다.

이 경우 위원의 **과반수는 성별을 고려하여 소방공무원이 아닌 사람으로 하여야 한다.**

1. 소속 소방공무원
2. 판사·검사 또는 변호사로 5년 이상 근무한 사람
3. 학교에서 법학 또는 행정학을 가르치는 부교수 이상으로 5년 이상 재직한 사람
4. 손해사정사
5. 소방안전 또는 의학 분야에 관한 학식과 경험이 풍부한 사람

④ 위원의 임기는 2년으로 하며, 한 차례만 연임할 수 있다.
⑤ 보상위원회의 사무를 처리하기 위하여 보상위원회에 간사 1명을 두되, 간사는 소속 소방공무원 중에서 소방청장등이 지명한다.

(7) 보상위원회의 위원장
① 보상위원회의 위원장(이하 "보상위원장"이라 한다)은 위원 중에서 호선한다.
② 보상위원장은 보상위원회를 대표하며, 보상위원회의 업무를 총괄한다.
③ 보상위원장이 부득이한 사유로 직무를 수행할 수 없는 때에는 보상위원장이 미리 지명한 위원이 그 직무를 대행한다.

(8) 보상위원회의 운영
① 보상위원장은 보상위원회의 회의를 소집하고, 그 의장이 된다.
② 보상위원회의 회의는 재적위원 과반수의 출석으로 개의(開議)하고, 출석위원 과반수의 찬성으로 의결한다.
③ 보상위원회는 심의를 위하여 필요한 경우에는 관계 공무원이나 관계 기관에 사실조사나 자료의 제출 등을 요구할 수 있으며, 관계 전문가에게 필요한 정보의 제공이나 의견의 진술 등을 요청할 수 있다.

(9) 보상위원회 위원의 제척·기피·회피
① 보상위원회의 위원이 다음에 해당하는 경우에는 보상위원회의 심의·의결에서 제척(除斥)된다.

1. 위원 또는 그 배우자나 배우자였던 사람이 심의 안건의 청구인인 경우
2. 위원이 심의 안건의 청구인과 친족이거나 친족이었던 경우
3. 위원이 심의 안건에 대하여 증언, 진술, 자문, 용역 또는 감정을 한 경우
4. 위원이나 위원이 속한 법인(법무조합 및 공증인가합동법률사무소를 포함한다)이 심의 안건 청구인의 대리인이거나 대리인이었던 경우
5. 위원이 해당 심의 안건의 청구인인 법인의 임원인 경우

② 청구인은 보상위원회의 위원에게 공정한 심의·의결을 기대하기 어려운 사정이 있는 때에는 보상위원회에 기피 신청을 할 수 있고, 보상위원회는 의결로 이를 결정한다. 이 경우 기피 신청의 대상인 위원은 그 의결에 참여하지 못한다.

③ 보상위원회의 위원이 제척 사유에 해당하는 경우에는 스스로 해당 안건의 심의·의결에서 회피(回避)하여야 한다.

(10) 보상위원회 위원의 해촉 및 해임

소방청장등은 보상위원회의 위원이 다음에 해당하는 경우에는 해당 위원을 해촉(解囑)하거나 해임할 수 있다.

1. 심신장애로 인하여 직무를 수행할 수 없게 된 경우
2. 직무태만, 품위손상이나 그 밖의 사유로 위원으로 적합하지 아니하다고 인정되는 경우
3. 제척 사유에 해당되나 회피하지 아니한 경우
4. 직무상 알게 된 비밀을 누설한 경우

(11) 보상위원회의 비밀 누설 금지

보상위원회의 회의에 참석한 사람은 직무상 알게 된 비밀을 누설해서는 아니 된다.

(12) 보상위원회의 운영 등에 필요한 사항

위에서 규정한 사항 외에 보상위원회의 운영 등에 필요한 사항은 소방청장등이 정한다.

34. 권한의 위임 등

(1) 권한의 위임

소방청장은 법에 따른 권한의 일부를 대통령령으로 정하는 바에 따라 시·도지사, 소방본부장 또는 소방서장에게 위임할 수 있다.

(2) 양벌규정

위반행위를 하면 그 행위자를 벌하는 외에 그 법인 또는 개인에게도 해당 조문의 벌금형을 과(科)한다. 다만, 법인 또는 개인이 그 위반행위를 방지하기 위하여 해당 업무에 관하여 상당한 주의와 감독을 게을리하지 아니한 경우에는 그러하지 아니하다.

(3) 고유식별정보의 처리

소방청장, 시·도지사는 다음의 사무를 수행하기 위하여 불가피한 경우 주민등록번호 또는 외국인등록번호가 포함된 자료를 처리할 수 있다.

① 소방안전교육사 자격시험 운영·관리에 관한 사무

② 소방안전교육사의 결격사유 확인에 관한 사무

③ 손실보상에 관한 사무

35. 과태료

(1) 일반기준

가. 과태료 부과권자는 위반행위자가 다음에 해당하는 경우 과태료 금액의 100분의 50의 범위에서 그 금액을 감경하여 부과할 수 있다. 다만, 감경할 사유가 여러 개 있는 경우라도 「질서위반행위규제법」 제18조에 따른 감경을 제외하고는 감경의 범위는 100분의 50을 넘을 수 없다.

1) 위반행위자가 화재 등 재난으로 재산에 현저한 손실이 발생한 경우 또는 사업의 부도·경매 또는 소송 계속 등 사업여건이 악화된 경우로서 과태료 부과권자가 자체위원회의 의결을 거쳐 감경하는 것이 타당하다고 인정하는 경우
[위반행위자가 최근 1년 이내에 소방 관계 법령을 2회 이상 위반한 자는 제외]

2) 위반행위자가 위반행위로 인한 결과를 시정하거나 해소한 경우

나. 위반행위의 횟수에 따른 과태료의 가중된 부과기준은 최근 1년간 같은 위반행위로 과태료 부과처분을 받은 경우에 적용한다. 이 경우 기간의 계산은 위반행위에 대하여 과태료 부과처분을 받은 날과 그 처분 후 다시 같은 위반행위를 하여 적발된 날을 기준으로 한다.

다. 가중된 부과처분을 하는 경우 가중처분의 적용 차수는 그 위반행위 전 부과처분 차수(과태료 부과처분이 둘 이상 있었던 경우에는 높은 차수)의 다음 차수로 한다.

(2) 개별기준

위반행위	과태료 금액(만원)			
	1회	2회	3회	4회 이상
가. 소방용수시설·소화기구 및 설비 등의 설치명령을 위반한 경우	50	100	150	200
나. 불의 사용에 있어서 지켜야 하는 사항을 위반한 경우				
1) 위반행위로 인하여 화재가 발생한 경우	100	150	200	200
2) 위반행위로 인하여 화재가 발생하지 않은 경우	50	100	150	200
다. 특수가연물의 저장 및 취급의 기준을 위반한 경우	20	50	100	100
라. 한국119청소년단 또는 이와 유사한 명칭을 사용한 경우	50	100	150	200
마. 화재 또는 구조·구급이 필요한 상황을 거짓으로 알린 경우	200	400	500	500
바. 소방자동차의 출동에 지장을 준 경우	100			
사. 전용구역에 차를 주차하거나 전용구역에의 진입을 가로막는 등의 방해행위를 한 경우	50	100	100	100
아. 소방활동구역을 출입한 경우	100			
자. 보고 또는 자료제출을 하지 아니하거나 거짓으로 보고 또는 자료제출을 한 경우	50	100	150	200
차. 한국소방안전원 또는 이와 유사한 명칭을 사용한 경우	200			

실전 예상문제

●●○ 01 소방기본법의 최종 목적은?

① 화재를 예방·경계하거나 진압
② 화재, 재난·재해, 그 밖의 위급한 상황에서의 구조·구급 활동
③ 국민의 생명·신체 및 재산을 보호
④ 공공의 안녕 및 질서 유지와 복리증진에 이바지함

소방기본법의 목적 – 화재를 (예방·경계)하거나 (진압)하고 화재, 재난·재해, 그 밖의 위급한 상황에서의 (구조·구급) 활동 등을 통하여 국민의 생명·신체 및 재산을 보호함으로써 공공의 안녕 및 질서 유지와 복리증진에 이바지함을 목적으로 한다.

●●● 02 소방기본법의 목적이 아닌 것은?

① 화재를 예방·경계하거나 진압하고 화재, 재난·재해, 그 밖의 위급한 상황에서의 구조·구급 활동
② 화재로부터 공공의 안전을 확보하고 국민경제에 이바지함
③ 국민의 생명·신체 및 재산을 보호
④ 공공의 안녕 및 질서 유지와 복리증진에 이바지함

법의 목적 중 경제와 관련된 것은 소방시설공사업법이다.

●●● 03 다음 중 소방대 구성원이 아닌 것은?

① 소방공무원 ② 구조소방대원
③ 의무소방대원 ④ 의용소방대원

소방대(消防隊)	화재를 진압하고 화재, 재난·재해, 그 밖의 위급한 상황에서 구조·구급 활동 등을 하기 위하여 구성된 조직체 (암기: 소무용) 가. 소방공무원 나. 의무소방원(義務消防員) 다. 의용소방대원(義勇消防隊員)

01 ④ 02 ② 03 ②

●●● 04 다음 중 관계인이 아닌 자는?

① 소유자 ② 관리자 ③ 점유자 ④ 거주자

관계인	소방대상물의 소유자 · 관리자 또는 점유자 암기 소관점

●●● 05 소방대상물이 아닌 것은?

① 건축물 ② 차량 ③ 선박 ④ 인공 구조물

항구에 매어둔 선박만 소방대상물이다.

●●○ 06 시 · 도의 화재 예방 · 경계 · 진압 및 조사, 소방안전교육 · 홍보와 화재, 재난 · 재해, 그 밖의 위급한 상황에서의 구조 · 구급 등의 업무를 무엇이라 하는가?

① 방재업무 ② 소방업무 ③ 예방업무 ④ 구조구급업무

소방업무 : 시 · 도의 화재 예방 · 경계 · 진압 및 조사와 화재, 재난 · 재해, 그 밖의 위급한 상황(재난상황)에서의 구조 · 구급 등의 업무를 말하며 소방업무를 수행하는 소방기관의 설치에 필요한 사항은 대통령령으로 정한다.

●●○ 07 관할구역 안에서 소방업무에 대한 책임은 누구에게 있는가?

① 시 · 도지사 ② 소방본부장 ③ 시장 · 군수 ④ 소방서방

소방본부장 또는 소방서장은 관할하는 시 · 도지사의 지휘와 감독을 받는다.

●●○ 08 소방청장은 화재, 재난 · 재해, 그 밖의 위급한 상황으로부터 국민의 생명 · 신체 및 재산을 보호하기 위하여 소방업무에 관한 종합계획을 몇 년마다 수립 · 시행하여야 하고 시도지사는 종합계획의 시행에 필요한 세부계획을 몇 년 마다 수립하여야 하는가?

① 5년, 5년 ② 5년, 매년 ③ 매년, 매년 ④ 3년, 매년

소방업무에 관한 종합계획의 수립 · 시행 등

구 분	주체	수립시기
종합계획	소방청장	5년마다
세부계획	시 · 도지사	매년

04 ④ 05 ③ 06 ② 07 ① 08 ②

●●○ 09

소방청장 또는 소방본부장이 재난상황이 발생하였을 때에 신속한 소방활동(소방업무를 위한 모든 활동을 말한다)을 위한 정보를 수집·전파하기 위하여 설치·운영하는 것은?

① 통합감시시설 ② 119종합상황실 ③ 자체소방대 ④ 구조·구급대

재난상황이 발생하였을 때에 신속한 소방활동을 위한 정보를 수집·전파하기 위하여 119종합상황실을 설치·운영하여야 한다.

●●○ 10

119종합상황실의 실장이 보고하여야 할 사항은?

① 사망자가 10인 이상 또는 사상자가 5인 이상 발생한 화재
② 이재민이 10인 이상 발생한 화재
③ 재산피해액이 5억원 이상 발생한 화재
④ 다중이용업소의 화재

사망자가 5인 이상, 사상자가 10인 이상, 이재민이 100인 이상, 재산피해액이 50억원 이상 발생한 화재 등

●○○ 11

119종합상황실의 실장이 보고 할 상황이 아닌 것은?

① 통제단장의 현장지휘가 필요 없는 재난상황
② 가스 및 화약류의 폭발에 의한 화재
③ 언론에 보도된 재난상황
④ 항구에 매어둔 총 톤수가 1천톤 이상인 선박에서 발생한 화재

통제단장의 현장지휘가 필요한 재난상황은 보고할 상황이다.

●●● 12

소방기본법에 의한 소방체험관의 설립권자는?

① 소방본부장 ② 소방서장 ③ 시·도지사 ④ 소방청장

소방체험관의 설립과 운영에 필요한 사항은 시·도의 조례로 정하고 시·도지사가 설립

●●● 13

소방박물관의 설립과 운영에 관하여 필요한 사항은 무엇으로 정하는가?

① 대통령령 ② 행정안전부령 ③ 소방청고시 ④ 시·도의 조례

소방박물관은 소방청장이 설립하고 설립과 운영에 필요한 사항 행정안전부령으로 정한다.
관장1인과 부관장 1인, 7인 이내의 위원으로 구성되어 있다
♣ 소방박물관의 관광업무·조직·운영위원회의 구성 등에 관하여 필요한 사항은 소방청장이 정함

정답 09 ② 10 ④ 11 ① 12 ③ 13 ②

14 소방박물관 및 소방체험관의 내용 중 옳지 않은 것은?

① 소방박물관은 소방박물관장(소방공무원중에서 소방청장이 임명) 1인과 부관장 2인으로 임명한다.
② 운영에 관한 중요한 사항을 심의하는 운영위원회는 7인 이내의 위원으로 한다.
③ 소방체험관은 시·도지사가 설립하고 소방체험관의 설립과 운영에 필요한 사항은 시·도의 조례로 정한다.
④ 소방박물관의 관광업무·조직·운영위원회의 구성 등에 관하여 필요한 사항은 소방청장이 정한다.

해설
소방박물관은 소방박물관장(소방공무원중에서 소방청장이 임명) 1인과 부관장 1인으로 임명한다.

15 소방력의 기준으로 옳지 않은 것은?

① 소방기관이 소방업무를 수행하는 데에 필요한 인력과 장비 등을 소방력(消防力)이라 한다.
② 소방기관이 소방업무를 수행하는 데에 필요한 인력과 장비에 관한 기준은 행정안전부령으로 정한다.
③ 소방청장, 소방본부장, 소방서장은 소방력을 확충하기 위하여 필요한 계획을 수립하여 시행하여야 한다.
④ 소방자동차 등 소방장비의 분류·표준화와 그 관리 등에 필요한 사항은 행정안전부령으로 정한다.

해설
소방력을 확충하기 위하여 필요한 계획을 수립하여 시행하는 자 – 시·도지사

16 시·도의 소방업무를 수행하는 소방기관의 설치에 관하여 필요한 사항은 무엇으로 정하는가?

① 시·도의 조례 ② 행정안전부령 ③ 국무총리령 ④ 대통령령

해설
소방업무를 수행하는 소방기관의 설치에 필요한 사항은 대통령령으로 정한다.

17 소방력의 기준 등에 따라 관할구역안의 소방력을 확충하기 위하여 필요한 계획을 수립하여 시행하여야 하는 자는?

① 소방청장 ② 시·도지사 ③ 소방본부장 ④ 소방서장

해설
소방력의 확충 – 시·도지사는 소방력을 확충하기 위하여 필요한 계획을 수립하여 시행하여야 한다.

정답 14 ① 15 ③ 16 ④ 17 ②

18 소방장비 등에 대한 국고보조시 국고보조 대상사업의 범위와 기준보조율에 대해 옳지 않은 것은?

① 소방관서용 청사의 건축도 국고보조 대상사업의 범위에 해당된다.
② 국고보조산정을 위한 기준가격 선정시 국내조달품은 정부고시가격으로 정한다.
③ 정부고시가격 또는 조달청에서 조사한 해외시장의 시가가 없는 물품은 2 이상의 공신력 있는 물가조사기관에서 조사한 가격의 평균가격으로 한다.
④ 소방활동에 필요한 소방장비(방화복은 제외)는 국고보조 대상사업의 범위에 해당된다.

해설

국고보조 대상사업의 범위
1. 소방활동장비와 설비의 구입 및 설치

소방자동차	소방헬리콥터 및 소방정
소방전용통신설비 및 전산설비	방화복 등 소방활동에 필요한 소방장비

2. 소방관서용 청사의 건축

19 다음 중 국고보조금 또는 국가의 재정적인 지원을 받을 수 없는 것은?

① 방화복의 구입
② 소방산업 전시회 관련 국외 홍보비
③ 전산설비의 구입
④ 소방체험시설 체험관의 증축

• 소방산업의 육성·진흥 및 지원 대책에 따른 소방산업과 관련된 기술개발 등의 지원
국가는 우수소방제품의 전시·홍보를 위하여 「대외무역법」에 따른 무역전시장 등을 설치 한 자에게 다음 각 호에서 정한 범위에서 재정적인 지원을 할 수 있다.
① 소방산업전시회 운영에 따른 경비의 일부
② 소방산업전시회 관련 국외 홍보비
③ 소방산업전시회 기간 중 국외의 구매자 초청 경비

20 다음 중 적용 법령이 다른 하나는?

① 소방용품의 형식승인등의 기준
② 소방력의 기준
③ 119종합상황실의 설치·운영에 관하여 필요한 사항
④ 소방박물관의 설립과 운영에 관하여 필요한 상황

소방용품의 형식승인등의 기준 – 화재예방, 소방시설설치유지 및 안전관리에 관한 법률

정답 18 ④ 19 ④ 20 ①

●●● 21 소방자동차 등 소방장비의 분류·표준화와 그 관리 등에 필요한 사항은 무엇으로 정하는가?

① 대통령령　② 행정안전부령
③ 시·도의 조례　④ 소방자동차의 개발 촉진에 관한 법률

소방력(消防力)
소방기관이 소방업무를 수행하는 데에 필요한 인력과 장비 등에 관한 기준은 행정안전부령으로 정함.
소방자동차 등 소방장비의 분류·표준화와 그 관리 등에 필요한 사항은 행정안전부령으로 정한다.
소방활동장비 및 설비의 종류와 규격은 행정안전부령으로 정한다.

●●○ 22 소방용수시설의 급수탑의 설치기준 중 개폐밸브는 지상에서 어느 위치에 설치하는가?

① 0.5 m 이상 1 m 이하　② 0.8 m 이상 1.2 m 이하
③ 1.0 m 이상 1.5 m 이하　④ 1.5 m 이상 1.7 m 이하

급수탑 : 급수배관의 구경은 100 mm 이상, 개폐밸브는 지상에서 1.5 m 이상 1.7 m 이하의 위치에 설치

●●● 23 소방기본법에 따른 소방용수시설의 설치기준은 무엇으로 정하는가?

① 대통령령　② 행정안전부령　③ 시·도의 조례　④ 상수도법

소방용수시설 설치의 기준은 행정안전부령으로 정한다.

●●● 24 소방용수시설을 주거지역에 설치하고자 하는 경우 소방대상물과 수평거리는 몇 m 이하가 되도록 설치하여야 하는가?

① 100　② 110　③ 120　④ 140

소방대상물과의 수평거리

지 역	소방대상물과의 수평거리
주거지역·상업지역 및 공업지역	100 m 이하
기타지역	140 m 이하

●●○ 25 소방본부장 또는 소방서장은 원활한 소방활동을 위하여 소방용수시설 및 지리조사 등을 실시하여야 한다. 실시 기간 및 조사회수가 옳은 것은?

① 1년 1회 이상　② 6월 1회 이상　③ 3월 1회 이상　④ 월 1회 이상

소방용수시설 및 지리조사의 내용 – 월 1회 이상 실시 후 그 조사결과를 2년간 보관하여야 한다.

정답　21 ②　22 ④　23 ②　24 ①　25 ④

●●○ 26

도시의 건물 밀집지역 등 화재가 발생할 우려가 높거나 화재가 발생하는 경우 그로 인하여 피해가 클 것으로 예상되는 일정한 구역으로서 시·도지사가 지정하는 것은?

① 화재경계지구 ② 화재경계구역 ③ 방화경계구역 ④ 재난재해지역

시·도지사는 아래에 해당하는 지역을 화재경계지구로 지정할 수 있다.

※ 화재경계지구로 정하는 지역 +암기 시소위 석공목산

① 시장지역
② 소방시설·소방용수시설 또는 소방출동로가 없는 지역
③ 위험물의 저장 및 처리시설이 밀집한 지역
④ 석유화학제품을 생산하는 공장이 있는 지역
⑤ 공장·창고가 밀집한 지역
⑥ 목조건물이 밀집한 지역
⑦ 산업입지 및 개발에 관한 법률 제2조제8호에 따른 산업단지
⑧ 소방청장·소방본부장 또는 소방서장이 지정할 필요가 있다고 인정하는 지역

●●○ 27

다음 중 소방기본법령에 따른 화재경계지구의 지정대상지역이 아닌 것은?

① 시장지역
② 공장·창고가 밀집한 지역
③ 소방시설·소방용수시설 또는 소방출동로가 없는 지역
④ 가스시설이 밀집한 지역

문제 25번 해설 참조

●●○ 28

소방본부장·소방서방은 무엇으로 정하는 바에 따라 화재경계지구안의 소방대상물에 대한 소방특별조사와 소방훈련을 실시할 수 있는가?

① 대통령령 ② 행정안전부령 ③ 예방업무처리규정 ④ 시·도의 조례

소방본부장이나 소방서장은 대통령령으로 정하는 바에 따라 화재경계지구 안의 소방대상물의 위치·구조 및 설비 등에 대하여 소방특별조사를 하여야 하며 화재경계지구 안의 관계인에 대하여 대통령령으로 정하는 바에 따라 소방에 필요한 훈련 및 교육을 실시할 수 있다.

●●● 29

소방신호의 종류에 해당하는 것은?

① 경계신호 ② 진압신호 ③ 예방신호 ④ 구조·구급신호

소방신호 – 경계신호, 발화신호, 해제신호, 훈련신호 +암기 경발해훈

26 ① 27 ④ 28 ① 29 ①

●●○ 30 **소방기본법령상 화재가 발생한 때 화재의 원인 및 피해 등에 대한 조사권자가 아닌자는?**

① 소방청장 ② 소방서장
③ 소방본부장 ④ 화재조사과장

화재의 원인 및 피해 등에 대한 조사 권자 – 소방청장, 소방본부장, 소방서장

●●○ 31 **소방본부장, 소방서장이 실시하는 화재원인조사 범위에 해당하는 것은?**

① 소방활동 중 발생한 사망자 및 부상자 ② 소방활동 중 사용된 물로 인한 피해
③ 열에 의한 탄화, 용융, 파손 등의 피해 ④ 소방시설의 사용 또는 작동 등의 상황

화재조사의 종류 및 조사의 범위

1. 화재원인조사

종류	조사범위
가. 발화원인 조사	화재가 발생한 과정, 화재가 발생한 지점 및 불이 붙기 시작한 물질
나. 발견·통보 및 초기 소화상황 조사	화재의 발견·통보 및 초기소화 등 일련의 과정
다. 연소상황 조사	화재의 연소경로 및 확대원인 등의 상황
라. 피난상황 조사	피난경로, 피난상의 장애요인 등의 상황
마. 소방시설 등 조사	소방시설의 사용 또는 작동 등의 상황

2. 화재피해조사

종류	조사범위
가. 인명피해조사	(1) 소방활동중 발생한 사망자 및 부상자 (2) 그 밖에 화재로 인한 사망자 및 부상자
나. 재산피해조사	(1) 열에 의한 탄화, 용융, 파손 등의 피해 (2) 소화활동중 사용된 물로 인한 피해 (3) 그 밖에 연기, 물품반출, 화재로 인한 폭발 등에 의한 피해

●●● 32 **소방대장은 화재, 재난·재해, 그 밖의 위급한 상황이 발생한 현장에 무엇을 정하여 그 구역에 출입하는 것을 제한할 수 있는가?**

① 화재경계지구 ② 소방활동구역
③ 출입제한구역 ④ 화재통제구역

소방대장은 화재, 재난·재해, 그 밖의 위급한 상황이 발생한 현장에 소방활동구역을 정하여 소방활동에 필요한 사람으로서 대통령령으로 정하는 사람 외에는 그 구역에 출입하는 것을 제한할 수 있다.
경찰공무원은 소방대가 소방활동구역에 있지 아니하거나 소방대장의 요청이 있을 때에는 그 구역에 출입하는 것을 제한할 수 있다.

정답 30 ④ 31 ④ 32 ②

●●● 33 화재에 관한 위험경보를 발령할 수 있는 자는?

① 대통령 ② 소방청장 ③ 시 · 도지사 ④ 소방본부장

화재에 관한 위험경보 경보권자 – 소방본부장이나 소방서장
이상기상(異常氣象)의 예보 또는 특보가 있을 때에는 화재에 관한 경보를 발령하고 그에 따른 조치를 할 수 있다.

●●● 34 이상기상(異常氣象)의 예보 또는 특보가 있을 때 화재에 관한 위험경보를 발할 수 있는 자는?

① 국무총리 ② 소방청장 ③ 시 · 도지사 ④ 소방서장

문제 32번 해설 참조

●○○ 35 서로 다른 시 · 도 사이에 소방업무에 관해 상호응원협정을 체결 하고자 할 때 포함되어야 할 사항이 아닌 것은?

① 응원출동의 요청방법
② 소방신호 방법의 협의
③ 소요경비의 부담에 관한 내용
④ 응원출동 대상지역 및 규모

상호응원협정을 체결할 때 사항
① 소방활동에 관한 사항 – 화재의 경계 · 진압활동, 구조 · 구급업무의 지원, 화재조사활동
② 소요경비의 부담에 관한 사항 – 출동대원의 수당 · 식사 및 피복의 수선, 소방장비 및 기구의 정비와 연료의 보급, 그 밖의 경비
③ 응원출동대상지역 및 규모 ④ 응원출동의 요청방법 ⑤ 응원출동훈련 및 평가

●●● 36 화재의 예방조치 명령권자는?

① 국무총리 ② 소방청장 ③ 시 · 도지사 ④ 소방본부장

화재의 예방조치 등 – 화재의 예방상 위험하다고 인정되는 행위를 하는 사람이나 소화(消火) 활동에 지장이 있다고 인정되는 물건을 치우게 하는 등의 조치로서 소방본부장 또는 소방서장이 한다.

33 ④ 34 ④ 35 ② 36 ④

●●● 37

화재의 예방조치 등을 위한 옮긴 위험물 또는 물건의 보관기간은 규정에 따라 소방본부나 소방서의 게시판에 공고한 후 어느 기간까지 보관하여야 하는가?

① 공고기간 종료일 다음날로부터 5일 ② 공고기간 종료일로부터 5일
③ 공고기간 종료일 다음날부터 7일 ④ 공고기간 종료일로부터 7일

보관하는 경우	내 용
소방본부,소방서의 게시판에 공고	공고날짜 : 보관하는 그 날부터 14일 동안
보관기간	게시판에 공고하는 기간의 종료일 다음 날부터 7일
보관기간이 종료 시	• 매각 – 지체없이 세입조치 • 폐기 – 보관 물품 등이 부패 · 파손된 경우
매각되거나 폐기된 물건 등을 소유자가 보상을 요구하는 경우	소방본부장 또는 소방서장은 보상금액에 대하여 소유자와 협의를 거쳐 이를 보상

●○○ 38

다음 중 소방본부장 또는 소방서장의 화재의 예방조치 대상이 되는 경우가 아닌 것은?

① 모닥불 ② 흡연
③ 불장난 ④ 취사행위

※ 화재의 예방조치 대상이 되는 경우
1. 불장난, 모닥불, 흡연, 화기취급, 그 밖에 화재예방상 위험하다고 인정되는 행위의 금지 또는 제한
2. 타고 남은 불 또는 화기가 있을 우려가 있는 재의 처리
3. 함부로 버려두거나 그냥 둔 위험물, 그 밖에 불에 탈 수 있는 물건을 옮기거나 치우게 하는 등의 조치

●○○ 39

특수가연물의 품명과 수량기준이 잘못된 것은?

① 면화류 – 200 kg 이상 ② 나무껍질 및 대팻밥 – 300 kg 이상
③ 넝마 및 종이부스러기 – 1,000 kg 이상 ④ 석탄, 목탄류 – 10,000 kg 이상

특수가연물

품명	수량
면화류	200 kg 이상
나무껍질 및 대팻밥	400 kg 이상
넝마 및 종이부스러기	1,000 kg 이상
사류(絲類)	1,000 kg 이상
볏짚류	1,000 kg 이상
가연성고체류	3,000 kg 이상
석탄 · 목탄류	10,000 kg 이상

정답 37 ③ 38 ④ 39 ②

●●○ **40** **다음 보기에서 소방대원에 필요한 교육 및 훈련의 실시권한이 있는 자를 모두 고른 것은?**

〈 보 기 〉

국무총리	소방청장	시 · 도지사
소방본부장	소방서장	

① 국무총리, 소방청장, 시 · 도지사, 소방본부장, 소방서장
② 소방청장, 시 · 도지사, 소방본부장, 소방서장
③ 소방청장, 소방본부장, 소방서장
④ 소방본부장, 소방서장

해설
소방청장, 소방본부장 또는 소방서장은 소방대원에게 필요한 교육 · 훈련을 실시하여야 한다.

●●● **41** **소방청장 · 소방본부장 또는 소방서장이 소방대원에게 실시하는 교육 · 훈련의 종류 및 훈련대상자가 서로 다른 것은?**

① 화재진압훈련 ② 인명구조훈련
③ 응급처치훈련 ④ 인명대피훈련

해설

훈련 종류	대상		
화재진압훈련	화재진압업무를 담당하는 소방공무원	의무소방원	의용소방대원
인명구조훈련	구조업무를 담당하는 소방공무원	의무소방원	의용소방대원
응급처치훈련	구급업무를 담당하는 소방공무원	의무소방원	의용소방대원
인명대피훈련	소방공무원	의무소방원	의용소방대원
현장지휘훈련	지방소방위 · 지방소방경 · 지방소방령 및 지방소방정	암기 위 경령 정	

●○○ **42** **국민의 소방 안전 의식을 높이기 위하여 홍보해야하는 자가 아닌 것은?**

① 소방청장 ② 소방본부장
③ 소방서장 ④ 시 · 도지사

소방청장, 소방본부장 또는 소방서장은 국민의 안전 의식을 높이기 위하여 홍보하여야 한다.

정답 40 ③ 41 ④ 42 ④

●●● 43 **소방안전교육사에 대한 설명 중 틀리는 것은?**

① 소방안전교육사 시험의 실시에 필요한 사항은 대통령령으로 정한다.
② 소방안전교육사가 되고자 하는 사람은 행정안전부령에 따라 실시하는 시험에 합격할 것
③ 2차 시험과목에 교육학 원론 및 심리학개론이 포함된다.
④ 소방안전교육사는 소방안전교육의 기획 · 진행 · 분석 · 평가 및 교수업무를 수행하며, 각 소방서에는 1인 이상의 소방안전교육사가 배치되어야 한다.

소방청장은 소방안전교육을 위하여 소방청장이 실시하는 시험에 합격한 사람에게 소방안전교육사 자격을 부여한다.

●●○ 44 **한국소방안전원 업무가 아닌 것은?**

① 회원에 대한 기술지원 등 정관으로 정하는 사항
② 관할지역의 화재조사와 관련한 소방업무 및 소방시설관리업의 대행
③ 소방업무에 관하여 행정기관이 위탁하는 업무
④ 화재예방과 안전관리의식의 고취를 위한 대국민홍보

한국소방안전원의 업무
1. 소방기술과 안전관리에 관한 교육 및 조사 · 연구
2. 소방기술과 안전관리에 관한 각종 간행물 발간
3. 화재 예방과 안전관리의식 고취를 위한 대국민 홍보
4. 소방업무에 관하여 행정기관이 위탁하는 업무
5. 소방안전에 관한 국제협력
6. 그 밖에 회원에 대한 기술지원 등 정관으로 정하는 사항

●●● 45 **한국소방안전원의 정관을 변경하고자 할 때에는 소방청장의 무엇을 받아야 하는가?**

① 승인 ② 인가 ③ 허가 ④ 허락

안전원의 정관에 기재하여야 하는 사항은 대통령령으로 정하고 안전원은 정관을 변경하려면 소방청장의 인가를 받아야 한다.
인가 : 제삼자의 법률 행위를 보충하여 그 효력을 완성하는 일. 법인 설립의 인가, 사업 양도의 인가 따위를 말한다.

●●○ 46 **한국소방안전원 회원에 관한 사항 중 회원 자격이 되지 않는 사람은?**

① 소방시설법에 의한 허가 및 등록을 받은 사람으로서 회원이 되려는 사람
② 소방기술자, 소방안전관리자, 위험물 안전관리자로 선임되고 회원이 되려는 사람
③ 소방분야에 관심이 있거나 학식과 경험이 풍부한 사람으로서 회원이 되려는 사람
④ 소방공무원 3년 이상 경력자로 회원이 되고자 하는 사람

소방공무원에 대한 내용은 없음.

정답 43 ② 44 ② 45 ② 46 ④

47 한국소방안전원의 감독권자는 누구인가?

① 국무총리 ② 소방청장 ③ 시·도지사 ④ 소방본부장, 소방서장

감독 – 소방청장은 안전원의 업무를 감독한다.

48 소방업무에 관한 종합계획의 수립·시행 등에 관한 내용으로 옳지 않은 것은?

① 종합계획의 사항에는 소방서비스의 질 향상을 위한 정책의 기본방향 및 소방업무의 교육 및 홍보(소방자동차의 우선 통행 등에 관한 홍보를 포함한다)등이 포함되어야 한다.
② 소방청장은 수립한 종합계획을 관계 중앙행정기관의 장, 시·도지사에게 통보하여야 한다.
③ 시·도지사는 세부계획을 2년마다 수립하여 소방청장에게 제출하여야 하며, 세부계획에 따른 소방업무를 성실히 수행하여야 한다.
④ 소방청장은 소방업무의 체계적 수행을 위하여 필요한 경우 시·도지사가 제출한 세부계획의 보완 또는 수정을 요청할 수 있다.

시·도지사는 관할 지역의 특성을 고려하여 종합계획의 시행에 필요한 세부계획을 매년 수립하여 소방청장에게 제출하여야 하며, 세부계획에 따른 소방업무를 성실히 수행하여야 한다.

49 다음 중 소방지원활동이 아닌 것은?

① 집회·공연 등 각종 행사 시 사고에 대비한 근접대기
② 자연재해에 따른 급수·배수 및 제설
③ 단전사고 시 비상전원 또는 조명의 공급
④ 산불에 대한 예방·진압

신고가 접수된 생활안전 및 위험제거 활동(화재, 재난·재해, 그 밖의 위급한 상황에 해당하는 것은 제외한다)에 대응하기 위하여 소방대를 출동시켜 생활안전활동을 하게 하여야 한다.

생활안전활동

1. 붕괴, 낙하 등이 우려되는 고드름, 나무, 위험 구조물 등의 제거활동
2. 위해동물, 벌 등의 포획 및 퇴치 활동
3. 끼임, 고립 등에 따른 위험제거 및 구출 활동
4. 단전사고 시 비상전원 또는 조명의 공급
5. 그 밖에 방치하면 급박해질 우려가 있는 위험을 예방하기 위한 활동

정답 47 ② 48 ③ 49 ③

●●● 50 소방관계법령에 의한 과태료 부과·징수의 권한을 가진 사람이 아닌 것은?

① 시·도지사 ② 소방청장 ③ 소방본부장 ④ 소방서장

해설
과태료는 대통령령으로 정하는 바에 따라 관할 시도지사, 소방본부장 또는 소방서장이 부과·징수한다.

●●○ 51 과태료를 부과하고자 할 때 위반행위의 횟수에 따른 부과기준은 최근 얼마간 같은 행위로 과태료처분을 받는 경우에 적용하는가?

① 반년 간 ② 1년 간 ③ 2년 간 ④ 3년 간

해설
위반행위의 횟수에 따른 과태료의 부과기준은 최근 1년간 같은 위반행위로 과태료를 부과받은 경우에 적용한다. 이 경우 위반행위에 대하여 과태료 부과처분을 한 날과 다시 같은 위반행위를 적발한 날을 기준으로 하여 위반횟수를 계산한다.

●○○ 52 소방관계법령에 의한 과태료 부과권자가 아닌 것은?

① 서울특별시장 ② 경기도지사 ③ 인제군수 ④ 종로소방서장

해설
과태료는 대통령령으로 정하는 바에 따라 관할 시도지사, 소방본부장 또는 소방서장이 부과·징수한다.

●●● 53 소방활동을 위한 소방자동차의 출동, 통행을 방해한 자에 대한 벌칙은?

① 10년 이하의 징역
② 5년 이하의 징역 또는 5,000만원 이하의 벌금
③ 3년 이하의 징역 또는 1,500만원 이하의 벌금
④ 200만원 이하의 벌금

해설
소방자동차의 출동을 방해한 사람 – 5년 이하의 징역 또는 5천만원의 벌금

●●○ 54 소방용수시설의 종류가 아닌 것은?

① 소화전 ② 상수도 ③ 급수탑 ④ 저수조

해설
소방용수시설의 종류 – 소방활동에 필요한 소화전(消火栓)·급수탑(給水塔)·저수조(貯水槽)

정답 50 ② 51 ② 52 ③ 53 ② 54 ②

55 다음 중 그 벌금이 가장 무거운 위반 사항은?

① 정당한 사유 없이 물의 사용이나 수도의 개폐장치의 사용 또는 조작을 하지 못하게 하거나 방해한 자
② 화재조사를 수행하면서 알게 된 비밀을 누설한 자
③ 화재경계지구 안의 소방대상물에 대한 소방특별조사를 기피한 자
④ 정당한 사유없이 소방용수시설을 사용한 자

해설
정당한 사유 없이 소방용수시설을 사용한 자 – 5년 이하의 징역 또는 5,000만원 이하의 벌금
정당한 사유 없이 물의 사용이나 수도의 개폐장치의 사용 또는 조작을 하지 못하게 하거나 방해한 자 – 100만원 벌금

56 화재, 재난·재해 그 밖의 위급한 상황이 발생한 현장에 소방활동구역을 정하여 소방활동에 필요한 사람으로서 대통령령으로 정하는 사람 외에는 그 구역에 출입하는 것을 제한할 수 있는 자는?

① 소방청장 ② 시·도지사 ③ 소방본부장 ④ 소방대장

해설
소방대장은 화재, 재난·재해, 그 밖의 위급한 상황이 발생한 현장에 소방활동구역을 정하여 소방활동에 필요한 사람으로서 대통령령으로 정하는 사람 외에는 그 구역에 출입하는 것을 제한할 수 있다.

57 소방자동차의 우선통행 등에 관한 사항으로 다음 중 옳지 않는 것은?

① 소방자동차가 화재진압 및 구조·구급활동을 위하여 출동할 때는 사이렌을 사용할 수 있다.
② 소방자동차가 소방훈련을 위하여 필요한 때에는 사이렌을 사용할 수 있다.
③ 소방자동차의 우선통행에 관하여는 행정안전부령이 정하는 바에 따른다.
④ 모든 차와 사람은 소방자동차가 화재 진압 및 구조·구급활동을 위하여 출동할 때에는 이를 방해하여서는 아니된다.

해설
소방자동차의 우선 통행에 관하여는 「도로교통법」에서 정하는 바에 따른다.

58 국고보조 대상에 해당되지 않는 것은?

① 소방전용 전산설비 ② 소방정
③ 소방업무에 필요한 교육비 ④ 소방관서용 청사

해설
국고보조대상 : 소방활동 장비·설비 및 소방관서용 청사의 건축

정답 55 ④ 56 ④ 57 ③ 58 ③

59 특수가연물을 저장 또는 취급하는 장소에 설치하는 표지의 기재 사항이 아닌 것은?

① 품명　② 주의사항게시판　③ 최대수량　④ 화기취급의 금지표지

1. 특수가연물을 저장 또는 취급하는 장소 – 품명·최대수량 및 화기취급의 금지표지를 설치
2. 저장방법 (다만, 석탄·목탄류를 발전(發電)용으로 저장하는 경우 제외)
   가. 품명별로 구분하여 쌓을 것
   나. 높이, 면적

구　분	높이	면적
일반적인 경우	10 m 이하	50 m^2 (석탄·목탄류 – 200 m^2)
살수설비를 설치하거나, 방사능력 범위에 해당 특수가연물이 포함되도록 대형수동식소화기를 설치하는 경우	15 m 이하	200 m^2 (석탄·목탄류 – 300 m^2)

   다. 쌓는 부분의 바닥면적 사이는 1m 이상이 되도록 할 것

60 타종과 싸이렌인 소방신호의 방법으로 옳지 않은 것은?

		타종 신호	싸이렌 신호
①	경계신호	1타와 연2타를 반복	5초 간격을 두고 30초씩 3회
②	발화신호	난타	5초 간격을 두고 5초씩 3회
③	해제신호	상당한 간격을 두고 1타씩 반복	30초간 1회
④	훈련신호	연3타 반복	10초 간격을 두고 1분씩 3회

구분 / 신호의 종류	타종 신호	싸이렌 신호			그 밖의 신호
		간격	작동시간	회수	
경계신호	1타와 연2타를 반복	5초	30초	3회	통풍대, 게시판, 기
발화신호	난타	5초	5초	3회	
해제신호	**상당한 간격을 두고 1타씩 반복**	**–**	**60초**	**1회**	
훈련신호	연3타 반복	10초	60초	3회	

61 다음은 소방신호와 관련된 내용이다. 틀린 것은?

① 소방신호의 방법은 일관성을 위해 그 전부 또는 일부를 함께 사용할 수 없다.
② 게시판을 철거하거나 통풍대 또는 기를 내리는 것으로 소방활동이 해제되었음을 알린다.
③ 소방대의 비상소집을 하는 경우에는 훈련신호를 사용할 수 있다.
④ 화재예방, 소방활동 또는 소방훈련을 위하여 사용되는 소방신호의 종류와 방법은 행정안전부령으로 정한다.

소방신호의 방법은 그 전부 또는 일부를 함께 사용할 수 있다.

정답　59 ②　60 ③　61 ①

62 소방활동구역에 출입 할 수 있는 자로 옳지 않은 것은?

① 소방활동구역 안에 있는 소방대상물의 소유자·관리자 또는 점유자
② 기계·가스·수도·통신·교통의 업무에 종사하는 사람으로서 원활한 소방활동을 위하여 필요한 사람
③ 의사·간호사 그 밖의 구조·구급업무에 종사하는 사람
④ 취재인력 등 보도업무에 종사하는 사람

해설
전기·가스·수도·통신·교통의 업무에 종사하는 사람으로서 원활한 소방활동을 위하여 필요한 사람

63 소방활동구역의 내용 중 옳은 것은?

① 수사업무에 종사하는 사람은 출입 할 수 없다.
② 출입 자격이 없는 사람이 소방활동구역을 출입한 사람은 3백만원의 과태료가 부과된다.
③ 일반공무원은 소방대가 소방활동구역에 있지 아니하거나 소방대장의 요청이 있을 때에는 소방활동구역내 출입을 제한 할 수 있다.
④ 취재인력 등 보도업무에 종사하는 사람은 소방활동구역에 출입할 수 있다.

해설
소방활동구역을 출입한 사람은 2백만원의 과태료가 부과되며 경찰공무원은 소방대가 소방활동구역에 있지 아니하거나 소방대장의 요청이 있을 때에는 소방활동구역내 출입을 제한 할 수 있다.

64 소방대장은 일반인을 소방활동에 종사하게 할 수 있는데 소방활동에 종사한 사람이 그로 인하여 사망하거나 부상을 입은 경우 누가 보상하는가?

① 국가 ② 소방대장 ③ 시·도지사 ④ 관할지역 소방서장

해설
소방활동 종사자의 보상 : 소방활동에 종사한 사람이 그로 인하여 사망하거나 부상을 입은 경우 – 시·도지사가 보상

65 소방본부장, 소방서장 또는 소방대장은 사람을 구출하거나 불이 번지는 것을 막기 위하여 필요할 때에는 화재가 발생하거나 불이 번질 우려가 있는 소방대상물 및 토지를 일시적으로 사용하거나 그 사용의 제한 또는 소방활동에 필요한 처분을 할 수 있는데 이에 따르지 아니한 자의 벌칙은?

① 5년 이하의 징역 ② 3년 이하의 징역
③ 1년 이하의 징역 ④ 집행유예 3년

해설
처분을 방해한 자 또는 정당한 사유 없이 그 처분에 따르지 아니한 자 – 3년 이하의 징역 또는 3000만원 이하의 벌금

정답 62 ② 63 ④ 64 ③ 65 ②

●●○ 66 소방본부장, 소방서장 또는 소방대장은 소방활동을 위하여 긴급하게 출동할 때에는 소방자동차의 통행과 소방활동에 방해가 되는 주차 또는 정차된 차량 및 물건 등을 제거하거나 이동시킬 수 있는데 따르지 아니한 자의 벌금은?

① 1,000만원 이하의 벌금
② 500만원 이하의 벌금
③ 300만원 이하의 벌금
④ 100만원 이하의 벌금

소방본부장, 소방서장 또는 소방대장은 소방활동을 위하여 긴급하게 출동할 때에는 소방자동차의 통행과 소방활동에 방해가 되는 주차 또는 정차된 차량 및 물건 등을 제거하거나 이동시킬 수 있다.
처분을 방해한 자 또는 정당한 사유 없이 그 처분에 따르지 아니한 자 – 300만원 이하의 벌금

●●○ 67 소방안전교육사의 배치대상별 배치기준이 잘못된 것은?

① 소방청 – 2명 이상
② 소방본부 – 2명 이상
③ 한국소방안전원(시·도지부) – 1명 이상
④ 한국소방산업기술원 – 1명 이상

소방안전교육사의 배치 – 배치대상별 배치기준

배치장소	배치기준(단위 : 명)
1. 소방청	2 이상
2. 소방본부	2 이상
3. 소방서	1 이상
4. 한국소방안전원	본회 : 2 이상 , 시·도지부 : 1 이상
5. 한국소방산업기술원	2 이상

※ 소방안전교육사의 배치대상 및 배치기준, 그 밖에 필요한 사항은 대통령령으로 정한다.

●○○ 68 소방기술 및 소방산업의 국제화사업 규정에 따라 소방청장은 소방기술 및 소방산업의 국제경쟁력과 국제적 통용성을 높이기 위하여 사업을 추진하는데 해당하지 않는 것은?

① 소방기술 및 소방산업의 국제 협력을 위한 조사·연구
② 소방기술 및 소방산업에 관한 국제 전시회, 국제 학술회의 개최 등 국제 교류
③ 소방기술 및 소방산업의 국내시장 활성화를 위한 조사·연구
④ 소방기술 및 소방산업의 국제경쟁력과 국제적 통용성을 높이기 위하여 필요하다고 인정하는 사업

해설

소방기술 및 소방산업의 국제화사업 규정 – 국내시장 활성화를 위한 조사·연구는 해당되지 않는다.

정답 66 ③ 67 ④ 68 ③

●●○ 69 **소방청장의 감독을 받는 한국소방안전원의 내용으로 옳지 않은 것은?**

① 안전원의 정관에 기재하여야 하는 사항은 소방청장이 정한다.
② 안전원은 정관을 변경하려면 소방청장의 인가를 받아야 한다.
③ 설립되는 안전원는 법인으로 한다.
④ 안전원에 관하여 이 법에 규정된 것을 제외하고는 「민법」중 재단법인에 관한 규정을 준용한다.

해설
안전원의 정관에 기재하여야 하는 사항은 대통령령으로 정한다.

●●○ 70 **의사상자(義死傷者), 소방행정 발전에 공로가 있다고 인정되는 사람을 명예직 소방대원으로 위촉할 수 있는 자는?**

① 대통령 ② 소방청장 ③ 시도지사 ④ 국무총리

해설
소방청장은 의사상자(義死傷者), 소방행정 발전에 공로가 있다고 인정되는 사람을 명예직 소방대원으로 위촉할 수 있다.

●●● 71 **소방대상물이 있는 장소 및 그 이웃 지역으로서 화재의 예방·경계·진압·구조·구급 등의 활동에 필요한 지역을 무엇이라 하는가?**

① 관계지역 ② 소방활동지역 ③ 소방대상지역 ④ 응원지역

관계지역	소방대상물이 있는 장소 및 그 이웃 지역으로서 화재의 예방, 경계, 진압, 구조, 구급 등의 활동에 필요한 지역

정답 69 ① 70 ② 71 ①

PART 2 소방시설공사업법, 시행령, 시행규칙

1. 목적

(1) 소방시설공사 및 소방기술의 관리에 필요한 사항을 규정함으로써

(2) 소방시설업을 건전하게 발전시키고 소방기술을 진흥시켜

(3) 화재로부터 **공공의 안전을 확보하고 국민경제에 이바지함**

2. 소방시설공사등 관련 주체의 책무

(1) 소방청장

소방시설공사등(소방시설의 설계, 시공, 감리 및 방염)의 품질과 안전이 확보되도록 소방시설공사등에 관한 기준 등을 정하여 보급하여야 한다.

(2) 발주자

소방시설이 공공의 안전과 복리에 적합하게 시공되도록 공정한 기준과 절차에 따라 능력 있는 소방시설업자를 선정하여야 하고, 소방시설공사등이 적정하게 수행되도록 노력하여야 한다.

(3) 소방시설업자

소방시설공사등의 품질과 안전이 확보되도록 소방시설공사등에 관한 법령을 준수하고, 설계도서·시 방서 및 도급계약의 내용 등에 따라 성실하게 소방시설공사등을 수행하여야 한다.

3. 소방시설업의 등록, 변경 등

1 등록 신청

(1) 소방시설업을 하고자 하는 자 – 시·도지사에게 등록하여야 한다.

소방 시설업	소방시설 설계업	소방시설공사에 기본이 되는 공사계획, 설계도면, 설계 설명서, 기술계산서 및 이와 관련된 서류(이하 "설계도서")를 작성(이하 "설계")하는 영업
	소방시설 공사업	설계도서에 따라 소방시설을 신설, 증설, 개설, 이전 및 정비(이하 "시공")하는 영업
	소방공사 감리업	소방시설공사에 관한 발주자의 권한을 대행하여 소방시설공사가 설계도서와 관계 법령에 따라 적법하게 시공되는지를 확인하고, 품질 · 시공 관리에 대한 기술지도를 하는(이하 "감리") 영업
	방염 처리업	방염대상물품에 대하여 방염처리하는 영업
소방시설업자		소방시설업을 경영하기 위하여 소방시설업을 등록한 자

☞ 소방시설업 등록을 하지 아니하고 영업을 한 자 – **3년 이하의 징역 또는 3000만원 이하의 벌금**

(2) 제출서류 – 신청서류는 업종별로 소방시설업자협회에 제출

① 소방시설업 등록신청서 / 신청인의 성명, 주민등록번호, 주소 등이 적힌 서류

② 기술인력의 국가기술자격증(소방기술 인정자격수첩)

③ 소방청장이 지정하는 금융회사 또는 소방산업공제조합에 **자본금 기준금액의 100분의 20 이상의** 출자·예치·담보한 금액확인서 1부 (소방시설공사업만 해당한다)

④ 공인회계사, 세무사 또는 전문경영진단기관에서 신청일 전 **최근 90일 이내 작성**한 **자산평가액 또는 기업진단 보고서** (소방시설공사업만 해당)

소방시설업의 종류	제출서류
소방시설설계업	① ~ ②
소방공사감리업	① ~ ②
소방시설공사업	① ~ ④

(3) 등록을 하지 않고 설계, 감리를 할 수 있는 경우

공기업·준정부기관 및 지방공사, 지방공단이 다음의 요건을 모두 갖춘 경우

- 대통령령으로 정하는 **기술인력을 보유**하여야 한다.
- **주택의 건설 · 공급을 목적으로 설립**되었을 것
- **설계 · 감리 업무를 주요 업무**로 규정하고 있을 것

2 소방시설업 등록 불가

(1) 등록기준을 갖추지 못한 경우
(2) 확인서를 제출하지 아니한 경우
(3) 등록 결격사유에 해당하는 경우
(4) 이 법 및 다른 법령에 따른 제한에 위반되는 경우

Point

등록의 결격사유

1. 피성년후견인(정신적 제약으로 사무처리 능력이 부족한 자)
2. 금고 이상의 실형을 선고받고 그 집행이 끝나거나(집행이 끝난 것으로 보는 경우를 포함한다) 면제된 날부터 **2년이 지나지 아니한 사람**
3. 금고 이상의 형의 집행유예를 선고받고 그 **유예기간 중에 있는 사람**
4. 등록하려는 소방시설업 **등록이 취소(1에 해당되어 취소된 경우 제외)된 날부터 2년이 지나지 아니한 자**
5. 법인의 대표자가 1에서 4까지의 규정에 해당하는 경우 그 법인
6. 법인의 임원이 2에서 4까지의 규정에 해당하는 경우 그 법인

※ 금고 이상의 실형 – **소방기본법, 소방시설설치유지 및 안전관리에 관한 법률, 위험물안전관리법에 의한 실형**을 말한다.

3 등록신청 서류의 보완, 검토, 확인 및 송부

① 협회는 첨부서류가 미비 또는 명확하지 아니한 경우 **10일 이내의 기간을 정하여 이를 보완**
② 협회는 등록신청 서류를 받았을 때에는 등록기준에 맞는지를 검토·확인하여야 한다.
③ 협회는 검토·확인을 마쳤을 때에는 **접수일**(신청서류의 보완을 요구한 경우에는 그 보완이 완료된 날을 말한다)**부터 7일 이내에 신청인의 주된 영업소소재지 "시·도지사"에게 보내야 한다.**

4 소방시설업 등록증 및 등록수첩의 발급 및 등록관리

(1) **시·도지사는 접수일부터 15일 이내에 협회를 경유하여** 발급
(2) 기술자격증(자격수첩)에 등록된 소방시설업의 기술인력자임을 기재하여 발급
(3) 시·도지사는 발급하였을 때에는 그 사실을 일련번호 순으로 작성 및 관리하여야 한다.
(4) 협회는 등록사항을 작성 및 관리, 협회 인터넷 홈페이지를 통하여 공시 할 것

5 등록사항의 변경신고(30일 이내 시·도지사에게 신고)

(1) 행정안전부령으로 정하는 중요 사항

구분	상호(명칭) 또는 영업소 소재지	대표자	기술인력
제출 서류	소방시설업 등록사항 변경신고서		
	소방시설업 등록증		

	소방시설업 등록수첩		
제출 서류	–	변경된 대표자의 성명, 주민등록번호 및 주소지 등의 인적사항이 적힌 서류	기술인력 증빙서류

☞ 위반하여 신고를 하지 아니하거나 거짓으로 신고한 자 - 60 / 100 / 200만원 이하의 과태료

(2) 소방시설업자는 등록사항이 변경된 경우에는 **변경일부터 30일 이내에 협회**에 제출
(3) **변경신고를 받은 협회는 5일 이내에** 변경된 소방시설업 등록증 및 등록수첩을 **발급**
(4) 영업소 소재지가 등록된 시·도에서 다른 시·도로 변경된 경우에는 제출받은 변경신고 서류를 접수일로부터 **7일 이내**에 해당 시·도지사에게 보내야 한다. 이 경우 해당 시·도지사는 협회를 경유하여 신고인에게 새로 발급하여야 한다.
(5) 변경신고 서류를 제출받은 협회는 소방시설업 등록대장에 변경사항을 작성하여 관리
(6) 협회는 등록사항의 변경신고 접수현황을 매월 말일을 기준으로 작성하여 **다음 달 10일 까지** 시·도지사에게 알려야 한다.

6 재발급

(1) 분실 등의 이유로 인한 소방시설업 등록증 또는 등록수첩의 재발급을 신청하는 경우
 – 소방시설업 등록증(등록수첩) 재발급신청서를 협회를 경유하여 시 · 도지사에게 제출
(2) 시 · 도지사는 재발급신청서를 제출받은 경우
 – **3일 이내에 협회를 경유하여 재발급**하여야 한다.

7 소방시설업자의 지위승계(30일 이내 신고)

(1) 소방시설업자의 **지위를 승계한 자는** 행정안전부령으로 정하는 바에 따라 상속일, 양수일, 합병일, 인수일로 부터 **30일 이내 시 · 도지사에게 신고**(협회제출) 하여야 한다.

☞ 신고를 하지 아니하거나 거짓으로 신고한 자 - 60 / 100 / 200만원 이하의 과태료

(2) 소방시설업자의 **지위를 승계하는 자**
① 소방시설업자가 사망한 경우 그 상속인, 영업을 양도한 경우 **그 양수인**
② 법인인 소방시설업자가 다른 법인과 합병한 경우 합병 후 존속하는 **법인이나 합병으로 설립되는 법인**
③ **경매, 환가(換價), 압류재산의 매각 등의 절차에 따라 소방시설 전부를 인수한 자**

(3) 첨부서류 – 협회에 제출

양도 · 양수의 경우	상속의 경우	합병의 경우
소방시설업 지위승계신고서	소방시설업 지위승계신고서	소방시설업 합병신고서
양도인의 소방시설업 등록증 및 등록수첩	피상속인의 소방시설업 등록증 및 등록수첩	합병 전 법인의 소방시설업 등록증 및 등록수첩
양도·양수 계약서 사본 등	상속인임을 증명하는 서류	합병계약서 사본
양도·양수 공고문 사본	–	합병공고문 사본

(4) 지위승계 신고 서류를 제출받은 협회
– **접수일부터 7일 이내에** 지위를 승계한 사실을 확인한 후 그 결과를 시·도지사에게 보고

(5) **시·도지사**
– 소방시설업의 지위승계 신고의 확인 사실을 **보고받은 날부터 3일 이내**에 협회를 경유하여 지위승계인에게 등록증 및 등록수첩을 **발급**하여야 한다.

(6) 지위승계에 관하여는 **등록의 결격사유**를 준용한다. 다만, **상속인**이 **등록의 결격사유** 해당하는 경우 **상속받은 날부터 3개월** 동안은 그러하지 아니하다.

(7) (2)에 해당하는 자는 그 상속일, 양수일, 합병일 또는 인수일부터 종전의 소방시설업자의 지위를 승계한다.

8 소방시설업의 운영

(1) 대여금지

소방시설업자는 [다른 자에게 자기의 성명이나 상호를 사용하여 소방시설공사등을 수급 또는 시공하게 하거나(2021.06.10.일 시행)] 소방시설업의 **등록증 또는 등록수첩을 다른 자에게 빌려 주어서는 아니 된다.**

☞ 300만원 이하의 벌금 및 1차 영업정지 6개월, 2차 등록취소
* 1차에 등록이 취소되지 않는다.
* 소방기술인정자격수첩과 경력수첩의 경우 300만원 이하의 벌금 및 자격이 취소된다.
* 소방시설관리업의 경우 1년 이하의 징역 또는 1천만원 벌금 및 1차에 등록취소가 된다.
* 소방시설관리사 자격증의 경우 1년 이하의 징역 또는 1천만원 벌금 및 자격이 취소된다.

(2) 영업정지 또는 등록취소

영업정지처분이나 등록취소처분을 받은 소방시설업자는 **그 날부터 소방시설공사등을 하여서는 아니 된다.** 다만, 소방시설의 **착공신고가 수리(受理)되어 공사를 하고 있는 자로서 도급계약이 해지되지 아니한 소방시설공사업자 또는 소방공사감리업자가 그 공사를 하는 동안이나 방염처리업자가 도급을 받아 방염 중인 것으로서 도급계약이 해지되지 아니한 상태에서 그 방염을 하는 동안에는 그러하지 아니하다.**

☞ 영업정지 기간 중에 설계 · 시공 또는 감리를 한 경우 – 1년 이하의 징역 또는 1천만원 이하의 벌금

(3) 통보

소방시설업자는 다음 각 호의 어느 하나에 해당하는 경우에는 소방시설공사등을 맡긴 특정소방대상물의 **관계인에게 지체 없이 그 사실을 알려야 한다.**

☞ 거짓으로 알린자 - 60 / 100 / 200만원 이하의 과태료

① **소방시설업자의 지위를 승계한 경우**
② **소방시설업의 등록취소처분 또는 영업정지처분을 받은 경우**
③ **휴업하거나 폐업한 경우**

(4) 서류보관

소방시설업자는 행정안전부령으로 정하는 관계 서류를 **하자보수 보증기간 동안 보관**하여야 한다.

소방시설설계업	소방시설 설계기록부 및 소방시설 설계도서
소방시설공사업	소방시설 공사기록부
소방공사감리업	소방공사 감리기록부, 소방공사 감리일지, 소방시설의 완공 당시 설계도서

☞ 관계 서류를 보관하지 아니한 자 – 200만원 이하의 과태료

9 반납(규칙 제4조)

(1) 반납하는 경우

① 소방시설업등록이 **취소된 경우**
② **재발급을 받은 경우**. 다만, 잃어버리고 재발급을 받은 경우에는 이를 다시 찾은 경우

(2) **지체 없이 협회를 경유하여 시 · 도지사에게** 그 소방시설업 등록증 및 등록수첩을 **반납**

10 휴업 · 폐업 신고 등

① 소방시설업을 휴업 · 폐업 또는 재개업일부터 30일 이내에 시 · 도지사에게 신고(협회 경유하여 제출)

☞ 신고를 하지 않거나 거짓으로 신고한 경우 - 60 / 100 / 200만원 이하의 과태료

② 폐업신고를 받은 시 · 도지사 – 소방시설업 등록을 말소, 공고
③ 폐업신고를 받은 협회 – 협회 인터넷 홈페이지에 공고
④ 폐업신고를 한 자가 소방시설업 등록이 말소된 후 6개월 이내에 같은 업종의 소방시설업을

다시 등록한 경우 해당 소방시설업자는 폐업신고 선 소방시설업자의 지위를 승계한다. <신설 2020. 6. 9.>

⑤ 소방시설업자의 지위를 승계한 자에 대해서는 폐업신고 전의 소방시설업자에 대한 행정처분의 효과가 승계된다. <신설 2020. 6. 9.>

11 소방시설업자의 처분통지 등

① 시·도지사는 등록취소·시정명령 또는 영업정지를 하는 경우, 과징금을 부과하는 경우, 자격을 취소하거나 정지하는 경우에는 처분일부터 7일 이내에 협회에 그 사실을 알려주어야 한다.

② 소방시설업의 등록신청, 등록증·등록수첩의 발급·재발급신청, 그 밖에 소방시설업 등록에 필요한 사항은 **행정안전부령**으로 정한다.

Point

소방시설업, 관리업 등의 등록, 변경

구분	설계, 감리, 시공업	방염업	관리업	화재위험평가대행업
등록	시·도지사 허가			소방청장 승인
미등록 영업	3년이하 징역 3천만원이하 벌금			1년이하 징역 1천만원이하 벌금
등록서류	1. 기술자격증 2. 출자,예치, 담보 금액확인서 (공사업만) 3. 자산평가액 또는 기업진단보고서 (공사업만)	방염처리시설 및 시험기기명세서	기술인력연명부 및 기술자격증	1. 기술인력연명부 및 자격증명 서류 2. 실무경력증명서 3. 시설 및 장비명세서
보완	10일 이내			–
발급시 교부기간	15일 이내			–
변경 신고	변경한 날로부터 30일 이내			
	1. 행정안전부령으로 정하는 변경내용 – 명칭, 상호, 소재지, 대표자, 기술인력 (단, 화재위험평가대행업은 대통령령으로 정하는 변경내용이다.) 2. 미신고(1개월 미만 : 30만원, 1~3개월 미만 : 50만원, 3개월 이상 : 100만원) 3. 거짓신고 – 200만원 이하의 과태료			
변경 신고시 교부기간	5일 이내			–
재교부	3일 이내			
지위승계	30일 (지위승계자가 결격사유인 경우 3개월)이내			–
	미신고 및 거짓신고에 대한 벌칙은 변경신고와 동일			
지위승계시 교부기간	협회는 7일 이내 시·도지사에게 보고 시·도지사는 3일 이내 발급		–	–
반납	자격취소, 재발급(분실, 훼손한 것을 다시 찾은 경우)			

4. 소방시설업의 업종별 등록기준 및 영업범위

– 대통령령으로 정한다.

1 소방시설설계업

업종별 \ 항목		기술인력		영업범위
전문소방시설설계업		주인력(소방기술사)	1명이상	모든 특정소방대상물에 설치되는 소방시설의 설계
		보조인력	1명이상	
일반소방시설설계업	기계분야	주인력(소방기술사 또는 기계소방설비기사)	1명이상	가. **아파트에 설치되는 기계분야 소방시설(제연설비는 제외한다)의 설계** 나. **연면적 3만 m^2(공장의 경우에는 1만 m^2) 미만의** 특정소방대상물(제연설비가 설치되는 특정소방대상물은 제외한다)에 설치되는 기계분야 소방시설의 설계 다. **위험물제조소등에 설치되는 기계분야 소방시설의 설계**
		보조인력	1명이상	
	전기분야	주인력(소방기술사 또는 전기소방설비기사)	1명이상	가. **아파트에 설치되는 전기분야 소방시설의 설계** 나. **연면적 3만 m^2(공장의 경우에는 1만m^2)** 미만의 특정소방대상물에 설치되는 전기분야 소방시설의 설계 다. **위험물제조소등에 설치되는 전기분야 소방시설의 설계**
		보조인력	1명이상	

(1) 일반 소방시설설계업 기계분야 및 전기분야 소방시설의 범위

구분	범위
기계분야	• 소화기구, 옥내소화전설비, 스프링클러설비, 간이스프링클러설비, 물분무등소화설비, 옥외소화전설비, 피난기구, 상수도소화용수설비, 소화수조, 저수조, 제연설비, 연결송수관설비, 연결살수설비, 연소방지 설비 • 기계분야 소방시설에 부설되는 전기시설. 다만, 비상전원, 동력회로, 제어회로, 기계분야 소방시설을 작동하기 위하여 설치하는 화재감지기에 의한 화재감지장치 및 전기신호에 의한 소방시설의 작동장치는 제외한다.
전기분야	• 비상경보설비, 비상방송설비, 누전경보기, 자동화재탐지설비, 시각경보기, 자동화재속보설비, 가스누설경보기, 통합감시시설, 유도등, 유도표지, 비상조명등, 휴대용비상조명등, 비상콘센트설비 및 무선통신보조설비 • 기계분야 소방시설에 부설되는 전기시설 중 단서의 전기시설

(2) 주 기술인력(2개의 업종을 동시에 하는 경우)의 겸용

업종	업종	주인력의 자격
일반 소방시설설계업의 기계분야	일반 소방시설설계업의 전기분야	소방기술사 또는 쌍기사
전문소방시설설계업	소방시설관리업	소방기술사와 소방시설관리사 자격을 함께 취득한 사람
일반소방시설설계업 (전기 또는 기계)	소방시설관리업	해당기사와 소방시설관리사 자격을 함께 취득한 사람
전문소방시설설계업	전문소방시설공사업	소방기술사
전문소방시설설계업	일반소방시설공사업	소방기술사
일반소방시설설계업	전문소방시설공사업	소방기술사 또는 쌍기사
일반소방시설설계업	일반소방시설공사업	소방기술사 또는 쌍기사

※ 쌍기사 : 소방전기기사와 소방기계기사를 동시에 가지고 있는 자(답안작성시 쌍기사라고 쓰지 말 것)

(3) 보조기술인력

자격	경력	조건
소방기술사, 소방설비기사, 소방설비산업기사		
소방 관련 학과를 졸업한 사람		자격수첩을 발급받은 사람
소방기술과 관련된 자격·경력 및 학력을 갖춘 사람		자격수첩을 발급받은 사람
소방공무원	3년 이상	자격수첩을 발급받은 사람

※ 자격수첩 = 소방기술 인정 자격수첩

2 소방시설공사업

<table>
<tr><th colspan="2">항목 / 업종별</th><th colspan="2">기술인력</th><th colspan="2">자본금 (자산평가액)</th><th>영업범위</th></tr>
<tr><td colspan="2" rowspan="2">전문 소방시설 공사업</td><td>주인력</td><td>1명 이상</td><td>법인</td><td>1억원 이상</td><td rowspan="2">특정소방대상물에 설치되는 기계분야 및 전기분야의 소방시설 공사·개설·이전 및 정비
★ 주인력 : 소방기술사 또는 쌍기사</td></tr>
<tr><td>보조인력</td><td>2명 이상</td><td>개인</td><td>자산평가액 1억원 이상</td></tr>
<tr><td rowspan="2">일반 소방 시설 공사업</td><td rowspan="2">기계 분야</td><td>주인력</td><td>1명 이상</td><td>법인</td><td>1억원 이상</td><td rowspan="2">가. 연면적 1만 m^2 미만의 특정소방대상물에 설치되는 기계분야 소방시설의 공사·개설·이전 및 정비
나. 위험물제조소등에 설치되는 기계분야 소방시설의 공사·개설·이전 및 정비
★ 주된 기술인력 : 소방기술사 또는 기계분야 소방설비기사 1명 이상</td></tr>
<tr><td>보조인력</td><td>1명 이상</td><td>개인</td><td>자산평가액 1억원 이상</td></tr>
</table>

<table>
<tr><td rowspan="2">일반 소방 시설 공사업</td><td rowspan="2">전기 분야</td><td>주인력</td><td>1명 이상</td><td>법인</td><td>1억원 이상</td><td rowspan="2">가. 연면적 1만 m^2 미만의 특정소방대상물에 설치되는 전기분야 소방시설의 공사·개설·이전·정비
나. 위험물제조소등에 설치되는 전기분야 소방시설의 공사·개설·이전·정비
★ 주된 기술인력 : 소방기술사 또는 전기분야 소방설비 기사 1명 이상</td></tr>
<tr><td>보조 인력</td><td>1명 이상</td><td>개인</td><td>자산평가액 1억원 이상</td></tr>
</table>

(1) 일반 소방시설공사업에서 기계분야 및 전기분야의 대상이 되는 소방시설의 범위
일반 설계업과 동일

(2) 주 기술인력(2개의 업종을 동시에 하는 경우)의 겸용

업종	업종	주인력의 자격
기계분야 일반소방시설공사업	전기분야의 일반소방시설공사업	소방기술사 또는 쌍기사
전문 소방시설공사업	소방시설관리업	소방기술사 또는 쌍기사와 소방시설관리사를 함께 취득한 사람
일반 소방시설공사업 기계분야	소방시설관리업	소방기술사 또는 기계분야 소방설비기사와 소방시설관리사 자격을 함께 취득한 사람
일반 소방시설공사업 전기분야	소방시설관리업	소방기술사 또는 전기분야 소방설비기사와 소방시설관리사 자격을 함께 취득한 사람

(3) 자본금(자산평가액)

① 해당 소방시설공사업의 최근 결산일 현재(새로 등록 한 자는 등록을 위한 기업진단기준일 현재)의 **총자산에서 총부채를 뺀 금액**을 말하고, **소방시설공사업 외의 다른 업(業)을 함께 하는 경우에는 자본금에서 겸업 비율에 해당하는 금액을 뺀 금액**을 말한다.

(4) 용어의 정의

① 개설 – 이미 특정소방대상물에 설치된 소방시설등의 전부 또는 일부를 철거하고 새로 설치하는 것

② 이전 – 이미 설치된 소방시설등을 현재 설치된 장소에서 다른 장소로 옮겨 설치하는 것

③ 정비 – 이미 설치된 소방시설등을 구성하고 있는 기계·기구를 교체하거나 보수하는 것

3 소방공사감리업

항목 업종별		기술인력 및 영업범위			
전문 소방 공사 감리업		소방 기술사		1명 이상	모든 특정소방대상물에 설치되는 소방시설공사 감리 ★ 기계분야 및 전기분야의 자격을 함께 가진 경우 그에 해당하는 사람 1명 이상
		특급	기계분야	1명 이상	
			전기분야	1명 이상	
		고급	기계분야	1명 이상	
			전기분야	1명 이상	
		중급	기계분야	1명 이상	
			전기분야	1명 이상	
		초급	기계분야	1명 이상	
			전기분야	1명 이상	
일반 소방 공사 감리업	기계 분야	특급	기계분야	1명 이상	가. **연면적 3만 m^2(공장의 경우에는 1만 m^2) 미만**의 특정소방대상물에 설치되는 기계분야 소방시설의 감리(제연설비가 설치되는 특정소방대상물은 제외한다) 나. **아파트에 설치되는 기계분야 소방시설의 감리 (제연설비는 제외한다)** 다. **위험물제조소등**에 설치되는 기계분야 소방시설의 감리
		고급 또는 중급	기계분야	1명 이상	
		초급	기계분야	1명 이상	
	전기 분야	특급	전기분야	1명 이상	가. **연면적 3만 m^2(공장의 경우에는 1만 m^2) 미만**의 특정소방대상물에 설치되는 전기분야 소방시설의 감리 나. **아파트에 설치되는 전기분야 소방시설의 감리** 다. **위험물제조소등에 설치되는 전기분야 소방시설의 감리**
		고급 또는 중급	전기분야	1명 이상	
		초급	전기분야	1명 이상	

※ 기술인력 등록기준에서 **기준등급보다 초과하여 상위등급의 기술인력을 보유하고 있는 경우 기준등급을 보유한 것**으로 간주한다.

(1) 일반 소방공사감리업에서 기계분야 및 전기분야의 대상이 되는 소방시설의 범위

구분	대상
기계분야	1) 소화기구, 자동소화장치, 옥내소화전설비, 스프링클러설비등, 물분무등소화설비, 옥외소화전설비, 피난기구, 인명구조기구, 소화용수설비, 제연설비, 연결송수관설비, 연결살수설비, 연소방지설비 2) **기계분야 소방시설에 부설되는 전기시설**. 다만, 비상전원, 동력회로, 제어회로, 기계분야 소방시설을 작동하기 위하여 설치하는 화재감지기에 의한 화재감지장치 및 전기신호에 의한 소방시설의 작동장치는 제외 3) **실내장식물 및 방염대상물품**
전기분야	1) 비상경보설비, 단독경보형감지기, 비상방송설비, 누전경보기, 자동화재탐지설비, 시각경보기, 자동화재속보설비, 가스누설경보기, 통합감시시설, 유도등, 비상조명등, 휴대용비상조명등, 비상콘센트설비 및 무선통신보조설비 2) 기계분야 소방시설에 부설되는 전기시설 중 정해진 전기시설

(2) 감리원의 기술자격

Tip

령 [부표] 소방공사감리업 등록 시 갖추어야 하는 기술인력인 소방공사 감리원의 구분

소방관련 업무	소방 기술사	소방설비 기사	소방설비산 업기사	소방 관련학과 학사학위	소방 관련학과 졸업	소방 공무원	규정에 해당하지 않는 사람
특급	–	8년	12년	–	–	–	–
고급	–	5년	8년	–	–	–	–
중급	–	3년	6년	–	–	–	–
초급	–	1년	2년	1년	3년	3년	5년 이상

※ 감리원 : 소방공사감리업자에 소속된 소방기술자로서 해당 소방시설공사를 감리하는 사람

Tip

소방기술과 관련된 자격 · 학력 및 경력의 인정범위

1. 소방 관련 업무
   가. 소방기술과 관련된 경력으로 인정되는 업무
   나. 위험물안전관리자로 선임되어 수행한 업무
   다. 소방공무원으로서 수행한 건축허가 동의, 소방검사, 소방시설등완비증명발급, 사법경찰관 또는 사법경찰리의 직무
2. 소방 관련 학과 – 소방과 관련된 학과 중에서 소방청장이 정하여 고시하는 학과를 말한다.
3. 소방감리원의 경력 · 학력 인정
4. 기계분야 및 전기분야에 속하는 학과 · 학위 등에 관한 구체적인 사항은 소방청장이 정하여 고시하는 바에 따른다.
5. 소방관련업무 경력으로서 기술자격 취득 전의 경력은 그 경력의 50%만 인정한다.

4 방염처리업

(1) 기준

방염처리업을 등록한 자는 방염성능기준 이상이 되도록 방염을 하여야 한다.

☞ 법 40조 : 방염성능기준 미만으로 방염을 한 경우 - 200만원 이하의 과태료

(2) 방염업의 종류와 그 종류별 영업의 범위

섬유류방염업	커텐·카페트 등 섬유류를 주된 원료로 하는 방염대상물품을 제조 또는 가공공정에서 방염처리
합성수지류방염업	합성수지류를 주된 원료로 한 방염대상물품을 제조 또는 가공공정에서 방염처리
합판 · 목재류방염업	합판 또는 목재를 제조·가공공정 또는 설치현장에서 방염처리

(3) 방염업의 등록기준

① 공통기준 – 시험실 1개 이상을 갖출 것

② 방염처리시설 및 시험기기 기준

– 방염처리업자가 2개 이상의 방염업을 함께 하는 경우 갖춰야 하는 실험실은 1개 이상으로 한다.

– 방염처리업자가 2개 이상의 방염업을 함께 하는 경우 공통되는 방염처리시설 및 시험기기는 중복하여 갖추지 않을 수 있다.

(4) 방염처리능력 평가 및 공시

① 소방청장 : 방염처리업자의 방염처리능력 평가 요청이 있는 경우 해당 방염처리업자의 방염처리 실적 등에 따라 방염처리능력을 평가하여 공시할 수 있다.

② 평가를 받으려는 방염처리업자 : 전년도 방염처리 실적이나 그 밖에 행정안전부령으로 정하는 서류를 소방청장에게 제출하여야 한다.

☞ 방염처리능력 평가에 관한 서류를 거짓으로 제출한 자 - 200만원 이하의 과태료

5. 설계

1 설계기준

(1) 이 법이나 이 법에 따른 명령과 화재안전기준에 맞게 소방시설을 설계하여야 한다.

☞ 1년 이하의 징역 또는 1천만원 이하의 벌금

다만, 중앙소방기술심의위원회의 심의를 거쳐 소방시설의 구조와 원리 등에서 특수한 설계로 인정된 경우는 제외한다.

2 성능위주설계를 하여야 하는 특정소방대상물

성능위주설계 – 그 용도, 위치, 구조, 수용 인원, 가연물의 종류 및 양 등을 고려하여 설계

Point

1. 연면적 3만 m^2 이상 – 철도 및 도시철도 시설, 공항시설
2. 연면적 20만 m^2 이상인 특정소방대상물. (아파트등 제외)
3. 50층 이상(지하층은 제외)이거나 지상으로부터 높이가 200미터 이상인 아파트등
4. 지하층을 포함한 층수가 30층 이상이거나 건축물의 높이가 100m 이상인 특정소방대상물 (아파트등 제외)
5. 하나의 건축물에 영화상영관이 10개 이상인 특정소방대상물
6. 지하연계 복합건축물에 해당하는 특정소방대상물

※ 지하연계 복합건축물

① 층수가 11층 이상이거나 1일 수용인원이 5천명 이상인 건축물로서 지하부분이 지하역사 또는 지하도상가와 연결된 건축물이면서

② 건축물 안에 문화 및 집회시설, 판매시설, 운수시설, 업무시설, 숙박시설, 위락시설 중 유원시설업의 시설 또는 종합병원과 요양병원 중 하나 이상 있는 건축물

3 성능위주설계 할 수 있는 조건

Point

성능위주설계를 할 수 있는 자의 자격 · 기술인력 및 자격에 따른 설계범위(령 별표 1의 2)

성능위주설계자의 자격	기술인력	설계범위
1. 전문 소방시설설계업을 등록한 자 2. 전문 소방시설설계업 등록기준에 따른 기술인력을 갖춘 자로서 소방청장이 정하여 고시하는 연구기관 또는 단체	소방기술사 2명 이상	2의 대상

성능위주설계를 할 수 있는 자의 자격, 기술인력 및 자격에 따른 설계의 범위와 그 밖에 필요한 사항은 대통령령으로 정한다.

6. 시공

1 시공기준, 배치

(1) 이 법이나 이 법에 따른 명령과 화재안전기준에 맞게 시공하여야 한다.

☞ **1년 이하의 징역 또는 1천만원 이하의 벌금**

이 경우 소방시설의 구조와 원리 등에서 그 공법이 특수한 시공에 관하여는 "6. 설계"를 준용

(2) 소방시설공사의 책임시공 및 기술관리를 위하여 대통령령으로 정하는 바에 따라 소속 소방기술자를 공사 현장에 배치하여야 한다.

Tip

※ 소방기술자

소방기술사, 소방시설관리사, 소방설비기사, 소방설비산업기사, 위험물기능장, 위험물산업기사, 위험물기능사 및 소방기술 경력 등을 인정받은 사람으로서 **소방시설업과 소방시설관리업의 기술인력으로 등록된 사람**

☞ 소방기술자를 공사 현장에 배치하지 아니한 자 – **200만원 이하의 과태료**

Point

소방기술자의 배치기준

구 분	공사 현장 배치기준		
	연면적		지하층을 포함한 층수 등
특급기술자	20만 m² 이상		40층 이상
고급기술자 이상	20만 m² 미만 3만 m² 이상 (아파트는 제외)		40층 미만 16층 이상
중급기술자 이상	아파트 제외한 현장	3만 m² 미만 5천 m² 이상	물분무등소화설비(호스릴 방식은 제외) 또는 제연설비가 설치되는 특정소방대상물
	아파트	20만m² 미만 1만m² 이상	
초급기술자 이상	아파트 제외한 현장	5천 m² 미만 1천 m² 이상	지하구
	아파트	1만m² 미만 1천m² 이상	
자격수첩을 발급받은 소방기술자	연면적 1천m² 미만		–

비고

1. 기계분야의 소방기술자를 공사 현장에 배치하여야 하는 경우
   - 옥내소화전설비, 옥외소화전설비, 스프링클러설비등, 연결살수설비, 연결송수관설비 또는 물분무등소화설비, 소화용수설비, 제연설비 또는 연소방지설비의 공사
   - 기계분야 소방시설에 부설되는 전기시설의 공사. 다만, 비상전원, 동력회로, 제어회로, 기계분야의 소방시설을 작동하기 위하여 설치하는 화재감지기에 의한 화재감지장치 및 전기신호에 의한 소방시설의 작동장치의 공사는 제외한다.

2. 전기분야의 소방기술자를 공사 현장에 배치하여야 하는 경우
   - 자동화재탐지설비, 시각경보기 또는 비상경보설비, 비상방송설비, 자동화재속보설비 또는 비상콘센트설비 또는 무선통신보조설비의 공사, 기계분야 소방시설에 부설되는 비상전원, 동력회로 또는 제어회로의 공사
3. 기계분야 및 전기분야의 자격을 모두 갖춘 소방기술자가 있는 경우에는 소방시설공사를 분야별로 구분하지 않고 그 소방기술자를 배치할 수 있다.
4. 소방공사감리업자가 감리하는 소방시설공사가 다음에 해당하는 경우에는 소방기술자를 소방시설공사 현장에 배치하지 않을 수 있다.
   - 소방시설의 비상전원 : 전기공사업자가 공사하는 경우
   - 소화용수설비 : 기계설비공사업자 또는 상·하수도설비공사업자가 공사하는 경우
   - 소방 외의 용도와 겸용되는 제연설비 : 기계설비공사업자가 공사하는 경우
   - 소방 외의 용도와 겸용되는 비상방송설비, 무선통신보조설비 : 정보통신공사업자가 공사하는 경우
5. 공사업자는 아래 경우를 제외하고는 1명의 소방기술자를 2개의 공사 현장을 초과하여 배치해서는 아니 된다. 다만, 연면적 3만제곱미터 이상의 특정소방대상물(아파트는 제외한다)이거나 지하층을 포함한 층수가 16층 이상으로서 500세대 이상인 아파트에 대한 소방시설 공사의 경우에는 1개의 공사 현장에만 배치해야 한다.
   - 건축물의 연면적이 5천m² 미만인 공사 현장에만 배치하는 경우.
     다만, 그 연면적의 합계는 2만m²를 초과하여서는 아니 된다.
   - 건축물의 연면적이 5천m² 이상인 공사 현장 2개 이하와 5천m² 미만인 공사 현장에 같이 배치하는 경우. 다만, 5천m² 미만의 공사 현장의 연면적의 합계는 1만m²를 초과하여서는 아니 된다.

2 착공신고

공사업자는 **대통령령으로 정하는 소방시설공사(소방시설공사의 착공신고 대상)을** 하려면 행정안전부령으로 정하는 바에 따라 그 공사의 내용, 시공 장소, 그 밖에 필요한 사항을 **소방시설공사의 착공전까지 소방본부장이나 소방서장에게 신고**하여야 한다.

☞ 신고를 하지 아니하거나 거짓으로 신고한 자 - **60 / 100 / 200만원 이하의 과태료**

Tip

제출서류

1. 소방시설공사 착공(변경)신고서
2. 공사업자의 소방시설공사업 등록증 사본 및 등록수첩 사본
3. 해당 소방시설공사의 책임시공 및 기술관리를 하는 기술인력의 기술등급을 증명하는 서류 사본
4. 설계도서(설계설명서를 포함하되, 건축허가 동의 시 제출된 설계도서가 변경된 경우에만 첨부한다)
5. 소방시설공사 계약서 사본
6. 소방시설공사를 하도급하는 경우
   - 소방시설공사 하도급통지서 사본
   - 하도급대금 지급에 관한 다음에 해당하는 서류
     - 공사대금 지급을 보증한 경우 - 하도급대금 지급보증서
     - 보증이 필요하지 않거나 보증이 적합하지 않다고 인정되는 경우 - 이를 증빙하는 서류 사본

3 소방시설공사의 착공신고 대상

(1) 신설하는 공사

① **특정소방대상물**에 다음에 해당하는 설비를 **신설하는 공사** (제조소등은 제외한다.)

㉠ 옥내소화전설비(호스릴옥내소화전설비를 포함), 옥외소화전설비, 스프링클러설비·간이스프링클러설비(캐비넷형 포함) 및 화재조기진압용스프링클러설비 (이하 스프링클러설비등), 물분무소화설비 · 포소화설비 · 이산화탄소소화설비 · 할론소화설비 · 할로겐화합물 및 불활성기체소화설비 · 미분무소화설비 · 강화액소화설비 및 분말소화설비(이하 "물분무등소화설비"라 한다), 연결송수관설비, 연결살수설비, 연소방지설비, 제연설비(소방용 외의 용도와 겸용되는 제연설비를 기계설비공사업자가 공사하는 경우는 제외한다), 소화용수설비(기계설비공사업자 또는 상 · 하수도설비공사업자가 공사하는 경우는 제외한다)

- 소화기구는 착공대상이 아니다.

㉡ 자동화재탐지설비, 비상경보설비,
비상방송설비(비상방송설비를 정보통신공사업자가 공사하는 경우는 제외한다)
비상콘센트설비(비상콘센트설비를 전기공사업자가 공사하는 경우는 제외한다)
무선통신보조설비(무선통신보조설비를 정보통신공사업자가 공사하는 경우는 제외)

- 누전경보기, 가스누설경보기, 자동화재속보설비, 피난설비는 착공대상이 아니다. 암기 누가 소속? 피

(2) 증설하는 공사 (설비 또는 구역)

① **특정소방대상물**에 다음에 해당하는 **설비 또는 구역 등을 증설하는 공사**

㉠ 옥내 · 옥외소화전설비, 스프링클러설비 · 간이스프링클러설비 또는 물분무등소화설비의 방호구역, 제연설비의 제연구역, 연결살수설비의 살수구역, 연결송수관설비의 송수구역, 연소방지설비의 살수구역

㉡ 자동화재탐지설비의 경계구역, 비상콘센트설비의 전용회로

- 기계분야는 신설에서 소화용수설비만 제외
- 전기분야는 신설에서 무통설비, 비상방송설비, 비상경보설비 제외 암기 무방비(경)용

(3) 보수하는 공사

① 특정소방대상물에 설치된 소방시설등을 구성하는 다음에 해당하는 것의 전부 또는 일부를 교체하거나 보수하는 공사. 다만, 고장 또는 파손 등으로 인하여 작동시킬 수 없는 소방시설을 **긴급히 교체하거나 보수하여야 하는 경우에는 신고하지 않을 수 있다.**

㉠ **수신반(受信盤)**

㉡ **소화펌프**

㉢ **동력(감시)제어반**

4 공사변경신고

(1) 공사업자가 신고한 사항 가운데 **행정안전부령으로 정하는 중요한 사항을 변경하였을 때에는 변경일부터 30일 이내에 소방본부장 또는 소방서장에게 변경신고**를 하여야 한다.

☞ 신고를 하지 아니하거나 거짓으로 신고한 자 – 60 / 100 / 200만원 이하의 과태료

(2) **행정안전부령으로 정하는 중요한 사항**

시공자	설치되는 소방시설의 종류	책임시공 및 기술관리 소방기술자

(3) **중요한 사항에 해당하지 아니하는 변경 사항은 다음에 해당하는 서류에 포함하여 소방본부장이나 소방서장에게 보고**하여야 한다.

① [완공검사 또는 부분완공검사를 신청하는 서류 (시행일 : 2021. 6. 10.)]

② 공사감리 결과보고서

(4) 소방본부장 또는 소방서장

① 착공신고 또는 변경신고를 받은 날부터 2일 이내에 신고수리 여부를 신고인에게 통지

㉠ 소방시설업 등록수첩에 소방시설공사현장에 배치되는 소방기술자의 자격증 번호, 성명, 시공현장의 명칭·소재지 및 현장 배치기간을 기재하여 **발급**하고, **그 내용을 발급한 날부터 7일 이내에 협회, 법인 또는 단체**에 알려야 한다.

㉡ 소방시설 착공 및 완공대장에 필요한 사항을 기록하여 관리하여야 한다.

② 신고수리 여부 또는 민원 처리 관련 법령에 따른 처리기간의 연장을 신고인에게 통지하지 아니하면 그 기간이 끝난 날의 다음 날에 신고를 수리한 것으로 본다.

5 완공검사

(1) 완공검사자

공사업자는 소방시설공사를 완공하면 **소방본부장 또는 소방서장의 완공검사를 받아야 한다.**

☞ 완공검사를 받지 아니한 자 – 200만원 이하의 과태료

① **공사감리자가 지정되어 있는 경우 – 공사감리 결과보고서로 완공검사를 갈음**

② **대통령령으로 정하는 특정소방대상물의 경우 –** 소방본부장이나 소방서장이 **현장에서 확인**할 수 있다.

Point

완공검사를 위한 현장확인 대상 특정소방대상물의 범위

1. 노유자(老幼者)시설, 지하상가, 다중이용업소, **문화 및 집회시설, 운동시설, 판매시설, 숙박시설, 창고시설, 종교시설, 수련시설**
2. 스프링클러설비등, 물분무등소화설비 설치(**호스릴방식의 소화설비는 제외**)
3. **연면적 1만 m^2 이상**이거나 **11층 이상인 특정소방대상물 (아파트는 제외)**

4. 가연성가스를 제조 · 저장 또는 취급하는 시설 중 지상에 노출된 가연성가스탱크의 저장용량 합계가 1천톤 이상인 시설

(2) 부분완공검사

공사업자가 소방대상물 일부분의 소방시설공사를 마친 경우로서 **전체 시설이 준공되기 전에 부분적으로 사용할 필요가 있는 경우**에는 그 일부분에 대하여 소방본부장이나 소방서장에게 **완공검사(이하 "부분완공검사"라 한다)를 신청할 수 있다. 이 경우 소방본부장이나 소방서장은 그 일부분의 공사가 완공되었는지를 확인**하여야 한다.

(3) 완공검사증명서 발급

소방본부장이나 소방서장은 완공검사나 부분완공검사를 하였을 때에는 완공검사증명서나 부분완공 검사증명서를 발급하여야 한다.

(4) 기준

완공검사 및 부분완공검사의 신청과 검사증명서의 발급, 그 밖에 완공검사 및 부분완공검사에 필요한 사항은 행정안전부령으로 정한다.

6 공사의 하자보수 등

(1) 하자보수

① 공사업자는 소방시설공사 결과 자동화재탐지설비 등 대통령령으로 정하는 소방시설에 하자가 있을 때에는 대통령령으로 정하는 기간 동안 그 하자를 보수하여야 한다.

하자기간	소화설비	경보설비	피난설비	소화용수설비	소화활동설비
2년	–	비상경보설비 비상방송설비	피난기구, 유도등, 유도표지, 비상조명등	–	무선통신 보조설비
3년	자동소화장치 옥내 · 옥외 소화전 스프링클러 간이스프링클러 물분무등	자동화재 탐지설비	–	상수도소화 용수설비	소화활동설비 (무선통신 보조설비는 제외한다)

+ 암기 조경 방 피유 무 (조경 방에 피난구유도등 없다.)

(2) 하자발생 시

① 관계인은 하자기간에 소방시설의 하자가 발생하였을 때에는 공사업자에게 그 사실을 알려야 하며, 공사업자는 **3일 이내에 하자를 보수하거나 보수 일정을 기록한 하자보수계획을 관계인에게 서면으로 통보**

☞ 3일 이내에 하자를 보수하지 아니하거나 하자보수계획을 관계인에게 거짓으로 알린 자
- **4일 ~ 30일 이내 : 60만원 / 30일 초과 : 100만원 / 거짓으로 알린 경우 : 200만원의 과태료**

(3) 하자 미조치 등 - 관계인은 소방본부장이나 소방서장에게 그 사실을 알릴 수 있다.
① 공사업자가 **기간에 하자보수를 이행하지 아니한 경우**
② 공사업자가 **기간에 하자보수계획을 서면으로 알리지 아니한 경우**
③ 공사업자의 **하자보수계획이 불합리하다고 인정되는 경우**

(4) 하자 심의 요청
① **소방본부장, 소방서장**은 통보를 받았을 때에는 **지방소방기술심의위원회에 심의를 요청.**
그 심의 결과 하자로 인정할 때에는 시공자에게 기간을 정하여 하자보수를 명하여야 한다.

7. 소방시설공사등의 도급

1 소방시설공사등의 도급

(1) 특정소방대상물의 관계인 또는 발주자는 소방시설공사등을 **도급할 때에는 해당 소방시설업자에게 도급**하여야 한다.

☞ 소방시설업자에게 도급하지 않은 경우 - **1년 이하의 징역 또는 1천만원 이하의 벌금**

(2) 소방시설공사는 다른 업종의 공사와 분리하여 도급하여야 한다. 다만, 공사의 성질상 또는 기술관리상 분리하여 도급하는 것이 곤란한 경우로서 대통령령으로 정하는 경우에는 다른 업종의 공사와 분리하지 아니하고 도급할 수 있다.

☞ 위반하여 소방시설공사를 다른 업종의 공사와 분리하여 도급하지 아니한 자 - 300만원 이하의 벌금

Tip

대통령령으로 정하는 경우
1. 재난의 발생으로 긴급하게 착공해야 하는 공사인 경우
2. 국방 및 국가안보 등과 관련하여 기밀을 유지해야 하는 공사인 경우
3. 착공신고 대상인 **소방시설**공사에 해당하지 않는 공사인 경우
4. 연면적이 1천m^2 이하인 특정소방대상물에 비상경보설비를 설치하는 공사인 경우
5. 입찰로 시행되는 공사인 경우
6. 그 밖에 문화재수리 및 재개발 · 재건축 등의 공사로서 공사의 성질상 분리하여 도급하는 것이 곤란하다고 소방청장이 인정하는 경우

(3) 도급의 원칙 등

① 소방시설공사등의 도급 또는 하도급의 계약당사자

㉠ 서로 대등한 입장에서 합의에 따라 공정하게 계약을 체결하고, 신의에 따라 성실하게 계약을 이행하여야 한다.

☞ 도급계약 체결 시 의무를 이행하지 아니한 경우(하도급 계약의 경우에는 하도급 받은 소방시설업자는 제외) - 200만원 이하의 과태료.

㉡ 그 계약을 체결할 때 도급 또는 하도급 금액, 공사기간, 그 밖에 대통령령으로 정하는 사항을 계약서에 분명히 밝혀야 하며, 서명날인한 계약서를 서로 내주고 보관하여야 한다.

Tip

그 밖에 대통령령으로 정하는 사항

1. 소방시설의 설계, 시공, 감리 및 방염(이하 "소방시설공사등")의 내용
2. 도급(하도급을 포함)금액 중 노임(勞賃)에 해당하는 금액
3. 소방시설공사등의 착수 및 완성 시기 등

* 소방청장은 계약 당사자가 대등한 입장에서 공정하게 계약을 체결하도록 하기 위하여 소방시설공사등의 도급 또는 하도급에 관한 표준계약서를 정하여 보급할 수 있다.

② 수급인

㉠ 하수급인에게 하도급과 관련하여 자재구입처의 지정 등 하수급인에게 불리하다고 인정되는 행위를 강요하여서는 아니 된다.

㉡ 소방시설공사등을 하도급할 때에는 행정안전부령에 따라 미리 관계인과 발주자에게 알려야 한다. 하수급인을 변경하거나 하도급 계약을 해지할 때에도 또한 같다.

③ 하도급에 관하여 이 법에서 규정하는 것을 제외하고는 그 성질에 반하지 아니하는 범위에서 「하도급거래 공정화에 관한 법률」의 규정을 준용한다.

2 하도급의 제한

① **도급을 받은 자는 소방시설공사의 설계, 시공, 감리를 제3자에게 하도급할 수 없다.** [다만, **시공**의 경우에는 대통령령으로 정하는 바에 따라 도급받은 소방시설공사의 일부를 다른 공사업자에게 하도급할 수 있고 **하수급인은 하도급받은 소방시설공사를 제3자에게 다시 하도급할 수 없다. (시행일 : 2021. 6. 10.)**]

☞ 하도급의 제한을 어긴 경우 : 1년 이하의 징역 또는 1천만원 이하의 벌금

예제 01

소방공사를 도급 받은 자가 시공을 제3자에게 하도급한 경우 벌칙은?

① 3년 이하의 징역 또는 1천5백만원의 벌금
② 1년 이하의 징역 또는 1천만원의 벌금
③ 500만원 이하의 벌금
④ 300만원 이하의 벌금

해답 ②

② **하도급 줄 수 있는 경우**

대통령령으로 정하는 경우 도급받은 소방시설공사의 일부를 한 번만 제3자에게 하도급 할 수 있다.

Point

1. 소방시설공사업과 다음에 해당하는 사업을 함께 하는 공사업자가 **소방시설공사와 해당 사업의 공사를 함께 도급받은 경우를 말한다.**
   1) 주택건설사업 2) 건설업 3) 전기공사업 4) 정보통신공사업
2. 하도급할 수 있는 소방시설공사란 **착공대상 중 하나 이상의 소방설비를 설치하는 공사**를 말한다.

③ 하도급의 통지

㉠ 소방시설업자는 하도급을 하려고 하거나 하수급인을 변경하는 경우 미리 관계인 및 발주자에게 알려야 한다.

☞ 하도급 등의 통지를 하지 아니한 경우 – **60 / 100 / 200만원의 과태료**

Tip

하도급 시 첨부서류

1. 소방시설공사 등의 하도급통지서 2. 하도급계약서(안) 1부 3. 예정공정표 1부
4. 하도급 내역서 1부 5. 하수급인의 소방시설업 등록증 사본 1부

㉡ 하도급을 하려는 소방시설업자는 관계인 및 발주자에게 통지한 소방시설공사 하도급통지서 사본을 하수급자에게 주어야 한다.

㉢ 소방시설업자는 하도급계약을 해지하는 경우에는 하도급계약 해지사실을 증명할 수 있는 서류(전자문서를 포함한다)를 관계인 및 발주자에게 알려야 한다.

3 하도급계약의 적정성 심사 등

① 발주자

㉠ 하수급인이 계약내용을 수행하기에 현저하게 부적당하다고 인정되거나

하도급계약금액이 **대통령령으로 정하는 비율에 따른 금액에 미달하는 경우**에는 하수급인의 시공 및 수행능력, 하도급계약 내용의 적정성 등을 심사(심사기준은 행정안전부령으로 기준을 정하여 고시 해야 함)할 수 있다. 이 경우, 국가, 지방자치단체 또는 **대통령령으로 정하는 공공기관**이 발주자인 때에는 적정성 심사를 실시하여야 한다.

Point

대통령령으로 정하는 비율에 따른 금액에 미달하는 경우

1. 하도급계약금액이 도급금액 중 하도급부분에 상당하는 금액의 100분의 82에 해당하는 금액에 미달하는 경우
   [하도급하려는 소방시설공사등에 대하여 수급인의 도급금액 산출내역서의 계약단가(직접 · 간접 노무비, 재료비 및 경비를 포함한다)를 기준으로 산출한 금액에 일반관리비, 이윤 및 부가가치세를 포함한 금액을 말하며, 수급인이 하수급인에게 직접 지급하는 자재의 비용 등 관계 법령에 따라 수급인이 부담하는 금액은 제외한다]
2. 하도급계약금액이 소방시설공사등에 대한 발주자의 예정가격의 100분의 60에 해당하는 금액에 미달하는 경우

대통령령으로 정하는 공공기관(이하 동일)

1. 「공공기관의 운영에 관한 법률」 제5조에 따른 공기업 및 준정부기관
2. 「지방공기업법」에 따른 지방공사 및 지방공단

㉡ 심사한 결과 하수급인의 시공 및 수행능력 또는 하도급계약 내용이 적정하지 아니한 경우
- 그 사유를 분명하게 밝혀 수급인에게 하수급인 또는 하도급계약 내용의 변경을 요구할 수 있다.
- 국가, 지방자치단체 또는 대통령령으로 정하는 공공기관의 발주자가 적정성 심사를 하였을 때에는 하수급인 또는 하도급계약 내용의 변경을 요구하여야 한다.
- 하수급인 또는 **하도급계약 내용의 변경을 요구하려는 경우**에는 하도급에 관한 사항을 통보받은 날 또는 그 사유가 있음을 안 날부터 **30일 이내에 서면**으로 하여야 한다.

㉢ 수급인이 정당한 사유 없이 하수급인 또는 하도급계약 내용의 변경 요구에 따르지 아니하여 공사 등의 결과에 중대한 영향을 끼칠 우려가 있는 경우에는 해당 소방시설공사등의 도급계약을 해지할 수 있다.

② 국가, 지방자치단체 또는 대통령령으로 정하는 공공기관의 발주자는 하수급인의 시공 및 수행능력, 하도급계약 내용의 적정성 등을 심사하기 위하여 하도급계약심사위원회를 두어야 한다.

Tip

※ 하도급계약심사위원회의 구성 및 운영

① 하도급계약심사위원회는 위원장 1명과 부위원장 1명을 포함하여 10명 이내의 위원으로 구성한다.
② 위원회의 위원장은 발주기관의 장이 되고, 부위원장과 위원은 다음의 어느 하나에 해당하는 사람 중에서 위원장이 임명하거나 성별을 고려하여 위촉한다.

> 1. 해당 발주기관의 과장급 이상 공무원
> 2. 소방 분야 연구기관의 연구위원급 이상인 사람
> 3. 소방 분야의 박사학위를 취득 후 3년 이상 연구 또는 실무경험이 있는 사람
> 4. 대학(소방 분야로 한정한다)의 조교수 이상인 사람
> 5. 소방기술사 자격을 취득한 사람

③ 위원의 임기는 3년으로 하며, 한 차례만 연임할 수 있다.
④ 위원회의 회의는 재적위원 과반수의 출석으로 개의(開議)하고, 출석위원 과반수의 찬성으로 의결한다.
⑤ ① ~ ④ 외에 위원회의 운영에 필요한 사항은 위원회의 의결을 거쳐 위원장이 정한다.

※ 위원회 위원의 제척 · 기피 · 회피

① 하도급계약심사에서 제척(除斥)되는 위원회의 위원

> 1. 위원 또는 그 배우자나 배우자이었던 사람이 해당 안건의 당사자(당사자가 법인 · 단체 등인 경우에는 그 임원을 포함한다.)가 되거나 그 안건의 당사자와 공동권리자 또는 공동의무자인 경우
> 2. 위원이 해당 안건의 당사자와 친족이거나 친족이었던 경우
> 3. 위원이 해당 안건에 대하여 진술이나 감정을 한 경우
> 4. 위원이나 위원이 속한 법인 · 단체 등이 해당 안건의 당사자의 대리인이거나 대리인이었던 경우
> 5. 위원이 해당 안건의 원인이 된 처분 또는 부작위에 관여한 경우

② 해당 안건의 당사자는 위원에게 공정한 심사를 기대하기 어려운 사정이 있는 경우에는 위원회에 기피 신청을 할 수 있으며, 위원회는 의결로 이를 결정한다. 이 경우 기피 신청의 대상인 위원은 그 의결에 참여하지 못한다.
③ 위원이 제척 사유에 해당하는 경우에는 스스로 해당 안건의 심사에서 회피(回避)하여야 한다.

⑤ 하도급계약의 적정성 심사기준, 하수급인 또는 하도급계약 내용의 변경 요구 절차, 그 밖에 필요한 사항 및 하도급계약심사위원회의 설치·구성 및 심사방법 등에 관하여 필요한 사항은 대통령령으로 정한다.

4 하도급대금의 지급 등

① 수급인은 발주자로부터 도급받은 소방시설공사등에 대한 **준공금(竣工金)을 받은 경우에는 하도급대금의 전부**를, **기성금(旣成金)을 받은 경우에는 하수급인이 시공하거나 수행한 부분에 상당한 금액**을 각각 **지급받은 날**(수급인이 발주자로부터 대금을 어음으로 받은 경우에는 그 어음만기일을 말한다)**부터 15일 이내**에 하수급인에게 **현금으로 지급**하여야 한다.

② 수급인은 발주자로부터 **선급금을 받은 경우**에는 하수급인이 자재의 구입, 현장근로자의 고용, 그 밖에 하도급 공사 등을 시작할 수 있도록 **그가 받은 선급금의 내용과 비율에 따라 하수급인에게 선금을 받은 날**(하도급 계약을 체결하기 전에 선급금을 받은 경우에는 하도급 계약을 체결한 날을 말한다)**부터 15일 이내에 선급금을 지급**하여야 한다. 이 경우 수급인은 하수급인이 선급금을 반환하여야 할 경우에 대비하여 하수급인에게 보증을 요구할 수 있다.

③ 수급인은 하도급을 한 후 설계변경 또는 물가변동 등의 사정으로 도급금액이 조정되는 경우에는 조정된 금액과 비율에 따라 하수급인에게 하도급 금액을 증액하거나 감액하여 지급할 수 있다.

예제 02

다음 ( ) 안에 들어갈 알맞은 것은?

수급인은 발주자로부터 도급받은 소방시설공사등에 대한 준공금을 받은 경우에는 하도급대금의 ( )를(을), 기성금을 받은 경우에는 하수급인이 시공하거나 수행한 부분에 상당한 금액을 각각 지급받은 날부터 ( )일 이내에 하수급인에게 현금으로 지급하여야 한다.

① 전부, 15　　② 2/3, 15
③ 2/3, 10　　④ 1/2, 7

해답 ①

5 하도급계약 자료의 공개

① **국가 · 지방자치단체 또는 대통령령으로 정하는 공공기관이 발주하는 소방시설공사등을 하도급한 경우** 해당 발주자는 다음 각 호의 사항을 누구나 볼 수 있는 방법으로 공개하여야 하며 **하도급에 관한 사항을 통보받은 날부터 30일 이내에** 해당 소방시설공사등을 발주한 기관의 **인터넷 홈페이지에 게재**하는 방법으로 하여야 한다.

Tip

공개하여야 할 사항

1. 공사명
2. 예정가격 및 수급인의 도급금액 및 낙찰률
3. 수급인(상호 및 대표자, 영업소 소재지, 하도급 사유)
4. 하수급인(상호 및 대표자, 업종 및 등록번호, 영업소 소재지)
5. 하도급 공사업종 등

② 국가 · 지방자치단체 또는 대통령령으로 정하는 공공기관이 발주하는 소방시설공사등에 따른 **하도급계약 자료의 공개와 관련된 절차 및 방법, 공개대상 계약규모** 등에 관하여 필요한 사항은 대통령령으로 정한다.

- **공개대상 계약규모 : 하도급계약금액이 1천만원 이상**인 경우로 한다.
- 공개방법 : 하도급에 관한 사항을 통보받은 날부터 30일 이내에 해당 소방시설공사등을 발주한 기관의 인터넷 홈페이지에 게재

6 도급계약의 해지

특정소방대상물의 관계인 또는 발주자는 도급계약의 수급인이 다음에 해당하는 경우에는 도급계약을 해지할 수 있다.

① 소방시설업이 **등록취소되거나 영업정지**된 경우

② 소방시설업을 **휴업하거나 폐업**한 경우
③ 정당한 사유 없이 **30일 이상 소방시설공사를 계속하지 아니하는 경우**
④ 하수급인 또는 하도급계약 내용의 **변경 요구에 정당한 사유 없이 따르지 아니하는 경우**

7 공사업자의 감리 제한

동일한 특정소방대상물의 소방시설에 대한 시공과 감리를 함께 할 수 없는 경우

☞ 시공과 감리를 함께 한 자 – 영업정지 3개월 / 등록취소

① 공사업자와 감리업자가 같은 자인 경우
② 기업집단의 관계인 경우
③ **법인과 그 법인의 임직원의 관계인 경우**
④ 친족관계인 경우

8. 감리

1 공사감리자의 지정

(1) **대통령령으로 정하는 특정소방대상물의 관계인이** 특정소방대상물에 대하여 자동화재탐지설비, 옥내소화전설비 등 대통령령으로 정하는 소방시설을 시공할 때에는 소방시설공사의 감리를 위하여 **감리업자를 공사감리자로 지정**하여야 한다. **다만, 시·도지사가 감리업자를 선정한 경우에는 그 감리업자를 공사감리자로 지정한다.**

☞ 지정하지 아니한 자 – 1년 이하의 징역 또는 1천만원 이하의 벌금

Point

공사감리자 지정대상 특정소방대상물의 범위
"자동화재탐지설비, 옥내소화전설비 등 대통령령으로 정하는 소방시설을 시공할 때(령 제10조)

신설·개설 또는 증설	신설·개설	증설
1. 옥내소화전설비 2. 옥외소화전설비	1. 스프링클러설비등 (캐비닛형 간이스프링클러설비는 제외) 2. 물분무등소화설비 (호스릴 방식의 소화설비는 제외한다) 3. 자동화재탐지설비 4. 통합감시시설 5. 소화용수설비 6. 제연설비 7. 연결송수관설비 8. 연결살수설비 9. 비상콘센트설비 10. 무선통신보조설비 11. 연소방지설비 12. 비상방송설비 13. 비상조명등	1. 스프링클러설비등 방호·방수 구역 (캐비닛형 간이스프링클러설비는 제외) 2. 물분무등소화설비 방호·방수 구역 (호스릴 방식의 소화설비는 제외한다) 3. 제연설비 제연구역 4. 연결살수설비 송수구역 5. 비상콘센트설비 전용회로 6. 연소방지설비 살수구역

2 공사업자의 감리 제한

다음에 해당되면 동일한 특정소방대상물의 소방시설에 대한 시공과 감리를 함께 할 수 없다.

1. 공사업자와 감리업자가 같은 자인 경우
2. 「독점규제 및 공정거래에 관한 법률」에 따른 기업집단의 관계인 경우
3. 법인과 그 법인의 임직원의 관계인 경우
4. 민법」에 따른 친족관계인 경우

3 감리자 지정, 변경 시 신고

(1) 관계인이 공사감리자를 지정, 변경하였을 때

행정안전부령으로 정하는 바에 따라 소방본부장이나 소방서장에게 신고(☞ 미신고시 200만원 이하의 과태료)하여야 한다.

(2) 소방본부장이나 소방서장

① 공사감리자 지정신고 또는 변경신고를 받은 날부터 **2일 이내에 신고수리 여부를 신고인에게 통지**하여야 한다. 다만, 2일 이내에 신고수리 여부 또는 민원 처리 관련 법령에 따른 처리기간의 연장을 신고인에게 통지하지 아니하면 그 기간(민원처리 관련 법령에 따라 처리기간이 연장 또는 재연장된 경우에는 해당 처리기간을 말한다)이 끝난 날의 다음 날에 신고를 수리한 것으로 본다.

② 공사감리자의 등록수첩에 배치되는 감리원의 등급, 감리현장의 명칭·소재지 및 현장 배치기간을 기재하여 발급하여야 한다.

☞ 공사감리자 지정 및 변경 신고를 하지 아니하거나 거짓으로 신고한 자
– **10 / 50 / 200만원 이하의 과태료**

Tip

지정 시 제출서류(착공전까지)

1. 소방공사감리자 지정신고서
2. 소방공사감리업 등록증 사본 1부 및 등록수첩
3. 해당 소방시설공사를 감리하는 소속 감리원의 감리원 등급을 증명하는 서류 각 1부
4. 소방공사감리계획서 1부
5. 소방공사감리계약서 사본 1부

변경 시 제출서류 (특정소방대상물의 관계인은 **공사감리자가 변경된 경우에는 변경일부터 30일 이내**)

1. 소방공사감리자 변경신고서
2. 지정 시 제출서류의 2 ~ 5 와 동일

(3) 관계인이 **공사감리자를 변경**하였을 때에는 새로 지정된 공사감리자와 종전의 공사감리자는 감리 업무 수행에 관한 사항과 관계 **서류를 인수·인계**하여야 한다.

☞ 감리 관계 서류를 인수·인계하지 아니한 자 – **200만원 이하의 과태료**

4 감리원의 배치 등

(1) **감리업자는** 소방시설공사의 감리를 위하여 소속 감리원을 대통령령으로 정하는 바에 따라 **소방시설공사 현장에 배치**하여야 한다.

☞ 미 배치시 – 300만원 이하의 벌금

(2) 감리원 배치 및 배치 변경 통보

① **감리원 배치 및 배치 변경일부터 7일 이내에 소방본부장 또는 소방서장에게 알려야 한다.**

☞ 감리원 배치 및 배치 변경 통보를 하지 아니하거나 거짓으로 통보한 자
– 60 / 100 / 200만원 이하의 과태료

② **소방본부장 또는 소방서장은 통보된 내용을 7일 이내에 소방기술자 인정자에게 통보**

Tip

감리원 배치 시 첨부서류

소방공사감리원 배치통보서, 감리원 등급을 증명하는 서류, 소방공사 감리계약서 사본 1부

Tip

배치한 감리원이 변경된 경우 첨부서류

배치변경통보서, 변경된 감리원의 등급을 증명하는 서류, 변경 전 감리원의 등급을 증명하는 서류

5 감리원의 배치 기준

(1) 소방공사 감리원의 배치기준 – 행정안전부령으로 정한다.

구 분	연면적	지하층 포함한 층수	기타
특급 중 소방기술사	20만 m^2 이상	40층 이상	초급 감리원 (전기, 기계) 이상의 감리원을 같이 배치 하여야 함
특급	20만 m^2 미만 3만 m^2 이상(아파트는 제외)	40층 미만 16층 이상	
고급	20만 m^2 미만 3만 m^2 이상인 아파트	물분무등소화설비 (호스릴 방식은 제외) 또는 제연설비가 설치되는 특정소방대상물	
중급	3만 m^2 미만 5천 m^2 이상	–	–
초급	5천 m^2 미만	–	지하구

– 소방시설공사 현장의 연면적 합계가 20만제곱미터 이상인 경우에는 **20만제곱미터를 초과하는 연면적에 대하여 10만제곱미터(연면적이 10만제곱미터에 미달하는 경우에는 10만제곱미터로 본다) 마다 보조감리원 1명 이상을 추가로 배치**해야 한다.

– 위 표에도 불구하고 상주 공사감리에 해당하지 않는 소방시설의 공사에는 보조감리원을 배치하지 않을 수 있다.

(2) 감리원의 세부 배치 기준

구분	인원	배치 기준
상주 공사 감리 대상	• 기계분야의 감리원, 전기분야의 감리원 각 1명 이상. 다만, 기계분야 및 전기분야의 감리원 자격을 함께 취득한 경우에는 그에 해당하는 사람 1명 이상	• **소방시설용 배관(전선관을 포함한다.)을 설치하거나 매립하는 때부터 소방시설 완공검사증명서를 발급 받을 때까지** 소방공사감리현장에 책임감리원을 배치
일반 공사 감리 대상		1. **일반공사 감리기간은 소방시설의 성능시험, 소방시설 완공검사 증명서의 발급·인수인계 및 소방공사의 정산을 하는 기간을 포함**한다. 2. 감리원은 **주 1회 이상** 소방공사감리현장에 배치되어 감리할 것. 3. **1명의 감리원이 담당하는 소방공사감리현장** ㉠ **5개 이하로서 감리현장 연면적의 총 합계가 10만 m^2 이하** (자동화재탐지설비 또는 옥내소화전설비 중 어느 하나만 설치하는 2개의 소방공사감리현장이 최단 차량주행거리로 30 km 이내에 있는 경우에는 1개의 소방공사 감리현장으로 본다) ㉡ **아파트의 경우** **연면적의 합계에 관계없이 1명의 감리원이 5개 이내의 공사현장을 감리할 수 있다.**

(3) 소방공사 감리의 종류, 방법 및 대상 - 대통령령으로 정한다.

종류	대상	방법
상주 공사 감리	1. **특정소방대상물 연면적 3만 m^2 이상** (아파트는 제외) 2. 아파트 **지하층을 포함한 층수가 16층 이상으로서 500세대 이상**	1. 감리원은 행정안전부령으로 정하는 기간 동안(소방시설용 배관을 설치하거나 매립하는 때부터 소방시설 완공검사증명서를 발급받을 때까지) **공사 현장에 상주하여 업무를 수행하고 감리일지에 기록**해야 한다. 다만 **실내장식물의 불연화와 방염물품의 적법성 검토는** 행정안전부령**으로 정하는 기간에만 해당.** 2. 감리원이 행정안전부령으로 정하는 기간 중 부득이한 사유로 **1일 이상 현장을 이탈하는 경우**에는 **감리일지 등에 기록하여 발주청 또는 발주자의 확인**을 받아야 한다. 이 경우 감리업자는 감리원 의 업무를 **대행할 사람을 감리현장에 배치**하여 감리업무에 지장이 없도록 해야 한다. 3. 감리업자는 감리원이 교육, 휴가등의 이유로 현장을 이탈하게 되는 경우에는 감리업무에 지장이 없도록 감리원의 업무를 대행할 사람을 감리현장에 배치해야 한다. 이 경우 감리원은 새로 배치되는 업무대행자에게 업무 인수·인계 등의 필요한 조치를 해야 한다.
일반 공사 감리	상주 공사감리에 해당하지 않는 소방시설의 공사	1. **감리원은 공사 현장을 방문**하여 업무를 수행한다. 다만 **실내장식물의 불연화와 방염 물품의 적법성 검토는** 행정안전부령**으로 정하는 기간 동안 공사가 이루어지는 경우만 해당.** 2. 감리원은 행정안전부령으로 정하는 기간 중에는 **주 1회 이상 공사 현장에 배치되어** 업무를 수행하고 감리일지에 기록해야 한다.

		3. 감리업자는 감리원이 부득이한 사유로 **14일 이내의 범위에서 업무를 수행할 수 없는 경우**에는 **업무대행자를 지정**하여 그 업무를 수행하게 해야 한다. 4. 지정된 **업무대행자는 주 2회 이상 공사 현장에 배치되어** 업무를 수행하며, **그 업무수행 내용을 감리원에게 통보하고 감리일지에 기록해야 한다.**

예제 03

일반공사 책임감리원이 업무를 수행할 수 없는 경우 업무대행자는 주 몇 회 이상 공사현장에 배치되어 업무를 수행하여야 하는가?

① 1회 ② 2회 ③ 3회 ④ 4회

해답 ②

(4) 일반 공사감리기간

옥내소화전설비 · 스프링클러설비 · 포소화설비 · 물분무소화설비 · 연결살수설비 및 연소방지설비	가압송수장치의 설치, 가지배관의 설치, 개폐밸브 · 유수검지장치 · 체크밸브 · 템퍼스위치의 설치, 앵글밸브 · 소화전함의 매립, 스프링클러헤드 · 포헤드 · 포방출구 · 포노즐 · 포호스릴 · 물분무헤드 · 연결살수헤드 · 방수구의 설치, 포소화약제 탱크 및 포혼합기의 설치, 포소화약제의 충전, 입상배관과 옥상탱크의 접속, 옥외 연결송수구의 설치, 제어반의 설치, 동력전원 및 각종 제어회로의 접속, 음향장치의 설치 및 수동조작함의 설치를 하는 기간
이산화탄소소화설비 · 할론소화설비 · 할로겐화합물 및 불활성기체 소화설비 및 분말소화설비	소화약제 저장용기와 집합관의 접속, 기동용기 등 작동장치의 설치, 제어반 · 화재표시반의 설치, 동력전원 및 각종 제어회로의 접속, 가지배관의 설치, 선택밸브의 설치, 분사헤드의 설치, 수동기동장치의 설치 및 음향경보장치의 설치를 하는 기간
자동화재탐지설비 · 시각경보기 · 비상경보설비 · 비상방송설비 · 통합감시시설 · 유도등 · 비상콘센트설비 및 무선통신보조설비	전선관의 매립, 감지기 · 유도등 · 조명등 및 비상콘센트의 설치, 증폭기의 접속, 누설동축케이블 등의 부설, 무선기기의 접속단자 · 분배기 · 증폭기의 설치 및 동력전원의 접속공사를 하는 기간
피난기구	고정금속구를 설치하는 기간
제연설비	가동식 제연경계벽 · 배출구 · 공기유입구의 설치, 각종 댐퍼 및 유입구 폐쇄장치의 설치, 배출기 및 공기유입기의 설치 및 풍도와의 접속, 배출풍도 및 유입풍도의 설치 · 단열조치, 동력전원 및 제어회로의 접속, 제어반의 설치를 하는 기간
비상전원이 설치되는 소방시설	비상전원의 설치 및 소방시설과의 접속을 하는 기간

6 감리의 업무 등

(1) 감리의 업무

① 소방시설등의 설치계획표의 적법성 검토
② 소방시설등 설계도서의 적합성(적법성과 기술상의 합리성을 말한다. 이하 같다) 검토
③ 소방시설등 설계 변경 사항의 적합성 검토
④ 소방용품의 위치 · 규격 및 사용 자재의 적합성 검토
⑤ 공사업자가 한 소방시설등의 시공이 설계도서와 화재안전기준에 맞는지에 대한 지도 · 감독
⑥ 완공된 소방시설등의 성능시험
⑦ 공사업자가 작성한 시공 상세 도면의 적합성 검토
⑧ **피난시설 및 방화시설의 적법성 검토**
⑨ **실내장식물의 불연화(不燃化)와 방염 물품의 적법성 검토**

☞ 감리의 업무를 위반하여 감리를 하거나 거짓으로 감리한 자 – **1년이하의 징역 또는 1천만원 벌금**

(2) 감리업자는 업무를 수행할 때에는 대통령령으로 정하는 감리의 종류 및 대상에 따라 공사기간 동안 소방시설공사 현장에 소속 감리원을 배치하고 업무수행 내용을 감리일지에 기록하는 등 대통령령으로 정하는 감리의 방법에 따라야 한다.

(3) 용도와 구조에서 특별히 안전성과 보안성이 요구되는 소방대상물로서 대통령령으로 정하는 장소에서 시공되는 소방시설물에 대한 감리는 감리업자가 아닌 자도 할 수 있다.
– 대통령령으로 정하는 장소 : 원자력안전법에 따른 관계시설이 설치되는 장소

(4) 위반사항에 대한 조치

① 감리를 할 때 소방시설공사가 설계도서나 화재안전기준에 맞지 아니할 때
– 관계인에게 알리고, 공사업자에게 그 공사의 시정 또는 보완 등을 요구하여야 한다.
② 공사업자는 그 요구에 따라야 한다.

☞ 요구에 응하지 않는 경우 – **300만원 이하의 벌금**

③ 감리업자는 공사업자가 요구를 이행하지 아니하고 그 공사를 계속할 때에는 행정안전부령으로 정하는 바에 따라 소방본부장이나 소방서장에게 그 사실을 보고하여야 한다.

☞ 보고를 거짓으로 한 자 – **1년 이하의 징역 또는 1천만원 이하 벌금**

④ 시정 또는 보완을 이행하지 아니하고 공사를 계속하는 날부터 **3일 이내에 소방시설공사 위반사항 보고서를 소방본부장 또는 소방서장에게 제출**하여야 한다. 이 경우 공사업자의 위반사항을 확인할 수 있는 사진 등 증명서류가 있으면 이를 소방시설공사 위반사항보고서에 첨부하여 제출하여야 한다.
⑤ 관계인은 감리업자가 소방본부장이나 소방서장에게 보고한 것을 이유로 감리계약을 해지하거나 감리의 대가 지급을 거부하거나 지연시키거나 그 밖의 불이익을 주어서는 아니 된다.

☞ 불이익을 주는 경우 – **300만원 이하의 벌금**

(5) 공사감리 결과의 통보 등

① 감리업자는 소방공사의 감리를 마쳤을 때 공사가 완료된 날부터 **그 감리 결과를 7일 이내에** 그 **특정소방대상물의 관계인, 소방시설공사의 도급인,** 그 특정소방대상물의 공사를 감리한 **건축사에게 서면으로 알리고,** 소방본부장이나 소방서장에게 공사감리 결과보고서를 제출하여야 한다.

☞ 공사감리 결과의 통보 또는 공사감리 결과보고서의 제출을 거짓으로 한 자 – **1년 이하의 징역 또는 1천만원 이하의 벌금**

Tip

제출서류

1. 소방공사감리 결과보고(통보)서
2. 소방시설 성능시험조사표 1부
3. 착공신고 후 변경된 소방시설설계도면 1부
   (변경이 있는 경우만 첨부하되, 설계업자가 설계한 도면만 해당된다)
4. 소방공사 감리일지(소방본부장 또는 소방서장에게 보고하는 경우에만 첨부한다)
5. 특정소방대상물의 사용승인신청서 등 사용승인 신청을 증빙할 수 있는 서류 1부

9. 설계 · 감리업자의 선정

(1) 설계 및 공사 감리 용역사업의 집행 계획 작성 · 공고 대상자

국가등[국가, 지방자치단체 또는 대통령령으로 정하는 공공기관(공기업 및 준정부기관, 지방공사 및 지방공단)]은 그가 발주하는 소방시설의 설계·공사 감리 용역 중 소방청장이 정하여 고시하는 금액 이상의 사업에 대하여는 대통령령으로 정하는 바에 따라 **집행 계획을 작성하여 공고하여야 하며 입찰공고와 함께 할 수 있다.**

Tip

집행 계획의 내용

1. 설계 · 공사 감리 용역명
2. 설계 · 공사 감리 용역사업 시행 기관명
3. 설계 · 공사 감리 용역사업의 주요 내용
4. 총사업비 및 해당 연도 예산 규모
5. 입찰 예정시기
6. 그 밖에 입찰 참가에 필요한 사항

(2) 공고된 사업을 하려면 기술능력, 경영능력, 그 밖에 대통령령으로 정하는 **사업수행능력 평가기준에 적합한 설계 · 감리업자를 선정**하여야 한다.

① 공고된 소방시설의 설계 · 공사감리 용역을 발주할 때에는 입찰에 참가하려는 자를 사업 수행능력 평가기준에 따라 평가하여 입찰에 참가할 자를 선정하여야 한다.

☞ 사업수행능력 평가에 관한 서류를 위조하거나 변조하는 등 거짓이나 그 밖의 부정한 방법으로 입찰에 참여한 자 - **200만원 이하의 과태료**

② 특별히 기술이 뛰어난 자를 낙찰자로 선정하려는 경우에는 선정된 입찰에 참가할 자에게 기술과 가격을 분리하여 입찰하게 하여 기술능력을 우선적으로 평가한 후 기술능력 평가 점수가 높은 업체의 순서로 협상하여 낙찰자를 선정할 수 있다.

Tip

대통령령으로 정하는 사업수행능력 평가기준

1. 참여하는 소방기술자의 실적 및 경력
2. 입찰참가 제한, 영업정지 등의 처분 유무 / 재정상태 건실도 등에 따라 평가한 신용도
3. 기술개발 및 투자 실적
4. 참여하는 소방기술자의 업무 중첩도
5. 그 밖에 행정안전부령으로 징하는 사항

③ 시·도지사는 주택건설사업계획을 승인할 때

– 그 주택건설공사에서 소방시설공사의 감리를 할 감리업자를 사업수행능력 평가기준에 따라 선정하여야 한다. 이 경우 감리업자를 선정하는 주택건설공사의 규모 및 대상 등에 관하여 필요한 사항은 대통령령으로 정한다.

(3) 설계·감리업자의 선정 절차 등에 필요한 사항은 대통령령으로 정한다.

(4) 사업수행능력 평가의 세부 기준 및 방법, 기술능력 평가 기준 및 방법, 협상 방법 등 설계·감리업자의 선정에 필요한 세부적인 사항은 행정안전부령으로 정한다.

10. 소방 기술용역의 대가 기준

소방시설공사의 **설계와 감리**에 관한 약정을 할 때 그 대가는 「엔지니어링산업 진흥법」 제31조에 따른 **엔지니어링사업대가의 기준** 가운데 **행정안전부령으로 정하는 방식**에 따라 산정한다.

① 소방시설**설계**의 대가 – 통신부문에 적용하는 **공사비 요율에 따른 방식**

② 소방공사**감리**의 대가 – **실비정액 가산방식**

③ 소방시설**관리**업 – **실비정액 가산방식**

실비정액가산방식	직접인건비, 직접경비, 제경비, 기술료와 부가가치세를 합산하여 대가를 산출하는 방식을 말한다.
공사비요율에 의한 방식	공사비에 일정 요율을 곱하여 산출한 금액에 추가업무 비용과 부가가치세를 합산하여 대가를 산출하는 방식을 말한다. ※ 공사비 – 발주청의 공사비 총 예정금액(자재대 포함) 중 용지비, 보상비, 법률 수속비 및 부가가치세를 제외한 일체의 금액을 말한다.

11. 노임에 대한 압류의 금지

(1) 공사업자가 도급받은 소방시설공사의 도급금액 중 그 공사(하도급한 공사를 포함한다)의 근로자에게 지급하여야 할 **노임(勞賃)에 해당하는 금액**은 압류할 수 없다.

(2) 압류대상에서 제외되는 노임
압류할 수 없는 노임(勞賃)에 해당하는 금액은 해당 소방시설공사의 도급 또는 하도급 금액 중 **설계도서에 기재된 노임을 합산하여 산정한다.**

(3) **노임에 해당하는 금액의 범위와 산정방법**은 대통령령으로 정한다.

12. 시공능력 평가의 신청, 평가 및 공시

1 소방시설공사 시공능력 평가의 신청

(1) 소방청장은 관계인 또는 발주자가 **적절한 공사업자를 선정**할 수 있도록 하기 위하여 공사업자의 신청이 있으면 공사업자의 소방시설공사 실적, 자본금 등에 따라 시공능력을 평가하여 공시할 수 있다.

(2) 평가를 받으려는 공사업자는 전년도 소방시설공사 실적, 자본금, 그 밖에 행정안전부령으로 정하는 사항을 소방청장에게 제출하여야 한다.

☞ 시공능력 평가에 관한 서류를 거짓으로 제출한 자 - 200만원 이하의 과태료

(3) 시공능력 평가신청 절차, 평가방법, 공시방법 및 수수료 등에 관하여 필요한 사항은 **행정안전부령**으로 정한다.

(4) **소방시설공사 시공능력 평가의 신청**

① 소방시설공사의 시공능력을 평가받으려는 공사업자는 **소방시설공사 시공능력평가신청서**에 다음 각 호의 서류를 첨부하여 **협회에 매년 2월 15일**(제5호의 서류는 법인의 경우에는 매년 4월 15일, 개인의 경우에는 매년 6월 10일)까지 제출하여야 하며, 이 경우 협회는 공사업자가 첨부하여야 할 **서류를 갖추지 못하였을 때에는 15일의 보완기간을 부여하여 보완**하게 하여야 한다.

㉠ **소방공사실적을 증명하는 서류**
㉡ **평가를 받는 해의 전년도 말일 현재의 소방시설공사업 등록수첩 사본**
㉢ **소방기술자보유현황**
㉣ **신인도평가신고서**(다음 각 목의 어느 하나에 해당하는 사실이 있는 경우에만 해당된다)

- 품질경영인증(ISO 9000) 취득

- 우수소방시설공사업자 지정
- 소방시설공사 표창 수상

ⓜ **다음 각 목의 어느 하나에 해당하는 서류 사본**
- 관할 세무서장에게 제출한 조세에 관한 신고서
- 외부감사인의 회계감사를 받은 재무제표
- 공인회계사 또는 회계법인이 감사한 회계서류
- 출자 · 예치 · 담보 금액 확인서

② **시공능력 평가 및 수수료 등 업무수행에 필요한 세부규정은 협회가 정하되, 소방청장의 승인을 받아야 한다.**

2 시공능력 평가의 방법

시공능력평가액 = 실적평가액 + 자본금평가액 + 기술력평가액 + 경력평가액 ± 신인도평가액

암기 **경기 실신자** (경기를 과격하게 하여 **실신자**가 발생)

소방시설공사업자의 시공능력 평가는 다음 계산식으로 산정하되, 10만원 미만의 숫자는 버린다. 이 경우 산정기준일은 평가를 하는 해의 전년도 말일로 한다.

예제 01

소방시설공사업법에 따른 시공능력 평가액의 아닌 것은?

① 기술자평가액　　② 자본금평가액
③ 경력평가액　　④ 신인도평가액

해답 ①

(1) 실적평가액

실적평가액 = 연평균공사실적액

(2) 자본금평가액

자본금평가액 = (실질자본금 × 실질자본금의 평점 + 소방청장이 지정한 금융회사 또는 소방산업공제조합에 출자 · 예치 · 담보한 금액) × 70/100

(3) 기술력평가액

> 기술력평가액 = 전년도 공사업계의 기술자1인당 평균생산액 × 보유기술인력 가중치합계 × 30/100 + 전년도 기술개발투자액

(4) 경력평가액

> 경력평가액 = 실적평가액 × 공사업 경영기간 평점 × 20/100

(5) 신인도평가액

신인도평가액은 실적평가액 · 자본금평가액 · 기술력평가액 · 경력평가액을 합친 금액의 ±10%의 범위를 초과 할 수 없으며, 가점요소와 감점요소가 있는 경우에는 이를 상계한다.

> 신인도평가액 = (실적평가액 + 자본금평가액 + 기술력평가액 + 경력평가액) × 신인도 반영비율 합계

3 시공능력 평가

(1) **평가된 시공능력은 공사업자가 도급받을 수 있는 1건의 공사도급금액으로 하고, 시공능력 평가의 유효기간은 공시 일부터 1년간**으로 한다. 다만, 다음 각 호의 어느 하나에 해당하는 사유로 평가된 시공능력의 유효기간은 그 시공능력 평가 결과의 공시일부터 다음 해의 정기 공시일의 전날까지로 한다.

① 소방시설공사업을 등록한 경우
② 소방시설공사업을 상속 · 양수 · 합병하거나 소방시설 전부를 인수한 경우
③ 각 호의 서류가 거짓으로 확인되어 새로 평가한 경우

(2) 협회는 시공능력을 평가한 경우에는 그 사실을 해당 공사업자의 등록수첩에 기재하여 발급하고, 매년 7월 31일까지 각 공사업자의 시공능력을 일간신문 또는 인터넷 홈페이지를 통하여 공시하여야 한다. 다만, 제2항 각 호의 어느 하나에 해당하는 사유로 시공능력을 평가한 경우에는 인터넷 홈페이지를 통하여 공시하여야 한다.

(3) 협회는 시공능력평가 및 공시를 위하여 제22조에 따라 제출된 자료가 거짓으로 확인된 경우에는 그 확인된 날부터 10일 이내에 제3항에 따라 공시된 해당 공사업자의 시공능력을 새로 평가하고 해당 공사업자의 등록수첩에 그 사실을 기재하여 발급하여야 한다.

13. 소방기술 경력 등의 인정 등

1 소방기술 경력의 인정

(1) 소방청장은 소방기술의 효율적인 활용과 소방기술의 향상을 위하여 소방기술과 관련된 **자격·학력 및 경력을 가진 사람을 소방기술자로 인정**할 수 있다.

(2) 소방청장은 자격·학력 및 경력을 인정받은 사람에게 **소방기술 인정 자격수첩(이하 "자격수첩"이라 한다)과 경력수첩을 발급**할 수 있다.

(3) 소방기술과 관련된 자격·학력 및 경력의 인정 범위와 자격수첩 및 경력수첩의 발급 절차 등에 관하여 필요한 사항은 **행정안전부령**으로 정한다.

(4) **자격수첩과 경력수첩의 발급절차 수수료 등에 관하여 필요한 사항은 소방청장**이 정하여 고시한다.

2 소방기술자의 자격의 정지 및 취소

(1) 자격을 취소

① **거짓이나 그 밖의 부정한 방법으로 자격수첩 또는 경력수첩을 발급받은 경우**

② **자격수첩 또는 경력수첩을 다른 사람에게 빌려준 경우**

(2) 자격을 정지 (6개월 이상 2년 이하)

① 동시에 둘 이상의 업체에 취업한 경우

② 이 법 또는 이 법에 따른 명령을 위반한 경우

(3) 자격이 취소된 사람은 취소된 날부터 2년간 자격수첩 또는 경력수첩을 발급받을 수 없다.

위반사항	행정처분기준		
	1차	2차	3차
1. **거짓이나 그 밖의 부정한 방법으로 자격, 경력수첩을 발급받은 경우**	**자격취소**		
2. **자격, 경력수첩을 다른 자에게 빌려준 경우**	**자격취소**		
3. **업무수행 중 해당 자격과 관련하여 고의 또는 중대한 과실로 다른 자에게 손해를 입히고 형의 선고를 받은 경우**	**자격취소**		
4. 동시에 둘 이상의 업체에 취업한 경우	1년	자격취소	
5. 자격정지처분을 받고도 같은 기간 내에 자격증을 사용한 경우	1년	2년	자격취소

14. 소방기술자의 의무

(1) 소방기술자는 이 법과 이 법에 따른 명령과 「소방시설설치유지 및 안전관리에 관한 법률」 및 같은 법에 따른 명령에 따라 업무를 수행하여야 한다.

☞ 법 또는 명령에 따라 업무를 수행하지 아니한 자 – 1년 이하의 징역 또는 1천만원 이하의 벌금

(2) **소방기술자는 다른 사람에게 그 자격증(자격수첩, 경력수첩포함)을 빌려 주어서는 아니 된다.**

☞ 자격수첩 또는 경력수첩을 빌려준 자 – 300만원 이하의 벌금

(3) **소방기술자는 동시에 둘 이상의 업체에 취업하여서는 아니 된다.**

☞ 300만원 이하의 벌금 및 1차 자격정지 1년, 2차 자격취소

다만, 소방기술자 업무에 영향을 미치지 아니하는 범위에서 근무시간 외에 소방시설업이 아닌 다른 업종에 종사하는 경우는 제외한다.

15. 소방기술자의 실무교육 등

1 실무교육 대상자, 시기 등

(1) **소방시설업 또는 소방시설관리업의 기술인력**으로 등록된 소방기술자
(2) **실무교육을 2년마다 1회 이상**
(3) **그 교육을 이수할 때까지** 그 소방기술자는 **기술인력으로 등록된 사람으로 보지 아니한다.**
(4) 실무교육기관 또는 한국소방안전협회의 장은 소방기술자에 대한 실무교육을 실시하려면 교육일정 등 교육에 필요한 계획을 수립하여 소방청장에게 보고한 후 교육 10일 전까지 교육대상자에게 알려야 한다.

2 실무교육기관의 지정

(1) **소방청장**은 소방기술자에 대한 실무교육을 효율적으로 하기 위하여 **실무교육기관 을 지정**

(2) 실무교육기관 지정신청
실무교육기관의 지정을 받으려는 자 **소방청장에게 서류를 제출**해야 한다.

(3) 실무교육기관 서류심사 등

(4) 실무교육기관 지정서 발급 등

(5) 실무교육기관 지정사항의 변경

실무교육기관으로 지정된 기관은 다음에 해당하는 사항을 **변경하려면 변경일부터 10일 이내에 소방청장에게 보고**하여야 한다.

– **대표자 또는 각 지부의 책임임원, 기술인력 또는 시설장비 등 지정기준, 교육기관의 명칭 또는 소재지**

(6) 실무교육기관 휴업 · 재개업 및 폐업 신고 등

지정을 받은 실무교육기관은 휴업 · 재개업 또는 폐업을 하려면 그 휴업 또는 재개업을 하려는 날의 **14일 전까지** 휴업 · 재개업 · 폐업 보고서에 실무교육기관 지정서 1부를 첨부(폐업하는 경우에만 첨부한다)하여 **소방청장에게 보고(방문, 전화 등)**하여야 한다.

(7) 실무교육기관 교육계획의 수립 · 공고 등

① 실무교육기관등의 장

㉠ **매년 11월 30일까지 다음 해 교육계획**을 실무교육의 종류별 · 대상자별 · 지역별로 수립하여 이를 **일간신문에 공고하고 소방본부장 또는 소방서장에게 보고**하여야 한다.

㉡ **교육계획을 변경하는 경우에는 변경한 날부터 10일 이내에 이를 일간신문에 공고하고 소방본부장 또는 소방서장에게 보고**하여야 한다.

㉢ 소방기술자에 대한 **실무교육을 실시하려면 교육일정 등 교육에 필요한 계획을 수립하여 소방청장에게 보고한 후 교육 10일 전까지 교육대상자에게 알려야 한다.**

(8) 실무교육 교육대상자 관리 및 교육실적 보고

① 실무교육기관등의 장

㉠ **그 해의 교육이 끝난 후 직능별 · 지역별 교육수료자 명부를 작성**하여 **소방본부장 또는 소방서장에게 다음 해 1월 말까지 알려야 한다.**

㉡ **매년 1월 말까지 전년도 교육 횟수 · 인원 및 대상자 등 교육실적**을 **소방청장에게 보고하여야 한다.**

(9) 기타

① **소방청장**은 실무교육기관등의 장이 실시하는 **소방기술자 실무교육의 계획 · 실시 및 결과에 대하여 지도 · 감독**

② 실무교육기관의 지정방법 · 절차 · 기준 등에 관하여 필요한 사항은 **행정안전부령**으로 정한다.

③ 실무교육의 시간, 교육과목, 수수료, 그 밖에 실무교육에 관하여 필요한 사항은 소방청장이 정하여 고시한다.

④ 실무교육기관의 지정을 받으려는 자는 비영리법인이어야 한다.

16. 소방시설업자협회의 설립

(1) 소방시설업자협회의 설립

① 소방시설업자는 **소방시설업자의 권익보호와 소방기술의 개발 등 소방시설업의 건전한 발전을 위하여 소방시설업자협회**(이하 "협회"라 한다)**를 설립할 수 있다.**

② 소방시설업자 **10명 이상이 발기**하고 창립총회에서 정관을 의결한 후 **소방청장에게 인가를 신청** 하여야 한다.

③ 협회는 **소방청장의 인가를 받아** 주된 사무소의 소재지에 설립등기를 함으로써 성립한다.

♣ 인가 – 제삼자의 법률 행위를 보충하여 그 효력을 완성하는 일.
법인 설립의 인가, 사업 양도의 인가 따위이다

④ 협회는 법인으로 한다. 협회에 관하여 이 법에 규정되지 아니한 사항은 민법 중 사단법인에 관한 규정을 준용한다.

⑤ 협회의 정관에는 다음의 사항이 포함되어야 한다.
– 목적, 명칭, 정관의 변경에 관한 사항, 총회와 이사회에 관한 사항 등

⑥ **협회의 설립인가 절차, 정관의 기재사항 및 협회에 대한 감독에 관하여 필요한 사항**은 **대통령령**으로 정한다.

(2) 협회의 업무

① 소방시설업의 기술발전과 소방기술의 진흥을 위한 조사·연구·분석 및 평가

② 소방산업의 발전 및 소방기술의 향상을 위한 지원

③ 소방시설업의 기술발전과 관련된 국제교류·활동 및 행사의 유치

④ 이 법에 따른 위탁 업무의 수행

(3) 협회에 대한 소방청장의 업무

① 소방청장은 인가를 하였을 때에는 그 사실을 공고하여야 한다.

② 소방청장은 협회에 대하여 다음 각 호의 사항을 보고하게 할 수 있다.

㉠ 총회 또는 이사회의 중요 의결사항

㉡ 회원의 가입·탈퇴와 회비에 관한 사항

㉢ 그 밖에 협회 및 회원에 관계되는 중요한 사항

17. 감독

(1) **시·도지사, 소방본부장 또는 소방서장**은 소방시설업의 감독을 위하여 필요할 때에는 **소방시설업자나 관계인**에게 필요한 보고나 자료 제출을 명할 수 있고, 관계 공무원으로 하여금

소방시설업체나 특정소방대상물에 출입하여 관계 서류와 시설 등을 검사하거나 소방시설업자 및 관계인에게 질문하게 할 수 있다.

☞ 명령을 위반하여 보고 또는 자료 미제출 또는 거짓으로 보고 또는 자료 제출을 한 자
 – 50 / 100 / 200만원 이하의 과태료
☞ 정당한 사유 없이 관계 공무원의 출입 또는 검사 · 조사를 거부 · 방해 또는 기피한 자
 – 100만원 이하의 벌금

(2) **소방청장**은 소방청장의 업무를 위탁받은 **실무교육기관 또는 한국소방안전원, 소방시설업자협회, 법인 또는 단체**에 필요한 보고나 자료 제출을 명할 수 있고, 관계 공무원으로 하여금 실무교육기관, 한국소방안전협회, 협회, 법인 또는 단체의 사무실에 출입하여 관계 서류 등을 검사하거나 관계인에게 질문하게 할 수 있다.

☞ 보고 또는 자료 제출을 하지 아니하거나 거짓으로 한 자 **– 100만원 이하의 벌금**
☞ 정당한 사유 없이 관계 공무원의 출입 또는 검사 · 조사를 거부 · 방해 또는 기피한 자
 – 100만원 이하의 벌금

(3) 출입 · 검사를 하는 관계 공무원은 그 권한을 표시하는 증표를 지니고 이를 관계인에게 보여주어야 한다.

(4) 출입 · 검사업무를 수행하는 관계 공무원은 관계인의 정당한 업무를 방해하거나 화재조사를 수행 하면서 알게 된 비밀을 다른 자에게 누설하여서는 아니 된다.

☞ 300만원 이하의 벌금

예제 04

소방시설공사업법에 따른 설명 중 옳지 않은 것은?

① 소방시설업의 감독을 위하여 필요할 때에는 소방시설업자나 관계인에게 필요한 보고나 자료 제출을 명할 수 있는 자는 소방본부장 또는 소방서장이다.
② 관계 공무원으로 하여금 소방시설업체나 특정소방대상물에 출입하여 관계 서류와 시설 등을 검사하거나 소방시설업자 및 관계인에게 질문하게 할 수 있다.
③ 정당한 사유 없이 관계 공무원의 출입 또는 검사·조사를 거부·방해 또는 기피한 자는 100만원 이하의 벌금에 해당된다.
④ 소방청장은 소방청장의 업무를 위탁받은 실무교육기관 또는 한국소방안전협회, 소방시설업자협회, 법인 또는 단체에 필요한 보고나 자료 제출을 명할 수 있다

해답 ①

18. 소방시설업 종합정보시스템의 구축 등

(1) 소방청장

① 다음의 정보를 종합적이고 체계적으로 관리·제공하기 위하여 소방시설업 종합정보시스템을 구축·운영할 수 있다.

㉠ 소방시설업자의 자본금·기술인력 보유 현황, 소방시설공사등 수행상황, 행정처분 사항 등 소방시설업자에 관한 정보

㉡ 소방시설공사등의 착공 및 완공에 관한 사항, 소방기술자 및 감리원의 배치 현황 등 소방시설공사등과 관련된 정보

② 정보의 종합관리를 위하여 소방시설업자, 발주자, 관련 기관 및 단체 등에게 필요한 자료의 제출을 요청할 수 있다. 이 경우 요청을 받은 자는 특별한 사유가 없으면 이에 따라야 한다.

③ 정보를 필요로 하는 관련 기관 또는 단체에 해당 정보를 제공할 수 있다.

(2) 소방시설업 종합정보시스템의 구축 및 운영 등에 필요한 사항은 행정안전부령으로 정한다.

19. 기타

(1) 청문

소방시설업 등록취소처분이나 영업정지처분 또는 소방기술 인정 자격취소처분 시 청문 실시

(2) 권한의 위임 · 위탁 등

<table>
<tr><td rowspan="4">소방청장</td><td>소방기술자 실무교육에 관한 업무</td><td>실무교육기관 또는
한국소방안전원에 위탁</td></tr>
<tr><td>• 방염처리능력 평가 및 공시에 관한 업무
• 시공능력 평가 및 공시에 관한 업무</td><td>협회에 위탁</td></tr>
<tr><td>소방기술과 관련된 자격 · 학력 · 경력의 인정 업무</td><td>협회, 소방기술과 관련된
법인 또는 단체에 위탁</td></tr>
<tr><td>소방시설업 종합정보시스템의 구축 · 운영</td><td>협회에 위탁</td></tr>
<tr><td>시 · 도지사</td><td>• 소방시설업 등록신청의 접수 및 신청내용의 확인
• 소방시설업 등록사항 변경신고의 접수 및 신고내용의 확인
• 소방시설업 휴업 · 폐업 등 신고의 접수 및 신고내용의 확인
• 소방시설업자의 지위승계 신고의 접수 및 신고내용의 확인
• 시공능력 평가 및 공시</td><td>협회에 위탁</td></tr>
</table>

(3) 벌칙 적용 시의 공무원 의제

다음에 해당하는 사람은 「형법」 제129조부터 제132조까지의 규정을 적용할 때에는 공무원으로 본다.

① 그 업무를 수행하는 감리원

② 위탁받은 업무를 수행하는 실무교육기관, 한국소방안전원, 협회 및 소방기술과 관련된 법인 또는 단체의 담당 임원 및 직원

(4) 양벌규정

법인의 대표자나 법인 또는 개인의 대리인, 사용인, 그 밖의 종업원이 그 법인 또는 개인의 업무에 관하여 위반행위를 하면 그 행위자를 벌하는 외에 그 법인 또는 개인에게도 해당 조문의 벌금형을 과(科)한다. 다만, 법인 또는 개인이 그 위반행위를 방지하기 위하여 해당 업무에 관하여 상당한 주의와 감독을 게을리하지 아니한 경우에는 그러하지 아니하다.

20. 과태료

1 과태료 부과징수자

과태료는 대통령령으로 정하는 바에 따라 **관할 시·도지사, 소방본부장 또는 소방서장이 부과·징수**한다.

2 과태료의 부과기준

(1) 일반기준

① 위반행위의 횟수에 따른 과태료의 부과기준은 **최근 1년간 같은 위반행위로 과태료를 부과받은 경우에 적용**한다. 이 경우 위반행위에 대하여 **과태료 부과처분을 한 날과 다시 같은 위반행위를 적발한 날을 기준**으로 하여 위반횟수를 계산한다.

② **과태료 부과권자는** 위반행위자가 다음의 어느 하나에 해당하는 경우에는 제2호에 따른 **과태료 금액의 2분의 1의 범위에서 그 금액을 줄여 부과할 수 있다.** 다만, 과태료를 체납하고 있는 위반행위자에 대해서는 그러하지 아니하다.

㉠ 「질서위반행위규제법 시행령」 제2조의2제1항 각 호에 해당하는 경우

㉡ 처음 위반행위를 하는 경우로서 3년 이상 해당 업종을 모범적으로 영위한 사실이 인정되는 경우

㉢ 화재 등 재난으로 재산에 현저한 손실이 발생하거나 사업여건의 악화로 사업이 중대한 위기에 처하는 등의 사정이 있는 경우

㉣ 사소한 부주의나 오류 등 과실로 인한 것으로 인정되는 경우

㉤ 같은 위반행위로 다른 법률에 따라 과태료·벌금·영업정지 등의 처분을 받은 경우

㉥ 위법행위로 인한 결과를 시정하거나 해소한 경우
㉣ 그 밖에 위반행위의 정도, 위반행위의 동기와 그 결과 등을 고려하여 감경할 필요가 있다고 인정되는 경우

(2) 개별기준 - 본문 내용 참조

21. 등록취소와 영업정지 등

(1) 시·도지사는 행정안전부령으로 정하는 바에 따라 그 등록을 취소하거나 6개월 이내의 기간을 정하여 시정이나 그 영업의 정지를 명할 수 있다.
① 시·도지사는 등록취소, 영업정지 또는 과징금 부과 등의 처분을 하는 경우 해당 발주자에게 그 내용을 통보하여야 한다.
② 발주자는 소방시설업자가 개별기준을 위반한 경우 그 사실을 시·도지사에게 통보

※ 발주자 - 소방시설의 설계, 시공, 감리 및 방염(이하 "소방시설공사등")을 소방시설업자에게 도급하는 자를 말한다. 다만, 수급인으로서 도급받은 공사를 하도급하는 자는 제외한다.

(2) 소방시설업의 행정처분기준

Point

소방시설업에 대한 행정처분기준

1. 일반기준

가. 위반행위가 동시에 둘 이상 발생한 경우
그 중 중한 처분기준(중한 처분기준이 동일한 경우에는 그 중 하나의 처분기준을 말한다.)에 따르되, 둘 이상의 처분기준이 동일한 영업정지인 경우에는 중한 처분의 2분의 1까지 가중하여 처분할 수 있다.

나. 영업정지 처분기간 중 영업정지에 해당하는 위반사항이 있는 경우
종전의 처분기간 만료일의 다음날부터 새로운 위반사항에 대한 영업정지의 행정처분을 한다.

다. 위반행위의 차수에 따른 행정처분기준
최근 1년간 같은 위반행위로 행정처분을 받은 경우에 적용한다. 이 경우 기준 적용일은 위반사항에 대한 행정처분일과 그 처분 후 다시 적발한 날을 기준으로 한다.

라. 영업정지 등에 해당하는 위반사항으로서 위반행위의 동기·내용·횟수·사유 또는 그 결과를 고려하여 다음에 해당하는 경우 그 처분을 가중하거나 감경할 수 있다. 이 경우 그 처분이 영업정지일 때에는 그 처분기준의 2분의 1의 범위에서 가중하거나 감경할 수 있고, 등록취소일 때에는 등록취소 전 차수의 행정처분이 영업정지일 경우 처분기준의 2배 이상의 영업정지처분으로 감경(법 제9조제1항·제6호를 위반하여 등록취소가 된 경우는 제외한다)할 수 있다.

1) 가중사유
가) 위반행위가 사소한 부주의나 오류가 아닌 고의나 중대한 과실에 의한 것으로 인정되는 경우
나) 위반의 내용·정도가 중대하여 관계인에게 미치는 피해가 크다고 인정되는 경우

2) 감경 사유

가) 위반행위가 고의나 중대한 과실이 아닌 사소한 부주의나 오류로 인한 것으로 인정되는 경우
나) 위반의 내용 · 정도가 경미하여 관계인에게 미치는 피해가 적다고 인정되는 경우
다) 위반행위자의 위반행위가 처음이며 5년 이상 소방시설업을 모범적으로 해 온 사실이 인정되는 경우
라) 위반행위자가 그 위반행위로 인하여 검사로부터 기소유예 처분을 받거나 법원으로부터 선고유예 판결을 받은 경우

2. 개별기준

위반사항	행정처분 기준		
	1차	2차	3차
가. 거짓이나 그 밖의 부정한 방법으로 등록한 경우	**등록취소**		
나. 등록 결격사유에 해당하게 된 경우	**등록취소**		
다. 영업정지 기간 중에 소방시설공사등을 한 경우	**등록취소**		
라. 다른 자에게 등록증 또는 등록수첩을 빌려준 경우	6개월	등록취소	
마. 설계, 시공 또는 감리의 업무수행의무 등을 고의 또는 과실로 위반하여 다른 자에게 상해를 입히거나 재산피해를 입힌 경우	6개월	등록취소	
바. 동일인이 시공과 감리를 함께한 경우	3개월	등록취소	
사. 하도급 규정을 위반한 경우 / 방염 규정을 위반한 경우	3개월	6개월	등록취소
아. 명령을 위반 보고 또는 자료 제출을 하지 아니하거나 거짓으로 보고 또는 자료 제출	3개월	6개월	등록취소
자. 관계 공무원의 출입 또는 검사 · 조사를 거부 · 방해 또는 기피한 경우	3개월	6개월	등록취소
차. 감리자 변경시 인수 · 인계를 거부 · 방해 · 기피한 경우	1개월	3개월	등록취소
카. 소속 감리원을 공사현장에 배치하지 아니하거나 거짓으로 한 경우	1개월	3개월	등록취소
타. 공사업자가 공사 위반 시 변경 요구에 따르지 아니한 경우 하수급인에게 대금을 지급하지 아니한 경우	1개월	3개월	등록취소
파. 등록을 한 후 정당한 사유 없이 1년이 지날 때까지 영업을 시작하지 아니하거나 계속하여 1년 이상 휴업한 때	경고	등록취소	
하. 신고를 하지 아니하거나 거짓으로 한 경우	경고	3개월	등록취소
거. 등록기준에 미달하게 된 후 30일이 경과한 경우 – 일시적인 등록기준 미달에 관한 경우 제외	경고	3개월	등록취소
너. 착공신고(변경신고를 포함)를 하지 아니하거나 거짓으로 한 때 또는 완공검사(부분완공검사를 포함)를 받지 아니한 경우	경고	3개월	등록취소
더. 화재안전기준 등에 적합하게 설계 · 시공을 하지 아니하거나, 적합하게 감리를 하지 아니한 경우	경고	3개월	등록취소
러. 감리 결과를 알리지 아니하거나 거짓으로 알린 경우 또는 공사감리 결과보고서를 제출하지 아니하거나 거짓으로 제출한 경우	경고	3개월	등록취소
머. 소속 소방기술자를 공사현장에 배치하지 아니하거나 거짓으로 한 경우	경고	1개월	등록취소

버. 착공신고사항 중 중요한 사항에 해당하지 아니하는 변경사항을 공사감리 결과보고서에 포함하여 보고하지 아니한 경우	경고	1개월	등록취소
서. 하자보수의 이행을 보증하지 아니하거나 하자보수 기간 내에 하자보수를 하지 아니하거나 하자보수계획을 통보하지 아니한 경우	경고	1개월	등록취소
어. 감리원 배치기준을 위반한 경우	경고	1개월	등록취소
저. 통지를 하지 아니하거나 관계서류를 보관하지 아니한 경우	경고	1개월	등록취소
처. 공사업자가 공사 위반하여 감리자가 보고하지 아니한 경우	경고	1개월	등록취소
커. 하도급 등에 관한 사항을 관계인과 발주자에게 알리지 아니하거나 거짓으로 알린 경우	경고	1개월	등록취소
터. 정당한 사유 없이 하수급인의 변경요구를 따르지 아니한 경우	경고	1개월	등록취소

22. 과징금처분

1 과징금

(1) 시·도지사는 영업정지가 그 이용자에게 불편을 주거나 그 밖에 공익을 해칠 우려가 있을 때에는 영업정지처분을 갈음하여 **2억원 이하의 과징금을 부과**할 수 있다.

(2) **과징금을 부과하는 위반행위의 종류와 위반 정도 등에 따른 과징금과 그 밖에 필요한 사항**은 행정안전부령으로 정한다.

(3) 시·도지사는 과징금을 내야 할 자가 납부기한까지 과징금을 내지 아니하면 「지방행정제재·부과금의 징수 등에 관한 법률」에 따라 징수한다.

(4) 과징금 징수 절차는 「국고금관리법 시행규칙」을 준용한다.

2 과징금의 부과기준

(1) 일반기준

① **영업정지 1개월은 30일로 계산한다.**

② **과징금 산정**

- **영업정지기간**(일)에 **영업정지 1일에 해당하는 금액란의 금액**을 **곱한 금액**

③ **위반행위가 둘 이상 발생한 경우** 과징금 부과에 따른 영업정지기간(일) 산정

- 개별기준에 따른 각각의 **영업정지처분기간을 합산한 기간**

④ **영업정지에 해당하는 위반사항**으로서 위반행위의 동기·내용·횟수 또는 그 결과를 고려

하여 **그 처분기준의 2분의 1까지 감경한 경우 과징금 부과에 따른 영업정지기간(일) 산정은 감경한 영업정지기간**으로 한다.

⑤ 연간 매출액은 해당 업체에 대한 행정처분일이 속한 연도의 전년도 1년간 총 매출액을 기준으로 하며, 신규사업·휴업 등에 따라 전년도 1년간의 총매출액을 산출할 수 없는 경우에는 분기별·월별 또는 일별 매출액을 기준으로 하여 연간 매출액을 산정한다.

(2) 개별기준

① **과징금을 부과할 수 있는 위반행위의 종류 – 소방시설공사업법 제9조제1항 참조**

② **과징금 금액 산정기준(참조) – 규칙 별표 2 참조**

2024년 1월 1일 이후에 위반행위를 한 경우 – 개별기준

가. 소방시설설계업 및 소방공사감리업의 과징금 산정기순
- 과징금 부과금액 = 1일 평균 매출액 × 영업정지 일수 × 0.0205

나. 소방시설공사업 및 방염처리업의 과징금 산정기준
- 과징금 부과금액 = 1일 평균 매출액 × 영업정지 일수 × 0.0423

23. 소방시설업자의 처분통지 등

시·도지사는 다음에 해당하는 경우에는 협회에 그 사실을 통보

1. 등록취소·시정명령 또는 영업정지를 하는 경우
2. 과징금을 부과하는 경우

실전 예상문제

01 소방시설공사업법에 따른 소방기술자가 아닌 자는?

① 소방기술사 ② 소방시설관리사
③ 위험물기능사 ④ 건축전기기술사

소방기술자	소방기술 경력 등을 인정받은 사람과 다음에 해당하는 사람으로서 소방시설업과 소방시설관리업의 기술인력으로 등록된 사람 소방기술사, 소방시설관리사, 소방설비기사, 소방설비산업기사, 위험물기능장, 위험물산업기사, 위험물기능사

02 소방시설업자 하고자 하는자는 시·도지사에게 등록하여야 한다. 등록하지 않고 영업하는 자의 벌칙은?

① 10년 이하의 징역 또는 5천만원 이하의 벌금
② 5년 이하의 징역 또는 3천만원 이하의 벌금
③ 3년 이하의 징역 또는 3천만원 이하의 벌금
④ 1년 이하의 징역 또는 1천만원 이하의 벌금

소방시설업 등록을 하지 아니하고 영업을 한 자 – 3년 이하의 징역 또는 3천만원 이하의 벌금

03 소방시설업 등록시 제출서류 중 공사업의 경우 자본금 기준금액의 얼마 이상의 출자·예치·담보 금액확인서 1부를 제출하여야 하는가?

① 100분의 10 이상 ② 100분의 20 이상
③ 100분의 30 이상 ④ 100분의 50 이상

공사업의 경우 자본금 기준금액의 20/100 이상의 출자·예치·담보 금액확인서 1부를 제출하여야 한다.

01 ④ 02 ③ 03 ②

●●○ 04 공기업·준정부기관 및 지방공사, 지방공단이 어떤 요건을 모두 갖춘 경우 등록을 하지 않고 설계, 감리를 할 수 있는데 그 규정 조건이 아닌 것은?

① 대통령령으로 정하는 기술인력을 보유하여야 한다.
② 주택의 건설·공급을 목적으로 설립되었을 것
③ 설계·감리 업무를 주요 업무로 규정하고 있을 것
④ 설계·감리에 필요한 장비를 적합하게 갖춘 경우

해설
등록을 하지 않고 설계, 감리를 할 수 있는 조건
대통령령으로 정하는 기술인력을 보유하여야 한다, 주택의 건설·공급을 목적으로 설립되었을 것, 설계·감리 업무를 주요 업무로 규정하고 있을 것 – 3가지를 모두 만족해야 한다.

●●● 05 소방시설업을 할 수 없는 등록의 결격 사유에 해당하지 않는 것은?

① 피성년후견인
② 금고 이상의 실형을 선고받고 그 집행이 끝나거나 면제된 날부터 1년이 지난 사람
③ 금고 이상의 형의 집행유예를 선고받고 그 유예기간 중에 있는 사람
④ 등록하려는 소방시설업 등록이 취소된 날부터 2년이 지난 사람

해설
등록의 결격사유
1. 피성년후견인
2. 금고 이상의 실형을 선고받고 그 집행이 끝나거나(집행이 끝난 것으로 보는 경우를 포함한다)면제된 날부터 2년이 지나지 아니한 사람
3. 금고 이상의 형의 집행유예를 선고받고 그 유예기간 중에 있는 사람
4. 등록하려는 소방시설업 등록이 취소된 날부터 2년이 지나지 아니한 자

●●● 06 소방시설업을 하려는 자는 누구에게 허가를 받아야 하는가?

① 행정안전부장관 ② 시도지사 ③ 소방본부장 ④ 소방서장

해설
소방시설업을 하려는 자는 시도지사에게 허가를 받아야 한다.

●●● 07 소방시설업 등록사항의 변경신고 및 지위승계는 며칠 이내에 하여야 하는가?

① 7일 ② 10일 ③ 14일 ④ 30일

해설
소방시설업 등록사항의 변경신고 기간 및 지위승계 기간 – 30일 이내

정답 04 ④ 05 ④ 06 ② 07 ④

08 소방시설업자가 반드시 변경신고를 하여야 하는 행정안전부령으로 정하는 중요 사항이 아닌 것은?

① 명칭 · 상호 ② 영업소 소재지 ③ 기술인력 ④ 대표자를 포함한 임원

행정안전부령으로 정하는 중요 사항		
명칭 · 상호 또는 영업소 소재지	대표자	기술인력

09 소방시설업의 등록신청, 등록증 · 등록수첩의 발급 · 재발급신청, 그 밖에 소방시설업 등록에 필요한 사항은 무엇으로 정하는가?

① 대통령령 ② 행정안전부령 ③ 시 · 도의 조례 ④ 소방청고시

소방시설업의 등록신청, 등록증 · 등록수첩의 발급 등의 소방시설업 등록에 필요한 사항은 행정안전부령으로 정한다.

10 일반소방시설기계설계업을 하려고 한다. 주인력과 보조인력은 각각 몇 명 이상으로 하여야 하는가?

① 1명, 1명 ② 1명, 2명 ③ 1명, 3명 ④ 1명, 4명

<table>
<tr><td rowspan="2">일반소방시설설계기계분야</td><td>주인력
(소방기술사 또는 기계소방설비기사)</td><td>1명 이상</td><td rowspan="2">가. 아파트에 설치되는 기계분야 소방시설(제연설비는 제외한다)의 설계
나. 연면적 3만 m^2(공장의 경우에는 1만 m^2) 미만의 특정소방대상물(제연설비가 설치되는 특정소방대상물은 제외한다)에 설치되는 기계분야 소방시설의 설계
다. 위험물제조소등에 설치되는 기계분야 소방시설의 설계</td></tr>
<tr><td>보조인력</td><td>1명 이상</td></tr>
</table>

11 일반소방시설기계설계업의 영업범위에 해당되지 않는 것은?

① 아파트에 설치되는 기계분야 소방시설의 설계
② 연면적 3만 m^2 미만(공장은 제외)의 특정소방대상물에 설치되는 기계분야 소방시설(제연설비는 제외한다)의 설계
③ 위험물제조소등에 설치되는 기계분야 소방시설의 설계
④ 공장의 경우에는 1만 m^2 미만의 기계분야 소방시설의 설계(제연설비는 제외한다)

일반 소방기계설계업은 기계분야 소방시설인 제연설비설계를 할 수 없다.
♣ 설계업의 영업범위는 감리업의 영업범위와 동일하다.

08 ④ 09 ② 10 ① 11 ①

••• 12 **소방기술사와 소방시설관리사의 자격을 함께 취득한 사람이 주인력으로 함께 할 수 없는 업종은?**

① 전문소방시설설계업과 소방시설관리업
② 일반소방시설설계업과 소방시설관리업
③ 전문소방공사감리업과 소방시설관리업
④ 전문 소방시설공사업과 소방시설관리업

해설

감리업과 소방시설관리업은 함께 할 수 없다.

••• 13 **소방시설업 보조기술인력의 자격이 되지 않는 자는?**

① 소방기술사, 소방설비기사, 소방설비산업기사를 취득하고 소방경력이 1년이 지난 자
② 자격수첩을 소유하는 자기 소방 관련 학과를 졸업하고 소방경력이 1년이 지난 자
③ 자격수첩을 소유하는 자가 소방공무원으로 경력이 1년이 지난 자
④ 자격수첩을 소유하는 자가 소방기술과 관련된 자격·경력 및 학력을 갖춘 사람으로 소방경력이 1년이 지난 자

해설

보조기술인력

자격	경력	조건
소방기술사, 소방설비기사, 소방설비산업기사		
소방 관련 학과를 졸업한 사람		자격수첩을 발급받은 사람
소방공무원	3년 이상	자격수첩을 발급받은 사람
소방기술과 관련된 자격·경력 및 학력을 갖춘 사람		자격수첩을 발급받은 사람

••• 14 **소방시설공사업 중 일반 전기분야의 영업범위는 연면적 몇 m^2 미만인가?**

① 5천 m^2 미만 ② 1만 m^2 미만 ③ 2만 m^2 미만 ④ 3만 m^2 미만

해설

<table>
<tr><td rowspan="2">일반소방 시설공사업 전기분야</td><td>주인력</td><td>1명 이상</td><td>법인</td><td>1억원 이상</td><td rowspan="2">가. 연면적 1만 m^2 미만의 특정소방대상물에 설치되는 전기분야 소방시설의 공사·개설·이전·정비
나. 위험물제조소등에 설치되는 전기분야 소방시설의 공사·개설·이전·정비
★ 주된 기술인력 : 소방기술사 또는 전기분야 소방설비 기사 1명 이상</td></tr>
<tr><td>보조인력</td><td>1명 이상</td><td>개인</td><td>자산평가액 1억원 이상</td></tr>
</table>

정답 12 ③ 13 ③ 14 ②

●●○ 15 일반 소방시설공사감리업의 영업범위 중 기계분야가 아닌 것은?

① 피난기구 ② 휴대용비상조명등
③ 실내장식물 및 방염대상물품 ④ 연소방지설비

일반소방 공사감리업 기계분야	1) 소화기구, 옥내소화전설비, 스프링클러설비, 간이스프링클러설비, 물분무등소화설비, 옥외소화전설비, 피난기구, 상수도소화용수설비, 소화수조, 저수조, 제연설비, 연결송수관설비, 연결살수설비, 연소방지설비 2) **기계분야 소방시설에 부설되는 전기시설.** 다만, 비상전원, 동력회로, 제어회로, 기계분야 소방시설을 작동하기 위하여 설치하는 화재감지기에 의한 화재감지장치 및 전기신호에 의한 소방시설의 작동장치는 제외 3) **실내장식물 및 방염대상물품**

●●○ 16 초급감리원의 기술자격이 잘못된 것은?

① 소방설비기사 취득 후 1년 이상의 소방경력이 있는 자
② 소방설비산업기사 취득 후 2년 이상의 소방경력이 있는 자
③ 소방공무원으로서 1년 이상의 소방경력이 있는 자
④ 소방관련학과 학사학위 취득 후 1년 이상의 소방경력이 있는 자

실무 경력	소방 기술사	소방설비 기사	소방설비 산업기사	소방관련학과 학사학위	소방관련학과 졸업	소방공무원	규정에 해당하지 않는 사람
초급	–	1년	2년	1년	3년	3년	5년 이상

●●● 17 소방시설업의 운영에 관한 사항 중 소방시설업자는 소방시설업의 등록증 또는 등록수첩을 다른 자에게 빌려 주어서는 아니된다. 빌려준 경우 벌칙은?

① 5천만원 이하의 벌금 ② 3천만원 이하의 벌금
③ 1천만원 이하의 벌금 ④ 300만원 이하의 벌금

소방시설업자는 소방시설업의 등록증 또는 등록수첩을 다른 자에게 빌려 준 경우 300만원 이하의 벌금에 처한다.

정답 15 ② 16 ③ 17 ④

18 소방시설업자는 행정안전부령으로 정하는 관계 서류를 언제까지 보관하여야 하는가?

① 공사 완료 후 1년
② 사용승인일 이후 2년
③ 완공 필증 수령 후 3년
④ 하자보수 보증기간 동안

해설

소방시설설계업	소방시설 설계기록부 및 소방시설 설계도서
소방시설공사업	소방시설 공사기록부
소방공사감리업	소방공사 감리기록부, 소방공사 감리일지, 소방시설의 완공 당시 설계도서

소방시설업자는 행정안전부령으로 정하는 관계 서류를 하자보수 보증기간 동안 보관하여야 한다.

19 소방시설업자는 행정안전부령으로 정하는 관계 서류를 보관하여야 한다. 그 내용으로 옳지 않은 것은?

① 관계 서류를 보관하지 아니한 자 200만원 이하의 과태료가 부과 된다.
② 소방시설설계업자는 소방시설 설계기록부 및 소방시설 설계도서를 보관해야 한다.
③ 소방시설공사업자는 소방시설 공사기록부를 2년간 보관해야 한다.
④ 소방시설업자는 행정안전부령으로 정하는 관계 서류를 하자보수 보증기간 동안 보관하여야 한다.

해설

소방시설공사업자는 소방시설 공사기록부를 하자보수 보증기간 동안 보관하여야 한다.

20 소방시설업에 대한 행정처분기준으로 옳지 않은 것은?

① 위반행위가 동시에 둘 이상 발생한 경우에는 그 중 중한 처분기준(중한 처분기준이 동일한 경우에는 그 중 하나의 처분기준을 말한다)에 따르되, 둘 이상의 처분기준이 동일한 영업정지인 경우에는 중한 처분의 3분의 1까지 가중하여 처분할 수 있다.
② 영업정지 처분기간 중 영업정지에 해당하는 위반사항이 있는 경우에는 종전의 처분기간 만료일의 다음날부터 새로운 위반사항에 대한 영업정지의 행정처분을 한다.
③ 위반행위의 차수에 따른 행정처분기준은 최근 1년간 같은 위반행위로 행정처분을 받은 경우에 적용한다. 이 경우 기준 적용일은 위반사항에 대한 행정처분일과 그 처분 후 다시 적발한 날을 기준으로 한다.
④ 영업정지 등에 해당하는 위반사항으로서 위반행위의 동기·내용·횟수·사유 또는 그 결과를 고려하여 그 처분을 가중하거나 감경할 수 있다.

해설

위반행위가 동시에 둘 이상 발생한 경우에는 그 중 중한 처분기준(중한 처분기준이 동일한 경우에는 그 중 하나의 처분기준을 말한다)에 따르되, 둘 이상의 처분기준이 동일한 영업정지인 경우에는 중한 처분의 2분의 1까지 가중하여 처분할 수 있다.

정답 18 ④ 19 ③ 20 ①

21 영업정지 기간 중에 설계 · 시공 또는 감리를 한 경우 벌칙은?

① 1년 이하의 징역 또는 1천만원 이하의 벌금
② 영업정지 6개월
③ 5년 이하의 징역 또는 3천만원 이하의 벌금
④ 10년 이하의 징역 또는 5천만원 이하의 벌금

영업정지 중 설계, 시공, 감리를 한 경우 1년 이하의 징역 또는 1천만원 이하의 벌금에 처한다.

22 성능위주설계를 하여야 하는 특정소방대상물의 범위등의 내용으로 옳지 않은 것은?

① 연면적 20만 m^2 이상인 특정소방대상물은 성능위주소방설계에 포함되지만 아파트는 제외한다.
② 건축물의 높이가 100 m 이상인 특정소방대상물(지하층을 포함한 층수가 30층 이상인 특정소방대상물을 포함한다)은 성능위주설계에 포함되지만 아파트는 제외한다.
③ 연면적 3만 m^2 이상인 철도 및 도시철도 시설, 공항시설은 성능위주소방설계에 해당된다.
④ 성능위주설계를 할 수 있는 자의 자격, 기술인력 및 자격에 따른 설계의 범위와 그 밖에 필요한 사항은 소방청장이 정하여 고시한다.

해설

성능위주설계를 하여야 하는 특정소방대상물
(1) 연면적 3만 m^2 이상인 철도 및 도시철도 시설, 공항시설
(2) 연면적 20만 m^2 이상인 특정소방대상물. (아파트는 제외한다)
(3) 지하층을 포함한 층수가 30층 이상이거나 건축물의 높이가 100 m 이상인 특정소방대상물(아파트는 제외한다)
(4) 하나의 건축물에 영화상영관이 10개 이상인 특정소방대상물
♣ 성능위주설계의 기준과 그 밖에 필요한 사항은 소방청장이 정하여 고시한다.(소방시설법)
성능위주설계를 할 수 있는 자의 자격, 기술인력 및 자격에 따른 설계의 범위와 그 밖에 필요한 사항은 행정안전부령으로 정하여 고시한다.(소방공사업법)

23 소방시설공사업자는 1명의 소방기술자를 몇 개의 공사 현장을 초과하여 배치해서는 아니 되는가? (단, 연면적이 5천 m^2 미만인 공사현장은 제외한다.)

① 1개 ② 2개 ③ 3개 ④ 4개

공사업자는 1명의 소방기술자를 2개의 공사 현장을 초과하여 배치해서는 아니 된다.

24 신축공사의 경우 착공대상이 아닌 것은?

① 연결살수설비
② 간이스프링클러설비
③ 자동화재속보설비
④ 소화용수설비

누전경보기, **가**스누설경보기, **소**화기구, 자동화재**속**보설비, **피**난구조설비는 착공대상이 아니다.

암기: 누가 소속? 피

21 ① 22 ④ 23 ② 24 ③

●●● 25 신축공사의 경우 착공대상이 아닌 것은?

① 비상경보설비
② 자동화재탐지설비
③ 비상방송설비
④ 유도등

문제24번 해설 참조

●●○ 26 착공대상에 해당되지만 다른 업종의 공사업자가 공사하는 경우 착공신고를 하지 않아도 되는 설비가 아닌 것은?

① 비상방송설비
② 비상콘센트설비
③ 무선통신보조설비
④ 비상경보설비

암기 **제소무방비**

제연설비(소방용 외의 용도와 겸용되는 제연설비를 기계설비공사업자가 공사하는 경우는 제외한나)
소화용수설비(기계설비공사업자 또는 상·하수도설비공사업자가 공사하는 경우는 제외한다)
무선통신보조설비(무선통신보조설비를 정보통신공사업자가 공사하는 경우는 제외)
비상**방**송설비(비상방송설비를 정보통신공사업자가 공사하는 경우는 제외한다)
비상콘센트설비(비상콘센트설비를 전기공사업자가 공사하는 경우는 제외한다)

●●● 27 증축, 개축, 재축, 대수선 또는 구조변경·용도변경되는 특정소방대상물에 소방설비 또는 구역 등을 증설하는 공사를 하는 경우 착공신고하지 않아도 되는 경우는?

① 제연설비
② 연결살수설비
③ 연결송수관설비
④ 소화용수설비

증축등의 경우 기계분야는 신설의 착공대상에서 **소화용수설비**만 착공신고를 하지 않는다.
전기분야는 **무**통설비, 비상**방**송설비, **비**상경보설비가 해당된다. 암기 **무방비용**

●●○ 28 특정소방대상물에 설치된 소방시설등을 구성하는 것의 전부 또는 일부를 교체하거나 보수 시 착공대상이 아닌 것은?

① P형 2급 수신기
② 옥내소화전 예비펌프
③ 동력제어반
④ 제연 휀

수신반(受信盤), 소화펌프, 동력(감시)제어반는 전부 또는 일부를 교체 보수시 착공신고 대상이다.

정답 25 ④ 26 ④ 27 ④ 28 ④

●○○ 29

공사업자가 신고한 사항 가운데 행정안전부령으로 정하는 중요한 사항을 변경하였을 때 변경일부터 30일 이내에 소방본부장 또는 소방서장에게 변경신고를 하여야 하는 것이 아닌 것은?

① 시공자 ② 설치되는 소방시설의 종류
③ 책임시공 및 기술관리 소방기술자 ④ 소방공사감리자

행정안전부령으로 정하는 중요한 사항

시공자	설치되는 소방시설의 종류	책임시공 및 기술관리 소방기술자

●●● 30

완공검사를 위한 현장 확인 대상 특정대상물의 범위에 해당되지 않는 것은?

① 노유자시설 ② 숙박시설 ③ 근린생활시설 ④ 창고시설

★ 완공검사를 위한 현장확인 대상 특정소방대상물의 범위

1. 노유자(老幼者)시설, 지하상가, 다중이용업소, 문화 및 집회시설, 운동시설, 판매시설, 숙박시설, 창고시설, 종교시설, 수련시설
2. 스프링클러설비등, 물분무등소화설비 설치(호스릴방식의 소화설비는 제외)
3. 연면적 1만 m^2 이상이거나 11층 이상인 특정소방대상물 (아파트는 제외)
4. 가연성가스를 제조·저장 또는 취급하는 시설 중 지상에 노출된 가연성가스탱크의 저장용량 합계가 1천톤 이상인 시설

●●● 31

소방시설공사의 하자보수 보증기간이 3년이 아닌 것은?

① 제연설비 ② 연결살수설비 ③ 연소방지설비 ④ 무선통신보조설비

하자기간	소화설비	경보설비	피난구조설비	소화용수설비	소화활동설비
2년	–	비상경보설비 비상방송설비	피난기구, 유도등, 유도표지, 비상조명등	–	무선통신보조설비

암기: 하자기간 2년 : 경비방 · 피유 · 무

●●● 32

소방시설공사업법에 따라 연면적 5천 미터제곱 이상 3만 미터제곱미만인 대상에 배치해야할 소방기술자는 어떤 기술자 이상으로 배치해야 하는가? (단, 아파트는 제외 한다.)

① 초급기술자 ② 중급기술자 ③ 고급기술자 ④ 특급기술자

구 분	공사 현장 배치기준		
	층 수 등	연면적	
중급기술자 이상	물분무등소화설비(호스릴 방식은 제외) 또는 제연설비가 설치되는 특정소방대상물	아파트 제외한 현장	3만 m^2미만 5천 m^2이상
		아파트	20만m^2미만 1 만m^2이상

29 ④ 30 ③ 31 ④ 32 ②

●●○ 33 **대통령령으로 정하는 특정소방대상물의 관계인이 특정소방대상물의 소방시설공사를 할 때에는 소방시설공사의 감리를 위하여 감리업자를 공사감리자로 지정하여야 한다. 그러하지 않은 경우의 벌칙은?**

① 300만원 이하의 벌금
② 1년 이하의 징역 또는 1천만원 이하의 벌금
③ 3년 이하의 징역 또는 1천5백만원 이하의 벌금
④ 3년 이하의 징역 또는 5천만원 이하의 벌금

해설
감리자 미지정 – 1년 이하의 징역 또는 1천만원 이하의 벌금
감리자 미배치 – 300만원 이하의 벌금

●○○ 34 **소방시설공사감리업의 감리 업무가 아닌 것은?**

① 공사업자가 작성한 시공 상세 도면의 적합성 검토
② 피난시설 및 방화시설의 적법성 검토
③ 실내장식물의 불연화(不燃化)와 방염 물품의 적법성 검토
④ 소방대상물의 완공 후 소방시설 유지관리 적합성의 검토

해설
감리의 업무
1. 소방시설등의 설치계획표의 적법성 검토
2. 소방시설등 설계도서의 적합성(적법성과 기술상의 합리성을 말한다. 이하 같다) 검토
3. 소방시설등 설계 변경 사항의 적합성 검토
4. 소방용기계·기구 등의 위치·규격 및 사용 자재의 적합성 검토
5. 공사업자가 한 소방시설등의 시공이 설계도서와 화재안전기준에 맞는지에 대한 지도·감독
6. 완공된 소방시설등의 성능시험
7. 공사업자가 작성한 시공 상세 도면의 적합성 검토
8. 피난시설 및 방화시설의 적법성 검토
9. 실내장식물의 불연화(不燃化)와 방염 물품의 적법성 검토

●●● 35 **소방공사감리의 상주감리대상 기준의 내용 중 옳지 않은 것은?**

① 특정소방대상물은 연면적이 3만 m^2 이상(아파트는 제외)시 상주감리 대상이다.
② 특정소방대상물의 연면적이 3만 m^2 이상이라도 자동화재탐지설비, 옥내소화전만 설치되는 대상물은 상주감리대상이 아니다.
③ 아파트는 지하층을 포함한 층수가 16층 이상으로서 500세대 이상 시 상주감리 대상이다.
④ 근린생활시설 및 업무시설은 연면적 3만 m^2 이상부터 상주감리 대상이다.

해설
특정소방대상물은 연면적 3만 m^2 이상(아파트는 제외)부터 상주감리 대상이다.

정답 33 ② 34 ④ 35 ②

●○○ **36** 소방시설의 일반공사 감리기간으로 옳지 않은 것은?

① 옥내소화전의 앵글밸브 · 소화전함의 매립 기간을 포함한다.
② 소방시설의 성능시험 기간을 포함한다.
③ 인수인계 및 소방공사의 정산을 하는 기간은 포함하지 아니한다.
④ 소방시설 완공검사증명서의 발급기간을 포함한다.

해설
소방시설의 일반공사 감리기간은 소방시설의 성능시험, 소방시설 완공검사증명서의 발급 · 인수인계 및 소방공사의 정산을 하는 기간을 포함한다.

●●● **37** 일반소방시설공사 전기감리업 등록 시 필요한 기술인력은?

① 고급 전기분야 1명, 중급 전기분야 1명, 초급 전기분야 1명
② 소방기술사 1명, 초급 전기분야 1명
③ 초급 전기분야 1명, 중급 전기분야 1명, 특급 전기분야 1명
④ 특급 전기분야 1명, 초급 전기분야 2명

해설

소방공사 감리업 전기분야	특급	전기분야	1명 이상	가. 연면적 3만 m^2(공장의 경우에는 1만 m^2) 미만의 특정소방대상물에 설치되는 전기분야 소방시설의 감리 나. 아파트에 설치되는 전기분야 소방시설의 감리 다. 위험물제조소등에 설치되는 전기분야 소방시설의 감리
	고급 또는 중급	전기분야	1명 이상	
	초급	전기분야	1명 이상	

●●● **38** 소방시설공사의 일부를 하도급 하고자 할 때에는 미리 누구에게 알려야 하여야 하는가?

① 소방청장　② 시 · 도지사　③ 관계인　④ 하수급인

해설
하도급 할 때에는 행정안전부령으로 정하는 바에 따라 미리 관계인과 발주자에게 알려야 한다.

●●○ **39** 전문소방시설공사업의 등록기준이 잘못된 것은?

① 기술인력(주된 기술인력) – 소방기술사 또는 기계분야와 전기분야의 소방설비기사 각 1명 이상
② 자본금 – 법인, 1억원 이상
③ 자본금 – 개인, 자산평가액(소방시설등록 90일 전에 받은 것) 1억원 이상
④ 사무실 및 장비 – 전용면적 33 m^2 이상, 법정장비

해설
공사업의 등록기준에는 사무실 및 장비는 포함되지 않는다.

정답 36 ③ 37 ③ 38 ③ 39 ④

●●● 40 일반소방시설공사업의 등록기준 중 기술인력에서 보조기술인력은 최소 몇 명 이상 있어야 하는가?

① 1 ② 2
③ 3 ④ 5

해설
일반소방시설공사업의 등록기준 중 기술인력
주인력 – 소방기술사 또는 기계분야 소방설비기사 1명 이상
보조인력 – 1명

●●● 41 소방시설공사업자가 그가 수급한 소방시설공사의 일부를 다른 소방시설공사업자에게 하도급 할 수 있는 회수는?

① 하도급 할 수 없다. ② 1차까지 할 수 있다.
③ 2차까지 할 수 있다. ④ 3차까지 할 수 있다.

해설
도급을 받은 자는 소방시설공사의 시공을 제3자에게 하도급 할 수 없다.
단, 대통령령으로 정하는 경우 도급받은 소방시설공사의 일부를 한 번만 제3자에게 하도급 할 수 있다.
1. 소방시설공사업과 다음에 해당하는 사업을 함께 하는 소방시설공사업자가 소방시설공사와 해당 사업의 공사를 함께 도급받은 경우를 말한다.
① 주택건설사업 ② 건설업
③ 전기공사업 ④ 정보통신공사업
2. 소방시설공사의 일부란 착공대상 중 하나 이상의 소방설비를 설치하는 공사를 말한다.

●●○ 42 소방시설공사업자는 등록의 취소 또는 영업의 정지처분 등이 있는 경우에는 지체 없이 누구에게 알려야 하는가?

① 관할 지역의 소방본부장 또는 소방서장
② 관할지역의 시 · 도지사
③ 공사 중인 특정소방대상물의 관계인
④ 공사를 감리하는 감리업자

해설
설계, 시공 또는 감리를 맡긴 특정소방대상물의 관계인에게 지체 없이 그 사실을 알려야 하는 경우, 소방시설업자의 지위를 승계한 경우, 휴업하거나 폐업한 경우, 소방시설업의 등록취소처분 또는 영업정지처분을 받은 경우

정답 40 ① 41 ① 42 ③

43 소방시설공사업의 등록이 취소되었을 경우 공사업자가 취하여야 할 사항 중 틀린 것은?

① 특정소방대상물의 관계인에게 지체 없이 그 사실을 알려야 한다.
② 시공신고가 수리되어 공사 중인 것으로서 도급계약이 해지되지 아니하는 당해 공사는 계속할 수 있다.
③ 취소 처분 받은 날로부터 시공을 하여서는 아니 된다.
④ 시공신고가 수리되어 공사 중인 것으로서 도급계약이 해지되지 아니하더라도 당해 공사는 계속할 수 없다.

해설
영업정지처분이나 등록취소처분을 받은 소방시설업자는 그 날부터 소방시설을 설계·시공하거나 감리하여서는 아니 된다. 다만, 소방시설의 시공신고가 수리(受理)되어 공사를 하고 있는 자로서 도급계약이 해지되지 아니한 소방시설공사업자 또는 소방공사감리업자가 그 공사를 하는 동안에는 그러하지 아니하다.

44 다음 중 도급에 관해 틀린 것은?

① 공사업자가 도급받은 소방시설공사의 도급금액 중 그 공사의 근로자에게 지급하여야 할 노임(勞賃)에 해당하는 금액은 압류할 수 없다. 단 하도급한 공사는 포함하지 아니하다.
② 압류할 수 없는 노임(勞賃)에 해당하는 금액은 해당 소방시설공사의 도급 또는 하도급 금액 중 설계도서에 기재된 노임을 합산하여 산정한다.
③ 근로자에게 지급하여야 할 노임에 해당하는 금액의 범위와 산정방법은 대통령령으로 정한다.
④ 도급을 받은 자는 소방시설공사의 시공을 제3자에게 하도급할 수 없다. 다만, 대통령령으로 정하는 경우에는 도급받은 소방시설공사의 일부를 한 번만 제3자에게 하도급할 수 있다.

해설
공사업자가 도급받은 소방시설공사의 도급금액 중 그 공사의 근로자에게 지급하여야 할 노임(勞賃)에 해당하는 금액은 압류할 수 없다. 하도급한 공사도 노임에 대해서는 압류할 수 없다.

45 소방시설공사의 도급에 관한 가장 기본적인 설명으로 옳은 것은?

① 관계인 또는 발주자는 소방시설업자가 영업정지 처분을 받은 때에는 도급계약을 해지할 수 없다.
② 공사업자의 평가된 시공능력은 공사업자가 도급받을 수 있는 10건의 공사도급금액으로 하고 시공능력평가의 유효기간은 공시일부터 2년 동안으로 한다.
③ 소방시설공사업자는 그가 도급받은 소방시설공사를 원칙적으로 제3자에게 하도급 할 수 없다.
④ 당해 소방시설공사의 일부를 2차에 한하여 하도급 할 수 있다.

해설
특정소방대상물의 관계인 또는 발주자는 소방시설업이 등록 취소되거나 영업정지된 경우, 휴업하거나 폐업한 경우 도급계약을 해지할 수 있다.
공사업자의 평가된 시공능력은 공사업자가 도급받을 수 있는 1건의 공사도급금액으로 하고 시공능력평가의 유효기간은 공시일부터 1년 동안으로 한다.

정답 43 ④ 44 ① 45 ③

●●○ 46 **소방시설공사의 도급등에 관한 설명으로 옳지 않은 것은?**

① 소방시설공사를 도급받은 자는 원칙적으로 소방시설공사의 시공을 제3자에게 하도급 할 수 없다.
② 소방시설업자(개인)이 소방시설공사업과 소방공사감리업을 동시에 하는 경우, 동일한 특정소방대상물이 소방시설에 대한 공사와 감리를 함께 할 수 없다.
③ 소방시설설계의 대가는 엔지니어링사업대가의 기준 중 실비정액가산방식을 적용한다.
④ 시공능력평가는 실적평가액, 자본금평가액, 기술력평가액, 경력평가액, 신인도평가액에 따라 산정한다.

해설
소방시설 공사 및 설계의 대가는 엔지니어링사업대가의 기준 중 공사비요율을 적용한다.
소방시설 감리, 소방시설점검업의 대가는 엔지니어링사업대가의 기준 중 실비정액가산방식을 적용한다.

●●● 47 **다음 중 소방공사 감리원의 배치 기준에 맞지 않는 것은?**

① 연면적 20만 m^2 이상 또는 지하층을 포함한 층수가 40층 이상인 특정소방대상물에는 특급소방감리원 중 소방기술사 자격을 취득한 자 1인 이상을 배치하여야 한다.
② 연면적 3만 m^2 이상 20만 m^2 미만인 특정소방대상물에는 특급소방감리원 이상의 소방감리원 1인 이상을 배치하여야 한다.
③ 지하층을 포함한 층수가 16층 이상 40층 미만인 특정소방대상물에는 고급소방감리원 이상의 소방감리원 1인 이상을 배치하여야 한다.
④ 연면적 5,000 m^2 미만인 특정소방대상물에는 초급소방감리원 1인 이상을 배치하여야 한다.

해설
소방공사 감리원의 배치기준 – 행정안전부령으로 정한다.

구 분	연면적	지하층 포함한 층수	기타
특급 중 소방기술사	20만 m^2 이상	40층 이상	초급 감리원(전기, 기계) 이상의 감리원을 같이 배치 하여야 함
특급	20만 m^2 미만 3만 m^2 이상 (아파트는 제외한다)	40층 미만 16층 이상	
고급	20만 m^2 미만 3만 m^2 이상인 아파트	물분무등소화설비 호스릴 방식은 제외 또는 제연설비가 설치되는 특정소방대상물	
중급	3만 m^2 미만 5천 m^2 이상	–	–
초급	5천 m^2 미만	–	지하구

정답 46 ③ 47 ③

48 일반 공사감리 대상의 경우 1인의 책임감리원이 담당하는 소방공사감리현장은 몇 개 이하인가? (단, 감리현장 연면적의 총 합계가 10만 m^2 이하인 경우이다.)

① 2개 ② 3개 ③ 4개 ④ 5개

해설
1명의 책임감리원이 담당하는 소방공사감리현장은 5개 이하(자동화재탐지설비 또는 옥내소화전설비 중 어느 하나만 설치하는 2개의 소방공사감리현장이 최단 차량주행거리로 30 km 이내에 있는 경우에는 1개의 소방공사 감리현장으로 본다)로서 감리현장 연면적의 총 합계가 10만 m^2 이하일 것. 다만, 아파트의 경우에는 연면적의 합계에 관계없이 1명의 책임감리원이 5개 이내의 공사현장을 감리할 수 있다.

49 소방시설공사의 착공 신고 시 첨부하여야 할 서류가 아닌 것은?

① 소방시설공사업 등록증 사본
② 당해 소방시설 설계자의 자격수첩 사본
③ 건축허가동의 시 제출된 설계도서에 변동이 있는 경우에는 설계도서
④ 소방시설공사업 등록수첩

해설
당해 소방시설 설계자의 자격수첩 사본은 건축허가 동의 시 필요한 서류이다.

50 소방시설공사업 등록신청시 제출하여야 할 자산평가액 또는 기업진단보고서는 신청일 전 최근 며칠 이내에 작성한 것이어야 하는가?

① 90일 ② 120일 ③ 150일 ④ 180일

해설
소방시설공사업 등록시 필요한 자산평가액 또는 기업진단 보고서는 신청일 전 90일 이내 작성한 것이어야 한다.

51 자동화재탐지설비 등 대통령령으로 정하는 소방시설에 하자가 있을 때, 관계인에 의해 하자발생에 관한 통보를 받은 공사업자는 몇 일 이내에 이를 보수하거나 보수일정을 기록한 하자보수계획을 관계인에게 서면으로 알려야 하는가?

① 1일 ② 3일 ③ 5일 ④ 7일

해설
하자보수 신청을 받은 공사업자는 3일 이내 보수 또는 하자보수계획을 작성하여야 한다.

정답 48 ④ 49 ② 50 ① 51 ②

●●● 52 **동일인이 소방시설설계업, 소방시설공사업, 소방공사감리업, 소방시설관리업을 동시에 하는 경우 한 현장에 같이 할 수 없는 시설업은?**

① 소방시설설계업, 소방시설공사업
② 소방시설설계업, 소방시설공사감리업
③ 소방시설공사업, 소방공사감리업
④ 소방시설공사업, 소방시설관리업

동일인은 소방시설공사업, 소방공사감리업을 함께 할 수 없다.

●●● 53 **소방시설공사의 설계와 감리에 대가는 엔지니어링산업 진흥법 대가 기준 중 각각 무슨 방식인가?**

① 공사비 요율에 따른 방식, 실비정액가산방식
② 실비정액가산방식, 실비정액가산방식
③ 실비정액가산방식, 공사비요율에 따른 방식
④ 공사비요율에 따른 방식, 공사비요율에 따른 방식

소방시설 공사 및 설계의 대가는 엔지니어링사업대가의 기준 중 공사비요율을 적용한다.
소방시설 감리, 소방시설점검업의 대가는 엔지니어링사업대가의 기준 중 실비정액가산방식을 적용한다.

●●○ 54 **다음은 소방시설공사업자의 시공능력평가액 산정을 위한 산식이다. (　　)에 들어갈 내용으로 알맞은 것은?**

시공능력평가액 = 실적평가액 + 자본금평가액 + 기술력평가액 + (　　) ± 신인도평가액

① 기술개발평가액
② 경력평가액
③ 자본투자평가액
④ 평균공사실적평가액

해설

시공능력평가액 = 실적평가액 + 자본금평가액 + 기술력평가액 + 경력평가액 ± 신인도평가액

+ 암기 **경(력)기(술력)실(적)신(인도)자(본금) 평가액**

●●● 55 **소방공사의 감리를 완료하였을 때 소방공사감리 결과를 통보하는 대상으로 옳지 않은 것은?**

① 특정소방대상물의 관계인
② 특정소방대상물의 설계업자
③ 소방시설공사의 도급인
④ 특정소방대상물의 공사를 감리한 건축사

감리업자는 소방공사의 감리를 마쳤을 때 행정안전부령으로 정하는 바에 따라 **그 감리 결과를 7일 이내에** 그 특정 **소방대상물의 관계인, 소방시설공사의 도급인**. 그 특정소방대상물의 공사를 감리한 **건축사에게 서면으로 알리고,** 소방본부장이나 소방서장에게 공사감리 결과보고서를 제출하여야 한다.

정답 52 ③ 53 ① 54 ② 55 ②

56 한국소방산업기술원의 사업영역이 아닌 것은?

① 소방용 기계 · 기구 등에 관한 조사 · 연구 · 기술개발
② 소방청장이 위탁하는 사업
③ 위험물 안전관리법에 따른 탱크안전성능 시험
④ 소방안전관리자 업무 강습

소방안전관리자에 대한 업무 강습은 한국소방안전원의 업무이다.

57 소방공사업법에서 시 · 도지사는 영업정지가 그 이용자에게 불편을 주거나 그 밖에 공익을 해칠 우려가 있을 때에는 영업정지처분을 갈음하여 얼마 이하의 과징금을 부과할 수 있는가?

① 3천만원
② 5천만원
③ 2억원
④ 3억원

영업정지가 그 이용자에게 불편을 주거나 그 밖에 공익을 해칠 우려가 있을 때에는 영업정지처분을 갈음하여 2억원 이하의 과징금을 부과할 수 있다.

58 소방시설공사업법에 따른 과징금의 부과기준으로 옳지 않은 것은?

① 영업정지 1개월은 30일로 계산한다.
② 과징금 산정은 영업정지기간(일)에 영업정지 1일에 해당하는 금액란의 금액을 곱한 금액으로 한다.
③ 위반행위가 둘 이상 발생한 경우 과징금 부과에 따른 영업정지기간(일) 산정은 개별기준에 따른 각각의 영업정지 처분기간 중 최대의 기간으로 한다.
④ 영업정지에 해당하는 위반사항으로서 위반행위의 동기 · 내용 · 횟수 또는 그 결과를 고려하여 그 처분기준의 2분의 1까지 감경한 경우 과징금 부과에 따른 영업정지기간(일) 산정은 감경한 영업정지기간으로 한다.

위반행위가 둘 이상 발생한 경우 과징금 부과에 따른 영업정지기간(일) 산정은 개별기준에 따른 각각의 영업정지 처분기간을 합산한 기간으로 한다.

정답 56 ④ 57 ③ 58 ③

●●● 59 **소방공사업법에서 과징금의 부과기준으로 옳지 않은 것은?**

① 영업정지 1개월은 30일로 계산한다.
② 과징금 산정은 영업정지기간(일)에 영업정지 1일에 해당하는 금액란의 금액을 곱한 금액으로 한다.
③ 위반행위가 둘 이상 발생한 경우 과징금 부과에 따른 영업정지기간(일) 산정은 각각의 영업정지처분기간을 합산한 기간으로 한다.
④ 영업정지에 해당하는 위반사항으로서 위반행위의 동기·내용·횟수 또는 그 결과를 고려하여 그 처분기준의 2분의 1까지 감경한 경우라도 과징금 부과에 따른 영업정지기간(일) 산정은 감경하기 전의 영업정지기간으로 한다.

해설
영업정지에 해당하는 위반사항으로서 위반행위의 동기·내용·횟수 또는 그 결과를 고려하여 그 처분기준의 2분의 1까지 감경한 경우 과징금 부과에 따른 영업정지기간(일) 산정은 감경한 영업정지기간으로 한다.

●●● 60 **소방시설업의 행정처분 기준 중 1차에 등록취소가 아닌 것은?**

① 거짓이나 그 밖의 부정한 방법으로 등록한 경우
② 등록 결격사유에 해당하게 된 경우
③ 영업정지 기간 중에 설계·시공 또는 감리를 한 경우
④ 다른 자에게 등록증 또는 등록수첩을 빌려준 경우

해설

위반사항	근거법령	행정처분 기준		
		1차	2차	3차
가. 거짓이나 그 밖의 부정한 방법으로 등록한 경우	법 제9조	등록취소		
나. 등록 결격사유에 해당하게 된 경우	법 제9조	등록취소		
다. 영업정지 기간 중에 설계·시공 또는 감리를 한 경우	법 제9조	등록취소		
라. 다른 자에게 등록증 또는 등록수첩을 빌려준 경우	법 제9조	6개월	등록취소	

●●○ 61 **소방시설공사업법에 따른 소방기술자의 실무교육 등에 관한 설명으로 옳지 않은 것은?**

① 소방시설업의 기술인력으로 등록된 소방기술자는 실무교육을 받아야 한다.
② 소방시설관리업의 기술인력으로 등록된 소방기술자는 실무교육을 받아야 한다.
③ 그 교육을 이수할 때까지 그 소방기술자는 기술인력으로 등록된 사람으로 보지 아니한다.
④ 실무교육은 1년마다 1회 이상 받아야 한다.

해설
실무교육은 2년마다 1회 이상 받아야 한다.

정답 59 ④ 60 ④ 61 ④

●●○ 62 **소방관련법령에 따른 시·도지사와 관련이 없는 것은?**

① 소방용 기계·기구 등이 형식승인
② 소방시설공사업법에 따른 과징금 부과
③ 소방시설업 등록
④ 위험물 제조소의 설치 허가

①의 내용은 소방청장과 관련이 있다.

●○○ 63 **소방기술인정자격의 취소, 정지에 대한 설명으로 옳지 않은 것은?**

① 거짓이나 그 밖의 부정한 방법으로 자격수첩을 발급받은 경우에는 인정 자격을 취소하여야 한다.
② 자격수첩을 다른 사람에게 빌려준 경우에는 인정 자격을 취소하여야 한다.
③ 동시에 둘 이상의 업체에 취업한 경우에는 인정자격을 정지하여야 한다.
④ 자격이 취소된 사람은 취소된 날부터 3년간 자격수첩을 발급받을 수 없다.

자격이 취소된 사람은 취소된 날부터 2년간 자격수첩을 발급받을 수 없다.

●●● 64 **소방시설공사업법에 따른 도급의 원칙 등에 대한 내용으로 옳지 않은 것은?**

① 소방시설공사등의 도급 또는 하도급의 계약당사자는 서로 대등한 입장에서 합의에 따라 공정하게 계약을 체결하고, 신의에 따라 성실하게 계약을 이행하여야 한다.
② 소방시설공사등의 도급 또는 하도급의 계약당사자가 그 계약을 체결할 때 도급 또는 하도급 금액, 공사기간, 그 밖에 대통령령으로 정하는 사항을 계약서에 분명히 밝혀야 하며, 서명날인한 계약서를 서로 내주고 보관하여야 한다.
③ 수급인은 하수급인에게 하도급과 관련하여 자재구입처의 지정 등 하수급인에게 불리하다고 인정되는 행위를 강요하여서는 아니 된다.
④ 도급을 받은 자가 해당 소방시설공사등을 하도급할 때에는 행정안전부령으로 정하는 바에 따라 미리 관계인과 감리자에게 알려야 하며 하수급인을 변경하거나 하도급 계약을 해지할 때에도 또한 같다.

도급을 받은 자가 해당 소방시설공사등을 하도급할 때에는 행정안전부령으로 정하는 바에 따라 미리 관계인과 발주자에게 알려야 한다. 하수급인을 변경하거나 하도급 계약을 해지할 때에도 또한 같다.

62 ① 63 ④ 64 ④

●●● 65 **소방시설공사업법에 따른 하도급대금의 지급 등에 대한 내용으로 옳지 않은 것은?**

① 수급인은 발주자로부터 도급받은 소방시설공사등에 대한 준공금(竣工金)을 받은 경우에는 하도급대금의 전부를 지급받은 날부터 30일 이내에 하수급인에게 현금으로 지급하여야 한다.
② 수급인은 발주자로부터 선급금을 받은 경우에는 하수급인이 자재의 구입, 현장근로자의 고용, 그 밖에 하도급 공사 등을 시작할 수 있도록 그가 받은 선급금의 내용과 비율에 따라 하수급인에게 선금을 받은 날부터 15일 이내에 선급금을 지급하여야 한다.
③ 수급인은 하도급을 한 후 설계변경 또는 물가변동 등의 사정으로 도급금액이 조정되는 경우에는 조정된 금액과 비율에 따라 하수급인에게 하도급 금액을 증액하거나 감액하여 지급할 수 있다.
④ 수급인은 발주자로부터 도급받은 소방시설공사등에 대한 기성금(既成金)을 받은 경우에는 하수급인이 시공하거나 수행한 부분에 상당한 금액을 지급받은 날부터 15일 이내에 하수급인에게 현금으로 지급하여야 한다.

해설
수급인은 발주자로부터 도급받은 소방시설공사등에 내한 준공금(竣工金)을 받은 경우에는 하도급대금의 전부를, 기성금(既成金)을 받은 경우에는 하수급인이 시공하거나 수행한 부분에 상당한 금액을 각각 지급받은 날(수급인이 발주자로부터 대금을 어음으로 받은 경우에는 그 어음만기일을 말한다)부터 15일 이내에 하수급인에게 현금으로 지급하여야 한다.

●●○ 66 **소방시설공사업에 따른 권한의 위임·위탁 등에 관한 내용으로 옳지 않은 것은?**

① 소방청장은 권한의 일부를 시·도지사에게 위임할 수 있다.
② 소방청장은 실무교육에 관한 업무를 실무교육기관 또는 소방시설업자협회에 위탁할 수 있다.
③ 소방청장은 시공능력 평가 및 공시에 관한 업무를 소방시설업자협회에 위탁할 수 있다.
④ 소방청장은 소방기술과 관련된 자격·학력·경력의 인정 업무를 소방시설업자협회, 소방기술과 관련된 법인 또는 단체에 위탁할 수 있다.

해설
소방청장은 실무교육에 관한 업무를 실무교육기관 또는 한국소방안전원에 위탁할 수 있다.

●●○ 67 **소방시설업에 따른 과태료 부과·징수자가 아닌 자는?**

① 소방청장
② 시·도지사
③ 소방본부장
④ 소방서장

해설
과태료는 대통령령으로 정하는 바에 따라 관할 시·도지사, 소방본부장, 소방서장이 부과·징수한다.

정답 65 ① 66 ② 67 ①

68 소방시설업에 대한 과태료 부과기준 중 위반행위의 횟수에 따른 과태료의 부과기준은 최근 1년간 같은 위반행위로 과태료를 부과받은 경우에 적용한다. 이 경우 위반행위에 대한 위반횟수 기준으로 옳은 것은?

① 과태료 부과처분을 한 날과 다시 같은 위반행위를 적발한 날을 기준
② 과태료 부과처분을 한 날과 다시 같은 과태료 부과처분을 한 날을 기준
③ 위반행위를 적발한 날과 다시 같은 위반행위를 적발한 날을 기준
④ 위반행위를 적발한 날과 다시 같은 위반행위에 대한 과태료 부과처분을 한 날을 기준

해설
위반행위의 횟수에 따른 과태료의 부과기준은 **최근 1년간 같은 위반행위로 과태료 부과받은 경우에 적용**한다. 이 경우 위반행위에 대하여 **과태료 부과처분을 한 날과 다시 같은 위반행위를 적발한 날을 기준**으로 하여 위반횟수를 계산한다.

69 공사감리 결과의 통보 또는 공사감리 결과보고서의 제출을 거짓으로 한 자의 벌칙으로 옳은 것은?

① 1천만원 이하의 벌금
② 300만원 이하의 벌금
③ 200만원 이하의 과태료
④ 100만원 이하의 과태료

해설
☞ 공사감리 결과의 통보 또는 공사감리 결과보고서의 제출을 거짓으로 한 자 – 1천만원 이하의 벌금

70 방염처리업의 종류별 영업범위와 등록기준에 관한 설명으로 옳지 않은 것은?

① 합판 또는 목재는 제조·가공공정에서 방염처리하여도 된다.
② 커텐·카페트 등 섬유류를 주된 원료로 하는 방염대상물품은 제조 또는 가공공정에서 방염처리를 한다.
③ 합성수지류는 설치현장에서 방염대상물품을 방염처리 할 수 있다.
④ 커텐등 섬유류(벽포지 포함)을 방염처리 할 경우 200°C 이상의 온도로 1분 이상 열처리가 가능한 가공기를 갖추어야 한다.

해설

구분	내용
섬유류방염업	커텐·카페트 등 섬유류를 주된 원료로 하는 방염대상물품을 제조 또는 가공공정에서 방염처리
합성수지류방염업	합성수지류를 주된 원료로 한 방염대상물품을 제조 또는 가공공정에서 방염처리
합판·목재류방염업	합판 또는 목재를 제조·가공공정 또는 설치현장에서 방염처리

정답 68 ① 69 ① 70 ③

●●● 71 방염처리업자의 지위를 승계한 자는 그 지위를 승계한날부터 며칠 이내에 관련서류를 시·도지사에게 제출하여야 하는가?

① 10일 ② 15일 ③ 30일 ④ 60일

해설

지위 승계자의 신고 및 교부
신고기간 – 행정안전부령으로 정하는 바에 따라 승계한 날부터 30일 이내에 시·도지사에게 신고

●●● 72 방염업자가 다른 사람에게 등록증을 빌려준 경우 1차 행정처분은?

① 3개월 정지 ② 6개월 정지 ③ 1년 정지 ④ 영업취소

해설

방염업 – 위반사항	행정처분기준		
	1차	2차	3차
거짓, 그 밖의 부정한 방법으로 등록을 한 경우	등록취소		
등록 결격사유에 해당하게 된 경우	등록취소		
영업정지기간 중에 소방시설공사 등을 한 경우	등록취소		
다른 자에게 등록증 또는 등록수첩을 빌려준 경우	6개월	등록취소	

정답 71 ③ 72 ②

PART 3

화재예방, 소방시설 설치 · 유지 및 안전관리에 관한 법률, 령, 규칙(소방시설법)

1. 목적

화재와 재난·재해, 그 밖의 위급한 상황으로부터 국민의 생명·신체 및 재산을 보호하기 위하여 화재의 예방 및 안전관리에 관한 국가와 지방자치단체의 책무와 소방시설등의 설치·유지 및 소방대상물의 안전관리에 관하여 필요한 사항을 정함으로써 **공공의 안전과 복리 증진에 이바지함을 목적으로 한다.**

2. 국가 및 지방자치단체의 책무

1 국가

(1) 화재로부터 국민의 생명과 재산을 보호할 수 있도록 종합적인 화재안전정책을 수립·시행

(2) 과학적 합리성, 일관성, 사전 예방의 원칙이 유지되도록 하되, 국민의 생명·신체 및 재산보호를 최우선적으로 고려하여야 한다.

2 지방자치단체

국가의 화재안전정책에 맞추어 지역의 실정에 부합하는 화재안전정책을 수립·시행

3 화재안전정책기본계획 등의 수립 · 시행

기본계획	시행계획	세부 시행계획
국가	소방청장	관계 중앙행정기관의 장 또는 시·도지사
5년마다	매년	매년

(1) 국가

화재안전 기반 확충을 위하여 **화재안전정책에 관한 기본계획(“기본계획”)**을 **5년마다** 수립·시행하여야 한다.

(2) 기본계획 사항

① 화재안전정책의 기본목표 및 추진방향

② 화재안전을 위한 법령·제도의 마련 등 기반 조성에 관한 사항

③ 화재예방을 위한 대국민 홍보·교육에 관한 사항

④ 화재안전 관련 기술의 개발·보급에 관한 사항
⑤ 화재안전분야 전문인력의 육성·지원 및 관리에 관한 사항
⑥ 화재안전분야 국제경쟁력 향상에 관한 사항
⑦ 그 밖에 대통령령으로 정하는 화재안전 개선에 필요한 사항
 – 화재현황, 화재발생 및 화재안전정책의 여건 변화에 관한 사항
 – 소방시설의 설치 유지 및 화재안전기준의 개선에 관한 사항

(3) 소방청장
① 기본계획을 시행하기 위하여 매년 시행계획을 수립·시행하되 **관계 중앙행정기관의 장과 협의하여 수립**한다.
② 수립된 기본계획 및 시행계획을 **관계 중앙행정기관의 장, 시·도지사에게 통보**한다.
③ 기본계획 및 시행계획을 수립하기 위하여 필요한 경우에는 관계 중앙행정기관의 장 또는 시·도지사에게 관련 자료의 제출을 요청할 수 있다. 이 경우 자료제출을 요청받은 관계 중앙행정기관의 장 또는 시·도지사는 특별한 사유가 없으면 이에 따라야 한다.

(4) 관계 중앙행정기관의 장 또는 시 · 도지사
① 소관 사무의 특성을 반영한 **세부 시행계획을 수립하여 시행**
② 시행결과를 소방청장에게 통보

(5) 기본계획, 시행계획 및 세부시행계획 등의 수립·시행에 관하여 필요한 사항은 대통령령으로 정하고 기본계획은 소방청장이 관계 중앙행정기관의 장과 협의하여 수립한다.

3. 소방특별조사

1 실시자

(1) 소방청장, 소방본부장 또는 소방서장
① **관할구역에 있는 소방대상물, 관계 지역 또는 관계인에 대하여 관계** 공무원으로 하여금 **소방안전관리에 관한 특별조사(소방특별조사)**를 하게 할 수 있다.

개인의 주거에 대하여는 **관계인의 승낙**이 있거나 **화재발생의 우려가 뚜렷하여 긴급한 필요**가 있는 때에 한정 한다.

② 소방특별조사를 실시하는 경우 다른 목적을 위하여 조사권을 남용하여서는 아니 된다.

☞ 소방특별조사를 정당한 사유 없이 거부 · 방해 또는 기피한 자 300만원 이하의 벌금

2 소방특별조사 실시해야 하는 경우

(1) 소방시설등, 방화·피난시설 등에 대한 **자체점검 등이 불성실, 불완전하다고 인정되는 경우**

(2) 소방기본법에 의한 화재경계지구에 대한 소방특별조사 등 **다른 법률에서 소방특별조사를 실시하도록 한 경우**

(3) **국가적 행사 등** 주요 행사가 개최되는 장소 및 그 주변의 관계 지역에 대하여 **소방안전관리 실태를 점검할 필요가 있는 경우**

(4) **화재가 자주 발생하였거나 발생할 우려가 뚜렷한 곳**에 대한 점검이 필요한 경우

(5) **재난예측정보, 기상예보** 등을 분석한 결과 소방대상물에 **화재, 재난·재해의 발생 위험이 높다고 판단 되는 경우**

(6) 화재, 재난·재해, 그 밖의 **긴급한 상황이 발생할 경우 인명 또는 재산 피해의 우려가 현저하다고 판단 되는 경우**

3 소방특별조사의 조사 세부 항목

(1) 소방안전관리 업무 수행에 관한 사항

(2) 화재의 예방조치 등에 관한 사항

(3) 다중이용업소의 안전관리에 관한 사항

(4) 위험물 안전관리에 관한 사항

(5) 불을 사용하는 설비 등의 관리와 특수가연물의 저장·취급에 관한 사항

(6) 소방계획서의 이행에 관한 사항

(7) 자체점검 및 정기적 점검 등에 관한 사항

※ 소방특별조사의 목적을 달성하기 위하여 필요한 경우에는 소방시설, 피난시설·방화구획 방화시설 및 임시소방시설의 설치·유지 및 관리에 관한 사항을 조사할 수 있다.

4 소방특별조사의 대상 선정자 - 소방청장, 소방본부장 또는 소방서장

5 소방특별조사위원회 구성

(1) **소방특별조사위원회 구성할 수 있는 자 - 소방본부장**

(2) 소방특별조사위원회

① 위원장을 1명을 포함한 **7명** 이내의 위원으로 성별을 고려하여 구성

② 위원장은 소방본부장

③ 위원회의 위원의 자격 – **소방본부장이 임명하거나 위촉**
㉠ **과장급** 직위 이상의 소방공무원
㉡ 소방기술사, 소방시설관리사
㉢ 소방 관련 **석사 학위** 이상을 취득한 사람
㉣ 소방 관련 법인 또는 단체에서 **소방 관련 업무에 5년 이상** 종사한 사람
㉤ 소방공무원 교육기관, 연구소, 대학 등에서 **소방과 관련한 교육 또는 연구에 5년 이상** 종사한 사람

④ 위촉위원의 임기는 2년으로 하고, 한 차례만 연임할 수 있다.

⑤ 위원회에 출석한 위원에게는 예산의 범위에서 수당, 여비 그 밖에 필요한 경비를 지급할 수 있다. 다만, 공무원인 위원이 그 소관 업무와 직접적으로 관련되어 위원회에 출석하는 경우는 제외

(3) **소방청장**

① **소방특별조사를 할 때 필요하면 중앙소방특별조사단을 편성하여 운영**할 수 있다.

Tip

※ **중앙소방특별조사단**
① 단장을 포함하여 21명 이내의 단원으로 성별을 고려하여 구성한다.
② 조사단의 단원은 다음에 해당하는 사람 중에서 소방청장이 임명 또는 위촉하고, 단장은 단원 중에서 소방청장이 임명 또는 위촉한다.
1. 소방공무원
2. 소방업무와 관련된 단체 또는 연구기관 등의 임직원
3. 소방 관련 분야에서 5년 이상 연구 또는 실무 경험이 풍부한 사람

② 중앙소방특별조사단의 업무수행을 위하여 필요하다고 인정하는 경우 관계 기관의 장에게 그 소속 공무원 또는 직원의 파견을 요청할 수 있다. 이 경우 공무원 또는 직원의 파견요청을 받은 관계 기관의 장은 특별한 사유가 없으면 이에 협조하여야 한다.

(4) 소방특별조사의 세부항목, 소방특별조사위원회의 구성 · 운영에 필요한 사항은 대통령령으로 정한다. 이 경우 소방특별조사의 세부 항목에는 소방시설등의 관리 상황 및 소방대상물의 화재 등의 발생 위험과 관련된 사항이 포함되어야 한다.

6 소방특별조사위원회 위원의 제척 · 기피 · 회피

구 분	대상자	내 용
제척	위원회 위원, 그 배우자, 배우자였던 사람, 위원의 친족이거나 친족이었던 사람	① 소방대상물등의 관계인이거나 그 관계인과 공동권리자 또는 공동의무자인 경우 ② 소방대상물등의 설계, 공사, 감리 등을 수행한 경우 ③ 소방대상물등과 직접적인 이해관계가 있는 경우

	위원회 위원	소방대상물등에 관하여 자문, 연구, 용역(하도급을 포함한다.), 감정 또는 조사를 한 경우
		임원 또는 직원으로 재직하고 있거나 최근 3년 내에 재직하였던 기업 등이 소방대상물등에 관하여 자문, 연구, 용역(하도급을 포함한다), 감정 또는 조사를 한 경우
기피	소방대상물등의 관계인은 위원에게 공정한 심의·의결을 기대하기 어려운 사정이 있는 경우에는 위원회에 기피(忌避) 신청을 할 수 있고, 위원회는 의결로 이를 결정한다. 이 경우 기피 신청의 대상인 위원은 그 의결에 참여하지 못한다.	
회피	위원이 제척 사유에 해당하는 경우에는 스스로 해당 안건의 심의·의결에서 회피(回避)하여야 한다.	

7 소방본부장이 위원을 해임·해촉할 수 있는 경우

(1) 심신장애로 인하여 직무를 수행할 수 없게 된 경우

(2) 직무태만, 품위손상이나 그 밖의 사유로 위원으로 적합하지 아니하다고 인정된 경우

(3) 제척사유에 해당함에도 불구하고 회피하지 아니한 경우

(4) 직무와 관련된 비위사실이 있는 경우

(5) 위원 스스로 직무를 수행하는 것이 곤란하다고 의사를 밝히는 경우

8 소방특별조사에의 전문가 참여

(1) 소방청장, 소방본부장 또는 소방서장은 필요시 소방기술사, 소방시설관리사, 그 밖에 소방·방재 분야에 관한 전문지식을 갖춘 사람을 소방특별조사에 참여하게 할 수 있다.

(2) 조사에 참여하는 전문가에게는 예산의 범위에서 수당, 여비, 경비를 지급할 수 있다.

9 소방특별조사의 방법·절차

(1) 통보

① 소방특별조사를 하려면 소방청장, 소방본부장 또는 소방서장은 **7일 전에 관계인에게** 조사대상, 조사기간 및 조사사유 등을 서면으로 알려야 한다.
단, ②의 ㉠, ㉡에 해당하는 경우 제외

② 소방특별조사는 **관계인의 승낙 없이 해가 뜨기 전이나 해가 진 뒤에 할 수 없다.**
다만, 다음 각 호의 어느 하나에 해당하는 경우에는 그러하지 아니하다.

㉠ **화재, 재난·재해가 발생할 우려가 뚜렷하여 긴급하게 조사할 필요가 있는 경우**

㉡ **소방특별조사의 실시를 사전에 통지하면 조사목적을 달성할 수 없다고 인정되는 경우**

(2) 연기신청 등

① 통지를 받은 관계인은 **천재지변이나 그 밖에 대통령령으로 정하는 사유**로 소방특별조사를 받기 곤란한 경우 소방특별조사 **시작 3일 전까지** 소방특별조사를 연기하여 줄 것을 신청할 수 있다.

Point

그 밖에 대통령령으로 정하는 사유

- 태풍, 홍수 등 재난이 발생하여 소방대상물을 관리하기가 매우 어려운 경우
- 관계인이 질병, 장기출장 등으로 소방특별조사에 참여할 수 없는 경우
- 권한 있는 기관에 자체점검기록부, 교육 · 훈련일지 등 소방특별조사에 필요한 장부 · 서류 등이 압수되거나 영치되어 있는 경우

② 제출서류

소방특별조사 연기신청서, 소방특별조사를 받기가 곤란함을 증명할 수 있는 서류

③ 연기신청을 받은 경우 연기신청 승인 여부를 결정하고 소방특별조사 연기신청 결과 통지서를 **조사 시작(개시) 전까지 연기신청을 한 자에게 통지하고 연기기간이 종료하면 지체 없이 조사를 시작**하여야 한다.

④ 소방특별조사의 연기를 승인한 경우라도 **연기기간이 끝나기 전에** 연기사유가 없어졌거나 긴급히 조사를 실시하여야 할 사유가 발생하였을 때에는 **관계인에게 통보**하고 소방특별조사를 실시할 수 있다.

10 소방특별조사의 방법

(1) **소방특별조사 업무를 수행**하는 관계 공무원 및 관계 전문가는 그 권한 또는 자격을 표시하는 **증표**를 지니고 이를 **관계인에게 내보여야 한다.**

(2) **관계 공무원**으로 하여금 다음의 행위를 하게 할 수 있다.

① 관계인에게 필요한 보고를 하도록 하거나 자료의 제출을 명하는 것

② 소방대상물의 위치 · 구조 · 설비 또는 관리 상황을 조사하는 것

③ 소방대상물의 위치 · 구조 · 설비 또는 관리 상황에 대하여 관계인에게 질문하는 것

(3) 중앙행정기관, 기술원, 협회, 한국전기안전공사 등과 **합동조사반을 편성하여 소방특별조사를 실시할 수 있다.**

(4) 소방청장, 소방본부장 또는 소방서장은 **소방특별조사를 마친 때에는 그 조사결과를 관계인에게 서면**으로 통지하여야 한다.

(5) 소방특별조사 업무를 수행하는 관계 공무원 및 관계 전문가는 **관계인의 정당한 업무를 방해하여서는 아니되며,** 조사업무를 수행하면서 취득한 자료나 알게 된 비밀을 **다른 자에게 제공 또는 누설**하거나 목적 외의 용도로 사용**하여서는 아니 된다.**

☞ 관계인의 정당한 업무를 방해한 자, 조사 · 검사 업무를 수행하면서 알게 된 비밀을 제공 또는 누설하거나 목적 외의 용도로 사용한 자 - 1년이하의 징역이나 1천만원 이하의 벌금

(6) 소방특별조사의 방법 및 절차에 필요한 사항은 **대통령령**으로 정한다.

(7) 소방특별조사계획의 수립 등 소방특별조사에 필요한 사항은 **소방청장**이 정한다.

11 소방특별조사 결과에 따른 조치명령

(1) **소방청장, 소방본부장 또는 소방서장은** 행정안전부령으로 정하는 바에 따라 관계인에게 그 소방 대상물의 개수(改修) · 이전 · 제거, 사용의 금지 또는 제한, 사용폐쇄, 공사의 정지 또는 중지, **그 밖의 필요한 조치를 명할 수 있으며** 법령을 위반하여 건축 또는 설비되었거나 소방시설등, 피난시설·방화구획, 방화시설 등이 법령에 적합하게 설치·유지·관리되고 있지 아니한 경우에는 관계 행정기관의 장에게 필요한 조치를 하여 줄 것을 요청할 수 있다.

☞ 정당한 사유 없이 소방특별조사 결과에 따른 조치명령을 위반한 자
- 3년 이하의 징역 또는 3천만원 이하의 벌금

(2) 소방특별조사 조치명령서를 관계인이 받고도 이를 이행하지 아니한 때에는 그 위반사실 등을 **인터넷 등에 공개**할 수 있다. 이 경우 공개내용과 공개방법 등을 공개 대상 소방대상물의 관계인에게 **미리 알려야 한다.**

(3) **조치명령 이행 기간이 끝난 때부터** 소방청, 소방본부 또는 소방서의 **인터넷 홈페이지**에 조치명령 미이행 소방대상물의 명칭, 주소, 대표자의 성명, 조치명령한 내용 및 미이행한 횟수를 게재하고, **매체**(관보, 지방자치단체의 공보, 유선방송, 일간신문, 반상회보 등) **을 통하여 1회 이상 같은 내용을 알려야 한다.**

(4) 조치명령 미이행 사실 등의 공개가 **제3자의 법익을 침해하는 경우**에는 **제3자와 관련된 사실을 제외하고 공개**하여야 한다.

(5) 소방대상물의 관계인이 조치명령을 이행하였을 때에는 **즉시 공개내용을 해당 인터넷 홈페이지에서 삭제**하여야 한다.

(6) 위반사실 등의 공개 절차, 공개 기간, 공개 방법 등 필요한 사항은 대통령령으로 정한다.

(7) 명령으로 인하여 손실을 입은 자가 있는 경우에는 소방특별조사 조치명령 손실확인서를 작성하여 관련 사진 및 그 밖의 증빙자료와 함께 보관하여야 한다.

12 손실 보상

(1) 소방특별조사 결과 명령으로 인하여 손실을 입은 자가 있는 경우 손실보상청구서 등을 **시 · 도지사에게 제출**하여야 한다.

(2) 제출서류
① 손실보상청구서
② 소방대상물의 관계인임을 증명할 수 있는 서류(**건축물대장은 제외**한다)
③ 손실을 증명할 수 있는 사진 그 밖의 증빙자료

(3) **소방청장, 시·도지사**는 손실을 입은 자가 있는 경우에는 대통령령으로 정하는 바에 따라 보상하여야 하며 손실보상에 관하여는 **시·도지사와 손실을 입은 자가 협의** 하여야 하고 **시·도지사가 손실을 보상하는 경우에는 시가로 보상**하여야 한다.

(4) 협의가 이루어진 때에는 손실보상을 청구한 자와 연명으로 **손실보상합의서를 작성**하고 이를 보관하여야 하며 보상금액에 관한 협의가 **성립되지 아니한 경우**에는 **시·도지사는 그 보상금액을 지급**하거나 **공탁하고 이를 상대방에게 알려야 한다.**

(5) 보상금의 지급 또는 공탁의 통지에 불복하는 자는 **지급 또는 공탁의 통지를 받은 날부터 30일 이내에 관할 토지수용위원회에 재결을 신청**할 수 있다.

4. 소방기술심의위원회

1 중앙소방기술심의위원회

(1) 심의 사항
① **화재안전기준에 관한 사항**
② **소방시설의 구조 및 원리 등에서 공법이 특수한 설계 및 시공에 관한 사항**
③ **소방시설의 설계 및 공사감리의 방법에 관한 사항**
④ **소방시설공사의 하자를 판단하는 기준에 관한 사항**
⑤ **그 밖에 소방기술 등에 관하여 대통령령으로 정하는 사항**
㉠ **연면적 10만 m^2 이상**의 특정소방대상물에 설치된 소방시설의 설계·시공·감리의 하자 유무에 관한 사항
㉡ **새로운 소방시설과 소방용품 등의 도입 여부에 관한 사항**
㉢ 그 밖에 소방기술과 관련하여 **소방청장이 심의에 부치는 사항**

(2) 중앙위원회 구성
① 소방청에 중앙소방기술심의위원회(이하 "중앙위원회"라 한다)를 둔다.
② 위원장을 포함하여 60명 이내로 성별을 고려하여 구성하고 위원장은 소방청장이 임명
③ 중앙위원회의 회의는 위원장과 위원장이 회의마다 지정하는 6명 이상 12명 이하의 위원으로 구성하고, 중앙위원회는 분야별 소위원회를 구성·운영할 수 있다.

④ 중앙위원회 중 위촉위원의 임기는 2년으로 한다. 다만, 보궐위원의 임기는 전임자 임기의 남은 기간으로 한다.

⑤ 중앙위원회의 위원(소방청장이 임명)

㉠ 과장급 직위 이상의 소방공무원

㉡ 소방기술사

㉢ 석사 이상의 소방 관련 학위를 소지한 사람

㉣ 소방시설관리사

㉤ 소방 관련 법인·단체에서 소방 관련 업무에 5년 이상 종사한 사람

㉥ 소방공무원 교육기관, 대학교 또는 연구소에서 소방과 관련된 교육이나 연구에 5년 이상 종사한 사람

2 지방소방기술심의위원회

(1) 심의 사항

① **소방시설에 하자가 있는지의 판단에 관한 사항**

② 그 밖에 소방기술 등에 관하여 **대통령령으로 정하는 사항**

㉠ **연면적 10만 m^2 미만**에 설치된 소방시설의 설계·시공·감리의 하자 유무에 관한

㉡ **소방본부장 또는 소방서장**이 화재안전기준 또는 위험물 제조소등의 시설기준의 적용에 관하여 **기술검토를 요청하는 사항**

㉢ 그 밖에 소방기술과 관련하여 **시·도지사가 심의에 부치는 사항**

(2) 구성

① 시·도에 지방소방기술심의위원회(이하 "지방위원회"라 한다)를 둔다.

② 지방위원회는 위원장을 포함하여 5명 이상 9명 이하의 위원으로 구성

③ 위원장 및 위원은 ⑤의 ㉡~㉥에서 **시·도지사가 임명하거나 성별을 고려하여 위촉**한다.

④ 위원 중 위촉위원의 임기는 2년 다만, 보궐위원의 임기는 전임자 임기의 남은 기간으로 함

(3) **중앙위원회 및 지방위원회의 구성 및 운영 등에 필요한 사항**은 대통령령으로 정함

3 위원장 및 위원의 직무

(1) 중앙위원회 및 지방위원회의 위원장은 위원회의 회의를 소집하고 그 의장이 된다.

(2) 위원장이 직무를 수행할 수 없을 때에는 위원장이 지정한 위원이 그 직무를 대리한다.

(3) **위원회의 조사활동 등**

① 심의와 관련하여 필요한 경우에는 관계인 등을 출석하게 하여 진술 또는 감정하게 하거나 필요한 문서 또는 물건을 제출하도록 요구할 수 있으며, 위원회의 위원으로 하여금 관련 시설 또는 서류를 조사·열람하게 할 수 있다. 이 경우 관계인 등은 특별한 사유가 없으면 조사에 협조하여야 한다.

② 소방서장은 위원회의 업무 수행에 필요한 조사 또는 서류의 열람 등에 협조하여야 한다.

(4) 시설 등의 확인 및 의견청취 – 소방청장 또는 시·도지사는 위원회의 원활한 운영을 위하여 필요한 경우 위원회 위원으로 하여금 관련 시설 등을 확인하게 하거나 해당 분야의 전문가 또는 이해관계자 등으로부터 의견을 청취하게 할 수 있다.

(5) 위원의 수당 – 예산의 범위에서 참석 및 조사·연구 수당을 지급할 수 있다.

(6) 운영세칙 – 운영에 필요한 사항은 소방청장 또는 시·도지사가 정한다.

(7) 위원의 제척, 기피, 회피 및 위원의 해임 및 해촉

– 4. 소방특별조사 6 소방특별조사위원회 내용과 동일함.

5. 소방대상물의 방염 등

1 방염성능 이상의 실내장식물 등을 설치하여야 하는 대통령령으로 정하는 특정소방대상물

① 근린생활시설 중 **의원**, **조산원, 산후조리원, 체력단련장**, **공연장** 및 **종교**집회장
② **건축물의 옥내에 있는 시설** [문화 및 집회시설, **종교**시설, 운동시설(**수영장은 제외**)]
③ **의료시설**, **노유자**시설 및 숙박이 가능한 **수련시설, 숙**박시설, 방송통신시설 중 **방송국 및 촬영**소
④ 다중이용업의 영업장
⑤ 층수가 **11층** 이상인 것(**아파트는 제외**)
⑥ 교육연구시설 중 **합숙소**

암기: 연예인 안**문숙**이 **11층**의 **체력단련장**에서 **운동**하다 **다**쳤는데 **의료시설**인 **조산 의원**에 안가고 **공연장**으로 가 이상하게 여겨 **방송국**에서 **촬영**하러 오니 **합숙소**의 **노유자, 수련시설**의 **종교**인등이 구경 옴

2 방염대상물품

(1) 1 에 실내장식 등의 목적으로 설치 또는 부착하는 물품으로서 방염대상물품은 방염성능 **기준 이상의 것**으로 설치하여야 한다.

☞ 위반한 자 – **200만원 이하의 과태료**

(2) 제조 또는 가공 공정에서 방염처리를 한 물품
(합판·목재류의 경우에는 설치 현장에서 방염처리를 한 것을 포함)

① 창문에 설치하는 **커튼류**(블라인드를 포함한다)
② **카펫, 두께가 2 mm 미만인 벽지류(종이벽지는 제외)**
③ 전시용 합판 또는 섬유판, 무대용 **합판 또는 섬유판**
④ **암막·무대막(영화상영관에 설치하는 스크린과 골프 연습장업에 설치하는 스크린**을 포함한다)
⑤ **섬유류 또는 합성수지류 등을 원료로 하여 제작된 소파·의자(단란주점영업, 유흥주점영업 및 노래연습장업의 영업장에 설치하는 것만 해당**한다) [신설 2013.1.9]

방염 안된 쇼파와
방염된 쇼파

(3) 건축물 내부의 천장이나 벽에 부착하거나 설치하는 것
다만, **가구류**(옷장, 찬장, 식탁, 식탁용 의자, 사무용 책상, 사무용 의자 및 계산대 등)과 **너비 10센티미터 이하인 반자돌림대** 등과 **내부마감재료**는 제외한다.

① 종이류(두께 2 mm 이상인 것을 말한다) · 합성수지류 또는 섬유류를 주원료로 한 물품
② 합판이나 목재
③ 공간을 구획하기 위하여 설치하는 간이 칸막이(접이식 등 이동 가능한 벽체나 천장 또는 반자가 실내에 접하는 부분까지 구획하지 아니하는 벽체를 말한다.)
④ 흡음(吸音)이나 방음(防音)을 위하여 설치하는 흡음재(흡음용 커튼을 포함한다) 또는 방음재(방음용 커튼을 포함한다)

3 방염성능기준

(1) 버너의 불꽃을 제거한 때부터 **불꽃을 올리며 연소하는 상태가 그칠 때까지 시간은 20초 이내**

(2) 버너의 불꽃을 제거한 때부터 **불꽃을 올리지 않고 연소하는 상태가 그칠 때까지 시간은 30초 이내**

(3) **탄화한 면적은 50 cm^2 이내, 탄화한 길이는 20 cm 이내**

(4) **불꽃에 의하여 완전히 녹을 때까지 불꽃의 접촉횟수는 3회 이상**

(5) **발연량을 측정하는 경우 최대연기밀도는 400 이하**
※ **방염성능기준은** 대통령령**으로 정한다.** – 소방안전관리론(1과목) 방염 참조

4 방염물품이 아닌 물품에 대한 조치 및 권장

(1) 소방본부장이나 소방서장은 방염대상물품이 방염성능기준에 미치지 못하거나 방염성능검사를 받지 아니한 것이면 소방대상물의 관계인에게 방염대상물품을 제거하도록 하거나 방염성능검사를 받도록 하는 등 필요한 조치를 명할 수 있다.

☞ 명령을 정당한 사유 없이 위반한 자 – 3년 이하의 징역 또는 3천만원 이하의 벌금

(2) 소방본부장 또는 소방서장은 방염 물품 외에 다음에 대하여 방염처리가 필요하다고 인정되는 경우에는 방염처리된 물품을 사용하도록 권장할 수 있다.

① 다중이용업소 · 의료시설 · 노유자시설 · 숙박시설 또는 장례식장에서 사용하는 침구류 · 소파 및 의자

② 건축물 내부의 천장 또는 벽에 부착하거나 설치하는 가구류

5 방염성능의 검사

(1) 방염대상물품은 **소방청장이 실시하는 방염성능검사를 받은 것**이어야 한다.

– **설치현장에서 방염처리를 하는 합판, 목재의 경우 시·도지사가 방염성능검사 실시**

(2) 방염처리업의 등록을 한 자는 방염성능검사를 할 때에 거짓 시료(試料)를 제출하여서는 아니 된다.

☞ 방염성능검사에 합격하지 아니한 물품에 합격표시를 하거나 합격표시를 위조하거나 변조하여 사용한 자, 거짓 시료를 제출한 자 – **300만원 이하의 벌금**

(3) 방염성능검사의 방법과 검사 결과에 따른 합격 표시 등에 필요한 사항은 행정안전부령으로 정한다.

6. 건축허가 등의 동의

1 건축허가 요청자, 동의자

(1) 요청자 – **건축허가등(신축 · 증축 · 개축 · 재축 · 이전 · 용도변경 또는 대수선의 허가·협의 및 사용승인)의 권한이 있는 행정기관**

수리(受理)할 권한이 있는 행정기관은 그 신고를 수리하면 그 건축물 등의 시공지 또는 소재지를 관할하는 소방본부장이나 소방서장에게 **지체 없이** 그 사실을 알려야 한다.

(2) 동의자 – 건축물 등의 시공지(施工地) 또는 소재지를 관할하는 **소방본부장이나 소방서장**

2 동의를 받아야 하는 건축물 등의 범위 (대통령령으로 정한다.)

학교시설	지하층 또는 무창층이 있는 건축물 (공연장)	노유자시설 수련시설	장애인 의료재활시설, 정신의료기관 (입원실이 없는 정신건강의학과 의원은 제외한다)	용도와 상관없음
연면적 $100m^2$ 이상	바닥면적 – $150\ m^2$ (바닥면적 – $100\ m^2$)	연면적 $200\ m^2$ 이상	연면적 $300\ m^2$ 이상	**연면적 $400\ m^2$ 이상**

차고 · 주차장 또는 주차용도로 사용되는 시설	면적에 상관없이 동의 대상
바닥면적 – 200 m² 이상인 층이 있는 건축물이나 주차시설 기계장치에 의한 주차시설로서 20대 이상	1. **층수가 6층 이상인 건축물** 2. **항공기격납고, 관망탑, 항공관제탑, 방송용 송·수신탑** 3. **위험물 저장 및 처리 시설, 지하구, 조산원, 산후조리원, 발전시설 중 전기저장시설** 4. 노인주거복지시설, 노인의료복지시설, 재가노인복지시설, 5. 학대피해노인 전용쉼터, 아동복지시설(아동상담소, 아동전용시설 및 지역아동센터는 제외) 6. 장애인 거주시설, 정신질환자 관련 시설, 노숙인자활시설, 노숙인재활시설 및 노숙인요양시설, 결핵환자나 한센인이 24시간 생활하는 노유자시설 ※ 5~6의 시설을 단독주택 또는 공동주택에 설치되는 시설은 제외 7. 요양병원(정신병원과 의료재활시설은 제외)

Point

무창층(無窓層)

지상층 중 다음의 요건을 모두 갖춘 개구부(건축물에서 채광 · 환기 · 통풍 또는 출입 등을 위하여 만든 창 · 출입구, 그 밖에 이와 비슷한 것을 말한다)의 면적의 합계가 해당 층의 바닥면적의 30분의 1 이하가 되는 층을 말한다.

(1) 크기는 지름 50 cm 이상의 원이 내접(內接)할 수 있는 크기일 것
(2) 해당 층의 바닥면으로부터 개구부 밑부분까지의 높이가 1.2 m 이내일 것
(3) 도로 또는 차량이 진입할 수 있는 빈터를 향할 것
(4) 화재 시 건축물로부터 쉽게 피난할 수 있도록 창살이나 그 밖의 장애물이 설치되지 아니할 것
(5) 내부 또는 외부에서 쉽게 부수거나 열 수 있을 것

3 건축허가 등의 동의 제외대상 특정소방대상물

(1) 소화기구, 유도등 또는 유도 표지, 인명구조기구, 누전경보기, 피난기구가 화재안전기준에 적합한 경우 암기 소유인누피

(2) 건축물의 증축 또는 용도변경으로 인하여 당해 특정소방대상물에 추가로 소방시설이 설치되지 아니한 경우

(3) 성능위주설계를 한 경우

4 건축허가 동의 시 필요한 서류 등

(1) 동의요구서
(2) 건축허가신청서 및 건축허가서 또는 건축허가 등을 확인할 수 있는 서류의 사본
(3) 설계도서. 다만, ①, ②의 설계도서는 소방시설공사 착공신고대상에 해당되는 경우에 한한다.
① **건축물의 단면도 및 주단면 상세도(내장재료를 명시한 것**에 한한다)

② **창호도**

③ **소방시설(기계 · 전기분야)의 층별 평면도 및 층별 계통도**(시설별 계산서를 포함한다)

(4) **소방시설 설치계획표**(소방시설 설비별, 층별 필요한 개수를 적어 놓은 표)

(5) **임시소방시설 설치계획서**(임시소방시설의 설치와 관련한 세부항목을 포함)

(6) **소방시설설계업등록증과 소방시설을 설계한 기술인력자의 기술자격증사본**

(7) 소방시설설계 계약서 사본 1부

5 건축허가 동의 기간(행정안전부령으로 정하는 기간)

(1) 회신기간

① **접수한 날부터 5일**

※ 다른 법령에 따라 소방시설을 설치하는 경우 적합 여부 요청 시 7일 이내

② **접수한 날부터 10일인 대상**

㉠ **30층 이상(지하층을 포함) 또는 지상으로부터 높이가 120 m 이상인 특정소방대상물**

㉡ **연면적이 20만 m^2 이상인 특정소방대상물**

(2) 보완 기간 – **4일 이내**

동의 요구서 및 첨부서류의 보완이 필요한 경우에는 4일 이내의 기간을 정하여 보완을 요구할 수 있다. 이 경우 **보완기간은 회신기간에 산입하지 아니하고**, 보완기간내에 보완하지 니하는 때에는 동의요구서를 반려하여야 한다.

(3) 건축허가 등의 취소 등

건축허가 등의 동의를 요구한 건축허가청 등이 그 건축허가 등을 취소한 때에는 취소한 날부터 **7일 이내**에 그 사실을 시공지 또는 소재지를 관할하는 소방본부장 또는 소방서장에게 그 사실을 통보하여야 한다.

(4) 사용승인의 동의

① 사용승인에 대한 동의를 할 때에는 소방시설공사의 완공검사증명서를 교부하는 것으로 동의를 갈음할 수 있다.

② 건축허가 등의 권한이 있는 행정기관은 소방시설공사의 완공검사증명서를 확인하여야 한다.

③ 행정기관은 건축허가등의 동의를 받거나 신고를 수리한 사실을 알릴 때 관할 소방본부장이나 소방서장에게 건축허가등을 하거나 신고를 수리할 때 건축허가등을 받으려는 자 또는 신고를 한 자가 제출한 설계도서 중 **건축물의 내부구조를 알 수 있는 설계도면을 제출하여야 한다. 다만, 국가안보상 중요하거나 국가기밀에 속하는 건축물을 건축하는 경우로서 관계 법령에 따라 행정기관이 설계도면을 확보할 수 없는 경우에는 그러하지 아니하다.** <신설 2018. 10. 16.>

6 전산시스템 구축 및 운영

① 소방청장, 소방본부장 또는 소방서장은 제출받은 설계도면의 체계적인 관리 및 공유를 위하여 전산시스템을 구축·운영하여야 한다.

② 소방청장, 소방본부장 또는 소방서장은 전산시스템의 구축·운영에 필요한 자료의 제출 또는 정보의 제공을 관계 행정기관의 장에게 요청할 수 있다. 이 경우 자료의 제출이나 정보의 제공을 요청받은 관계 행정기관의 장은 정당한 사유가 없으면 이에 따라야 한다.

7. 주택에 설치하는 소방시설

(1) 국가 및 지방자치단체는 **주택용 소방시설(소화기와 단독경보형감지기)**의 설치 및 국민의 자율적인 안전관리를 촉진하기 위하여 필요한 시책을 마련하여야 한다.

(2) 주택용 소방시설의 **설치기준 및 자율적인 안전관리 등에 관한 사항**은 시·도의 조례로 정한다.

(3) 단독주택, 공동주택(아파트 및 기숙사는 제외)의 소유자는 주택용 소방시설을 설치하여야 한다.

8. 특정소방대상물에 설치하는 소방시설 등의 유지 · 관리 등

1 특정소방대상물

소방시설을 설치하여야 하는 소방대상물로서 대통령령으로 정하는 것

1. 공동주택	아파트등	주택으로 쓰이는 층수가 5층 이상인 주택
	기숙사	학교 또는 공장 등의 학생 또는 종업원 등을 위하여 쓰는 것으로서 공동취사 등을 할 수 있는 구조를 갖추되, 독립된 주거의 형태를 갖추지 않은 것, 교육법에 의한 학생복지주택 포함

구분	건축물에 해당 용도	바닥면적의 합계	바닥면적 합계 이상시 용도
2. 근린생활시설	**슈퍼마켓**, 일용품(식품, 의류, 완구 등) 등의 소매점	1천 m^2 미만	판매시설(상점)
	의약품·의료기기 판매소 및 자동차영업소	1천 m^2 미만	판매시설
	학원, 고시원 ※ **자동차학원 : 항공기 및 자동차관련시설** ※ **무도학원 : 위락시설**	500 m^2 미만	교육연구시설 숙박시설
	탁구장, 체육도장, 체력단련장, 에어로빅장, 볼링장, 당구장, 실내낚시터, 골프연습장, 물놀이형 시설 등	500 m^2 미만	운동시설
	금융업소, 사무소, 부동산, 결혼상담소 출판사, 서점 등	500 m^2 미만	업무시설
	제조업소, 수리점 등 (배출시설 허가 또는 신고 대상 제외)	500 m^2 미만	공장
	청소년게임제공업 및 일반게임제공업의 시설, 인터넷컴퓨터게임시설제공업의 시설, 복합유통게임제공업의 시설	500 m^2 미만	판매시설(상점)
	공연장(극장, 영화상영관, 비디오물감상실업, 서커스장 등) 또는 **종교집회장**(교회, 성당, 사찰, 기도원 등)	300 m^2 미만	문화 및 집회시설/종교시설
	단란주점	150 m^2 미만	위락시설
	휴게음식점, 제과점, 일반음식점, 기원, 노래연습장, 의원, 치과의원, 한의원, 침술원, 접골원(接骨院), 조산원, 산후조리원, 안마원, 안마시술소, 이용원, 미용원, 목욕장 및 세탁소(배출시설의 설치허가 또는 신고의 대상이 되는 것은 제외), 사진관, 표구점, 독서실, 장의사, 동물병원, 총포판매소 등		

※ 하나의 대지에 2개 이상의 건축물이 있는 경우에는 이를 같은 건축물로 본다.

예제 01

다음 중 근린생활시설이 아닌 것은?

① 바닥면적 합계가 1천 m^2 미만인 슈퍼마켓
② 바닥면적 합계가 500 m^2 미만인 고시원
③ 바닥면적 합계가 500 m^2 미만인 학원
④ 바닥면적 합계가 500 m^2 미만인 공연장

해답 ④

바닥면적 합계가 300 m^2 미만인 공연장 또는 종교집회장이 근린생활시설이다.

3. 문화 및 집회시설	공연장	근린생활시설에 해당하지 않는 것(300 m² 이상)
	집회장	예식장, 공회당, 회의장, 마권(馬券) 장외 발매소, 마권 전화투표소
	관람장	경마장, 경륜장, 경정장, 자동차 경기장, 그 밖에 이와 비슷한 것과 체육관 및 운동장으로서 관람석의 바닥면적의 합계가 1천 m^2 이상
	전시장	박물관, 미술관, 과학관, 문화관, 체험관, 기념관, 산업전시장, 박람회장, 견본주택
	동·식물원	**동물원, 식물원, 수족관**

예제 02

다음 중 문화 및 집회시설이 아닌 것은?

① 공연장 ② 동·식물원 ③ 회의장 ④ 종교집회장

해답 ④

종교집회장은 종교시설이다.

4. 종교시설	종교집회장	• 근린생활시설에 해당하지 않는 것(300 m² 이상) • **종교집회장에 설치하는 봉안당(奉安堂)**

5. 판매시설	도매시장	농수산물도매시장, 농수산물공판장 등
	소매시장	시장, 대규모점포, 전통시장
	상점	슈퍼마켓, 일용품 등의 용도 – 1천 m^2 이상
		청소년게임 및 일반게임제공업의 시설 등의 용도 – 500 m^2 이상

6. 운수시설	여객자동차터미널, 철도 및 도시철도 시설(정비창 등 관련시설을 포함한다), 공항시설(항공관제탑을 포함한다), 항만시설 및 종합여객시설

7. 의료시설	병원 : 종합병원, 병원, 치과병원, 한방병원, 요양병원
	격리병원 : 전염병원, 마약진료소 및 그 밖에 이와 비슷한 것
	정신의료기관, 장애인 의료재활시설

8. 교육연구 시설	학교	• 초등학교, 중학교, 고등학교, 특수학교 및 그 밖에 이에 준하는 학교 • 대학, 대학교 및 그 밖에 이에 준하는 각종 학교 : 교사 및 합숙소
	교육원(연수원, 그 밖에 이와 비슷한 것을 포함한다), 직업훈련소, 도서관 학원(근생에 해당하는 것과 자동차운전학원·정비학원 및 무도학원은 제외한다), 연구소(연구소에 준하는 시험소와 계량계측소를 포함한다)	

9. 노유자 시설	노인 관련 시설	노인주거복지시설, 노인의료복지시설, 노인여가복지시설, 재가노인복지시설, 노인보호전문기관, 노인일자리지원기관, 학대피해노인 전용쉼터
	아동 관련 시설	아동복지시설, 어린이집, 유치원**(병설유치원 포함)**
	장애인 관련 시설	장애인 거주시설, 장애인 지역사회시설, 장애인직업재활시설
	정신질환자 관련 시설	정신재활시설, 정신요양시설
	노숙인관련시설	**노숙인 복지시설**(노숙인일시보호시설, 노숙인자활시설, 노숙인재활시설, 노숙인요양시설 및 쪽방삼당소만 해당), 노숙인종합지원센터
	사회복지시설	결핵환자 또는 한센인 요양시설

10. 수련시설	생활권 수련시설	청소년수련관, 청소년문화의집, 청소년특화시설 등
	자연권 수련시설	청소년수련원, 청소년야영장 등
	유스호스텔	

11. 운동시설	체육관	**관람석이 없거나 관람석의 바닥면적이 1천 m^2 미만인 것**
	운동장	육상장, 구기장, 볼링장, 수영장, 스케이트장, 롤러스케이트장, 승마장, 사격장, 궁도장, 골프장 등과 이에 딸린 건축물로서 **관람석이 없거나 관람석의 바닥면적이 1천 m^2 미만인 것**
	탁구장, 체육도장, 테니스장, 체력단련장, 에어로빅장, 볼링장, 당구장, 실내낚시터, 골프연습장, 물놀이형 시설등으로서 근린생활시설에 해당하지 않는 것(500 m^2 이상)	

12. 업무시설	공공업무시설	국가 또는 지방자치단체의 청사, 외국공관의 건축물
	일반업무시설	금융업소, 사무소, 신문사, 오피스텔
	주민자치센터(동사무소), 경찰서, 지구대, 파출소, 소방서, 119안전센터, 우체국, 보건소, 국민건강보험공단, **공공도서관, 변전소, 양수장, 정수장, 대피소, 공중화장실,** 마을공회당, 마을공동작업소, 마을공동구판장	

13. 숙박시설	일반숙박시설	손님이 잠을 자고 머물 수 있도록 시설(**취사시설은 제외**한다) 및 설비 등의 서비스를 제공하는 영업
	관광숙박시설	손님이 잠을 자고 머물 수 있도록 시설(**취사시설을 포함**한다) 및 설비 등의 서비스를 제공하는 영업
	고시원	**근린생활시설에 해당하지 않는 것(500 m^2 이상)**

14. 위락시설	단란주점, 유흥주점, 유원시설업의 시설, 무도장 및 무도학원, 카지노영업소

15. 공장	물품의 제조·가공 또는 수리에 계속적으로 이용되는 건축물로서 근린생활시설, 위험물 저장 처리 시설, 항공기 및 자동차 관련 시설, 분뇨 및 쓰레기 처리시설, 묘지 관련 시설 등으로 따로 분류되지 않는 것

16. 창고시설	창고(물품저장시설로서 냉장·냉동창고를 포함한다). 하역장, 물류터미널, 집배송시설

17. 위험물 저장 및 처리 시설	**위험물제조소등**
	가스(지상에 노출된 산소 또는 가연성가스)시설 **1) 탱크의 저장용량의 합계가 100톤 이상** **2) 저장용량이 30톤 이상인 탱크가 있는 가스시설**로서 다음의 어느 하나에 해당하는 것 – 가스제조시설, 가스저장시설, 가스취급시설

18. 항공기 및 자동차 관련 시설	항공기격납고, 주차용 건축물·차고, 철골 조립식 주차시설(바닥면이 조립식이 아닌 것을 포함한다) 및 기계장치에 의한 주차시설, 세차장, 폐차장, 자동차검사장, 자동차매매장, 자동차정비공장, 운전학원·정비학원, 주차장
	「여객자동차 운수사업법」, 「화물자동차 운수사업법」 및 「건설기계관리법」에 따른 차고 및 주기장
	단독주택, 공동주택 중 50세대 미만인 연립주택 또는 50세대 미만인 다세대주택의 건축물을 제외한 건축물의 내부(필로티와 건축물 지하를 포함)에 설치된 주차장

19. 동물 및 식물 관련 시설	축사(부화장을 포함한다), 도축장. 도계장, 가축시설 작물 재배사, 종묘배양시설, 화초 및 분재 등의 온실
	식물과 관련된 시설과 비슷한 것**(동·식물원은 제외한다)**

20. 자원순환 관련 시설	하수 등 처리시설, 고물상, 폐기물재활용시설, 폐기물처분시설, 폐기물감량화시설

21. 교정 및 군사시설	보호감호소, 교도소, 구치소, 보호관찰소, 갱생보호시설, 치료감호시설, 소년원 및 소년분류심사원, 「출입국관리법」 제52조제2항에 따른 보호시설, 유치장, 국방·군사시설

22. 방송통신시설	방송국, 전신전화국, 촬영소, 통신용 시설

23. 발전시설	원자력발전소, 화력발전소, 수력발전소(조력발전소를 포함한다), 풍력발전소, 전기저장시설 [20 kWh 초과하는 리튬·나트륨·레독스플로우 계열의 이차전 지를 이용한 전기저장장치의 시설]

24. 묘지관련 시설	화장시설, 봉안당, 묘지와 자연장지에 부수되는 건축물, 동물화장시설, 동물건조장(乾燥葬) 시설 및 동물 전용의 납골시설

25. 관광휴게시설	야외음악당, 야외극장, 어린이회관, 관망탑, **휴게소 등**

26. 장례시설	① 장례식장[**의료시설의 부수시설은 제외한다.**] ② 동물 전용의 장례식장

<table>
<tr><td rowspan="3">27. 지하가</td><td colspan="2">지하의 공작물 안에 설치되어 있는 점포, 사무실 및 그 밖에 이와 비슷한 시설로서 연속하여 지하도에 면하여 설치된 것과 그 지하도를 합한 것</td></tr>
<tr><td colspan="2">지하상가</td></tr>
<tr><td>터널</td><td>지하, 해저 또는 산을 뚫어서 차량(궤도차량용은 제외한다) 등의 통행을 목적으로 만든 것</td></tr>
</table>

28. 지하구	**전력·통신용의 전선이나 가스·냉난방용의 배관 또는 이와 비슷한 것을 집합수용하기 위해 설치한 지하공작물로서 사람이 점검 또는 보수를 하기 위하여 출입이 가능한 것 중** ㉠ 전력 또는 통신사업용 지하 인공구조물로서 전력구(케이블 접속부가 없는 경우에는 제외) 또는 통신구 방식으로 설치 된 것 ㉡ ㉠ 외의 지하공작물로서 **폭 1.8 m 이상이고 높이가 2 m 이상이며 길이가 50 m 이상인 것** ㉢ 공동구

29. 문화재	문화재로 지정된 건축물

30. 복합건축물	1) 하나의 건축물 안에 근린생활시설부터 지하가까지의 것 중 **둘 이상의 용도**로 사용되는 것. 다만, 다음 각 목의 어느 하나에 해당하는 경우에는 **복합건축물로 보지 않는다.** (1) **주된 용도의 부수시설로서 그 설치를 의무화하고 있는 용도 또는 시설** (2) **주택대지 안에 설치하는 부대시설 또는 복리시설이 설치되는 특정소방대상물** (3) **건축물의 주된 용도의 기능에 필수적인 용도**로서 다음의 어느 하나에 해당하는 용도 ① **건축물의 설비·대피 및 위생**, 그 밖에 이와 비슷한 시설의 용도 ② **사무·작업·집회·물품저장·주차**, 그 밖에 이와 비슷한 시설의 용도 ③ **구내식당·구내세탁소·구내운동시설 등 종업원후생복리시설 및 구내소각 시설** 등 2) 하나의 건축물이 근린생활시설, 판매시설, 업무시설, 숙박시설 또는 위락시설의 용도와 주택의 용도로 함께 사용되는 것

Point

둘 이상의 건물을 하나 또는 별개의 건물로 보는 경우

1. 둘 이상의 건물을 하나로 보는 경우

1) 둘 이상의 특정소방대상물이 어느 하나로 연결된 경우

<table>
<tr><td rowspan="4">연결통로로
되어 있는 경우</td><td rowspan="3">내화구조</td><td>벽이 없는 구조</td><td>그 길이가 6 m 이하</td></tr>
<tr><td>벽이 있는 구조</td><td>그 길이가 10 m 이하인 경우.</td></tr>
<tr><td colspan="2">※ 벽 높이가 바닥에서 천장 높이의 2분의 1 이상인 경우에는 벽이 있는 구조로 보고, 벽 높이가 바닥에서 천장 높이의 2분의 1 미만인 경우에는 벽이 없는 구조로 본다.</td></tr>
<tr><td>기타구조</td><td colspan="2">조건 없이 하나의 소방대상물로 본다.</td></tr>
<tr><td colspan="4">콘베이어로 연결되거나 플랜트설비의 배관 등으로 연결되어 있는 경우</td></tr>
<tr><td colspan="4">지하보도, 지하상가, 지하가로 연결된 경우</td></tr>
<tr><td colspan="4">방화셔터 또는 갑종방화문이 설치되지 않은 피트로 연결된 경우</td></tr>
<tr><td colspan="4">지하구로 연결된 경우</td></tr>
</table>

2) 특정소방대상물의 지하층이 지하가와 연결되어 있는 경우 **해당 지하층의 부분을 지하가로 본다.** 단, 지하가와 연결되는 지하층에 **지하층 또는 지하가에 설치된 방화문이 자동폐쇄장치, 자동화재탐지설비 또는 자동소화설비와 연동하여 닫히는 구조이거나 상부에 드렌쳐설비를 설치한 경우에는 지하가로 보지 않는다.**

2. 연결통로 등으로 연결된 둘 이상의 건물을 별개의 소방대상물로 보는 경우

1) **소방대상물 양쪽에 화재 시 경보설비 또는 자동소화설비의 작동과 연동하여 자동으로 닫히는 방화셔터 또는 갑종방화문**이 설치된 경우

2) **소방대상물 양쪽에 화재 시 자동 방식의 드렌쳐설비 또는 개방형스프링클러헤드가 설치**된 경우

※ 하나의 건축물에 둘 이상의 용도가 완전구획한 경우 별개의 대상물로 본다.
내화구조로 된 하나의 특정소방대상물이 개구부(건축물에서 채광 · 환기 · 통풍 · 출입목적으로 만든 창이나 출입구를 말한다)가 없는 내화구조의 바닥과 벽으로 구획되어 있는 경우 ("완전구획") 에는 그 구획된 부분을 각각 별개의 특정소방대상물로 본다.

2 소방시설

(1) **소화설비, 경보설비, 피난구조설비, 소화용수설비, 소화활동설비**로서 **대통령령**으로 정하는 것

① **소화설비** – 물 또는 그 밖의 소화약제를 사용하여 소화하는 기계 · 기구 또는 설비

<table>
<tr><td rowspan="5">소화기구</td><td>소화기</td><td></td></tr>
<tr><td>자동확산소화기</td><td></td></tr>
<tr><td rowspan="3">간이소화용구</td><td>에어로졸식 소화용구</td></tr>
<tr><td>투척용 소화용구, 소공간용 소화용구</td></tr>
<tr><td>소화약제 외의 것을 이용한 간이소화용구</td></tr>
<tr><td rowspan="3">자동소화장치</td><td colspan="2">고체에어로졸자동소화장치</td></tr>
<tr><td colspan="2">가스자동소화장치</td></tr>
<tr><td colspan="2">분말자동소화장치</td></tr>
</table>

	캐비닛형 자동소화장치		
	주거용 주방자동소화장치		
	상업용 주방자동소화장치		
옥내소화전설비(호스릴옥내소화전설비를 포함), 옥외소화전설비			
스프링클러설비등	스프링클러설비		
	간이스프링클러설비(캐비닛형 간이스프링클러설비를 포함)		
	화재조기진압용 스프링클러설비		
물분무등소화설비	물분무소화설비	미분무소화설비	포소화설비
	이산화탄소소화설비	할론소화설비	분말소화설비
	할로겐화합물 및 불활성기체 소화설비		강화액소화설비
	고체에어로졸소화설비		

• 불활성기체 : 다른 원소와 화학 반응을 일으키기 어려운 기체

② **경보설비** – 화재발생 사실을 통보하는 기계 · 기구 또는 설비

비상경보설비(비상벨설비, 자동식사이렌설비)		단독경보형감지기
비상방송설비		누전경보기
자동화재탐지설비	시각경보기	자동화재속보설비
가스누설경보기		통합감시시설

③ **피난구조설비** – 화재가 발생할 경우 피난하기 위하여 사용하는 기구 또는 설비

피난기구 (피난사다리 · 구조대 · 완강기, 그 밖에 화재안전기준으로 정하는 것)	
인명구조기구, 방열복, 방화복(안전모, 보호장갑 및 안전화 포함), 공기호흡기, 인공소생기	
유도등 (피난유도선, 피난구유도등, 통로유도등, 객석유도등, 유도표지)	비상조명등 및 휴대용비상조명등

④ **소화용수설비** – 화재를 진압하는데 필요한 물을 공급하거나 저장하는 설비

상수도소화용수설비	소화수조 · 저수조, 그 밖의 소화용수설비

⑤ **소화활동설비** – 화재를 진압하거나 인명구조활동을 위하여 사용하는 설비

제연설비	비상콘센트설비	무선통신보조설비
연결송수관설비	연결살수설비	연소방지설비

3 소방시설등

소방시설과 비상구(非常口), 그 밖에 소방 관련 시설로서 대통령령으로 정하는 것

– 그 밖에 소방 관련 시설로서 대통령령으로 정하는 것 : **방화문, 방화셔터**

4 설치, 유지관리자

(1) **관계인**은 대통령령으로 정하는 바에 따라 특정소방대상물의 규모 · 용도 · 위험특성 · 이용자 특성 및 수용 인원 등을 고려하여 갖추어야 하는 소방시설을 소방청장이 정하여 고시하는 화재안전기준에 따라 설치 또는 유지 · 관리하여야 한다. **이 경우 장애인등이 사용하는 소방시설(경보설비 및 피난구조설비를 말한다)**은 대통령령으로 정하는 바에 따라 장애인등에 적합하게 설치 또는 유지·관리하여야 한다.

☞ 위반한 자 – 300만원 이하의 과태료 [미설치 : 300만원 이하, 중요시설(펌프, 수신기 전원 등) 방치 : 100만원 이하, 기타는 1년 이상 2회 위반한 경우 100만원 이하]

(2) 특정소방대상물의 규모 · 용도 및 수용 인원 등을 고려하여 갖추어야 하는 소방시설 등

① 소방시설구조원리(5과목) 각 소방시설별 설치대상 참조

② **수용 인원의 산정 방법**

<table>
<tr><th>구 분</th><th>용도</th><th colspan="3">수용인원 산정수</th></tr>
<tr><td rowspan="2">숙박시설이 있는 특정소방대상물</td><td>침대가 있는 숙박시설</td><td colspan="3">종사자 수 + 침대 수(2인용 침대는 2로 산정한다)</td></tr>
<tr><td>침대가 없는 숙박시설</td><td colspan="3">종사자 수 + (바닥면적의 합계 ÷ 3 m^2)</td></tr>
<tr><td rowspan="5">기타 대상물</td><td>강의실 · 교무실 · 상담실 실습실 · 휴게실</td><td colspan="3">바닥면적의 합계 ÷ 1.9 m^2</td></tr>
<tr><td rowspan="3">강당, 문화 및 집회시설 운동시설, 종교시설</td><td colspan="3">바닥면적의 합계 ÷ 4.6 m^2</td></tr>
<tr><td rowspan="2">관람석이 있는 경우</td><td>고정식 의자</td><td>의자 수</td></tr>
<tr><td>긴 의자</td><td>정면너비 ÷ 0.45 m</td></tr>
<tr><td>그 밖의 특정소방대상물</td><td colspan="3">바닥면적의 합계 ÷ 3 m^2</td></tr>
</table>

Point

바닥면적 산정 방법 시 주의사항

- **복도**(「건축법 시행령」 제2조제11호에 따른 준불연재료 이상의 것을 사용하여 바닥에서 천장까지 벽으로 구획한 것을 말한다), **계단 및 화장실의 바닥면적을 포함하지 않는다.**
- 계산 결과 **소수점 이하의 수는 반올림**한다.

③ **내진 설계대상**

「지진·화산재해대책법」 시설 중 대통령령으로 정하는 특정소방대상물에 대통령령으로 정하는 소방시설을 설치하려는 자는 지진이 발생할 경우 소방시설이 정상적으로 작동될 수 있도록 소방청장이 정하는 내진설계기준에 맞게 소방시설을 설치하여야 한다.

Point

대통령령으로 정하는 특정소방대상물

층수가 3층 이상인 건축물 / 연면적 500m^2 이상인 건축물 / 높이가 13m 이상인 건축물 / 처마높이가 9m 이상인 건축물 / 기둥과 기둥 사이의 거리가 10m 이상인 건축물 / 종합병원, 병원 및 요양병원 / 학교시설 중 체육관, 기숙사, 강당 / 공동구 / 항만시설, 공항시설 등등등

대통령령으로 정하는 소방시설

- 소방시설 중 **옥내소화전설비, 스프링클러설비, 물분무등소화설비를** 말한다.

예제 03

소방관계법령상 내진설계 대상이 아닌 소방시설은?

① 옥내소화전설비 ② 스프링클러설비 ③ 분말소화설비 ④ 연결송수관설비

해답 ④

④ 성능위주설계

- 대통령령으로 정하는 특정소방대상물(신축한 것만 해당)은 그 **용도, 위치, 구조, 수용인원, 가연물(可燃物)의 종류 및 양 등을 고려하여 설계("성능위주설계")**하여야 한다.
- 성능위주설계의 기준과 그 밖에 필요한 사항은 소방청장이 정하여 고시한다.

⑤ 소방용품의 내용연수

- 분말형태의 소화약제를 사용하는 소화기(10년)

(3) 특정소방대상물별로 설치하여야 하는 소방시설의 정비 등

① 소방시설을 정할 때에는 특정소방대상물의 규모·용도 및 수용인원 등을 고려하여야 한다.

② 소방청장

㉠ 건축 환경 및 화재위험특성 변화사항을 효과적으로 반영할 수 있도록 소방시설 규정을 **3년에 1회 이상** 정비하여야 한다.

㉡ 건축 환경 및 화재위험특성 변화 추세를 체계적으로 연구하여 정비를 위한 개선방안을 마련하여야 하고 연구의 수행 등에 필요한 사항은 **행정안전부령**으로 정한다.

(4) 특정소방대상물의 관계인은 소방시설을 유지·관리할 때 소방시설의 기능과 성능에 지장을 줄 수 있는 폐쇄·차단 등의 행위를 하여서는 아니 된다. 다만, 소방시설 등의 점검·정비를 위한 폐쇄·차단은 할 수 있다.

☞ 소방시설에 폐쇄·차단 등의 행위를 한 자
- **5년 이하의 징역 또는 5천만원 이하의 벌금**
- **사람을 상해에 이르게 한 때에는 7년 이하의 징역 또는 7천만원 이하의 벌금**
- **사망에 이르게 한 때에는 10년 이하의 징역 또는 1억원 이하의 벌금**

5 소방시설등의 조치명령 등

소방본부장이나 소방서장은 소방시설이 화재안전기준에 따라 설치 또는 유지·관리되어 있지 아니할 때에는 해당 특정소방대상물의 관계인에게 필요한 조치를 명할 수 있다.

☞ 명령을 정당한 사유 없이 위반한 자 – **3년 이하의 징역 또는 3천만원 이하의 벌금**

9. 피난시설, 방화구획 및 방화시설의 유지·관리

(1) 특정소방대상물의 관계인은 피난시설, 방화구획(防火區劃) 및 방화벽, 내부 마감재료 등 ("방화시설")에 대하여 다음 각 호의 행위를 하여서는 아니 된다.

① 피난시설, 방화구획 및 방화시설을 폐쇄하거나 훼손하는 등의 행위
② 피난시설, 방화구획 및 방화시설의 주위에 물건을 쌓아두거나 장애물을 설치하는 행위
③ 피난시설, 방화구획 및 방화시설의 용도에 장애를 주거나 소방활동에 지장을 주는 행위
④ 그 밖에 피난시설, 방화구획 및 방화시설을 변경하는 행위

☞ 피난시설, 방화구획 또는 방화시설의 폐쇄·훼손·변경 등의 행위를 한 자 – 300만원 이하의 과태료

(2) 소방본부장이나 소방서장은 특정소방대상물의 관계인이 피난시설, 방화구획 및 방화시설을 폐쇄하거나 훼손 등의 행위를 한 경우에는 피난시설, 방화구획 및 방화시설의 유지·관리를 위하여 필요한 조치를 명할 수 있다.

☞ 명령을 정당한 사유 없이 위반한 자 – 3년 이하의 징역 또는 3천만원 이하의 벌금

10. 특정소방대상물의 공사 현장에 설치하는 임시소방시설의 유지 · 관리 등

(1) 특정소방대상물의 건축·대수선·용도변경 또는 설치 등을 위한 공사를 시공하는 자(**시공자**)는 공사 현장에서 인화성물품을 취급하는 작업 등 대통령령으로 정하는 작업("**화재위험작업**")을 하기 전에 설치 및 철거가 쉬운 화재대비시설("**임시소방시설**")을 설치하고 유지·관리하여야 한다.

① **화재위험작업**

㉠ **인화성·가연성·폭발성 물질을 취급**하거나 **가연성 가스를 발생**시키는 작업

㉡ 용접·용단 등 **불꽃을 발생**시키거나 **화기(火氣)를 취급**하는 작업

㉢ 전열기구, 가열전선 등 **열을 발생시키는 기구를 취급**하는 작업

㉣ 소방청장이 정하여 고시하는 **폭발성 부유분진을 발생**시킬 수 있는 작업

㉤ 그 밖에 이와 비슷한 작업으로 **소방청장이 정하여 고시**하는 작업

② 임시소방시설의 종류와 설치기준

종 류	정 의	규 모
소화기	–	동의를 받아야 하는 특정소방대상물의 건축·대수선·용도변경 또는 설치 등을 위한 공사 중 화재위험작업을 하는 현장(작업현장)에 설치한다.
간이 소화장치	물을 방사(放射)하여 화재를 진화할 수 있는 장치	– 연면적 3,000 m² 이상 – 지하층, 무창층 및 4층 이상의 층. 이 경우 해당 층의 바닥면적이 600 m² 이상인 경우만 해당
비상 경보장치	화재가 발생한 경우 주변에 있는 작업자에게 화재 사실을 알릴 수 있는 장치	– 연면적 400 m² 이상 – 지하층, 무창층. 이 경우 해당 층의 바닥면적이 150 m² 이상인 경우만 해당
간이 피난 유도장치	화재가 발생한 경우 피난구 방향을 안내할 수 있는 장치	바닥면적이 150 m² 이상인 지하층 또는 무창층의 작업현장에 설치한다.

(2) 시공자가 화재위험작업 현장에 소방시설 중 임시소방시설과 기능 및 성능이 유사한 것으로서 대통령령으로 정하는 소방시설을 화재안전기준에 맞게 설치하고 유지·관리하고 있는 경우에는 임시소방시설을 설치하고 유지·관리한 것으로 본다.

간이소화장치를 설치한 것으로 보는 소방시설	– 옥내소화전 – 소방청장이 정하여 고시하는 기준에 맞는 소화기(대형소화기를 작업지점으로부터 25 m 이내 쉽게 보이는 장소에 6개 이상을 배치한 경우)
비상경보장치를 설치한 것으로 보는 소방시설	비상방송설비 또는 자동화재탐지설비
간이피난유도선을 설치한 것으로 보는 소방시설	피난유도선, 피난구유도등, 통로유도등 또는 비상조명등

(3) 소방본부장 또는 소방서장은 임시소방시설 또는 소방시설이 설치 또는 유지·관리되지 아니할 때에는 해당 시공자에게 필요한 조치를 하도록 명할 수 있다.

(4) 임시소방시설을 설치하여야 하는 공사의 종류와 규모, 임시소방시설의 종류 등에 관하여 필요한 사항은 대통령령으로 정하고, 임시소방시설의 설치 및 유지·관리 기준은 소방청장이 정하여 고시한다.

☞ 임시소방시설의 유지 · 관리 등에 관한 규정을 유지 · 관리하지 않는 자
- 3년 이하의 징역 또는 3천만원 이하의 벌금

11. 소방시설기준 적용의 특례

1 대통령령 또는 화재안전기준이 변경되어 그 기준이 강화되는 경우

(1) **기존의 특정소방대상물**
(건축물의 신축 · 개축 · 재축 · 이전 및 대수선 중인 특정소방대상물을 포함한다)
① 소방시설에 대하여는 **변경 전의** 대통령령 **또는 화재안전기준을 적용한다.**
② **대통령령 또는 화재안전기준의 변경으로 강화된 기준을 적용**하는 설비

Point

㉠ 소화기구 · 비상경보설비 · 자동화재속보설비 및 피난설비
㉡ 지하구(전력 또는 통신사업용 지하구, 공동구)에 설치하여야 하는 소방시설
㉢ 노유자(老幼者)시설에 설치하여야 하는 소방시설 등 중 대통령령으로 정하는 것
- 간이 스프링클러 설비 및 자동화재탐지설비, 단독경보형감지기
㉣ 의료시설에 설치하여야 하는 소방시설 등 중 대통령령으로 정하는 것
- 스프링클러설비, 간이스프링클러 설비 및 자동화재탐지설비, 자동화재속보설비

2 기존의 특정소방대상물이 증축되거나 용도 변경되는 경우

(1) 증축의 경우
① 대통령령으로 정하는 바에 따라 **기존 부분을 포함한 특정소방대상물의 전체에 대하여 증축 당시의 소방시설 등의 설치에 관한** 대통령령 **또는 화재안전기준을 적용**한다.
② 기존부분에 대하여는 증축 당시의 소방시설의 설치에 관한 대통령령 또는 화재안전기준을 적용하지 아니하는 경우

Tip

㉠ 기존부분과 증축부분이 **내화구조로 된 바닥과 벽으로 구획된 경우**
㉡ 기존부분과 증축부분이 **갑종방화문, 자동방화셔터로 구획되어 있는 경우**
㉢ 자동차생산 공장 등 화재위험이 낮은 특정소방대상물 내부에 **연면적 33 m^2 이하의 직원휴게실을 증축하는 경우**
㉣ 자동차생산 공장 등 화재위험이 낮은 특정소방대상물에 **캐노피(3면 이상에 벽이 없는 구조의 캐노피)를 설치하는 경우**

(2) 용도변경 되는 경우

① 용도변경 되는 부분에 한하여 **용도변경 당시의 소방시설 등의 설치에 관한 대통령령 또는 화재안전기준을 적용**한다.

② 다음의 경우에는 특정소방대상물 전체에 대하여 **용도변경되기 전에 해당 특정소방대상물에 적용되던 소방시설 등의 설치에 관한 대통령령 또는 화재안진기준을 적용**한다.

Tip

㉠ 특정소방대상물의 구조 · 설비가 화재연소확대 요인이 적어지거나 피난 또는 화재진압활동이 쉬워지도록 변경되는 경우
㉡ 문화 및 집회시설 중 공연장 · 집회장 · 관람장, 판매시설, 운수시설, 창고시설 중 물류터미널이 불특정다수인이 이용하지 아니하고 일정한 근무자가 이용하는 용도로 변경되는 경우
㉢ 용도변경으로 인하여 천정 · 바닥 · 벽 등에 고정되어 있는 가연성 물질의 양이 감소되는 경우
㉣ 다중이용업의 영업소, 문화 및 집회시설, 종교시설, 판매시설, 운수시설, 의료시설, 노유자시설, 수련시설, 운동시설, 숙박시설, 위락시설, 창고시설 중 물류터미널, 위험물 저장 및 처리 시설 중 가스시설, 장례식장이 각각 이 호에 규정된 시설 외의 용도로 변경되는 경우

3 유사한 소방시설 설치의 면제

(1) 면제자 – **소방본부장 또는 소방서장**

(2) 특정소방대상물에 설치하여야 하는 소방시설 가운데 기능과 성능이 유사한 물분무소화설비, 간이스프링클러설비, 비상경보설비 및 비상방송설비 등의 소방시설의 경우에는 대통령령으로 정하는 바에 따라 유사한 소방시설의 설치를 면제할 수 있다.

설치가 면제되는 소방시설	설치면제 요건
스프링클러설비	• 물분무등소화설비 설치 시 면제(발전시설 중 전기저장시설은 제외)
물분무등소화설비	• 물분무등소화설비를 설치할 차고 · 주차장에 스프링클러설비 설치 시
간이스프링클러설비	• 스프링클러설비, 물분무소화설비 또는 미분무소화설비를 설치 시
비상경보설비 단독경보형감지기	• 자동화재탐지설비 설치 시
비상경보설비	• 단독경보형감지기를 2개 이상의 단독경보형감지기와 연동하여 설치하는 경우

비상방송설비	• 자동화재탐지설비 또는 비상경보설비와 동등 이상의 음향을 발하는 장치를 부설한 방송설비 설치한 경우
피난구조설비	• 그 위치·구조 또는 설비의 상황에 따라 피난상 지장이 없다고 인정되는 경우
연결살수설비	• 송수구를 부설한 스프링클러설비, 간이스프링클러설비, 물분무소화설비 또는 미분무소화설비 설치 시 • 가스관계법령에 따라 설치되는 물분무장치 등에 소방대가 사용할 수 있는 연결송수구가 설치되거나 물분무장치 등에 **6시간 이상 공급**할 수 있는 수원이 확보된 경우
제연설비	• 공기조화설비를 화재안전기준의 제연설비기준에 적합하게 설치하고 공기조화설비가 화재시 제연설비기능으로 자동전환되는 구조로 설치되어 있는 경우 • **직접 외기로 통하는 배출구의 면적의 합계**가 당해 제연구역[제연경계 (제연설비의 일부인 천장을 포함한다)에 의하여 구획된 건축물 내의 공간을 말한다] **바닥면적의 100분의 1 이상**이며, **배출구로부터 각 부분의 수평거리가 30 m 이내**이고, 공기유입이 화재안전기준에 적합하게(외기를 직접 자연유입할 경우에 유입구의 크기는 배출구의 크기 이상인 경우) 설치되어 있는 경우 • 노대와 연결된 특별피난계단, 노대가 설치된 비상용 승강기의 승강장 또는 배연설비가 설치된 피난용 승강기의 승강장
비상조명등	• 피난구유도등 또는 통로유도등을 설치 시
누전경보기	• 아크경보기(옥내배전선로의 단선이나 선로손상 등에 의하여 발생하는 아크를 감지하고 경보하는 장치) 또는 전기관련법령에 의한 지락차단장치를 설치한 경우
무선통신보조설비	• 이동통신 구내 중계기 선로설비 또는 무선이동중계기 등을 설치한 경우
연소방지설비	• 스프링클러설비, 물분무소화설비 또는 미분무소화설비를 설치 시
상수도 소화용수설비	• 특정소방대상물의 각 부분으로부터 수평거리 140 m 이내에 공공의 소방을 위한 소화전을 설치 시 • 소방본부장 또는 소방서장이 상수도소화용수설비의 설치가 곤란하다고 인정하는 경우로서 화재안전기준에 적합한 소화수조 또는 저수조를 설치하거나 설치되어 있는 경우에는 그 설비의 유효범위 안의 부분에서 설치 시
연결송수관설비	• 옥외에 연결송수구 및 옥내에 방수구가 부설된 옥내소화전 설비·스프링클러설비·간이스프링클러설비 또는 연결살수설비 설치 시. 다만, 최상층의 방수구의 높이가 70m 이상인 경우에는 설치
자동화재탐지설비	• 자동화재탐지설비의 기능(감지·수신·경보기능)과 성능을 가진 스프링클러설비 또는 물분무등소화설비를 화재안전기준에 적합하게 설치한 경우
옥외소화전설비	• 국보 또는 보물로 지정된 목조문화재에 상수도소화용수설비를 옥외소화전설비의 화재안전기준에서 정하는 방수압력·방수량·옥외소화전함 및 호스의 기준에 적합하게 설치한 경우
옥내소화전	• **호스릴 방식의 미분무소화설비 또는 옥외소화전설비** 설치 시
자동소화장치	• 물분무등소화설비를 설치 시 (주거용 주방자동소화장치는 제외)

예제 04

옥내소화전설비 설치 면제 요건은?

① 스프링클러설비 설치 시
② 물분무소화설비 설치 시
③ 가스계소화설비 설치 시
④ 호스릴 방식의 미분무소화설비 설치 시

해답 ④

예제 05

자동소화장치(주거용 주방자동소화장치는 제외) 설치 면제 조건이 아닌 것은?

① 스프링클러설비 설치 시
② 물분무소화설비 설치 시
③ 분말소화설비 설치 시
④ 미분무소화설비 설치 시

해답 ①

4 소방시설의 설치 제외

(1) 다음에 해당하는 특정소방대상물 가운데 **대통령령으로 정하는 특정소방대상물**에는 **대통령령으로 정하는 소방시설을 설치하지 아니할 수 있다.**

① 화재 위험도가 낮은 특정소방대상물

• 석재 · 불연성금속 · 불연성 건축재료 등의 가공공장 · 기계조립공장 · 주물공장 또는 불연성 물품을 저장하는 창고	• 옥외소화전 및 연결살수설비
• 소방기본법 제2조제5호의 규정에 의한 소방대가 조직되어 24시간 근무하고 있는 청사 및 차고	• 옥내소화전설비, 스프링클러설비, 물분무 등 소화설비, 비상방송설비, 피난기구, 소화용수설비, 연결송수관설비, 연결살수설비

② 화재안전기준을 적용하기 어려운 특정소방대상물

• 펄프공장의 작업장 · 음료수 공장의 세정 또는 충전하는 작업장 그 밖에 이와 비슷한 용도로 사용하는 것	• 스프링클러설비, 상수도소화용수설비 및 연결살수설비
• 정수장, 수영장, 목욕장, 농예 · 축산 · 어류양식용 시설 그 밖에 이와 비슷한 용도로 사용되는 것	• 자동화재탐지설비, 상수도소화용수설비 및 연결살수설비

③ 화재안전기준을 다르게 적용하여야 하는 특수한 용도 또는 구조를 가진 특정소방대상물

• 원자력발전소, 핵폐기물처리시설	**• 연결송수관설비 및 연결살수설비**

④ 위험물안전관리법에 따른 **자체소방대가 설치된 특정소방대상물**

• 자체소방대가 설치된 위험물제조소 등에 부속된 사무실	• 옥내소화전설비, 소화용수설비, 연결살수설비 및 연결송수관설비

(2) (1)의 ①~④의 특정소방대상물에 구조 및 원리 등에서 공법이 특수한 설계로 인정된 소방시설을 설치하는 경우에는 중앙소방기술심의위원회의 심의를 거쳐 화재안전기준을 적용하지 아니 할 수 있다.

예제 06

소방대가 조직되어 24시간 근무하고 있는 청사 및 차고에 설치 제외되는 소방시설이 아닌 설비는?

① 옥내·외 소화전설비　　② 스프링클러설비
③ 물분무 등 소화설비　　④ 소화용수설비

해답 ①

옥외소화전설비는 설치 제외 대상 설비가 아니다.

12. 특정소방대상물의 소방안전관리

1 소방안전관리 업무의 수행자

(1) 특정소방대상물의 관계인은 소방안전관리 업무를 수행하여야 한다.

☞ 소방안전관리 업무를 수행하지 아니한 자 – **200만원 이하의 과태료**

2 소방안전관리 업무 대행

대통령령으로 정하는 소방안전관리대상물(1급 중 연면적 1만5천㎡ 미만 및 2급, 3급)의 관계인은 소방시설관리업의 등록을 한 자(관리업자)로 하여금 소방안전관리 업무 중 **대통령령으로 정하는 업무를 대행**하게 할 수 있으며, 이 경우 **소방안전관리 업무를 대행하는 자를 감독할 수 있는 자를 소방안전관리자로 선임**할 수 있다.

※ **대통령령으로 정하는 소방안전관리 업무**

1. 피난시설, 방화구획, 방화시설의 유지관리
2. 소방시설이나 그 밖의 소방시설의 유지관리

예제 07 **대통령령으로 정하는 소방안전관리대상물의 관계인은 관리업자로 하여금 대통령령으로 정하는 소방안전관리 업무를 대행하게 할 수 있다. 그 대행업무가 아닌 것은?**

① 소방시설의 점검 · 정비계획 ② 피난시설, 방화시설의 유지관리
③ 소방시설의 유지관리 ④ 방화구획의 유지관리

해답 ①

3 소방안전관리자의 선임 및 신고

(1) 선임

소방안전관리대상물(소방안전관리자 선임하는 대상물)의 관계인은 소방안전관리 업무를 수행하기 위하여 대통령령으로 정하는 자를 행정안전부령으로 정하는 바에 따라 **30일 이내에 소방안전관리자 및 소방안전관리자보조자로 선임**해야 한다.

☞ 소방안전관리자 또는 소방안전관리보조자를 선임하지 아니한 자 – **300만원 이하의 벌금**

Point

30일 이내 선임하는 기준일

구 분	기 준 일
신축, 용도변경 등으로 신규로 선임 – 소방안전관리보조자 동일	해당 특정소방대상물의 완공일(사용승인일)
소방안전관리자를 해임한 경우 – 소방안전관리보조자 동일	소방안전관리자를 해임한 날
증축 또는 용도변경으로 인하여 특급, 1급, 2급 소방안전관리대상물로 된 경우	1. 증축공사의 완공일 또는 2. 용도변경 사실을 건축물관리대장에 기재한 날
양수, 경매, 환가, 압류재산의 매각 등으로 관계인의 권리를 취득한 경우 – 소방안전관리보조자 동일	1. 해당 권리를 취득한 날 또는 2. 관할 소방서장으로부터 소방안전관리자 선임 안내를 받은 날 (새로 권리를 취득한 관계인이 종전의 특정소방대상물의 관계인이 선임신고한 소방안전관리자를 해임하지 아니하는 경우를 제외한다.)
공동소방안전관리대상물	소방본부장 또는 소방서장이 공동 소방안전관리 대상으로 지정한 날
소방안전관리 업무를 대행하는 자를 감독하는 자를 선임한 경우	소방안전관리업무 대행이 끝난 날

※ 소방안전관리대상물의 관계인이 소방안전관리자를 해임한 경우에는 그 관계인 또는 해임된 소방안전관리자는 소방본부장이나 소방서장에게 그 사실을 알려 해임한 사실의 확인을 받을 수 있다.
※ 소방본부장 또는 소방서장은 소방안전관리자를 선임하지 아니한 소방안전관리대상물의 관계인에게 소방안전관리자를 선임하도록 명할 수 있다.
※ 소방본부장 또는 소방서장은 업무를 다하지 아니하는 특정소방대상물의 관계인 또는 소방안전관리자에게 그 업무를 이행하도록 명할 수 있다.

(2) 선임의 연기 신청

① 대상 : **2급 또는 3급 소방안전관리대상물**

소방안전관리자(보조자)에 대한 강습교육이나 소방안전관리자 시험이 소방안전관리자 선임기간 내에 있지 아니하여 소방안전관리자를 **선임할 수 없는 경우**에는 소방안전관리자 **선임의 연기를 신청할 수 있다.**

② 관계인이 **소방본부장 또는 소방서장에게 제출할** 서류

소방안전관리자(보조자) 선임 연기신청서

소방안전관리 강습교육접수증 사본 또는 소방안전관리자 시험응시표 사본을 첨부

③ 소방본부장 또는 소방서장, 관계인

선임 **연기신청을 받은 때에는 소방안전관리자(보조자) 선임 기간을 정하여 소방안전관리대상물의 관계인에게 통보**하여야 한다.

이 경우 소방안전관리대상물의 관계인은 소방안전 관리자가 선임될 때까지 **소방안전관리 업무를 수행**하여야 한다.

(3) 공동 소방안전관리자의 선임

다음에 해당하는 특정소방대상물로서 **그 관리의 권원(權原)이 분리되어 있는 것** 가운데 **소방본부장 또는 소방서장이 지정**하는 특정소방대상물의 관계인은 행정안전부령으로 정하는 바에 따라 대통령령으로 정하는 자(2급 대상 선임 가능한 자)를 **공동 소방안전관리자로 선임**하여야 한다.

① **고층 건축물(지하층을 제외한 층수가 11층 이상인 건축물**만 해당한다)

② **지하가**

③ **복합건축물로서 연면적이 5천 m^2 이상인 것 또는 층수가 5층 이상인 것**

④ **판매시설 중 도매시장, 소매시장 및 전통시장**

⑤ 특정소방대상물 중 소방본부장 또는 소방서장이 지정하는 것

☞ 공동 소방안전관리자를 선임하지 아니한 자 – 300만원 이하의 벌금

(4) 신고

① 소방안전관리대상물의 관계인이 소방안전관리자를 선임한 경우에는 행정안전부령으로 정하는 바에 따라 **선임한 날부터 14일 이내에 소방본부장이나 소방서장에게 신고하고,** 소방안전관리대상물의 출입자가 쉽게 알 수 있도록 **소방안전관리자의 성명과 그 밖에 행정안전부령으로 정하는 사항을 게시**하여야 하며 **소방본부장이나 소방서장은** 신고인에게 소방안전관리자 선임증을 발급하여야 한다.

☞ 신고를 하지 아니한 자 또는 거짓으로 신고한 자 – 200만원 이하의 과태료

Tip

신고 제출서류

① 소방안전관리자 선임신고서(소방안전보조관리자 선임신고서)
② 다음에 해당하는 서류
  ㉠ 소방시설관리사증 (소방안전보조관리자 선임 시에도 제출)
  ㉡ 소방안전관리자수첩 (소방안전보조관리자 선임 시에도 제출)
  ㉢ 소방안전관리대상물의 소방안전관리에 관한 업무를 감독할 수 있는 직위에 있는 자임을 증명하는 서류 1부 (소방안전관리대상물의 관계인이 소방안전관리 업무를 대행하게 하는 경우만 해당한다) 등

Tip

소방안전관리자 현황표 게시 내용

그 밖에 행정안전부령으로 정하는 사항

1. 소방안전관리대상물의 명칭
2. 소방안전관리자의 선임일자
3. 소방안전관리대상물의 등급
4. 소방안전관리자의 연락처

소방안전관리자 현황표(대상명 :)

이 건물의 소방안전을 담당하고 있는 사람은 다음과 같습니다.

□ 소방안전관리자 : (선임일자 : 년 월 일)

□ 소방안전관리대상물 등급 : 급

「화재예방, 소방시설 설치·유지 및 안전관리에 관한 법률」 제20조제4항에 따라 이 표지를 붙입니다.

연락처 :

예제 08

소방안전관리대상물의 관계인이 소방안전관리자를 선임한 경우에는 행정안전부령으로 정하는 바에 따라 선임한 날부터 14일 이내에 소방본부장이나 소방서장에게 신고하고, 소방안전관리대상물의 출입자가 쉽게 알 수 있도록 소방안전관리자의 성명과 그 밖에 행정안전부령으로 정하는 사항을 게시하여야 한다. 그 밖에 행정안전부령으로 정하는 사항이 아닌 것은?

① 소방안전관리대상물의 명칭
② 소방안전관리자의 선임일자
③ 소방안전관리대상물의 등급
④ 소방안전관리자 또는 업무대행업체의 연락처

해답 ④

4 소방안전관리자 및 소방안전관리자보조자의 자격

(1) 소방안전관리자의 자격

<table>
<tr><th>구 분</th><th>소방안전관리자의 자격</th></tr>
<tr><td>특급</td><td>
<table>
<tr><th>구 분</th><th colspan="2">경력</th></tr>
<tr><td>소방기술사, 소방시설관리사</td><td colspan="2">–</td></tr>
<tr><td>**소방설비기사**</td><td colspan="2">**1급** 소방안전관리대상물의 소방안전관리자로 근무한 경력 **5년 이상**</td></tr>
<tr><td>**소방설비산업기사**</td><td colspan="2">**1급** 소방안전관리대상물의 소방안전관리자로 근무한 경력 **7년 이상**</td></tr>
<tr><td>**소방공무원**</td><td colspan="2">**20년 이상** 근무</td></tr>
<tr><td colspan="2">1급 소방안전관리대상물의 소방안전관리자로 근무한 경력 5년 이상
(소방설비기사 2년, 소방설비산업기사 3년)</td><td rowspan="8">옆 자격조건을 갖추고 소방청장이 정하여 실시하는 특급 소방안전관리대상물의 소방안전관리에 관한 시험에 합격한 사람</td></tr>
<tr><td>소방공무원</td><td>10년 이상</td></tr>
<tr><td>특급소방안전관리대상물의 소방안전관리보조자</td><td>10년 이상</td></tr>
<tr><td>소방안전관리학과를 전공하고 졸업한 사람</td><td rowspan="2">2년 이상 1급 소방안전관리대상물의 소방안전관리자로 근무한 실무경력이 있는 사람</td></tr>
<tr><td>소방행정학 또는 소방안전공학 분야에서 석사학위 이상을 취득한 사람</td></tr>
<tr><td>1급 소방안전관리 대상물의 소방안전관리자로 선임될 수 있는 자격이 있는 사람</td><td>특급 또는 1급 소방안전 관리대상물의 소방안전 관리보조자로 7년 이상 근무한 실무경력이 있는 사람</td></tr>
<tr><td colspan="2">특급 소방안전관리대상물의 소방안전 관리에 대한 강습교육을 수료한 사람,
총괄재난관리자로 지정되어 1년 이상 근무한 경력이 있는 사람</td></tr>
</table>
※ 소방안전관리 업무를 대행한 소방안전관리자로 선임되어 근무한 경력은 제외 – 이하 동일
</td></tr>
<tr><td>1급</td><td>• 소방설비기사 또는 소방설비산업기사의 자격이 있는 사람
• **산업안전기사 또는 산업안전산업기사의 자격을 취득한 후 2년 이상 2급** 소방안전관리대상물의 **소방안전관리자로 근무한 실무경력이 있는 사람**
• **소방공무원으로 7년 이상** 근무한 경력이 있는 사람
• **위험물안전관리자, 전기안전관리자, 가스안전관리자로 선임된 사람** 등
• 소방청장이 실시하는 1급 소방안전관리대상물의 소방안전관리에 관한 시험에 합격한 사람</td></tr>
<tr><td>2급</td><td>• 건축사·산업안전기사·산업안전산업기사·건축기사·건축산업기사·일반기계기사·전기기능장·전기기사·전기산업기사·전기공사기사 또는 산업기사 자격을 가진 사람
• 위험물기능장·위험물산업기사 또는 위험물기능사 자격을 가진 사람
• **소방공무원으로 3년** 이상 근무한 경력이 있는 사람 등
• 3급 대상물에 2년 이상 근무하고 2급 시험에 합격한자</td></tr>
<tr><td>3급</td><td>
<table>
<tr><td>**소방공무원**</td><td>**1년 이상**</td><td rowspan="3">옆 자격조건을 갖추고 소방청장이 정하여 실시하는 3급 소방안</td></tr>
<tr><td>**의용소방대**</td><td>2년 이상</td></tr>
<tr><td>**자체소방대**</td><td>1년 이상</td></tr>
</table>
</td></tr>
</table>

	경호공무원, 별정공무원	1년 이상 안선검측 업무	전관리대상물의 소방안전관리에 관한 **시험에 합격한 사람**
	경찰공무원	2년 이상	
	소방안전관리보조자	3급 이상의 대상물 보조자 2년 이상	

※ 강습교육에 필요한 시간 · 기간 · 교과목 및 소방안전관리에 관한 시험 등에 관하여 필요한 사항은 행정안전부령으로 정한다.

(2) 소방안전관리보조자의 자격

① 특급, 1급, 2급 소방안전관리대상물의 소방안전관리자 자격이 있는 사람

② 기술·기능 분야 국가기술자격 중에서 행정안전부령으로 정하는 국가기술자격이 있는 사람
 – 건축, 기계제작, 기계장비설비·설치, 화공, 위험물, 전기, 안전관리 국가기술자격

③ 강습교육을 수료한 사람

④ 소방안전관리대상물에서 소방안전 관련 업무에 5년 이상 근무한 경력이 있는 사람

5 소방안전관리자 및 보조관리자를 두어야 하는 특정소방대상물

(1) 소방안전관리자를 두어야 하는 특정소방대상물

구 분	소방안전관리대상물
특급	• 30층 이상(지하층을 포함)이거나 지상으로부터 높이가 120 m 이상인 특정소방대상물(아파트 제외) • 연면적이 20만 m^2 이상인 특정소방대상물(아파트 제외) • 50층 이상(지하층 제외) 또는 200m 이상인 아파트
1급	• 특정소방대상물로서 층수가 11층 이상인 것(아파트 제외) • 연면적 1만5천 m^2 이상인 것(아파트 제외) • 30층 이상(지하층 제외) 또는 120m 이상인 아파트 • 가연성가스를 1,000톤 이상 저장 · 취급하는 시설
2급	• 다음에 해당하는 설비를 설치한 특정소방대상물 옥내소화전설비, 스프링클러설비, 간이스프링클러설비, 물분무등소화설비 [호스릴(Hose Reel) 방식의 물분무등소화설비만을 설치한 경우는 제외한다] • 가스제조설비를 갖추고 도시가스사업허가를 받아야 하는 시설 • 가연성가스를 100톤 이상 1,000톤 미만 저장 · 취급하는 시설 • 보물 또는 국보로 지정된 목조건축물 • 지하구 • 특급, 1급 제외한 공동주택
3급	자동화재탐지설비만 설치된 대상물

※ 건축물대장의 건축물 현황도에 표시된 대지경계선 안의 지역 또는 인접한 2개 이상의 대지에 소방안전 관리자를 두어야 하는 특정소방대상물이 둘 이상 있고, 그 관리에 관한 권원을 가진 자가 동일인인 경우에는 이를 하나의 특정소방대상물로 보되, 해당 특정소방대상물이 둘 이상 해당하는 경우에는 그 중에서 급수가 높은 특정소방대상물로 본다.

예제 09 **특급소방안전관리자를 두어야 하는 특정소방대상물이 아닌 것은?**

① 지하층 포함한 30층 이상(아파트 제외)
② 지상으로부터 높이가 120 m 이상(아파트 제외)
③ 연면적 20만 m^2 이상(아파트 제외)
④ 지하층 포함한 50층 이상인 아파트

해답 ④

(2) 소방안전보조관리자를 두어야 하는 특정소방대상물

구 분	인원 기준	비 고
아파트 300세대 이상	1명	초과되는 300세대마다 1명 이상을 추가로 선임
아파트를 제외한 연면적이 1만 5천m^2 이상인 특정소방 대상물	1명	초과되는 연면적 1만5천m^2(특정소방대상물의 방재실에 자위소방대가 24시간 상시 근무하고 소방자동차 중 소방펌프차, 소방물탱크차, 소방화학차 또는 무인방수차를 운용하는 경우에는 3만m^2로 한다)마다 1명 이상을 추가로 선임
위에 해당하지 아니하는 공동주택 중 기숙사, 의료시설, 노유자시설, 수련시설 및 숙박시설	1명	다만, 소방서장이 야간이나 휴일에 해당 특정소방대상물이 이용되지 아니한다는 것을 확인한 경우에는 소방안전관리보조자를 선임하지 아니할 수 있다.

※ 숙박시설 : 숙박시설로 사용되는 바닥면적의 합계가 1,500m^2 이내이고 관계인이 24시간 상시 근무인 경우 제외

예제 10 **연면적 126,000m^2의 업무시설인 건축물의 최소 소방안전관리보조자 선임 인원은?**

① 5 ② 6
③ 8 ④ 9

해답 ③

연면적 126,000m^2의 업무시설은 1만5천m^2 이상이므로 1명이 필요하며 1만5천m^2을 초과되는 연면적 111,000m^2의 1만5천m^2마다 1명이므로 111,000 ÷ 15,000 = 7.4명
여기서 8명이 아니라 초과되는 1만5천m^2마다 1명이므로 7명이 된다.
따라서 기본 1명 + 추가 7명이 선임해야 하므로 최소 8명 선임해야 함.

6 소방안전관리 업무

구 분	업 무 내 용
소방안전관리대상물의 소방안전관리자의 업무	• **자위소방대(自衛消防隊) 및 초기대응체계의 구성·운영·교육**(행정안전부령) • **피난계획에 관한 사항과** 대통령령으로 정하는 사항이 포함된 **소방계획서의 작성 및 시행** • **소방훈련 및 교육** 암기 소방대 훈련 및 교육의 소방계획 • 피난시설, 방화구획 및 방화시설의 유지·관리 • 소방시설이나 그밖의 소방 관련 시설의 유지·관리 • 화기(火氣) 취급의 감독 • 그 밖에 소방안전관리에 필요한 업무
특정소방대상물의 관계인 (소방안전관리대상물은 제외한다)	• 피난시설, 방화구획 및 방화시설의 유지·관리 • 소방시설이나 그 밖의 소방 관련 시설의 유지·관리 • 화기(火氣) 취급의 감독 • 그 밖에 소방안전관리에 필요한 업무

☞ 소방안전관리 업무를 하지 아니한 특정소방대상물의 관계인 또는 소방안전관리대상물의 소방안전관리자 – **200만원 이하의 과태료**

(1) 소방안전관리대상물의 관계인은 소방안전관리자가 소방안전관리 업무를 성실하게 수행할 수 있도록 지도·감독하여야 한다.

☞ 지도와 감독을 하지 아니한 자 – **200만원 이하의 과태료**

(2) **소방안전관리자**는 인명과 재산을 보호하기 위하여 소방시설·피난시설·방화시설 및 방화구획 등이 **법령에 위반된 것을 발견한 때에는 지체 없이 소방안전관리대상물의 관계인에게 소방대상물의 개수·이전·제거·수리 등 필요한 조치를 할 것을 요구**하여야 하며, 관계인이 시정하지 아니하는 경우 소방본부장 또는 소방서장에게 그 사실을 알려야 한다. 이 경우 소방안전관리자는 공정하고 객관적으로 그 업무를 수행하여야 한다.

☞ 소방시설·피난시설·방화시설 및 방화구획 등이 법령에 위반된 것을 발견하였음에도 필요한 조치를 할 것을 **요구하지 아니한 소방안전관리자 – 300만원 이하의 벌금**

(3) 소방안전관리자로부터 조치요구 등을 받은 소방안전관리대상물의 **관계인은** 지체 없이 이에 따라야 하며 조치요구 등을 이유로 **소방안전관리자를 해임하거나 보수(報酬)의 지급을 거부하는 등 불이익한 처우를 하여서는 아니 된다.**

☞ **소방안전관리자에게 불이익한 처우를 한 관계인 – 300만원 이하의 벌금**

7 자위소방대(自衛消防隊) 및 초기대응체계의 구성·운영·교육 등

(1) 소방안전관리대상물의 소방안전관리자

① 자위소방대를 편성·운영

㉠ 화재 발생 시 비상연락, 초기소화 및 피난유도, 인명·재산피해 최소화를 위한 조치

㉡ 소방안전관리대상물의 규모·용도 등의 특성을 고려하여 응급구조 및 방호안전기능 등을 추가하여 수행할 수 있도록 편성할 수 있다.

② 초기대응체계를 자위소방대에 포함하여 편성

㉠ 화재 발생 시 초기에 신속하게 대처할 수 있도록 해당 소방안전관리대상물에 근무하는 사람의 근무위치, 근무인원 등을 고려하여 편성

㉡ 해당 특정소방대상물이 이용되고 있는 동안 초기대응체계를 상시적으로 운영

③ 연 1회 이상 자위소방대(초기대응체계를 포함한다)를 소집

㉠ 그 편성 상태를 점검

㉡ 소방교육을 실시

- 초기대응체계에 편성된 근무자 등에 대하여는 화재 발생 초기대응에 필요한 기본 요령을 숙지할 수 있도록 소방교육을 실시
- 소방교육을 소방훈련과 병행하여 실시할 수 있다.
- 소방교육을 실시하였을 때에는 그 실시 결과를 자위소방대 및 초기대응체계 소방교육 실시 결과 기록부에 기록하고, 소방훈련과 교육을 실시한 날의 다음 날부터 2년간 보관하여야 한다.

(2) 소방청장

자위소방대의 구성, 운영 및 교육, 초기대응체계의 편성·운영 등에 필요한 지침을 작성하여 배포할 수 있다.

(3) 소방본부장 또는 소방서장

소방안전관리대상물의 소방안전관리자가 해당 지침을 준수하도록 지도할 수 있다.

8 피난계획의 수립 및 시행

(1) 소방안전관리대상물의 관계인

① 그 장소에 근무하거나 거주 또는 출입하는 사람들이 화재가 발생한 경우에 안전하게 피난할 수 있도록 피난계획을 수립하여 시행하여야 한다.

② 구조·위치, 소방시설 등을 고려하여 피난계획을 수립하여야 한다.

③ 피난시설이 변경된 경우에는 그 변경사항을 반영하여 피난계획을 정비하여야 한다.

Point

피난계획에 포함되어야 할 사항

1. 화재경보의 수단 및 방식
2. 층별, 구역별 피난대상 인원의 현황
3. 장애인, 노인, 임산부, 영유아 및 어린이 등 이동이 어려운 사람(이하 "재해약자"라 한다)의 현황
4. 각 거실에서 옥외(옥상 또는 피난안전구역을 포함한다)로 이르는 피난경로
5. 재해약자 및 재해약자를 동반한 사람의 피난동선과 피난방법
6. 피난시설, 방화구획, 그 밖에 피난에 영향을 줄 수 있는 제반 사항

(2) 피난계획에는 그 특정소방대상물의 구조, 피난시설 등을 고려하여 설정한 피난경로가 포함되어야 한다.

(3) 소방안전관리대상물의 관계인은 피난시설의 위치, 피난경로 또는 대피요령이 포함된 피난유도 안내정보를 근무자 또는 거주자에게 정기적으로 제공하여야 한다.

Point

피난유도 안내정보의 제공 방법

1. 연 2회 피난안내 교육을 실시하는 방법
2. 분기별 1회 이상 피난안내방송을 실시하는 방법
3. 피난안내도를 층마다 보기 쉬운 위치에 게시하는 방법
4. 엘리베이터, 출입구 등 시청이 용이한 지역에 피난안내영상을 제공하는 방법

* 피난유도 안내정보의 제공에 필요한 세부사항은 소방청장이 정하여 고시한다.

(4) 피난계획의 수립·시행, 피난유도 안내정보 제공에 필요한 사항은 행정안전부령으로 정하고 **피난계획의 수립·시행에 필요한 세부사항은 소방청장이 정하여 고시한다.**

9 소방안전관리대상물의 소방계획서 작성 등

(1) 소방계획서에 포함되어야 하는 사항

① 소방안전관리대상물의 위치 · 구조 · 연면적 · 용도 및 수용인원 등 일반현황

② 소방안전관리대상물에 설치한 소방 및 방화, 전기 · 가스 및 위험물시설의 현황

③ 화재예방을 위한 자체점검계획 및 진압대책

④ 소방시설 · 피난시설 및 방화시설의 점검 · 정비계획

⑤ 피난층 및 피난시설의 위치와 피난경로의 설정, 장애인 및 노약자의 피난계획 등의 피난계획

※ 피난층 : 곧바로 지상으로 갈 수 있는 출입구가 있는 층을 말한다.

⑥ 방화구획 · 제연구획 · 건축물의 내부마감재료(불연재료 · 준불연재료 또는 난연재료로 사용된 것을 말한다) 및 방염물품의 사용 그 밖의 방화구조 및 설비의 유지 · 관리계획

⑦ 소방교육 및 훈련에 관한 계획

⑧ 특정소방대상물의 근무자 및 거주자의 자위소방대 조직과 대원의 임무(장애인 및 노약자의 피난 보조 임무를 포함한다)에 관한 사항
⑨ 화기 취급 작업에 대한 사전 안전조치 및 감독 등 공사 중 소방안전관리에 관한 사항
⑩ 공동 및 분임 소방안전관리에 관한 사항
⑪ 소화 및 연소방지에 관한 사항
⑫ 위험물의 저장·취급에 관한 사항(예방규정을 정하는 제조소등을 제외한다)
⑬ 그 밖에 소방안전관리를 위하여 소방본부장 또는 소방서장이 요청하는 사항

(2) 소방계획서의 작성 및 실시에 관하여 지도 · 감독자 – 소방본부장 또는 소방서장

13. 특정소방대상물의 근무자 및 거주자에 대한 소방훈련 등

1 소방훈련 및 교육

(1) **대통령령으로 정하는 특정소방대상물의 관계인**은 그 장소에 **상시 근무하거나 거주하는 사람**에게 소화·통보·피난 등의 훈련(“**소방훈련**”)과 **소방안전관리에 필요한 교육**을 소방훈련에 필요한 장비 및 교재 등을 갖추고 **연 1회 이상 실시**하며 (소방서장이 요청한 경우 2회) 그 실시 결과를 소방훈련·교육 실시 결과 기록부에 기록하고, 이를 소방훈련과 교육을 실시한 날의 다음날부터 **2년간 보관**하여야 한다. 이 경우 **피난훈련은 그 소방대상물에 출입하는 사람을 안전한 장소로 대피시키고 유도하는 훈련을 포함하여야 한다.**

☞ 소방훈련 및 교육을 하지 아니한 자 – **200만원 이하의 과태료**

(2) **소방본부장이나 소방서장은 특정소방대상물의 관계인이 실시하는 소방훈련을 지도·감독**할 수 있다.

(3) 소방서장은 특급 및 1급 소방안전관리대상물의 관계인으로 하여금 소방훈련을 소방기관과 합동으로 실시하게 할 수 있다.

(4) 소방훈련과 교육의 횟수 및 방법 등에 관하여 필요한 사항은 행정안전부령으로 정한다.

2 소방 훈련 및 교육해야 할 특정소방대상물

– 상시 근무하거나 거주하는 인원이 10인 초과인 대상물
(숙박시설의 경우에는 상시 근무하는 인원을 말한다)

14. 특정소방대상물의 관계인에 대한 소방안전교육

(1) **소방본부장이나 소방서장**은 소방훈련 및 교육해야 할 대상물이 아닌 **특정소방대상물의 관계인에 소방안전교육**을 하여야 한다.

① 교육일시·장소 등 교육에 필요한 사항을 명시하여 **교육일 10일전까지 통보**

② 소방안전교육대상자는 다음에 해당하는 특정소방대상물의 관계인으로서 관할 소방서장이 교육이 필요하다고 인정하는 사람으로 한다.

㉠ 소규모의 공장·작업장·점포 등이 밀집한 지역 안에 있는 특정소방대상물

㉡ 주택으로 사용하는 부분 또는 층이 있는 특정소방대상물

㉢ 목조 또는 경량철골조 등 화재에 취약한 구조의 특정소방대상물

㉣ 화재에 대하여 취약성이 높다고 소방본부장 또는 소방서장이 인정한 특정소방대상물

(2) 교육대상자 및 특정소방대상물의 범위 등에 관하여 필요한 사항은 행정안전부령으로 정한다.

15. 공공기관 등의 소방안전관리

(1) 국가, 지방자치단체, 국공립학교 등 대통령령으로 정하는 공공기관의 장의 업무

① 소관 기관의 근무자 등의 생명·신체와 건축물·인공구조물 및 물품 등을 화재로부터 보호하기 위하여 화재 예방, 자위소방대의 조직 및 편성, 소방시설의 자체점검과 소방훈련 등의 소방안전관리를 하여야 한다.

☞ 소방안전관리 업무를 하지 아니한 자 – **200만원 이하의 과태료**

② 공공기관에 대한 다음의 사항에 관하여는 대통령령으로 정하는 바에 따른다.

1. 소방안전관리자의 자격, 책임 및 선임 등
2. 소방안전관리의 업무대행
3. 자위소방대의 구성, 운영 및 교육
4. 근무자 등에 대한 소방훈련 및 교육
5. 그 밖에 소방안전관리에 필요한 사항

예제 11

공공기관의 등의 소방안전관리자의 자격, 책임 및 선임 및 소방안전관리의 업무대행, 근무자 등에 대한 소방훈련 및 교육 등의 소방안전관리에 필요한 사항은 무엇으로 정하는바에 따르는가?

① 대통령령　② 행정안전부령
③ 소방청장의 고시　④ 시·도의 조례

해답 ①

16. 소방안전 특별관리시설물의 안전관리

(1) 소방청장

① 화재 등 재난이 발생할 경우 사회·경제적으로 피해가 큰 다음의 시설(소방안전 특별관리 시설물)에 대하여 소방안전 특별관리를 하여야 한다.

Point

1. 공항시설, 철도시설, 도시철도시설, 항만시설
2. 지정문화재인 시설(시설이 아닌 지정문화재를 보호하거나 소장하고 있는 시설을 포함한다)
3. 산업기술단지, 산업단지
4. 초고층 건축물 및 지하연계 복합건축물, 영화상영관 중 수용인원 1,000명 이상인 영화상영관
5. 전력용 및 통신용 지하구, 석유비축시설, 천연가스 인수기지 및 공급망
6. 그 밖에 대통령령으로 정하는 시설물
   - 발전사업자가 가동중인 발전소(화력, 원자력 - 1만 kW 이하 제외, 신에너지 이용하는 발전소 - 2천 kW 이하 제외)
7. 전통시장 – 점포가 500개 이상인 전통시장을 말한다.

② 특별관리를 체계적이고 효율적으로 하기 위하여 시·도지사와 협의하여 소방안전 특별관리 **기본계획(5년마다 수립)을**하고 **10월 31일까지 수립**하여 시·도지사에게 통보하여야 한다.

Point

기본계획에 포함되어야 할 사항

1. 화재예방을 위한 중기 · 장기 안전관리정책
2. 화재예방을 위한 교육 · 홍보 및 점검 · 진단
3. 화재대응을 위한 훈련
4. 화재대응 및 사후조치에 관한 역할 및 공조체계
5. 그 밖에 화재 등의 안전관리를 위하여 필요한 사항

(2) 시 · 도지사

소방안전 특별관리기본계획에 저촉되지 아니하는 범위에서 관할 구역에 있는 소방안전 특별관리시설물의 안전관리에 적합한 **소방안전 특별관리시행계획을 계획 시행 전년도 12월 31일까지 수립**하여 시행하고 시행 결과를 계획 시행 **다음 연도 1월 31일까지 소방청장에게 통보**해야 한다.

Point

특별관리시행계획에 포함되어야 할 사항

1. 특별관리기본계획의 집행을 위하여 필요한 사항
2. 시 · 도에서 화재 등의 안전관리를 위하여 필요한 사항

(3) 소방청장 및 시·도지사는 특별관리기본계획 및 특별관리시행계획을 수립하는 경우 성별, 연령별, 재해약자(장애인·노인·임산부·영유아·어린이 등 이동이 어려운 사람을 말한다)별 화재 피해현황 및 실태 등에 관한 사항을 고려하여야 한다.

(4) 소방안전 특별관리기본계획 및 소방안전 특별관리시행계획의 수립·시행에 필요한 사항은 대통령령으로 정한다.

예제 12

화재 등 재난이 발생할 경우 사회·경제적으로 피해가 큰 시설(소방안전 특별관리시설물)에 대하여 소방안전 특별관리를 하여야 하는 대상이 아닌 것은?

① 영화상영관 중 수용인원 300명 이상인 영화상영관
② 산업기술단지, 산업단지
③ 공항시설, 철도시설, 도시철도시설, 항만시설
④ 지정문화재인 시설

해답 ①

17. 우수 소방대상물 관계인에 대한 포상 등

수립·시행자	소방청장은 **우수 소방대상물의 선정** 등의 **시행계획을 매년 수립·시행**
시행계획 내용	관계인에 대한 포상을 위하여 우수 소방대상물의 선정 방법, 평가 대상물의 범위 및 평가 절차 등에 관한 내용이 포함될 것
확인	소방청장 업무를 수행하기 위하여 필요한 경우에는 소방대상물을 직접 방문하여 필요한 사항을 확인 할 수 있다.
발급	**소방청장은** 우수 소방대상물을 인증하는 **인증표지 발급**
포상	소방청장은 **우수 소방대상물**로 선정된 소방대상물의 **관계인 또는 소방안전관리자에게 포상**
평가위원회	**소방청장은** 우수 소방대상물 선정 등 업무의 객관성 및 전문성을 확보하기 위해 2명 이상으로 **구성하여 운영** 1. 소방기술사(소방안전관리자로 선임된 사람은 제외한다) 2. 소방 관련 석사 학위 이상을 취득한 사람 3. 소방 관련 법인 또는 단체에서 소방 관련 업무에 5년 이상 종사한 사람 4. 소방공무원 교육기관, 대학 또는 연구소에서 소방과 관련한 교육 또는 연구에 5년 이상 종사한 사람 ★ 소방시설관리사는 포함되어 있지 않다.

※ 우수 소방대상물의 선정 방법, 평가 대상물의 범위 및 평가 절차 등 필요한 사항은 행정안전부령으로 정한다.
※ 규정한 사항 외에 우수 소방대상물의 평가, 평가위원회 구성·운영·포상의종류·명칭 및 우수 소방대상물 인증표지등에 관한 사항은 소방청장이 정하여 고시한다.

18. 소방시설 등의 자체점검 등

1 자체 점검

(1) 특정소방대상물의 **관계인은 자체점검**을 하거나 **관리업자** 또는 행정안전부령으로 정하는 **기술자격자**(소방안전관리자로 선임된 소방시설관리사 및 소방기술사)**로 하여금 정기적으로 점검**해야 한다.

☞ 소방시설 등에 대한 자체점검을 하지 아니하거나 관리업자 등으로 하여금 정기적으로 점검하게 하지 아니한 자 – **1년 이하의 징역 또는 1천만원 이하의 벌금**

(2) 특정소방대상물의 관계인 등이 점검을 한 경우에는 관계인이 그 점검 결과를 행정안전부령으로 정하는 바에 따라 **소방본부장이나 소방서장에게 보고**하여야 한다.

☞ 소방시설 등의 점검결과를 보고하지 아니한 자 또는 거짓으로 보고한 자
– **200만원 이하의 과태료 (보고하지 않는 기간에 따라 과태료가 다르다)**

(3) 소방시설관리업자는 점검을 실시한 경우 **점검이 끝난 날부터 10일 이내에 점검인력 배치상황을 포함한 소방시설등에 대한 자체점검실적(외관점검은 제외)을 소방시설관리업자에 대한 평가 등에 관한 업무를 위탁받은 법인 또는 단체("평가 기관")에 통보**하여야 한다.

(4) 소방안전관리대상물 관계인 및 소방안전관리자를 선임해야 하는 공공기관의 장은 **작동기능점검 또는 종합정밀검사**을 실시한 경우 **7일 이내**에 소방시설등 자체점검 실시 결과 보고서를 **소방본부장 또는 소방서장에게 제출**해야 하며 그 점검결과를 **2년간 자체보관하여야 한다. 이 경우 소방청장이 지정하는 전산망을 통하여 제출할 수 있다.**

2 점검의 구분과 대상 등

점검의 구분과 그 대상, 점검인력의 배치기준 및 점검자의 자격, 점검 장비, 점검 방법 및 횟수 등 필요한 사항은 행정안전부령으로 정한다.

(1) 소방시설 등에 대한 자체점검의 구분

① 작동기능점검 : 소방시설 등을 인위적으로 조작하여 정상적으로 작동하는지를 점검하는 것

② 종합정밀점검 : 소방시설 등의 작동기능점검을 포함하여 소방시설등의 설비별 주요 구성 부품의 구조기준이 화재안전기준 및 「건축법」 등 관련 법령이 정하는 기준에 적합한지 여부를 점검하는 것

(2) 작동기능점검

구 분	내 용
대상	**영 제5조에 따른 특정소방대상물** ※ 다음에 해당하는 특정소방대상물은 제외 • 위험물제조소등과 소화기구만을 설치하는 특정소방대상물 • 30층 이상(지하층 포함), 높이 120 m 이상 또는 연면적 20만 m^2 이상인 건축물
점검자의 자격	해당 특정소방대상물의 관계인·소방안전관리자 또는 소방시설관리업자(소방시설관리사를 포함하여 등록된 기술인력을 말한다) 이 경우 소방시설관리업자 또는 소방안전관리자로 선임된 소방시설관리사 및 소방기술사가 점검하는 경우에는 점검인력 배치기준을 따라야 한다.
점검방법	점검 장비를 이용하여 점검할 수 있다.
점검횟수	연 1회 이상 실시한다.
점검시기	1. 종합정밀점검대상 : 종합정밀점검을 받은 달부터 6월이 되는 달에 실시한다. 2. 작동기능점검 결과를 보고하는 대상 ① 건축물의 사용승인일이 속하는 달의 말일까지 실시한다. ㉠ 건축물의 경우에는 건축물관리대장 또는 건물 등기사항증명서에 기재되어 있는 날 ㉡ 시설물의 경우에는 시설물통합정보관리체계에 저장·관리되고 있는 날 ㉢ 건축물관리대장, 건물 등기사항증명서 및 시설물통합정보관리체계를 통해 확인되지 않는 경우에는 소방시설완공검사증명서에 기재된 날 ② 신규로 건축물의 사용승인을 받은 건축물은 그 다음 해(건축물이 아닌 경우에는 그 특정소방대상물을 이용 또는 사용하기 시작한 해의 다음 해를 말한다.)부터 실시하되, 소방시설완공검사증명서를 받은 후 1년이 경과한 후에 사용승인을 받은 경우에는 사용승인을 받은 그 해부터 실시한다. 다만, 그 해의 작동기능점검은 가)에도 불구하고 사용 승인일부터 3개월 이내에 실시할 수 있다. ③ 그 밖의 대상 : 연중 실시한다.

(3) 종합정밀점검

구 분	내 용
대상	**① 스프링클러설비가 설치된 대상물** **② 물분무등소화설비 [호스릴방식 제외]가 설치된 대상물로서 연면적 5천 m^2 이상인 특정소방대상물 (위험물제조소등은 제외)** **③ 산후조리업, 노래연습장업, 고시원업, 단란주점영업, 유흥주점영업, 비디오물감상실업, 안마시술소, 영화상영관의 다중이용업의 영업장이 설치된 특정소방대상물로서 연면적이 2천m^2 이상인 것** 암기 (지리)산 노고단 유비 안녕~ **④ 제연설비 설치된 터널** **⑤ 공공기관 중 연면적(터널·지하구의 경우 그 길이와 평균폭을 곱하여 계산된 값)이 1천 ㎡ 이상인 것으로서 옥내소화전설비 또는 자동화재탐지설비가 설치된 것. 소방대가 근무하는 공공기관은 제외**

점검자의 자격	• **소방시설관리업자 또는 소방안전관리자로 선임된 소방시설관리사·소방기술사**(점검인력 배치기준을 따라야 한다)
점검방법	소방시설별 **점검장비를 이용하여 점검하여야 한다.**
점검횟수	① **연 1회 이상** ② **지하층 포함한 30층 이상, 높이 120 m 이상 또는 연면적 20만 m^2 이상인 소방대상물은 반기별로 1회 이상** ③ 소방본부장 또는 소방서장은 소방청장이 **소방안전관리가 우수하다고 인정**한 특정소방대상물 의 경우에는 **3년의 범위 내**에서 소방청장이 고시하거나 정한 기간 동안 **종합정밀점검을 면제** 할 수 있다. 다만, 면제기간 중 화재가 발생한 경우는 제외
점검시기	① **건축물의 사용승인일이 속하는 달까지 실시**한다. - **공공기관인 학교의 경우 사용승인일이 1월에서 6월 사이인 경우 6월 말까지 실시 할 수 있다.** ② 완공검사필증을 발급받은 **신축 건축물은 검사필증을 받은 다음 연도부터 실시**한다. 다만, 소방시설완공검사증명서를 받은 후 1년이 경과한 이후에 사용승인을 받은 경우에는 사용승인을 받은 그 해부터 실시하되, 그 해의 종합정밀점검은 사용승인일부터 3개월 이내에 실시할 수 있다. ③ 건축물 사용승인일 이후 대상 ③에 해당하게 된 때에는 그 다음 해부터 실시한다. ④ 하나의 대지경계선 안에 2개 이상의 점검 대상 건축물이 있는 경우에는 그 건축물 중 사용승인일이 가장 빠른 건축물의 사용승인일을 기준으로 점검할 수 있다. ⑤ **공공기관의 장은 월 1회 이상 외관점검**(맨눈·신체감감을 이용한 점검)을 실시하여야 한다. ㉠ 실시자 : 관계인, 소방안전관리자, 소방시설관리업자(등록된 기술인력) ㉡ 종합, 작동점검 시에는 제외하며 2년 동안 보관하여야 한다. ㉢ 전기시설(사용전검사, 정기검사, 일반용전기설비의 점검), 가스시설을 해당 관계법에 따라 점검, 검사를 받아야 한다.

※ 자체점검 구분에 따른 점검사항·소방시설등점검표·점검인원 및 세부점검방법 그 밖의 자체점검에 관하여 필요한 사항은 소방청장이 이를 정하여 고시한다.

※ 관리업자나 기술자격자로 하여금 점검하게 하는 경우의 **점검 대가**는 「엔지니어링산업 진흥법」 제31조에 따른 엔지니어링사업의 대가(代價)의 기준 가운데 행정안전부령으로 정하는 방식(**실비정액가산방식**)에 따라 산정한다.

3 소방시설 등의 자체점검 시 점검인력 배치기준

(1) 점검인력 1단위

소방시설관리사 1명과 보조 기술인력("보조인력") 2명

※ 소규모점검(소방안전관리자가 선임하지 않아도 되는 대상물) - 보조인력 1명

(2) 보조인력의 추가

점검인력 1단위에 2명(같은 건축물을 점검할 때에는 4명) 이내의 보조인력을 추가할 수 있다.

(3) 점검한도면적

점검한도 면적 : 점검인력 1단위가 하루 동안 점검할 수 있는 특정소방대상물의 연면적

구 분	1단위	1단위+보조1	1단위+보조2	1단위+보조3	1단위+보조4
종합정밀점검	10,000 m^2	13,000 m^2	16,000 m^2	19,000 m^2	22,000 m^2
작동기능점검	12,000 m^2	15,500 m^2	19,000 m^2	22,500 m^2	26,000 m^2
소규모점검	3,500 m^2	–	–	–	–

(4) 아파트 제외한 일반대상물의 점검일수

※ 한개의 대상물을 점검하는 경우

$$\text{점검일수} = \frac{\text{점검면적}}{\text{점검한도면적}} = \frac{A - B}{\text{점검한도면적}}$$

A : 실제 점검(연)면적 × 가감계수

B : [스프링클러 미설치 ($A \times 0.1$) + 물분무등 미설치 ($A \times 0.15$) + 제연설비 미설치($A \times 0.1$)]

※ 두 개(X와 Y)의 대상물을 점검하는 경우

X 대상물 점검면적 : 위와 동일하게 산정

$$\text{Y 대상물 총 점검면적}: Y\text{대상물 점검면적} + \left\{ Y\text{대상물 점검면적} \times \left[\frac{\text{최단거리(km)}}{5} \times 0.02 \right] \right\}$$

- 최단거리(km)를 5로 나누어 얻은 수는 절상한다.

$$\therefore \text{점검일수} = \frac{X\text{대상물 점검면적} + Y\text{대상물 총점검면적}}{\text{점검한도면적}}$$

① 관리업자가 하루 동안 점검한 면적은 실제 점검면적(터널 · 지하구 : 길이 × 평균폭)에 다음 각 목의 기준을 적용하여 계산한 면적("점검면적")으로 하되, 점검면적은 점검한도 면적을 초과하여서는 아니 된다.

② 실제 점검면적에 다음의 가감계수를 곱한다.

구 분	대 상 용 도	가감계수
1류	노유자시설, 숙박시설, 위락시설, 의료시설(정신보건의료기관), 수련시설	1.2
2류	문화 및 집회시설, 종교시설, 의료시설(정신보건시설 제외), 교정 및 군사시설(군사시설 제외), 지하가, 복합건축물, 발전시설, 판매시설	1.1
3류	근린생활시설, 운동시설, 업무시설, 방송통신시설, 운수시설	1.0
4류	공장, 위험물 저장 및 처리시설, 창고시설	0.9
5류	공동주택(아파트 제외), 교육연구시설, 항공기 및 자동차 관련 시설, 동물 및 식물 관련 시설, 분뇨 및 쓰레기 처리시설, 군사시설, 묘지 관련 시설, 관광휴게시설, 장례식장, 지하구, 문화재	0.8

③ 점검한 특정소방대상물이 다음의 어느 하나에 해당할 때에는 다음에 따라 계산된 값을 ②에 따라 계산된 값에서 뺀다.

㉠ 스프링클러설비가 설치되지 않은 경우 : ②에 따라 계산된 값에 0.1을 곱한 값

㉡ 물분무등소화설비가 설치되지 않은 경우 : ②에 따라 계산된 값에 0.15를 곱한 값

㉢ 제연설비가 설치되지 않은 경우 : ②에 따라 계산된 값에 0.1을 곱한 값

④ 2개 이상의 특정소방대상물을 하루에 점검하는 경우 – 나중에 점검하는 특정소방대상물에 대하여 특정소방대상물 간의 최단 주행거리 5 km마다 ③에 따라 계산된 값 [③에 따라 계산된 값이 없을 때에는 ②에 따라 계산된 값을 말한다]에 0.02를 곱한 값을 더한다.

(5) 아파트의 점검 일수

※ 하나의 아파트만 점검하는 경우

$$\text{점검일수} = \frac{\text{점검세대수}}{\text{점검한도세대수}} = \frac{A-B}{\text{점검한도세대수}}$$

A : 실제점검 세대수

B : 스프링클러 미설치시($A\times0.1$) + 물분무등 미설치시($A\times0.15$) + 제연설비 미설치시($A\times0.1$)

※ 두 개(X와 Y)의 아파트를 점검하는 경우

X 아파트 점검 세대수 : 위와 동일하게 산정

Y 아파트 총점검 세대수 : $Y\text{아파트 점검세대수} + \left\{ Y\text{아파트 점검세대수} \times \left[\frac{\text{최단거리(km)}}{5} \times 0.02 \right] \right\}$

• 최단거리(km)를 5로 나누어 얻은 수는 절상한다.

$$\therefore \text{점검일수} = \frac{X\text{아파트점검세대수} + Y\text{아파트총점검세대수}}{\text{점검한도세대수}}$$

① 공용시설, 부대시설 또는 복리시설은 포함하고, 아파트가 포함된 복합건축물의 아파트 외의 부분은 제외한다.

② **점검인력 1단위가 하루 동안 점검할 수 있는 아파트의 세대수("점검한도 세대수")**

구 분	1단위	1단위+보조1	1단위+보조2	1단위+보조3	1단위+보조4
종합정밀점검	**300세대**	**370**	440	510	580
작동기능점검	**350세대**	**440**	530	620	710
소규모점검	**90세대**	**–**	–	–	–

③ **관리업자가 하루 동안 점검한 세대수**

실제 점검 세대수에 다음의 기준을 적용하여 계산한 세대수 (이하 "점검세대수"라 한다)로 하되, 점검세대수는 점검한도 세대수를 초과하여서는 아니 된다.

㉠ 점검한 아파트가 다음의 어느 하나에 해당할 때에는 다음에 따라 계산된 값을 실세 점검 세대수에서 뺀다.

- 스프링클러설비가 설치되지 않은 경우 : 실제 점검 세대수에 0.1을 곱한 값
- 물분무등소화설비가 설치되지 않은 경우 : 실제 점검 세대수에 0.15를 곱한 값
- 제연설비가 설치되지 않은 경우 : 실제 점검 세대수에 0.1을 곱한 값

㉡ 2개 이상의 아파트를 하루에 점검하는 경우에는 나중에 점검하는 아파트에 대하여 아파트 간의 최단 주행거리 5 km마다 1)에 따라 계산된 값 1)에 따라 계산된 값이 없을 때에는 실제 점검 세대수를 말한다)에 0.02를 곱한 값을 더한다.

(6) 아파트와 아파트 외 용도의 건축물을 하루에 점검할 때

점검면적	종합정밀점검	점검세대수 × 33.3
	작동기능점검	점검세대수 × 34.3
	소규모점검	점검세대수 × 38.9

※ 복합건축물에 아파트가 있는 경우 (근린생활시설과 아파트)

실제 점검(연)면적 = 근생 실제점검면적 + 아파트 세대수를 점검면적으로 환산한 면적

★ 아파트 용도의 주차장, 부속실 등의 면적은 세대수를 점검면적으로 환산한 면적에 포함되어 있음

$$\therefore \text{점검일수} = \frac{\text{점검면적}}{\text{점검한도면적}} = \frac{A-B}{\text{점검한도면적}}$$

A : 실제점검 (연)면적 × 가감계수(1.1)

B : 스프링클러 미설치시(A×0.1) + 물분무등 미설치시(A×0.15) + 제연설비 미설치시(A×0.1)]

아파트의 세대수를 점검면적으로 환산하고 아파트 외 용도의 실제점검연면적에 합산하여 일수 산정

(7) 종합정밀점검과 작동기능점검을 하루에 점검하는 경우 - 작동기능점검의 점검면적 또는 점검세대 수에 0.8을 곱한 값을 종합정밀점검 점검면적 또는 점검 세대수로 본다.

(8) 계산된 값은 소수점 이하 둘째 자리에서 반올림한다.

19. 소방시설관리사

1 관리사의 자격, 의무

(1) 소방시설관리사(관리사)가 되려는 사람 - **소방청장이 실시**하는 관리사시험에 합격 소방청장 - 합격자에게 행정안전부령으로 정하는 바에 따라 관리사증을 발급

(2) **관리사시험 응시자격, 시험 방법 등 관리사시험에 필요한 사항은 대통령령으로 정한다.**

(3) **관리사는 소방시설관리사증을 다른 자에게 빌려주어서는 아니되고 동시에 둘 이상의 업체에 취업하여서는 아니 된다.**

☞ 소방시설관리사증을 다른 자에게 빌려주거나 동시에 둘 이상의 업체에 취업한 사람
– 1년 이하의 징역 또는 1천만원 이하의 벌금

(4) 기술자격자 및 관리업의 기술 인력으로 등록된 관리사 – 성실하게 자체점검 업무를 수행

2 소방시설관리사 시험

(1) 응시자격

자격	소방실무경력
소방설비기사, 특급 소방안전관리자	2년 이상
소방안전공학 전공 한 후, 이공계 분야의 석사학위,	
소방설비산업기사, 위험물산업기사, 위험물기능사, 산업안전기사	3년 이상
1급 소방안전관리자, 이공계 분야의 학사학위, 소방안전 관련학과의 학사학위	
2급 소방안전관리자, 소방공무원	5년 이상
3급 소방안전관리자	7년 이상
소방실무경력	10년 이상
소방기술사, 건축기계설비기술사·건축전기설비기술사, 공조냉동기계기술사, 위험물기능장, 건축사, 소방안전공학 전공 한 후 석사학위 이상, 이공계 분야의 박사학위를 취득한 사람	

※ 소방청장은 시험에서 부정한 행위를 한 응시자에 대하여는 그 시험을 정지 또는 무효로 하고, 그 처분이 있은 날부터 **2년간 시험 응시자격을 정지**한다.

※ 관리사의 결격사유
1. 피성년후견인
2. 금고 이상의 실형을 선고받고 그 집행이 끝나거나(집행이 끝난 것으로 보는 경우를 포함한다) 집행이 면제된 날부터 2년이 지나지 아니한 사람
3. 금고 이상의 형의 집행유예를 선고받고 그 유예기간 중에 있는 사람
4. 자격이 취소된 날부터 2년이 지나지 아니한 사람
♣ 금고 이상의 실형 – 소방기본법, 소방시설공사업법, 위험물 안전관리법

(2) 시험방법

① 관리사시험은 제1차시험과 제2차 시험으로 구분하여 시행한다. 다만, 소방청장은 필요하다고 인정하는 때에는 제1차시험과 제2차시험을 구분하되, 같은 날에 순서대로 시행할 수 있다.

② 제1차시험은 선택형을, 제2차시험은 논문형을 원칙으로 하되, 제2차시험의 경우에는 기입형을 포함할 수 있다.

③ 제1차시험에 합격한 자에 대하여는 다음 회의 시험에 한하여 제1차시험을 면제한다. 다만, 면제받으려는 시험의 응시자격을 갖춘 경우로 한정한다.

④ 제2차시험은 제1차시험에 합격한 사람만 응시할 수 있다. 다만, 제1차 시험과 제2차시험을 병행하여 시행하는 경우에 제1차시험에 불합격한 사람의 제2차시험 응시는 무효로 한다.

(3) 시험과목

제1차 시험	제2차 시험
① 소방안전관리론(연소 및 소화 · 화재예방관리 · 건축물소방안전기준 · 인원수용 및 피난계획에 관한 부분으로 한정한다) 및 화재역학(화재성상 · 화재하중 · 열전달 · 화염확산 · 연소속도 · 구획화재 · 연소생성물 및 연기의 생성 및 이동에 관한 부분으로 한정한다) ② 소방수리학 · 약제화학 및 소방전기(소방관련 전기공사재료 및 전기제어에 관한 부분에 한정한다) ③ 소방관련 법령 ④ 위험물의 성상 및 시설기준 ⑤ 소방시설의 구조원리(고장진단 및 정비를 포함한다)	① 소방시설의 점검실무 행정(점검절차 및 점검기구 사용법) ② 소방시설의 설계 및 시공

(4) 시험위원

① 시험위원을 임명 또는 위촉하여야 한다.
　㉠ 소방관련학 박사학위를 가진 자
　㉡ 소방안전관련학과 조교수 이상으로 2년 이상 재직한 자
　㉢ 소방위 또는 지방소방위 이상의 소방공무원
　㉣ 소방시설관리사, 소방기술사

② 시험위원의 수
　㉠ 3명
　㉡ 출제위원 : 시험 과목별 3명
　㉢ 채점위원 : 시험 과목별 5명 이내(제2차시험의 경우에 한한다)

③ 시험위원으로 임명 또는 위촉된 자는 소방청장이 정하는 시험문제 등의 작성상 유의사항 및 서약서 등에 따른 준수사항을 성실히 이행하여야 한다.

④ 임명 또는 위촉된 시험위원과 시험감독업무에 종사하는 자에 대하여는 예산의 범위안에서 수당 및 여비를 지급할 수 있다.

(5) 시험과목의 일부면제

구 분	면제 과목	
제1차시험 과목 가운데 일부를 면제	소방수리학, 약제화학, 소방전기	소방관계법령
	소방기술사 (15년 이상 소방실무경력)	소방공무원 (15년 이상 근무한 경력이 있는 사람으로서 5년 이상 소방청장이 정하여 고시하는 소방 관련 업무 경력이 있는 사람)
제2차시험 과목 가운데 일부를 면제	소방설계 및 시공	점검 및 실무
	• 기술사 – 소방, 공조냉동기계 건축전기(기계)설비 • 위험물기능장 · 건축사	소방공무원(5년 이상 근무한 경력)

(6) 시험의 시행 및 공고 등

① **1년마다 1회 시행함을 원칙**으로 하되, 소방청장이 필요하다고 인정하는 때에는 그 횟수를 늘리거나 줄일 수 있다.

② 소방청장은 **관리사시험의 시행일 90일 전까지 소방청 홈페이지 등에 공고**하여야 한다.

③ 소방청장은 관리사시험합격자를 결정한 때에는 이를 **소방청 홈페이지 등에** 공고하여야 한다.

④ 소방청장은 제2차시험 합격자 공고일부터 1월 이내에 행정안전부령이 정하는 소방시설관리사 및 소방시설관리사수첩을 제2차시험합격자에게 교부하여야 하며, 이를 소방시설관리사증교부대장에 기재하고 관리하여야 한다.

3 자격의 취소·정지

소방청장은 관리사가 다음에 해당할 때에는 행정안전부령으로 정하는 바에 따라 그 자격을 취소하거나 2년 이내의 기간을 정하여 그 자격의 정지를 명할 수 있다.

소방시설관리사에 대한 행정처분기준

위반사항	행정처분기준		
	1차	2차	3차
(1) 거짓, 그 밖의 부정한 방법으로 시험에 합격한 경우	**자격취소**		
(2) 소방시설관리사증을 다른 자에게 빌려준 경우	**자격취소**		
(3) 동시에 둘 이상의 업체에 취업한 경우	**자격취소**		
(4) 결격사유에 해당하게 된 경우	**자격취소**		
(5) 소방안전관리 업무를 하지 않거나 거짓으로 한 경우	경고	6월	자격취소
(6) 점검을 하지 않거나 거짓으로 한 경우	경고	6월	자격취소
(7) 성실하게 자체점검 업무를 수행하지 아니한 경우	경고	6월	자격취소

20. 소방시설관리업

관리업의 등록신청과 등록증·등록수첩의 발급·재발급 신청, 그 밖에 관리업의 등록에 필요한 사항은 행정안전부령으로 정한다.

1 등록신청

(1) **시·도지사**에게 소방시설관리업("관리업")의 **등록**을 하여야 한다.

☞ 등록을 하지 아니하고 영업을 한 자 – **3년 이하의 징역 또는 3천만원 이하의 벌금**

2 소방시설관리업 등록 불가

(1) 등록기준에 적합하지 아니한 경우
(2) 등록을 신청한 자가 결격사유에 해당하는 경우
(3) 그 밖에 이 법 또는 다른 법령에 따른 제한에 위반되는 경우

Point

등록의 결격사유

① 피성년후견인
② 금고 이상의 실형을 선고받고 그 집행이 끝나거나(집행이 끝난 것으로 보는 경우를 포함한다) 집행이 면제된 날부터 2년이 지나지 아니한 사람
③ 금고 이상의 형의 집행유예를 선고받고 그 유예기간 중에 있는 사람
④ 관리업의 등록이 취소된 날부터 2년이 지나지 아니한 자
⑤ 임원 중에 ①부터 ④까지의 어느 하나에 해당하는 사람이 있는 법인

(2) **제출서류**
① 소방시설관리업등록신청서
② 기술인력연명부 및 기술자격증(자격수첩)

3 보완

(1) **10일 이내의 기간을 정하여 이를 보완**
(2) **보완하는 경우**
① 첨부서류가 미비되어 있는 때
② 신청서 및 첨부서류의 기재내용이 명확하지 아니한 때

4 등록사항의 변경신고 - 변경일부터 30일 이내에 신고

(1) 행정안전부령이 정하는 중요사항

구 분	명칭·상호 또는 영업소 소재지	대표자	기술인력
제출 서류	소방시설관리업 등록사항 변경신고서		
	소방시설관리업 등록증		
	소방시설관리업 등록수첩		
			변경된 기술인력의 기술자격증·자격수첩
			소방기술인력 연명부 1부

☞ 신고를 하지 아니한 자 또는 거짓으로 신고한 자 – **200만원 이하의 과태료**

(2) 시 · 도지사는 변경신고를 받은 때에는 **5일 이내에** 소방시설관리업등록증 및 등록수첩을 새로 교부

(3) 시 · 도지사는 변경신고를 받은 때에는 소방시설관리업등록대장에 변경사항을 기재하고 관리

5 재교부

(1) 소방시설관리업등록증(등록수첩)재교부신청서를 시 · 도지사에게 제출

(2) 시도지사는 제출받은 때에는 **3일 이내에** 소방시설관리업등록증 또는 등록수첩을 재교부

6 지위승계

관리업자의 지위를 승계한 자는 행정안전부령으로 정하는 바에 따라 시 · 도지사에게 신고하여야 한다.

☞ 신고를 하지 아니한 자 또는 거짓으로 신고한 자 – **200만원 이하의 과태료**

7 관리업의 운영

(1) **관리업자는 관리업의 등록증이나 등록수첩을 다른 자에게 빌려주어서는 아니 된다.**

☞ 관리업의 등록증이나 등록수첩을 다른 자에게 빌려준 자 – **1년 이하의 징역 또는 1천만원 이하의 벌금**

(2) 관리업자는 다음에 해당하면 소방안전관리 업무를 대행하게 하거나 소방시설등의 점검업무를 수행하게 한 특정소방대상물의 관계인에게 지체 없이 그 사실을 알려야 한다.

① 관리업자의 지위를 승계한 경우

② 관리업의 등록취소 또는 영업정지처분을 받은 경우

③ 휴업 또는 폐업을 한 경우

☞ 지위승계, 행정처분 또는 휴업 · 폐업의 사실을 특정소방대상물의 관계인에게 알리지 아니하거나 거짓으로 알린 관리업자 – **200만원 이하의 과태료**

(3) **관리업자는 자체점검을 할 때에는 행정안전부령으로 정하는 바에 따라 기술인력을 참여시켜야 한다.**

☞ 기술인력의 참여 없이 자체점검을 한 자 – **200만원 이하의 과태료**

① 작동기능점검(소방안전관리대상물)과 종합정밀점검 – 소방시설관리사와 보조기술인력

② 작동기능점검(①을 제외한 특정소방대상물) – 소방시설관리사 또는 보조기술인력

8 반납

(1) 등록이 취소된 때
(2) 소방시설관리업을 휴·폐업한 때
(3) 등록증 또는 등록수첩을 잃어버리고 재교부를 받은 경우에는 이를 다시 찾은 때에 한한다.

9 기술 인력 등 관리업의 등록기준

기술 인력 등 관리업의 등록기준에 필요한 사항은 대통령령으로 정한다.

(1) 인력기준

<table>
<tr><td>주된 기술인력</td><td colspan="2">소방시설관리사 1명 이상</td></tr>
<tr><td rowspan="4">보조 기술인력</td><td rowspan="4">2명 이상.
(② ~ ④는 소방기술인정자격수첩을 발급받은 사람일 것)</td><td>① 소방설비기사 또는 소방설비산업기사</td></tr>
<tr><td>② 소방기술과 관련된 자격·경력 및 학력이 있는 사람</td></tr>
<tr><td>③ 소방관련학과의 학사 학위를 취득한 사람</td></tr>
<tr><td>④ 소방공무원으로 3년 이상 근무한 사람</td></tr>
</table>

(2) 장비기준

소방시설	장비 및 규격	소방시설	장비 및 규격
공통시설	방수압력측정계· 절연저항측정계· 전류전압측정계	통로유도등 비상조명등	조도계(최소눈금이 0.1 Lux 이하인 것)
소화기구	저울	누전경보기	누전계 – 누전전류 측정용
옥내소화전설비 옥외소화전설비	소화전밸브압력계	무선통신보조설비	무선기(통화시험용)
스프링클러설비 포소화설비	헤드결합렌치	제연설비	풍속풍압계· 폐쇄력측정기·차압계
이산화탄소 소화설비 분말소화설비 할론소화설비 할로겐화합물 및 불활성기체 소화설비	검량계· 기동관누설시험기·그 밖에 소화약제의 저장량을 측정할 수 있는 점검기구	자동화재탐지설비 시각경보기 통합감시시설	열·연감지기시험기· 공기주입시험기· 감지기시험기 연결폴대· 음량계

※ 비고 : 종합정밀점검의 경우에는 위 점검 장비를 사용하여야 하며, 작동기능점검의 경우에는 점검 장비를 사용하지 않을 수 있다.

방수압력 측정계		절연저항 측정계		전류전압 측정계	
저울		소화전밸브 압력계		헤드결합랜치	
검량계		기동관누설 시험기		조도계	
누전계		무선기		풍속풍압계	
폐쇄력측정기		차압계 (압력차측정기)		열·연감지기 시험기	
공기주입 시험기		감지기시험기 연결폴대		음량계	

10 점검실명제

관리업자가 소방시설등의 점검을 마친 경우 점검일시, 점검자, 점검업체 등 점검과 관련된 사항을 점검기록표에 기록(행정안전부령)하고 이를 해당 특정소방대상물에 부착하여야 한다.

☞ 점검기록표를 거짓으로 작성하거나 해당 특정소방대상물에 부착하지 아니한 자
- 300만원 이하의 벌금

작동기능점검의 기록표

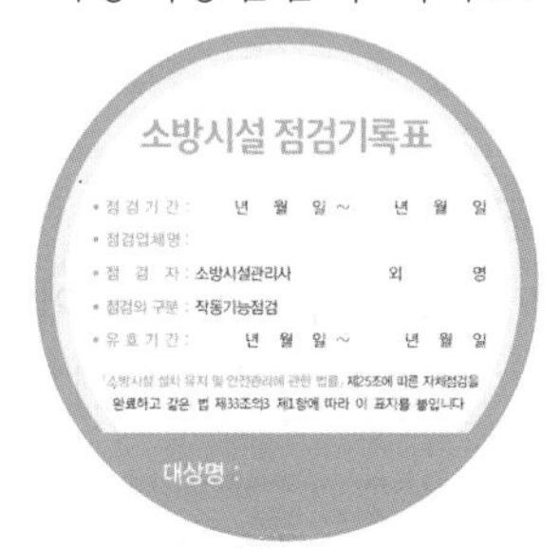
소방시설 점검기록표
• 점검기간 : 년 월 일 ~ 년 월 일
• 점검업체명 :
• 점 검 자 : 소방시설관리사 외 명
• 점검의 구분 : 작동기능점검
• 유효기간 : 년 월 일 ~ 년 월 일
「소방시설 설치 유지 및 안전관리에 관한 법률」 제25조에 따른 자체점검을 완료하고 같은 법 제33조의3 제1항에 따라 이 표지를 붙입니다
대상명 :

종합정밀점검의 기록표

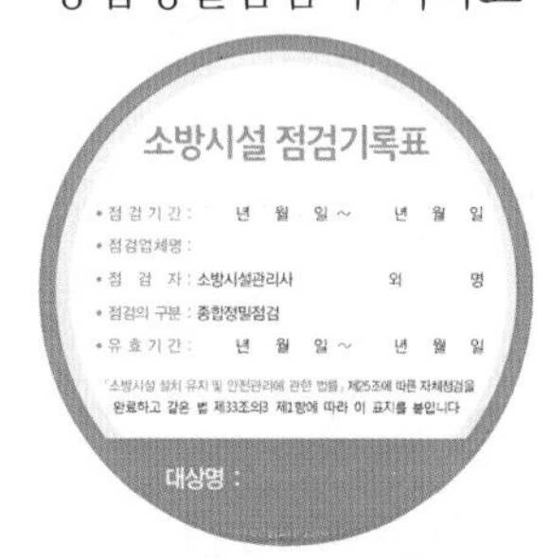
소방시설 점검기록표
• 점검기간 : 년 월 일 ~ 년 월 일
• 점검업체명 :
• 점 검 자 : 소방시설관리사 외 명
• 점검의 구분 : 종합정밀점검
• 유효기간 : 년 월 일 ~ 년 월 일
「소방시설 설치 유지 및 안전관리에 관한 법률」 제25조에 따른 자체점검을 완료하고 같은 법 제33조의3 제1항에 따라 이 표지를 붙입니다
대상명 :

21. 소방시설관리업 점검능력 평가 및 공시 등

1 점검능력 평가의 신청 등

(1) 점검능력을 종합적으로 평가, 공시자 – 소방청장

(2) 점검능력의 평가 목적 – 관계인 또는 건축주가 **적정한 관리업자를 선정**할 수 있도록 하기 위하여 관리업자의 신청이 있는 경우 해당 관리업자의 점검능력을 종합적으로 평가하여 공시 할 수 있다.

(3) 점검능력을 평가받으려는 소방시설관리업자의 제출서류

☞ 거짓으로 제출한 자 – 200만원 이하의 벌금

① 매년 2월 15일까지 소방청장에게 제출(소방시설등 점검능력 평가신청서 등)

② 2월 15일 후에 점검능력 평가를 신청할 수 있는 자

㉠ 신규로 소방시설관리업의 등록을 한 자

㉡ 소방시설관리업자의 지위를 승계한 자

(4) 점검능력 평가의 서류 보완기간

신청인으로 하여금 15일 이내의 기간을 정하여 보완하게 할 수 있다.

(5) 점검능력 평가 및 공시방법, 수수료 등 필요한 사항은 행정안전부령으로 정한다.

(6) 점검능력을 평가하기 위한 Data base 구축

소방청장은 점검능력을 평가하기 위하여 관리업자의 기술인력 및 장비 보유현황, 점검실적, 행정처분이력 등 필요한 사항에 대하여 데이터베이스를 구축할 수 있다.

2 점검능력의 평가

(1) 점검능력 평가 항목

대행실적	점검실적	기술력	경력	신인도

※ 점검실적은 점검인력 배치 기준에 적합한 것으로 확인된 경우만 인정한다.

(2) 점검능력 평가의 공시자, 공시일자, 공시방법

평가기관은 **점검능력 평가 결과를 매년 7월 31일까지 1개 이상의 일간신문 또는 평가기관의 인터넷 홈페이지를 통하여 공시**하고, 시·도지사에게 이를 통보

(3) 점검능력 평가 결과의 의미, 유효기간

① 소방시설관리업자가 **도급받을 수 있는 1건의 점검 도급금액이 된다.**

② **점검능력 평가의 유효기간 – 평가 결과를 공시한 날("정기공시일")부터 1년간으로 한다.**

(4) 거짓으로 제출된 서류가 있는 경우

평가기관은 제출된 서류의 일부가 거짓으로 확인된 경우에는 확인된 날부터 10일 이내에 점검능력을 새로 평가하여 공시하고, 시·도지사에게 이를 통보하여야 한다.

(5) 점검능력 평가 결과를 통보받은 시·도지사는 해당 소방시설관리업자의 등록수첩에 그 사실을 기록하여 발급하여야 한다.

(6) 점검능력 평가에 따른 수수료(점검인력 배치기준 적합 여부 확인에 관한 수수료를 포함한다)는 평가기관이 정하여 소방청장의 승인을 받아야 한다. 이 경우 소방청장은 승인한 수수료 관련 사항을 고시하여야 한다.

(7) 평가 항목에 대한 세부적인 평가기준은 소방청장이 정하여 고시한다.

예제 13

소방시설관리업의 점검능력평가에 해당하지 않는 것은?

① 점검실적 ② 자본금 ③ 경력 ④ 신인도

해답 ②

22. 소방시설관리업 등록의 취소와 영업정지 등

(1) 시·도지사는 관리업자가 다음에 해당할 때에는 행정안전부령으로 정하는 바에 따라 그 등록을 취소하거나 6개월 이내의 기간을 정하여 이의 시정이나 그 영업의 정지를 명할 수 있다.

☞ 영업정지처분을 받고 그 영업정지기간 중에 관리업의 업무를 한 자
- 1년 이하의 징역 또는 1천만원 이하의 벌금

소방시설관리업에 대한 행정처분 기준

위반사항	행정처분기준		
	1차	2차	3차
(1) **거짓, 그 밖의 부정한 방법으로 등록을 한 경우**	**등록취소**		
(2) **등록의 결격사유에 해당하게 된 경우**	**등록취소**		
(3) **다른 자에게 등록증 또는 등록수첩을 빌려준 경우**	**등록취소**		
(4) 점검을 하지 아니하거나 거짓으로 한 경우	경고	3개월	등록취소
(5) 등록기준에 미달하게 된 경우. 다만, 기술인력이 퇴직하거나 해임되어 30일 이내에 재선임하여 신고하는 경우는 제외한다.	경고	3개월	등록취소

※ (4)의 내용은 과징금 처분 할 수 있는 위반사항임.

(2) 관리업자의 지위를 승계한 상속인이 결격사유에 해당하는 경우에는 상속을 개시한 날부터 **6개월** 동안은 신고에 관하여 적용하지 아니한다.

23. 과징금처분

1 영업정지를 과징금처분으로 대체

시·도지사는 국민에게 심한 불편을 주거나 그 밖에 공익을 해칠 우려가 있을 때에는 영업정지 처분을 갈음하여 **3천만원 이하의 과징금을 부과할 수 있다.**

2 과징금처분의 기준

(1) 일반기준(공사업과 거의 동일 함)

① **영업정지 1개월은 30일로 계산한다.**

② **과징금 산정 = 영업정지기간(일) × 영업정지 1일에 해당하는 금액**

③ **위반행위가 둘 이상 발생한 경우**

과징금 부과에 의한 영업정지기간(일) 산정 → 각각의 영업정지 처분기간을 합산한 기간

④ **과징금부과 기준**

영업정지에 해당하는 위반사항으로서 위반행위의 동기 · 내용 · 횟수 또는 그 결과를 고려하여 그 처분기준의 2분의 1까지 감경한 경우 과징금 부과에 의한 영업정지기간(일) 산정 – 감경한 영업정지기간으로 한다.

⑤ **연간 매출액**

해당 업체에 대한 처분일이 속한 연도의 전년도의 1년간 위반사항이 적발된 업종의 각 매출금액을 기준으로 한다.

⑥ **과징금의 한도**

과징금 산정금액이 3천만원을 초과하는 경우 **3천만원으로 한다.**

(2) 개별기준

과징금을 부과할 수 있는 위반행위의 종별

소방시설관리업 위반사항	행정처분기준		
	1차	2차	3차
법 제25조제1항에 따른 점검을 하지 않거나 거짓으로 한 경우	–	영업정지 3개월	–
법 제29조제2항에 따른 등록기준에 미달하게 된 경우	–	영업정지 3개월	–

3 과징금의 징수

(1) **시 · 도지사**는 과징금을 내야 하는 자가 납부기한까지 내지 아니하면 지방세외수입금의 징수 등에 관한 법률에 따라 징수한다.
(2) **과징금을 부과하는 위반행위의 종류와 위반 정도 등에 따른 과징금의 금액, 그 밖의 필요한 사항**은 행정안전부령으로 정한다.
(3) 과징금 징수절차 - 국고금관리법 시행규칙 준용

예제 14

과징금 처분의 기준으로 옳지 않는 것은?

① 영업정지 1개월은 30일로 계산한다.
② 과징금 산정 = 영업정지기간(일) × 영업정지 1일에 해당하는 금액으로 한다.
③ 위반행위가 둘 이상 발생한 경우의 과징금 부과에 의한 영업정지기간(일) 산정은 영업정지 처분기간이 큰 기간을 기준으로 한다.
④ 과징금 산정금액이 3천만원을 초과하는 경우 3천만원으로 한다.

해답 ③

24. 소방용품의 형식승인

1 소방용품

구 분		구성하는 제품 또는 기기
형식승인제품	소화설비	소화기구(**소화약제 외의 것을 이용한 간이소화용구는 제외**), 자동소화장치(상업용 주방소화장치는 제외) 소화전, 송수구, 관창(菅槍), 소방호스, 스프링클러헤드, 기동용수압개폐장치, 유수제어밸브 및 가스관선택밸브
	경보설비	누전경보기 및 가스누설경보기, 수신기, 발신기, 중계기, 감지기 및 음향장치(경종만 한한다)
	피난설비	피난사다리, 구조대, 완강기(간이완강기 및 지지대를 포함) 공기호흡기(충전기를 포함) 유도등(피난구, 통로, 객석) 및 예비전원이 내장된 비상조명등
	소화용	① **소화약제** [상업용자동소화장치, 캐비넷형자동소화장치 및 **소화설비용(자동소화장치, 포, CO_2, 할론, 할로겐화합물 및 불활성기체, 분말, 강화액)에 한함]** ② **방염제(방염액 · 방염도료 및 방염성물질)**
	기타	**그 밖에 행정안전부령으로 정하는 소방 관련 제품 또는 기기**

성능인증제품	1. 소화기, 가압용 가스용기, 지시압력계 2. 표시등, 소방용전선(내화전선 및 내열전선), 예비전원, 비상콘센트설비, 비상경보설비의 축전지, 자동화재속보설비의 속보기, 탐지부, 비화재보방지기 3. 소방용밸브(개폐표시형 밸브, 릴리프 밸브, 푸트 밸브), 소방용 압력스위치, 소방용 스트레이너, 소화전함, 스프링클러설비신축배관, 소방용 합성수지배관 소화설비용 헤드(물분무헤드, 분말헤드, 포헤드, 살수헤드), 방수구 4. 축광표지(유도표지 및 위치표지), 공기안전매트, 소방용흡수관 5. 그 밖에 **소방청장이 고시하는 소방용품** – 분기배관, 포소화약제 혼합장치, 가스계소화설비 설계프로그램, 시각경보장치, 자동차압 · 과압 조절형댐퍼, 자동폐쇄장치, 가압수조식가압송수장치, 피난유도선, 방염제품, 다수인피난장비, 캐비닛형 간이스프링클러설비, 승강식피난기, 미분무헤드, 방열복, 상업용주방자동소화장치, 압축공기포헤드, 압축공기포혼합장치, 플랩댐퍼, 비상문자동개폐장치

(1) **소방시설등을 구성하거나 소방용으로 사용되는 제품, 기기**로서 대통령령으로 정하는 것

(2) 소방용품의 내용연수 등

① 관계인은 내용연수가 경과한 소방용품을 교체. 이 경우 내용연수를 설정하여야 하는 소방용품의 종류 및 그 내용연수 연한에 필요한 사항은 대통령령으로 정한다.

② ①에도 불구하고 행정안전부령으로 정하는 절차 및 방법 등에 따라 소방용품의 성능을 확인받은 경우에는 그 사용기한을 연장할 수 있다.

2 소방용품의 형식승인, 제품검사

형식승인의 과정	소방용품의 형식승인(형상, 구조 등의 형식시험과 시험시설에 대한 시험시설심사) 받은 후	→ 제품검사
	소방청장	소방청장

(1) 대통령령으로 정하는 소방용품을 제조, 수입하려는 자 ➔ 소방청장의 **형식승인**을 받아야 한다. 다만, 연구개발 목적으로 제조하거나 수입하는 소방용품은 제외

☞ 소방용품의 형식승인을 받지 아니하고 소방용품을 제조하거나 수입한 자
– 3년 이하의 징역 또는 3천만원 이하의 벌금

(2) 형식승인을 받으려는 자는 행정안전부령으로 정하는 기준에 따라 형식승인을 위한 시험시설을 갖추고 소방청장의 심사를 받아야 한다. 다만, 소방용품을 수입하는 자가 판매를 목적으로 하지 아니하고 자신의 건축물에 직접 설치하거나 사용하려는 경우 등 **행정안전부령으**로 정하는 경우에는 시험시설을 갖추지 아니할 수 있다.

(3) 형식승인을 받은 자는 소방용품에 대하여 소방청장이 실시하는 **제품검사**를 받아야 한다.

☞ 제품검사를 받지 아니한 자 – **3년 이하의 징역 또는 3천만원 이하의 벌금**

(4) **형식승인의 방법·절차 등과 제품검사의 구분·방법·순서·합격표시 등에 관한 사항**은 행정안전부령으로 정한다.

(5) 소방용품의 형상·구조·재질·성분·성능 등 ("형상등")의 형식승인 및 제품검사의 기술기준 등에 관한 사항은 **소방청장**이 정하여 고시한다.

(6) 누구든지 다음의 어느 하나에 해당하는 소방용품을 판매하거나 판매 목적으로 진열하거나 소방시설 공사에 사용할 수 없다.

① 형식승인을 받지 아니한 것
② 형상등을 임의로 변경한 것
③ 제품검사를 받지 아니하거나 합격표시를 하지 아니한 것

☞ 미형식승인, 형상을 임의 변경한것, 제품검사 받지 아니하거나 합격표시가 없는 소방용품을 판매 · 진열하거나 소방시설공사에 사용한 자 - 3년 이하의 징역 또는 3천만원 이하의 벌금

(7) 소방청장은 위반한 소방용품에 대하여는 그 제조자·수입자·판매자 또는 시공자에게 수거·폐기 또는 교체 등 행정안전부령으로 정하는 필요한 조치를 명할 수 있다.

☞ 명령을 정당한 사유 없이 위반한 자 - **3년 이하의 징역 또는 3천만원 이하의 벌금**

(8) 소방청장은 소방용품의 작동기능, 제조방법, 부품 등이 소방청장이 고시하는 형식승인 및 제품검사의 기술기준에서 정하고 있는 방법이 아닌 새로운 기술이 적용된 제품의 경우에는 관련 전문가의 평가를 거쳐 행정안전부령으로 정하는 바에 따라 방법 및 절차와 다른 방법 및 절차로 형식승인을 할 수 있으며, 외국의 공인기관으로부터 인정받은 신기술 제품은 형식승인을 위한 시험 중 일부를 생략하여 형식승인을 할 수 있다.

(9) 다음에 해당하는 소방용품의 형식승인 내용에 대하여 공인기관의 평가결과가 있는 경우 **형식승인 및 제품검사 시험 중 일부만을 적용하여 형식승인 및 제품검사**를 할 수 있다.

1. 「군수품관리법」 제2조에 따른 군수품
2. 주한외국공관 또는 주한외국군 부대에서 사용되는 소방용품
3. 외국의 차관이나 국가 간의 협약 등에 의하여 건설되는 공사에 사용되는 소방용품으로서 사전에 합의된 것
4. 그 밖에 특수한 목적으로 사용되는 소방용품으로서 소방청장이 인정하는 것

(10) 하나의 소방용품에 두 가지 이상의 형식승인 사항 또는 형식승인과 성능인증 사항이 결합된 경우에는 두 가지 이상의 형식승인 또는 형식승인과 성능인증 시험을 함께 실시하고 하나의 형식승인을 할 수 있으며 (10), (11)에 대한 형식승인의 방법 및 절차 등에 관하여는 행정안전부령으로 정한다.

3 형식승인의 변경

(1) 형식승인을 받은 자가 해당 소방용품에 대하여 형상등의 일부를 변경하려면 소방청장의 **변경승인**을 받아야 한다.

☞ 형식승인의 변경승인을 받지 아니한 자 – **1년 이하의 징역 또는 1천만원 이하의 벌금**

(2) 변경승인의 대상·구분·방법 및 절차 등에 관하여 필요한 사항은 행정안전부령으로 정한다.

4 형식승인의 취소 등

(1) 형식승인의 취소자 및 근거 – 소방청장, 행정안전부령

형식승인 취소	• **거짓이나 그 밖의 부정한 방법으로 형식승인을 받은 경우** • **거짓이나 그 밖의 부정한 방법으로 제품검사를 받은 경우** • **변경승인을 받지 아니하거나 거짓이나 그 밖의 부정한 방법으로 변경승인을 받은 경우**
6개월 이내의 제품검사의 중지	• 제품검사 시 기술기준에 미달되는 경우 • 시험시설의 시설기준에 미달되는 경우

(2) 소방용품의 형식승인이 취소된 자는 그 취소된 날부터 **2년 이내**에는 형식승인이 취소된 동일 품목에 대하여 형식승인을 받을 수 없다.

25. 소방용품의 성능인증

성능인증의 과정	소방용품의 성능인증 받은 후 →	제품검사
	소방청장	소방청장

(1) 소방청장은 제조자 또는 수입자 등의 요청이 있는 경우 소방용품에 대하여 성능인증을 할 수 있으며 제품검사에 합격하지 못한 소방용품은 성능인증표시 또는 제품검사의 합격표시를 하여서는 아니 된다.

☞ 제품검사에 합격하지 아니한 제품에 합격표시를 하거나 합격표시를 위조 또는 변조하여 사용한 자 – 1년 이하의 징역 또는 1천만원 이하의 벌금

☞ 제품검사에 합격하지 아니한 제품이나 성능인증을 받지 아니한 제품에 합격표시·성능인증표시를 하거나 합격표시·성능인증표시를 위조 또는 변조하여 사용한 자 – 1년 이하의 징역 또는 1천만원 이하의 벌금

(2) **성능인증의 대상·신청·방법 및 성능인증서 발급에 관한 사항과 제품검사의 구분·대상·절차·방법·합격표시 및 수수료 등에 관한 사항**은 행정안전부령으로 정한다.

(3) 성능인증 및 제품검사의 기술기준 등에 관한 사항은 소방청장이 정하여 고시한다.

(4) 성능인증을 받은 자가 해당 소방용품에 대하여 형상등의 일부를 변경하려면 소방청장의 변경인증을 받아야 한다.

☞ 성능인증의 변경인증을 받지 아니한 자 – 1년 이하의 징역 또는 1천만원 이하의 벌금

(5) 하나의 소방용품에 성능인증 사항이 두 가지 이상 결합된 경우에는 해당 성능인증 시험을 모두 실시하고 하나의 성능인증을 할 수 있으며 이 경우의 성능인증의 방법 및 절차 등에 관하여는 행정안전부령으로 정한다.

(6) 성능인증의 취소 등

소방청장은 다음에 해당되는 때에는 해당 소방용품의 성능인증을 취소하거나 6개월 이내의 기간을 정하여 해당 소방용품의 제품검사 중지를 명할 수 있다. 이 경우 소방용품의 성능인증이 취소된 자는 **그 취소된 날부터 2년 이내에 성능인증이 취소된 소방용품과 동일한 품목에 대하여는 성능인증을 받을 수 없다.**

구분	내용
성능인증 취소	거짓이나 그 밖의 부정한 방법으로 성능인증을 받은 경우
	거짓이나 그 밖의 부정한 방법으로 제품검사를 받은 경우
	변경인증을 받지 아니하고 해당 소방용품에 대하여 형상 등의 일부를 변경하거나 거짓이나 그 밖의 부정한 방법으로 변경인증을 받은 경우
6개월 이내의 제품검사 중지	제품검사 시 기술기준에 미달되는 경우 제품검사에 합격하지 아니한 제품에 합격표시, 판매, 소방시설공사에 사용

26. 제품검사 전문기관의 지정 등

1 제품검사 전문기관 지정

(1) 지정자 : 소방청장

(2) 목적 : 제품검사의 전문적 · 효율적인 실시를 위함

(3) 전문기관의 조건

Tip

① 다음에 해당하는 기관일 것
 ㉠ 연구기관 – 과학기술분야 정부출연연구기관 등의 설립 · 운영 및 육성에 관한 법률
 ㉡ 「공공기관의 운영에 관한 법률」 제4조에 따라 지정된 공공기관
 ㉢ 소방용품의 시험 · 검사 및 연구를 주된 업무로 하는 비영리 법인
② 「국가표준기본법」 제23조에 따라 인정을 받은 시험 · 검사기관일 것

③ **행정안전부령**으로 정하는 검사인력 및 검사설비를 갖추고 있을 것
④ 기관의 대표자가 등록의 결격사유의 어느 하나에 해당하지 아니할 것
⑤ 전문기관의 지정이 취소된 경우에는 지정이 취소된 날부터 2년이 경과하였을 것

☞ 거짓이나 그 밖의 부정한 방법으로 전문기관으로 지정을 받은 자
– **3년 이하의 징역 또는 3천만원 이하의 벌금**

(4) 전문기관 지정의 방법·절차 및 기준 등 필요한 사항은 **행정안전부령**으로 정한다.

2 소방청장이 전문기관을 지정하는 경우

(1) 소방용품의 품질 향상, 제품검사의 기술개발 등에 드는 비용을 부담하게 하는 등 필요한 조건을 붙일 수 있다. 단, 그 조건은 공공의 이익을 증진하기 위하여 필요한 최소한도에 한정하여야 하며, 부당한의무를 부과 하여서는 아니 된다.
(2) 전문기관의 제품검사 업무에 대한 평가 실시 및 제품검사를 받은 소방용품에 대하여 확인검사(비용은 전문기관에 부담 시킬 수 있음)를 할 수 있으며 그 평가 결과 또는 확인 결과를 공표할 수 있다.

3 전문기관의 지정취소 등

취소	거짓이나 그 밖의 부정한 방법으로 지정을 받은 경우
6개월 이내 업무의 정지	• 정당한 사유 없이 1년 이상 계속하여 제품검사 또는 실무교육 등 지정받은 업무를 수행하지 아니한 경우 • 1의 (3)조건에 맞지 아니하거나 2의 (1) 조건을 위반한 때 • 감독 결과 이 법이나 다른 법령을 위반하여 전문기관으로서의 업무를 수행하는 것이 부적당하다고 인정되는 경우

27. 우수품질 제품에 대한 인증 및 지원

(1) 우수품질 제품에 대한 인증자 : 소방청장
① 우수품질인증을 받은 소방용품에는 우수품질인증 표시를 할 수 있다.

☞ 우수품질인증을 받지 아니한 제품에 우수품질인증 표시를 하거나 우수품질인증 표시를 위조하거나 변조하여 사용한 자 – **1년 이하**의 징역 또는 **1천만원 이하**의 벌금

② 우수품질인증의 **유효기간은 5년**의 범위에서 **행정안전부령**으로 정한다.

(2) 우수품질인증을 받으려는 자
행정안전부령으로 정하는 바에 따라 **소방청장에게 신청**하여야 한다.

(3) 우수품질인증 취소
① 거짓이나 그 밖의 부정한 방법으로 우수품질인증을 받은 경우
② 우수품질인증을 받은 제품이 「발명진흥법」 제2조제4호에 따른 산업재산권 등 타인의 권리를 침해하였다고 판단되는 경우

(4) 우수품질인증을 위한 기술기준, 제품의 품질관리 평가, 우수품질인증의 갱신, 수수료 등 우수품질인증에 관하여 필요한 사항은 **행정안전부령**으로 정한다.

(5) 우수품질인증 소방용품에 대한 지원 등
다음에 해당하는 기관 및 단체는 건축물의 신축·증축 및 개축 등으로 소방용품을 변경 또는 신규 비치하는 경우 우수품질인증 소방용품을 우선 구매·사용하도록 노력하여야 한다.
1. 중앙행정기관
2. 지방자치단체
3. 「공공기관의 운영에 관한 법률」 제4조에 따른 공공기관(지방공사, 지방공단, 지방자치단체 출자 출연기관)

28. 소방용품의 수집검사 등

(1) 수집 및 검사자 : **소방청장**
(2) 목적 : **소방용품의 품질관리를 위하여**
(3) 유통 중인 소방용품을 수집하여 검사 → 행정안전부령으로 중대한 결함 시 회수·교환·폐기 또는 판매중지를 명하고 형식승인 또는 성능인증을 취소 → 소방청 홈페이지 등에 공표

29. 소방안전관리대상물의 소방안전관리에 관한 시험 등

(1) 특급 소방안전관리자시험 - 선택형과 서술형
(2) 1급, 2급, 3급 소방안전관리자시험 - 선택형을 원칙으로 하되, 기입형 가능
(3) 소방청장은 **특급, 1급 또는 2급, 3급 소방안전관리자시험을 실시**하고자 하는 때에는 응시자격·시험 과목·일시·장소 및 응시절차 등에 관하여 필요한 사항을 모든 응시 희망자가 알 수 있도록 **시험 시행일 30일 전에** 일간신문 또는 인터넷 홈페이지에 **공고하여야 한다.**

(4) 매과목 100점을 만점으로 하여 매과목 40점 이상, 전과목 평균 70점 이상을 득점한 자를 합격자로 한다.

30. 소방안전관리자 등에 대한 교육

1 교육의 목적

화재 예방 및 안전관리의 효율화, 새로운 기술의 보급과 안전의식의 향상을 위하여 실시

2 교육대상자

(1) **선임된 소방안전관리자 및 소방안전관리보조자**
(2) **소방안전관리 업무를 대행하는 자 및 소방안전관리 업무를 대행하는 자를 감독하는 자**
(3) **소방안전관리자의 자격을 인정받으려는 자로서 대통령령으로 정하는 자**
 – 특급, 1급, 2급, 3급 소방안전관리대상물 및 공공기관의 소방안전관리자가 되려는 자

3 교육의 실시자, 근거 – **소방청장, 행정안전부령**

4 소방안전관리업무의 제한자, 제한대상자, 제한기간, 근거

(1) 제한자 : **소방본부장 또는 소방서장**
① 소방안전관리자 또는 소방안전관리 업무 대행자의 업무를 정지한 때에는 이를 시·도 공보에 공고하고 협회장에게 통보
② 소방안전관리자의 경우에는 소방안전관리자수첩에 업무정지 내용을 기록하여 발급
③ 소방안전관리 업무 대행자의 경우에는 소방안전관리 업무를 대행하는 소방안전관리대상물의 관계인에게 그 사실을 통보하여야 한다.

(2) 제한대상자 : 소방안전관리자나 소방안전관리 업무 대행자
(그 업무의 정지 및 소방안전관리자수첩의 반납)

(3) 제한기간 : 정하여진 실무교육을 받지 아니하면 실무교육을 받을 때까지

(4) 제한 근거 : 행정안전부령

5 강습교육(소방안전관리자가 되고자 하는 자의 교육)

(1) 소방안전관리자에 대한 강습교육의 실시
① 한국소방안전원의 장(원장)의 업무

㉠ 소방안전관리자의 강습교육의 일정·횟수 등에 관하여 필요한 사항을 정함

㉡ 연간계획을 수립하여 실시

㉢ **강습교육실시 20일전까지** 일시·장소 그 밖의 강습교육 실시에 관하여 필요한 사항을 **한국소방안전원의 인터넷 홈페이지 및 게시판에 공고**

㉣ 강습교육을 실시한 때에는 수료자에게 수료증을 교부하고 강습교육수료자 명부대장을 강습교육의 종류별로 작성·보관하여야 한다.

② 강습교육을 받는 자가 3시간 이상 결강한 때에는 수료증을 교부하지 아니한다.

(2) 강습교육 수강신청 등

① 강습교육을 받고자 하는 자는 다음 서류를 원장에게 제출

Tip

※ 제출서류

1. 강습교육의 종류별로 강습교육원서 제출
2. 사진(가로 3.5 cm×세로 4.5 cm) 1매
3. 위험물안전관리자수첩 사본 1부(위험물안전관리법령에 의하여 안전관리자 강습교육을 수료한 자에 한한다)
4. 재직증명서(공공기관에 재직하는 자에 한한다)
5. 소방안전관리자 경력증명서
   (특급 또는 1급 소방안전관리대상물의 소방안전관리에 관한 강습교육을 받으려는 사람만 해당한다)

② 원장은 강습교육원서를 접수한 때에는 수강증을 교부하여야 한다.

(3) 강습교육의 강사

강습교육을 담당할 강사는 과목별로 소방에 관한 학식과 경험이 풍부한 자 중에서 **원장이 위촉**

(4) 강습교육의 과목 및 시간 – 시행규칙 별표 5 참조

6 실무교육(소방안전관리자, 소방안전보조관리자가 된 자, 기술자격자)

(1) 소방안전관리자 등의 실무교육 등

① **소방안전관리자 및 소방안전관리보조자에 대한 실무교육의 기간**

- **선임된 날부터 6개월 이내에 실무교육을 받고 2년마다 1회 이상 실시 (소방안전관리대상물에서 소방안전 관련 업무에 5년 이상 근무한 경력으로 소방안전관리보조자로 지정된 사람의 경우 3개월)**
- 다만, 소방안전관리 강습 또는 실무교육을 받고 1년 이내에 소방안전관리자로 선임된 사람은 해당 강습 또는 실무교육을 받은 날에 실무교육을 받은 것으로 본다.

② 실무교육

- 교육일정·대상 등 실무교육에 필요한 계획을 수립하여 소방청장의 승인을 얻어 **교육 실시 30일전까지 교육 대상자에게 통보**하여야 한다.

③ 소방본부장 또는 소방서장은 소방안전관리사나 소방안선관리보조자의 선임 신고를 받은 경우에는 신고일부터 1개월 이내에 원장에게 통보하여야 한다.

(2) 교육수료 사항의 기재 등

① 원장은 실무교육을 수료한 사람의 소방안전관리자수첩 또는 기술자격증에 실무교육수료 사항을 기록하여 발급하고 실무교육수료자명부를 작성하여 관리하여야 한다.

② **원장은 해당연도의 실무교육이 끝난 날부터 30일 이내에 그 결과를 소방본부장 또는 소방서장**에게 알려야 한다.

③ **원장은 해당연도의 실무교육 결과를 다음 연도 1월 31일까지 소방청장에게 보고**하여야 한다.

(3) 실무교육의 강사

실무교육을 담당하는 강사는 과목별로 소방 또는 안전관리에 관한 학식과 경험이 풍부한 자 중에서 원장이 위촉한다.

31. 권한의 위임 · 위탁 등

소방청장 또는 시 · 도지사의 권한 → 시 · 도지사, 소방본부장 또는 소방서장에게 위임

소방청장의 업무	소방용품에 대한 수거 · 폐기 또는 교체 등의 명령	시 · 도지사에게 위임
	1. 방염성능검사업무(합판 · 목재를 설치현장에서 방염 처리한 경우의 방염성능검사를 제외한다) 2. 소방용품의 형식승인(시험시설심사를 포함) 3. 형식승인의 변경승인 / 형식승인의 취소(청문포함) 4. 성능인증, 변경인증 및 취소(청문포함) / 우수품질인증 및 취소(청문포함)	한국소방산업기술원 (“기술원”)에 위탁
	제품검사	기술원 또는 전문기관에 위탁
	소방안전관리자 등에 대한 교육	한국소방안전원(“안전원”)에 위탁
	1. 점검능력 평가 및 공시 2. 점검능력 평가위한 데이터베이스 구축 3. 소방시설관리사증의 발급, 재발급	소방청장의 허가를 받아 설립한 소방시설과 관련된 법인 또는 단체 중에서 평가관련 인력과 장비를 갖춘 법인 또는 단체
	건축 환경 및 화재위험특성 변화 추세 연구에 관한 업무	화재안전 관련 전문 연구기관에 위탁

※ 위탁받은 업무를 수행하는 안전원, 기술원 및 전문기관이 갖추어야 하는 시설기준 등에 관하여 필요한 사항은 행정안전부령으로 정한다.
※ 소방청장은 기술원에 소방시설 및 소방용품에 관한 기술개발·연구 등에 필요한 경비의 일부를 보조할 수 있다.
※ 소방청장은 점검능력평가 및 공시에 관한 업무와 데이터베이스 구축에 관한 업무를 위탁받는 기관의 명칭·주소·대표자 및 위탁업무의 내용을 고시하여야 한다.
※ 소방청장은 화재안전 관련 전문 연구기관 연구에 필요한 경비를 지원할 수 있다.
※ 위탁받은 업무에 종사하고 있거나 종사하였던 사람은 업무를 수행하면서 알게 된 비밀을 이 법에서 정한 목적 외의 용도로 사용하거나 다른 사람 또는 기관에 제공하거나 누설하여서는 아니 된다.

☞ 위탁받은 업무를 수행하면서 알게 된 비밀을 이 법에서 정한 목적 외의 용도로 사용하거나 다른 사람 또는 기관에 제공하거나 누설한 사람 – **300만원 이하의 벌금**

32. 감독

(1) 소방청장, 시·도지사, 소방본부장 또는 소방서장은 다음 각 호의 어느 하나에 해당하는 자, 사업체 또는 소방대상물 등의 감독을 위하여 필요하면 관계인에게 필요한 보고 또는 자료제출을 명할 수 있으며, 관계 공무원으로 하여금 소방대상물·사업소·사무소 또는 사업장에 출입하여 관계 서류·시설 및 제품 등을 검사하거나 관계인에게 질문하게 할 수 있다.
① 관리업자
② 관리업자가 점검한 특정소방대상물
③ 관리사
④ 소방용품의 형식승인, 제품검사 및 시험시설의 심사를 받은 자
⑤ 변경승인을 받은 자
⑥ 성능인증 및 제품검사를 받은 자
⑦ 지정을 받은 전문기관
⑧ 소방용품을 판매하는 자

☞ 명령을 위반하여 보고 또는 자료제출을 하지 아니하거나 거짓으로 보고 또는 자료제출을 한자 또는 정당한 사유 없이 관계 공무원의 출입 또는 조사·검사를 거부·방해 또는 기피한 자
– 200만원 이하의 과태료

(2) 출입·검사 업무를 수행하는 관계 공무원은 그 권한을 표시하는 증표를 지니고 이를 관계인에게 내보여야 한다.

(3) 출입·검사 업무를 수행하는 관계 공무원은 관계인의 정당한 업무를 방해하거나 출입·검사 업무를 수행하면서 알게 된 비밀을 다른 사람에게 누설하여서는 아니 된다.

33. 벌칙 적용 시의 공무원 의제

소방특별조사대상선정위원회의 위원 중 공무원이 아닌 사람, 소방특별조사에 참여하는 전문가, 위탁받은 업무를 수행하는 협회·기술원 및 전문기관, 법인 또는 단체의 담당 임직원은 「형법」 제129조부터 제132조까지의 규정을 적용할 때에는 공무원으로 본다.

34. 청문

1 청문자 - **소방청장 또는 시 · 도지사**

2 청문의 대상

관리사 자격의 취소 및 정지	관리업의 등록취소 및 영업정지
소방용품의 형식승인 취소 및 제품검사 중지	성능인증의 취소
우수품질인증의 취소	전문기관의 지정취소 및 업무정지

35. 벌칙

1 양벌규정

법인의 대표자나 법인 또는 개인의 대리인, 사용인, 그 밖의 종업원이 그 법인 또는 개인의 업무에 관하여 위반행위를 하면 그 행위자를 벌하는 외에 그 법인 또는 개인에게도 해당 조문의 벌금형을 과(科)한다. 다만 법인 또는 개인이 그 위반행위를 방지하기 위하여 해당 업무에 관하여 상당한 주의와 감독을 게을리하지 아니한 경우에는 그러하지 아니하다.

2 과태료

(1) 과태료는 대통령령으로 정하는 바에 따라 소방청장, 관할 시·도지사, 소방본부장 또는 소방서장이 부과·징수한다.

(2) 일반기준

① 과태료 부과기준액의 2분의 1까지 그 금액을 감경하는 경우
다만, 과태료를 체납하고 있는 위반행위자의 경우에는 그러하지 아니하다.

㉠ 위반행위자가 「질서위반행위규제법 시행령」 제2조의2제1항 각 호의 어느 하나에 해당하는 경우
㉡ 위반행위자가 처음 위반행위를 하는 경우로서 3년 이상 해당 업종을 모범적으로 영위한 사실이 인정되는 경우
㉢ 위반행위자가 화재 등 재난으로 재산에 현저한 손실이 발생하거나 사업여건의 악화로 사업이 중대한 위기에 처하는 등 사정이 있는 경우
㉣ 위반행위가 사소한 부주의나 오류 등 과실로 인한 것으로 인정되는 경우
㉤ 위반행위자가 동일한 위반행위로 다른 법률에 따라 과태료·벌금·영업정지 등의 처분을 받은 경우
㉥ 위반행위자가 위법행위로 인한 결과를 시정하거나 해소한 경우
㉦ 위반행위의 정도, 위반행위의 동기와 그 결과 등을 고려하여 감경할 필요가 있다고 인정되는 경우

② 위반행위의 횟수에 따른 과태료의 가중된 부과기준은 최근 1년간 같은 위반행위로 과태료를 부과받은 경우에 적용한다. 이 경우 기간의 계산은 위반행위에 대하여 과태료 부과처분을 받은 날과 그 처분 후 위반행위를 하여 적발된 날을 기준으로 하여 위반횟수를 계산한다.
③ 가중된 부과처분을 하는 경우 가중처분의 적용차수는 그 위반행위 전 부과처분 차수(과태료 처분이 둘 이상 있었던 경우에는 높은 차수를 말한다.)의 다음 차수로 한다.

(3) 개별기준

위반행위	과태료 금액 (단위: 만원)		
	1차	2차	3차 이상
가. 제20조제4항 – **소방안전관리자 선임 신고** 제31조 – **관리업 변경신고** 제32조제3항 – **관리업 지위승계신고**			
1) **지연신고기간이 1개월 미만인 경우**	30		
2) **지연신고기간이 1개월 이상 3개월 미만인 경우**	50		
3) **지연신고기간이 3개월 이상이거나 신고를 하지 않은 경우**	100		
4) **거짓으로 신고한 경우**	200		
나. **소방시설 등의 점검결과를 보고하지 않거나 거짓으로 보고한 경우**			
1) **지연보고기간이 1개월 미만인 경우**	30		
2) **지연보고기간이 1개월 이상 3개월 미만인 경우**	50		
3) **지연보고기간이 3개월 이상 또는 보고하지 아니한 경우**	100		
4) **거짓으로 보고한 경우**	200		
다. 화재안전기준에 따라 설치 및 유지, 관리하지 않은 경우			
1) 2) 및 3)을 제외하고 **소방시설을 최근 1년 이상 2회 이상 화재안전기준에 따라 관리·유지하지 않은 경우**	100		

2) 소방시설을 다음에 해당하는 **고장상태 등으로 방치한 경우** 가) 소화펌프를 고장상태로 방치한 경우 나) 수신반 전원, 동력(감시)제어반 또는 소방시설용 비상전원을 차단하거나, 고장난 상태로 방치하거나, 임의로 조작하여 자동으로 작동이 되지 않도록 한 경우 다) 소방시설이 작동하는 경우 소화배관을 통하여 소화수의 방수 또는 소화약제가 방출되지 않는 상태로 방치한 경우	200		
3) 소방시설을 **설치하지 않은 경우**	300		
라. 피난시설, 방화구획 또는 방화시설을 폐쇄·훼손·변경 등의 행위를 한 경우	100	200	300
마. 관계인이 소방안전관리 업무를 수행하지 않은 경우	50	100	200
바. 관계인 또는 소방안전관리자가 소방안전관리 업무를 하지 않은 경우	50	100	200
사. 소방훈련 및 교육을 실시하지 않은 경우 피난유도 안내정보를 제공하지 아니한 경우	50	100	200
아. 국가 및 시방자치단체와 행정기관 등 소방안전관리 업무를 하지 않은 경우	50	100	200
자. 명령을 위반하여 보고 또는 자료제출을 하지 않거나 거짓으로 보고 또는 자료제출을 한 경우 또는 정당한 사유 없이 관계공무원의 출입 또는 조사·검사를 거부·방해 또는 기피한 경우	50	100	200
차. 관계인이 소방안전관리자에 대한 지도와 감독을 하지 않은 경우	200		
카. 관리업자가 지위승계, 행정처분 또는 휴업·폐업의 사실을 특정소방대상물의 관계인에게 알리지 않거나 거짓으로 알린 경우	200		
타. 관리업자가 기술인력의 참여 없이 자체점검을 실시한 경우 관리업자가 점검실적의 서류를 거짓으로 제출한 경우	200		
파. 임시소방시설을 설치·유지·관리하지 않은 경우	300		

36. 신고포상금의 지급

(1) 누구든지 소방본부장 또는 소방서장에게 신고할 수 있는 경우

① 특정소방대상물의 관계인은 대통령령으로 정하는 소방시설을 소방청장이 정하여 고시하는 화재안전기준에 따라 설치 또는 유지·관리하여야 한다. 이 경우 장애인등이 사용하는 소방시설(경보설비 및 피난구조설비)은 대통령령으로 정하는 바에 따라 장애인등에 적합하게 설치 또는 유지·관리하여야 한다. → 위반하여 소방시설을 설치 또는 유지·관리한 자

② 특정소방대상물의 관계인은 소방시설을 유지·관리할 때 소방시설의 기능과 성능에 지장을 줄 수 있는 폐쇄(잠금을 포함)·차단 등의 행위를 하여서는 아니 된다. 다만, 소방시설의 점검·정비를 위한 폐쇄·차단은 할 수 있다. → 위반하여 폐쇄·차단 등의 행위를 한 자

③ 다음에 해당하는 행위

㉠ 피난시설, 방화구획 및 방화시설을 폐쇄하거나 훼손하는 등의 행위

㉡ 피난시설, 방화구획 및 방화시설의 주위에 물건을 쌓아두거나 장애물을 설치하는 행위

㉢ 피난시설, 방화구획 및 방화시설의 용도에 장애를 주거나 「소방기본법」 제16조에 따른 소방활동에 지장을 주는 행위

㉣ 그 밖에 피난시설, 방화구획 및 방화시설을 변경하는 행위

(2) 소방본부장 또는 소방서장은 신고를 받은 경우 신고 내용을 확인하여 이를 신속하게 처리하고 이를 처리한 경우에는 **처리한 날부터 10일 이내에 그 처리결과를 위반행위 신고** 내용 **처리결과 통지서로 신고자에게 통지**(우편, 팩스, 정보통신망, 전자우편 또는 휴대전화 문자 메시지 등)해야 한다.

(3) 소방본부장, 소방서장은 신고를 한 사람에게 예산의 범위에서 포상금을 지급할 수 있다.

(4) 신고포상금의 지급대상, 지급기준, 지급절차 등에 필요한 사항은 시·도의 조례로 정한다.

37. 조치명령 등의 기간연장

1 조치명령 등의 연기 신청

조치명령 등(조치·선임 또는 이행명령)을 받은 관계인 등은 대통령령으로 정하는 사유로 조치명령 등을 그 기간 내에 이행할 수 없는 경우에는 조치명령 등을 명령한 소방청장, 소방본부장 또는 소방서장에게 대통령령으로 정하는 바에 따라 조치명령 등을 **이행기간 만료 5일 전까지** 조치명령 등의 연기신청서에 조치명령 등을 이행할 수 없음을 증명할 수 있는 서류를 첨부하여 **연기하여 줄 것을 신청할 수 있다**.

Tip

대통령령으로 정하는 사유

1. 태풍, 홍수 등 재난의 경우
2. 관계인이 질병, 장기출장 등의 경우
3. 경매 또는 양도·양수 등의 사유로 소유권이 변동된 경우
4. 시장·상가·복합건축물 등 다수의 관계인으로 구성되어 조치명령기간 내에 의견조정과 시정이 불가능하다고 인정할 만한 상당한 이유가 있는 경우

2 조치명령등의 종류

Tip

- 소방대상물의 개수·이전·제거, 사용의 금지 또는 제한, 사용폐쇄, 공사의 정지 또는 중지 등 조치명령
- 형식승인을 받지 아니한 소방용품의 수거·폐기 또는 교체 등의 조치명령
- 피난시설, 방화구획 및 방화시설에 대한 조치명령
- 방염성대상물품의 제거 또는 방염성능검사 조치명령
- 중대한 결함이 있는 소방용품의 회수·교환·폐기 조치명령
- 소방시설에 대한 조치명령
- 소방안전관리업무 이행명령
- 소방안전관리자 선임명령

연기신청을 받은 소방청장, 소방본부장 또는 소방서장은 연기신청 승인 여부를 결정하고 그 결과를 **신청받은 날부터 3일 이내**에 조치명령 등의 연기 여부를 결정하여 조치명령 등의 이행 기간 내에 조치명령 등의 연기 통지서를 **관계인 등에게 통지**하여야 한다.

38. 수수료 등

(1) 수수료 또는 교육비 – 행정안전부령으로 정한다.

(2) 시험응시 수수료와 교육비 반환

구 분	반환 비용
수수료 또는 교육비를 과오납한 경우	그 과오납한 금액의 전부
시험시행기관 또는 교육실시기관의 귀책사유로 시험에 응시하지 못하거나 교육을 받지 못한 경우	납입한 수수료 또는 교육비의 전부
원서접수기간 또는 교육신청기간 내에 접수를 철회한 경우	납입한 수수료 또는 교육비의 전부
시험시행일 또는 교육실시일 20일 전까지 접수를 취소하는 경우	납입한 수수료 또는 교육비의 전부
시험시행일 또는 교육실시일 **10일 전까지 접수를 취소하는 경우**	**납입한 수수료 또는 교육비의 100분의 50**

(4) 수수료 또는 교육비를 납부하는 경우에는 정보통신망을 이용하여 전자화폐 · 전자결제 등의 방법으로 할 수 있다.

39. 고유식별정보의 처리

소방청장(소방청장의 권한을 위임 · 위탁받은 자를 포함한다), 시 · 도지사, 소방본부장 또는 소방서장은 사무를 수행하기 위하여 불가피한 경우 주민등록번호 또는 외국인등록번호가 포함된 자료를 처리할 수 있다.

실전 예상문제

01 소방시설 설치·유지 및 안전관리에 관한 법률 목적이 아닌 것은?

① 화재와 재난·재해, 그 밖의 위급한 상황으로부터 국민의 생명·신체 및 재산을 보호
② 소방시설등의 설치·유지 및 소방대상물의 안전관리에 관하여 필요한 사항을 정함
③ 화재로부터 공공의 안전을 확보하고 국민경제에 이바지함
④ 공공의 안전과 복리 증진에 이바지함을 목적으로 한다.

화재로부터 공공의 안전을 확보하고 국민경제에 이바지함 – 경제와 관련된 것은 소방시설공사업의 목적이다.

02 소방시설 설치·유지 및 안전관리에 관한 법률에 따라 물분무등소화설비가 아닌 것은?

① 미분무소화설비　　② 포소화설비
③ 강화액소화설비　　④ 화재조기진압용스프링클러설비

<table>
<tr><td rowspan="4">물분무등소화설비</td><td>물분무소화설비</td><td>미분무소화설비</td><td>포소화설비</td></tr>
<tr><td>이산화탄소소화설비</td><td>할론소화설비</td><td>분말소화설비</td></tr>
<tr><td colspan="2">할로겐화합물 및 불활성기체 소화설비</td><td>강화액소화설비</td></tr>
<tr><td colspan="2">고체에어로졸소화설비</td><td></td></tr>
</table>

03 소방시설등, 특정소방대상물은 무엇으로 정하는가?

① 대통령령　　② 행정안전부령
③ 소방청고시　　④ 시도의 조례

소방시설등 – 소방시설과 비상구(非常口), 그 밖에 소방 관련 시설로서 대통령령으로 정하는 것
특정소방대상물 – 소방시설을 설치하여야 하는 소방대상물로서 대통령령으로 정하는 것

01 ③　02 ④　03 ①

04 근린생활시설에 해당하지 않는 것은?

① 500 m^2 미만의 고시원 ② 접골원
③ 1천 m^2 미만의 슈퍼마켓 ④ 무도학원

같은 건축물에 해당 용도	바닥면적의합계	비 고
수퍼마켓과 일용품(식품, 잡화, 의류 등) 등의 소매점	1천 m^2 미만	면적 이상 시 판매시설 (상점)
의약품 판매소, 의료기기 판매소 및 자동차영업소	1천 m^2 미만	면적 이상 시 판매시설 등
학원, 고시원	500 m^2 미만	자동차학원, **무도학원은 제외**
접골원(接骨院), 조산원, 산후조리원, 안마원, 안마시술소, 독서실, 장의사, 동물병원 등		

05 특정소방대상물의 종류와 대상을 연결한 것이다. 연결이 옳은 것은?

① 근린생활시설 – 고물상 ② 공동주택 – 3층 이상의 주택(아파트)
③ 일반숙박시설 – 휴양콘도미니엄 ④ 업무시설 – 변전소

공동주택은 아파트(5층 이상의 주택)와 기숙사, 휴양콘도미니엄은 관광숙박시설, 고물상은 분뇨및 쓰레기처리시설

06 특정소방대상물 중 근린생활시설에 해당하지 않는 것은?

① 안마시술소 ② 독서실 ③ 동물병원 ④ 자동차학원

자동차학원은 항공기 및 자동차 관련 시설이다.

07 운수시설에 해당하지 않는 것은?

① 여객자동차터미널
② 철도 및 도시철도 시설(정비창 등 관련시설을 포함한다)
③ 공항시설(항공관제탑을 포함한다)
④ 「여객자동차 운수사업법」에 따른 차고 및 주기장(駐機場)

해설

운수시설	여객자동차터미널, 철도 및 도시철도 시설(정비창 등 관련시설을 포함한다), 공항시설(항공관제탑을 포함한다), 항만시설 및 종합여객시설
항공기 및 자동차 관련 시설	항공기격납고, 주차용 건축물·차고 및 기계장치에 의한 주차시설, 세차장, 폐차장, 자동차검사장, 자동차매매장, 자동차정비공장, 운전학원·정비학원, 주차장
	「여객자동차 운수사업법」, 「화물자동차 운수사업법」 및 「건설기계관리법」에 따른 차고 및 주기장(駐機場)

04 ④ 05 ④ 06 ④ 07 ④

●●● 08 **다음의 특정소방대상물 중 의료시설에 해당 되지 않는 것은?**

① 마약진료소 ② 노인의료복지시설
③ 정신의료기관 ④ 한방병원

노인의료복지시설은 노유자시설이다.

의료시설	병원 : 종합병원, 병원, 치과병원, 한방병원, 요양병원
	격리병원 : 전염병원, 마약진료소 및 그 밖에 이와 비슷한 것
	정신의료기관

●●● 09 **둘 이상의 특정소방대상물이 어느 하나로 연결된 경우 하나의 특정소방대상물로 보는데 그 조건이 맞지 않는 것은?**

① 연결통로가 기타구조인 경우
② 연결통로가 내화구조로서 그 길이가 6 m 이하인 경우(단, 벽이 없는 구조이다.)
③ 연결통로가 콘베이어로 연결되어 있는 경우
④ 연결통로가 내화구조로서 그 길이가 10 m 이하인 경우(단, 벽이 없는 구조이다.)

연결통로로 되어 있는 경우	내화구조	벽이 없는 구조	그 길이가 6 m 이하
		벽이 있는 구조	그 길이가 10 m 이하인 경우
		※ 벽 높이가 바닥에서 천장 높이의 2분의 1 이상인 경우에는 벽이 있는 구조로 보고, 벽 높이가 바닥에서 천장 높이의 2분의 1 미만인 경우에는 벽이 없는 구조로 본다	
	기타구조	조건없이 두 개의 소방대상물을 하나로 본다.	
콘베이어로 연결되거나 플랜트설비의 배관 등으로 연결되어 있는 경우			

●●○ 10 **소방시설등을 구성하거나 소방용으로 사용되는 제품 또는 기기로서 대통령령으로 정하는 소방용품이 아닌 것은?**

① 방염제 ② 소화설비용 소화약제
③ 간이완강기 ④ 투척용소화용구

구 분	소방용품
소화설비	소화기구(**소화약제 외의 것을 이용한 간이소화용구는 제외**), 자동소화장치(상업용 주방소화장치는 제외), 소화전, 송수구, 관창(菅槍), 소방호스, 스프링클러헤드, 기동용수압개폐장치, 유수제어밸브 및 가스관선택밸브
소화용	**소화약제[소화설비용(상업용자동소화장치, 캐비닛형 자동소화장치, 포, CO_2, 할론, 할로겐화합물 및 불활성기체, 분말, 강화액)에 한함], 방염제 (방염액·방염도료 및 방염성물질)**

정답 08 ② 09 ④ 10 ④

••• 11 **무창층의 정의에서 유효한 개구부의 조건으로 옳지 않은 것은?**

① 개구부의 크기는 지름 45 cm 이상의 원이 내접(內接)할 수 있는 크기일 것
② 해당 층의 바닥면으로부터 개구부 밑부분까지의 높이가 1.2 m 이내일 것
③ 화재 시 건축물로부터 쉽게 피난할 수 있도록 창살이나 그 밖의 장애물이 설치되지 아니할 것
④ 내부 또는 외부에서 쉽게 부수거나 열 수 있을 것

무창층의 유효한 개구부의 조건 - 크기는 지름 50 cm 이상의 원이 내접(內接)할 수 있는 크기일 것
♣ 도로 또는 차량이 진입할 수 있는 빈터를 향할 것

••• 12 **무창층이라 함은 지상층 중 다음 요건을 갖춘 개구부의 면적의 합계가 당해 층의 바닥면적의 30분의 1 이하가 되는 층을 말한다. 이 경우 개구부의 기준에 해당되지 않는 것은?**

① 개구부의 크기가 지름 50 cm 이상의 원이 내집할 수 있을 것
② 개구부는 도로 또는 차량의 진입 할 수 있는 빈터를 향할 것
③ 해당 층의 바닥면으로부터 개구부 및 부분까지의 높이가 1.5 m 이내일 것
④ 내부 또는 외부에서 쉽게 파괴 또는 개방할 수 있을 것

해당 층의 바닥면으로부터 개구부 및 부분까지의 높이가 1.2 m 이내일 것

••• 13 **소방본부장 또는 소방서장은 소방특별조사를 하고자 하는 때에는 며칠 전에 관계인에게 알려야 하는가?**

① 1일 ② 7일 ③ 10일 ④ 30일

소방특별조사를 하려면 소방청장, 소방본부장 또는 소방서장은 7일 전에 관계인에게 조사대상, 조사기간 및 조사사유 등을 서면으로 알려야 한다.

••○ 14 **화재의 예방 또는 화재 진압대책을 위하여 시행하는 소방특별조사에 관한 일반적인 사항으로 틀린 것은?**

① 원칙적으로는 해가 뜨기 전이나 해가 진 뒤에 할 수 없다.
② 소방특별조사 계획에 대하여 소방대상물의 관계인이 미리 알지 못하도록 조치하여야 한다.
③ 관계공무원은 검사업무를 수행하면서 알게 된 비밀을 다른 사람에게 누설하여서는 아니 된다.
④ 출입·검사업무를 수행하는 관계공무원은 권한을 표시하는 증표를 관계인에게 내보내야 한다.

소방특별조사를 하려면 소방청장, 소방본부장 또는 소방서장은 7일 전에 관계인에게 조사대상, 조사기간 및 조사사유 등을 서면으로 알려야 한다.

정답 11 ① 12 ③ 13 ② 14 ②

15 소방특별조사의 세부 항목이 아닌 것은?

① 피난시설 · 방화구획 및 방화시설의 설치 · 유지 및 관리에 관한 사항
② 불을 사용하는 설비 등의 관리와 특수가연물의 저장 · 취급에 관한 사항
③ 위험물안전관리에 관한 사항
④ 소방계획서의 이행에 관한 사항

소방특별조사의 조사 세부 항목
(1) 소방안전관리 업무 수행에 관한 사항
(2) 다중이용업소의 안전관리에 관한 사항
(3) 위험물 안전관리에 관한 사항
(4) 소방계획서의 이행에 관한 사항
(5) 자체점검 및 정기적 점검 등에 관한 사항
(6) 화재의 예방조치 등에 관한 사항
(7) 불을 사용하는 설비 등의 관리와 특수가연물의 저장 · 취급에 관한 사항
※ 소방특별조사의 목적을 달성하기 위하여 필요하면 소방시설등과 피난시설 · 방화구획 및 방화시설의 설치 · 유지 및 관리에 관한 사항을 조사할 수 있다.

16 소방특별조사를 실시할 수 없는 자는?

① 시 · 도지사 ② 소방청장
③ 소방본부장 ④ 소방서장

소방특별조사 실시자 – 소방청장, 소방본부장, 소방서장

17 소방특별조사 실시 할 수 있는 경우로서 잘못된 것은?

① 관계인이 이 법 또는 다른 법령에 따라 실시하는 소방시설등, 방화시설, 피난시설 등에 대한 자체점검 등이 불성실하거나 불완전하다고 인정되는 경우
② 국가적 행사 등 주요 행사가 개최되는 장소 및 그 주변의 관계 지역에 대하여 소방안전관리 실태를 점검할 필요가 있는 경우
③ 재난예측정보, 기상예보 등을 분석한 결과 소방대상물에 화재, 재난 · 재해의 발생 위험이 높다고 판단되는 경우
④ 방화지구에 대한 소방특별조사 등 다른 법률에서 소방특별조사를 실시하도록 한 경우

화재경계지구에 대한 소방특별조사 등 다른 법률에서 소방특별조사를 실시하도록 한 경우

15 ① 16 ① 17 ④

18 소방특별조사 대상물 선정 시 객관적이고 공정하게 선정하기 위하여 필요하면 소방특별조사위원회를 구성할 수 있는 자는?

① 시도지사, 소방청장, 소방본부장 또는 소방서장
② 소방청장, 소방본부장 또는 소방서장
③ 소방본부장
④ 소방본부장 또는 소방서장

해설
소방특별조사대상선정위원회를 구성자 – 소방본부장

19 소방특별조사위원회 위원으로 소방본부장이 임명하거나 위촉할 수 있는 자에 대해 잘못 설명한 것은?

① 부장급 직위 이상의 소방공무원
② 소방기술사
③ 소방공무원 교육기관, 대학 또는 연구소에서 소방과 관련한 교육 또는 연구에 5년 이상 종사한 사람
④ 소방 관련 석사 학위 이상을 취득한 사람

해설
소방공무원은 과장급 직위 이상부터 소방특별조사대상선정위원회 위원으로 임명하거나 위촉 될 수 있다.

20 소방특별조사위원회의 구성 등의 내용으로 틀린 것은?

① 소방특별조사대상선정위원회 위원장을 포함하여 7명 이내의 위원으로 구성한다.
② 소방특별조사대상선정위원회 위원장은 소방청장 또는 소방본부장, 소방서장이 된다.
③ 위촉위원의 임기는 2년으로 하고, 한 차례만 연임할 수 있다.
④ 소방특별조사대상선정위원회의 구성 · 운영에 필요한 사항은 대통령령으로 정한다.

해설
소방특별조사위원회를 구성하는 자가 소방본부장이므로 소방청장, 소방서장은 위원장을 할 수 없다.

정답 18 ③ 19 ① 20 ②

21 소방특별조사의 방법 · 절차 등으로 옳지 않은 것은?

① 소방특별조사를 하려면 7일 전에 관계인에게 조사대상, 조사기간 및 조사사유 등을 서면으로 알려야 한다.
② 통지를 받은 관계인은 천재지변 등의 이유로 소방특별조사를 받기 어려운 경우 조사 시작 2일 전까지 연기신청 할 수 있다.
③ 화재, 재난·재해가 발생할 우려가 뚜렷하여 긴급하게 조사할 필요가 있는 경우에는 관계인의 승낙없이 해가 뜨기 전이나 해가 진 뒤에 할 수 있다.
④ 소방특별조사는 관계인의 승낙 없이 해가 뜨기 전이나 해가 진 뒤에 할 수 없다.

해설

1. 소방특별조사를 하려면 소방청장, 소방본부장 또는 소방서장은 7일 전에 관계인에게 조사대상, 조사기간 및 조사사유 등을 서면으로 알려야 한다.
2. 소방특별조사는 관계인의 승낙 없이 해가 뜨기 전이나 해가 진 뒤에 할 수 없다. 다만, 다음 각 호의 어느 하나에 해당하는 경우에는 그러하지 아니하다.
   가. 화재, 재난·재해가 발생할 우려가 뚜렷하여 긴급하게 조사할 필요가 있는 경우
   나. 소방특별조사의 실시를 사전에 통지하면 조사목적을 달성할 수 없다고 인정되는 경우
3. 통지를 받은 관계인은 천재지변등의 이유로 소방특별조사를 받기 어려운 경우 조사 시작 3일 전까지 소방특별조사를 연기하여 줄 것을 신청할 수 있다.

22 소방특별조사 연기신청을 받은 소방청장, 소방본부장 또는 소방서장은 연기신청 승인 여부를 결정하고 그 결과를 언제까지 알려주어야 하는가?

① 조사 시작 전까지 관계인에게 알려주어야 한다.
② 조사 시작 1일 전까지 관계인에게 알려주어야 한다.
③ 조사 시작 2일 전까지 관계인에게 알려주어야 한다.
④ 조사 시작 3일 전까지 관계인에게 알려주어야 한다.

해설

연기신청 – 통지를 받은 관계인은 천재지변이나 그 밖에 대통령령으로 정하는 사유로 소방특별조사를 받기 곤란한 경우 소방특별조사 시작 3일 전까지 소방특별조사를 연기하여 줄 것을 신청할 수 있다.
소방청장등은 연기신청을 받은 경우 연기신청 승인 여부를 결정하고 소방특별조사 연기신청 결과 통지서를 조사 시작(개시) 전까지 연기신청을 한 자에게 통지하고 연기기간이 종료하면 지체 없이 조사를 시작하여야 한다.

정답 21 ② 22 ①

23 다음 중 소방특별조사 내용으로 옳지 않는 것은?

① 소방청장, 소방본부장 또는 소방서장은 소방특별조사를 마친 때에는 그 조사결과를 관계인에게 구두 또는 서면으로 알려주어야 한다.
② 소방특별조사의 방법 및 절차에 필요한 사항은 대통령령으로 정한다.
③ 소방특별조사를 하려면 7일 전에 관계인에게 조사대상, 조사기간 및 조사사유 등을 서면으로 알려야 한다.
④ 연기신청을 받은 소방청장, 소방본부장 또는 소방서장은 연기신청 승인 여부를 결정하고 그 결과 조사 개시 전까지 관계인에게 알려주어야 한다.

소방청장, 소방본부장 또는 소방서장은 소방특별조사를 마친 때에는 그 조사결과를 관계인에게 서면으로 통지하여야 한다.

24 소방특별조사를 통지한 소방청장, 소방본부장 또는 소방서장에게 대통령령으로 정하는 바에 따라 소방특별조사를 연기하여 줄 것을 신청할 수 없는 경우는?

① 태풍, 홍수 등 재난의 발생으로 소방대상물의 관리에 심각한 어려움이 있는 경우
② 관계인이 질병, 장기출장 등으로 소방특별조사에 참여할 수 없는 경우
③ 권한 있는 기관에 자체점검 기록부, 교육훈련일지 등 소방특별조사에 필요한 장부 · 서류 등이 압수되거나 영치 되어있는 경우
④ 관계인이 소방시설, 피난시설, 방화시설등의 보수 중으로 소방특별조사 실시시 소방청장, 소방본부장 또는 소방서장에게 정확한 정보를 제공할 수 없는 경우

1. 태풍, 홍수 등 재난의 발생으로 소방대상물의 관리에 심각한 어려움이 있는 경우
2. 관계인이 질병, 장기출장 등으로 소방특별조사에 참여할 수 없는 경우
3. 권한 있는 기관에 자체점검 기록부, 교육훈련일지 등 소방특별조사에 필요한 장부 · 서류 등이 압수되거나 영치되어 있는 경우

정답 23 ① 24 ④

●●● 25

소방특별조사 내용 중 옳은 것은?

① 소방특별조사의 연기를 승인한 경우라도 연기기간이 종료되기 전에 연기사유가 소멸되었거나 긴급히 조사를 실시하여야 할 사유가 발생한 경우에는 관계인에게 통보하지 않고 소방특별조사를 실시할 수 있다.
② 소방청장, 소방본부장 또는 소방서장은 연기신청의 승인 여부를 결정한 때에는 소방특별조사 연기신청 결과 통지서를 조사 시작 전까지 연기신청을 한 자에게 통지하여야 하고, 연기기간이 종료하면 지체 없이 조사를 시작하여야 한다.
③ 소방청장, 소방본부장 또는 소방서장은 소방특별조사를 하려면 10일 전에 관계인에게 조사대상, 조사기간 및 조사사유 등을 서면으로 알려야 한다
④ 일반적인 소방특별조사는 관계인의 승낙 없이 해가 뜨기 전이나 해가 진 뒤에 할 수 있다.

해설

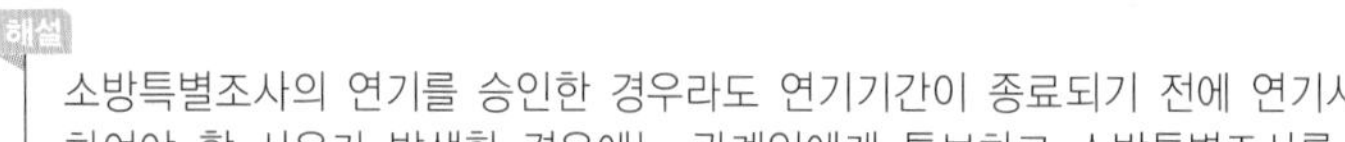

소방특별조사의 연기를 승인한 경우라도 연기기간이 종료되기 전에 연기사유가 소멸되었거나 긴급히 조사를 실시하여야 할 사유가 발생한 경우에는 관계인에게 통보하고 소방특별조사를 실시할 수 있다.

●●● 26

소방특별조사위원회의 구성 등의 내용으로 틀린 것은?

① 소방특별조사위원회는 위원장과 7명 이내의 위원으로 구성한다.
② 소방특별조사위원회 위원장은 소방본부장이 된다.
③ 위촉위원의 임기는 2년으로 하고, 한 차례만 연임할 수 있다.
④ 소방특별조사위원회의 구성 · 운영에 필요한 사항은 대통령령으로 정한다.

해설

소방특별조사대상선정위원회 – 위원장을 포함하여 7명 이내의 위원으로 구성

●●○ 27

관계인의 정당한 업무를 방해한 자, 조사·검사 업무를 수행하면서 알게 된 비밀을 제공 또는 누설하거나 목적 외의 용도로 사용한 자의 벌금은?

① 1천만원 이하의 벌금
② 200만원 이하의 벌금
③ 100만원 이하의 벌금
④ 50만원 이하의 벌금

해설

업무를 수행하면서 알게 된 비밀을 제공 또는 누설하거나 목적 외의 용도로 사용한 자 – 1년 이하의 징역이나 1천만원이하의 벌금

정답 25 ② 26 ① 27 ①

●●○ **28** **정당한 사유 없이 소방특별조사 결과에 따른 조치명령을 위반한 자의 조치는?**

① 1년 이하의 징역 또는 5백만원 이하의 벌금
② 1년 이하의 징역 또는 1천만원 이하의 벌금
③ 3년 이하의 징역 또는 3천만원 이하의 벌금
④ 5년 이하의 징역 또는 5천만원 이하의 벌금

정당한 사유 없이 소방특별조사 결과에 따른 조치명령을 위반한 자 – 3년 이하의 징역 또는 3천만원 이하의 벌금

●●● **29** **조치명령 미이행 사실 등의 공개 내용 중 옳은 것은?**

① 소방청장, 소방본부장 또는 소방서장이 소방특별조사 결과에 따른 조치명령 미이행 사실 등을 공개시 관계인에게 알리지 아니하고 공개할 수 있다.
② 조치명령 이행 기간이 종료된 때부터 소방청, 소방본부 또는 소방서의 인터넷 홈페이지에 조치명령 미이행 소방대상물의 명칭, 주소, 대표자의 성명, 조치명령한 내용 및 조치명령을 미이행한 횟수를 게재하고, 매체를 통하여 2회 이상 같은 내용을 알려야 한다.
③ 소방청장, 소방본부장 또는 소방서장은 소방대상물의 관계인이 조치명령을 이행한 경우에는 조치한 다음 날 공개내용을 해당 인터넷 홈페이지에서 삭제하여야 한다.
④ 조치명령 미이행 사실 등의 공개가 제3자의 법익을 침해하는 경우에는 제3자와 관련된 사실을 제외하고 공개하여야 한다.

조치명령 미이행 사실 등을 공개시 관계인에게 알리고 공개해야 하며 **공개 매체에 1회 이상** 알려야 한다. 또한 조치한 경우에는 **즉시** 공개내용을 해당 인터넷 홈페이지에서 **삭제**하여야 한다.

●●● **30** **건축허가 등의 동의에 있어서 당해 건축물의 공사시공지 또는 소재지를 관할 하는 누구의 동의를 받아야만 허가 또는 사용승인을 할 수 있는가?**

① 시, 도지사
② 시장 또는 군수
③ 소방본부장 또는 소방서장
④ 행정안전부장관

건축허가 등의 대상물의 동의 대상자 – 소방본부장 또는 소방서장

정답 28 ③ 29 ④ 30 ③

●●○ **31** **건축허가 등의 동의에 관한 사항으로 틀린 것은?**

① 위험물저장 및 처리시설 및 지하구는 동의대상물이다.
② 연면적 400 m^2 이상인 것은 모두 동의대상물이다.
③ 건축허가를 받아야 할 항공기 격납고는 모두 동의대상물이다.
④ 건축허가를 받아야 하는 노유자시설은 면적의 크기와 관계없이 동의대상물이다.

해설

학교시설	지하층 또는 무창층이 있는 건축물(공연장)	노유자시설 및 수련시설	(장애인)의료재활시설, 입원실이 있는 정신의료기관	용도와 상관없음
연면적 100 m^2 이상	바닥면적 − 150 m^2 (바닥면적 − 100 m^2)	연면적 200 m^2 이상	연면적 300 m^2 이상	연면적 400 m^2 이상

※ 층수가 6층 이상인 건축물, 항공기격납고, 관망탑, 항공관제탑, 방송용송·수신탑, 위험물 저장 및 처리 시설, 지하구는 면적에 상관없다.
♣ 설치할 소방시설이 소화기구, 유도등 또는 유도 표지, 인명구조기구(방열복·공기호흡기 및 인공소생기), 누전경보기, 피난기구가 화재안전기준에 적합한 경우 그 특정소방대상물은 건축허가동의 대상에 제외된다.

+ 암기 **소유인누피**

●●● **32** **소방본부장 또는 소방서장은 연면적 20,000 m^2 인 건축물의 건축허가등의 동의요구서류를 접수한 날부터 며칠 이내에 건축허가 등의 동의여부를 회신하여야 하는가?**

① 3일 이내
② 5일 이내
③ 7일 이내
④ 10일 이내

건축허가 동의 기간
(1) 회신기간 − 접수한 날부터 5일
(2) 회신기간 − 접수한 날부터 10일인 대상
① 30층 이상(지하층을 포함) 또는 지상으로부터 높이가 120 m 이상인 특정소방대상물
② 연면적이 20만 m^2 이상인 특정소방대상물

●●● **33** **지하 3층, 지상 27층 특정소방대상물에 대하여 건축허가동의를 신청한 기관은 건축물의 건축허가 등의 동의요구서류를 접수한 날부터 몇 일 이내에 건축허가 등의 동의여부를 받을 수 있는가?**

① 3일 이내
② 5일 이내
③ 7일 이내
④ 10일 이내

문제 32번 해설 참조

31 ④ 32 ② 33 ④

34 건축허가청이 소방서장에게 건축허가 등의 동의를 요청할 때 첨부하여야 할 서류는?

① 소방시설공사를 감리할 감리업의 등록증
② 소방시설설계업자, 공사업자의 등록증
③ 시공을 담당할 공사책임자의 자격증 사본
④ 소방시설을 설계한 소방시설 설계업자의 등록증

해설
건축허가 동의 시 첨부할 서류는 설계업과 관련된 서류를 제출한다.

35 건축허가등의 동의에 관한 설명으로 옳지 않는 것은?

① 건축허가등의 동의를 요구하는 자는 건축허가를 신청한 건축주이다.
② 건축물등의 사용승인에 대한 동의는 소방시설공사의 완공검사필증의 교부로 갈음할 수 있다.
③ 건축허가등의 동의요구를 받은 소방서장은 첨부서류의 보완이 필요한 경우, 4일이내의 기간을 정하여 보완을 요구할 수 있다.
④ 건축물의 증축으로 당해 특정소방대상물에 소방시설등이 추가로 설치되지 아니하는 경우 그 특정소방대상물은 건축허가등의 동의대상에서 제외된다.

해설
건축허가 요청자, 동의자
(1) 요청자 – 건축허가등의 권한이 있는 행정기관(건축허가청, 허가·인가의 권한을 가진 행정기관)
(2) 동의자 – 건축물 등의 시공지(施工地) 또는 소재지를 관할하는 소방본부장이나 소방서장

36 소방본부장이나 소방서장은 소방시설등이 화재안전기준에 따라 설치 또는 유지·관리되어 있지 아니할 때에는 해당 특정소방대상물의 관계인에게 필요한 조치를 명할 수 있다. 그 명령을 따르지 아니한 자의 벌칙은?

① 5년 이하의 징역 또는 3천만원 이하의 벌금
② 3년 이하의 징역 또는 3천만원 이하의 벌금
③ 1년 이하의 징역 또는 1천만원 이하의 벌금
④ 200만원 이하의 벌금

해설
명령을 정당한 사유 없이 위반한 자 3년 이하의 징역 또는 3천만원 이하의 벌금

정답 34 ④ 35 ① 36 ②

37 소방시설등을 유지·관리할 때 소방시설등의 기능과 성능에 지장을 줄 수 있는 폐쇄(잠금을 포함한다. 이하 같다)·차단 등의 행위를 한 경우의 벌칙은?

① 5년 이하의 징역 또는 5천만원 이하의 벌금
② 3년 이하의 징역 또는 1천500만원 이하의 벌금
③ 1년 이하의 징역 또는 1천만원 이하의 벌금
④ 200만원 이하의 벌금

해설
소방시설등의 기능과 성능에 지장을 줄 수 있는 폐쇄·차단 등의 행위 – 5년 이하의 징역 또는 5천만원 이하의 벌금

38 "건축물 대장의 건축물 현황도에 표시된 대지경계선안에 2이상의 건축물이 있는 경우로서 각각의 건축물이 다른 건축물의 외벽으로부터 수평거리가 1층에 있어서는 ( )m 이하, 2층 이상의 층에 있어서는 ( )m 이하이고 개구부가 다른 건축물을 향하여 설치된 구조를 말한다." 이것은 연소할 우려가 있는 구조에 대한 설명인데 ( ), ( )에 들어갈 수치는?

① 5, 10 ② 6, 10 ③ 10, 5 ④ 10, 6

1층은 6 m, 2층은 10m 이하인 경우 연소할 우려가 있는 구조라 한다.

39 소방시설 중 화재를 진압하거나 인명구조 활동을 위하여 사용하는 설비로 나열된 것은?

① 스프링클러설비, 피난구조설비
② 화재조기진압용스프링클러설비, 비상콘센트설비
③ 연결살수설비, 제연설비
④ 무선통신보조설비, 통합감시시설

해설

소화활동설비 – 소방시설 중 화재를 진압하거나 인명구조 활동을 위하여 사용하는 설비	제연설비	연결송수관설비	연결살수설비
	비상콘센트설비	무선통신보조설비	연소방지설비

40 오피스텔의 층수가 35층인 경우에 주방용자동소화장치의 설치 층수는?

① 6층 이상의 전층 ② 11층 이상의 전층
③ 30층 이상의 전층 ④ 전층

아파트, 오피스텔의 주방의 경우는 전층에 주거용주방자동소화장치를 설치하여야 한다.

정답 37 ① 38 ② 39 ③ 40 ④

●●○ **41** **소방대상물의 연면적과 관계없이 소화기 또는 간이소화용구를 설치하여야 하는 곳이 아닌 것은?**

① 위험물 제조소등　② 지정문화재
③ 가스시설　④ 터널

소화기 또는 간이소화용구	1) 연면적 33 m^2 이상인 것　2) 지정문화재 및 가스시설　3) 터널

●○○ **42** **연면적 1,500 m^2 인 지하가(터널을 제외한다.)에서 설치하지 않아도 되는 소방시설은?**

① 제연설비　② 무선통신보조설비
③ 비상방송설비　④ 스프링클러설비

비상방송설비 설치대상은 연면적 3,500 m^2 이상이다.

●●○ **43** **특정소방대상물의 규모에 따라 갖추어야 하는 소방시설 적용기준에 관한 설명으로 옳지 않은 것은?**

① 연소방지설비 및 방화벽은 길이가 500 m 이상인 전력 또는 통신 사업용인 지하구에 설치하여야 한다.
② 피난구조설비인 인명구조기구는 지하층을 제외한 층수가 7층 이상인 관광호텔에 설치하여야 한다.
③ 국토 계획 및 이용에 관한 법률의 규정에 의한 공동구에는 통합감시시설을 설치하여야 한다.
④ 업무시설에 부설된 특별피난계단 또는 비상용승강기의 승강장에는 제연설비를 설치하여야 한다.

인명구조기구는 지하층을 포함하는 층수가 7층 이상인 관광호텔에 설치하여야 한다.

●●○ **44** **차고·주차장에 스프링클러설비를 화재안전기준에 적합하게 설치한 경우 면제되는 소방시설이 아닌 것은?**

① 포소화설비　② 물분무소화설비
③ 이산화탄소소화설비　④ 옥내소화전설비

차고·주차장에 스프링클러설비를 화재안전기준에 적합하게 설치한 경우 물분무등소화설비가 면제된다.
옥내소화전 설비는 호스릴 방식의 미분무소화설비를 화재안전기준에 적합하게 설치한 경우에는 그 설비의 유효범위에서 설치가 면제된다.

정답　41 ①　42 ③　43 ②　44 ④

45 연면적, 바닥면적과 관계없이 물분무등 소화설비를 반드시 설치하여야 하는 특정소방대상물은?

① 전기실 ② 항공기격납고
③ 발전실 ④ 기계식주차장치

항공기 및 자동차 관련 시설	항공기격납고
주차용건축물	연면적 800 m^2 이상
건축물 내부에 설치된 차고 또는 주차장	바닥면적의 합계가 200 m^2 이상
기계식주차장치	20대 이상
특정소방대상물에 설치된 전기실·발전실·변전실	바닥면적이 300 m^2 이상

46 터널 길이 500 m인 경우 설치해야 할 소방시설이 아닌 것은?

① 비상경보설비 ② 비상방송설비
③ 비상조명등설비 ④ 비상콘센트설비

소방시설 / 터널길이	소화설비, 경보설비, 피난구조설비		소화활동설비	
500 m	비상경보설비	비상조명등	비상콘센트	무선통신보조설비

47 소방시설 설치유지 및 안전관리에 관한 법에 따른 수용인원 산정방법의 내용 중 잘못된 것은?

① 복도(난연재료로 바닥에서 천장까지 벽으로 구획한 것), 계단 및 화장실의 바닥면적은 포함하지 않는다.
② 계산 결과 소수점 이하의 수는 반올림한다.
③ 침대가 있는 숙박시설의 수용인원은 종사자 수와 침대 수(2인용 침대는 2개로 산정한다)의 합이다.
④ 강의실·교무실·실습실·휴게실 등의 용도는 바닥면적의 합계를 1.9 m^2로 나누어 얻은 수로 한다.

복도(「건축법 시행령」 제2조제11호에 따른 준불연재료 이상의 것을 사용하여 바닥에서 천장까지 벽으로 구획한 것을 말한다), 계단 및 화장실의 바닥면적을 포함하지 않는다.

정답 45 ② 46 ② 47 ①

48 침대가 있는 숙박시설의 수용인원 산정방법으로서 적당한 것은?

① 종사자수 + 침대의 수(2인용 침대는 2인으로 산정)
② 종사자수 + (바닥면적의 합계 ÷ 3 m^2)
③ 바닥면적의 합계 ÷ 1.9 m^2
④ (바닥면적의 합계 ÷ 3 m^2) + 침대의 수(2인용 침대는 2인으로 산정)

해설

구 분	용도	수용인원 산정수
숙박시설이 있는 특정소방대상물	침대가 있는 숙박시설	종사자 수 + 침대 수(2인용 침대는 2개로 산정한다)
	침대가 없는 숙박시설	종사자 수 + 바닥면적의 합계를 3 m^2로 나누어 얻은 수

49 소방본부장이나 소방서장은 특정소방대상물에 설치하여야 하는 소방시설 가운데 기능과 성능이 유사한 물분무소화설비, 간이 스프링클러 설비, 비상경보설비 및 비상방송설비 등의 소방시설의 경우에는 무엇으로 정하는 바에 따라 유사한 소방시설의 설치를 면제할 수 있는가?

① 대통령령 ② 행정안전부령
③ 소방청장의 고시 ④ 시도의 조례

해설
특정소방대상물에 설치하여야 하는 소방시설 가운데 기능과 성능이 유사한 물분무소화설비, 간이스프링클러 설비 등의 소방시설의 경우에는 대통령령으로 정하는바에 따라 유사한 소방시설의 설치를 면제할 수 있다.

50 방염 설치 대상이 아닌 것은?

① 교육연구시설 중 합숙소 ② 15층의 호텔
③ 지하1층에 위치한 65 m^2의 일반음식점 ④ 방송국

해설
다중이용업소는 방염설치대상이다.
일반음식점이 지하에 설치된 경우 바닥면적 66 m^2 이상이어야 다중이용업소에 해당된다.
교육연구시설 중 합숙소는 2013년도에 법 개정으로 방염설치대상에 추가되었다.

51 방염성능기준 이상의 실내장식물 등을 설치하여야 하는 특정소방대상물에 해당하지 않는 것은?

① 안마시술소 ② 종합병원
③ 숙박시설 ④ 16층 이상의 아파트

해설
아파트는 방염 설치대상이 아니다.

정답 48 ① 49 ① 50 ③ 51 ④

52 버너의 불꽃을 제거한 때부터 불꽃을 올리지 아니하고 연소하는 상태가 그칠 때까지의 시간은?

① 잔진시간 ② 방염시간 ③ 잔신시간 ④ 잔염시간

버너의 불꽃을 제거한 때부터 불꽃을 올리며 연소하는 상태가 그칠 때까지 시간은 20초 이내로 잔염시간이라 하고 버너의 불꽃을 제거한 때부터 불꽃을 올리지 않고 연소하는 상태가 그칠 때까지 시간은 30초 이내로 잔신시간이라 한다.

53 방염대상 물품이 아닌 것은?

① 종이류(두께 2 mm 이상인 것을 말한다) · 합성수지류 또는 섬유류를 주원료로 한 물품
② 카페트, 두께가 2 mm 미만인 벽지류로서 종이벽지를 제외한 것
③ 영화상영관에 설치하는 스크린과 골프 연습장업에 설치하는 스크린
④ 실내골프연습장에 설치하는 섬유류 또는 합성수지류 등을 원료로 하여 제작된 소파 · 의자

섬유류 또는 합성수지류 등을 원료로 하여 제작된 소파 · 의자의 방염 : 단란주점영업, 유흥주점영업 및 노래연습장업의 영업장에 설치하는 것만 해당한다. [본조신설 2013.1.9]

54 아파트를 제외한 건축물로서 층수가 몇 층 이상인 것은 특정소방대상물의 방염대상에 속하는가?

① 9 ② 11 ③ 13 ④ 15

① 근린생활시설 중 의원, 체력단련장, 공연장 및 종교집회장
② 건축물의 옥내에 있는 시설 [문화 및 집회시설, 종교시설, 운동시설(수영장은 제외)]
③ 의료시설, 노유자시설 및 숙박이 가능한 수련시설, 숙박시설, 방송통신시설 중 방송국 및 촬영소
④ 다중이용업의 영업장
⑤ 층수가 11층 이상인 것(아파트는 제외)
⑥ 교육연구시설 중 합숙소

55 다음 중 방염물품의 성능기준은 무엇으로 정하는가?

① 대통령령 ② 행정안전부령
③ 소방청 고시 ④ 시 · 도의 조례

방염성능기준은 대통령령으로 정한다.

52 ③ 53 ④ 54 ② 55 ①

●○○ **56** **소방본부장 및 서장은 일정한 용도의 특정소방대상물 내의 침구류 및 소파, 의자에 대해 방염을 권장할 수 있는데 그 용도가 아닌 것은?**

① 다중이용업소
② 장례식장
③ 숙박시설
④ 문화집회시설

소방본부장 또는 소방서장은 방염 물품 외에 다중이용업소·의료시설·노유자시설·숙박시설 또는 장례식장에서 사용하는 침구류·소파 및 의자에 대하여 방염처리가 필요하다고 인정되는 경우에는 방염처리된 제품을 사용하도록 권장할 수 있다.

●●● **57** **방염성능은 다음의 기준 범위 내에서 물품의 종류에 따라 정하도록 되어 있다. 다음 중 옳지 않은 것은?**

① 버너의 불꽃을 제거한 때부터 불꽃을 올리며 연소하는 상태가 그칠 때까지의 시간은 20초 이내
② 버너의 불꽃을 제거한 때부터 불꽃을 올리지 아니하고 연소하는 상태가 그칠 때까지의 시간은 30초 이내
③ 탄화한 면적은 50 m^2 이내, 탄화한 길이는 30 cm 이내
④ 불꽃에 의하여 완전히 녹을 때까지 불꽃의 접촉회수는 3회 이상

탄화한 길이는 20 cm 이내가 되어야 한다.

●●○ **58** **특정소방대상물의 증축 또는 용도변경 시의 소방시설기준적용의 특례에 관한 설명 중 옳지 않은 것은?**

① 증축되는 경우에는 기존 부분을 포함한 전체에 대하여 증축 당시의 소방시설 등의 설치에 관한 대통령령 또는 화재안전기준을 적용한다.
② 증축 시 기존 부분과 증축되는 부분이 내화구조로 된 바닥과 벽으로 구획되어 있는 경우에는 기존부분에 대하여는 증축당시의 소방시설 등의 설치에 관한 대통령령 또는 화재안전기준을 적용하지 아니한다.
③ 용도 변경되는 경우에는 기존 부분을 포함한 전체에 대하여 용도 변경 당시의 소방시설 등이 설치에 관한 대통령령 또는 화재안전기준을 적용한다.
④ 용도 변경 시 특정소방대상물의 구조·설비가 화재 연소 확대 요인이 적어지거나 피난 또는 화재진압 활동이 쉬워지도록 용도 변경되는 경우에는 전체에 용도변경되기 전의 소방시설 등의 설치에 관한 대통령령 또는 화재안전기준을 적용한다.

용도변경되는 경우 – 용도변경되는 부분에 한하여 용도변경 당시의 소방시설등의 설치에 관한 대통령령 또는 화재안전기준을 적용한다.

56 ④ 57 ③ 58 ③

••• 59 소방시설기준 적용의 특례에 따라 화재안전기준 등이 변경되어 그 기준이 강화되는 경우 기존의 특정소방대상물 소방시설등에 대하여는 변경 전의 대통령령 또는 화재안전기준을 적용한다. 하지만 노유자(老幼者)시설은 소방시설 일부를 강화된 기준에 따라 설치하여야 하는데 설치해야 할 소방시설은 무엇인가?

① 간이스프링클러 설비 및 자동화재탐지설비
② 스프링클러 설비 및 자동화재탐지설비
③ 스프링클러 설비 및 비상경보설비
④ 간이스프링클러설비 및 비상경보설비

노유자(老幼者)시설 간이스프링클러 설비 및 자동화재탐지설비를 소급적용한다.
의료시설은 스프링클러, 간이스프링클러 설비, 자동화재탐지설비 및 자동화재속보설비를 소급적용한다.

••• 60 증축시 기존부분에 대하여는 증축 당시의 소방시설등의 설치에 관한 대통령령 또는 화재안전기준을 적용하지 아니할 수 있는 경우가 아닌 경우는?

① 기존부분과 증축부분이 내화구조로 된 바닥과 벽으로 구획된 경우
② 기존부분과 증축부분이 갑종방화문, 자동방화셔터로 구획되어 있는 경우
③ 자동차생산 공장 등 화재위험이 낮은 특정소방대상물에 캐노피(3면 이상에 벽이 없는 구조의 캐노피를 말한다)를 설치하는 경우
④ 특정소방대상물의 구조·설비가 화재 연소 확대 요인이 적어지거나 피난 또는 화재진압활동이 쉬워지도록 변경되는 경우

④번의 경우는 증축에 관한 내용이 아닌 용도 변경 시에 대한 내용이다.

♣ 기존부분에 대하여는 증축 당시의 소방시설등의 설치에 관한 대통령령 또는 화재안전기준을 적용하지 아니하는 경우
1. 기존부분과 증축부분이 내화구조로 된 바닥과 벽으로 구획된 경우
2. 기존부분과 증축부분이 갑종방화문, 자동방화샷다로 구획되어 있는 경우
3. 자동차생산 공장 등 화재위험이 낮은 특정소방대상물 내부에 연면적 33 m² 이하의 직원휴게실을 증축하는 경우
4. 자동차생산 공장 등 화재위험이 낮은 특정소방대상물에 캐노피(3면 이상에 벽이 없는 구조의 캐노피를 말한다)를 설치하는 경우

♣ 용도변경되는 경우에는 용도변경되는 부분에 한하여 용도변경 당시의 소방시설등의 설치에 관한 대통령령 또는 화재안전기준을 적용한다. 다만, 다음 각 호에 해당하는 경우에는 특정소방대상물 전체에 대하여 용도변경되기 전에 해당 특정소방대상물에 적용되던 소방시설등의 설치에 관한 대통령령 또는 화재안전기준을 적용한다.
1. 특정소방대상물의 구조·설비가 화재연소확대 요인이 적어지거나 피난 또는 화재진압활동이 쉬워지도록 변경되는 경우 등

정답 59 ① 60 ④

●●● 61 소방관계법령에 의해 장비 또는 시험기기를 보유하지 않아도 되는 영업은 어떤 영업인가?

① 방염처리업, 소방시설설계업
② 소방시설관리업, 방염처리업
③ 화재위험평가대행업, 소방공사감리업
④ 소방시설공사업, 소방공사감리업

공사업, 설계업, 감리업은 장비를 보유하지 않아도 된다.

●●○ 62 다음 중에서 소방안전관리자를 두어야 할 특정소방대상물로서 1급 소방안전관리대상물이 아닌 것은?

① 지하구
② 연면적 15,000 m^2 이상인 것
③ 건물의 층 수가 11층 이상인 것(아파트는 제외)
④ 1천 톤 이상의 가연성가스 저장 시설

※ 지하구는 2급 소방안전관리대상물이다.

구 분	소방안전관리대상물
1급	① 연면적 1만5천 m^2 이상인 것 ② 특정소방대상물로서 층수가 11층 이상인 것(아파트 제외) ③ 가연성가스를 1,000톤 이상 저장·취급하는 시설 ④ 30층 이상(지하층 제외)이거나 지상으로부터 높이가 120m 이상인 아파트

●●○ 63 관리의 권원이 분리되어 있는 특정소방대상물로서 공동소방안전관리를 하여야하는 특정소방대상물은?

① 지하3층, 지상8층인 건축물
② 층수가 5층 이상인 복합건축물
③ 연면적 3만 m^2 이상인 창고
④ 높이가 31 m 를 초과하는 건축물

관리의 권원(權原)이 분리되어 있는 것 가운데 소방본부장 또는 소방서장이 지정하는 특정소방대상물의 관계인은 행정안전부령으로 정하는 바에 따라 대통령령으로 정하는 자를 공동 소방안전관리자로 선임하여야 한다.

1. 고층 건축물(지하층을 제외한 층수가 11층 이상인 건축물만 해당한다)
2. 지하가
3. 복합건축물로서 연면적이 5천 m^2 이상인 것 또는 층수가 5층 이상인 것
4. 판매시설 중 도매시장 및 소매시장
5. 특정소방대상물 중 소방본부장 또는 소방서장이 지정하는 것

61 ④ 62 ① 63 ②

●●● 64 소방안전관리 대상물이 아닌 특정소방대상물의 관계인이 실시하여야 할 업무인 것은?

① 소방계획서의 작성
② 자위소방대(自衛消防隊)의 조직
③ 소방훈련 및 교육
④ 화기(火氣) 취급의 감독

구 분	업 무 내 용
특정소방대상물 (소방안전관리대상물은 제외한다)의 관계인	1. 피난시설, 방화구획 및 방화시설의 유지·관리 2. 소방시설이나 소방 관련 시설의 유지·관리 3. 화기(火氣) 취급의 감독 4. 그 밖에 소방안전관리에 필요한 업무
소방안전관리대상물의 소방안전관리자의 업무	1. ~ 4. (위 내용) 5. **자위소방대(自衛消防隊) 및 초기대응체계의 구성·운영·교육(행정안전부령)** 6. **피난계획에 관한 사항과 대통령령으로 정하는 사항이 포함된 소방계획서의 작성 및 시행** 7. **소방훈련 및 교육**

●○○ 65 특정소방대상물에 대한 소방계획서의 작성 내용이 아닌 것은?

① 위험물의 저장, 취급에 관한 사항
② 화재예방을 위한 자체점검계획 및 진압대책
③ 건물 내 수용인원 배치계획
④ 소방시설·피난시설 및 방화시설의 점검·정비계획

소방안전관리대상물의 위치·구조·연면적·용도 및 수용인원 등 일반현황 – 수용인원의 배치계획은 없다.

●●○ 66 가연성 가스를 몇 톤 이상 저장·취급하는 시설을 1급 소방안전관리대상물로 구분하는가?

① 300
② 500
③ 700
④ 1,000

구 분	소방안전관리대상물
1급	① 연면적 1만5천 m^2 이상인 것 ② 특정소방대상물로서 층수가 11층 이상인 것 ③ 가연성가스를 1,000톤 이상 저장·취급하는 시설

64 ④ 65 ③ 66 ④

67 특급 소방안전관리자로 선임할 수 있는 자는?

① 소방공무원으로서 15년 이상 근무경력이 있는 자
② 소방설비기사 자격이 있는 자로서 5년 이상 2급 소방안전관리대상물에 관한 실무경력이 있는 사람
③ 소방설비산업기사 자격이 있는 자로서 7년 이상 1급 소방안전관리대상물에 관한 실무경력이 있는 사람
④ 소방설비기사 자격증이 있는 자로서 1급 소방안전관리대상물에서 3년 이상 소방안전관리자로 근무한 사람

<table>
<tr><th>소방안전
관리대상물</th><th colspan="3">소방안전관리자의 자격</th></tr>
<tr><td rowspan="5">특급</td><td>구 분</td><td>경력</td><td>비고</td></tr>
<tr><td>소방기술사, 소방시설관리사</td><td>–</td><td>–</td></tr>
<tr><td>1급 소방안전관리대상물의 소방안전관리자로 근무한 소방설비기사</td><td>5년 이상</td><td rowspan="2">소방안전관리 업무를 대행한 소방안전관리자로 선임되어 근무한 경력은 제외 – 이하 동일</td></tr>
<tr><td>1급 소방안전관리대상물의 소방안전관리자로 근무한 소방설비산업기사</td><td>7년 이상</td></tr>
<tr><td>소방공무원</td><td>20년 이상 근무</td><td>–</td></tr>
</table>

68 특정소방대상물의 소방안전관리에 관한 설명으로 옳은 것은?

① 소방안전관리대상물의 관계인이 소방안전관리자를 선임한 경우 선임한 날로부터 30일 이내에 소방서장에게 신고하여야 한다.
② 소방공무원으로 1년 이상 근무한 경력이 있는 자는 2급 소방안전관리대상물의 소방안전관리자로 선임될 수 있다.
③ 소방공무원으로 7년 이상 근무한 경력이 있는 자를 1급 소방안전관리대상물의 소방안전관리자로 선임될 수 있다.
④ 1급 소방안전관리대상물의 관계인은 소방안전관리 강습교육일정등을 고려하여 소방안전관리자 선임연기를 신청할 수 있다.

소방안전관리자 선임신고는 14일 이내이며 소방공무원으로 3년 이상 근무한 경력이 있어야 2급 소방안전관리대상물의 소방안전관리자로 선임될 수 있다. 2급, 3급 소방안전관리대상물의 관계인은 소방안전관리 강습교육일정등을 고려하여 소방안전관리자 선임연기를 신청할 수 있다.

67 ③ 68 ③

••• 69

특정소방대상물(소방안전관리대상물은 제외한다)의 관계인의 소방안전관리업무인 것은?

① 소방계획서의 작성
② 자위소방대(自衛消防隊)의 조직
③ 소방훈련 및 교육
④ 피난시설, 방화구획 및 방화시설의 유지 · 관리

소방안전관리대상물이란 소방안전관리자를 선임해야 하는 대상물을 말한다.
선임 대상이 되지 않는 특정소방대상물의 관계인의 업무에는 **자위소방대(自衛消防隊) 및 초기대응체계의 구성·운영·교육(행정안전부령), 피난계획에 관한 사항과 대통령령으로 정하는 사항이 포함된 소방계획서의 작성 및 시행, 소방훈련 및 교육**은 포함되지 않는다.

••• 70

소방안전관리자 선임 후 신고 시 지연기간이 2개월이 지난 경우 과태료는?

① 30만원 ② 50만원 ③ 100만원 ④ 200만원

해설

<table>
<tr><th rowspan="2">위반행위</th><th colspan="3">과태료 금액(단위: 만원)</th></tr>
<tr><th>1차</th><th>2차</th><th>3차 이상</th></tr>
<tr><td colspan="4">제16조 – 방염업 변경신고
제17조제3항 – 방염업 지위승계신고
제20조제4항 – 소방안전관리자 선임 신고
제31조 – 관리업 변경신고
제32조제3항 – 관리업 지위승계신고
소방시설 등의 점검결과를 보고하지 않거나 거짓으로 보고한 경우</td></tr>
<tr><td>1) 지연신고기간이 1개월 미만인 경우</td><td colspan="3">30</td></tr>
<tr><td>2) 지연신고기간이 1개월 이상 3개월 미만인 경우</td><td colspan="3">50</td></tr>
<tr><td>3) 지연신고기간이 3개월 이상이거나 신고를 하지 않은 경우</td><td colspan="3">100</td></tr>
<tr><td>4) 거짓으로 신고한 경우</td><td colspan="3">200</td></tr>
</table>

••• 71

소방안전관리자 선임 후 신고 시 지연기간이 2개월이 지나 신고하였으나 거짓으로 확인된 경우 과태료는?

① 30만원 ② 50만원 ③ 100만원 ④ 200만원

문제 73번 해설 참조

••• 72

소방시설 등의 점검결과를 보고하지 않거나 거짓으로 보고한 경우 중 지연보고기간이 1개월 미만시 과태료는?

① 30만원 ② 50만원 ③ 100만원 ④ 200만원

문제 73번 해설 참조

정답 69 ④ 70 ② 71 ④ 72 ①

●●○ 73 소방시설 · 피난시설 · 방화시설 및 방화구획 등이 법령에 위반된 것을 발견하였음에도 필요한 조치를 할 것을 요구하지 아니한 소방안전관리자의 벌금은 얼마인가?

① 100만원 이하
② 200만원 이하
③ 300만원 이하
④ 1,000만원 이하

해설
소방시설 · 피난시설 · 방화시설 및 방화구획 등이 법령에 위반된 것을 발견하였음에도 필요한 조치를 할 것을 요구하지 아니한 소방안전관리자 – 300만원 이하의 벌금

●●○ 74 소방안전관리자로부터 조치요구 등을 받은 소방안전관리대상물의 관계인은 지체 없이 이에 따라야 하며 조치요구 등을 이유로 소방안전관리자를 해임하거나 보수(報酬)의 지급을 거부하는 등 불이익한 처우를 한 관계인의 벌금은 얼마인가?

① 100만원 이하
② 200만원 이하
③ 300만원 이하
④ 1,000만원 이하

해설
소방안전관리자에게 불이익한 처우를 한 관계인 – 300만원 이하의 벌금

●○○ 75 소방안전관리대상물의 소방안전관리에 관한 시험 등의 내용으로 옳지 않은 것은?

① 특급 소방안전관리자시험은 선택형과 기입형으로 구분한다.
② 1급, 2급 소방안전관리자시험은 선택형을 원칙으로 하되, 기입형을 덧붙일 수 있다.
③ 소방청장은 특급, 1급 또는 2급 소방안전관리자시험을 실시하고자 하는 때에는 시험 시행일 30일 전에 1개 이상의 일간신문에 공고하여야 한다.
④ 시험문제의 출제방법, 시험위원의 위촉, 합격자의 발표, 응시수수료 및 부정행위자에 대한 조치 등 시험실시에 관하여 필요한 사항은 소방청장이 이를 정하여 고시한다.

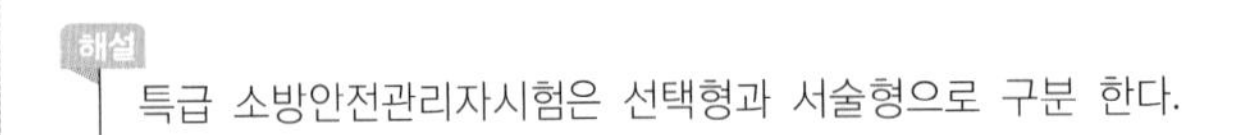
해설
특급 소방안전관리자시험은 선택형과 서술형으로 구분 한다.

●●● 76 소방시설관리업자는 등록사항 중 중요사항의 변경이 있는 때에는 시 · 도지사에게 변경신고를 하여야 한다. 이때 중요사항에 해당되지 않는 것은?

① 명칭 · 상호 또는 영업소재지
② 자본금
③ 대표자
④ 기술인력

해설
자본금은 등록사항 중 중요사항에 해당하지 않는다.

정답 73 ③ 74 ③ 75 ① 76 ②

●●○ 77

종합정밀점검대상이 아닌 특정소방대상물에 대한 소방시설의 자체점검 시 작동기능점검은 어떻게 실시하여야 하는가?

① 종합정밀점검 받은 달로부터 6개월 후
② 분기별 1회 이상
③ 연 1회 이상
④ 반기별 1회

종합정밀점검대상이 아닌 특정소방대상물의 작동기능점검은 연 1회 실시한다.

●●● 78

소방시설관리업의 기술인력 중 보조기술인력에 해당되지 않는 사람은?

① 소방설비산업기사
② 소방설비기사
③ 소방공무원으로 1년 이상 경력자
④ 전문대학의 소방안전관리학과 졸업자

인력기준

주된 기술인력	소방시설관리사 1명 이상	
보조 기술인력	2명 이상. (② ~ ④목은 소방기술인정자격수첩을 교부받은 자일 것)	① 소방설비기사 또는 소방설비산업기사
		② 소방기술과 관련된 자격·경력 및 학력이 있는 사람
		③ 소방관련학과의 학사 학위를 취득한 사람
		④ 소방공무원으로 3년 이상 근무한 사람

●●○ 79

연면적 8,000 m^2이고 가스소화설비가 설치된 특정소방대상물의 종합정밀점검을 할 수 없는 사람은?

① 소방시설관리업자
② 소방안전관리자로 선임된 소방시설관리사
③ 소방안전관리자로 선임된 소방설비기사
④ 소방안전관리자로 선임된 소방기술사

종합정밀점검을 할 수 있는 자 – 소방시설관리업자, 소방안전관리자로 선임된 소방시설관리사, 소방기술사

77 ③ 78 ③ 79 ③

80 소방시설의 자체점검을 실제와 다르게 한 소방시설관리사의 1차 행정처분 기준은?

① 경고　② 자격정지 6월
③ 자격정지 1년　④ 자격취소

소방시설관리사의 행정처분기준

위반행위	행정처분기준		
	1차	2차	3차
(1) 거짓, 그 밖의 부정한 방법으로 시험에 합격한 경우	자격취소		
(2) 소방시설관리증을 다른 자에게 빌려준 경우	자격취소		
(3) 동시에 둘 이상의 업체에 취업한 경우	자격취소		
(4) 결격사유에 해당하게 된 경우	자격취소		
(5) 소방안전관리 업무를 하지 않거나 거짓으로 한 경우	경고	6월	자격취소
(6) 점검을 하지 않거나 거짓으로 한 경우	경고	6월	자격취소

81 소방시설관리사 시험은 누가 실시하는가?

① 소방청장　② 한국소방안전협회
③ 시 · 도지사　④ 한국산업인력공단

소방시설관리사(이하 "관리사"라 한다)가 되려는 사람은 소방청장이 실시하는 관리사시험에 합격하여야 한다.

82 소방시설관리업의 장비기준 중 공통시설의 장비가 아닌 것은?

① 방수압력측정계　② 절연저항계
③ 전류전압측정계　④ 조도계

소방시설	장비 및 규격	소방시설	장비 및 규격
공통시설	방수압력측정계 · 절연저항계 · 전류전압측정계	통로유도등 비상조명등	조도계 (최소눈금이 0.1 Lux 이하인 것)

정답 80 ① 81 ① 82 ④

83 소방시설관리업에 관한 설명으로 옳지 않은 것은?

① 소방시설관리업을 등록하지 아니하고 영업을 한 자는 3년 이하의 징역 또는 3천만원 이하의 벌금에 처한다.
② 등록사항 변경신고를 하여야 하는 중요사항에 보유장비의 변동은 포함되지 않는다.
③ 종합정밀점검 및 작동기능점검의 경우에는 점검 장비를 반드시 사용하여야 한다.
④ 소방시설관리업자가 자체점검을 실시하는 때에는 소방시설관리사의 참여하에 자체점검을 실시하여야 한다.

종합정밀점검의 경우에는 점검 장비를 사용하여야 하며, 작동기능점검의 경우에는 점검 장비를 사용하지 않을 수 있다.

84 소방시설의 자체점검에 관한 설명으로 옳지 않은 것은?

① 위험물제조소등은 소방시설등의 자체점검대상에서 제외된다.
② 특정소방대상물의 관계인은 종합정밀점검을 할 수 있다.
③ 소방시설완공검사필증을 발급받은 신축 건축물의 경우에는 다음 연도부터 종합정밀점검을 실시한다.
④ 작동기능점검을 실시한 자는 2년간 자체 보관하여야 한다.

종합정밀점검을 할 수 있는 자 – 소방시설관리업자, 소방안전관리자로 선임된 소방시설관리사, 소방기술사

85 소방안전관리업무의 대행, 소방시설등의 점검 및 유지·관리의 업을 하고자 하는 자는 누구에게 등록하여야 하는가?

① 시·도지사
② 소방청장
③ 관할 소방본부장
④ 관할 소방서장

소방시설관리업을 하고자 하는 자는 시도지사에게 허가를 받아야 한다.

정답 83 ③ 84 ② 85 ①

86 소방시설관리업의 과징금처분에 관한 설명으로 옳지 않은 것은?

① 과징금의 부과권자는 시 · 도지사이다.
② 3천만원 이하의 과징금을 부과할 수 있으며, 징수절차는 국고금관리법 시행규칙을 준용한다.
③ 과징금을 부과하는 위반행위의 종별 · 정도 등에 따른 과징금 금액 그 밖의 필요한 사항은 행정안전부령으로 정한다.
④ 영업정지 1월은 30일로 계산하며, 영업정지기간을 감경하더라도 감경 전 영업정지기간으로 과징금을 산정한다.

과징금은 영업정지기간을 감경하면 감경한 영업정지기간으로 산정한다.

87 점검인력 배치기준에 관한 사항, 소방시설등의 자체점검 시 점검인력 배치기준이 틀린 것은?

① 소방시설관리사 1명과 보조 기술인력 2명을 점검인력 1단위라 한다.
② 점검인력 1단위가 하루 동안 점검할 수 있는 특정소방대상물의 연면적을 점검면적이라 한다
③ 관리업자가 하루 동안 점검한 면적은 실제 점검면적과 특정소방대상물의 용도특성에 따른 다음 표의 가중계수를 곱하여 계산한 값(이하 "점검면적"이라 한다)으로 하되, 점검한도 면적을 초과하여서는 안된다.
④ 노유자시설, 숙박시설, 위락시설, 의료시설(정신보건의료기관)의 가중계수는 1.2이다.

점검한도 면적 : 점검인력 1단위가 하루 동안 점검할 수 있는 특정소방대상물의 연면적

88 아파트의 경우 점검인력 1단위가 1일 동안 점검할 수 있는 기준을 세대 단위로 산정하는데 맞는 것은?

① 종합정밀점검 : 270세대
② 작동기능점검 : 330세대
③ 종합정밀점검 : 300세대
④ 작동기능점검 : 300세대

구 분	1단위	1단위+보조1	1단위+보조2	1단위+보조3	1단위+보조4
종합정밀점검	300세대	370	440	510	580
작동기능점검	350세대	440	530	620	710

정답 86 ④ 87 ② 88 ③

●○○ 89

점검실명제에 따라 종합정밀점검등이 완료된 후 특정소방대상물에 붙여야 할 점검기록표의 내용이 아닌 것은?

① 점검기간 ② 점검자
③ 점검업체 ④ 점검 증명사진

소방시설 점검기록표
1. 점검기간 2. 점검자 3. 점검업체 4. 점검사항

●●● 90

소방시설관리업의 등록과 행정안전부령으로 정하는 중요사항 변경 신고는 각각 누구에게 하여야 하는가?

① 소방청장, 시도지사 ② 시도지사, 시도지사
③ 시도지사, 소방본부장 또는 소방서장 ④ 시도지사, 안전행정부

소방시설관리업의 등록 – 시도지사, 행정안전부령으로 정하는 중요사항 변경 신고 – 시·도지사

●●○ 91

소방시설법에 따라 소방안전관리대상물중 3급에 해당 되는 소방대상물은?

① 보물 또는 국보로 지정된 목조건축물
② 지하구
③ 가연성가스를 100톤 이상 1,000톤 미만 저장·취급하는 시설
④ 자동화재탐지설비만 설치된 대상물

해설

2급	• 다음에 해당하는 설비를 설치한 특정소방대상물 옥내소화전설비, 스프링클러설비, 간이스프링클러설비, 물분무등소화설비 [호스릴(Hose Reel) 방식의 물분무등소화설비만을 설치한 경우는 제외한다] • 가스제조설비를 갖추고 도시가스사업허가를 받아야 하는 시설 또는 가연성가스를 100톤 이상 1,000톤 미만 저장·취급하는 시설 • 보물 또는 국보로 지정된 목조건축물 • 지하구 • 공동주택
3급	자동화재탐지설비만 설치된 대상물

●●● 92

소방시설관리업의 점검능력 평가의 기준이 아닌 것은?

① 점검실적 평가 ② 기술력, 경력 평가
③ 자본력 평가 ④ 신인도 평가

점검능력 평가는 대행실적, 점검실적, 기술력, 경력 및 신인도로 구분하여 평가한다.

정답 89 ④ 90 ② 91 ④ 92 ③

●●● 93 관리업자가 소방시설등의 점검을 마친 경우 점검일시, 점검자, 점검업체 등 점검과 관련된 사항을 점검기록표에 기록하고 이를 해당 특정소방대상물에 부착하여야 하는데 이를 어긴자의 벌칙은?

① 50만원 이하의 과태료 ② 100만원 이하의 벌금
③ 200만원 이하의 벌금 ④ 300만원 이하의 벌금

해설
관리업자가 소방시설등의 점검을 마친 경우 점검일시, 점검자, 점검업체 등 점검과 관련된 사항을 점검기록표에 기록하고 이를 해당 특정소방대상물에 부착하여야 한다.
☞ 점검기록표를 거짓으로 작성하거나 해당 특정소방대상물에 부착하지 아니한 자 – 300만원 이하의 벌금

●●○ 94 소방안전관리자, 소방안전관리업무를 대행하는 자의 실무교육은 누가 실시하는가?

① 한국소방산업기술원장 ② 한국화재보험협회장
③ 한국소방안전원장 ④ 소방서장

해설
소방안전관리자, 소방안전관리업무를 대행하는 자의 실무교육 – 한국소방안전원장

●●● 95 소방안전관리자에 대한 실무교육의 시간, 과목, 교육수수료 그 밖의 실무교육의 실시에 관하여 필요한 사항은 누가 정하는가?

① 소방청장 ② 경찰서장 ③ 소방본부장 ④ 시 · 도지사

해설
소방안전관리자에 대한 실무교육의 시간 · 과목 · 교육수수료 그 밖에 실무교육의 실시에 관하여 필요한 사항은 소방청장이 이를 정하여 고시한다.

●●○ 96 소방안전관리자의 실무교육은 몇 년에 1회 이상 실시하는가?

① 1 ② 2 ③ 3 ④ 4

해설
소방안전관리자의 실무교육 – 2년에 1회 이상 실시

●●● 97 소방용품을 제조하고자 하는 사람은 어떻게 하여야 하는가?

① 행정안전부에 등록하여야 한다. ② 소방청장의 형식승인을 얻어야 한다.
③ 시도지사의 허가를 받아야 한다. ④ 소방본부장, 소방서장에게 신고를 하여야 한다.

해설
대통령령으로 정하는 소방용품을 제조하거나 수입하려는 자 → 소방청장의 형식승인을 받아야 한다.
☞ 소방용품의 형식승인을 받지 아니하고 소방용품을 제조하거나 수입한 자 – 3년 이하의 징역 또는 3천만원 이하의 벌금

정답 93 ④ 94 ③ 95 ① 96 ② 97 ②

●●○ **98** 형식승인을 받아야 할 소방용품이 아닌 것은?

① 유수제어밸브 ② 방염도료 ③ 유도등 ④ 스피커(확성기)

소방용품

구 분	구성하는 제품 또는 기기
소화설비	소화기구(소화약제 외의 것을 이용한 간이소화용구는 제외), 자동소화장치(상업용 주방소화장치는 제외), 소화전, 송수구, 관창(菅槍), 소방호스, 스프링클러헤드, 기동용수압개폐장치, 유수제어밸브 및 가스관선택밸브
경보설비	누전경보기 및 가스누설경보기, 수신기, 발신기, 중계기, 감지기 및 음향장치(경종만 한한다)
피난구조설비	피난사다리, 구조대, 완강기(간이완강기 및 지지대를 포함), 공기호흡기(충전기를 포함), 유도등 및 예비전원이 내장된 비상조명등
소화용으로 사용	**소화약제[소화설비용(상업용자동소화장치, 캐비넷형 자동소화장치 포, CO_2, 할론, 할로겐화합물 및 불활성기체, 분말, 강화액)에 한함], 방염제 (방염액·방염도료 및 방염성물질)**

●●○ **99** 소방용품을 제조하거나 수입하고자 하는 자는 형식승인을 얻어야 한다. 형식승인을 받지 않아도 되는 것은?

① 가스누설경보기 ② 송수구 ③ 시각경보기 ④ 방염도료

문제 104번 해설 참조

●●● **100** 소방용품의 형식승인 취소사유에 해당되지 않는 것은?

① 거짓 그 밖의 부정한 방법으로 형식승인을 얻은 때
② 거짓 그 밖의 부정한 방법으로 제품검사를 받은 때
③ 거짓 그 밖의 부정한 방법으로 변경승인을 얻은 때
④ 거짓 그 밖의 부정한 방법으로 소방용품을 판매한 때

해설

형식승인, 제품검사, 변경승인을 거짓 그 밖의 부정한 방법으로 받을 때 형식승인을 취소한다.

●●○ **101** 소방용품의 성능시험의 구분·대상·절차·기술기준·합격표시 및 수수료 등에 관하여 필요한 사항은 무엇으로 정하는가?

① 행정안전부령 ② 시·도의 조례 ③ 대통령령 ④ 소방청령

소방용품의 성능시험의 구분·대상·절차·기술기준·합격표시 및 수수료 등에 관하여 필요한 사항은 행정안전부령으로 정한다.

정답 98 ④ 99 ③ 100 ④ 101 ①

●●● 102 **다음은 소방관계법령에 대한 내용이다. 틀린 내용은?**

① 사무를 수행하기 위하여 불가피한 경우 「개인정보 보호법 시행령」에 따른 주민등록번호 또는 외국인등록번호가 포함된 자료를 처리할 수 있는 자는 소방청장·소방본부장·소방서장이다.
② 점검인력 1단위가 하루 동안 점검할 수 있는 특정소방대상물의 연면적을 점검한도면적이라 한다.
③ 시공능력평가는 실적평가액, 자본금평가액, 기술력평가액, 경력평가액, 신인도평가액에 따라 산정한다.
④ 소방특별조사위원회의 위원장은 소방본부장이다.

소방청장, 시·도지사, 소방본부장, 소방서장은 사무를 수행하기 위하여 불가피한 경우 「개인정보 보호법 시행령」에 따른 주민등록번호 또는 외국인등록번호가 포함된 자료를 처리할 수 있다.

●●● 103 **주택에 설치하는 주택용 소방시설의 내용 중 옳지 않은 것은?**

① 단독주택의 소유자는 주택용 소방시설을 설치하여야 한다.
② 국가 및 지방자치단체는 주택용 소방시설의 설치 및 국민의 자율적인 안전관리를 촉진하기 위하여 필요한 시책을 마련하여야 한다.
③ 주택용 소방시설의 설치기준에 관한 사항은 행정안전부령으로 정한다.
④ 공동주택(아파트 및 기숙사는 제외한다)에는 주택용 소방시설을 설치하여야 한다.

소화기구 및 단독경보형감지기 등 소방시설의 설치기준에 관한 사항은 시·도의 조례로 정한다.

●○○ 104 **건축물에 지진동 에너지를 흡수하는 장치를 설치하여 지진동에 의한 건축물의 진동을 감소시키는 방식을 무엇이라 하는가?**

① 내진　② 면진　③ 분진　④ 제진

해설

구분	내용
내진설계	면진, 제진을 포함한 지진으로부터 소방시설의 피해를 줄일 수 있는 구조를 의미하는 포괄적인 개념
면진설계	건축물과 소방시설을 분리시켜 지반진동으로 인한 지진력이 직접 구조물로 전달되는 양을 감소시킴으로써 내진성을 확보하는 수동적인 지진 제어 기술
제진설계	별도의 장치를 이용하여 지진력에 상응하는 힘을 구조물 내에서 발생시키거나 지진력을 흡수하여 구조물이 부담해야 하는 지진력을 감소시키는 능동적 지진 제어 기술

정답 102 ① 103 ③ 104 ④

••• 105 **내진설계대상이 아닌 소방시설은?**

① 옥내소화전설비 ② 간이스프링클러설비 ③ 강화액소화설비 ④ 물분무소화설비

내진 설계대상
(1) 「지진·화산재해대책법」 시설 중 대통령령으로 정하는 특정소방대상물에 대통령령으로 정하는 소방시설을 설치하려는 자는 지진이 발생할 경우 소방시설이 정상적으로 작동될 수 있도록 소방청장이 정하는 내진설계기준에 맞게 소방시설을 설치하여야 한다.
(2) 대통령령으로 정하는 소방시설 – 옥내소화전설비, 스프링클러설비, 물분무등소화설비

••• 106 **소방시설 설치유지 및 안전관리에 관한 법률에서 청문의 대상이 아닌 것은?**

① 소방시설관리사 자격의 취소 ② 소방시설관리업의 등록취소
③ 소방용품의 형식승인취소 ④ 방염처리업의 등록취소

청문의 대상

관리사 자격의 취소 및 정지	관리업의 등록취소 및 영업정지
소방용품의 형식승인 취소 및 제품검사 중지	성능인증의 취소
우수품질인증의 취소	전문기관의 지정취소 및 업무정지

★ 방염업의 등록취소는 청문 대상이 아니다.

••○ 107 **다음 보기의 권한이 있는 자를 모두 고른 것은?**

〈보기〉

방염업자 또는 관리업자 등 및 사업체 또는 소방대상물 등의 감독을 위하여 필요하면 관계인에게 필요한 보고 또는 자료제출을 명할 수 있으며, 관계 공무원으로 하여금 소방대상물·사업소·사무소 또는 사업장에 출입하여 관계 서류·시설 및 제품 등을 검사하거나 관계인에게 질문하게 할 수 있다.

① 소방청장, 시도지사, 소방본부장, 소방서장
② 소방청장, 소방본부장, 소방서장
③ 소방본부장, 소방서장
④ 소방청장, 시도지사

소방청장, 시도지사, 소방본부장, 소방서장은 방염업자, 관리업자, 관리사 등 및 사업체 또는 소방대상물 등의 감독을 위하여 필요하면 관계인에게 필요한 보고 또는 자료제출을 명할 수 있으며, 관계 공무원으로 하여금 소방대상물·사업소·사무소 또는 사업장에 출입하여 관계 서류·시설 및 제품 등을 검사하거나 관계인에게 질문하게 할 수 있다.

 105 ② 106 ④ 107 ①

●○○ **108** **소방시설설치유지 및 안전관리에 관한 법, 령, 규칙에서 정한 시험응시 수수료와 교육비를 반환하여야 하는 내용 중 틀린 것은?**

① 시험시행기관의 귀책사유로 시험에 응시하지 못하거나 교육을 받지 못한 경우 : 납입한 수수료 또는 교육비의 전부
② 원서접수기간 또는 교육신청기간 내에 접수를 철회한 경우 : 납입한 수수료 또는 교육비의 전부
③ 시험시행일 또는 교육실시일 20일 전까지 접수를 취소하는 경우 : 납입한 수수료 또는 교육비의 100분의 70
④ 시험시행일 또는 교육실시일 10일 전까지 접수를 취소하는 경우 : 납입한 수수료 또는 교육비의 100분의 50

1. 시험시행기관 또는 교육실시기관의 귀책사유로 시험에 응시하지 못하거나 교육을 받지 못한 경우: 납입한 수수료 또는 교육비의 전부
2. 원서접수기간 또는 교육신청기간 내에 접수를 철회한 경우: 납입한 수수료 또는 교육비의 전부
3. 시험시행일, 교육실시일 20일 전까지 접수를 취소하는 경우: 납입한 수수료 또는 교육비의 전부
4. 시험시행일 또는 교육실시일 10일 전까지 접수를 취소하는 경우: 납입한 수수료 또는 교육비의 100분의 50

●○○ **109** **소방시설법에 따라 물분무소화설비 설치 시 면제되는 소방시설이 아닌 것은?**

① 주거용자동소화장치
② 스프링클러소화설비
③ 간이스프링클러소화설비
④ 연소방지설비

자동소화장치	• 물분무등소화설비를 설치 시 면제된다. (주거용 주방자동소화장치는 제외)

정답 108 ③ 109 ①

PART 4 다중이용업소의 안전관리에 관한 특별법,령,규칙

1. 목적

(1) 화재 등 재난이나 그 밖의 위급한 상황으로부터 국민의 생명·신체 및 재산을 보호
(2) 다중이용업소의 안전시설등의 설치·유지 및 안전관리와 화재위험평가, 다중이용업주의 화재배상책임보험에 필요한 사항을 정함으로써
(3) **공공의 안전과 복리 증진에 이바지함을 목적으로 한다.**
※ 안전시설등 : 소방시설, 비상구, 영업장 내부 피난 통로, 그 밖의 안전시설로서 대통령령으로 정하는 것

2. 다중이용업의 범위

불특정 다수인이 이용하는 영업 중 화재 등 재난 발생 시 생명·신체·재산상의 피해가 발생할 우려가 높은 것으로서 대통령령**으로 정하는 영업**을 말한다.

대통령령이 정하는 영업

1. 식품접객업

구 분	면 적 기 준
단란주점영업과 유흥주점영업	면적과 관계없이 다중이용업소임.
휴게음식점영업·제과점영업 일반음식점영업	**바닥면적의 합계가 100 m^2(지하층에 설치된 경우 – 66 m^2) 이상** ※ 다만, 영업장(내부계단으로 연결된 복층구조의 영업장을 제외한다)이 지상 1층, 지상과 직접 접하는 층에 설치되고 그 영업장의 주된 출입구가 건축물 외부의 지면과 직접 연결되는 곳에서 하는 영업을 제외한다.

2. 학원

수용인원	내 용
300명 이상	조건과 관계없이 다중이용업소임.
100명 이상 300명 미만	1. **하나의 건축물에 학원과 기숙사가 함께 있는 학원** 2. **하나의 건축물에 학원이 둘 이상 있는 경우로서 학원의 수용인원이 300명 이상인 학원** 3. **하나의 건축물에 다중이용업과 학원이 함께 있는 경우** ※ 학원으로 사용하는 부분과 다른 용도로 사용하는 부분(학원의 운영권자를 달리하는 학원과 학원을 포함한다)이 **방화구획으로 나누어진 경우는 제외**한다.

3. 목욕장업

내 용	수용인원
돌(맥반석이나 대리석 등)을 가열하여 발생하는 열기나 원적외선 등을 이용하여 땀을 배출하게 할 수 있는 시설(물로 목욕을 할 수 있는 시설부분은 제외)	100명 이상
목욕장업	–

4. 게임제공업 · 인터넷컴퓨터게임시설제공업 및 복합유통게임제공업

※ 다만, 게임제공업 및 인터넷컴퓨터게임시설제공업의 경우에는 영업장(내부계단으로 연결된 복층구조의 영업장은 제외한다)이 지상 1층 또는 지상과 직접 접하는 층에 설치되고 그 영업장의 주된 출입구가 건축물 외부의 지면과 직접 연결된 구조에 해당하는 경우는 제외한다.

5. 영화상영관 · 비디오물감상실업 · 비디오물소극장업, 노래연습장업, 산후조리업, 안마시술소

6. 고시원업

구획된 실(室) 안에 학습자가 공부할 수 있는 시설을 갖추고 숙박 또는 숙식을 제공하는 형태의 영업

7. 권총사격장

실내사격장에 한정하며, 종합사격장에 설치된 경우를 포함한다.

8. 골프 연습장업

실내의 구획된 실에 스크린과 영사기 등의 시설을 갖추고 골프를 연습할 수 있도록 공중의 이용에 제공하는 영업에 한정한다.

9. 화재위험평가결과 위험유발지수가 디(D) 등급 또는 이(E) 등급에 해당

10. 행정안전부령으로 정하는 영업

화재발생 시 인명피해가 발생할 우려가 높은 불특정다수인이 출입하는 영업으로서 소방청장이 관계 중앙행정기관의 장과 협의하여 정하는 영업

구분	내용
전화방업 · 화상대화방업	구획된 실(室) 안에 전화기 · 텔레비전 · 모니터 또는 카메라 등 상대방과 대화할 수 있는 시설을 갖춘 형태의 영업
수면방업	구획된 실(室) 안에 침대 · 간이침대 그 밖에 휴식을 취할 수 있는 시설을 갖춘 형태의 영업
콜라텍업	손님이 춤을 추는 시설 등을 갖춘 형태의 영업으로서 주류판매가 허용되지 아니하는 영업

※ 밀폐구조(무창층의 정의와 동일)의 영업장

지상층에 있는 다중이용업소의 영업장 중 채광·환기·통풍 및 피난 등이 용이하지 못한 구조로 되어 있으면서 대통령령으로 정하는 기준에 해당하는 영업장을 말한다. 무창층의 요건을 모두 갖춘 개구부의 면적의 합계가 영업장으로 사용하는 바닥면적의 30분의 1 이하가 되는 것

※ 영업장의 내부구획

다중이용업소의 영업장 내부를 이용객들이 사용할 수 있도록 벽 또는 칸막이 등을 사용하여 구획된 실(室)을 만드는 것을 말한다

3. 국가 등의 책무

(1) 국가와 지방자치단체는 다중이용업소의 안전시설등의 설치·유지 및 안전관리에 필요한 시책을 마련하여야 한다.

(2) 다중이용업주는 국가와 지방자치단체가 실시하는 다중이용업소의 안전관리 등에 관한 시책에 협조 하여야 하며, 다중이용업소를 이용하는 사람들을 화재 등 재난이나 그 밖의 위급한 상황으로부터 보호하기 위하여 노력하여야 한다.

(3) 다중이용업주는 해당 영업장에 설치된 **피난시설, 방화구획과 방화벽, 내부 마감재료 등 (이하 "방화시설"**이라 한다)을 유지하고 관리하여야 한다.

☞ 피난시설, 방화구획 또는 방화시설에 대하여 폐쇄·훼손·변경 등의 행위를 한 자
— **1회 50 / 2회 100 / 3회 300 만원 이하의 과태료**

4. 다른 법률과의 관계

(1) **다중이용업소의 화재 등 재난에 대한 안전관리에 관하여는 다른 법률에 우선하여 이 법을 적용한다.**

(2) 「화재로 인한 재해보상과 보험가입에 관한 법률」에 따른 특수건물의 다중이용업주에 대하여는 **화재배상책임보험 가입 의무 등**은 적용하지 아니한다.

참고 – 특수건물

1,000 m²	2,000 m²	3,000 m²	기타
국유건물	학원, 음식점(일반, 주점)	학교, 병원, 호텔, 콘도, 숙박업소, 공연장, 방송사업장, 공장,	11층 이상, 공동주택(16층 이상)

(3) 다중이용업주의 화재배상책임에 관하여 이 법에서 규정한 것 외에는 「민법」에 따른다.

5. 안전관리기본계획의 수립 · 시행 등

기본계획	연도별계획	집행계획
소방청장	소방청장	소방본부장
5년마다	매년	매년

1 기본계획

(1) **소방청장은** 관계 중앙행정기관의 장과 협의를 거쳐 **5년마다** 다중이용업소의 **안전관리기본계획**을 수립 · 시행하여야 한다.

기본계획에 포함되어야 할 사항
① 안전관리에 관한 기본 방향
② 자율적인 안전관리 촉진에 관한 사항
③ 화재안전에 관한 정보체계의 구축 및 관리
④ 안전 관련 법령 정비 등 제도 개선에 관한 사항
⑤ 적정한 유지 · 관리에 필요한 교육과 기술 연구 · 개발
⑥ 화재배상책임보험에 관한 기본 방향
⑦ 화재배상책임보험 가입관리전산망(이하 "책임보험전산망"이라 한다)의 구축 · 운영
⑧ 화재배상책임보험제도의 정비 및 개선에 관한 사항
⑨ 화재위험평가의 연구 · 개발에 관한 사항
⑩ 그 밖에 다중이용업소의 안전관리에 관하여 대통령령으로 정하는 사항
- 안전관리 중 · 장기 기본계획에 관한 사항
  - 다중이용업소의 안전관리체제. 안전관리실태평가 및 개선계획
- 시 · 도 안전관리기본계획에 관한 사항

(2) **소방청장**은 관계 중앙행정기관의 장과 협의를 거쳐 **기본계획 수립지침을 작성**하고 이를 **관계 중앙행정기관의 장에게 통보**해야 한다.

기본계획 수립지침에 포함되어야 할 내용(령 제5조)
① 화재 등 재난 발생 경감대책
㉠ 화재피해 원인조사 및 분석
㉡ 안전관리정보의 전달 · 관리체계 구축
㉢ 화재 등 재난 발생에 대비한 교육·훈련과 예방에 관한 홍보
② 화재 등 재난 발생을 줄이기 위한 중·장기 대책
㉠ 다중이용업소 안전시설 등의 관리 및 유지계획
㉡ 소관법령 및 관련기준의 정비

(3) **소방청장**은 **기본계획을 수립하면 행정안전부장관에게 보고**하고 **기본계획 및 연도별계획**을 **관계 중앙행정기관의 장과 시 · 도지사에게 통보한 후 관보에 공고** 하여야 한다.

(4) 소방청장은 기본계획을 수립하기 위하여 관계 중앙행정기관의 장 및 시·도지사에게 관련된 자료의 제출을 요구할 수 있다. 이 경우 자료 제출을 요구받은 관계 중앙행정기관의 장 또는 시·도지사는 특별한 사유가 없으면 요구에 따라야 한다.

2 연도별계획

(1) **소방청장은** 기본계획에 따라 **매년 연도별 안전관리계획**을 **전년도 12월 31일까지 수립**

(2) 수립된 연도별계획을 **지체 없이 관계 중앙행정기관의 장과 시·도지사 및 소방본부장에게 통보**

(3) 소방청장은 연도별계획을 수립하기 위하여 필요하면 관계 중앙행정기관의 장 및 시·도지사에게 관련된 자료의 제출을 요구할 수 있다.

3 집행계획

(1) **소방본부장은 매년** 안전관리**집행계획**을 **해당 연도 전년 12월 31일까지 수립**하되 대상은 다중이용업으로 한다.

(2) **소방본부장**은 수립된 **집행계획과 전년도 추진실적**을 **매년 1월 31일**까지 **소방청장에게 제출**

집행계획에 포함되어야 할 사항
① 다중이용업소 밀집 지역의 소방시설 설치, 유지·관리와 개선계획
② 다중이용업주와 종업원에 대한 소방안전교육·훈련계획
③ 다중이용업주와 종업원에 대한 자체지도 계획
④ 다중이용업소의 화재위험평가의 실시 및 평가
⑤ 화재위험평가결과에 따른 조치계획
(화재위험지역이나 건축물에 대한 안전관리와 시설정비 등에 관한 사항을 포함한다)

예제 01

다중이용업소의 안전관리 집행계획의 사항이 아닌 것은?

① 다중이용업소 밀집 지역의 소방시설 설치, 유지·관리와 개선계획
② 화재위험평가결과에 따른 조치계획
③ 다중이용업주와 종업원에 대한 자체지도 계획
④ 화재위험평가의 연구·개발에 관한 사항

해답 ④
④의 내용은 기본계획의 사항이다.

(4) 소방본부장은 집행계획을 수립하기 위하여 필요하면 해당 시장·군수·구청장에게 관련된 자료의 제출을 요구할 수 있다.

(5) **집행계획의 수립 시기, 대상, 내용 등에 관하여 필요한 사항은** 대통령령**으로 정한다.**

6. 관련 행정기관의 통보사항

1 허가 등

(1) 다중이용업의 허가관청은 허가등을 한 날부터 **14일 이내에 행정안전부령**으로 정하는 바에 따라 다중이용업소의 소재지를 관할하는 소방본부장 또는 소방서장에게 통보하여야 한다.

(2) 제출서류 – 다중이용업 허가등 사항(변경사항)통보서

다중이용업 허가등 사항(변경사항) 통보서			
업소명		소재지	
영업주 성명		영업주 주소	
영업장 면적	m^2		
영업의 허가 · 등록 · 인가 · 신고일		년 월 일	
허가 · 등록 · 인가 · 신고 번호		제 호	
휴업 또는 폐업일		휴업 후 영업 재개일	

① 다중이용업소의 상호 및 주소
② 다중이용업주의 성명 및 주소
③ 다중이용업의 업종 및 영업장 면적
④ 허가등 일자

2 수리

허가관청은 다중이용업주가 다음에 해당하는 행위를 하였을 때에는 그 신고를 **수리(受理)한 날부터 30일 이내에** 다중이용업 허가등 사항(변경사항)통보서를 소방본부장 또는 소방서장에게 통보

① 다중이용업소 상호 또는 주소의 변경 / 영업 내용의 변경
② 다중이용업주의 변경 또는 주소의 변경 / 휴업 · 폐업 또는 휴업 후 영업의 재개

3 허가관청의 확인사항(신설 15. 1. 20)

허가관청은 다른 법률에 따라 다중이용업주의 변경신고 또는 다중이용업주의 지위승계 신고를 수리하기 전에 다중이용업을 하려는 자가 소방안전교육 이수 및 화재배상책임보험에 가입하였는지를 확인하여야 한다.

4 소방청장, 소방본부장 또는 소방서장

다중이용업주의 휴업 · 폐업 또는 사업자등록말소 사실을 확인하기 위하여 사업자등록번호를 기재하여 관할 세무관서의 장에게 다음에 대한 과세정보 제공을 요청할 수 있다. 요청을 받은 세무관서의 장은 정당한 사유가 없으면 그 요청에 따라야 한다. <신설 2021. 1. 5.>

1. 대표자 성명 및 주민등록번호, 사업장 소재지
2. 휴업 · 폐업한 사업자의 성명 및 주민등록번호, 휴업일 · 폐업일

7. 소방안전교육

1 소방안전교육 실시자

(1) **소방청장, 소방본부장 또는 소방서장**
인터넷 홈페이지를 이용한 사이버 소방안전교육을 위한 환경을 조성 및 구축·운영
(2) 사이버교육을 위한 시스템 구축과 그 밖에 필요한 사항은 소방청장이 정한다.
(3) 다중이용업소의 안전관리에 관한 교육내용과 관련된 세부사항은 소방청장이 정하고 교육인력 시설·장비를 갖추어야 한다.

2 교육대상자

(1) 다중이용업주, 다중이용업을 하려는 자
- 다중이용업주가 직접 소방안전교육을 받기 곤란한 경우로서 소방청장이 정하는 경우에는 영업장의 종업원 중 소방청장이 정하는 자로 하여금 다중이용업주를 대신하여 소방안전교육을 받게 할 수 있다.

(2) 종업원
다중이용업주 외에 해당 영업장(다중이용업주가 둘 이상의 영업장을 운영하는 경우에는 각각의 영업장을 말한다)을 관리하는 **종업원 1명 이상 또는 국민연금 가입의무대상자인 종업원 1명 이상**
㉠ 소방안전관리자의 강습 또는 실무교육, 위험물안전관리자 교육을 받고 **1년이 지나지 아니한 자**는 제외
㉡ 다중이용업주와 종업원은 소방안전교육을 **2년에 1회 이상** 받아야 한다. 단, 교육을 받아야 하는 연도에 ㉠의 교육을 받은 자는 제외. (2016년 1월 21일 시행)

3 교육시기

(1) 신규 교육

다중이용업주	교육대상 종업원
① 다중이용업을 시작하기 전 ② 안전시설등의 설치신고 또는 영업장 내부구조 변경신고를 하는 경우는 완공신고를 하기 전 ③ 다중이용업주가 변경되어 허가관청이 통보를 한 경우에는 소방본부장 또는 소방서장이 통보한 교육일까지	다중이용업에 종사하기 전

(2) 수시 교육

다중이용업법을 위반한 다중이용업주와 교육대상 종업원

- **위반행위가 적발된 날부터 3개월 이내** 단, 안전시설등을 설치·유지 하지 아니한 위반 행위는 과태료 대상만 적용

(3) 보수교육

신규 교육 또는 직전의 보수 교육을 받은 날이 속하는 달의 마지막 날부터 2년 이내

(4) 소방안전교육을 받을 수 없는 때

소방청장이 정하는 바에 따라 **3개월의 범위에서 소방안전교육을 연기**할 수 있다.

4 교육 대상자에 대한 통보

교육대상자	통보 시기
안전시설등의 설치신고 또는 영업장 내부구조 변경신고를 하는 자	신고 접수 시
그 외 교육대상자	교육일 10일 전까지

※ 소방청 · 소방본부 또는 소방서의 홈페이지에 게재 – 교육일 30일 전까지

5 교육 시간, 내용 등

(1) 시간 – 4시간 이내

(2) 내용

① 화재안전과 관련된 법령 및 제도

② 다중이용업소에서 화재가 발생한 경우 초기대응 및 대피요령

③ 소방시설 및 방화시설(防火施設)의 유지·관리 및 사용방법

④ 심폐소생술 등 응급처치 요령

(3) **다른 법령에서 정하는 다중이용업 관련 교육과 병행하여 실시**할 수 있다.

(4) 교육의 유효기간

소방안전교육을 받은 사람이 교육받은 날부터 2년 이내에 다중이용업을 하려는 경우 또는 다중이용업에 종사하려는 경우에는 **신규 교육을 받은 것으로 본다.**

6 기타

(1) 다중이용업주는 소방안전교육 대상자인 종업원이 소방안전교육을 받도록 하여야 한다.

☞ 소방안전교육을 받지 아니하거나 종업원이 소방안전교육을 받도록 하지 아니한 다중이용업주
– 1회 50 / 2회 100 / 3회 300 만원 이하의 과태료

(2) 소방안전교육의 대상자, 교육시간, 그 밖에 교육에 필요한 사항은 **행정안전부령**으로 정한다.

(3) 위에서 정한 사항 외에 소방안전교육을 위하여 필요한 사항은 소방청장이 정한다.

8. 다중이용업소의 안전관리기준 등

1 다중이용업주 및 다중이용업을 하려는 자

(1) 안전시설등의 설치

① 영업장에 **대통령령**으로 정하는 안전시설등을 **행정안전부령**으로 정하는 기준에 따라 설치·유지하여야 하며 숙박을 제공하는 형태의 다중이용업소의 영업장(**고시원, 산후조리원) 및 밀폐구조의 영업장**에는 **간이스프링클러설비**를 **행정안전부령**으로 정하는 기준에 따라 설치

☞ 안전시설등을 기준에 따라 설치하지 아니한자 – **300 만원 이하의 과태료**
☞ 안전시설등을 기준에 따라 유지하지 아니한 자

안전시설등의 작동·기능에 지장을 주지 않는 경미한 사항을 2회 이상 위반한 경우	50
안전시설등을 다음에 해당하는 고장상태 등으로 방치한 경우 가) 소화펌프를 고장상태로 방치한 경우 나) 수신반(受信盤)의 전원을 차단한 상태로 방치한 경우 다) 동력(감시)제어반을 고장상태로 방치하거나 전원을 차단한 경우 라) 소방시설용 비상전원을 차단한 경우 마) 소화배관의 밸브를 잠금상태로 두어 소방시설이 작동할 때 소화수가 나오지 않거나 소화약제(消火藥劑)가 방출되지 않는 상태로 방치한 경우	100

② 다중이용업주는 소방안전관리업무를 수행하여야 한다.

☞ 소방안전관리업무를 하지 아니한 자 – **1회 50 / 2회 100 / 3회 300 만원 이하의 과태료**

(2) 안전시설등의 설치 전 신고

안전시설등을 설치하기 전에 미리 소방본부장이나 소방서장에게 행정안전부령으로 정하는 안전시설등의 설계도서를 첨부하여 행정안전부령으로 정하는 바에 따라 신고하여야 한다. 소방본부장이나 소방서장은 신고를 받았을 때에는 설계도서가 기준에 맞는지를 확인하고, 지도하여야 한다.

(3) 신고 대상

① **안전시설등을 설치하려는 경우**

② **영업장 내부구조를 변경하려는 경우**
[영업장 면적의 증가, 영업장의 구획된 실의 증가 및 내부통로 구조의 변경]

③ **안전시설등의 공사를 마친 경우**

(4) 제출서류

① **안전시설등 설치(완공)신고서**

② **소방시설설계업자가 작성한 안전시설등의 설계도서**

㉠ 소방시설의 계통도, 실내장식물의 재료 및 설치면적, 내부구획의 재료, 비상구 및 창호도 등이 표시된 것을 말한다.

㉡ 완공신고의 경우에는 설치신고 시 제출한 설계도서와 달라진 내용이 있는 경우에만 제출한다.

③ **안전시설등 설치내역서** – 완공신고의 경우에는 설치내역이 설치 신고 시와 달라진 내용이 있는 경우에만 제출한다.

④ **전기안전점검확인서(고시원업, 전화방업 · 화상대화방업, 수면방업, 콜라텍업만 해당) 1부**

(5) 발급, 보완 등

① 소방본부장 또는 소방서장

㉠ 현장을 확인한 결과 안전시설 등이 적합하다고 인정하는 경우에는 안전시설 등 완비증명서를 발급하고, 적합하지 아니한 때에는 신청인에게 서면으로 그 사유를 통보하고 보완을 요구하여야 한다.

㉡ 안전시설 등이 맞지 아니한 경우에는 보완 등 필요한 조치를 명하거나 허가관청에 관계법령에 따른 영업정지 처분 또는 허가등의 취소를 요청할 수 있다.

㉢ 공사완료의 신고를 받았을 때에는 안전시설 등 완비증명서를 발급하여야 하며, 그 기준에 맞지 아니한 경우에는 시정될 때까지 안전시설 등 완비증명서를 발급해서는 안된다.

㉣ 안전시설 등 설치(완공)신고서를 접수하거나 안전시설 등 완비증명서를 발급한 때에는 안전시설 등 완비증명서 발급 대장에 발급일자 등을 적어 관리하여야 한다.

㉤ 재발급 신청을 받은 경우 신청서를 받은 날부터 3일 이내에 안전시설 등 완비증명서를 재발급하고, 안전시설등 완비증명서 발급 대장에 그 사실을 적어 관리하여야 한다.

② 다중이용업주

안전시설 등 완비증명서를 재발급 받으려면 안전시설 등 완비증명서 재발급 신청서에 이전에 발급받은 안전시설 등 완비증명서를 첨부(잃어버린 경우는 제외한다)하여 소방본부장 또는 소방서장에게 제출하여야 한다.

(6) 대통령령으로 정하는 숙박을 제공하는 형태의 다중이용업소의 영업장

2009년 7월 8일 전에 영업을 개시한 후 영업장의 내부구조 · 실내장식물 · 안전시설등 또는 영업주를 변경한 사실이 없는 영업장을 운영하는 다중이용업주가 해당 영업장에 간이스프링클러설비를 설치하는 경우 국가와 지방자치단체는 필요한 비용의 일부를 대통령령으로 정하는 바에 따라 지원할 수 있다. <신설 2020. 6. 9.>

2 다중이용업소의 영업장에 설치 · 유지하여야 하는 안전시설 등의 설치기준

Point

안전시설등

<table>
<tr><th>구 분</th><th>소방시설등</th><th colspan="2">종 류</th></tr>
<tr><td rowspan="5">소방시설</td><td>소화설비</td><td colspan="2">1) 소화기 또는 자동확산소화기
2) 간이스프링클러설비
(캐비닛형간이스프링클러설비를 포함한다)</td></tr>
<tr><td>경보설비</td><td colspan="2">1) 비상벨설비 또는 자동화재탐지설비
2) 가스누설경보기</td></tr>
<tr><td rowspan="2">피난구조설비</td><td>1) 피난기구</td><td>가) 구조대 나) 피난사다리
다) 미끄럼대 라) 완강기
마) 다수인 피난장비 바) 승강식 피난기</td></tr>
<tr><td colspan="2">2) 피난유도선
3) 유도등, 유도표지 또는 비상조명등
4) 휴대용비상조명등</td></tr>
<tr><td colspan="3"></td></tr>
<tr><td colspan="4">비상구</td></tr>
<tr><td colspan="4">영업장 내부 피난 통로</td></tr>
<tr><td>그 밖의 안전시설</td><td colspan="3">1) 영상음향차단장치 2) 누전차단기 3) 창문</td></tr>
</table>

다중이용업소에 설치 · 유지하여야 하는 안전시설등

1. 소방시설

<table>
<tr><th>구 분</th><th>내 용</th><th>설치대상</th></tr>
<tr><td rowspan="5">소화설비</td><td>소화기, 자동확산소화기</td><td>–</td></tr>
<tr><td rowspan="4">간이스프링클러설비
(캐비닛형 간이스프링클러설비를 포함)</td><td>지하층에 설치된 영업장</td></tr>
<tr><td>밀폐구조의 영업장</td></tr>
<tr><td>권총사격장의 영업장</td></tr>
<tr><td>산후조리업, 고시원업의 영업장(♣)
– 지상1층 또는 지상과 맞닿아 있는 층은 제외</td></tr>
<tr><td rowspan="2">경보설비</td><td>비상벨설비 또는 자동화재탐지설비</td><td>노래반주기 등 영상음향장치를 사용하는 영업장에는 자동화재탐지설비를 설치하여야 한다.</td></tr>
<tr><td>가스누설경보기</td><td>가스시설을 사용하는 주방이나 난방시설이 있는 영업장에만 설치</td></tr>
<tr><td rowspan="4">피난구조설비</td><td>피난기구</td><td>구조대, 피난사다리, 미끄럼대, 완강기
다수인 피난장비, 승강식 피난기</td></tr>
<tr><td>피난유도선</td><td>영업장 내부 피난통로 또는 복도가 있는 영업장</td></tr>
<tr><td>유도등, 유도표지 또는 비상조명등</td><td>–</td></tr>
<tr><td>휴대용 비상조명등</td><td>–</td></tr>
</table>

(♣) 무창층에 설치되지 않은 영업장으로서 지상 1층에 있거나 지상과 직접 맞닿아 있는 층(영업장의 주된 출입구가 건축물의 외부의 지면과 직접 연결된 경우를 포함한다)에 설치된 영업장은 제외한다.

• 피난유도선 : 햇빛이나 전등불로 축광(蓄光)하여 빛을 내거나 전류에 의하여 빛을 내는 유도체로서 화재 발생 시 등 어두운 상태에서 피난을 유도할 수 있는 시설

2. 비상구 설치

주된 출입구와 주된 출입구 외에 화재 발생 시 등 비상시 영업장의 내부로부터 지상 · 옥상 또는 그 밖의 안전한 곳으로 피난할 수 있도록 직통계단, 피난계단, 옥외피난계단 또는 발코니에 연결된 출입구

※ 비상구 설치 제외의 경우

가. 주된 출입구 외에 해당 영업장 내부에서 피난층 또는 지상으로 통하는 직통계단이 주된 출입구 중심선으로부터 수평거리로 영업장의 긴 변 길이의 2분의 1 이상 떨어진 위치에 별도로 설치된 경우

나. 피난층에 설치된 바닥면적 33 m^2 이하의 영업장으로서 영업장 내부에 구획된 실(室)이 없고, 영업장 전체가 개방된 구조로서 그 영업장의 각 부분으로부터 출입구까지의 수평거리가 10 m 이하인 경우

3. 영업장 내부에 피난통로 – 구획된 실이 있는 영업장에만 설치

4. 그 밖의 안전시설

가. 영상음향차단장치. 다만, 노래반주기 등 영상음향장치를 사용하는 영업장에만 설치한다.

나. 누전차단기

다. 창문을 설치하여야 할 대상 – 고시원업

※ 영상음향 차단장치 : 영상 모니터에 화상(畵像) 및 음반 재생장치가 설치되어 있어 영화, 음악 등을 감상할 수 있는 시설이나 화상 재생장치 또는 음반 재생장치 중 한 가지 기능만 있는 시설을 차단하는 장치

3 안전시설등의 설치 · 유지 기준

Point

1. 소방시설

구분	시설	설치·유지 기준
소화설비	소화기 또는 자동확산소화기	영업장 안의 구획된 실마다 설치
소화설비	간이스프링클러설비	화재안전기준에 따라 설치할 것. 다만, 영업장의 구획된 실마다 간이스프링클러헤드 또는 스프링클러헤드가 설치된 경우에는 그 설비의 유효범위 부분에는 간이스프링클러설비를 설치하지 않을 수 있다.
경보설비	비상벨설비 또는 자동화재탐지설비	1. 영업장의 구획된 실마다 비상벨설비 또는 자동화재탐지설비 중 하나 이상을 화재안전기준에 따라 설치 2. 자동화재탐지설비를 설치하는 경우에는 지구음향장치 및 감지기는 영업장의 구획된 실마다 설치. 다만, 영업장의 구획된 실에 비상방송설비의 음향장치가 설치된 경우 해당 실에는 지구음향장치를 설치하지 않을 수 있다. 3. 영상음향차단장치가 설치된 영업장에 자동화재탐지설비의 수신기를 별도로 설치
피난설비	피난기구	4층 이하 영업장의 비상구(발코니 또는 부속실)에는 피난기구를 화재안전기준에 따라 설치

	피난유도선	영업장 내부 피난통로 또는 복도에 설치하는 피난유도선은 유도등 및 유도표지의 화재안전기준에 따라 설치하고 전류에 의하여 빛을 내는 방식으로 할 것
	유도등, 유도표지 또는 비상조명등	영업장의 구획된 실마다 유도등, 유도표지 또는 비상조명등 중 하나 이상을 화재안전기준에 따라 설치
	휴대용 비상조명등	영업장안의 구획된 실마다 휴대용 비상조명등을 화재안전기준에 따라 설치

2. 비상구

1) 공통 기준

(1) 설치 위치

영업장 **주된 출입구의 반대방향에 설치**하되, **주된 출입구 중심선으로부터의 수평거리**가 **영업장의 긴 변 길이의 2분의 1 이상 떨어진 위치에 설치**. 다만, 건물구조로 인하여 주된 출입구의 반대 방향에 설치할 수 없는 경우에는 주된 출입구 중심선으로부터의 수평거리가 영업장의 긴 변 길이의 2분의 1 이상 떨어진 위치에 설치할 수 있다. (2개 이상의 층이 있는 경우에는 각각의 층별 영업장을 말한다.)

(2) 비상구 규격

가로 75 cm 이상, 세로 150 cm 이상(비상구 문틀을 제외)으로 할 것

(3) 비상구 구조

① **비상구는 구획된 실 또는 천장으로 통하는 구조가 아닌 것**으로 할 것. 다만, 영업장 바닥에서 천장까지 불연재료(不燃材料) 이상의 것으로 구획된 부속실(전실)은 그러하지 아니하다.

② **비상구는 다른 영업장 또는 다른 용도의 시설(주차장은 제외)을 경유하는 구조가 아니어야 하고, 층별 영업장은 다른 영업장 또는 다른 용도의 시설과 불연재료로 된 차단벽이나 칸막이로 분리되도록 할 것.** 다만, 둘 이상의 영업소가 주방 외에 객실부분을 공동으로 사용하는 등의 구조 또는 「식품위생법 시행규칙」 별표 14 제8호가목5)다)에 따라 각 영업소와 영업소 사이를 분리 또는 구획하는 별도의 차단벽이나 칸막이 등을 설치하지 않을 수 있는 경우는 그러하지 아니하다.

(4) **문이 열리는 방향 : 피난방향으로 열리는 구조로 할 것.**

(5) **자동문[미서기(슬라이딩)문] 설치기준**

주된 출입구의 문이 피난계단 또는 특별피난계단의 설치 기준에 따라 설치하여야 하는 문이 아니거나 방화구획이 아닌 곳에 위치한 주된 출입구가 다음의 기준을 충족하는 경우 설치할 수 있다.

① 화재감지기와 연동하여 개방되는 구조
② 정전 시 자동으로 개방되는 구조
③ 정전 시 수동으로 개방되는 구조

(6) 비상구와 주된 출입구의 문의 재질

내화구조	기타구조 등
방화문	불연재료

※ 주요 구조부(영업장의 벽, 천장 및 바닥을 말한다.)

※ 문의 재질을 유리등의 불연재료로 설치 가능한 경우

1. 건물의 구조상 비상구 또는 주된 출입구의 문이 지표면과 접하는 경우로서 화재의 연소 확대 우려가 없는 경우
2. 비상구 또는 주 출입구의 문이 피난계단 또는 특별피난계단의 설치기준에 따라 설치하여야 하는 문이 아니거나 방화구획이 아닌 곳에 위치한 경우

※ 방화문 : 갑종방화문 또는 을종방화문으로서 언제나 닫힌 상태를 유지하거나 화재로 인한 연기의 발생 또는 온도의 상승에 따라 자동적으로 닫히는 구조를 말한다. 다만, 자동으로 닫히는 구조 중 열에 의하여 녹는 퓨즈[도화선(導火線)을 말한다]타입 구조의 방화문은 제외한다.

2) 복층구조(複層構造) 영업장의 기준

각각 다른 2개 이상의 층을 내부계단 또는 통로가 설치되어 하나의 층의 내부에서 다른 층으로 출입할 수 있도록 되어 있는 구조의 영업장을 말한다.

(1) **각 층마다 영업장 외부의 계단 등으로 피난할 수 있는 비상구를 설치**
(2) 비상구의 문의 재질은 1)의 (6) 참조
(3) 비상구의 문이 열리는 방향은 실내에서 외부로 열리는 구조로 할 것
(4) 영업장의 위치 및 구조가 다음의 어느 하나에 해당하는 경우에는 (1)에도 불구하고 그 영업장으로 사용하는 어느 하나의 층에 비상구를 설치할 것
① 건축물 주요 구조부를 훼손하는 경우
② 옹벽 또는 외벽이 유리로 설치된 경우 등

3) 영업장의 위치가 4층(지하층은 제외한다) 이하인 경우의 기준

(1) 피난 시에 유효한 **발코니(가로 75 cm 이상, 세로 150 cm 이상, 높이 100 cm 이상**인 난간을 말한다) 또는 **부속실(불연재료로 바닥에서 천장까지 구획된 실**로서 가로 75 cm 이상, 세로 150 cm 이상인 것)을 설치하고, 그 장소에 적합한 피난기구를 설치할 것
(2) 부속실을 설치하는 경우 부속실 입구의 문과 건물 외부로 나가는 문의 규격은 비상구 규격으로 할 것. 다만, 120센터미터 이상의 난간이 있는 경우에는 발판 등을 설치하고 **건축물 외부로 나가는 문의 규격과 재질을 가로 75센티미터 이상, 세로 100센티미터 이상의 창호로 설치할 수 있다.**
(3) 추락 등의 방지를 위하여 다음 사항을 갖추도록 할 것
① 발코니 및 부속실 입구의 문을 개방하면 경보음이 울리도록 경보음 발생 장치를 설치하고, 추락위험을 알리는 표지를 문(부속실의 경우 외부로 나가는 문도 포함한다)에 부착할 것
② 부속실에서 건물 외부로 나가는 문 안쪽에는 기둥 · 바닥 · 벽 등의 견고한 부분에 탈착이 가능한 쇠사슬 또는 안전로프 등을 바닥에서 부터 120센터미터 이상의 높이에 가로로 설치할 것

3. 영업장 내부 피난통로

1) 내부 피난통로의 **폭은 120 cm 이상**으로 할 것. 다만, **양 옆에 구획된 실**이 있는 영업장으로서 구획된 실의 출입문 열리는 방향이 피난통로 방향인 경우에는 **150 cm 이상**으로 설치하여야 한다.
2) **구획된 실부터 주된 출입구 또는 비상구까지의 내부 피난통로의 구조**
– 세 번 이상 구부러지는 형태로 설치하지 말 것

4. 창문 – 고시원업만 해당

1) 영업장 층별로 **가로 50 cm 이상, 세로 50 cm 이상** 열리는 창문을 1개 이상 설치할 것
2) 영업장 내부 피난통로 또는 복도에 바깥 공기와 접하는 부분에 설치할 것
(구획된 실에 설치하는 것을 제외한다)

5. 영상음향차단장치

1) 화재 시 감지기에 의하여 자동으로 음향 및 영상이 정지될 수 있는 구조로 설치하되, 수동(하나의 스위치로 전체의 음향 및 영상장치를 제어할 수 있는 구조를 말한다)으로도 조작할 수 있도록 설치할 것
2) 영상음향차단장치의 수동차단스위치를 설치하는 경우에는 관계인이 일정하게 거주하거나 일정하게 근무하는 장소에 설치할 것. 이 경우 수동차단스위치와 가장 가까운 곳에 "영상음향차단스위치"라는 표지를 부착하여야 한다.

3) 전기로 인한 화재발생 위험을 예방하기 위하여 부하용량에 알맞은 누전차단기(과전류차단기를 포함한다)를 설치할 것
4) 영상음향차단장치의 작동으로 실내 등의 전원이 차단되지 않는 구조로 설치할 것

6. 보일러실과 영업장 사이의 방화구획

보일러실과 영업장 사이의 출입문은 방화문으로 설치하고, 개구부(開口部)에는 자동방화댐퍼(damper)를 설치할 것

7. 기타

1) 소방청장 · 소방본부장 또는 소방서장은 해당 영업장에 대해 화재위험평가를 실시한 결과 **화재위험유발지수가 A등급인 업종에 대해서는 소방시설 · 비상구 또는 그 밖의 안전시설등의 설치를 면제**한다.
2) 소방본부장 또는 소방서장은 비상구의 크기, 비상구의 설치 거리, 간이스프링클러설비의 배관 구경 등 소방청장이 정하여 고시하는 안전시설등에 대해서는 소방청장이 고시하는 바에 따라 안전시설등의 설치 · 유지 기준의 일부를 적용하지 않을 수 있다.

9. 다중이용업의 실내장식물

(1) 실내장식물 – 불연재료(不燃材料) 또는 준불연재료

① 건축물 내부의 **천장 또는 벽에 설치하는 것**으로서 대통령령**으로 정하는 것**을 말한다.

Point

실내장식물의 종류

① 종이류(두께 2 mm 이상인 것을 말한다) · 합성수지류 또는 섬유류를 주원료로 한 물품
② 합판이나 목재
③ 공간을 구획하기 위하여 설치하는 간이 칸막이(접이식등 이동 가능한 벽체나 천장 또는 반자가 실내에 접하는 부분까지 구획하지 아니하는 벽체를 말한다.)
④ 흡음(吸音)이나 방음(防音)을 위하여 설치하는 흡음재(흡음용 커튼을 포함한다) 또는 방음재(방음용 커튼을 포함한다)

Point

실내장식물 제외 물품 등

① 가구류(옷장, 찬장, 식탁, 식탁용 의자, 사무용 책상, 사무용 의자 및 계산대 등)
② 너비 10 cm 이하인 반자돌림대 등
③ 건축법에 의한 내부마감재료

② **실내장식물을 합판 또는 목재로 설치하는 경우**

영업장 천장과 벽을 합한 면적의 10 분의 3 이하인 부분은 방염성능기준 이상의 것으로 설치할 수 있다. **(스프링클러설비 또는 간이스프링클러설비가 설치된 경우에는 10분의 5)**

☞ 실내장식물을 기준에 따라 설치 · 유지하지 아니한 자 – **200만원 이하의 과태료**

(2) 영업장의 내부구획(기준) - 불연재료

① 단란주점, 유흥주점, 노래연습장업은 천장(반자 속까지) 구획

② 다중이용업소의 영업장 내부를 구획함에 있어 배관 및 전선관 등이 영업장 또는 천장(반자속)의 내부구획된 부분을 관통하여 틈이 생긴 때에는 내화충전성능을 인정한 구조로 그 틈을 메워야 한다.

(3) 실내장식물이 적합지 않을 때, 내부구획이 기준에 적합지 않은 경우

소방본부장, 소방서장은 교체 또는 제거, 보완 등 필요한 조치를 명하거나 허가관청에 관계 법령에 따른 영업 정지 처분 또는 허가등의 취소를 요청할 수 있다.

10. 피난안내도의 비치 또는 피난안내 영상물의 상영

다중이용업주는 화재 등 재난이나 그 밖의 위급한 상황의 발생 시 이용객들이 안전하게 피난할 수 있도록 피난계단·피난통로, 피난구조설비 등이 표시되어 있는 **피난안내도를 갖추어 두거나 피난안내에 관한 영상물을 상영**하여야 한다.

☞ 피난안내도를 갖추어 두지 아니하거나 피난안내에 관한 영상물을 상영하지 아니한 자
- 1회 50 / 2회 100 / 3회 300 만원 이하의 과태료

1 피난안내도 비치 대상

(1) 모든 다중이용업소

(2) 피난안내도 비치 제외 대상

① 영업장으로 사용하는 바닥면적의 합계가 $33\,m^2$ 이하인 경우

② 영업장내 구획된 실(室)이 없고 영업장 어느 부분에서도 출입구 및 비상구 확인이 가능한 경우

2 피난안내 영상물 상영대상

(1) 영화상영관 및 비디오물소극장업

(2) 노래연습장업

(3) 단란주점영업 및 유흥주점영업

(4) 인터넷컴퓨터게임시설 제공업

다만, 인터넷컴퓨터게임시설이 설치된 책상마다 피난안내도를 비치한 경우에는 제외할 수 있다.

(5) 피난안내 영상물을 상영할 수 있는 시설을 갖춘 영업

3 피난안내도 비치 위치

(1) 영업장 주 출입구 부분의 손님이 쉽게 볼 수 있는 위치
(2) 구획된 실(室)의 벽, 탁자 등 손님이 쉽게 볼 수 있는 위치

4 피난안내 영상물 상영시간(영업장의 내부구조 등을 고려하여 정함), 상영 시기

(1) 영화상영관 및 비디오물소극장업 : 매 회 영화상영 또는 비디오물 상영 시작 전
(2) 노래연습장업 등 그 밖의 영업 : 매 회 새로운 이용객이 입장하여 노래방 기기(機器) 등을 작동할 때

5 피난안내도 및 피난안내 영상물에 포함되어야 할 내용

(1) 화재시 대피할 수 있는 비상구 위치
(2) 구획된 실(室) 등에서 비상구 및 출입구까지의 피난동선
(3) 소화기, 옥내소화전 등 소방시설의 위치 및 사용방법
(4) 피난 및 대처방법

6 피난안내도의 크기 및 재질

(1) 크기

각 층별 영업장의 면적 또는 영업장이 위치한 층의 바닥면적이 각각 400 m² 이상	그 외 다중이용업소
A3(297 mm × 420 mm) 이상의 크기	B4(257 mm × 364 mm) 이상

(2) 재질 : 종이(코팅처리한 것을 말한다), 아크릴, 강판 등 쉽게 훼손 또는 변형되지 않는 것으로 할 것

7 기타

(1) 안전시설등을 점검할 때에 피난안내도 및 피난안내에 관한 영상물을 포함하여 점검하여야 한다.
(2) 피난안내도를 갖추어 두거나 피난안내에 관한 영상물을 상영하여야 하는 대상, 피난안내도를 갖추어 두어야 하는 위치, 피난안내에 관한 영상물의 상영시간, 피난안내도 및 피난안내에 관한 영상물에 포함되어야 할 내용과 그 밖에 필요한 사항은 행정안전부령으로 정한다.

11. 다중이용업주의 안전시설 등에 대한 정기점검 등

1 안전점검 대상

(1) 다중이용업소의 영업장에 설치된 안전시설 등
(2) 대상, 점검자의 자격, 점검주기, 점검방법, 그 밖에 필요한 사항은 행정안전부령으로 정한다.

2 안전점검자의 자격

(1) 해당 영업장의 다중이용업주
(2) 다중이용업소가 위치한 특정소방대상물의 소방안전관리자
(3) 종업원 중 소방안전관리자, 소방기술사·소방설비기사·산업기사 자격을 취득한 자
(4) 소방시설관리업자

3 점검주기

(1) 매 분기별 1회 이상 점검
(2) 자체점검(종합, 작동)을 실시한 경우 자체점검을 실시한 그 분기는 점검을 실시하지 아니할 수 있다.

예제 02

다중이용업주는 안전시설등에 대한 정기점검을 언제 실시해야 하는가?

① 월 1회 이상　　② 분기별 1회 이상
③ 반기별 1회 이상　　④ 년도별 1회 이상

②

4 점검방법

(1) 안전시설 등의 작동여부를 점검한다.
(2) 안전시설 등을 점검하는 경우에는 안전시설 등 세부점검표를 사용하여 점검한다.
(3) **점검결과서를 1년간 보관**하여야 한다.

☞ 정기점검결과서를 보관하지 아니한 자 – **50만원 이하의 과태료**

(4) 다중이용업소에 설치된 안전시설등이 건축물의 다른 시설·장비와 연계되어 작동되는 경우에는 해당 건축물의 소유자·점유자 등 관련 시설·장비를 관리하는 관계인(소방안전관리자 포함)은 다중이용업주의 안전점검에 협조하여야 한다.

5 소방안전관리업무의 수행

(1) 다중이용업주는 소방안전관리업무를 수행하여야 한다.

(2) 다중이용업주의 안전사고 보고의무 [본조신설 2021. 1. 5.]

① 다중이용업소의 화재, 영업장 시설의 하자 또는 결함 등으로 인하여 다음에 해당하는 사고가 발생했거나 발생한 사실을 알게 된 경우 소방본부장 또는 소방서장에게 그 사실을 즉시 보고하여야 한다.

– 사고 개요 및 피해 상황을 전화·팩스 또는 정보통신망 등으로 보고

1. 사람이 사망한 사고
2. 사람이 부상당하거나 중독된 사고
3. 화재 또는 폭발 사고
4. 그 밖에 대통령령으로 정하는 사고
   – 비상구에서 사람이 추락한 사고

☞ 위반하여 보고 또는 즉시 보고를 하지 아니하거나 거짓으로 한 자 – 300만원 이하의 과태료

② 제1항에 따른 보고의 방법 및 절차 등 필요한 사항은 대통령령으로 정한다.

12. 화재배상책임보험 가입 의무

(1) 화재배상책임보험 가입

다중이용업주 및 다중이용업을 하려는 자는 다중이용업소의 화재(폭발 포함)로 인하여 다른 사람이 사망·부상하거나 재산상의 손해를 입은 때에는 **과실이 없는 경우에도** 피해자(피해자가 사망한 경우에는 손해배상을 받을 권리를 가진 자)에게 대통령령으로 정하는 금액을 지급할 책임을 지는 책임보험**(화재배상책임보험)에 가입**하여야 한다.

☞ 화재배상책임보험에 가입하지 아니한 자

가입하지 않은 기간	과태료
10일 이하	10만원
10일 초과 30일 이하	10만원 + 11일째부터 계산하여 1일마다 1만원을 더한 금액
30일 초과 60일 이하	30만원 + 31일째부터 계산하여 1일마다 3만원을 더한 금액
60일 초과	120만원 + 61일째부터 계산하여 1일마다 6만원을 더한 금액 다만, 과태료의 총액은 300만원을 넘지 못한다.

예제 03

화재배상책임보험에 가입하지 아니한 자의 가입하지 않은 기간이 40일인 경우 해당 과태료로 맞는 것은?

① 10만원 ② 30만원
③ 60만원 ④ 100만원

해답 ③

화재배상책임보험의 보험금액

구 분	피해자 1명당 지급액
(1) 사망	1억 5천만원의 범위 다만, 그 손해액이 2천만원 미만인 경우 2천만원
(2) 부상	별표 2에서 정하는 금액의 범위
(3) 후유장애	별표 3에서 정하는 금액의 범위
(4) 재산상 손해	사고 1건당 10억원의 범위

Tip

영 [별표 2] 부상 등급별 화재배상책임보험 보험금액의 한도

부상 등급	한도 금액	부상 내용
1급	3천만원	1. 고관절의 골절 또는 골절성 탈구 2. 척추체 분쇄성 골절 등
:	:	:
14급	80만원	1. 3일 이하의 입원이 필요한 부상 2. 7일 이하의 통원 치료가 필요한 부상 등

영 [별표 3] 후유장애 등급별 화재배상책임보험 보험금액의 한도

후유 장애 등급	한도 금액	후유장애 내용
1급	1억5천만원	1. 두 눈이 실명된 사람 2. 말하는 기능과 음식물을 씹는 기능을 완전히 잃은 사람 등
:	:	:
14급	1천만원	1. 한쪽 눈의 눈꺼풀 일부에 결손이 있거나 속눈썹에 결손이 남은 사람 2. 3개 이상의 치아에 보철을 한 사람 등

(2) 다른 종류의 보험상품에 **화재배상책임보험의 내용이 포함되는 경우에는 이 법에 따른 화재배상책임보험으로 본다.**

(3) 보험회사는 화재배상책임보험 계약을 체결하는 경우 해당 다중이용업소의 안전시설등의 설치·유지 및 안전관리에 관한 사항을 고려하여 보험료율을 차등 적용할 수 있다. 이 경우 대통령령으로 정하는 사항을 고려하여야 한다.

Point

대통령령으로 정하는 사항

1. 해당 다중이용업소가 속한 업종의 화재발생빈도
2. 해당 다중이용업소의 영업장 면적
3. 공개된 법령위반업소에 해당하는지 여부
4. 공표된 안전관리우수업소에 해당하는지 여부

(4) 소방청장은 보험회사가 보험요율을 차등 적용하는 데 활용할 수 있도록 다음의 자료를 매년 1월 31일까지 보험요율 산출기관에 제공하여야 한다.

1. 법령위반업소 현황
2. 안전관리우수업소 현황

13. 화재배상책임보험 가입 촉진 및 관리

1 다중이용업주

(1) **화재배상책임보험에 가입한 후 그 증명서(보험증권을 포함)를 소방본부장 또는 소방서장에게 제출**

① 다중이용업주를 변경한 경우

② 안전시설등을 설치, 영업장 내부구조를 변경, 안전시설등의 공사를 마친 경우

(2) 화재배상책임보험에 가입한 영업소임을 표시하는 표지를 부착할 수 있다.

2 보험회사

(1) 화재배상책임보험의 계약을 체결하고 있는 다중이용업주에게 그 **계약 종료일의 75일 전부터 30일 전까지의 기간** 및 **30일 전부터 10일 전까지의 기간**에 각각 그 계약이 끝난다는 사실을 알려야 한다. 다만, 다음 각 호의 어느 하나에 해당하는 경우에는 그러하지 아니하다.

① **보험기간이 1개월 이내인 계약의 경우**

② **다중이용업주가 자기와 다시 계약을 체결한 경우**

③ **다중이용업주가 다른 보험회사와 새로운 계약을 체결한 사실을 안 경우**

☞ 통지를 하지 아니한 보험회사 – 300만원 이하의 과태료

(2) 화재배상책임보험에 가입하여야 할 자가 다음 각 호의 어느 하나에 해당하면 그 사실을 **행정안전부령으로 정하는 기간 내에** 소방청장, 소방본부장 또는 소방서장에게 알려야 한다.

① **화재배상책임보험 계약을 체결한 경우**
- 계약 체결 사실을 보험회사의 전산시스템에 입력한 날부터 5일 이내.
  다만, 계약의 효력발생일부터 30일을 초과하여서는 아니 된다.

② **화재배상책임보험 계약을 체결한 후 계약 기간이 끝나기 전에 그 계약을 해지한 경우**
- 계약 해지 사실을 보험회사의 전산시스템에 입력한 날부터 5일 이내.
  다만, 계약의 효력소멸일부터 30일을 초과하여서는 아니 된다.

③ **화재배상책임보험 계약을 체결한 자가 그 계약 기간이 끝난 후 자기와 다시 계약을 체결하지 아니한 경우**

㉠ 매월 1일부터 10일까지의 기간 내에 계약이 끝난 경우 : 같은 달 20일까지
㉡ 매월 11일부터 20일까지의 기간 내에 계약이 끝난 경우 : 같은 달 말일까지
㉢ 매월 21일부터 말일까지의 기간 내에 계약이 끝난 경우 : 그 다음 달 10일까지

☞ 통지를 하지 아니한 보험회사 – **300만원 이하의 과태료**

(3) 화재배상책임보험 계약 체결 사실 등을 알릴 때에는 포함사항

① 다중이용업주의 성명, 주민등록번호 및 주소
(법인의 경우에는 법인의 명칭, 법인등록번호 및 주소를 말한다)

② 다중이용업소의 상호, 영 제2조에 따른 다중이용업의 종류, 영업장 면적 및 영업장 주소

③ 화재배상책임보험 계약 기간(법 제13조의3 제4항 제1호의 경우만 해당한다)

※ 보험회사가 화재배상책임보험 계약 체결 사실 등을 알릴 때에는 책임보험전산망을 이용하여야 한다. 다만, 전산망의 장애 등으로 책임보험전산망을 이용하기 곤란한 경우에는 문서 또는 전자우편 등의 방법으로 알릴 수 있다.

(4) 보험회사는 **화재배상책임보험의 보험금 청구를 받은 때**에는 **지체 없이** 지급할 보험금을 결정하고 보험금 결정 후 **14일 이내에 피해자에게 보험금을 지급**하여야 한다.

(5) **보험회사는 다중이용업주가 화재배상책임보험에 가입할 때에는 계약의 체결을 거부할 수 없다.** 다만, **대통령령으로 정하는 경우에는 그러하지 아니하다.**

☞ 다중이용업주와의 화재배상책임보험 계약 체결을 거부한 보험회사 – **300만원 이하의 과태료**

Tip

대통령령으로 정하는 경우
다중이용업주가 화재배상책임보험 청약 당시 보험회사가 요청한 안전시설 등의 유지 · 관리에 관한 사항 등 화재 발생 위험에 관한 중요한 사항을 알리지 아니하거나 거짓으로 알린 경우를 말한다.

(6) 다중이용업소에서 화재가 발생할 개연성이 높은 경우 등 행정안전부령으로 정하는 사유가 있으면 다수의 보험회사가 공동으로 화재배상책임보험 계약을 체결할 수 있다.
이 경우 보험회사는 다중이용업주에게 공동계약체결의 절차 및 보험료에 대한 안내를 하여야 한다.

Tip

공동계약 체결이 가능한 경우(행정안전부령으로 정하는 사유)

1. 해당 영업장에서 화재 관련 사고가 발생한 사실이 있는 경우
2. 보험회사가 「보험업법」에 따라 허가를 받거나 신고한 화재배상책임보험의 보험요율과 보험금액의 산출 기준이 법 제13조의2제1항에 따른 책임을 담보하기에 현저히 곤란하다고 「보험업법」 제176조에 따른 보험요율 산출기관이 인정한 경우

(7) 보험회사는 화재배상책임보험 외에 다른 보험의 가입을 다중이용업주에게 강요할 수 없다.

(8) 보험회사는 다음에 해당하는 경우 외에는 다중이용업주와의 화재배상책임보험 계약을 해제하거나 해지하여서는 아니 된다.

☞ 임의로 계약을 해제 또는 해지한 보험회사 – **300만원 이하의 과태료**

① 다중이용업주가 변경된 경우.
다만, 변경된 다중이용업주가 화재배상책임보험 계약을 승계한 경우는 제외한다.
② 다중이용업주가 화재보험에 이중으로 가입되어 그 중 하나의 계약을 해지하려는 경우
③ 그 밖에 행정안전부령으로 정하는 경우
㉠ 폐업한 경우
㉡ 다중이용업에 해당하지 않게 된 경우
㉢ 천재지변, 사고 등의 사유로 다중이용업주가 다중이용업을 더 이상 운영할 수 없게 된 사실을 증명한 경우
㉣ 「상법」에 따른 계약 해지 사유가 발생한 경우

3 소방청장, 소방본부장 또는 소방서장

(1) 소방본부장, 소방서장은 **다중이용업주가 화재배상책임보험에 가입하지 아니하였을 때에는 허가관청에 다중이용업주에 대한 인가·허가의 취소, 영업의 정지 등 필요한 조치를 취할 것을 요청할 수 있다.**
(2) 소방청장, 소방본부장, 소방서장은 다중이용업자 화재배상책임보험 가입을 관리하기 위해 사업자등록번호를 기재하여 관할 세무관서의 장에게 과세정보제공을 요청할 수 있다.

14. 다중이용업소에 대한 화재위험평가

화재위험평가 – 다중이용업소가 밀집한 지역, 건축물에 대하여 화재 발생 가능성과 화재로 인한 불특정 다수인의 생명·신체·재산상의 피해 및 주변에 미치는 영향을 예측·분석하고 이에 대한 대책을 마련하는 것

1 화재위험평가 실시자

(1) 소방청장, 소방본부장 또는 소방서장
평가 대상 지역 또는 건축물에 대하여 화재를 예방하고 화재로 인한 생명·신체·재산상의 피해를 방지하기 위하여 필요하다고 인정하는 경우에는 화재위험평가를 할 수 있다.

(2) 화재위험평가를 화재위험평가 대행자로 하여금 대행하게 할 수 있다.

(3) 소방청장은 평가서의 작성방법 및 화재위험평가의 대행에 필요한 비용의 산정기준을 정하여 고시하여야 한다.

2 화재위험평가 대상

도로로 둘러싸인 일단(一團)의 지역의 중심지점을 기준으로 한다.

(1) **하나의 건축물에 다중이용업소로 사용하는 영업장 바닥면적의 합계가 1천 m^2 이상인 경우**

(2) **2천 m^2 지역 안에 다중이용업소가 50개 이상 밀집하여 있는 경우**

(3) **5층 이상인 건축물로서 다중이용업소가 10개 이상 있는 경우**

암기 **천 / 이천에 오십 – 오열**(전세값이 천 또는 이천에 오십!! 오열하겠네)

3 화재위험평가에 대한 조치

(1) 화재위험평가 결과 그 **위험유발지수**가 **대통령령**으로 정하는 기준 이상 시[**디(D) 등급 또는 이(E) 등급**] **다중이용업주 또는 관계인에게 조치를 명할 수 있다.**

(2) 화재위험평가 결과 그 **위험유발지수**가 **대통령령**으로 정하는 기준 미만인[**에이(A) 등급**] 다중이용업소에 대하여는 **안전시설 등의 일부를 설치하지 아니하게 할 수 있다.**

령 [별표 4] 화재위험유발지수 – 위험유발지수의 산정기준 · 방법 등은 소방청장이 정하여 고시

등급	평가점수	위험수준
A	80 이상	20 미만
B	60이상 ~ 79이하	20 이상 ~ 39 이하
C	40이상 ~ 59이하	40 이상 ~ 59 이하
D	20이상 ~ 39이하	60 이상 ~ 79 이하
E	20 미만	80 이상

(3) 소방청장, 소방본부장 또는 소방서장은 **명령으로 인하여 손실을 입은 자가 있으면 대통령령**으로 정하는 바에 따라 이를 **시가로 보상**하여야 한다.
다만, 법령을 위반하여 건축되거나 설비된 다중이용업소에 대하여는 그러하지 아니하다.

① 손실보상에 관하여는 **소방청장·소방본부장 또는 소방서장과 손실을 입은 자가 협의**해야 한다.

② 보상금액에 관한 **협의가 성립되지 아니한 경우 소방청장·소방본부장 또는 소방서장은 그**

보상금액을 지급하여야 한다. 다만, **보상금액의 수령을 거부하거나 수령할 자가 불분명한 경우에는 그 보상금액을 공탁하고 이 사실을 통지**하여야 한다.

③ 보상금의 지급 또는 공탁의 통지에 불복하는 자는 지급 또는 공탁의 통지를 받은 날부터 **30일 이내**에 **행정안전부령**으로 정하는 바에 따라 **손실보상재결신청서를 작성하여 중앙토지수용위원회에 재결(裁決)을 신청**할 수 있다.

④ 손실보상의 범위, 협의절차, 방법 등에 관하여 필요한 사항은 「**공익사업을 위한 토지 등의 취득 및 보상에 관한 법률**」이 정하는 바에 따른다.

15. 화재위험평가 대행자의 등록 등

1 등록신청

(1) 소방청장은 등록신청서를 제출받은 경우 평가대행자가 갖추어야 할 기술인력·시설·장비 기준에 적합하다고 인정되는 경우에는 **등록신청을 받은 날부터 30일 이내에 화재위험평가대행자등록증을 교부**하고 화재위험평가대행자등록증 교부(재교부)대장에 기재하여 관리하여야 하며 동의서를 제출받은 경우 국민건강보험공단 등 관계기관에 치료경력의 조회를 요청할 수 있다. 또한 전문의의 진단서 또는 소견서(제출일 기준 6개월 이내)를 제출하도록 요청할 수 있다.

☞ 평가대행자로 등록하지 아니하고 화재위험평가 업무를 대행한 자
 – **1년 이하의 징역 또는 1천만원 이하의 벌금**

(2) 등록시 첨부서류

① 화재위험평가대행자 등록신청서
② 기술인력명부 및 기술자격을 증명하는 서류(「국가기술자격증이 없는 경우만 해당한다)
③ 실무경력증명서(해당자에 한한다) 1부
④ 병력(病歷) 신고 및 개인정보 이용 동의서
⑤ 시설 및 장비명세서 1부

기술인력	장비
㉠ 소방기술사 자격을 취득한 사람 1명 이상 ㉡ 다음 어느 하나에 해당하는 사람 2명 이상 – 소방기술사, 소방설비기사 또는 소방설비산업기사 자격을 가진 사람 – 소방기술인정자격수첩을 발급받은 사람	㉠ 화재모의시험이 가능한 컴퓨터 1대 이상 ㉡ 화재모의시험을 위한 프로그램

※ 두 종류 이상의 자격을 가진 기술인력은 그 중 한 종류의 자격을 가진 기술인력으로 본다.
※ 화재위험평가 대행업무와 전문설계 또는 전문감리업을 함께하는 경우 설계, 감리의 기술사는 위의 기술인력의 ㉠으로 본다.

2 평가대행자 등록불가

(1) 피성년후견인

(2) 심신상실자, 알코올 중독자 등 대통령령으로 정하는 정신적 제약이 있는 자

- 알코올·마약·대마 또는 향정신성의약품 관련 장애로 평가대행자의 업무를 정상적으로 수행할 수 없다고 해당 분야의 전문의가 인정하는 사람
- 치매, 조현병·조현정동장애·양극성 정동장애(조울병)·재발성 우울장애 등의 정신질환이나 정신 발육지연, 뇌전증으로 평가대행자의 업무를 정상적으로 수행할 수 없다고 해당 분야의 전문의가 인정하는 사람

(3) 등록이 취소[(1)에 의해 취소된 경우 제외]된 후 2년이 지나지 아니한 자

(4) 징역이상의 실형을 선고받고 그 형의 집행이 끝나거나 집행을 받지 아니하기로 확정된 후 2년이 지나지 아니한 사람

(5) 임원 중 (1) ~ (4)까지의 어느 하나에 해당하는 사람이 있는 법인

3 등록사항의 변경신고 – 변경사유가 발생한 날부터 30일 이내

(1) **대통령령**으로 정하는 중요 사항

대표자	사무소의 소재지	평가대행자의 명칭이나 상호	기술인력의 보유현황

(2) 변경 시 첨부서류

① 화재위험평가대행자 변경등록 신청서
② 화재위험평가대행자 등록증
③ 기술인력명부(기술인력이 변경된 경우만 해당)
④ 기술자격을 증명하는 서류(국가기술자격증이 없는 경우만 해당)
⑤ 병력(病歷) 신고 및 개인정보 이용 동의서(대표자가 변경된 경우만 해당)

4 재교부

소방청장은 재교부 신청서를 접수한 경우
– **3일 이내에 화재위험평가대행자등록증을 재교부**하여야 한다.

5 휴업, 폐업 신고(행정안전부령)

(1) 소방청장에게 휴업, 폐업 신고시 첨부서류

① 화재위험평가대행자 휴업(폐업)신고서
② 화재위험평가대행자 등록증

(2) 소방청장은 휴업 또는 폐업신고를 받은 때 – 시·도지사에게 통보

6 소방청 인터넷 홈페이지 등에 공고

(1) 화재위험평가대행자로 등록한 경우
(2) 업무의 폐지신고를 받은 경우
(3) 등록을 취소한 경우

7 평가대행자 준수사항

(1) 평가서를 거짓으로 작성하지 아니할 것
(2) 다른 평가서의 내용을 복제(複製)하지 아니할 것
(3) 평가서를 (화재위험평가결과보고서)를 소방청장·소방본부장 또는 소방서장 등에게 제출한 날부터 2년간 보관할 것
(4) 등록증이나 명의를 다른 사람에게 대여하거나 도급받은 화재위험평가 업무를 하도급하지 아니할 것

16. 평가대행자의 등록취소 등

(1) 소방청장은 평가대행자가 다음에 해당하는 경우에는 그 등록을 취소하거나 6개월 이내의 기간을 정하여 업무의 정지를 명할 수 있다.

Point

규칙 [별표 3] 평가대행자에 대한 행정처분의 기준(제20조관련)

1. 일반기준

가. 위반행위가 둘 이상인 경우로서 그에 해당하는 각각의 행정처분기준이 다른 경우에는 그 중 무거운 처분기준에 따른다. 다만, 둘 이상의 처분기준이 동일한 업무정지인 경우에는 각 처분기준을 합산한 기간을 넘지 아니하는 범위에서 다음 각 세목에 해당하는 사유를 고려하여 무거운 처분기준의 2분의 1 범위에서 가중할 수 있다.
 1) 위반행위가 고의나 중대한 과실에 의한 것으로 인정되는 경우
 2) 위반의 내용·정도가 중하다고 인정되는 경우

나. 위반행위의 횟수에 따른 행정처분기준은 최근 1년간[제2호(10)의 경우에는 3년간] 같은 위반행위로 행정처분을 받은 경우에 적용한다. 이 경우 행정처분 기준의 적용은 같은 위반행위에 대하여 최초로 행정처분을 한 날을 기준으로 한다.

다. 처분권자는 위반행위의 동기·내용·횟수 및 위반의 정도 등 다음 각 세목에 해당하는 사유를 고려하여 그 처분기준의 2분의 1 범위에서 감경할 수 있다.

1) 위반행위가 고의나 중대한 과실이 아닌 사소한 부주의나 오류로 인한 것으로 인정되는 경우
2) 위반의 내용·정도가 경미하다고 인정되는 경우
3) 위반 행위자가 처음 해당 위반행위를 한 경우로서, 5년 이상 평가대행업을 모범적으로 해온 사실이 인정되는 경우
4) 위반 행위자가 해당 위반행위로 인하여 검사로부터 기소유예처분을 받거나 법원으로부터 선고유예의 판결을 받은 경우

위반사항	행정처분기준			
	1차	2차	3차	4차 이상
(1) 평가대행자가 갖추어야 하는 기술인력·시설·장비가 등록요건에 미달	(월 – 업무정지기간)			
(가) 구비하여야 하는 장비가 부족한 경우	경고	1월	3월	6월
(나) 등록요건의 기술능력에 속하는 기술인력이 부족한 경우	경고	1월	3월	6월
(다) 1월 이상 사무실 또는 시험장비가 없는 경우	6월	등록취소		
(나) **등록요건의 기술인력에 속하는 기술인력이 전혀 없는 경우**	등록취소			
(마) **구비하여야 하는 장비가 전혀 없는 경우**	등록취소			
(2) **평가대행자 불가자(피성년후견인 또는 피한정후견인 등)**	등록취소			
(3) **거짓, 그 밖의 부정한 방법으로 등록한 경우**	등록취소			
(4) **최근 1년 이내에 2회의 업무정지처분을 받고 다시 업무정지처분 사유에 해당하는 행위**	등록취소			
(5) **다른 사람에게 등록증이나 명의를 대여한 경우**	등록취소			
(6) 다른 평가서의 내용을 복제한 경우	3월	6월	등록취소	
(7) 평가서를 행정자치부령으로 정하는 기간 동안 미보존	경고	1월	3월	6월
(8) 도급받은 화재위험평가 업무를 하도급한 경우	6월	등록취소		
(9) 화재위험평가서를 허위로 작성하거나 고의 또는 중대한 과실로 평가서를 부실하게 작성한 경우	6월	등록취소		
(10) 등록 후 2년 이내에 화재위험평가 대행업무를 개시하지 아니하거나 계속하여 2년 이상 화재위험평가 대행실적이 없는 경우	경고	등록취소		
(11) **업무정지 중 신규계약에 의하여 화재위험평가대행업무를 한 경우**	등록취소			

(2) 등록취소 또는 업무정지 처분을 받은 자는 그 처분을 받은 날부터 화재위험평가 대행 업무를 수행할 수 없다.

(3) 행정처분의 기준과 그 밖에 필요한 사항은 행정안전부령으로 정한다.

(4) **소방청장**은 평**가대행자의 등록을 취소 또는 업무정지**하려면 **청문**을 하여야 한다.

17. 안전관리에 관한 전산시스템의 구축 · 운영

(1) 소방청장은 허가등 또는 그 변경 사항과 관련 통계 등 업무 수행에 필요한 행정정보를 다중이용업소의 안전관리에 관한 정책 수립, 연구 · 조사 등에 활용하기 위하여 **전산시스템을 구축 · 운영**하여야 한다.

(2) 소방청장은 화재배상책임보험에 가입하지 아니한 다중이용업주를 효율적으로 관리하기 위하여 제1항에 따라 구축 · 운영하는 전산시스템과 보험회사 및 보험 관련 단체가 관리 · 운영하는 전산시스템을 연계하여 **책임보험전산망**을 **구축 · 운영**할 수 있다.

(3) 소방청장은 제1항에 따른 전산시스템 및 제2항에 따른 책임보험전산망의 구축 · 운영을 위하여 허가 관청, 보험회사 및 보험 관련 단체에 필요한 자료 또는 정보의 제공을 요청할 수 있다. 이 경우 관련 자료나 정보의 제공을 요청받은 자는 특별한 사유가 없으면 요청에 따라야 한다.

(4) 소방청장은 **허가관청이 제1항에 따른 전산시스템을 다중이용업소의 안전관리에 관한 업무에 활용할 수 있도록 하여야 한다. 다만, 제2항에 따른 책임보험전산망에 대하여는 그러하지 아니하다.**

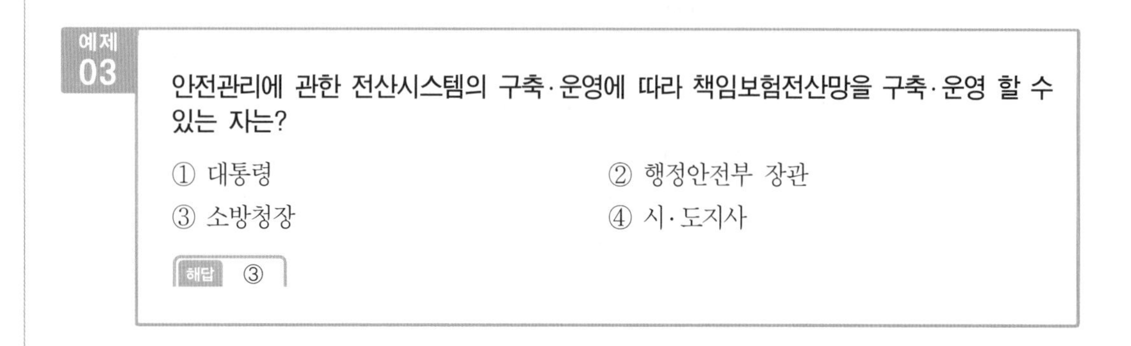

예제 03

안전관리에 관한 전산시스템의 구축 · 운영에 따라 책임보험전산망을 구축 · 운영 할 수 있는 자는?

① 대통령 ② 행정안전부 장관
③ 소방청장 ④ 시 · 도지사

해답 ③

18. 법령위반업소의 공개

1 법령위반업소의 공개하는 경우

(1) **소방청장, 소방본부장 또는 소방서장**은 다중이용업주가 **조치 명령을 2회 이상 받고도 이행하지 아니하였을 때**에는 그 조치 내용(그 위반사항에 대하여 수사기관에 고발된 경우에는 그 고발된 사실을 포함한다)을 **인터넷 등에 공개**할 수 있다. **단, 조치명령 미이행업소의 공개가 제3자의 법익을 침해하는 경우에는 제3자와 관련된 사실을 공개하여서는 아니 된다.**

(2) 소방청장·소방본부장 또는 소방서장이 조치명령 미이행업소를 공개하려면 공개내용과 공개방법 등을 그 업소의 **관계인(영업주와 소속 종업원을 말한다)에게 미리 알려야 한다.**

(3) 위반업소를 공개하는 경우 그 내용·기간 및 방법 등에 필요한 사항은 대통령령으로 정한다.

2 법령위반업소의 공개 내용

(1) 미이행업소명

(2) 미이행업소의 주소

(3) 소방청장·소방본부장 또는 소방서장이 조치한 내용

(4) 미이행의 횟수

3 공개기간

(1) 그 업소가 조치명령을 이행하지 아니한 때부터 조치명령을 이행할 때까지로 한다.

(2) 소방청, 소방본부 또는 소방서의 인터넷 홈페이지에 공개한 경우로서 **다중이용업주가 사후에 조치명령을 이행한 경우에는 이를 확인한 날부터 2일 이내에 공개내용을 해당 인터넷 홈페이지에서 삭제**해야 한다.

4 공개 매체(2개 이상의 매체를 말한다.)

(1) 관보 또는 시·도의 공보

(2) 소방청, 시·도 소방본부 또는 소방서의 인터넷 홈페이지

(3) 중앙일간지 신문 또는 해당 지역 일간지 신문

(4) 유선방송

(5) 반상회보(班常會報)

(6) 시·군·구청 소식지(시·군·구청에서 지역 주민들에게 무료로 배포하는 소식지를 말한다)

18-1. 소방특별조사 결과 공개

1 소방청장, 소방본부장 또는 소방서장

(1) 다중이용업소를 소방시설법에 따라 소방특별조사를 실시한 경우 인터넷 등에 공개할 수 있다.
① 다중이용업소의 상호 및 주소
② 안전시설등 설치 및 유지·관리 현황
③ 피난시설, 방화구획 및 방화시설 설치 및 유지·관리 현황
④ 그 밖에 대통령령으로 정하는 사항
- 소방안전교육 이수 현황, 안전시설등에 대한 정기점검 결과, 화재배상책임보험 가입 현황

(2) 소방특별조사 결과를 공개하는 경우 그 내용·기간 및 방법 등에 필요한 사항은 대통령령으로 정한다.
- 해당 조사를 실시한 날부터 30일 이내에 소방청, 시·도 소방본부 또는 소방서의 인터넷 홈페이지에 60일 이내의 기간 동안 게시
- 소방특별조사 결과의 공개가 제3자의 법익을 침해할 우려가 있는 경우에는 제3자와 관련된 사실을 공개해서는 안 된다.

19. 안전관리우수업소표지 등

1 안전관리우수업소 선정 및 공표

(1) 안전관리우수업소 신청
다중이용업주는 그 영업장이 안전관리우수업소 요건에 해당되면 안전관리우수업소 공표신청서에 사업자등록증과 안전시설 등 완비증명서 사본을 첨부하여 소방본부장이나 소방서장에게 안전관리우수업소로 인정해 줄 것을 신청할 수 있다.

(2) 안전관리우수업소의 요건
① 공표일 기준으로 최근 **3년** 동안 위반행위가 없을 것
② 공표일 기준으로 최근 **3년** 동안 소방·건축·전기 및 가스 관련 법령 위반 사실이 없을 것
③ 공표일 기준으로 최근 **3년** 동안 화재 발생 사실이 없을 것
④ 자체계획을 수립하여 종업원의 소방교육 또는 소방훈련을 정기적으로 실시하고 공표일 기준으로 최근 **3년** 동안 그 기록을 보관하고 있을 것

(3) 안전관리우수업소의 공표절차 등

① 소방본부장이나 소방서장은 안전관리우수업소를 인정하여 공표하려면 매체에 안전관리우수업소 인정 예정공고를 해야 한다.

② 안전관리우수업소 인정 예정공고의 내용에 이의가 있는 사람은 안전관리우수업소 인정 예정공고일 부터 20일 이내에 소방본부장이나 소방서장에게 전자우편이나 서면으로 이의신청을 할 수 있다.

③ 소방본부장이나 소방서장은 이의신청이 있으면 이에 대하여 조사·검토한 후, 그 결과를 이의신청을 한 당사자와 해당 다중이용업주에게 알려야 한다.

④ 소방본부장이나 소방서장은 안전관리우수업소를 인정하여 공표하려는 경우에는 공표일부터 2년의 범위에서 안전관리우수업소표지 사용기간을 정하여 공표해야 하며 부적합하다고 인정하는 때에는 신청인에게 서면으로 그 사유를 통보하여야 한다.

(4) 안전관리우수업소 공표

① 소방본부장이나 소방서장은 다중이용업소의 안전관리업무 이행 실태가 우수하여 대통령령으로 정하는 요건을 갖추었다고 인정할 때에는 그 사실을 해당 다중이용업주에게 통보하고 이를 공표할 수 있다.

② 소방본부장 또는 소방서장은 안전관리우수업소의 표지를 교부한 때에는 이를 지체 없이 공표하여야 한다.

③ 공표는 매체에 그 내용을 기재하여 이를 공표한다.

㉠ 안전관리우수업소의 공표 또는 갱신공표의 경우

- 안전관리우수업소의 명칭과 다중이용업주 이름
- 안전관리우수업무의 내용
- 안전관리우수업소 표지를 부착할 수 있는 기간

㉡ 안전관리우수업소의 표지 사용정지의 경우

- 안전관리우수업소의 표지 사용정지대상인 다중이용업소의 명칭과 다중이용업주 이름
- 안전관리우수업소 표지의 사용을 정지하는 사유
- 안전관리우수업소 표지의 사용정지일

(5) 안전관리우수업소의 공표 신청절차 등에 관하여 필요한 사항은 행정안전부령으로 정한다.

2 안전관리우수업소의 표지 등

(1) 다중이용업주는 안전관리우수업소표지를 영업소의 명칭과 함께 영업소의 출입구에 부착할 수 있다.

(2) 안전관리우수업소표지에 필요한 사항은 행정안전부령으로 정한다.

(3) 소방본부장이나 소방서장은 안전관리우수업소에 대하여 안전관리우수업소 표지를 교부한 날부터 2년이 되는 날 이후 30일 이내에 정기적으로 심사를 하여 위반사항이 없는 경우에는 안전관리우수업 소표지를 갱신하여 내줘야 한다.

(4) 안전관리우수업소표지를 갱신한 때에는 안전관리우수업소 표지 발급(갱신발급)대장에 이를 기재하고 관리하여야 한다. 안전관리우수표지를 교부한 때에도 또한 같다.

(5) 정기심사와 안전관리우수업소표지 갱신절차에 관하여 필요한 사항은 행정안전부령으로 정한다.

3 안전관리우수업소의 소방안전교육 및 소방특별조사를 면제

소방본부장이나 소방서장은 안전관리우수업소의 다중이용업소에 대하여는 **안전관리업무 이행 실태가 우수하다고 통보 받은 날부터 2년이 되는 날까지** 소방안전교육 및 소방특별조사를 면제할 수 있다.

20. 고유식별정보의 처리

(1) **소방청장, 소방본부장 또는 소방서장**은 화재배상책임보험 가입 촉진 및 관리에 관한 사무 등을 수행하기 위하여 불가피한 경우 주민등록번호 또는 외국인등록번호가 포함된 자료를 처리할 수 있다.

(2) **허가관청**은 같은 조에 따라 다중이용업주의 성명 및 주소 등을 소방본부장 또는 소방서장에게 통보하기 위하여 불가피한 경우 주민등록번호 또는 외국인등록번호가 포함된 자료를 처리할 수 있다.

(3) **보험회사**는 화재배상책임보험 계약 체결 사항 등을 소방청장, 소방본부장 또는 소방서장에게 알리기 위하여 불가피한 경우 주민등록번호 또는 외국인등록번호가 포함된 자료를 처리할 수 있다.

(4) 허가관청, 보험회사 또는 **보험 관련 단체**는 소방청장으로부터 요청받은 자료 또는 정보를 제공하기 위하여 불가피한 경우 주민등록번호 또는 외국인등록번호가 포함된 자료를 처리할 수 있다.

21. 압류의 금지

화재배상책임보험의 보험금 청구권 중 다른 사람의 사망 또는 부상으로 인하여 발생한 청구권은 이를 압류할 수 없다.

22. 권한의 위탁

(1) 소방청장, 소방본부장 또는 소방서장은 다중이용업주 및 그 종업원에 대한 소방안전교육 업무, 책임보험전산망의 구축·운영에 관한 업무를 대통령령으로 정하는 바에 따라 관련 법인 또는 단체에 위탁할 수 있다.
(2) 위탁받은 업무에 종사하는 법인 또는 단체의 임원 및 직원은 「형법」 제129조부터 제132조까지의 규정을 적용할 때에는 공무원으로 본다.
(3) 위탁받은 법인 또는 단체의 장은 행정안전부령으로 정하는 바에 따라 위탁받은 업무의 수행에 드는 경비를 교육 대상자로부터 징수할 수 있다.
(4) 소방안전교육을 위탁받은 자가 갖추어야 할 시설기준, 교수요원의 자격 등에 필요한 사항은 **행정안전부령**으로 정한다.
(5) 업무를 위탁받은 자는 그 직무상 알게 된 정보를 누설하거나 다른 사람에게 제공하는 등 부당한 목적을 위하여 사용하여서는 아니 된다.

☞ 다른 사람에게 정보를 제공하거나 부당한 목적으로 이용한
- 1년 이하의 징역 또는 1천만원 이하의 벌금

23. 벌칙

1 양벌규정

법인의 대표자나 법인 또는 개인의 대리인, 사용인, 그 밖의 종업원이 그 법인 또는 개인의 업무에 관하여 제23조의 위반행위를 하면 **그 행위자를 벌하는 외에 그 법인 또는 개인에게도 해당 조문의 벌금형을 과(科)한다.** 다만, 법인 또는 개인이 그 위반행위를 방지하기 위하여 해당 업무에 관하여 상당한 주의와 감독을 게을리하지 아니한 경우에는 그러하지 아니하다.

2 과태료

(1) 과태료는 **대통령령**으로 정하는 바에 따라 **소방청장, 소방본부장 또는 소방서장**이 부과·징수한다.

Point

과태료의 부과기준

1. 일반기준

① 과태료 부과권자는 위반행위자가 다음의 어느 하나에 해당하는 경우에는 제2호에 따른 과태료 금액의 2분의 1의 범위에서 그 금액을 감경하여 부과할 수 있다. 다만, 과태료를 체납하고 있는 위반행위자의 경우에는 그러하지 아니하다.

㉠ 위반행위자가 처음 위반행위를 하는 경우로서, 3년 이상 해당 업종을 모범적으로 영위한 사실이 인정되는 경우

㉡ 위반행위가 사소한 부주의나 오류 등 과실로 인한 것으로 인정되는 경우 등

② 위반행위의 횟수에 따른 과태료의 부과기준은 최근 1년간 같은 위반행위로 과태료를 부과받은 경우에 적용한다. 이 경우 위반행위에 대하여 과태료 부과처분을 한 날과 다시 같은 위반행위를 적발한 날을 기준으로 하여 위반횟수를 계산한다.

2. 개별기준

위반행위	과태료 금액 (단위: 만원)		
	1회	2회	3회
① 다중이용업주가 소방안전교육을 받지 않거나 종업원이 소방안전교육을 받도록 하지 않은 경우	50	100	300
② 안전시설등을 기준에 따라 설치·유지하지 않은 경우			
㉠ 안전시설등의 작동·기능에 지장을 주지 아니하는 경미한 사항을 2회 이상 위반한 경우	–	50	–
㉡ 안전시설등을 다음에 해당하는 고장상태 등으로 방치한 경우 • 소화펌프를 고장상태로 방치한 경우 • 수신반(受信盤)의 전원을 차단한 상태로 방치한 경우 • 동력(감시)제어반을 고장상태로 방치하거나 전원을 차단한 경우 • 소방시설용 비상전원을 차단한 경우 • 소화배관의 밸브를 잠금상태로 두어 소방시설이 작동할 때 소화수가 나오지 아니하거나 소화약제(消火藥劑)가 방출되지 아니한 상태로 방치한 경우	–	100	–
㉢ 안전시설등을 설치하지 않은 경우	–	300	–
㉣ 안전시설등의 설치를 신고하지 않고 안전시설등을 설치	50		
㉤ 안전시설등의 설치를 신고하지 않고 구조 변경하는 경우	50		
㉥ 안전시설등 공사를 마친 후 신고하지 않은 경우	50	100	300
㉦ 비상구를 폐쇄·훼손·변경하는 등의 행위를 한 경우	50	100	300
㉧ 영업장 내부 피난통로에 피난에 지장을 주는 물건 등을 쌓아 놓은 경우	50	100	300
③ 실내장식물을 기준에 따라 설치·유지하지 않은 경우(영업장의 내부 구획 포함)	50	100	300
④ 피난시설이나 방화시설을 폐쇄·훼손·변경하는 등의 행위를 한 경우	50	100	300
⑤ 피난안내도를 미비치, 피난안내에 관한 영상물을 상영하지 않은 경우	50	100	300
⑥ 정기점검결과서를 보관하지 않은 경우		50	
⑦ 보험회사가 통지를 하지 않은 경우		300	
⑧ 보험회사가 다중이용업주와의 화재보험 계약 체결을 거부한 경우		300	
⑨ 보험회사가 임의로 계약을 해제 또는 해지한 경우		300	
⑩ 소방안전관리 업무를 하지 않은 경우	50	100	300
⑪ 비상구에 추락 등의 방지를 위한 장치를 기준에 따라 갖추지 않은 경우		300	

3 이행강제금

(1) **소방청장, 소방본부장 또는 소방서장**은 조치 명령을 받은 후 그 정한 기간 이내에 그 명령을 이행 하지 아니하는 자에게는 **1천만원 이하의 이행강제금을 부과한다.**

(2) 이행강제금을 부과하기 전에 이행강제금을 부과 · 징수한다는 것을 **미리 문서로 알려 주어야 한다.**

(3) 이행강제금을 부과할 때에는 이행강제금의 금액, 이행강제금의 부과 사유, 납부기한, 수납기관, 이의 제기 방법 및 이의 제기 기관 등을 적은 문서로 하여야 한다.

(4) 최초의 조치 명령을 한 날을 기준으로 **매년 2회의 범위에서 그 조치 명령이 이행될 때까지 반복하여 제1항에 따른 이행강제금을 부과 · 징수할 수 있다.**

(5) **조치 명령을 받은 자가 명령을 이행하면 새로운 이행강제금의 부과를 즉시 중지하되, 이미 부과된 이행 강제금은 징수하여야 한다.**

(6) 이행강제금 부과처분을 받은 자가 이행강제금을 기한까지 납부하지 아니하면 국세 체납처분의 예 또는 지방행정제재·부과금의징수 등에 관한 법률에 따라 징수한다.

(7) (1)에 따라 이행강제금을 부과하는 위반행위의 종류와 위반 정도에 따른 금액과 이의 제기 절차, 그 밖에 필요한 사항은 **대통령령**으로 정한다.

(8) 이행강제금의 부과 · 징수절차는 **행정안전부령**으로 정한다.

Tip

이행강제금 부과기준

1. 일반기준

이행강제금 부과권자는 위반행위의 동기와 그 결과를 고려하여 제2호의 이행강제금 부과기준액의 2분의 1까지 경감하여 부과할 수 있다.

2. 개별기준

위반행위	이행강제금 금액(단위 : 만원)
1. 안전시설등에 대하여 보완 등 필요한 조치명령을 위반한 자	
가. 안전시설등의 작동 · 기능에 지장을 주지 아니하는 경미한 사항	200
나. 안전시설등을 고장상태로 방치한 경우	600
다. 안전시설등을 설치하지 아니한 경우	1,000
2. 소방특별조사 조치명령을 위반한 자	
가. 다중이용업소의 공사의 정지 또는 중지 명령을 위반한 경우	200
나. 다중이용업소의 사용금지 또는 제한 명령을 위반한 경우	600
다. 다중이용업소의 개수 · 이전 또는 제거명령을 위반한 경우	1,000
3. 실내장식물에 대한 교체 또는 제거 등 필요한 조치명령을 위반한 경우	
4. 영업장의 내부 구획에 대한 보완 등 필요한 조치명령을 위반한 경우	1,000

실전 예상문제

01 **다중이용업소의 안전관리에 관한 특별법 목적의 내용이 아닌 것은?**

① 화재 등 재난이나 그 밖의 위급한 상황으로부터 국민의 생명·신체 및 재산을 보호하기 위해
② 다중이용업소의 안전시설 등의 설치·유지 및 안전관리와 화재위험평가를 하기 위해
③ 다중이용업주의 화재배상책임보험에 필요한 사항을 정하기 위해
④ 화재로부터 공공의 안전을 확보하고 국민경제에 이바지하기 위해

다중이용업소의 안전관에 과한 특별법 목적의 내용
화재 등 재난이나 그 밖의 위급한 상황으로부터 국민의 생명·신체 및 재산을 보호하기 위하여 다중이용업소 안전시설 등의 설치·유지 및 안전관리와 화재위험평가, 다중이용업주의 화재배상책임보험에 필요한 사항을 정함으로써 공공의 안전과 복리 증진에 이바지함을 목적으로 한다.

02 **"다중이용업"이란 불특정 다수인이 이용하는 영업 중 화재 등 재난 발생 시 생명·신체·재산상의 피해가 발생할 우려가 높은 것으로서 무엇으로 정하는 영업을 말하는가?**

① 대통령령
② 행정안전부령
③ 시도의 조례
④ 소방청장의 훈령

"다중이용업"이란 불특정 다수인이 이용하는 영업 중 화재 등 재난 발생 시 생명·신체·재산상의 피해가 발생할 우려가 높은 것으로서 대통령령으로 정하는 영업을 말한다.

03 **식품접객업인 휴게음식점영업·제과점영업 또는 일반음식점영업은 바닥면적의 합계가 몇 m^2 이상 되어야 다중이용업소에 해당되는가? (단, 지하층은 제외한다.)**

① 66
② 80
③ 100
④ 150

식품접객업	휴게음식점영업, 제과점영업, 일반음식점영업	지상층에 설치된 경우	바닥면적의 합계가 100 m^2 이상
		지하층에 설치된 경우	66m^2 이상
	단란주점영업과 유흥주점영업	면적에 상관없이 해당	

다만, 영업장(내부계단으로 연결된 복층구조의 영업장을 제외한다)이 지상 1층 또는 지상과 직접 접하는 층에 설치되고 그 영업장의 주된 출입구가 건축물 외부의 지면과 직접 연결되는 곳에서 하는 영업을 제외한다.

정답 01 ④ 02 ① 03 ③

●●○ 04 다음은 다중이용업소의 안전관리에 관한 특별법의 다중이용업소를 나열한 것이다. 잘못 나열한 것은?

① 영화상영관 · 비디오물감상실업 · 비디오물소극장업
② 목욕장업, 노래연습장업
③ 산후조리업, 고시원업, 권총사격장
④ 골프 연습장업, 안마시술소, 이용원

이용원은 다중이용업소에 해당하지 않는다.

♣ 다중이용업소
1. 음식점(지상 : 100 m^2 이상, 지하 66 m^2 이상)
2. 학원(수용인원 300인 이상 등)
3. 게임제공업 · 인터넷컴퓨터게임시설제공업 및 복합유통게임제공업
4. 목욕장업
5. 맥반석이나 대리석 등 돌을 가열하여 발생하는 열기나 원적외선 등을 이용하여 땀을 배출하게 할 수 있는 시설 – **수용인원 100명 이상**(물로 목욕을 할 수 있는 시설부분의 수용인원은 제외한다.)
6. 위험유발지수 D등급, E등급 해당되는 것 등

●●● 05 학원으로서 다중이용업소에 해당하지 않는 것은?

① 학원 용도의 면적이 190 m^2인 이상인 학원
② 수용인원 100명 이상 300명 미만으로서 하나의 건축물에 학원과 기숙사가 함께 있는 학원
③ 수용인원 100명 이상 300명 미만의 학원이 하나의 건축물에 둘 이상 있는 경우로서 학원의 수용인원이 300명 이상인 학원
④ 수용인원 100명 이상 300명 미만으로서 하나의 건축물에 다중이용업과 학원이 함께 있는 경우

학원으로서 다중이용업에 해당하려면
① 수용인원 300인 이상
② 수용인원 100명 이상 300명 미만으로서 다음에 해당하는 것

㉠ 하나의 건축물에 학원과 기숙사가 함께 있는 학원
㉡ 하나의 건축물에 학원이 둘 이상 있는 경우로서 학원의 수용인원이 300명 이상인 학원
㉢ 하나의 건축물에 다중이용업과 학원이 함께 있는 경우

다만, 학원으로 사용하는 부분과 다른 용도로 사용하는 부분(학원의 운영권자를 달리하는 학원과 학원을 포함한다)이 방화구획으로 나누어진 경우는 제외한다.

정답 04 ④ 05 ①

06 다중이용업소는 대통령령으로 정하는 영업으로서 여러 종류의 업이 있다. 그 중 행정안전부령으로 정하는 영업에 해당하지 않는 것은?

① 전화방업　② 수면방업　③ 콜라텍업　④ 놀이방업

놀이방업은 다중이용업소에 해당하지 않는다.

> ※ 행정안전부령으로 정하는 영업
> 화재발생 시 인명피해가 발생할 우려가 높은 불특정다수인이 출입하는 영업으로서 소방청장이 관계 중앙행정기관의 장과 협의하여 행정안전부령으로 정하는 영업
> ① 전화방업 · 화상대화방업　② 수면방업　③ 콜라텍업

07 다중이용업소의 정의에서 행정안전부령으로 정하는 영업이란 화재발생 시 인명피해가 발생할 우려가 높은 불특정다수인이 출입하는 영업으로서 누가 관계 중앙행정기관의 장과 협의하여 결정하는가?

① 대통령　② 행정안전부장관　③ 소방청장　④ 시도지사

※ 행정안전부령으로 정하는 영업
화재발생 시 인명피해가 발생할 우려가 높은 불특정다수인이 출입하는 영업으로서 소방청장이 관계 중앙행정기관의 장과 협의하여 행정안전부령으로 정하는 영업

08 다중이용업소의 실내장식물이 아닌 것은?

① 두께 2 mm 미만의 종이벽지
② 실 공간을 구획하기 위해 벽에 설치된 간이 칸막이
③ 인테리어를 위해 천장에 설치한 합판, 목재
④ 흡음재 · 방음재(흡음용 · 방음재 커튼을 포함한다)

다중이용업의 특별법의 실내장식물
− 건축물 내부의 천장 또는 벽에 설치하는 것으로서 대통령령으로 정하는 것을 말한다.
1. 종이류(두께 2 mm 이상인 것을 말한다) · 합성수지류 또는 섬유류를 주원료로 한 물품
2. 합판이나 목재
3. 실(室) 또는 공간을 구획하기 위하여 설치하는 칸막이 또는 간이 칸막이
4. 흡음(吸音)이나 방음(防音)을 위하여 설치하는 흡음재 · 방음재(흡음용 · 방음재 커튼을 포함한다)

09 화재위험평가결과 위험유발지수가 몇 등급에 해당하는 경우 다중이용업소에 해당하는가?

① A 등급 또는 B 등급　② C 등급 또는 D 등급
③ D 등급 또는 E등급　④ E 등급 또는 F 등급

화재위험평가결과 위험유발지수가 디(D) 등급 또는 이(E) 등급에 해당하는 경우 다중이용업소에 해당된다.

06 ④　07 ③　08 ①　09 ③

10 다중이용업소에 대한 화재위험평가를 실시대상이 아닌 것은?

① 500인 이상을 수용할 수 있는 다중이용업소가 밀집한 경우
② 2,000m^2 지역 안에 다중이용업소가 50개 이상 밀집하여 있는 경우
③ 5층 이상인 건축물로서 다중이용업소가 10개 이상 있는 경우
④ 하나의 건축물에 다중이용업소로 사용하는 영업장 바닥면적의 합계가 1,000 m^2 이상인 경우

화재위험평가 대상(도로로 둘러싸인 일단(一團)의 지역의 중심지점을 기준으로 한다.) 암기 천-이천 · 오십-오열

1. 하나의 건축물에 다중이용업소로 사용하는 영업장 바닥면적의 합계가 1천 m^2 이상인 경우
2. 2천 m^2 지역 안에 다중이용업소가 50개 이상 밀집하여 있는 경우
3. 5층 이상인 건축물로서 다중이용업소가 10개 이상 있는 경우

11 다중이용업 특별법을 개선, 활성화하기 위해 기본계획, 연도별계획, 집행계획을 작성하는데 순서대로 각 각 누가 작성하는가?

① 소방청장, 소방본부장, 소방서장
② 국무총리, 소방청장, 소방본부장
③ 소방청장, 소방청장, 소방본부장
④ 모두 소방청장

해설

기본계획	연도별계획	집행계획
소방청장	소방청장	소방본부장
5년마다	12월31일까지 작성	12월31일까지 작성

12 다중이용업 특별법을 개선, 활성화하기 위해 기본계획, 연도별계획, 집행계획을 작성하는데 작성자와 작성기간으로 옳은 것은?

① 기본계획 – 소방청장 – 매년
② 연도별계획 – 소방청장 – 매년
③ 집행계획 – 소방청장 – 매년
④ 기본계획 – 소방본부장 – 매년

해설

기본계획	연도별계획	집행계획
소방청장	소방청장	소방본부장
5년마다	12월31일까지 작성	12월31일까지 작성

정답 10 ① 11 ③ 12 ②

●●● 13 **다중이용업 특별법을 개선, 활성화하기 위해 기본계획, 연도별계획, 집행계획을 작성하는데 그 중에 소방본부장이 관할지역의 다중이용업소에 대한 집행계획을 수립할 때에 포함되지 않는 사항은?**

① 다중이용업소 밀집 지역의 소방시설 설치, 유지·관리와 개선계획
② 다중이용업주와 종업원에 대한 소방안전교육·훈련계획, 자체지도 계획
③ 다중이용업소의 화재배상책임보험제도의 정비 및 개선에 관한 사항
④ 다중이용업소의 화재위험평가의 실시 및 평가

해설
※ 다중이용업소의 화재배상책임보험제도의 정비 및 개선에 관한 사항은 기본계획 수립시 포함될 사항이다.

●●○ 14 **다중이용업의 허가관청은 허가등을 한 날부터 며칠 이내에 행정안전부령으로 정하는 바에 따라 다중이용업소의 소재지를 관할하는 소방본부장 또는 소방서장에게 다중이용업주의 성명, 주소, 다중이용업의 상호주소 등을 통보하여야 하는가?**

① 7일　② 10일
③ 14일　④ 30일

해설
다중이용업의 허가관청은 허가등을 한 날부터 14일 이내에 행정안전부령으로 정하는 바에 따라 다중이용업소의 소재지를 관할하는 소방본부장 또는 소방서장에게 통보하여야 한다.

●●○ 15 **허가관청은 다중이용업주가 휴업·폐업 또는 휴업 후 영업의 재개(再開)등의 행위를 하였을 때에는 그 신고를 수리(受理)한 날부터 몇 일 이내에 다중이용업 허가등 사항(변경사항)통보서를 소방본부장 또는 소방서장에게 통보하여야 하는가?**

① 7일　② 10일
③ 14일　④ 30일

해설
허가관청은 다중이용업주가 다음에 해당하는 행위를 하였을 때에는 그 신고를 수리(受理)한 날부터 30일 이내에 다중이용업 허가등 사항(변경사항)통보서를 소방본부장 또는 소방서장에게 통보하여야 한다.
1. 휴업·폐업 또는 휴업 후 영업의 재개(再開)
2. 영업 내용의 변경
3. 다중이용업주 성명 또는 주소의 변경
4. 다중이용업소 상호 또는 주소의 변경

정답　13 ③　14 ③　15 ④

16 다중이용업소에 안전시설 등을 설치하거나 안전시설 등의 공사를 마친 경우 소방본부장이나 소방서장에게 제출 할 제출서류가 아닌 것은?

① 안전시설 등 설치(완공)신고서
② 소방시설공사업자가 작성한 안전시설 등의 설계도서(소방시설의 계통도, 비상구 등이 표시된 것을 말한다)
③ 안전시설 등 설치내역서
④ 실내장식물의 재료 및 설치면적이 포함된 안전시설 등의 설계도서

안전시설등의 설계도서는 설계업자가 작성한 것이어야 한다.

다중이용업소에 안전시설 등을 설치하거나 안전시설 등의 공사를 마친 경우 제출서류
1. 안전시설 등 설치(완공)신고서
2. 소방시설설계업자가 작성한 안전시설 등의 설계도서
   (소방시설의 계통도, 실내장식물의 재료 및 설치면적, 비상구 등이 표시된 것을 말한다).
   완공신고의 경우에는 설치신고 시 제출한 설계도서와 달라진 내용이 있는 경우에만 제출한다.
3. 안전시설 등 설치내역서
   완공신고의 경우에는 설치내역이 설치 신고시와 달라진 내용이 있는 경우에만 제출한다.

17 다중이용업소의 소방안전교육에 관한 내용 중 옳은 것은?

① 다중이용업주와 전 종업원은 소방청장, 소방본부장 또는 소방서장이 실시하는 소방안전교육을 받아야 한다.
② 신규 교육의 경우 다중이용업주는 다중이용업을 시작 한 후 한 달 이내로 소방안전교육을 이수하면 된다.
③ 소방안전교육을 받을 수 없을 시 소방청장이 정하는 바에 따라 3개월의 범위에서 소방안전교육을 연기할 수 있다.
④ 소방안전교육에 필요한 사항을 교육일 20일 전까지 소방청·소방본부 또는 소방서의 홈페이지에 게재하고 안전시설 등의 설치신고 또는 영업장 내부구조 변경신고를 하는 자는 신고 접수 시, 그 외의 교육대상자는 교육일 10일전까지 교육대상자에게 알려야 한다.

1. 소방안전교육대상 – 다중이용업주 외에 해당 영업장을 관리하는 종업원 1명 이상
2. 다중이용업주의 신규 교육은 다중이용업을 시작하기 전(안전시설 등의 설치신고 또는 영업장 내부구조 변경신고를 하는 경우는 완공신고를 하기 전을 말한다)에 받아야 한다.
3. 소방안전교육에 필요한 사항을 교육일 30일 전까지 소방청·소방본부 또는 소방서 홈페이지에 게재하여야 한다.

16 ② 17 ③

●●○ 18 **다중이용업소의 소방안전교육에 관한 내용 중 옳은 것은?**

① 다중이용업소의 소방안전교육의 교육 시간은 4시간 이내로 한다.
② 소방안전교육 내용에는 화재안전과 관련된 법령 및 제도는 포함하지 않는다.
③ 다른 법령에서 정하는 다중이용업 관련 교육과 병행하여 실시할 수 없다.
④ 다중이용업소의 소방안전교육의 사이버교육을 위한 시스템 구축과 그 밖에 필요한 사항은 행정안전부령이 정한다.

사이버교육을 위한 시스템 구축과 그 밖에 필요한 사항은 소방청장이 정한다.

●●● 19 **다중이용업소에 간이스프링클러설비(캐비닛형 간이스프링클러설비를 포함한다.)를 설치하여야 하는 대상이 아닌 것은?**

① 지하층에 설치된 영업장
② 무창층에 설치된 영업장
③ 산후조리업, 고시원업, 노래방
④ 권총사격장의 영업장

간이스프링클러설비(캐비닛형 간이스프링클러설비를 포함한다) 설치 대상
1. 지하층, 무창층에 설치된 영업장
2. 산후조리업, 고시원업의 영업장
   다만, 무창층에 설치되지 않은 영업장으로서 지상 1층에 있거나 지상과 직접 맞닿아 있는 층(영업장의 주된 출입구가 건축물의 외부의 지면과 직접 연결된 경우를 포함한다)에 설치된 영업장은 제외한다.
3. 권총사격장의 영업장

●●● 20 **간이스프링클러 설치대상이 아닌 것은?**

① 지하층에 설치된 노래방
② 창문등의 개구부가 없는 PC방
③ 권총사격장의 영업장
④ 수용인원 100인 이상의 실내골프연습장

문제 19번 해설 참조

●○○ 21 **영업장이 지하층에 설치된 경우로서 그 바닥면적이 몇 m^2 이상인 경우 간이스프링클러설비를 설치하여야 하는가?**

① 50
② 100
③ 150
④ 바닥면적과 상관없이 설치

간이스프링클러설비(캐비닛형 간이스프링클러설비를 포함한다) 설치 대상 – 지하층, 무창층에 설치된 영업장

정답 18 ① 19 ③ 20 ④ 21 ④

22 다중이용업소에 설치해야 할 안전시설 등이 아닌 것은?

① 영상음향차단장치 ② 피난유도선 ③ 창문 ④ 비상방송설비

비상방송설비는 2013년 1월 11일 법 개정으로 다중이용업소에 설치하는 소방시설에서 제외되었다.

23 다중이용업소에 설치하는 소방시설이 아닌 것은?

① 소화설비 ② 피난구조설비 ③ 비상벨설비 ④ 소화활동설비

다중이용업소에 설치하는 소방시설
1. 소화설비 2. 비상벨설비, 자동화재탐지설비 3. 피난구조설비

24 다음 중 불특정 다수인이 이용하는 다중이용업소에서 설치하여야 하는 안전시설등으로 맞는 것은?

① 간이스프링클러설비, 간이완강기, 비상조명등
② 자동확산소화기, 피난밧줄, 누전차단기
③ 소화기, 완강기, 자동화재탐지설비
④ 단독경보형감지기, 피난기구, 무선통신보조설비

간이완강기, 피난밧줄은 다중이용업소에 설치하는 피난구조설비에 해당하지 않는다.

25 다중이용업소의 각 구획된 실마다 설치하는 설비가 아닌 것은?

① 소화기 ② 자동화재탐지설비
③ 휴대용비상조명등 ④ 비상방송설비

다중이용업소의 각 영업실마다 설치해야 하는 설비(설치대상인 경우)
1. 소화기 또는 자동확산소화기, 간이스프링클러설비 2. 비상벨설비 또는 자동화재탐지설비
3. 휴대용비상조명등 4. 유도등, 비상조명등, 유도표지 중 하나 이상 설치

26 노래방 각 실마다 경보설비를 하려고 한다. 설치가 가능한 것은?

① 비상벨설비 ② 자동화재탐지설비
③ 비상방송설비 ④ 단독경보형감지기

다중이용업소의 경보설비 – 비상벨설비 또는 자동화재탐지설비. 다만, 노래반주기 등 영상음향장치를 사용하는 영업장에는 자동화재탐지설비를 설치하여야 한다.

정답 22 ④ 23 ④ 24 ③ 25 ④ 26 ②

●●● 27 **다중이용업소에 설치하는 비상구의 규격은?**

① 비상구 문틀을 포함하여 가로 100 cm 이상 세로 75 cm 이상
② 비상구 문틀을 제외한 가로 100 cm 이상, 세로 75 cm 이상
③ 비상구 문틀을 포함하여 가로 75 cm 이상, 세로 150 cm 이상
④ 비상구 문틀을 제외한 가로 75 cm 이상, 세로 150 cm 이상

해설
비상구 규격: 가로 75 cm 이상, 세로 150 cm 이상(비상구 문틀을 제외한 비상구의 가로길이 및 세로길이)으로 할 것

●●○ 28 **다중이용업소에 설치하는 비상구의 기준에 맞지 않는 것은?**

① 비상구는 다중이용업소의 영업장 마다 1개 이상 설치할 것
② 비상구는 영업장의 주 출입구 반대방향에 설치할 것
③ 피난방향으로 열리는 구조로 하고, 비상구는 구획된 실 또는 천장으로 통하는 구조가 아닐 것
④ 문의 재질은 주요구조부(영업장의 벽, 천장, 바닥은 제외)가 내화구조인 경우 비상구 및 주 출입구의 문은 방화문으로 설치할 것

해설
문의 재질: 주요 구조부(영업장의 벽, 천장 및 바닥을 말한다.)가 내화구조(耐火構造)인 경우 비상구와 주된 출입구의 문은 방화문(防火門)으로 설치할 것.

●●● 29 **다중이용업소의 비상구와 주된 출입구의 문을 불연재료로 설치할 수 없는 경우는?**

① 주요 구조부가 내화구조가 아닌 경우
② 건물의 구조상 비상구 또는 주된 출입구의 문이 지표면과 접하는 경우로서 화재의 연소 확대 우려가 없는 경우
③ 비상구 또는 주 출입구의 문이 특별피난계단의 설치 기준에 따라 설치하여야 하는 문이 아니거나 방화구획이 아닌 곳에 위치한 경우
④ 다중이용업소가 지상 3층으로서 연면적 1,500 m^2인 건축물의 3층에 위치한 경우

해설
연면적 1,000 m^2 이상인 건축물은 층별 방화구획하여야 하므로 다중이용업소의 비상구와 주된 출입구의 문을 방화문으로 하여야 한다.

정답 27 ④ 28 ④ 29 ④

●●● 30 다중이용업소의 비상구 설치기준에 따라 영업장의 위치가 4층(지하층 제외)이하인 경우 피난시에 유효한 발코니 또는 부속실을 설치하고 그 장소에 적합한 피난기구를 설치하는데 발코니의 규격은 어떻게 되는가?

① 가로 75 cm 이상, 세로 150 cm 이상, 높이 100 cm 이상
② 가로 75 cm 이상, 세로 150 cm 이상, 높이 150 cm 이상
③ 가로 75 cm 이상, 세로 75 cm 이상, 높이 100 cm 이상
④ 가로 75 cm 이상, 세로 150 cm 이상, 높이 120 cm 이상

유효한 발코니 – 가로 75 cm 이상, 세로 150 cm 이상, 높이 100 cm 이상인 난간을 말한다.

●●○ 31 문이 열리는 방향은 피난방향으로 열리는 구조로 하되 주된 출입구의 문이 「건축법 시행령」 제35조에 따른 피난계단 또는 특별피난계단의 설치 기준에 따라 설치하여야 하는 문이 아니거나 같은 법 시행령 제46조에 따라 설치되는 방화구획이 아닌 곳에 위치한 주된 출입구가 어떤 기준을 충족하는 경우에는 자동문[미서기(슬라이딩)문을 말한다]으로 설치할 수 있는데 그 기준이 아닌 것은?

① 화재감지기와 연동하여 개방되는 구조
② 정전 시 자동으로 개방되는 구조
③ 수동으로 개방되는 구조
④ 비상경보설비의 발신기와 연동하여 개방되는 구조

자동문(미서기 문)을 설치할 수 있는 경우는 화재감지기와 연동하여 개방되는 구조, 정전 시 자동으로 개방되는 구조 수동으로 개방되는 구조이어야 한다.

●●● 32 피난유도선 설치 영업장으로 옳은 것은?

① 단란주점영업과 유흥주점영업의 영업장
② 비디오물감상실업의 영업장, 노래연습장업의 영업장
③ 영업장내부 피난통로가 있는 영업장
④ 산후조리업의 영업장, 고시원업의 영업장

피난유도선 설치 대상 – 영업장 내부 피난통로 또는 복도가 있는 영업장

정답 30 ① 31 ④ 32 ③

33 다중이용업소의 안전시설 등의 설치 · 유지 기준으로 옳지 않은 것은?

① 영업장 내부 피난통로 – 내부 피난통로의 폭은 120 cm 이상으로 할 것. 다만, 양 옆에 구획된 실이 있는 영업장으로서 구획된 실의 출입문 열리는 방향이 피난통로 방향인 경우에는 150 cm 이상으로 설치하여야 한다.
② 창문 – 영업장 층별로 가로 50 cm 이상, 세로 50 cm 이상 열리는 창문을 1개 이상 설치할 것
③ 영상음향차단장치 – 화재 시 감지기에 의하여 자동으로 영상이 정지될 수 있는 구조로 설치하되, 수동으로도 조작할 수 있도록 설치할 것
④ 보일러실과 영업장 사이의 방화구획 – 보일러실과 영업장 사이의 출입문은 방화문으로 설치하고, 개구부에는 자동방화댐퍼(damper)를 설치할 것

해설
영상음향차단장치 – 화재 시 감지기에 의하여 자동으로 **음향 및 영상**이 정지될 수 있는 구조로 설치하되, 수동(하나의 스위치로 전체의 음향 및 영상장치를 제어할 수 있는 구조를 말한다)으로도 조작할 수 있도록 설치할 것

34 다중이용업의 실내장식물은 불연재료 또는 준불연재료로 설치하여야 한다. 다만 합판 또는 목재로 실내장식물을 설치하는 경우 그 면적이 영업장 천장과 벽을 합한 면적의 얼마 이하인 부분은 방염성능기준 이상의 것으로 설치할 수 있는가? 단, 간이스프링클러설비가 설치되어 있다.

① 10 분의 1 ② 10 분의 3 ③ 10 분의 5 ④ 10분의 7

해설
다중이용업의 실내장식물
1. 실내장식물은 불연재료(不燃材料) 또는 준불연재료로 설치하여야 한다.
2. 합판 또는 목재로 실내장식물을 설치하는 경우 그 면적이 영업장 천장과 벽을 합한 면적의 10 분의 3 이하인 부분은 방염성능기준 이상의 것으로 설치할 수 있다. (스프링클러설비 또는 간이스프링클러설비가 설치된 경우에는 10분의 5)

35 다중이용업소의 피난시설, 방화구획 또는 방화시설에 대하여 폐쇄·훼손·변경 등의 행위를 한 자의 벌칙은?

① 50만원 이하의 과태료 ② 100만원 이하의 과태료
③ 200만원 이하의 과태료 ④ 300만원 이하의 과태료

해설
다중이용업소의 피난시설, 방화구획 또는 방화시설에 대하여 폐쇄 · 훼손 · 변경 등의 행위를 한 자 – 300만원 이하의 과태료

정답 33 ③ 34 ③ 35 ④

●○○ 36 다중이용업소에 설치하는 피난안내도, 피난안내 영상물의 상영에 관한 내용으로 옳지 않은 것은?

① 모든 다중이용업소는 피난안내도를 비치해야 한다.
② 영화상영관 및 비디오물소극장업, 노래연습장업은 피난안내 영상물 상영 대상이다.
③ 영화상영관 및 비디오물소극장업은 매 회 영화상영 또는 비디오물 상영 시작 전 피난안내 영상물을 상영해야 한다.
④ 노래연습장업 등 그 밖의 영업은 매 회 새로운 이용객이 입장하여 노래방 기기(機器) 등을 작동할 때 피난안내 영상물을 상영해야 한다.

피난안내도 비치 제외 대상
1. 영업장으로 사용하는 바닥면적의 합계가 33 m^2 이하인 경우
2. 영업장내 구획된 실(室)이 없고 영업장 어느 부분에서도 출입구 및 비상구 확인이 가능한 경우

●○○ 37 다중이용업소의 각 층별 영업장의 면적 또는 영업장이 위치한 층의 바닥면적이 각각 400 m^2 이상인 경우 피난안내도의 크기는 얼마 이상으로 하여야 하는가?

① B4(257 mm × 364 mm) 이상의 크기
② A3(297 mm × 420 mm) 이상의 크기
③ A4(210 mm × 297 mm) 이상의 크기
④ B5(182 mm × 257 mm) 이상의 크기

피난안내도의 크기

각 층별 영업장의 면적 또는 영업장이 위치한 층의 바닥면적이 각각 400 m² 이상	그 외 다중이용업소
A3(297 mm × 420 mm) 이상의 크기	B4(257 mm × 364 mm) 이상

♣ 재질 : 종이(코팅처리한 것을 말한다), 아크릴, 강판 등 쉽게 훼손 또는 변형되지 않는 것으로 할 것

●●● 38 다중이용업주의 안전시설 등에 대한 정기점검 등에 관한 내용으로 옳지 않은 것은?

① 대상, 점검자의 자격, 점검주기, 점검방법, 그 밖에 필요한 사항은 행정안전부령으로 정한다.
② 해당 영업장의 다중이용업주는 안전점검자의 자격이 된다.
③ 점검주기는 매 반기별 1회 이상 점검 하여야 한다.
④ 점검방법은 소방시설 등의 작동여부를 점검하며 안전시설 등을 점검하는 경우에는 안전시설 등 세부점검표를 사용하여 점검하고 점검결과서를 1년간 보관하여야 한다.

점검주기는 매 분기별 1회 이상 점검 하여야 한다.

정답 36 ① 37 ② 38 ③

39 다중이용업소의 안전관리에 관한 특별법의 화재배상책임보험 가입 촉진 및 관리에 관한 내용으로 옳지 않은 것은?

① 다중이용업주는 다중이용업주의 성명을 변경한 경우 화재배상책임보험에 가입시 그 증명서(보험증권을 포함한다)를소방본부장 또는 소방서장에게 제출하여야 한다.
② 화재배상책임보험에 가입한 다중이용업주는 행정안전부령으로 정하는 바에 따라 화재배상책임보험에 가입한 영업소임을 표시하는 표지를 부착할 수 있다.
③ 보험회사는 화재배상책임보험의 계약을 체결하고 있는 다중이용업주에게 그 계약 종료일의 60일 전부터 30일 전까지의 기간 및 20일 전부터 10일 전까지의 기간에 각각 그 계약이 끝난다는 사실을 알려야 한다.
④ 보험회사는 화재배상책임보험 계약을 체결한 자가 그 계약 기간이 끝난 후 자기와 다시 계약을 체결하지 아니한 경우 그 사실을 행정안전부령으로 정하는 기간 내에 소방청장, 소방본부장 또는 소방서장에게 알려야 한다.

해설
보험회사는 화재배상책임보험의 계약을 체결하고 있는 다중이용업주에게 그 계약 종료일의 75일 전부터 30일 전까지의 기간 및 30일 전부터 10일 전까지의 기간에 각각 그 계약이 끝난다는 사실을 알려야 한다. 다만, 다음 각 호의 어느 하나에 해당하는 경우에는 그러하지 아니하다.
1. 보험기간이 1개월 이내인 계약의 경우
2. 다중이용업주가 자기와 다시 계약을 체결한 경우
3. 다중이용업주가 다른 보험회사와 새로운 계약을 체결한 사실을 안 경우

40 다중이용업소의 안전관리에 관한 특별법의 화재배상책임보험 가입 촉진 및 관리에 관한 내용으로 옳지 않은 것은?

① 소방본부장 또는 소방서장은 다중이용업주가 화재배상책임보험에 가입하지 아니하였을 때에는 다중이용업주에 대한 인가·허가의 취소, 영업의 정지 등 필요한 조치를 할 수 있다.
② 보험회사는 화재배상책임보험에 가입한 자가 계약을 해지한 경우 소방청장, 소방본부장 또는 소방서장에게 알려야 한다.
③ 보험회사는 화재배상책임보험의 계약을 체결하고 있는 다중이용업주에게 그 계약 종료일의 75일 전부터 30일 전까지의 기간 및 30일 전부터 10일 전까지의 기간에 각각 그 계약이 끝난다는 사실을 알려야 한다.
④ 다중이용업주는 화재배상책임보험에 가입한 후 그 증명서(보험증권을 포함한다)를 소방본부장 또는 소방서장에게 제출 하여야 한다.

해설
소방본부장 또는 소방서장은 다중이용업주가 화재배상책임보험에 가입하지 아니하였을 때에는 허가관청에 다중이용업주에 대한 인가·허가의 취소, 영업의 정지 등 필요한 조치를 취할 것을 요청할 수 있다.

정답 39 ③ 40 ①

41 보험회사는 화재배상책임보험의 계약을 체결하고 있는 다중이용업주에게 그 계약 종료일의 75일 전부터 30일 전까지의 기간 및 30일 전부터 10일 전까지의 기간에 각각 그 계약이 끝난다는 사실을 알려야 하는데 알리지 않아도 되는 경우에 해당하지 않는 것은?

① 보험기간이 1개월 이내인 계약의 경우
② 다중이용업주가 자기와 다시 계약을 체결한 경우
③ 다중이용업주가 다른 보험회사와 새로운 계약을 체결한 사실을 안 경우
④ 천재지변, 해외체류 등으로 인해 다중이용업주와 연락이 불가능한 경우(단, 증명할 서류가 있어야 한다.)

보험회사는 화재배상책임보험의 계약을 체결하고 있는 다중이용업주에게 그 계약 종료일의 75일 전부터 30일 전까지의 기간 및 30일 전부터 10일 전까지의 기간에 각각 그 계약이 끝난다는 사실을 알려야 한다. 다만, 다음 각 호의 어느 하나에 해당하는 경우에는 그러하지 아니하다.
1. 보험기간이 1개월 이내인 계약의 경우
2. 다중이용업주가 자기와 다시 계약을 체결한 경우
3. 다중이용업주가 다른 보험회사와 새로운 계약을 체결한 사실을 안 경우

42 화재배상책임보험에 가입하여야 할 자가 화재배상책임보험 계약을 체결한 경우 그 사실을 보험회사의 전산시스템에 입력한 날부터 며칠 이내까지 소방청장, 소방본부장 또는 소방서장에게 알려야 하는가?

① 그 날 ② 3일 ③ 5일 ④ 7일

화재배상책임보험에 가입하여야 할 자가 다음 각 호의 어느 하나에 해당하면 그 사실을 행정안전부령으로 정하는 기간 내에 소방청장, 소방본부장 또는 소방서장에게 알려야 한다.

1. 화재배상책임보험 계약을 체결한 경우
 – 계약 체결 사실을 보험회사의 전산시스템에 입력한 날부터 5일 이내
 다만, 계약의 효력발생일부터 30일을 초과하여서는 아니 된다.

2. 화재배상책임보험 계약을 체결한 후 계약 기간이 끝나기 전에 그 계약을 해지한 경우
 – 계약 해지 사실을 보험회사의 전산시스템에 입력한 날부터 5일 이내
 다만, 계약의 효력소멸일부터 30일을 초과하여서는 아니 된다.

3. 화재배상책임보험 계약을 체결한 자가 그 계약 기간이 끝난 후 자기와 다시 계약을 체결하지 아니한 경우
 가. 매월 1일부터 10일까지의 기간 내에 계약이 끝난 경우: 같은 달 20일까지
 나. 매월 11일부터 20일까지의 기간 내에 계약이 끝난 경우: 같은 달 말일까지
 다. 매월 21일부터 말일까지의 기간 내에 계약이 끝난 경우: 그 다음 달 10일까지

정답 41 ④ 42 ③

43 **다중이용업소의 안전관리에 관한 특별법의 화재배상책임보험 가입 촉진 및 관리에 관한 내용 중 보험회사와 관련된 내용이다. 옳지 않은 것은?**

① 보험회사는 화재배상책임보험의 보험금 청구를 받은 때에는 지체 없이 지급할 보험금을 결정하고 보험금 결정 후 14일 이내에 피해자에게 보험금을 지급하여야 한다.
② 보험회사는 다중이용업주가 화재배상책임보험에 가입할 때에는 계약의 체결을 거부할 수 있다.
③ 보험회사는 화재배상책임보험 외에 다른 보험의 가입을 다중이용업주에게 강요할 수 없다.
④ 보험회사는 특별한 경우 외에는 다중이용업주와의 화재배상책임보험 계약을 해제하거나 해지하여서는 아니 된다.

보험회사는 다중이용업주가 화재배상책임보험에 가입할 때에는 계약의 체결을 거부할 수 없다. 다만, 다중이용업주가 화재배상책임보험 청약 당시 보험회사가 요청한 안전시설 등의 유지·관리에 관한 사항 등 화재 발생 위험에 관한 중요한 사항을 알리지 아니하거나 거짓으로 알린 경우에는 그러하지 아니하다.

44 **화재위험평가 대행자의 등록은 누구에게 하여야 하는가?**

① 행정안전부
② 시도지사
③ 소방청장
④ 소방본부장, 소방서장

소방청장은 등록신청서를 제출받은 경우 평가대행자가 갖추어야 할 기술인력·시설·장비기준에 적합하다고 인정되는 경우에는 등록신청을 받은 날부터 30일 이내에 화재위험평가대행자등록증을 교부 하고 화재위험평가대행자등록증 교부(재교부)대장에 기재하여 관리하여야 한다.

45 **화재위험평가 대행자는 대통령령으로 정하는 중요 사항을 변경하고자 할 때 변경사유가 발생한 날부터 30일 이내 소방청장에게 신고를 하여야 한다. 그 중요사항이 아닌 것은?**

① 시설 및 장비
② 사무소의 소재지
③ 평가대행자의 명칭이나 상호
④ 기술인력의 보유현황

대통령령으로 정하는 중요 사항

대표자	사무소의 소재지	평가대행자의 명칭이나 상호	기술인력의 보유현황

정답 43 ② 44 ③ 45 ①

●●● 46 **화재위험평가 대행자가 갖추어야 할 기술인력 및 장비가 아닌 것은?**

① 화재모의시험이 가능한 컴퓨터 1대 이상
② 화재모의시험을 위한 프로그램
③ 소방기술사 1명 이상
④ 전류전압측정계, 절연저항계

화재위험평가 대행자가 갖추어야 할 기술인력 및 장비

기술인력	장비
㉠ 소방기술사 자격을 취득한 사람 1명 이상 ㉡ 다음 어느 하나에 해당하는 사람 2명 이상 – 소방기술사, 소방설비기사 또는 소방설비산업기사 자격을 가진 사람 – 소방기술인정자격수첩을 발급받은 사람	• 화재모의시험이 가능한 컴퓨터 1대 이상 • 화재모의시험을 위한 프로그램

※ 두 종류 이상의 자격을 가진 기술인력은 그 중 한 종류의 자격을 가진 기술인력으로 본다.
※ 화재위험평가 대행업무와 전문설계 또는 전문감리업을 함께하는 경우 설계, 감리의 소방기술사는 위의 기술인력의 소방기술사로 볼수 있다.

●●○ 47 **다중이용업소의 안전관리업무 이행 실태가 우수하여 대통령령으로 정하는 요건을 갖추었다고 인정할 때에는 그 사실을 해당 다중이용업주에게 통보하고 이를 공표할 수 있는 자는 누구인가?**

① 시도지사, 소방청장, 소방본부장, 소방서장 ② 소방청장, 소방본부장, 소방서장
③ 소방본부장, 소방서장 ④ 소방서장

소방본부장이나 소방서장은 다중이용업소의 안전관리업무 이행 실태가 우수하여 대통령령으로 정하는 요건을 갖추었다고 인정할 때에 그 사실을 해당 다중이용업주에게 통보하고 이를 공표할 수 있다.

●●● 48 **다중이용업소의 안전관리우수업소의 요건이 아닌 것은?**

① 공표일 기준으로 최근 3년 동안 위반행위가 없을 것
② 공표일 기준으로 최근 3년 동안 소방 · 건축 · 기계 및 가스 관련 법령 위반 사실이 없을 것
③ 공표일 기준으로 최근 3년 동안 화재 발생 사실이 없을 것
④ 자체계획을 수립하여 종업원의 소방교육 또는 소방훈련을 정기적으로 실시하고 공표일 기준으로 최근 3년 동안 그 기록을 보관하고 있을 것

※ 안전관리우수업소의 요건
1. 공표일 기준으로 최근 3년 동안 위반행위가 없을 것
2. 공표일 기준으로 최근 3년 동안 소방 · 건축 · **전기** 및 가스 관련 법령 위반 사실이 없을 것
3. 공표일 기준으로 최근 3년 동안 화재 발생 사실이 없을 것
4. 자체계획을 수립하여 종업원의 소방교육 또는 소방훈련을 정기적으로 실시하고 공표일 기준으로 최근 3년 동안 그 기록을 보관하고 있을 것

 46 ④ 47 ③ 48 ②

49 다중이용업소 안전관리우수업소의 공표절차 등으로 옳지 않은 것은?

① 소방본부장이나 소방서장은 안전관리우수업소를 인정하여 공표하려면 매체에 안전관리우수업소 인정 예정공고를 해야 한다.
② 안전관리우수업소 인정 예정공고의 내용에 이의가 있는 사람은 안전관리우수업소 인정 예정공고일 부터 20일 이내에 소방본부장이나 소방서장에게 전자우편이나 서면으로 이의신청을 할 수 있다.
③ 소방본부장이나 소방서장은 이의신청이 있으면 이에 대하여 조사·검토한 후, 그 결과를 이의신청을 한 당사자와 해당 다중이용업주에게 알려야 한다.
④ 소방본부장이나 소방서장은 안전관리우수업소를 인정하여 공표하려는 경우에는 공표일부터 1년의 범위에서 안전관리우수 업소표지 사용기간을 정하여 공표해야 한다.

해설
소방본부장이나 소방서장은 안전관리우수업소를 인정하여 공표하려는 경우에는 공표일부터 2년의 범위에서 안전관리우수업소표지 사용기간을 정하여 공표해야 한다.

50 다중이용업소 안전관리에 관한 특별법의 고유식별정보의 처리의 내용으로 옳지 않은 것은?

① 소방청장, 소방본부장 또는 소방서장은 화재배상책임보험 가입 촉진 및 관리에 관한 사무를 수행하기 위하여 불가피한 경우 주민등록번호 또는 외국인등록번호가 포함된 자료를 처리할 수 있다.
② 허가관청은 다중이용업주의 성명 및 주소 등을 소방본부장 또는 소방서장에게 통보하기 위하여 불가피한 경우 주민등록 번호 또는 외국인등록번호가 포함된 자료를 처리할 수 있다.
③ 보험회사는 화재배상책임보험 계약 체결 사항 등을 소방청장, 소방본부장 또는 소방서장에게 알리기 위하여 불가피 한 경우 주민등록번호 또는 외국인등록번호가 포함된 자료를 처리할 수 있다.
④ 허가관청, 보험회사 등은 소방청장으로부터 요청받은 자료 또는 정보를 제공하기 위하여 불가피한 경우 주민등록번호 또는 외국인등록번호가 포함된 자료를 처리할 수 있다. 단, 보험 관련 단체는 보안상 그러하지 아니하다.

해설
허가관청, 보험회사 또는 보험 관련 단체는 소방청장으로부터 요청받은 자료 또는 정보를 제공하기 위하여 불가피한 경우 주민등록번호 또는 외국인등록번호가 포함된 자료를 처리할 수 있다.

정답 49 ④ 50 ④

51 다중이용업소의 안전관리에 관한 정책 수립, 연구 · 조사 등에 활용하기 위한 전산시스템과 관련한 내용 중 틀린 것은?

① 소방청장은 허가 등 또는 그 변경 사항과 관련 통계 등 업무 수행에 필요한 행정정보를 다중이용업소의 안전관리에 관한 정책 수립, 연구 · 조사 등에 활용하기 위하여 전산시스템을 구축 · 운영하여야 한다.

② 소방청장은 화재배상책임보험에 가입하지 아니한 다중이용업주를 효율적으로 관리하기 위해 다중이용업소 안전관리에 필요한 전산시스템과 보험회사 및 보험 관련 단체가 관리 · 운영하는 전산시스템을 연계하여 책임보험전산망을 구축 · 운영할 수 있다.

③ 소방청장은 다중이용업소 안전관리에 필요한 전산시스템 및 책임보험전산망의 구축 · 운영을 위하여 허가관청, 보험회사 및 보험 관련 단체에 필요한 자료 또는 정보의 제공을 요청할 수 있다.

④ 소방청장은 허가관청이 다중이용업소 안전관리에 필요한 전산시스템 및 책임보험전산망을 다중이용업소의 안전관리에 관한 업무에 활용 할 수 있도록 하여야 한다.

해설

소방청장은 허가관청이 다중이용업소 안전관리에 필요한 전산시스템을 다중이용업소의 안전관리에 관한 업무에 활용할 수 있도록 하여야 한다. 다만, 책임보험전산망에 대하여는 그러하지 아니하다.

52 다중이용업소에 해당되는 학원의 면적(m^2)은 얼마 이상인가?

① 100 m^2　② 190 m^2　③ 300 m^2　④ 570 m^2

학원은 300인 이상시 다중이용업소에 해당되며 수용인원 산정시 면적을 1.9 m^2으로 나눠야 하므로 $300 \times 1.9 = 570\ m^2$ 이 된다.

정답 51 ④ 52 ④

저자 프로필

저자 김 흥 준 소방기술사 / 소방시설관리사
강경원 소방학원 소방시설관리사 1차 강사
서울 소방학교 소방전기실기 외래강사 등
(현)방재시험연구원 외래교수
(전)한국소방안전원 외래교수

소방시설관리사 1차(상권)

定價 57,000원(전2권)

저 자 김 흥 준
발행인 이 종 권

2014年 1月 27日 초 판 발 행
2015年 1月 5日 2차개정발행
2016年 1月 6日 3차개정발행
2017年 1月 9日 4차개정발행
2018年 1月 9日 5차개정발행
2018年 10月 22日 6차개정발행
2019年 9月 30日 7차개정발행
2020年 10月 30日 8차개정발행
2021年 11月 3日 9차개정발행

發行處 (주)한솔아카데미

(우)06775 서울시 서초구 마방로10길 25 트윈타워 A동 2002호
TEL : (02)575-6144/5 FAX : (02)529-1130
〈1998. 2. 19 登錄 第16-1608號〉

※ 본 교재의 내용 중에서 오타, 오류 등은 발견되는 대로 한솔아카데미 인터넷 홈페이지를 통해 공지하여 드리며 보다 완벽한 교재를 위해 끊임없이 최선의 노력을 다하겠습니다.

※ 파본은 구입하신 서점에서 교환해 드립니다.

www.kkw119.com / www.bestbook.co.kr

ISBN 979-11-6654-111-7 14540
ISBN 979-11-6654-110-0 (세트)